Key to map p

● Tableau d'assem
● Kaartindeling ● I

C000229522

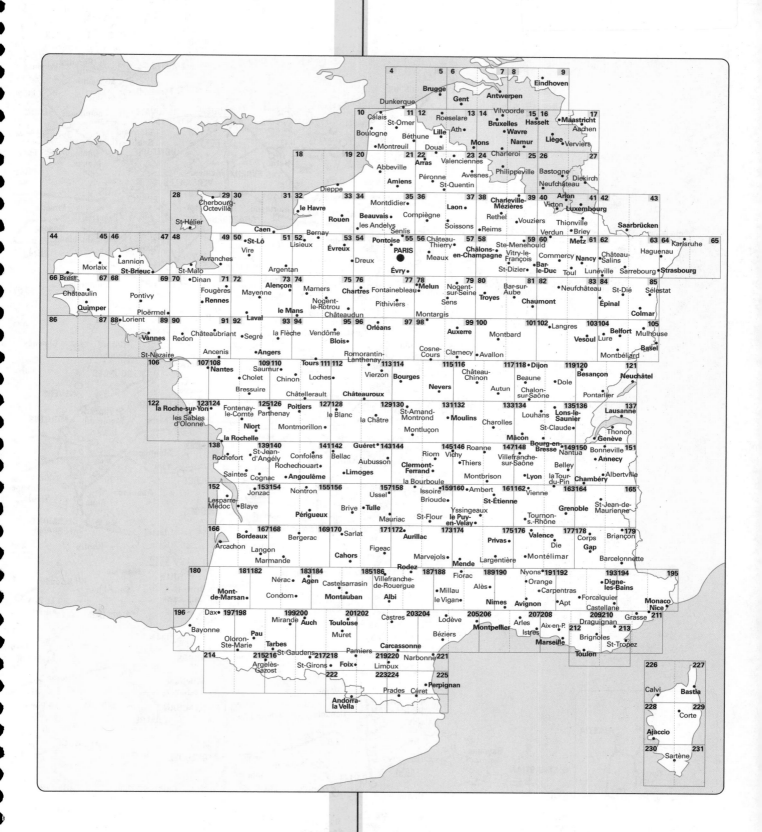

Blay Foldex Cartes - Plans - Guides
40 - 48, rue des Meuniers
93108 MONTREUIL CEDEX (FRANCE)
Tél.: 33 (0)1 49 88 92 10 - Fax : 33 (0)1 49 88 92 09
info@blayfoldex.com

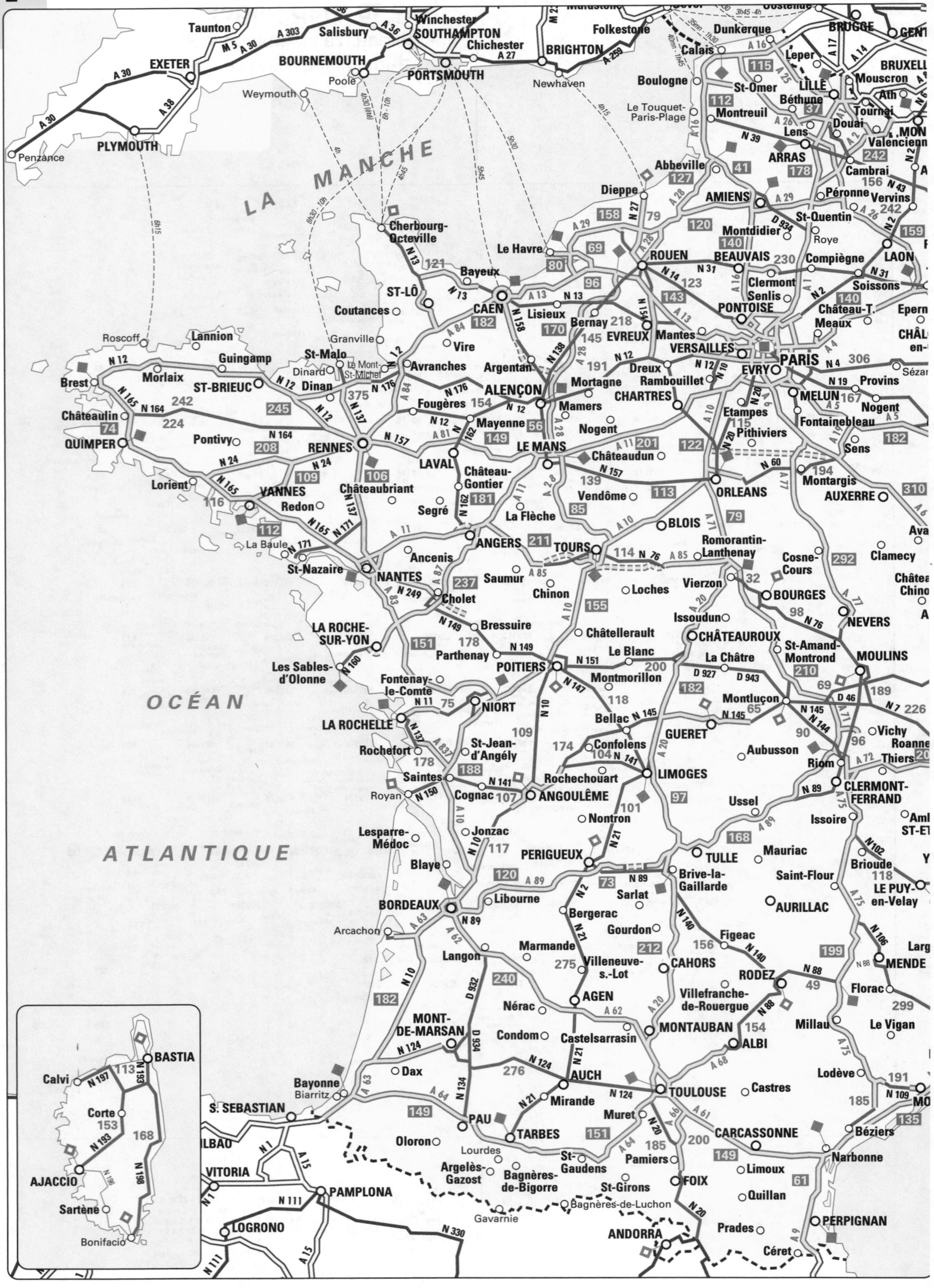

LA MANCHE

OCÉAN ATLANTIQUE

Taunton — Salisbury — Winchester — SOUTHAMPTON — Chichester — BRIGHTON — Folkestone — Dunkerque — BRUGGE — GENT
M 5 — A 303 — A 36 — A 27 — A 259 — Calais — A 16 — Leper — 115 — BRUXELL — Mouscron
EXETER — BOURNEMOUTH — Poole — PORTSMOUTH — Newhaven — Boulogne — St-Omer — A 25 — LILLE — Ath — Tournai — 37
A 30 — A 38 — Weymouth — Le Touquet-Paris-Plage — Montreuil — 112 — Béthune — Douai — 242 — MON Valencienn
Penzance — PLYMOUTH — N 39 — Lens — ARRAS — Cambrai — 156 — N 43
Abbeville — 127 — 178 — Péronne — Vervins — 242
Dieppe — AMIENS — A 29 — St-Quentin — N 934 — 159
Cherbourg-Octeville — 158 — 79 — A 28 — 120 — Montdidier — Roye — LAON
121 — Le Havre — 69 — ROUEN — 140 — BEAUVAIS — 230 — Compiègne — 140
N 13 — Bayeux — 80 — N 14 — 123 — Clermont — Soissons — Epern
ST-LÔ — 96 — A 13 — N 13 — Senlis — N 2 — CHÂL en-
Coutances — CAEN — Lisieux — 143 — PONTOISE — Château-T. — Meaux
Granville — 182 — N 158 — Bernay — 218 — Mantes — VERSAILLES — PARIS — N 4 — 306 — Sézar
Roscoff — Lannion — Vire — 170 — 145 — EVREUX — 191 — Dreux — Rambouillet — EVRY — A 4 — Provins
N 12 — Guingamp — St-Malo — Avranches — Argentan — ALENÇON — Mortagne — CHARTRES — Etampes — N 19 — MELUN — 167 — Nogent
Brest — Morlaix — Dinard — Le Mont-St-Michel — N 176 — N 12 — Mamers — 115 — Fontainebleau — A 5 — 182
Châteaulin — ST-BRIEUC — Dinan — 375 — Fougères — 154 — Mayenne — 56 — Nogent — Pithiviers — Sens
74 — N 165 — N 164 — 242 — 245 — N 12 — 162 — 149 — LE MANS — 201 — 122 — A 10 — N 60
QUIMPER — 224 — Pontivy — RENNES — N 157 — A 81 — 139 — Châteaudun — ORLEANS — Montargis — 194 — AUXERRE — 310
N 24 — 208 — 106 — LAVAL — Château-Gontier — N 157 — Vendôme — 113 — BLOIS — 79 — A 77 — A 6
Lorient — N 165 — 109 — Châteaubriant — 181 — Segré — 85 — 211 — TOURS — 114 — N 76 — Romorantin-Lanthenay — Cosne-Cours — Clamecy — Chât — Chino
VANNES — N 137 — N 162 — La Flèche — ANGERS — A 85 — Vierzon — 32 — 292 — Ava
116 — Redon — 112 — N 171 — 237 — Saumur — Chinon — A 10 — BOURGES — 98 — NEVERS — A 6
La Baule — Ancenis — Cholet — A 85 — Loches — 155 — Issoudun — N 76 — A 77
St-Nazaire — NANTES — N 249 — N 149 — Bressuire — Châtellerault — CHÂTEAUROUX — St-Amand-Montrond — MOULINS
LA ROCHE-SUR-YON — 151 — 178 — Parthenay — 149 — Le Blanc — 200 — La Châtre — 210 — 69 — 189
Les Sables-d'Olonne — N 160 — Fontenay-le-Comte — POITIERS — N 147 — Montmorillon — 118 — 182 — Montluçon — D 46 — N 7 — 226
N 11 — 75 — NIORT — N 10 — Bellac — N 145 — 65 — N 145 — A 71
LA ROCHELLE — N 137 — St-Jean-d'Angély — 109 — Confolens — GUERET — 90 — N 144 — Vichy — Roanne — 20
Rochefort — A 837 — 174 — 104 — N 141 — Aubusson — Riom — A 72 — Thiers
178 — Saintes — 188 — Rochechouart — LIMOGES — Ussel — CLERMONT-FERRAND — Aml ST-ET
Royan — N 150 — N 141 — Cognac — 107 — ANGOULÊME — 101 — 97 — Issoire
Lesparre-Médoc — Jonzac — Nontron — N 89 — A 89 — A 75
Blaye — N 10 — 117 — PERIGUEUX — TULLE — Mauriac — Brioude — Y
BORDEAUX — 120 — A 89 — 73 — N 89 — Brive-la-Gaillarde — Saint-Flour — 118 — LE PUY-en-Velay
Arcachon — A 63 — A 62 — Libourne — N 2 — Sarlat — 140 — AURILLAC — A 75 — N 106 — Larg
N 89 — Bergerac — Gourdon — Figeac — 156 — N 140 — 199 — MENDE
Langon — Marmande — 212 — N 88 — N 88
N 10 — D 932 — 240 — 275 — Villeneuve-s.-Lot — CAHORS — RODEZ — 49 — Florac
182 — Nérac — AGEN — A 20 — Villefranche-de-Rouergue — N 88 — 299
MONT-DE-MARSAN — D 124 — Condom — Castelsarrasin — MONTAUBAN — 154 — Millau — Le Vigan
Bayonne — A 63 — N 124 — Dax — N 124 — ALBI — Lodève — 191
Biarritz — D 934 — 276 — AUCH — N 124 — TOULOUSE — Castres — N 109 — MO
S. SEBASTIAN — Mirande — Muret — A 61 — 185
PAU — 149 — N 134 — N 21 — 151 — 200 — CARCASSONNE — Béziers — 135
Oloron — TARBES — St-Gaudens — A 64 — 185 — 149 — Narbonne
Lourdes — Pamiers — Limoux
Argelès-Gazost — Bagnères-de-Bigorre — St-Girons — FOIX — 61 — Quillan
Gavarnie — Bagnères-de-Luchon — N 20 — Prades — PERPIGNAN
ANDORRA — A 9 — Céret

BASTIA — Calvi — N 197 — 113 — Corte — 153 — 168 — N 199 — AJACCIO — Sartène — Bonifacio
ILBAO — VITORIA — PAMPLONA — LOGRONO — N 111 — N 330 — A 15

MER MÉDITERRANÉE

PHILIP'S

France
Belgium Luxembourg
ROAD ATLAS

Contents

Legend

First published 2002
under the title BLAYFOLDEX ATLAS FRANCE
BELGIQUE LUXEMBOURG 2002
by Blay Foldex SA
Copyright © Blay-Foldex S.A.

To the best of the Publisher's knowledge, the
information in this atlas was correct at the
time of going to press. No responsibility can be
accepted for any errors or their consequences.

Printed in Italy

Philip's
a division of Octopus Publishing Group Ltd
2–4 Heron Quays
London E14 4JP

Fourth edition 2005
First impression 2005
www.philips-maps.co.uk

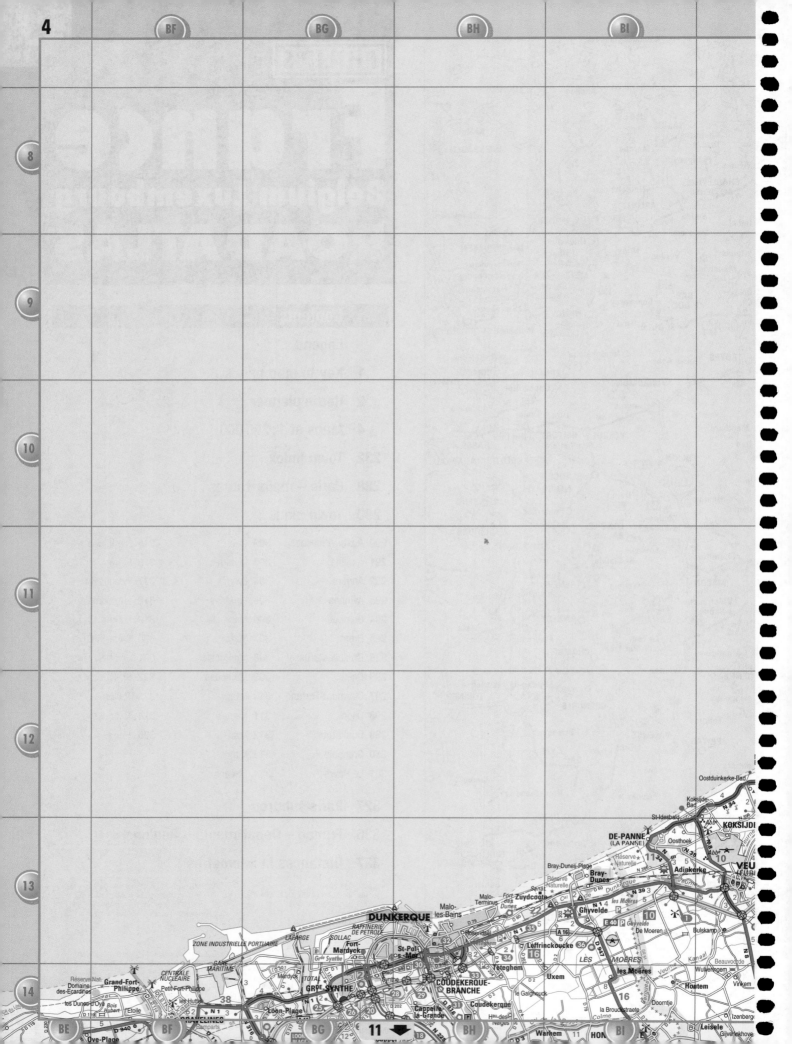

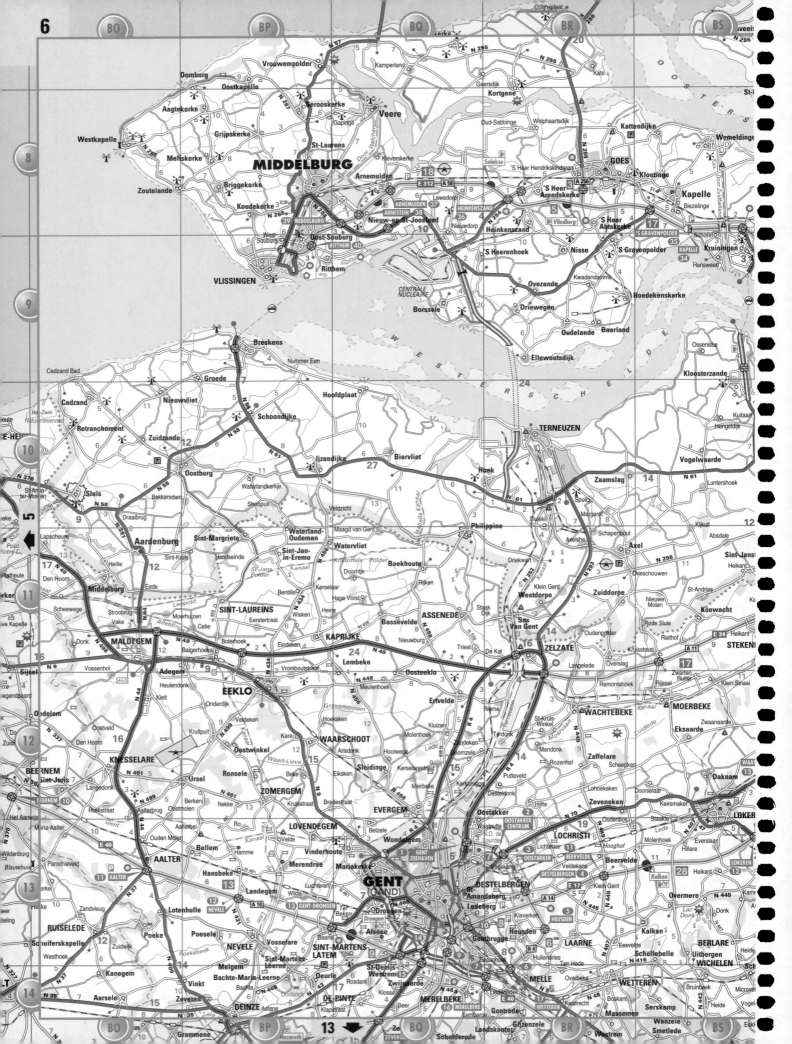

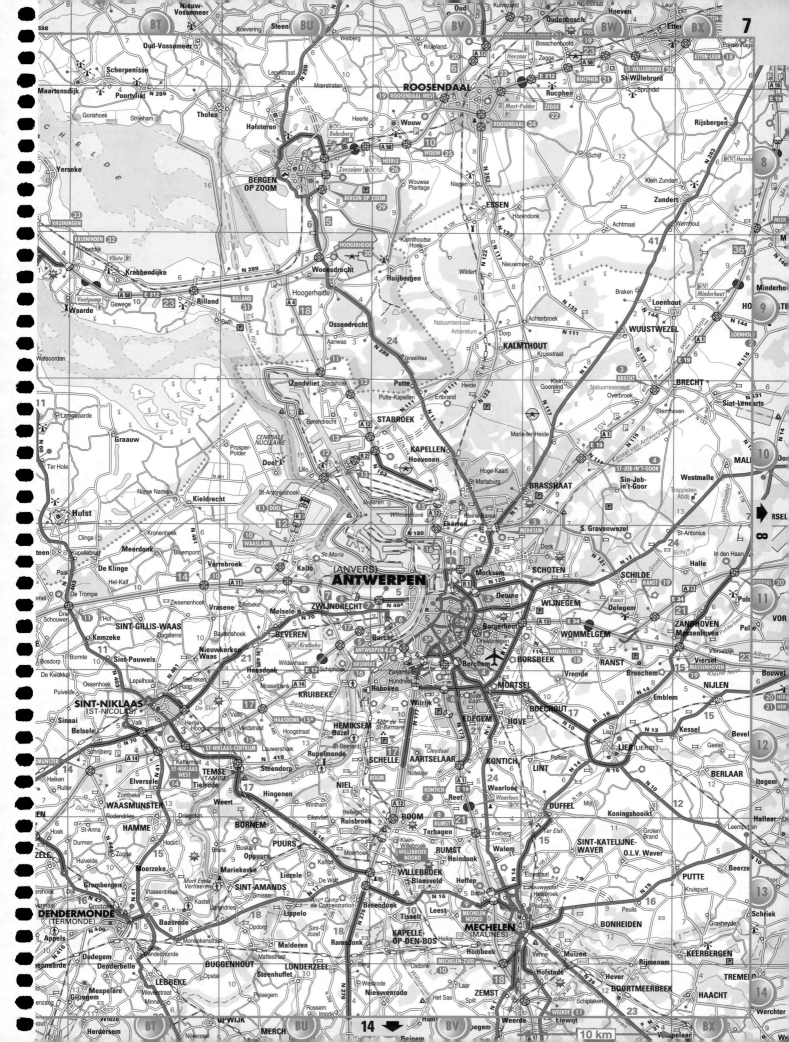

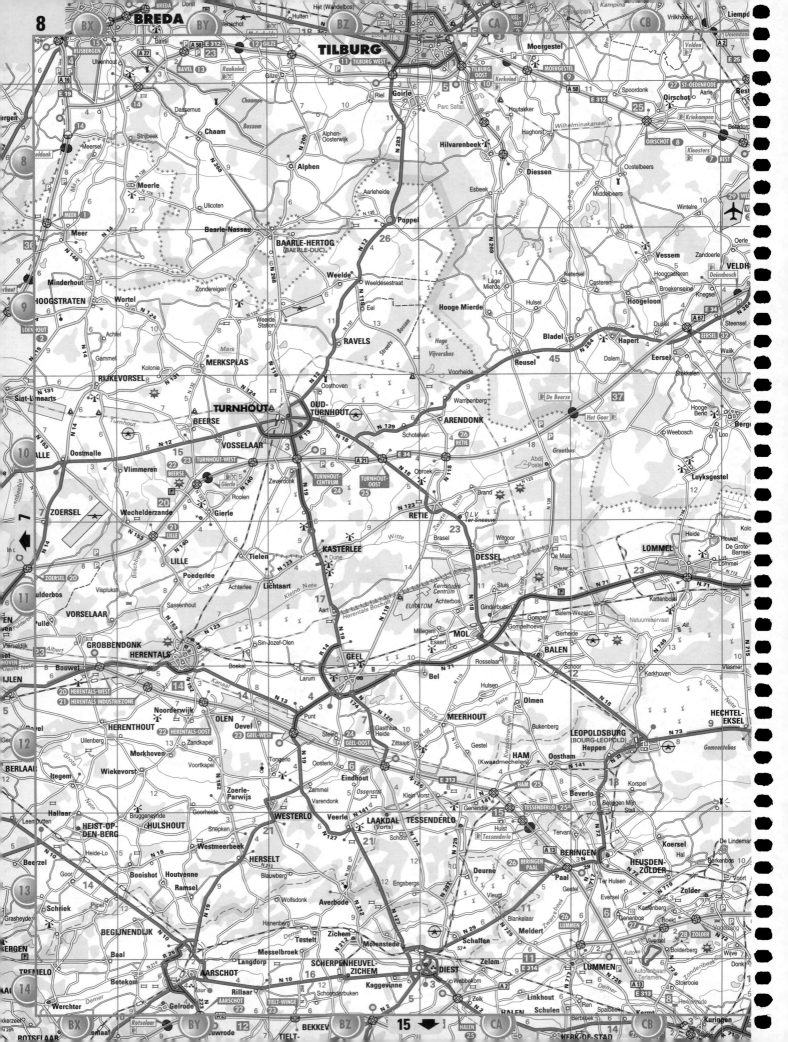

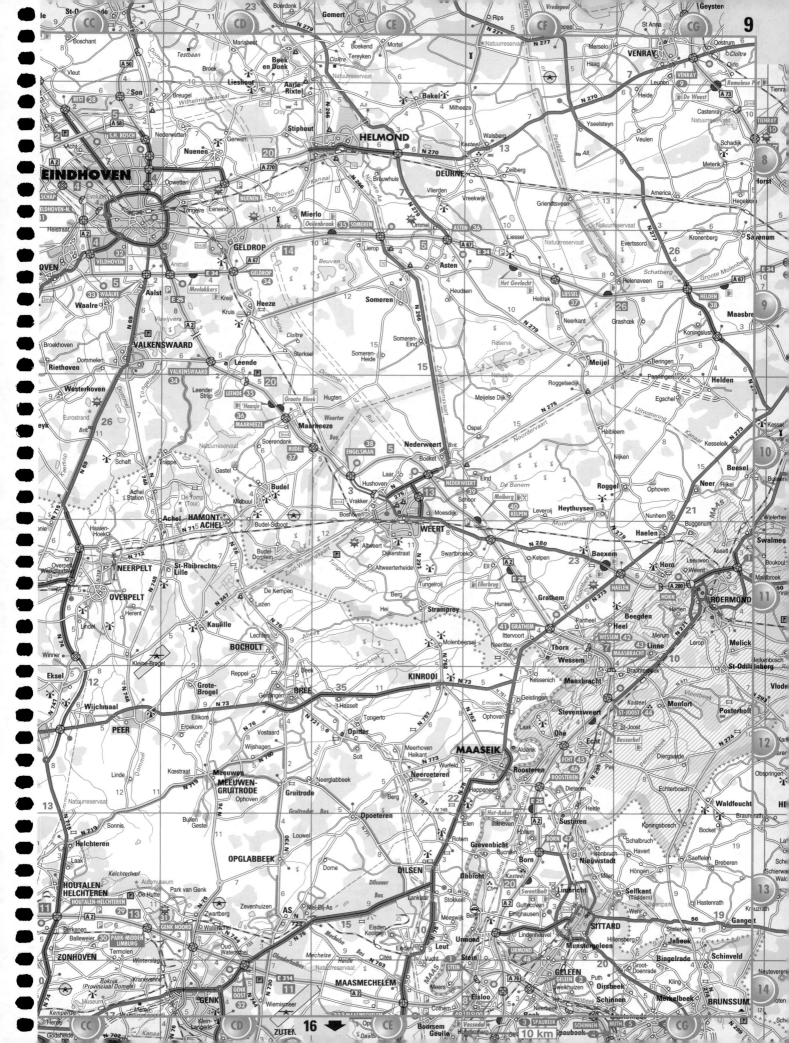

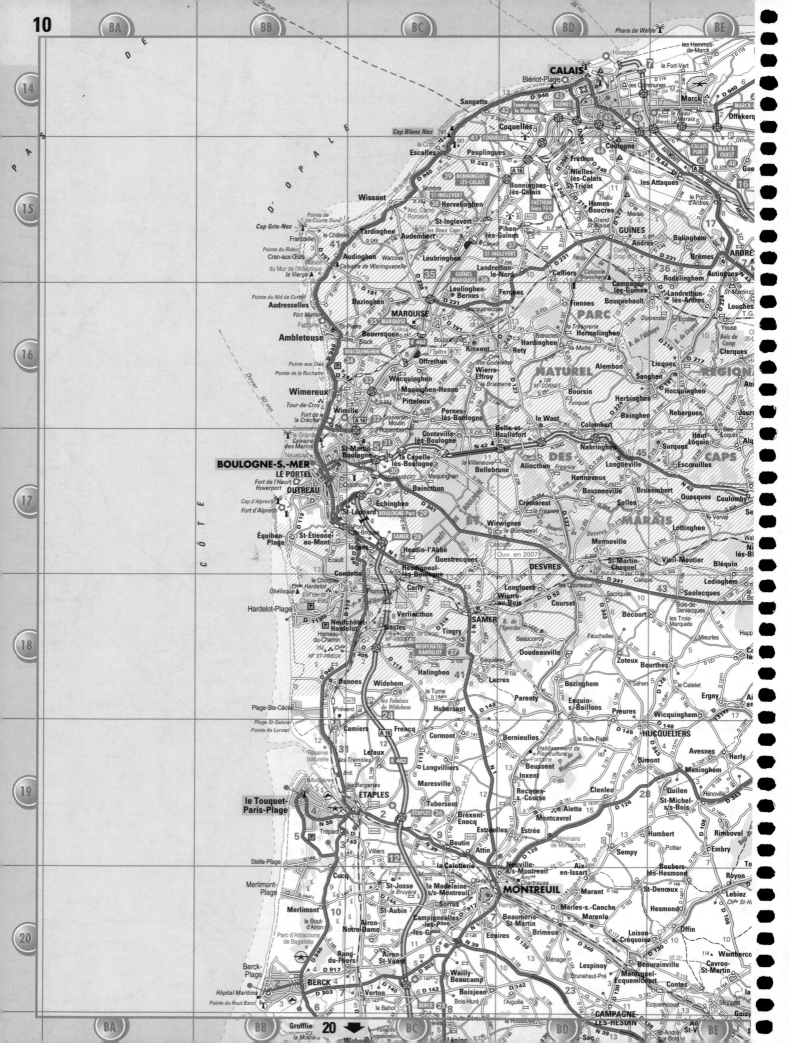

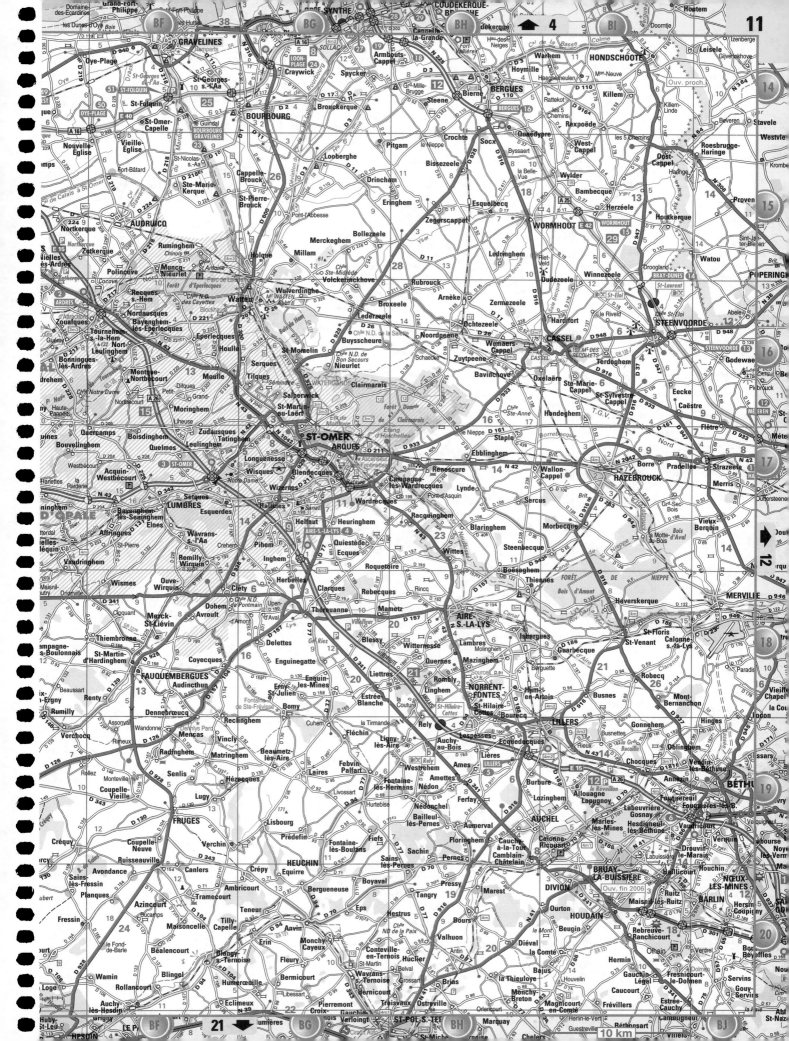

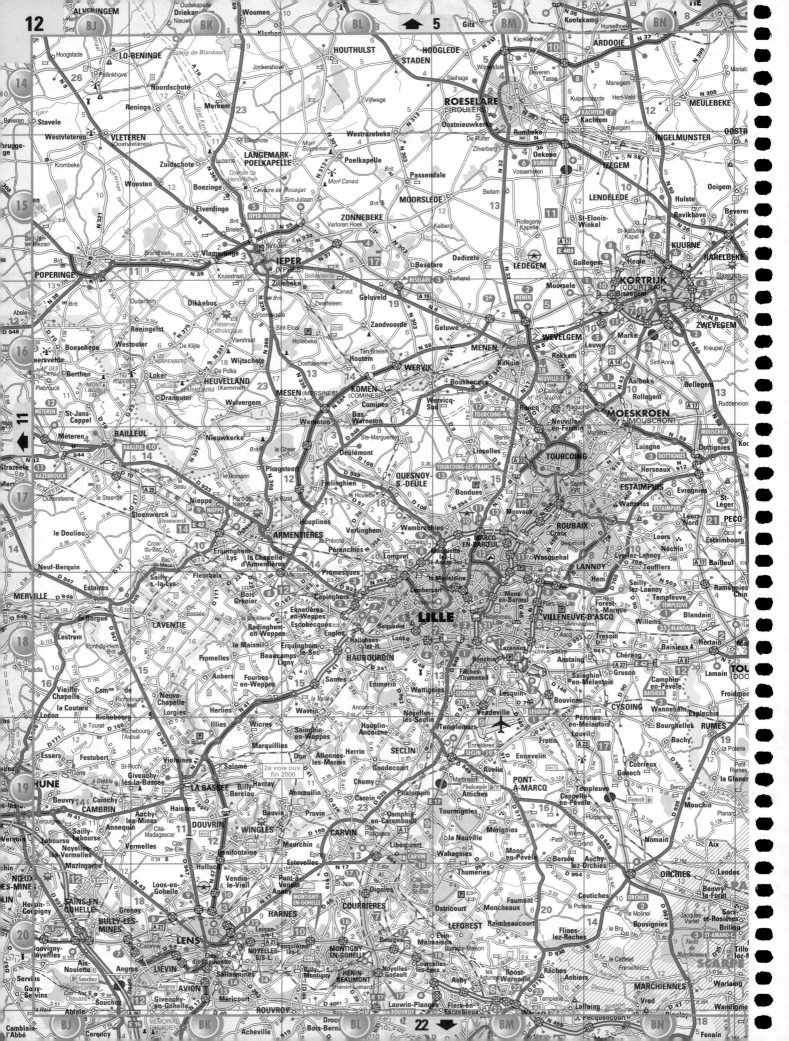

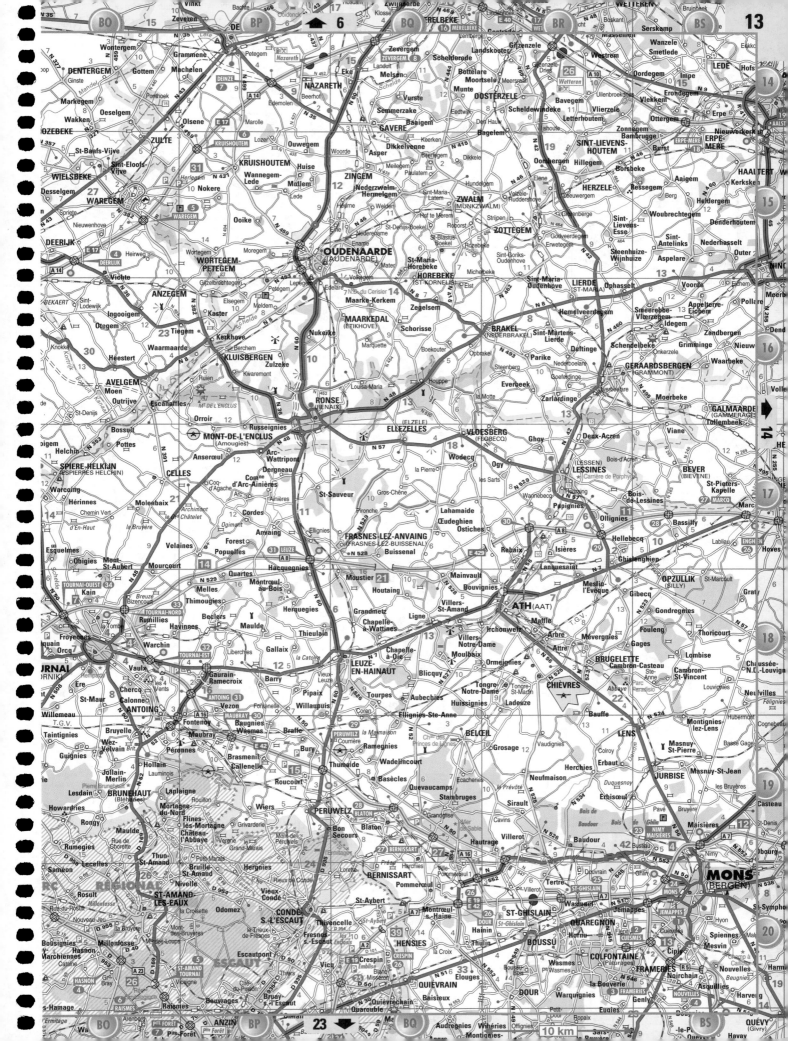

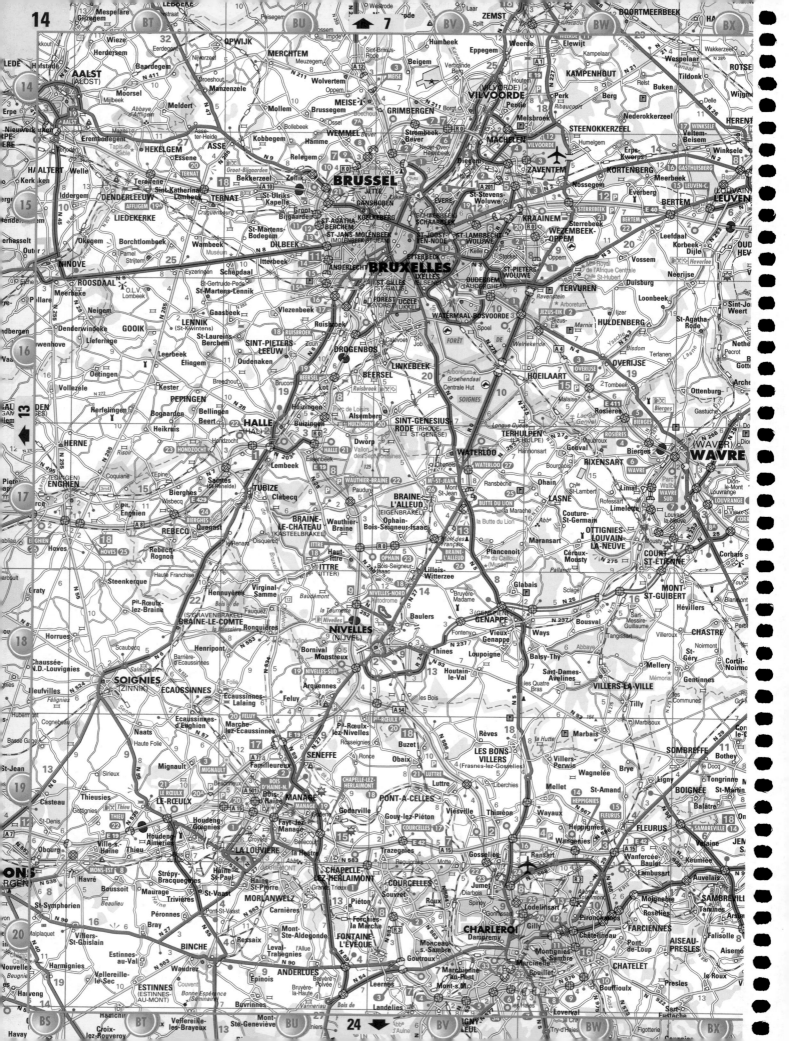

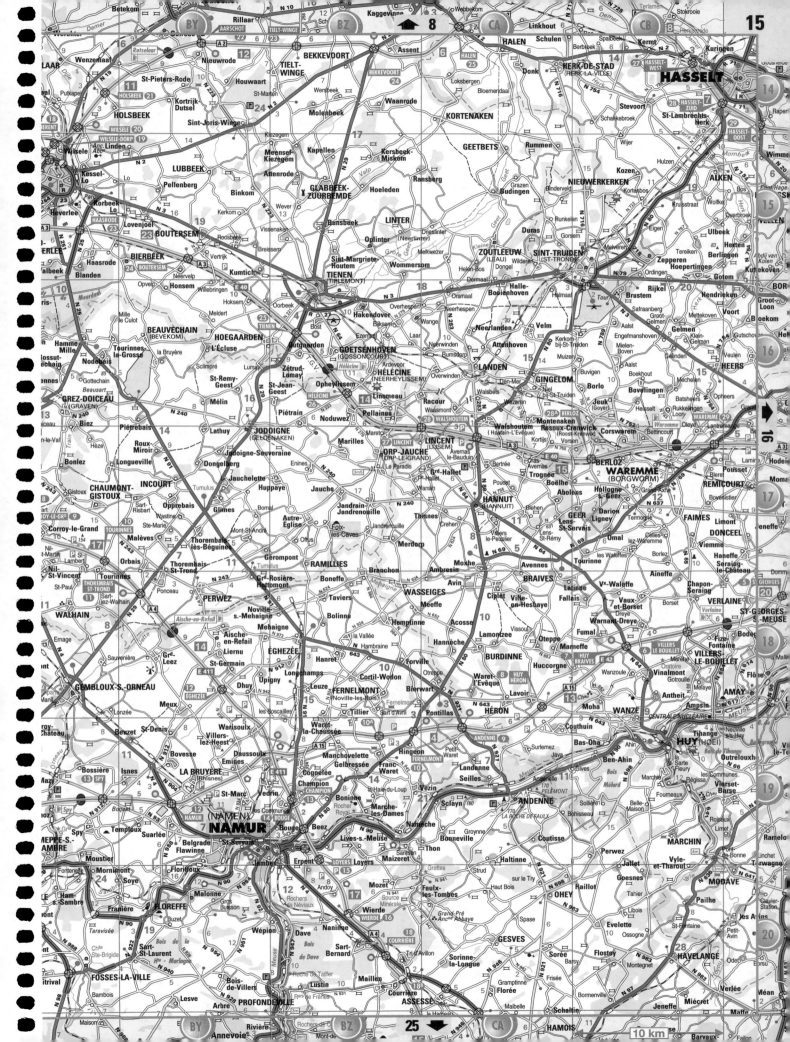

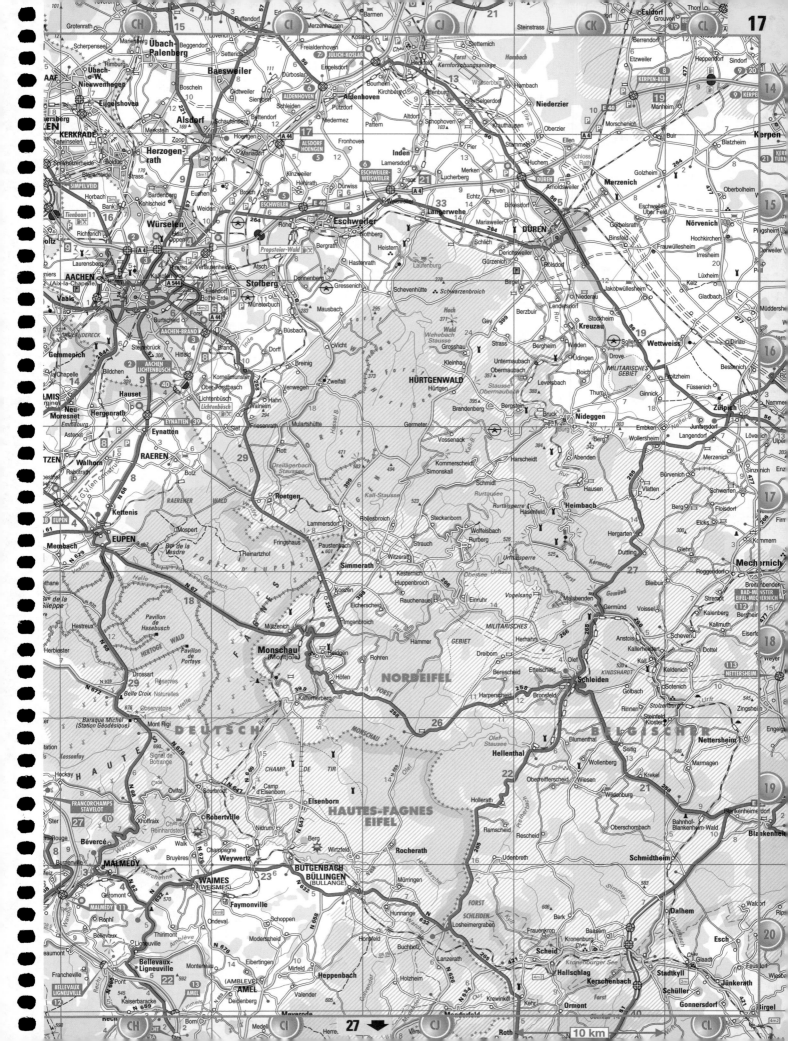

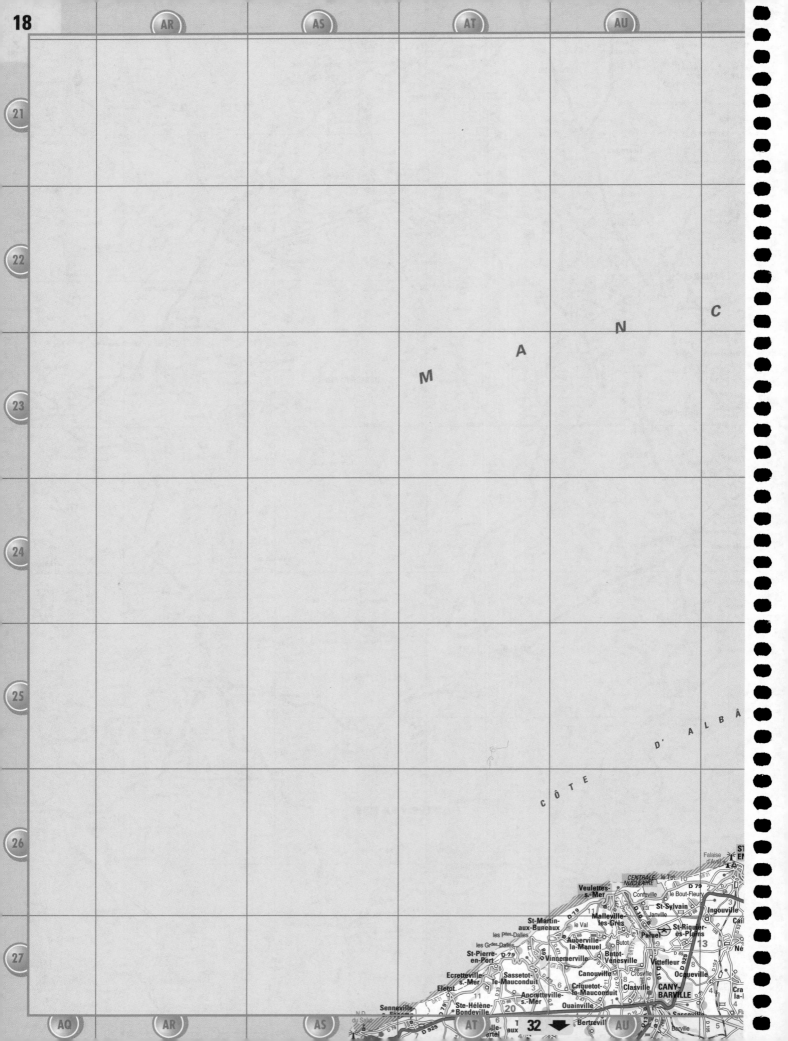

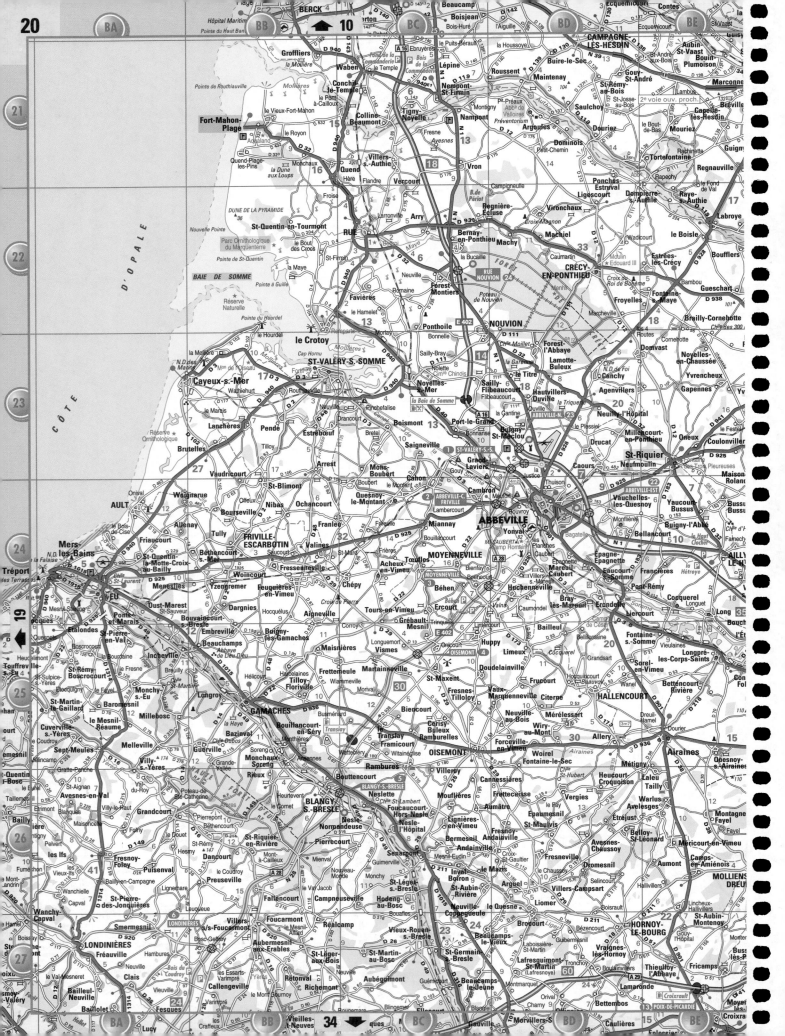

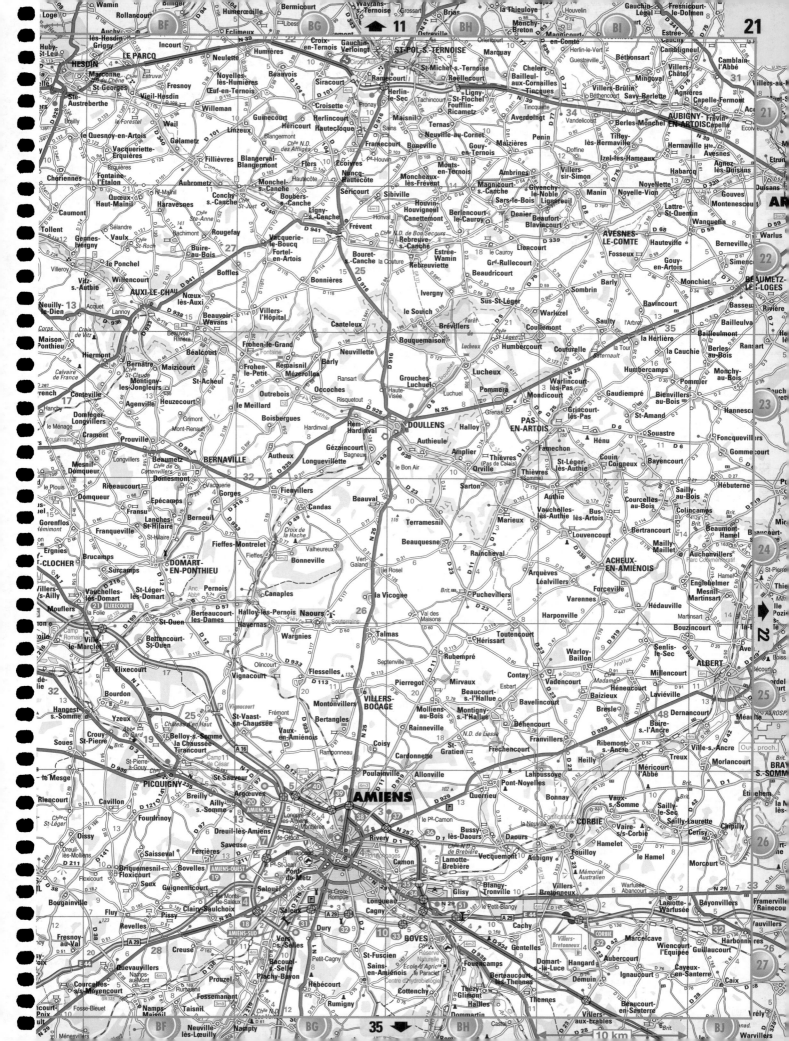

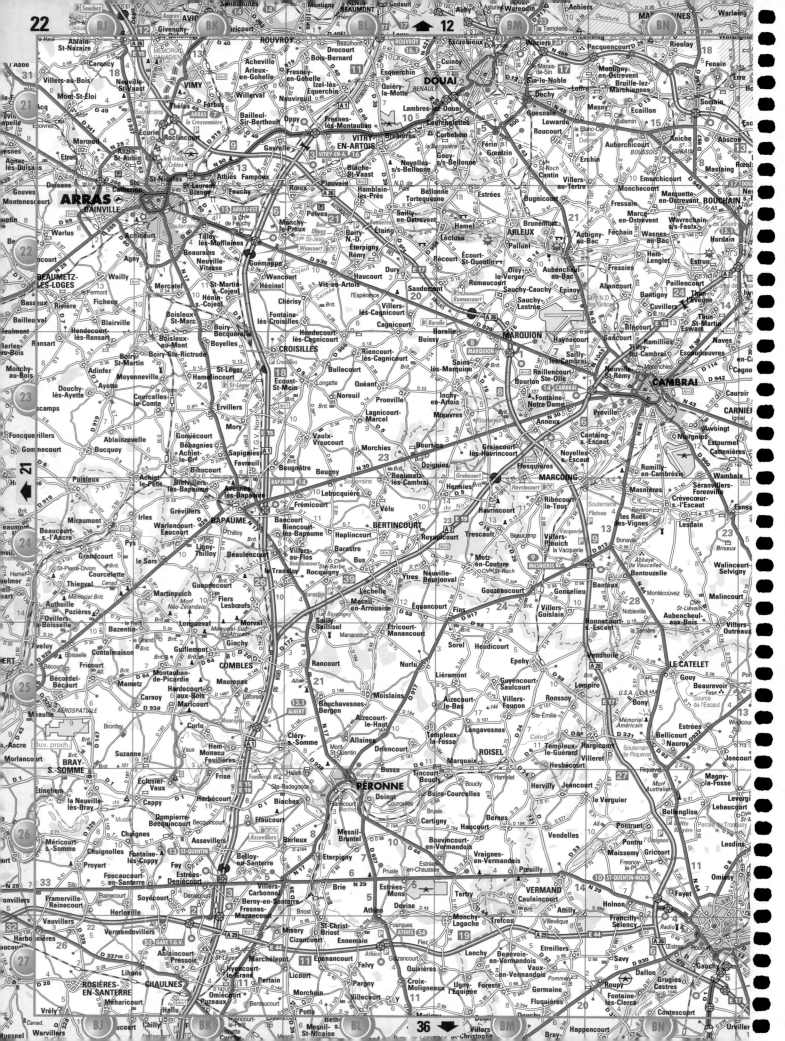

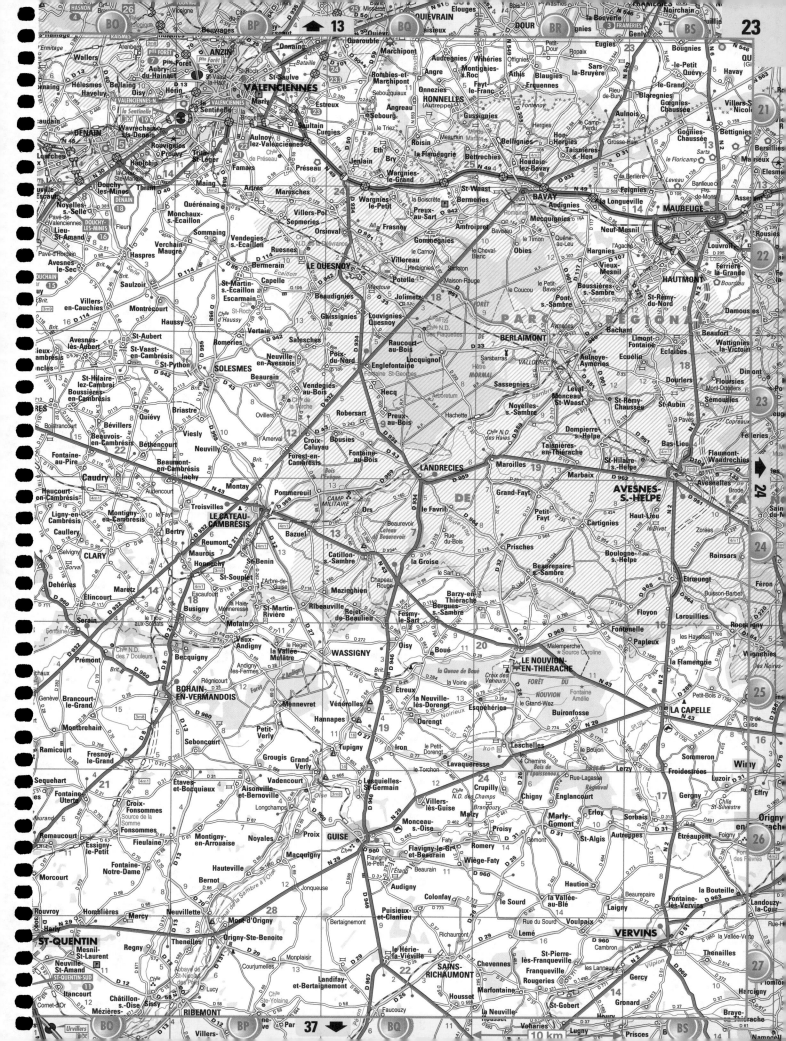

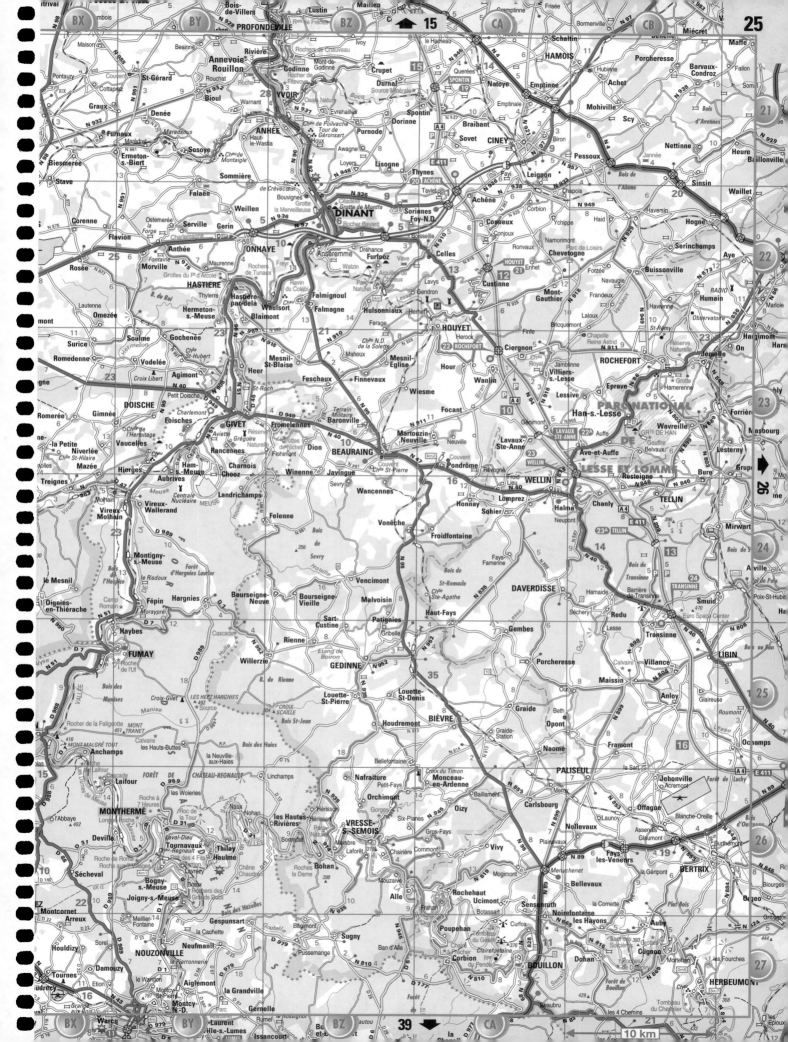

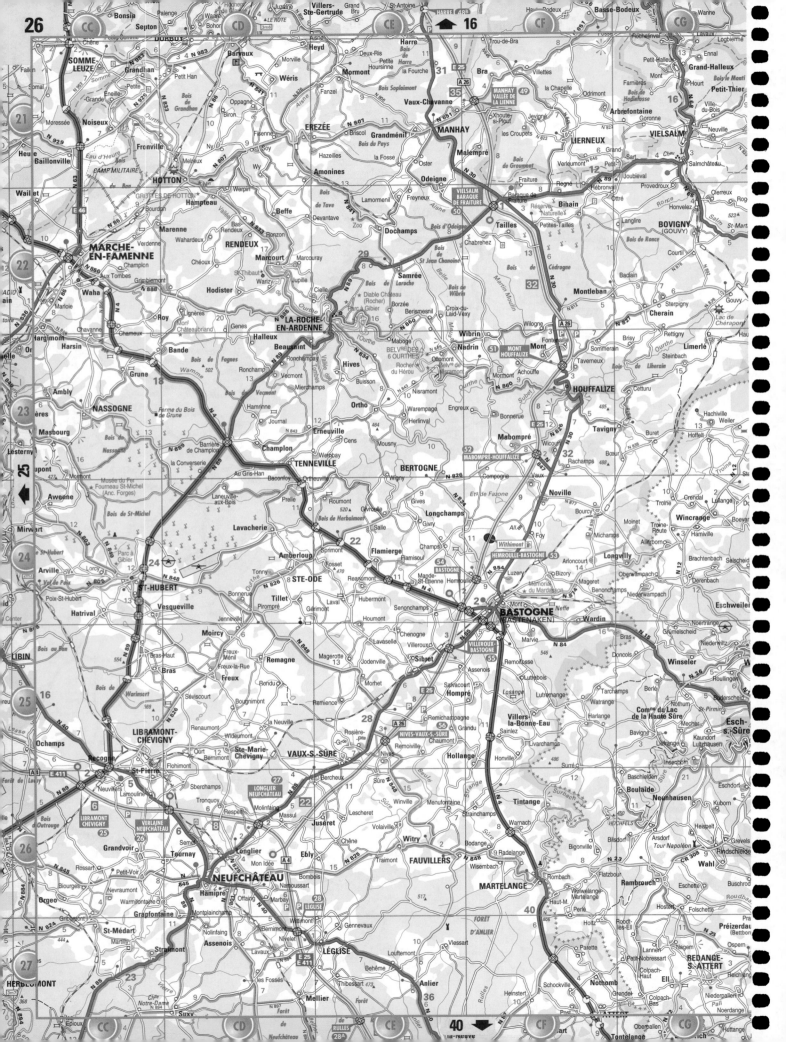

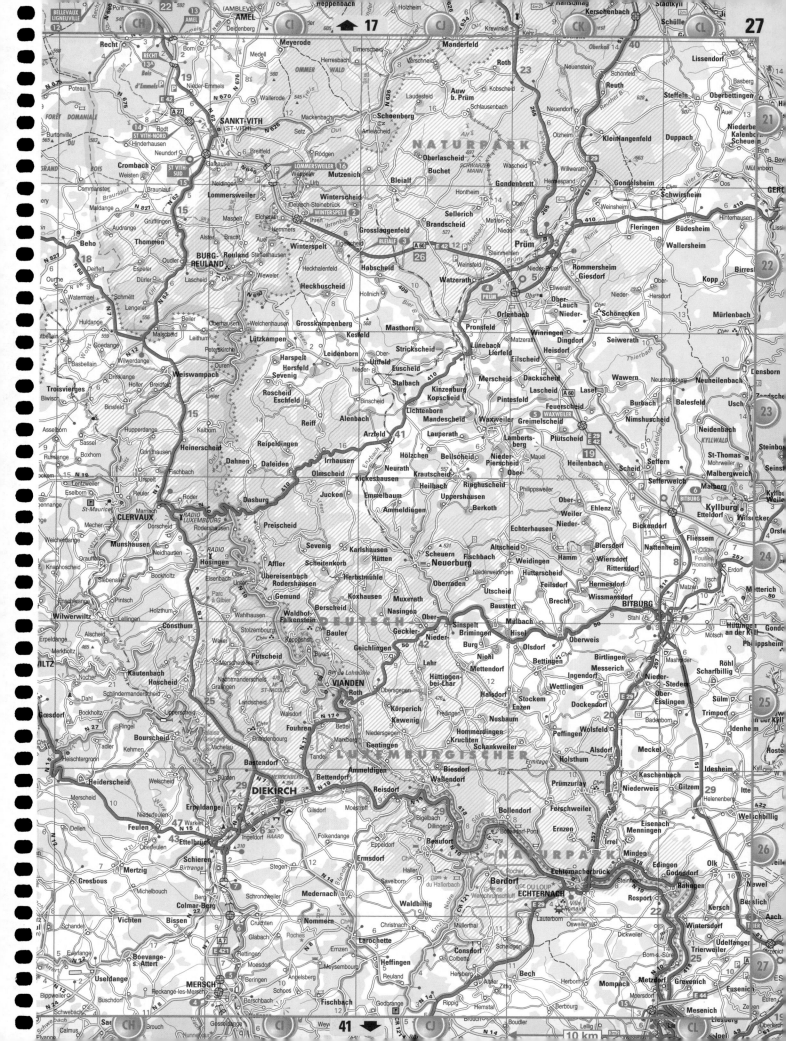

Braye
Bay
Braye
Clonque Bay
Longis Bay
Cap de la Hague
Sémaphore
St-Germain
des-Vaux
D 45
Goury
St-Anne
Telegraph Bay
Auderville
Omonville
la-Petite
ILE DE ALDERNEY
(Royaume Uni)
D 901

Baie d'Ecalgrain

Maison
Joubourg
D 202
Usine A
de la H
Nez de Voidries
Dannery
4
Nez de Jobourg
Herqueville

Pierre Pou
(d

M
A
N
C
H
E

Anse

de

Vauville

Guernesey, Sark

ILE DE GUERNESEY
(Royaume Uni)
Jersey
Diélett
Falaises
de
CENTRALE
NUCLEAIRE
l'Ancresse
Doyle
Clos du Valle
Bordeaux
Ch du Valle
Cap de Flamanville
GR
VALE
Sémaphore
ST-SAMPSON
Herm
Flamanville
Hou
les Marais
Belle Grève Bay
Anse
ST-PETER-PORT
de
Ch Cornet
Russel
Sciotot
Aquarium
ge
Port du Moulin
Great Sark
main Bay
la Collinette
St-Martin Point
Pilcher
Jerbourg Point
ILE DE SARK
Hog's Back
Grand
la Coupée
Port Gorey

PASSAGE

LES ECREHOU
Rocher Noir
la Vieille
Grande Galère
Les Burons
Grande
Rousse
Sablonnière
LES DIROUILLES
le Colombier
Maîtresse
Ile

Plémont Point
Grosnez Point
Portinfer
Sorel
Point
Ronez
Point
St-John
Bay
Belle
Hougue
Point
Grève de
Lecq
Petit
Etacquère
10
de la Falaise
St-John
Vicard Point
l'Etacq
Puits
Léoville
Hautes-Croix
Bouley
Bay
Nez du Guet
St-Ouen
Kempt
St-Mary
Carrefour
Selous
Trinity
Rozel
la Hague
Zoo
la Coupe Point
St-Peter
Becquet
St-
Martin
Quétivel
Augres
la Rocco
les
Quennevais
Duvel
St-Lawrence
Maufant
Five
Oaks
St-Catherine's
Bay
ILE DE JERSEY
Beaumont
Millbrook
(Royaume-Uni)
la Pulente
St-Brelade
Tumulus
Gorey
Corbière
Point
St-Aubin
St-Aubin Bay
St-Saviour
Longueville
Grouville
Mont-Orgueil
Corbière
St-Brelade
Bay
ST-HÉLIER
Royal Bay
of Grouville
Point
la Moye
Belcroute
Bay
Ville es Renauds
Alderney
Point
la Fret
Noirmont Point
Elisabeth
le Croc
St-Clement
la Roque
la Roque Point
St-Métro
St-Clement Bay
Banc Violet
des Arcoise

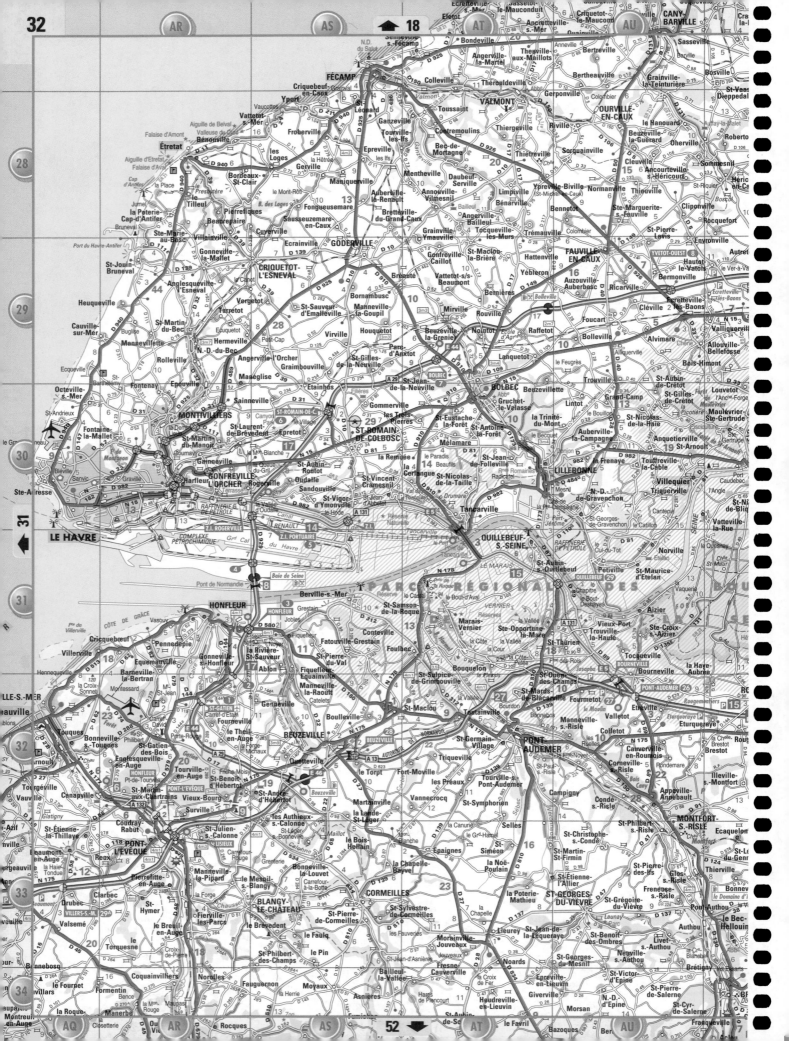

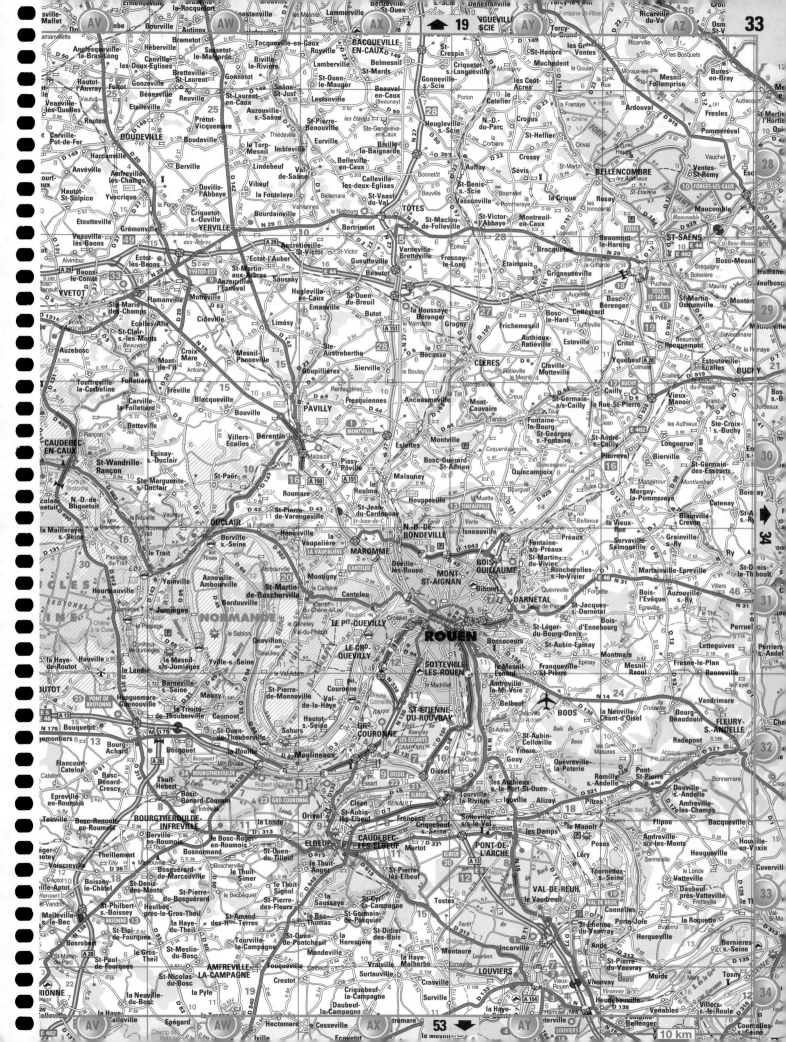

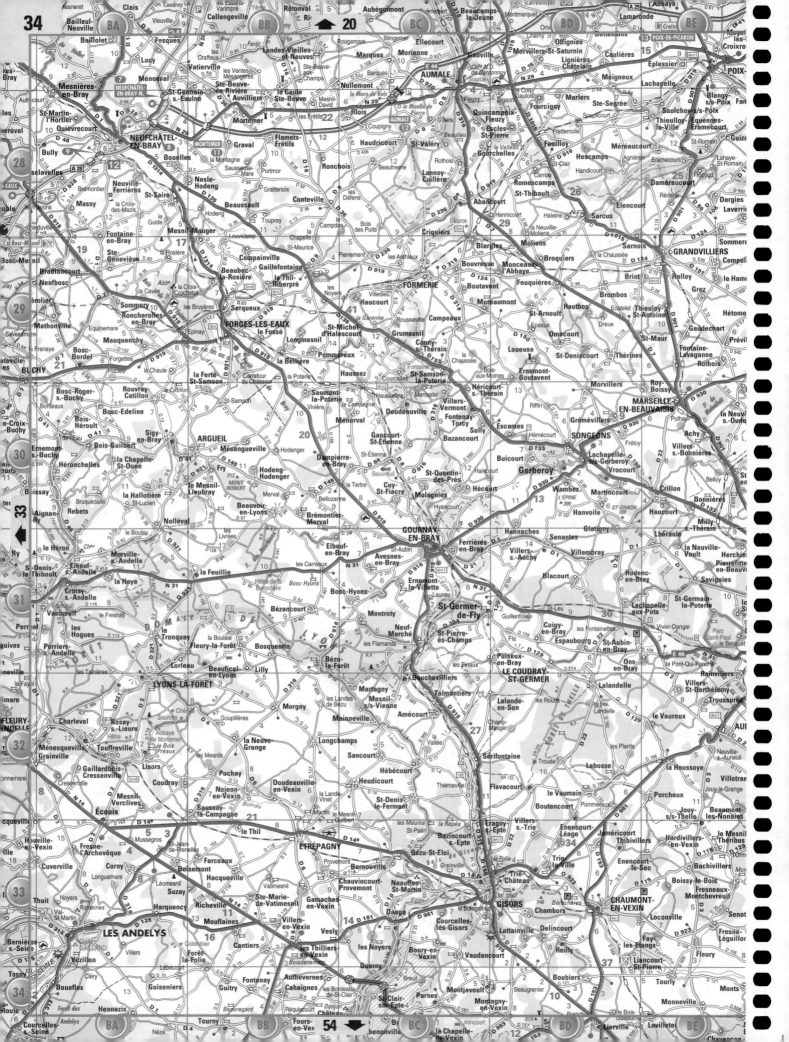

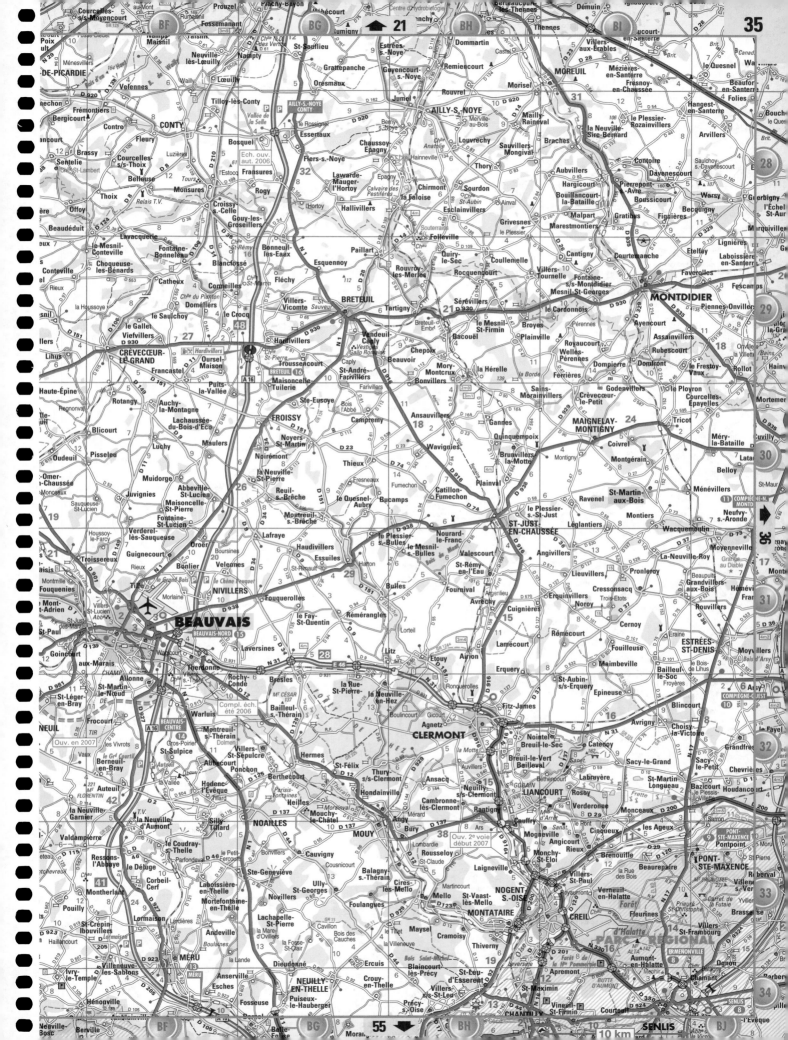

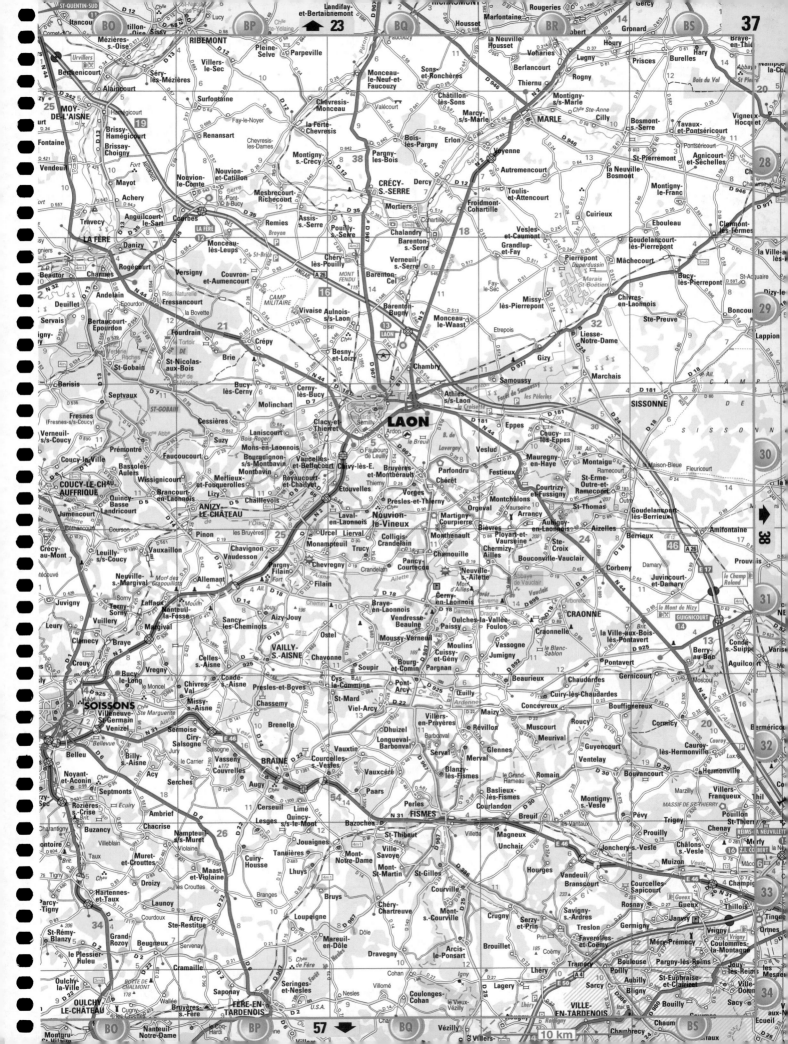

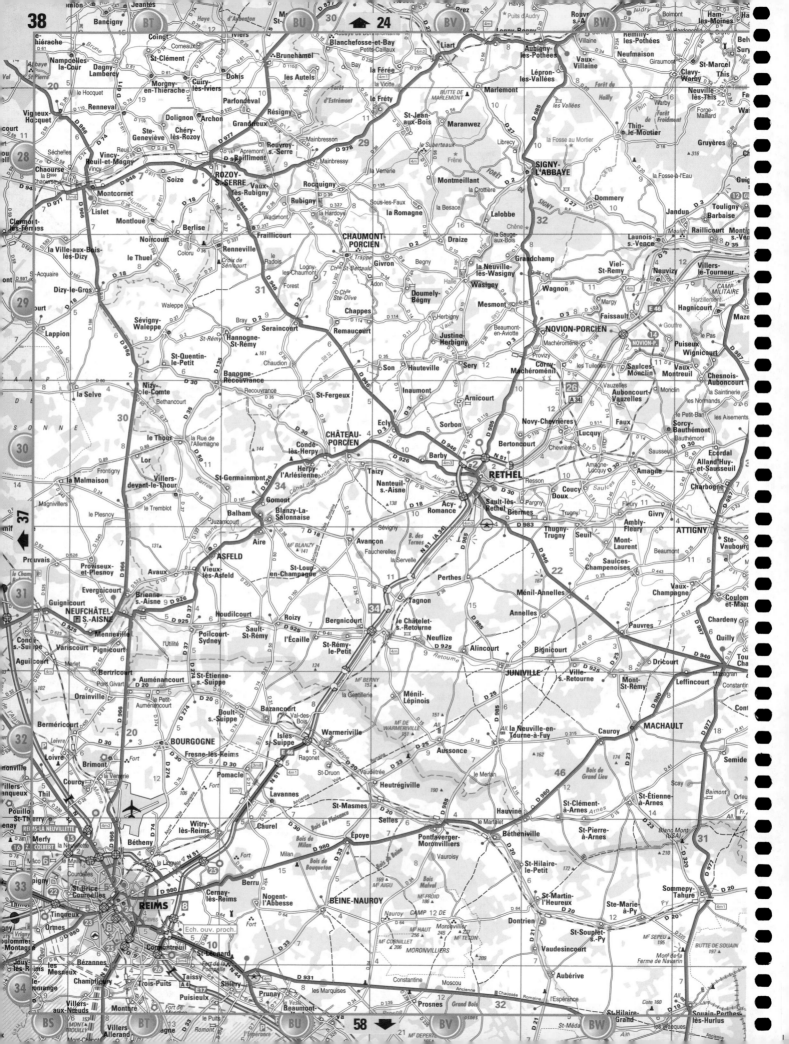

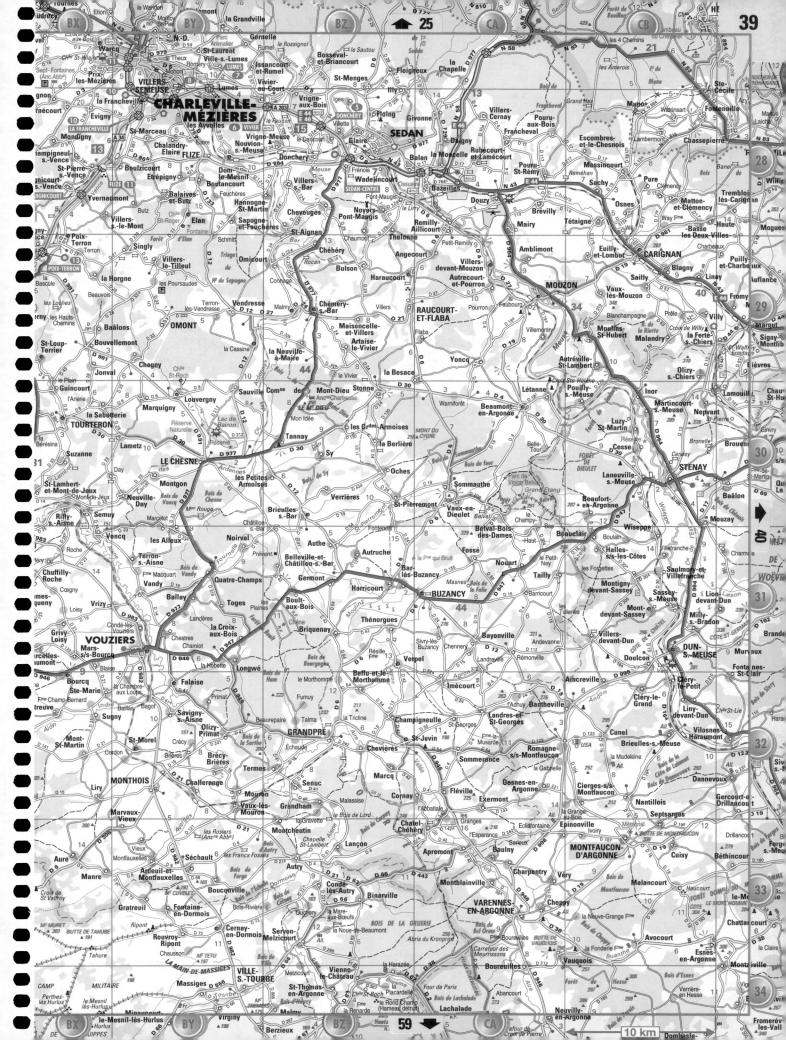

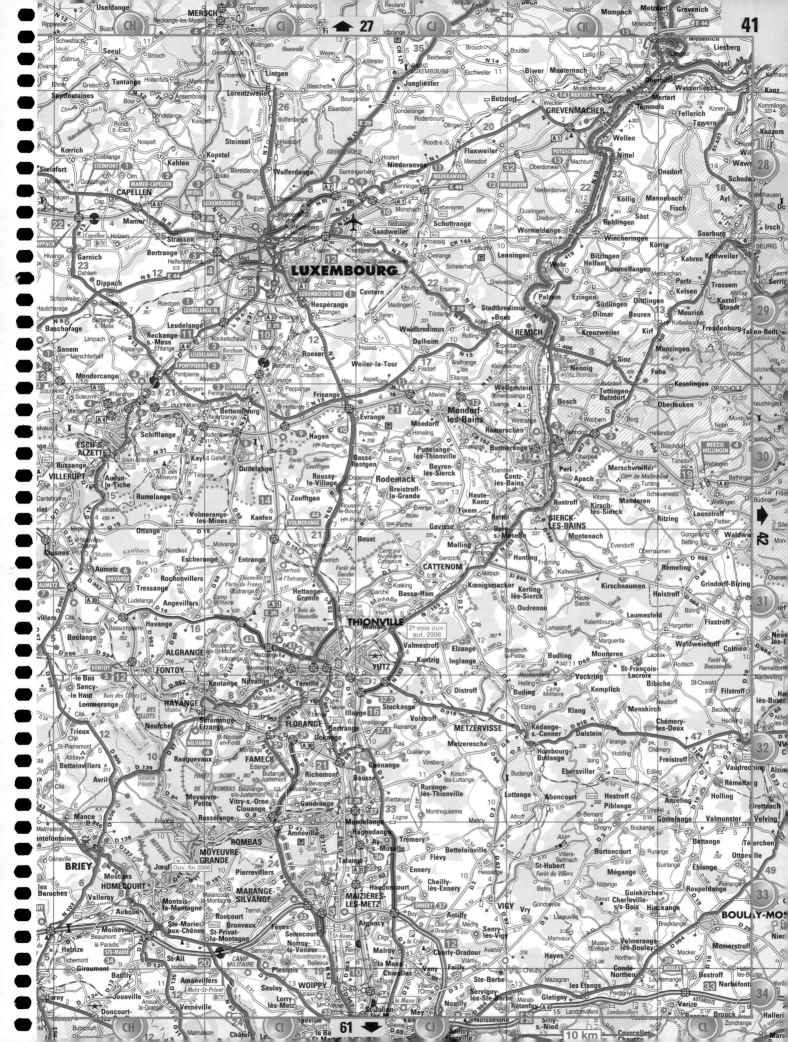

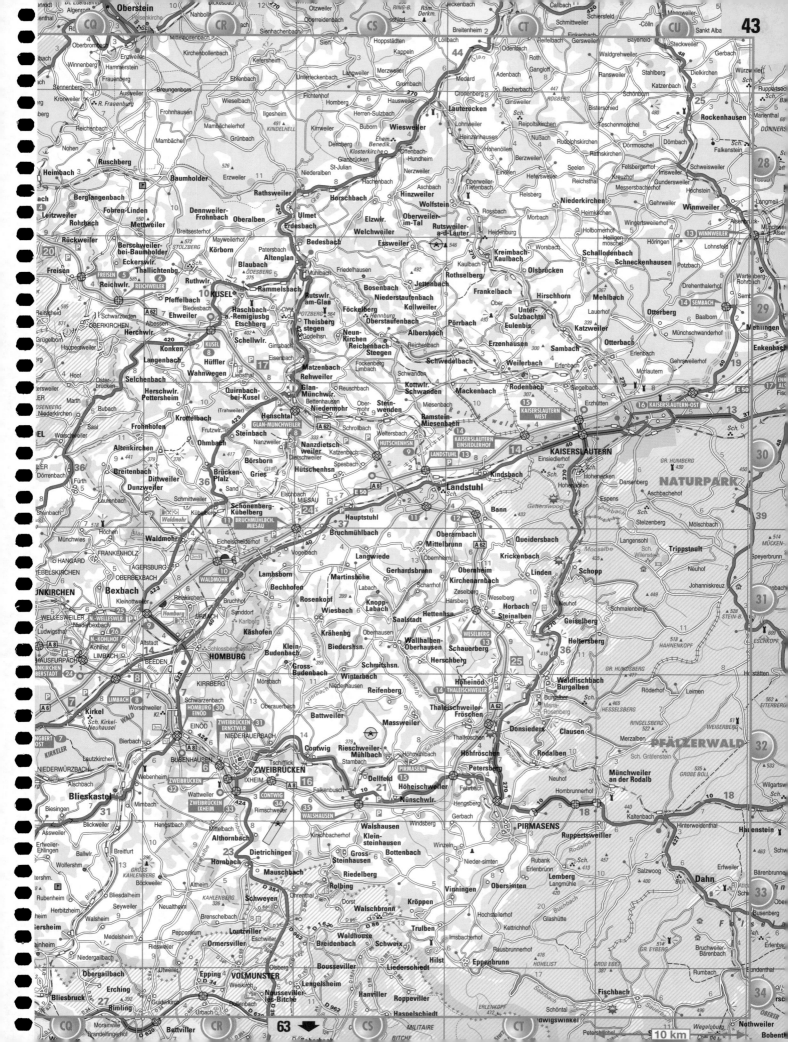

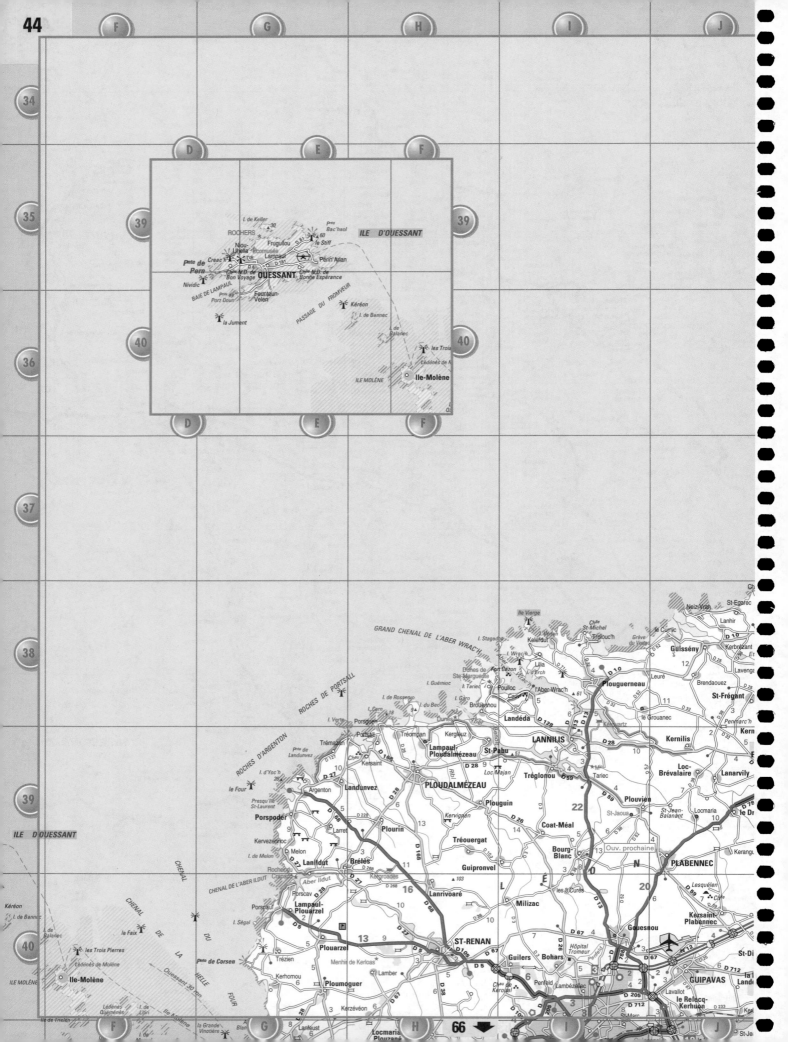

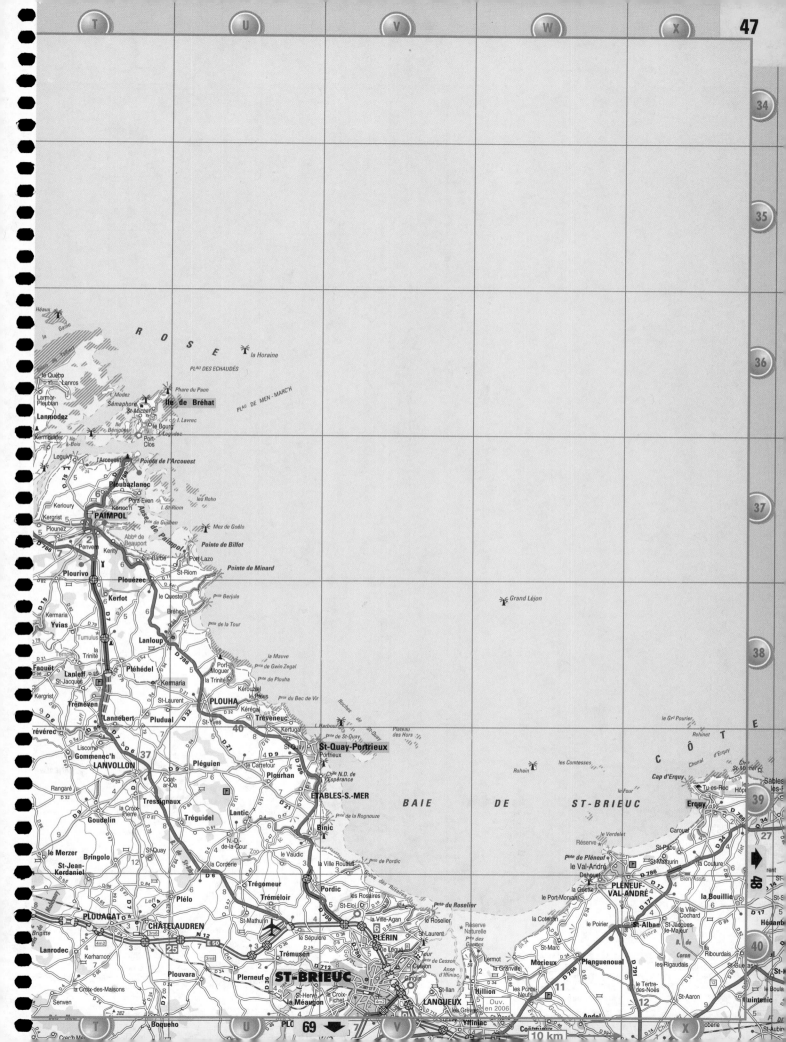

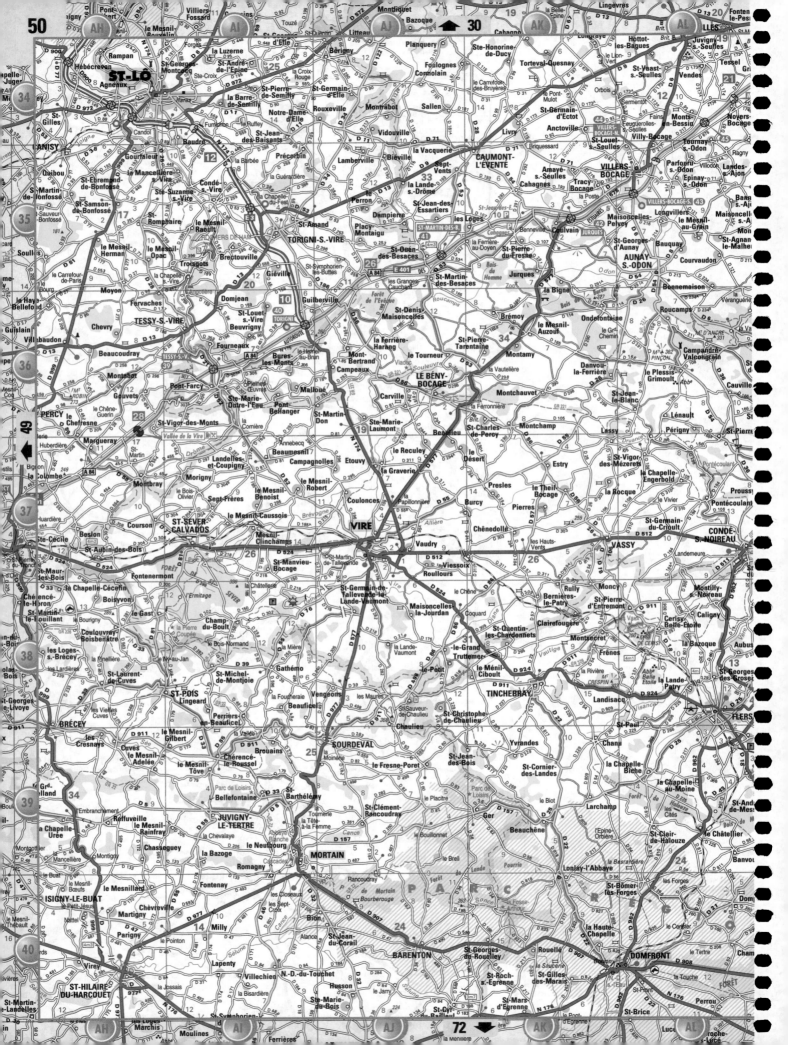

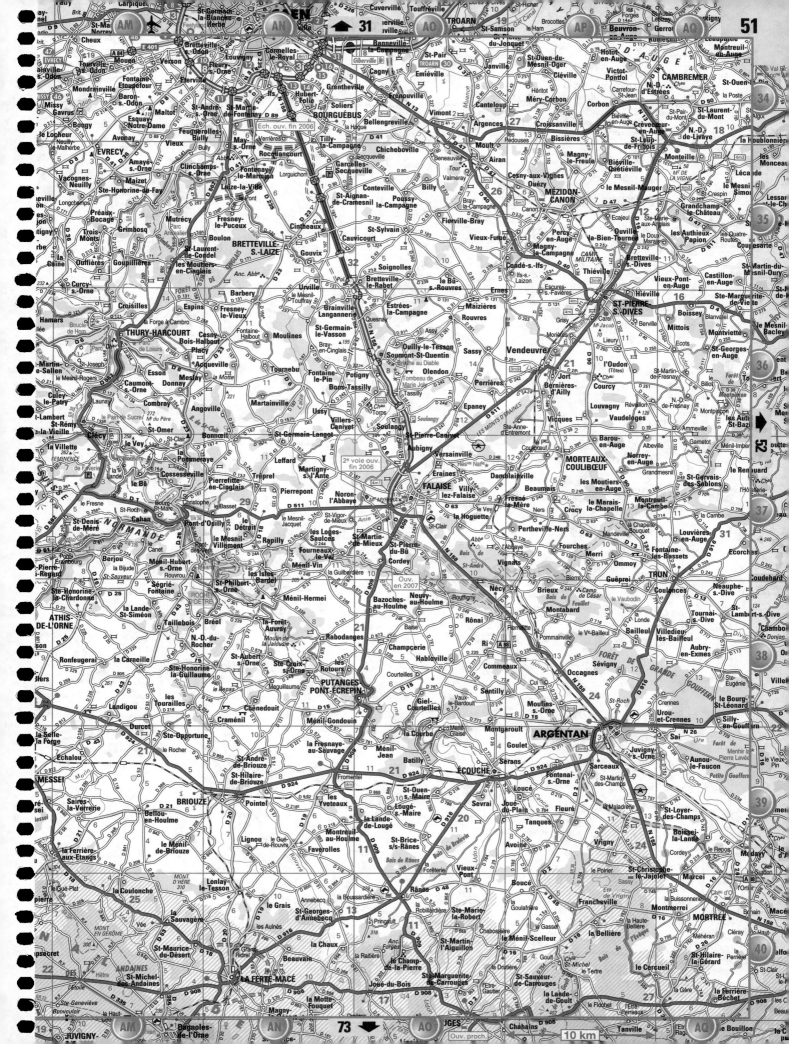

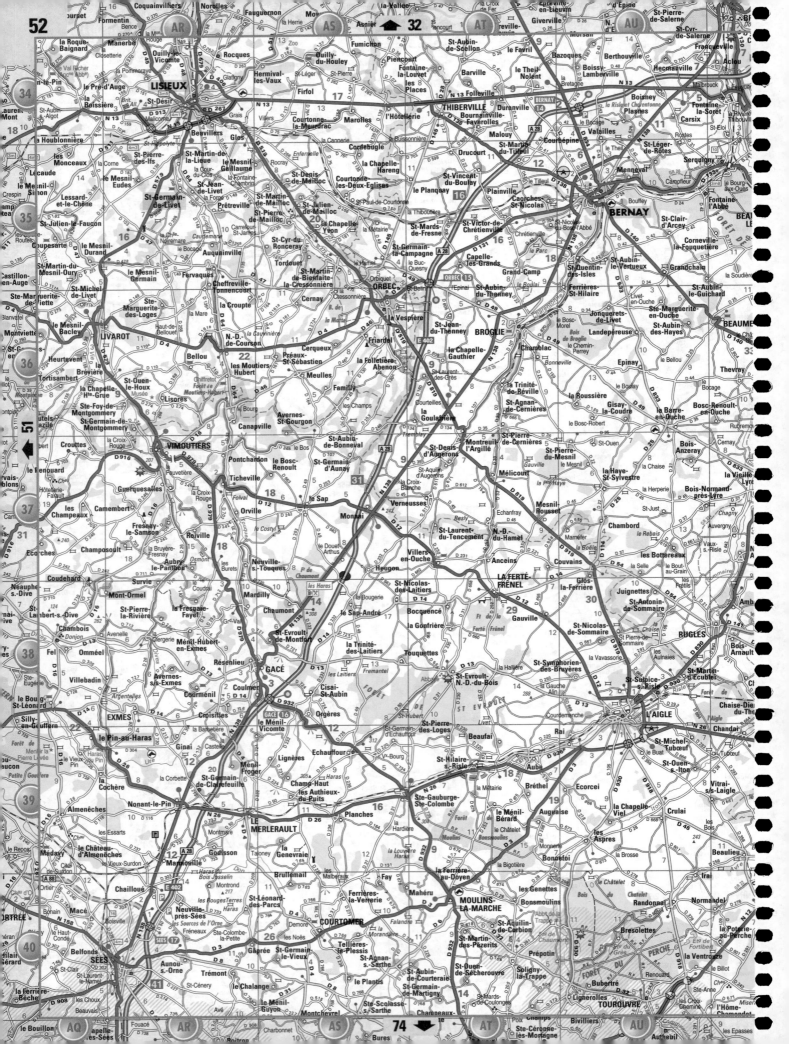

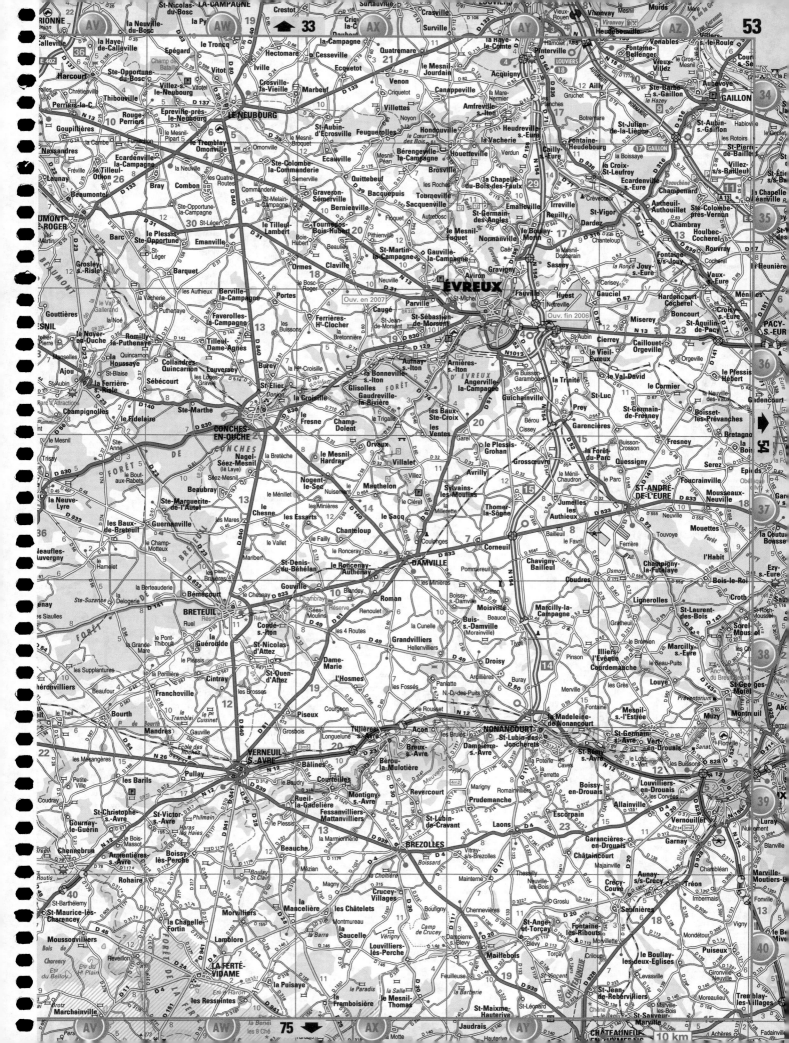

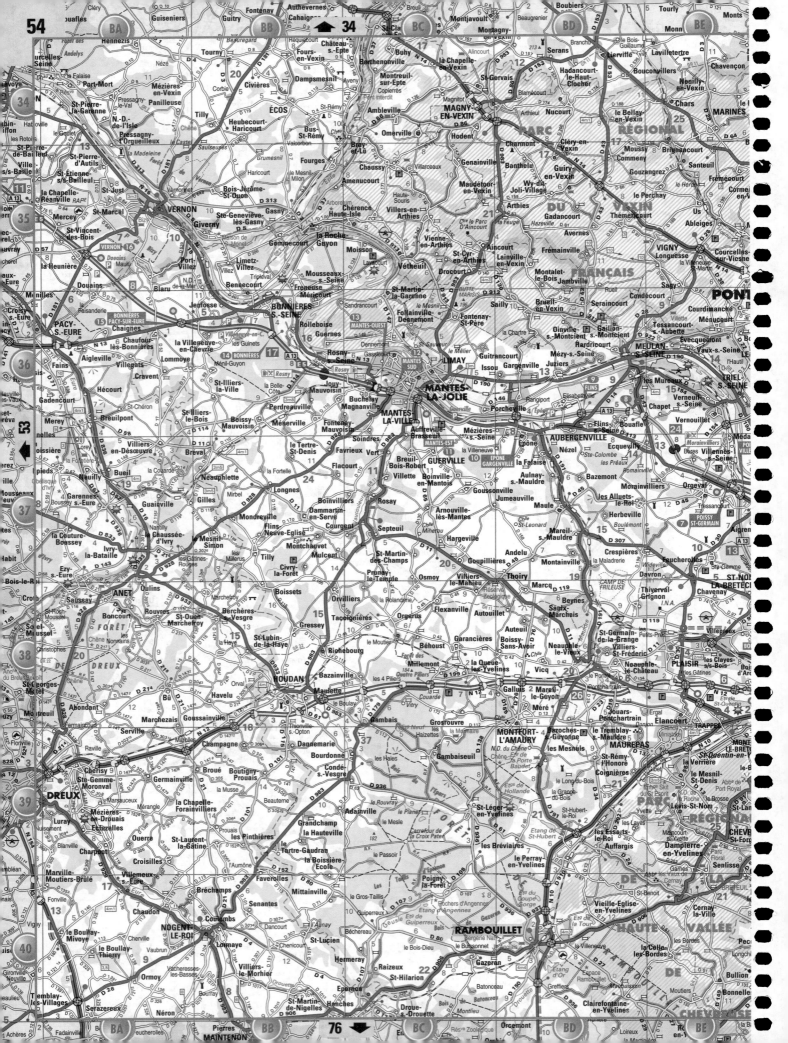

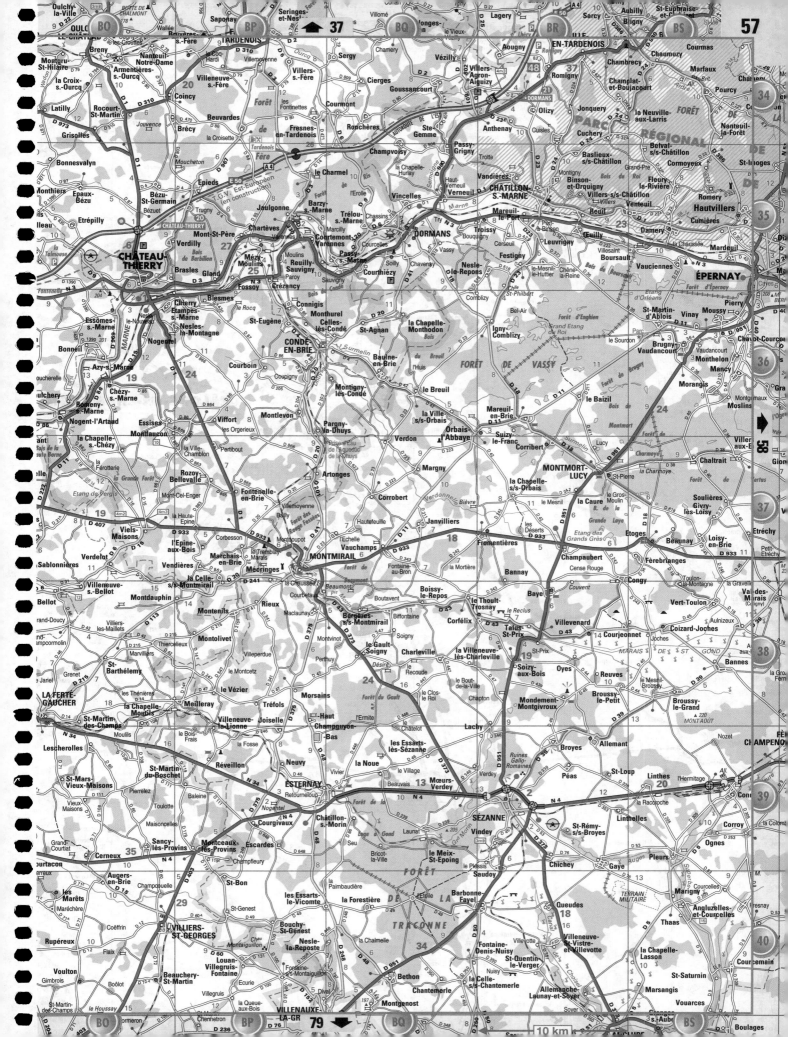

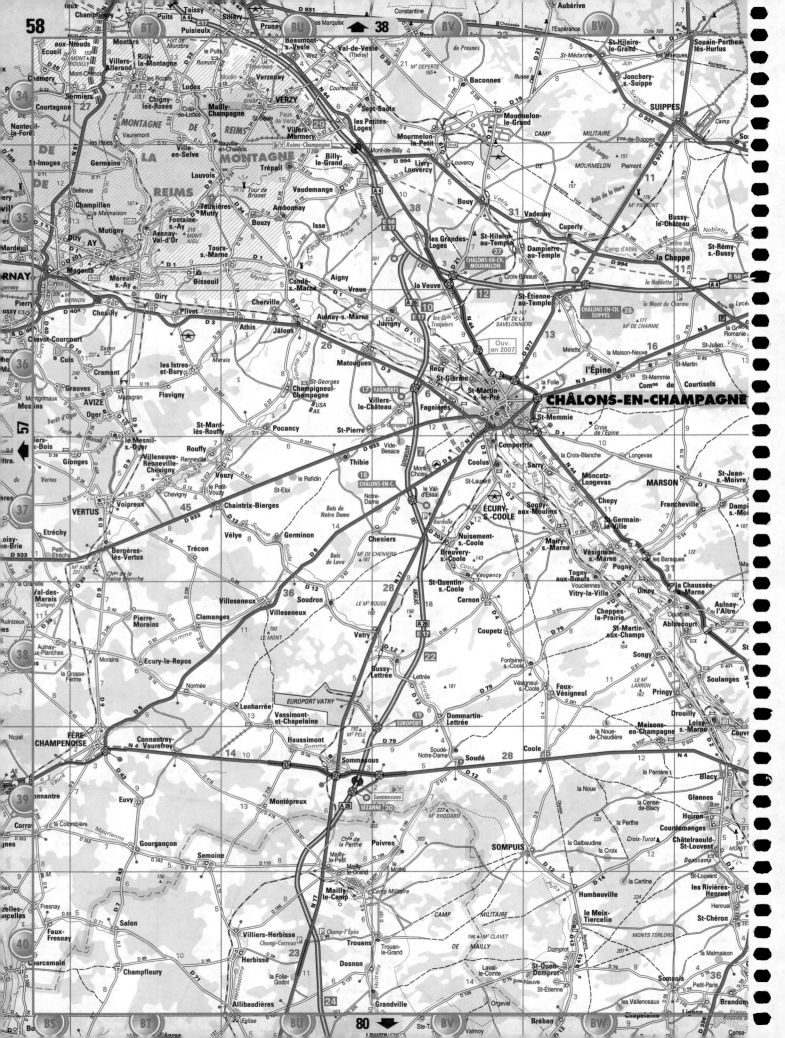

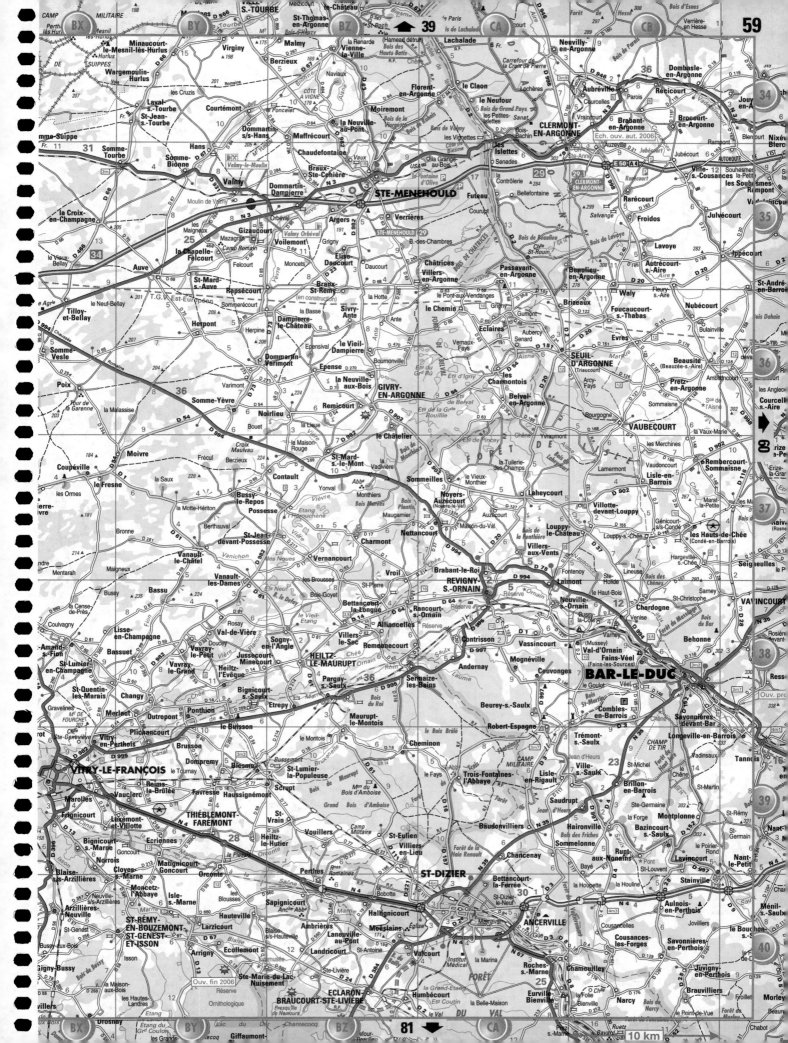

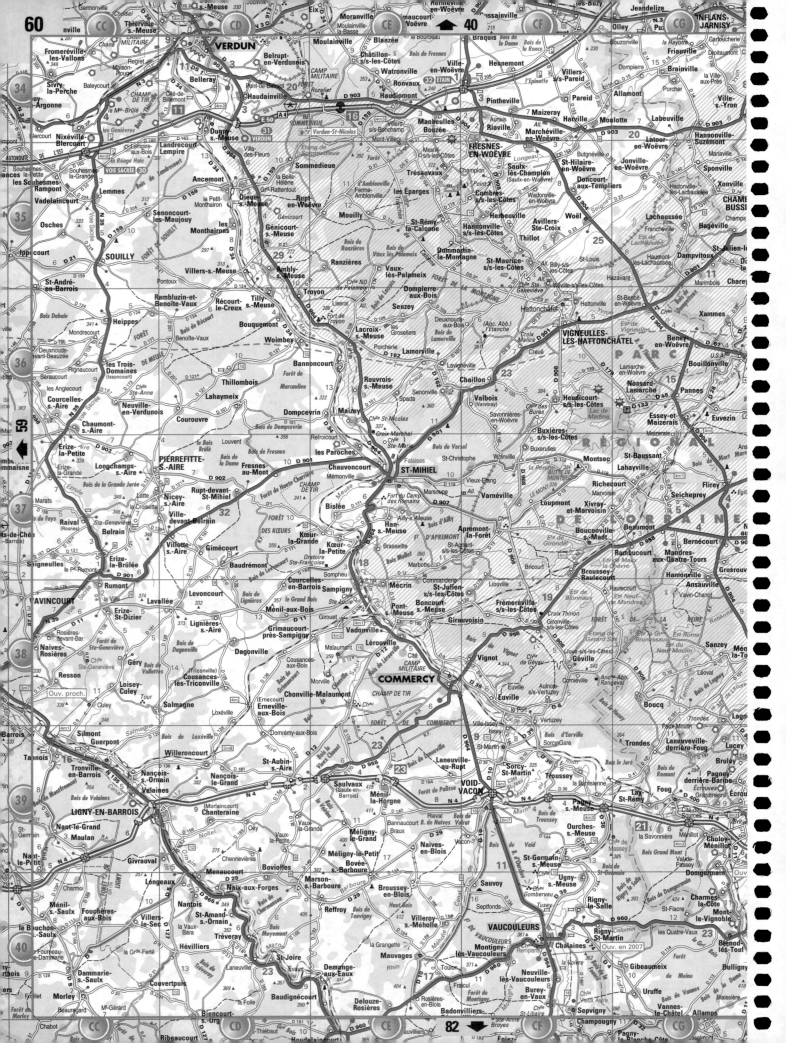

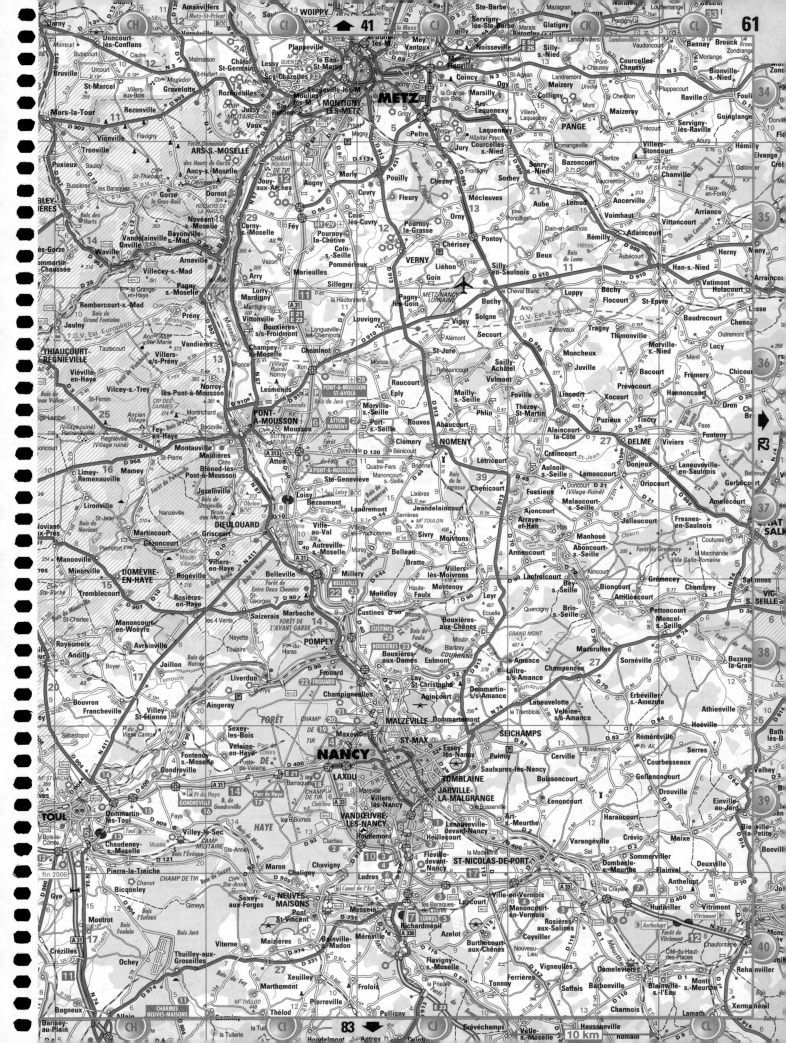

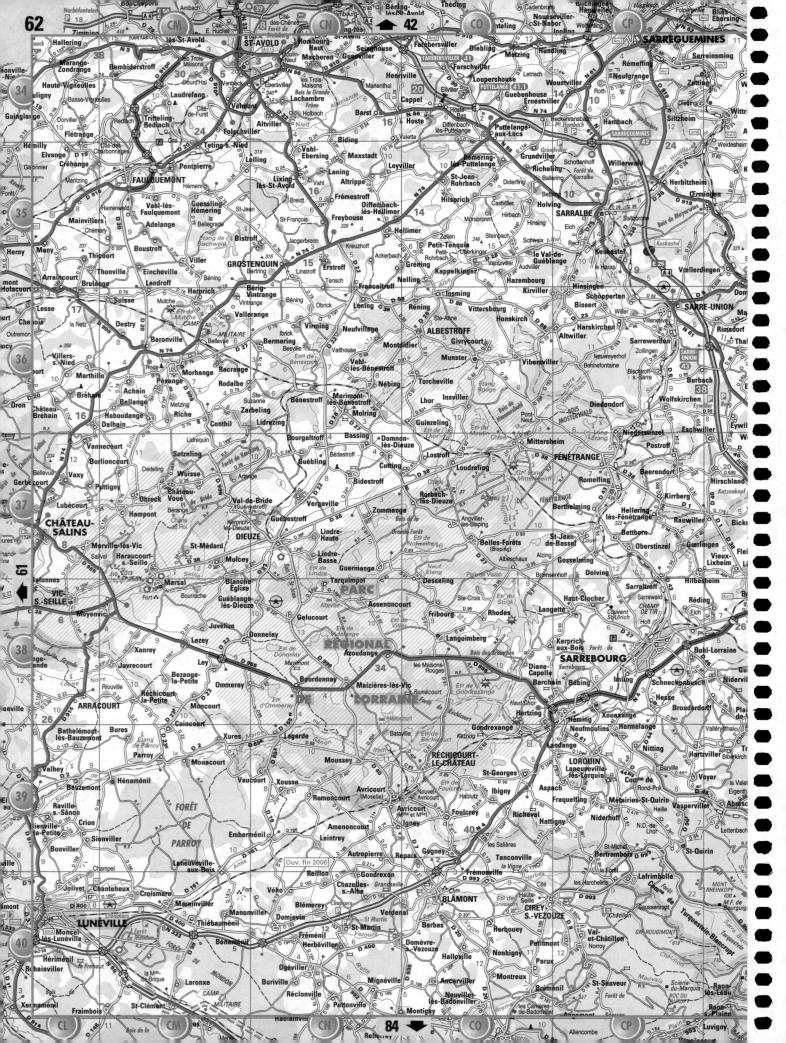

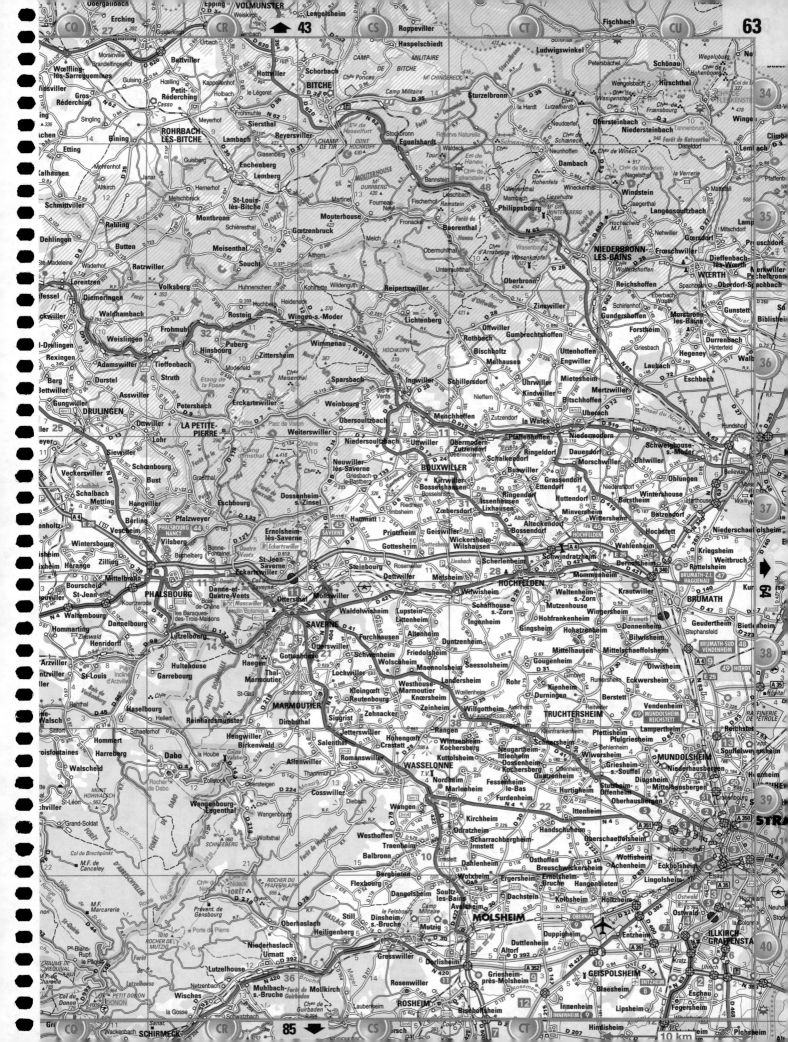

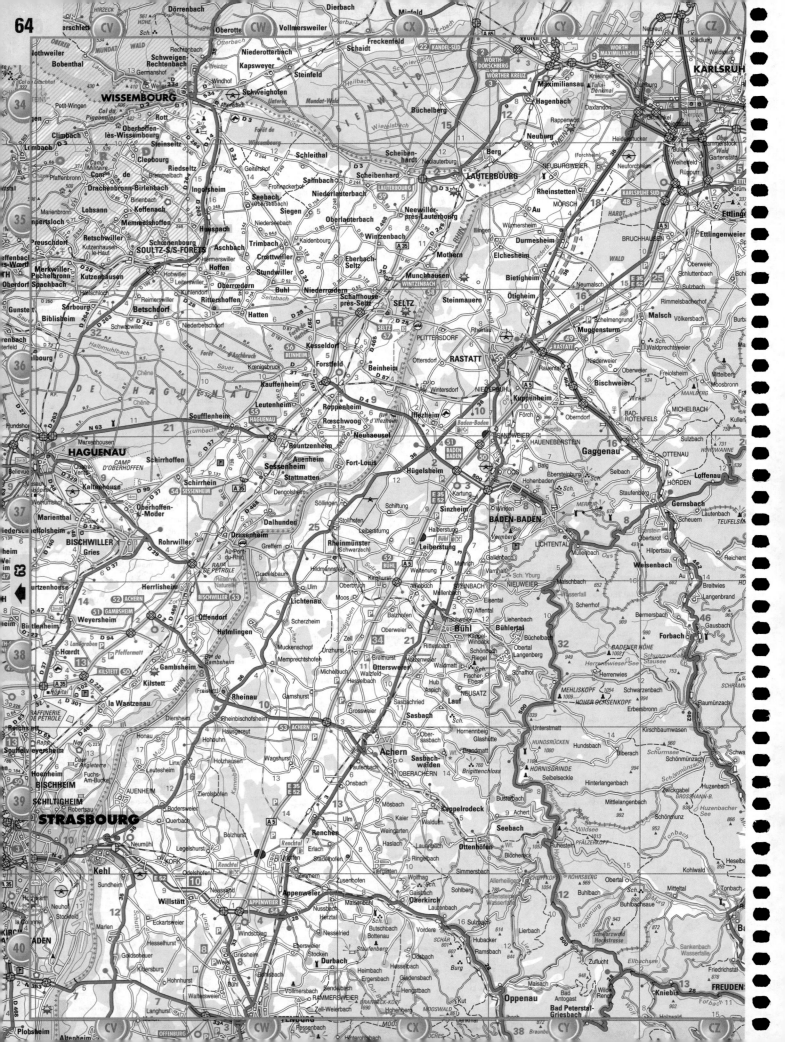

10 km

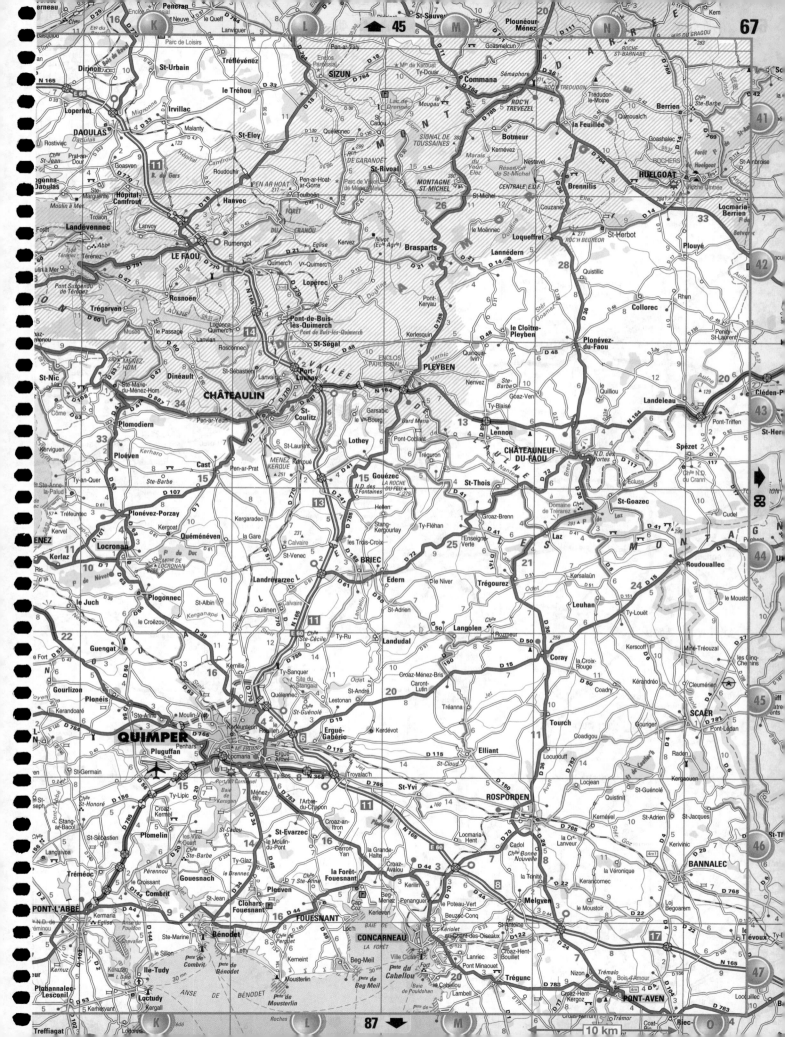

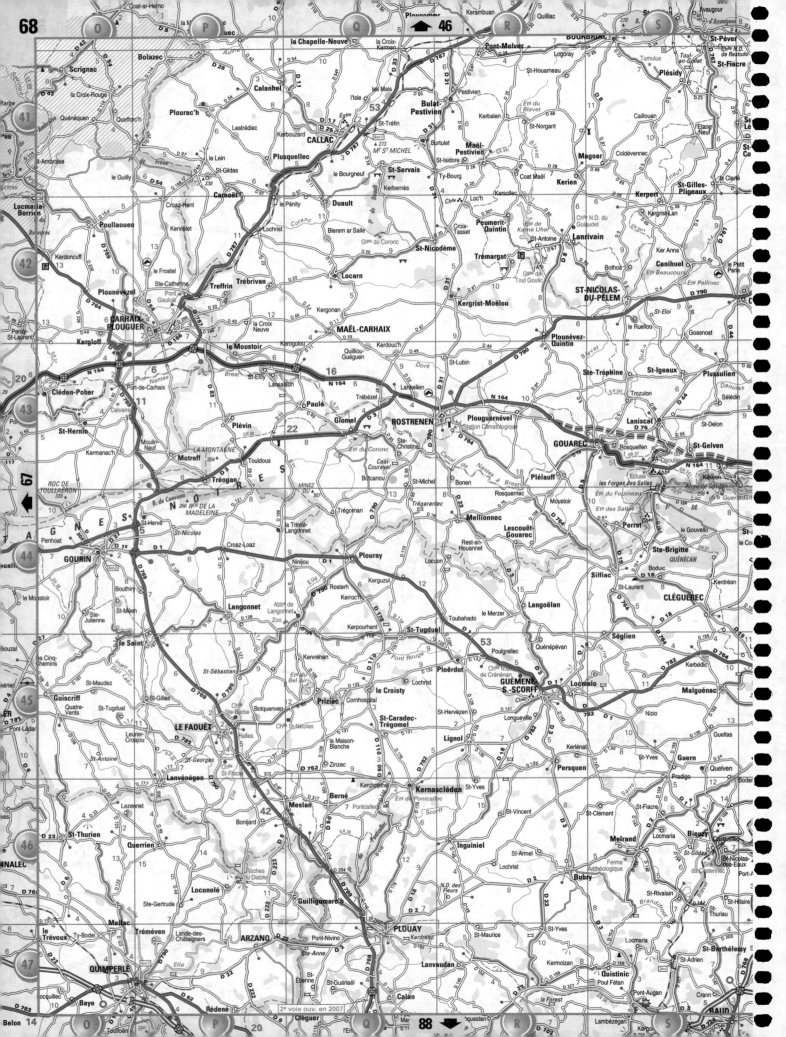

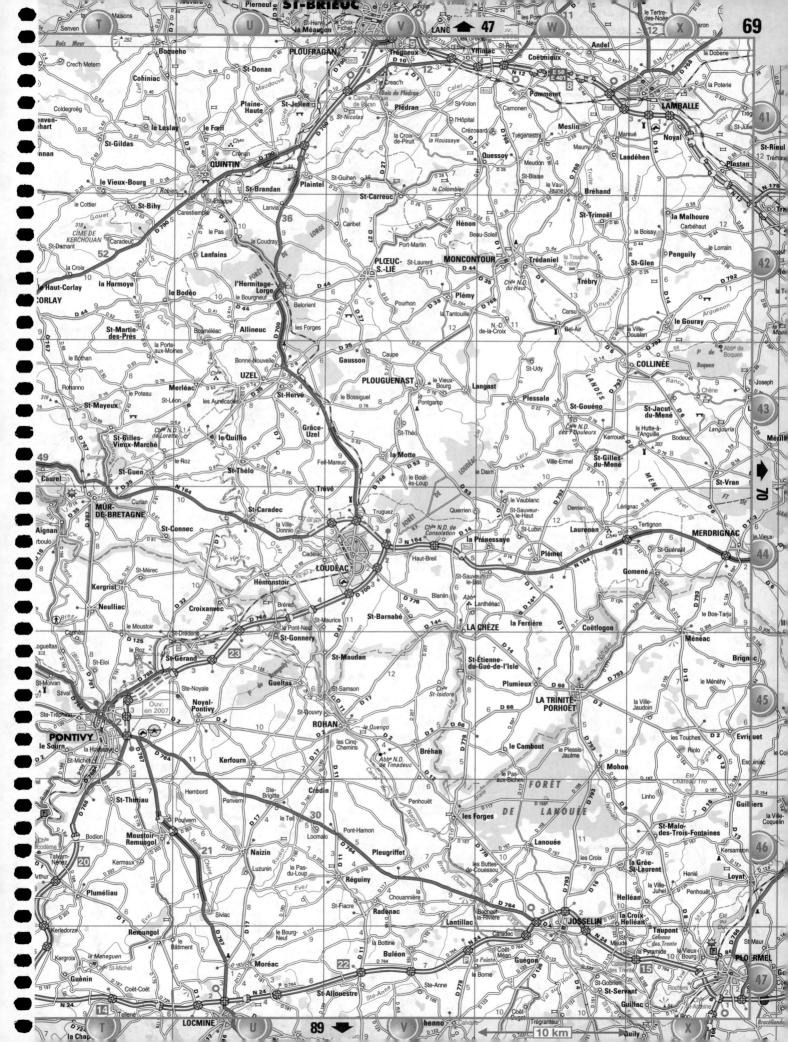

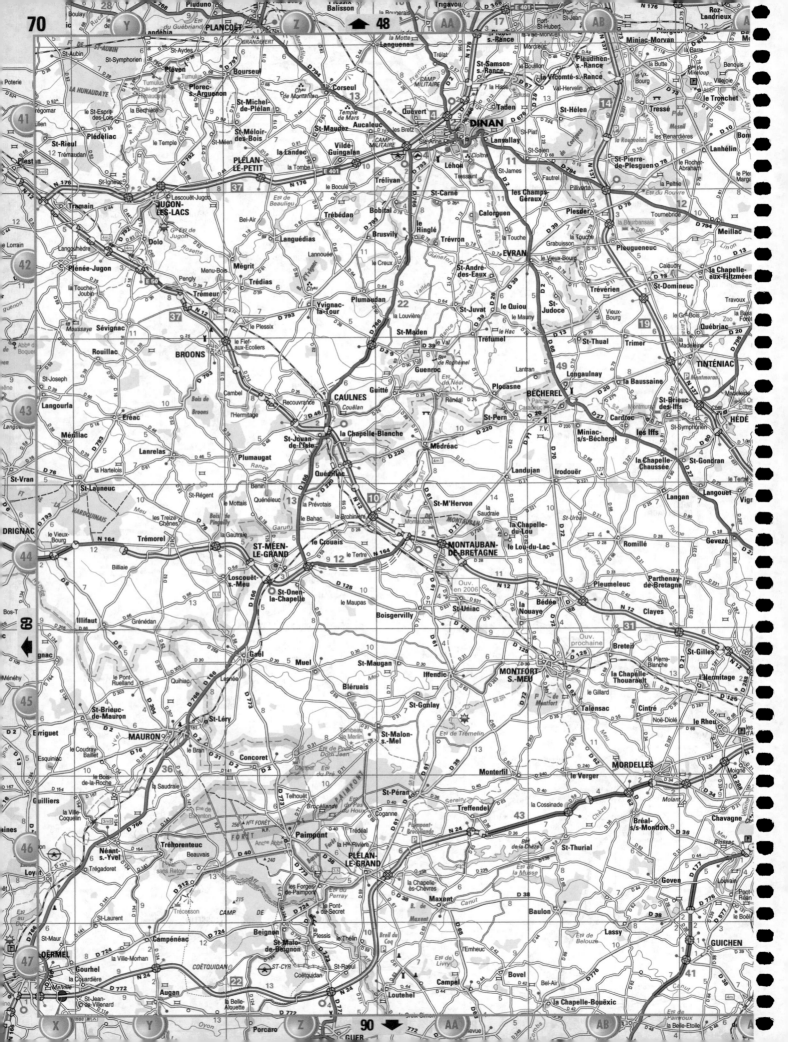

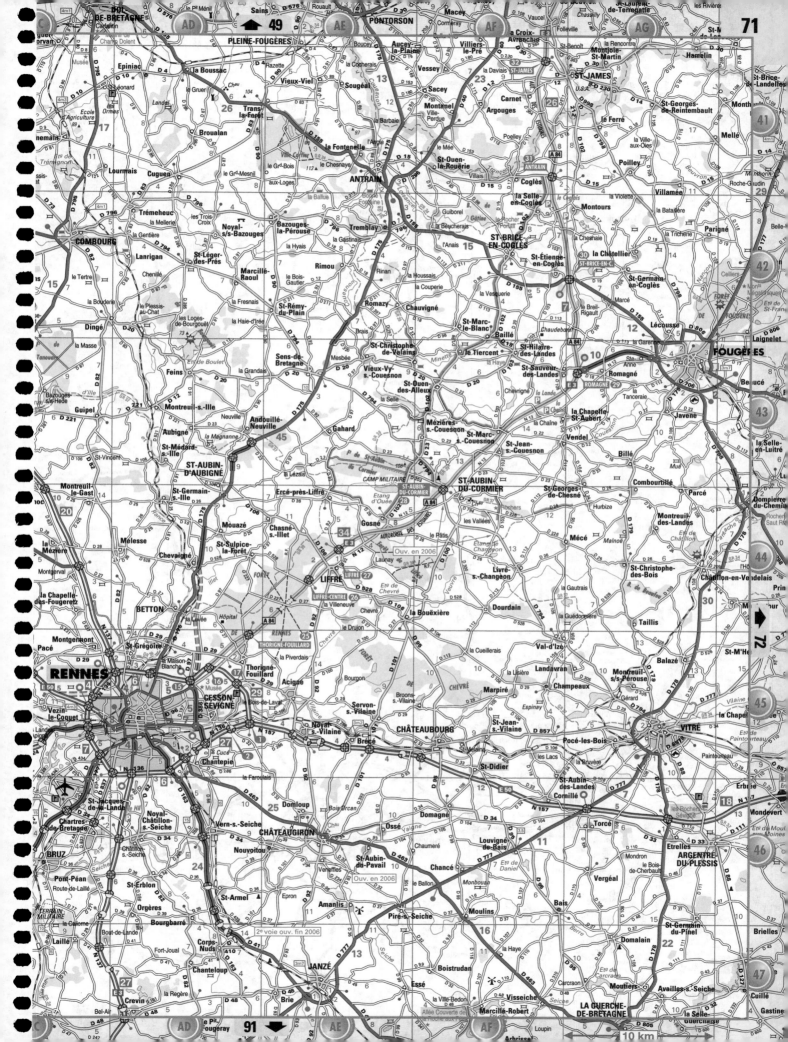

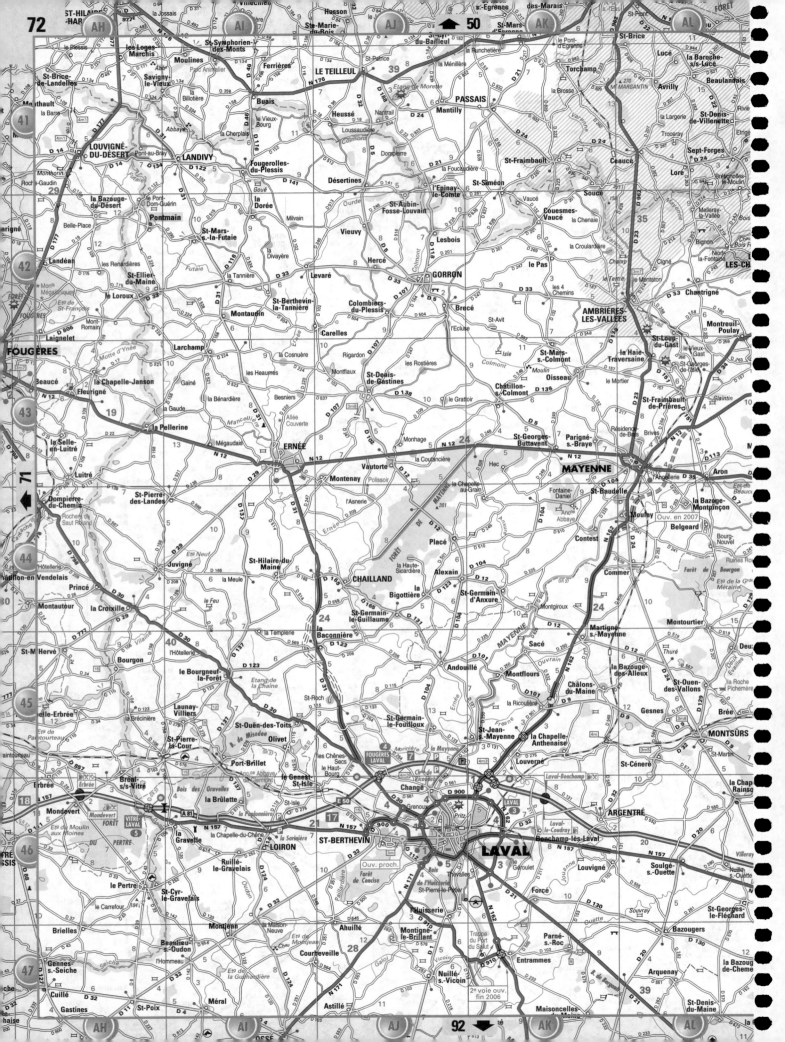

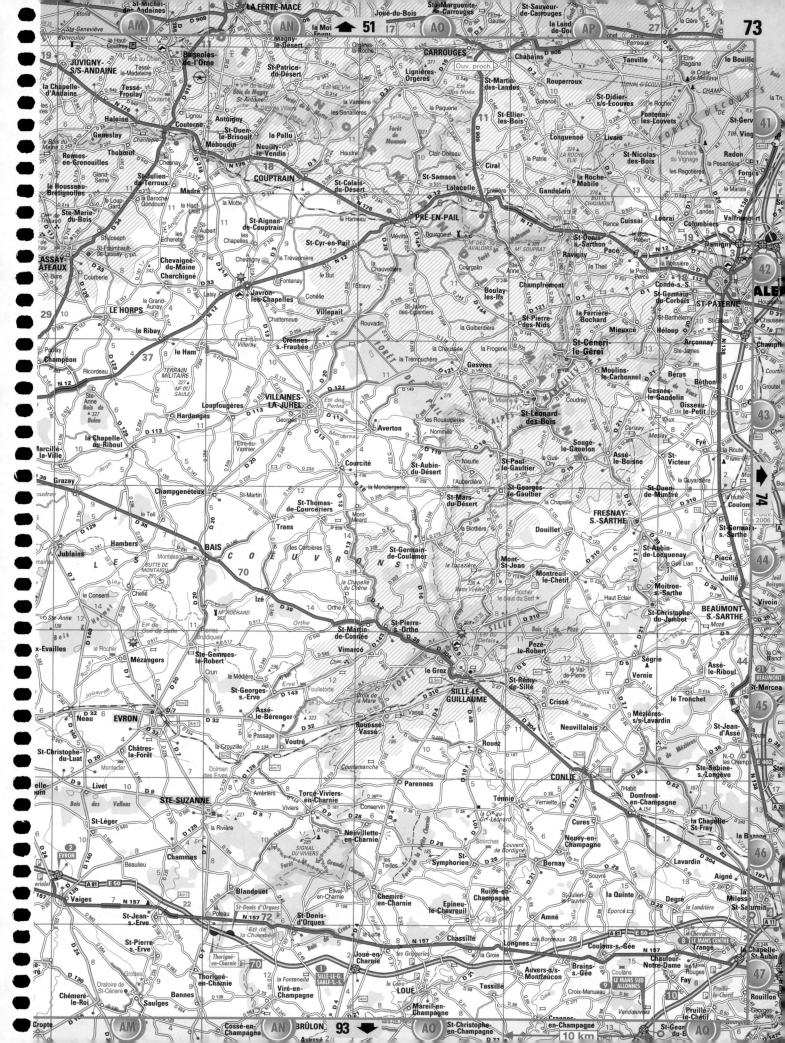

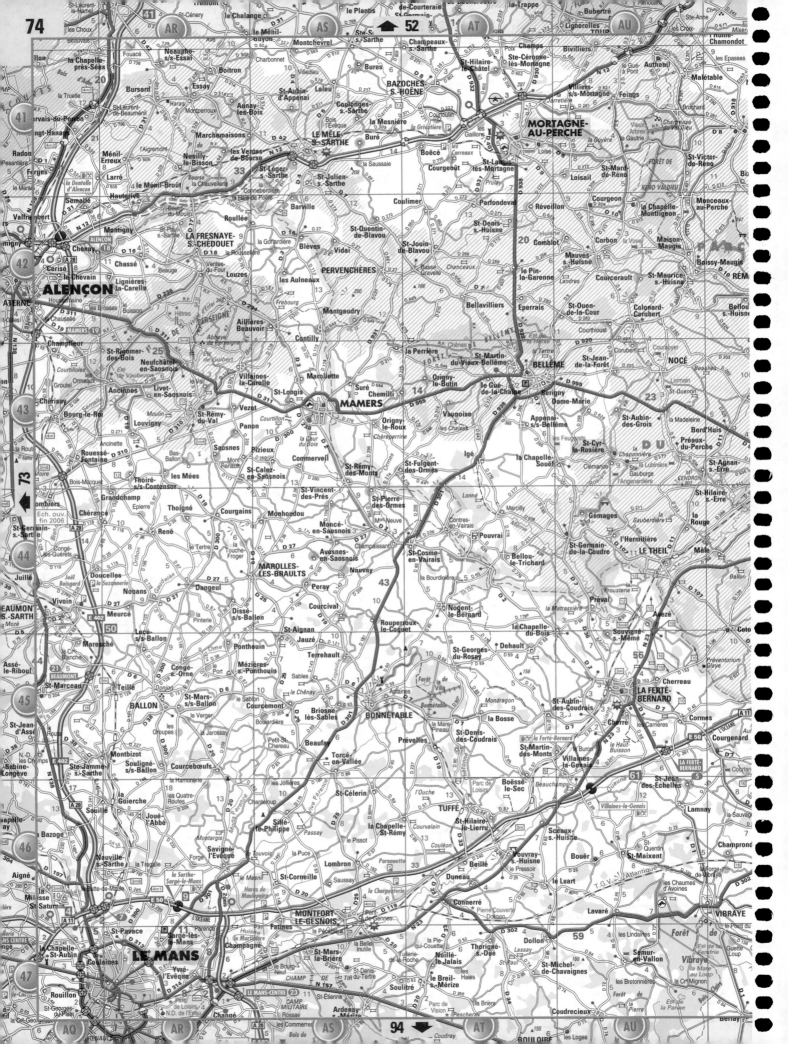

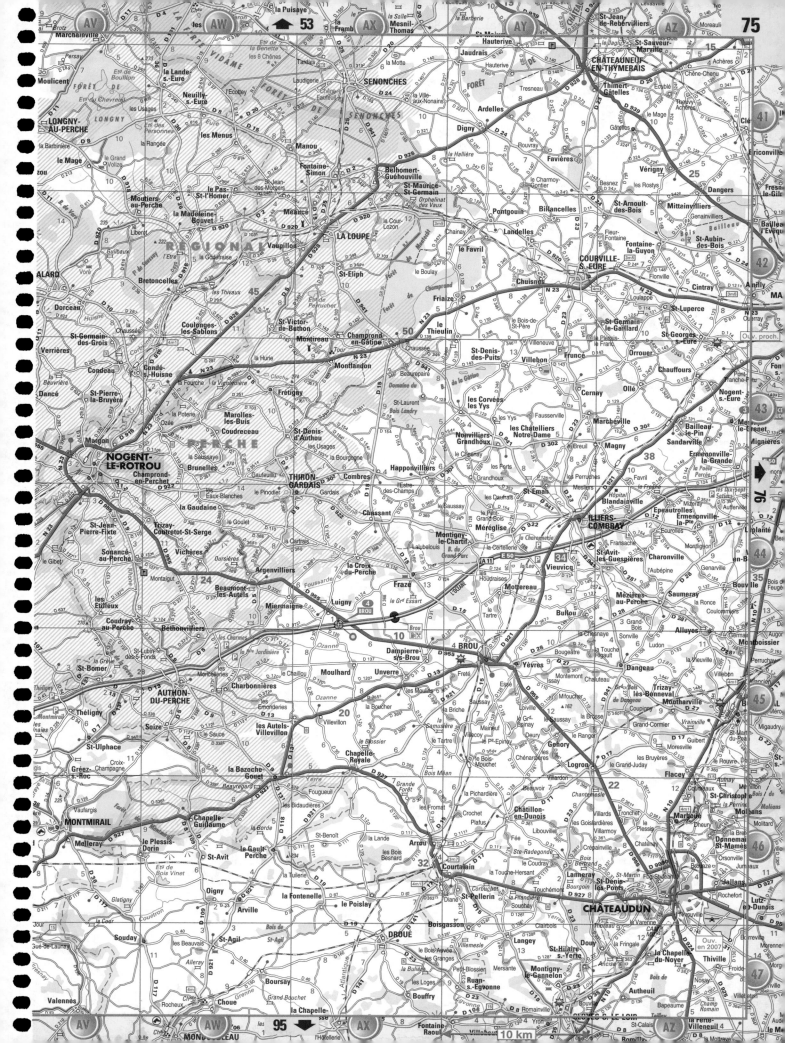

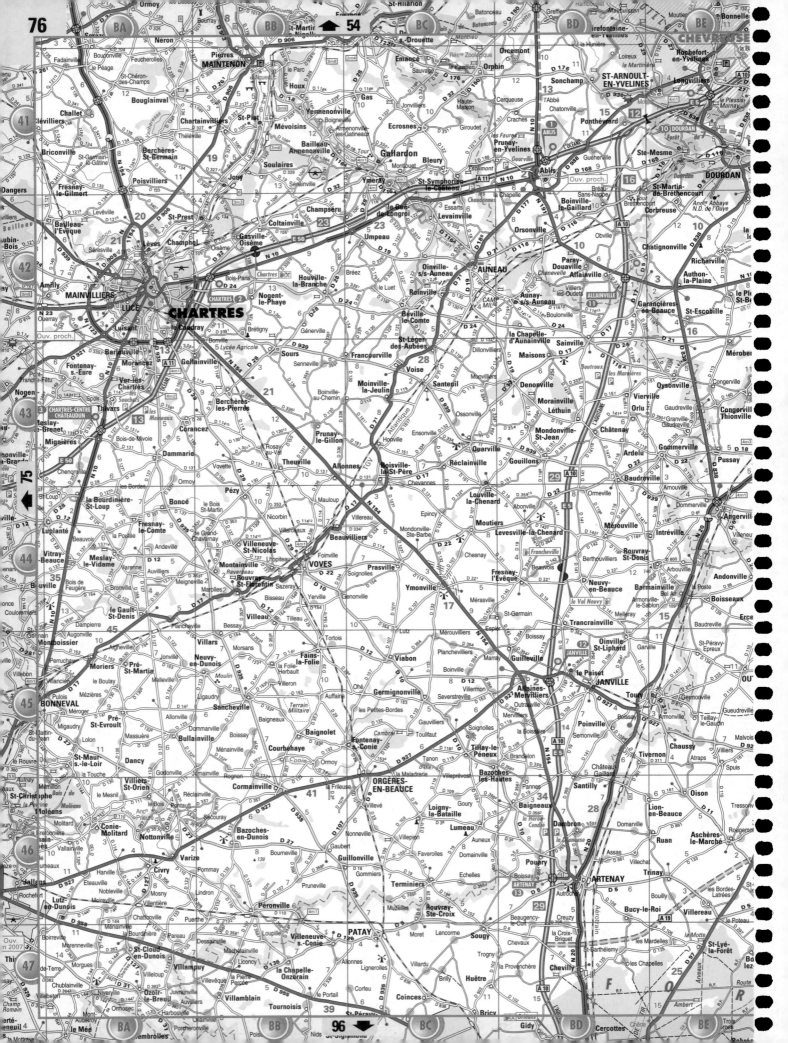

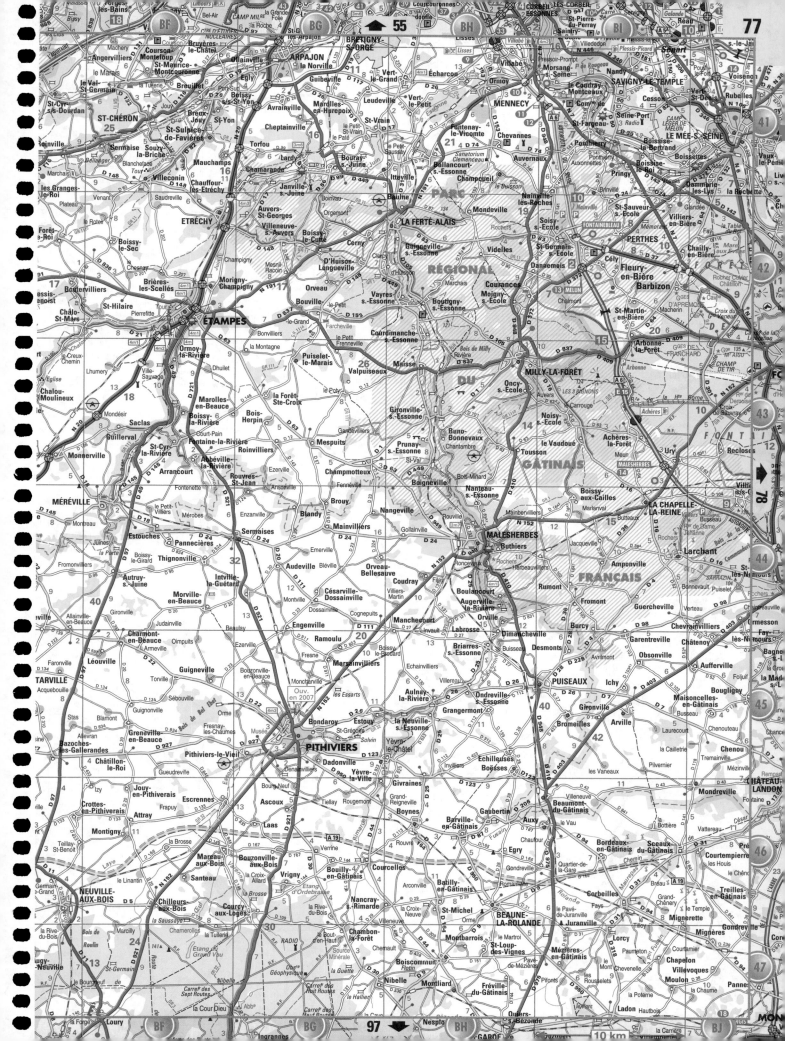

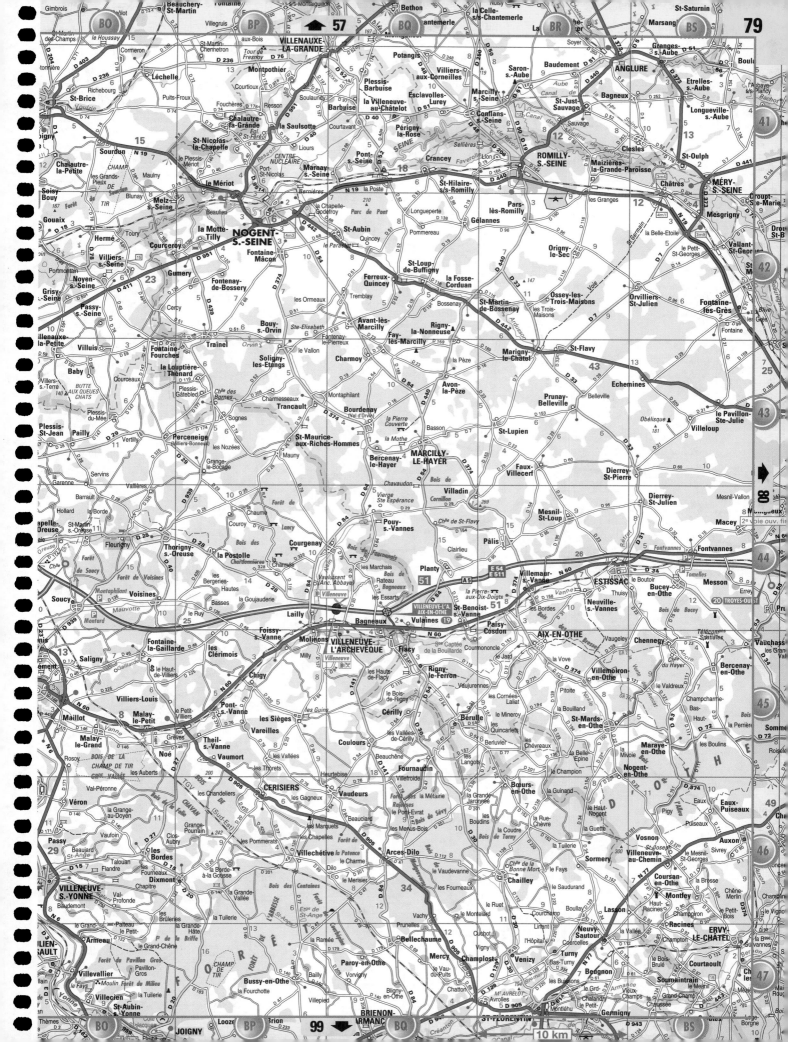

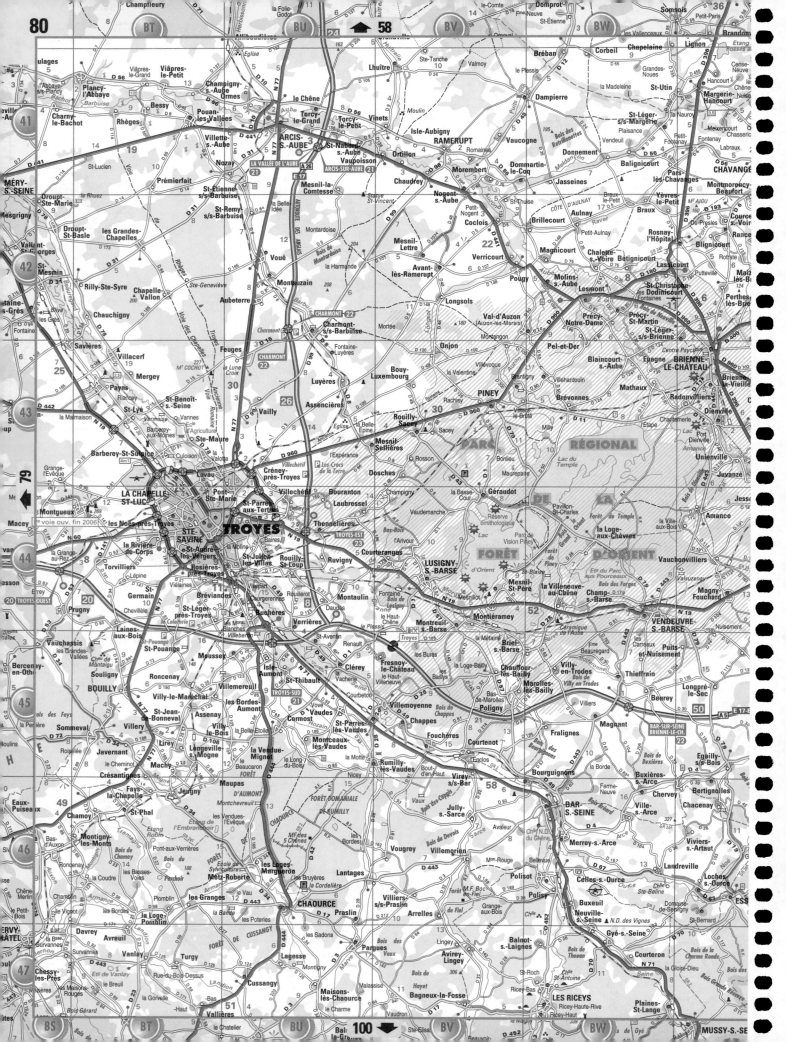

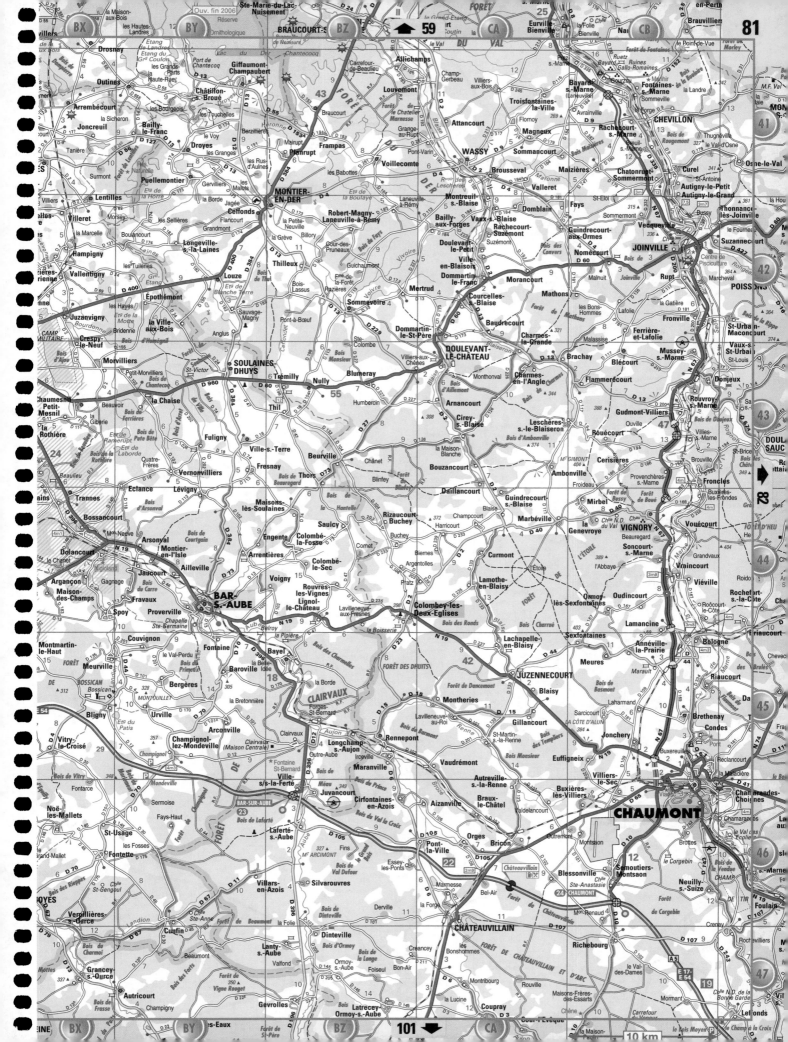

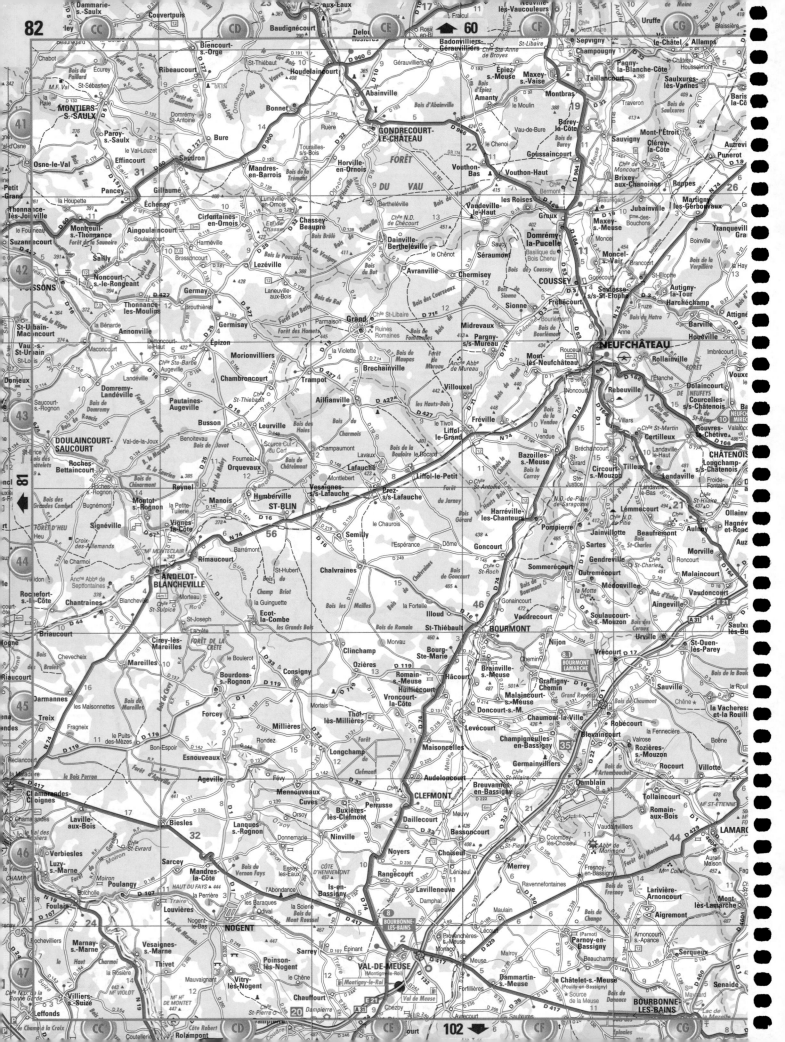

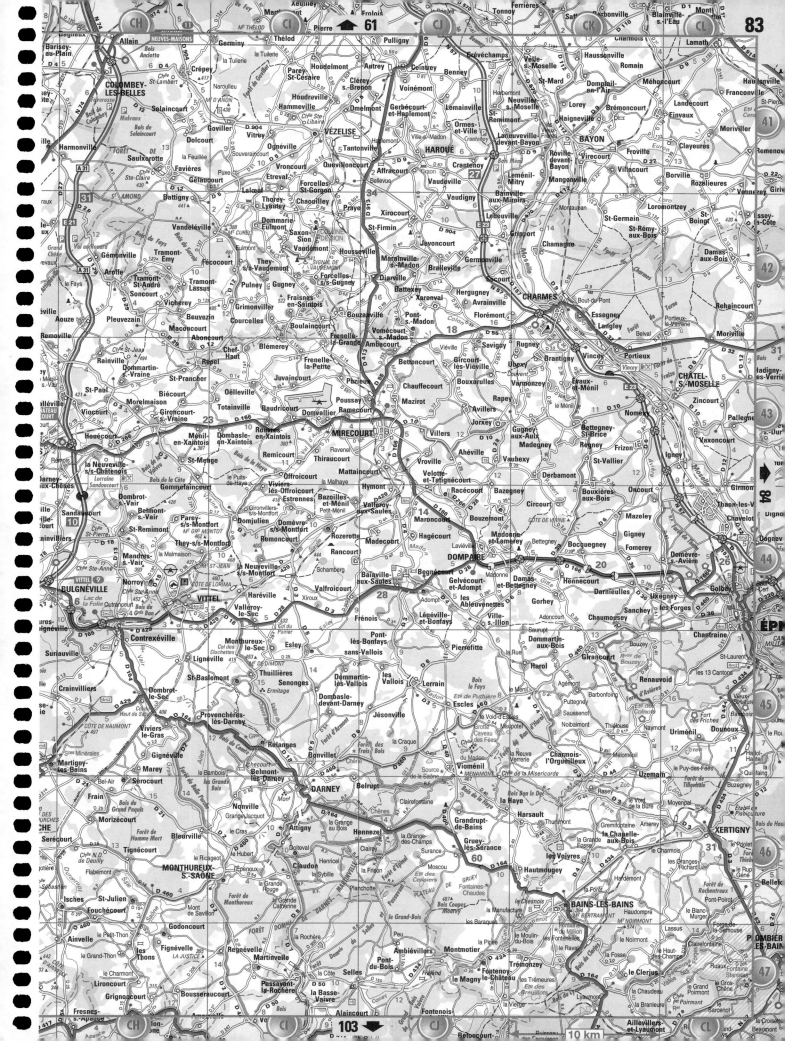

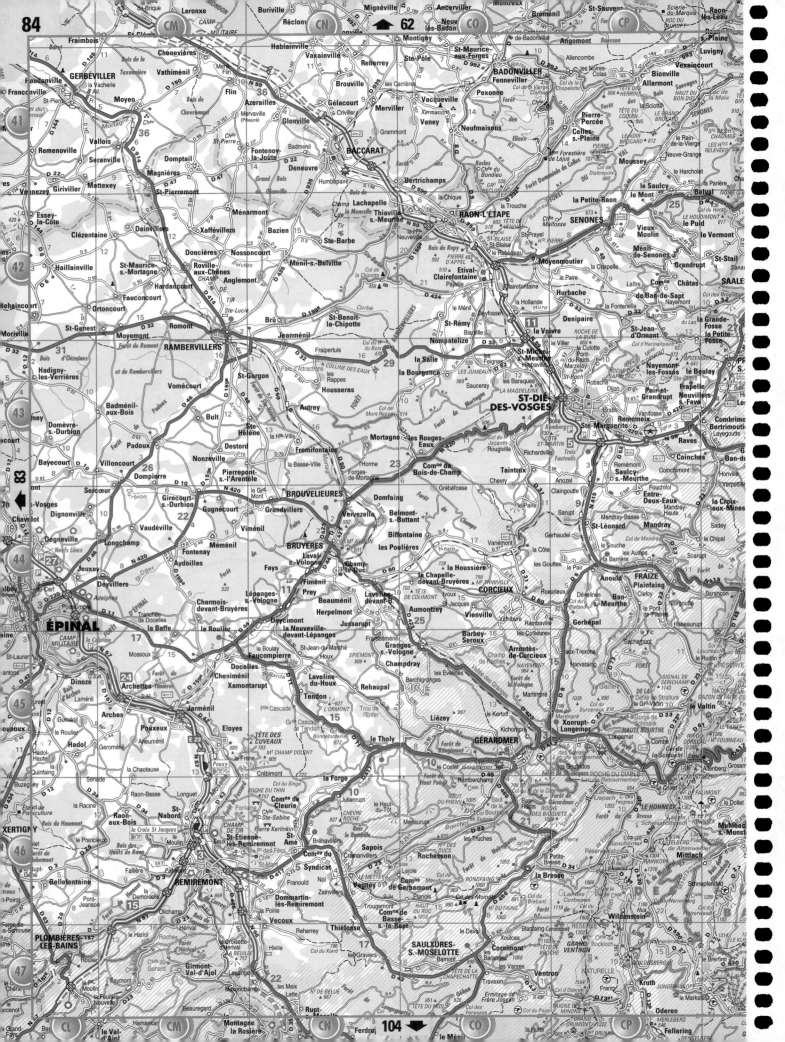

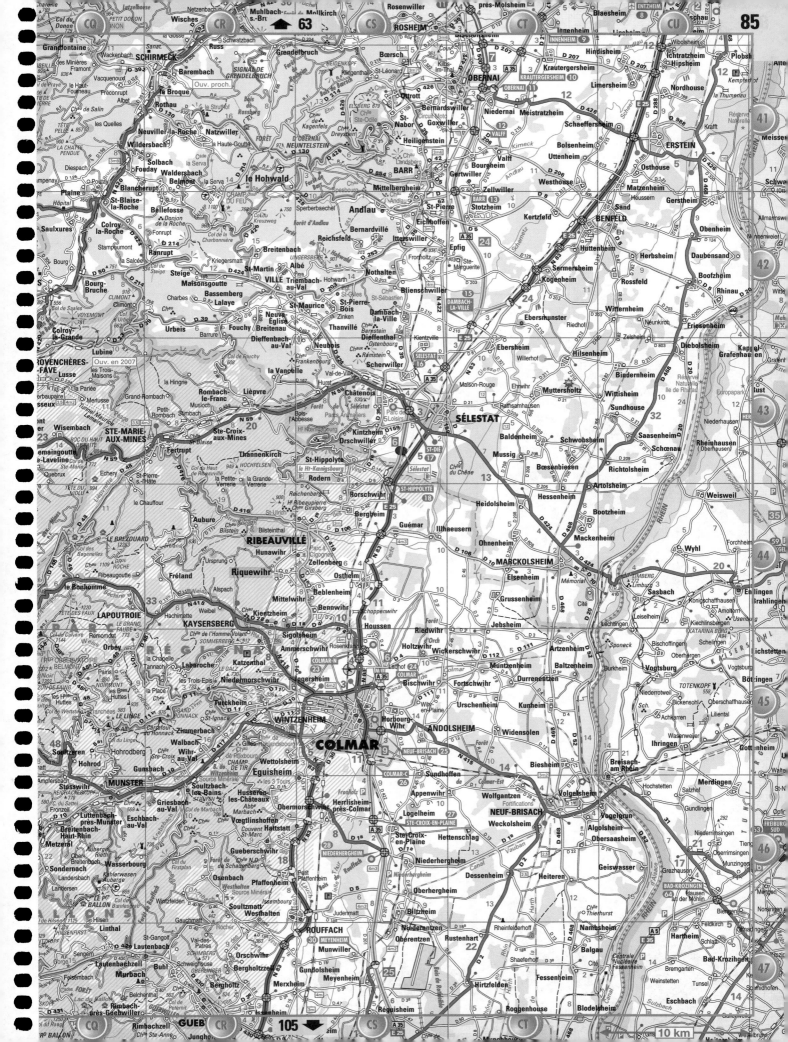

Le Mont Saint-Michel, Bretagne, France © Getty Images

10 km

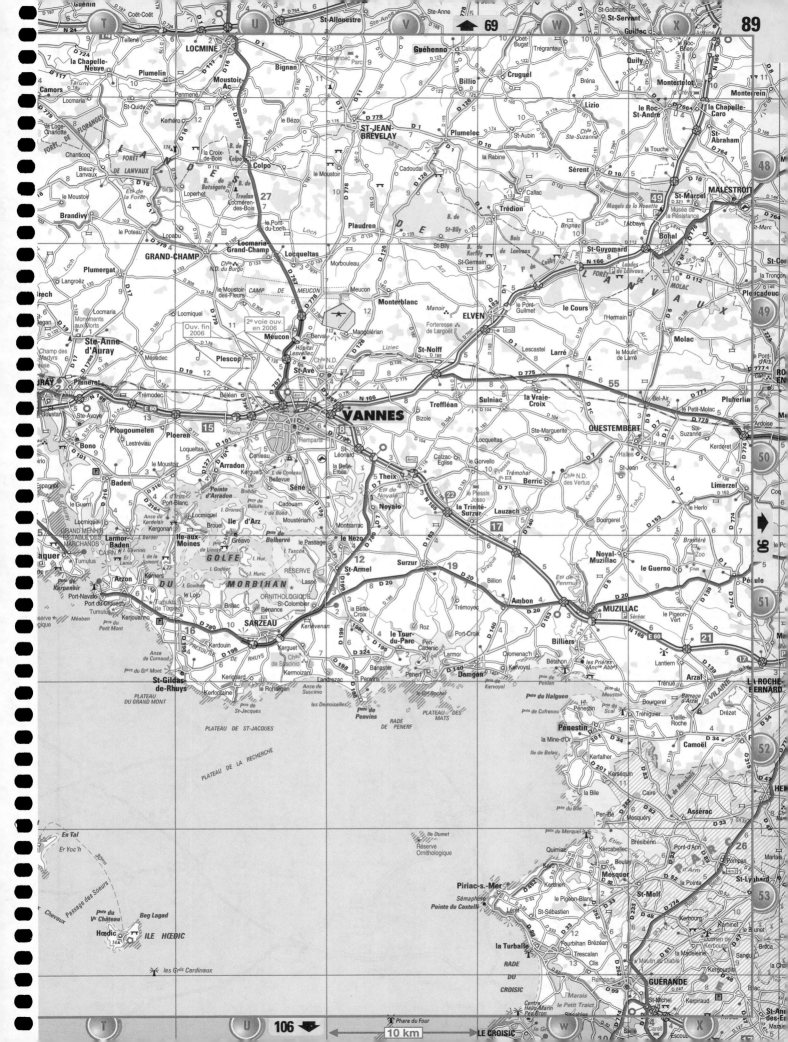

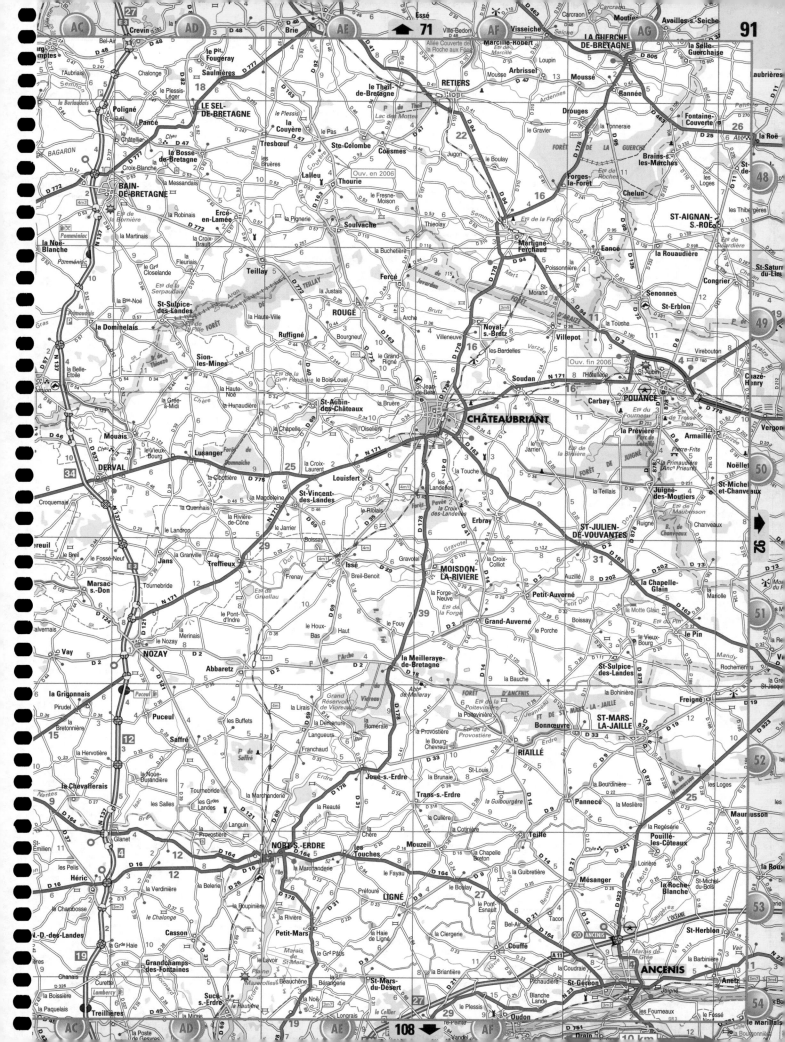

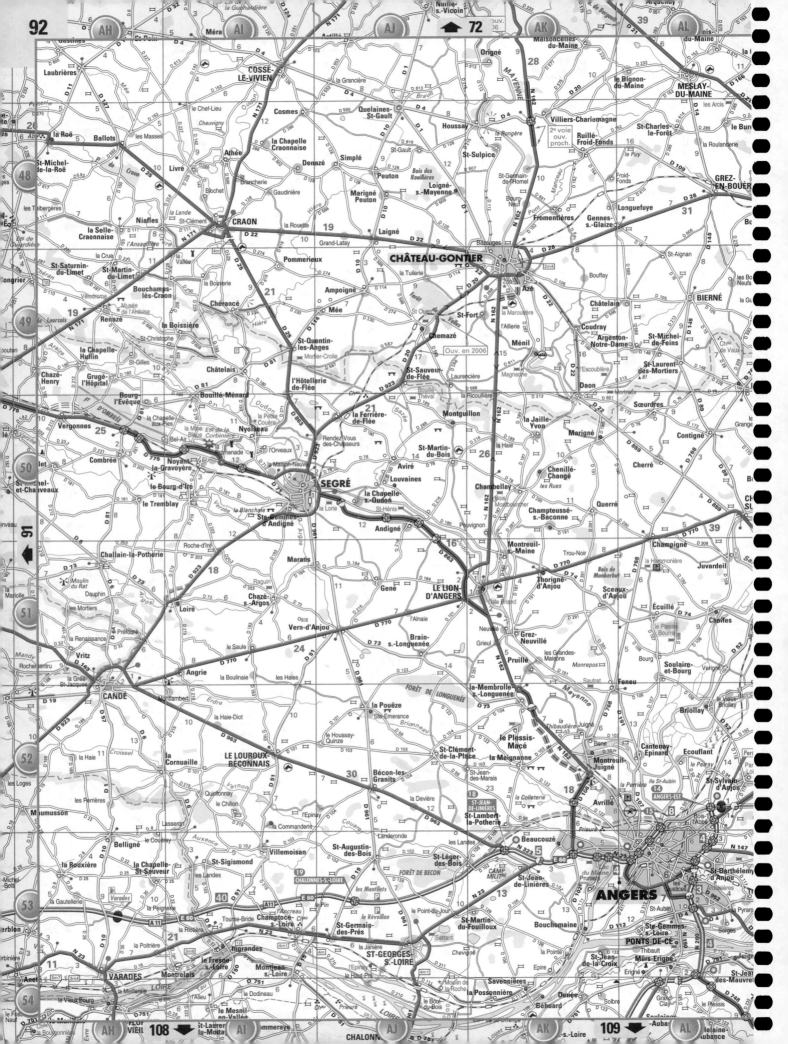

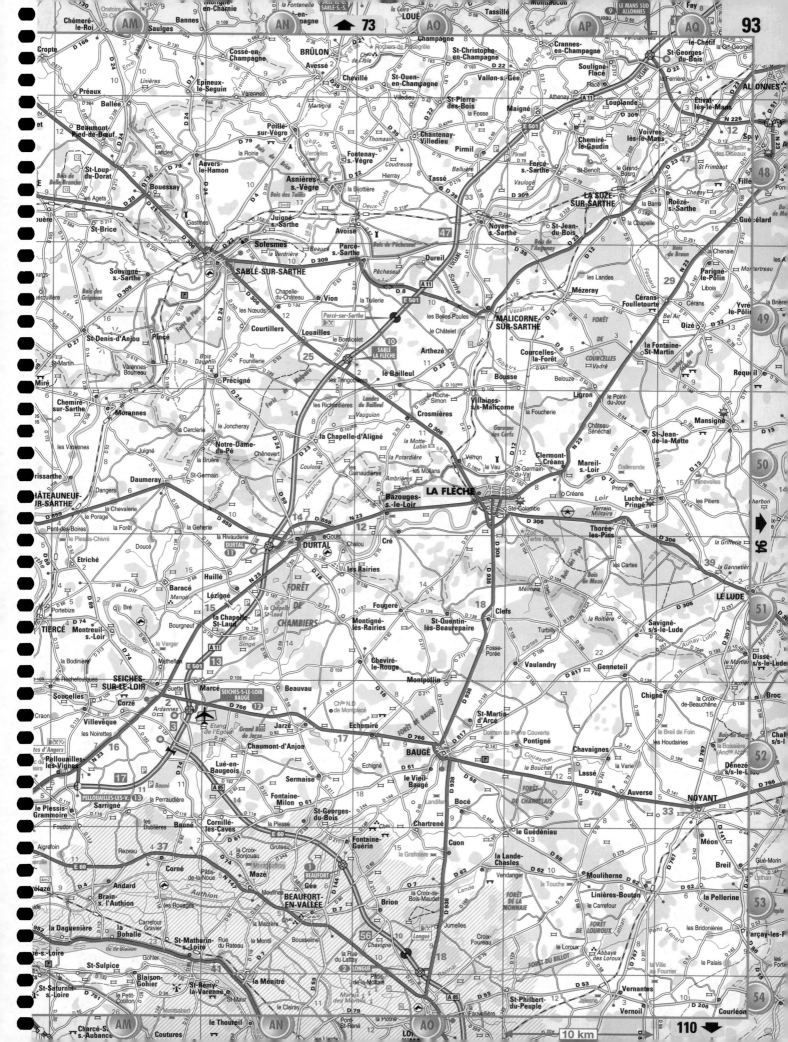

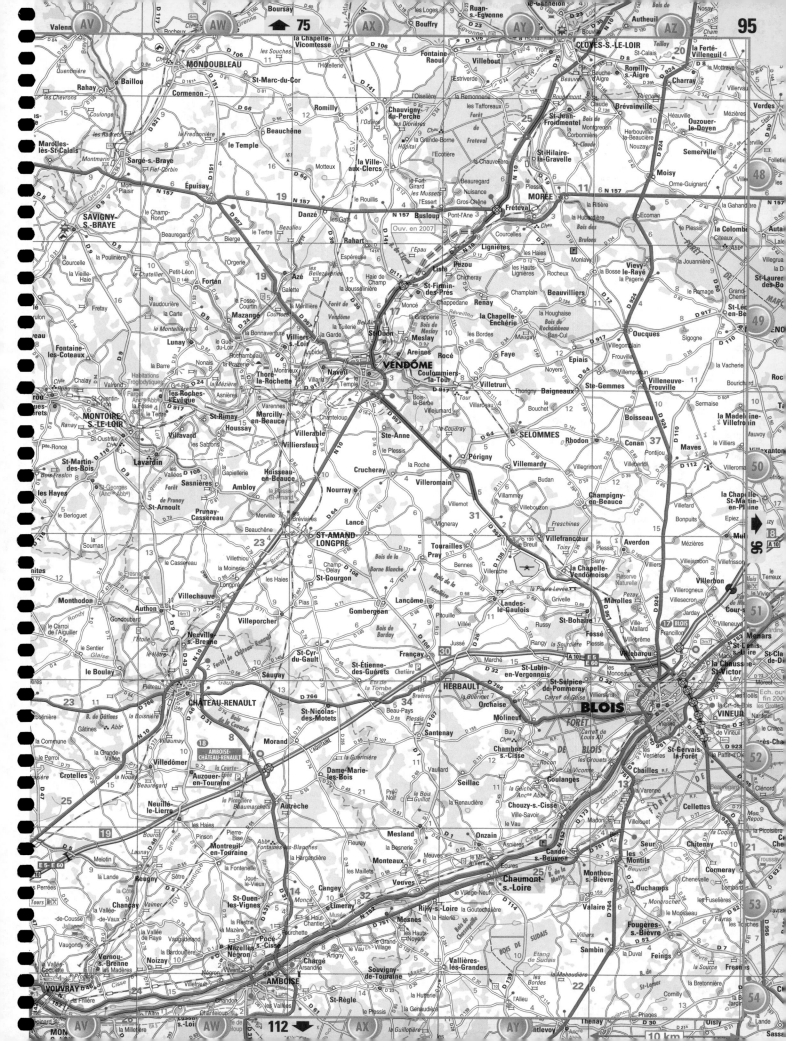

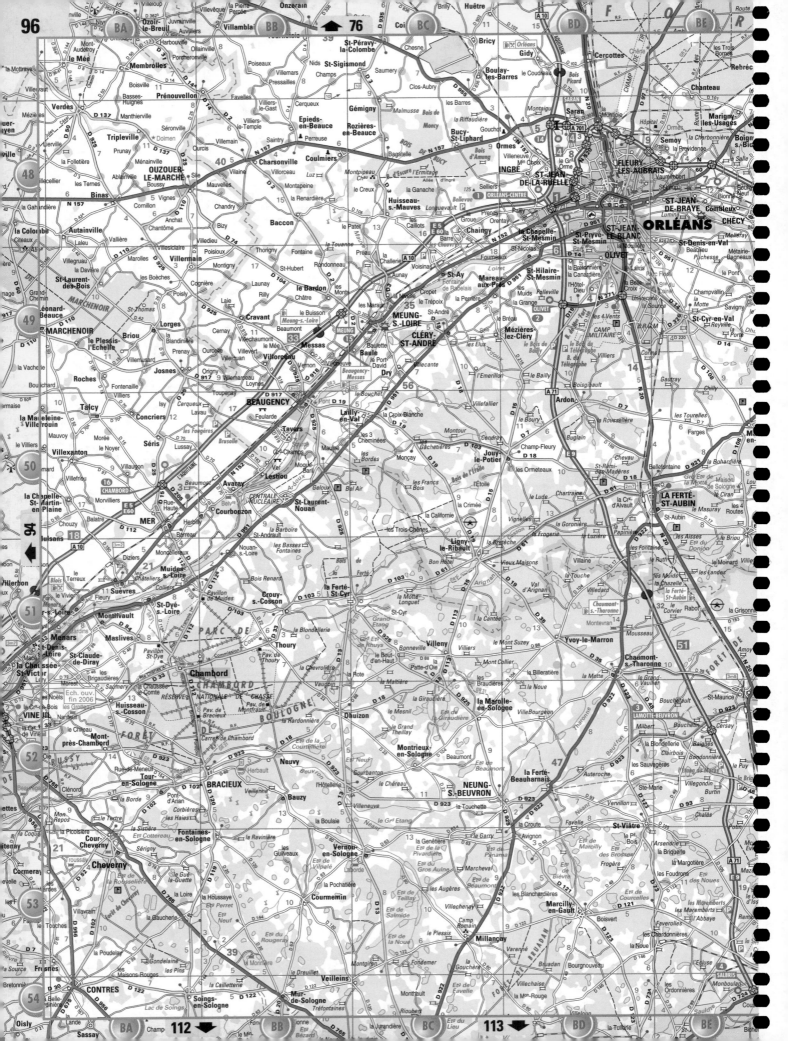

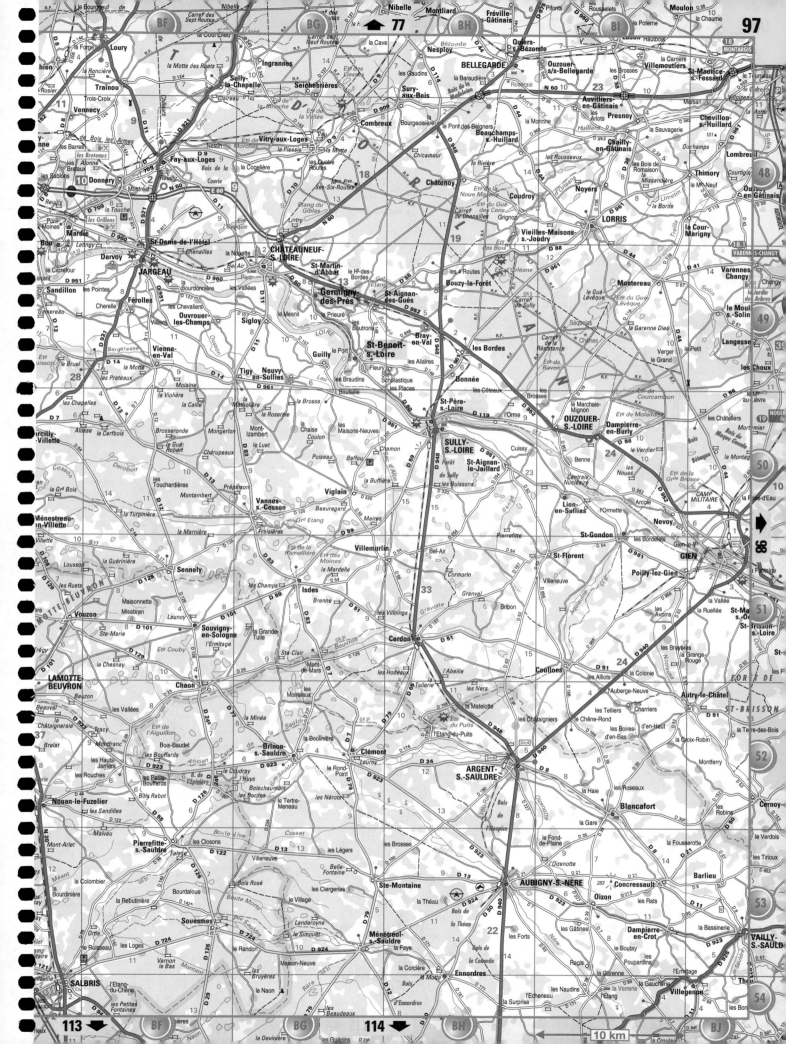

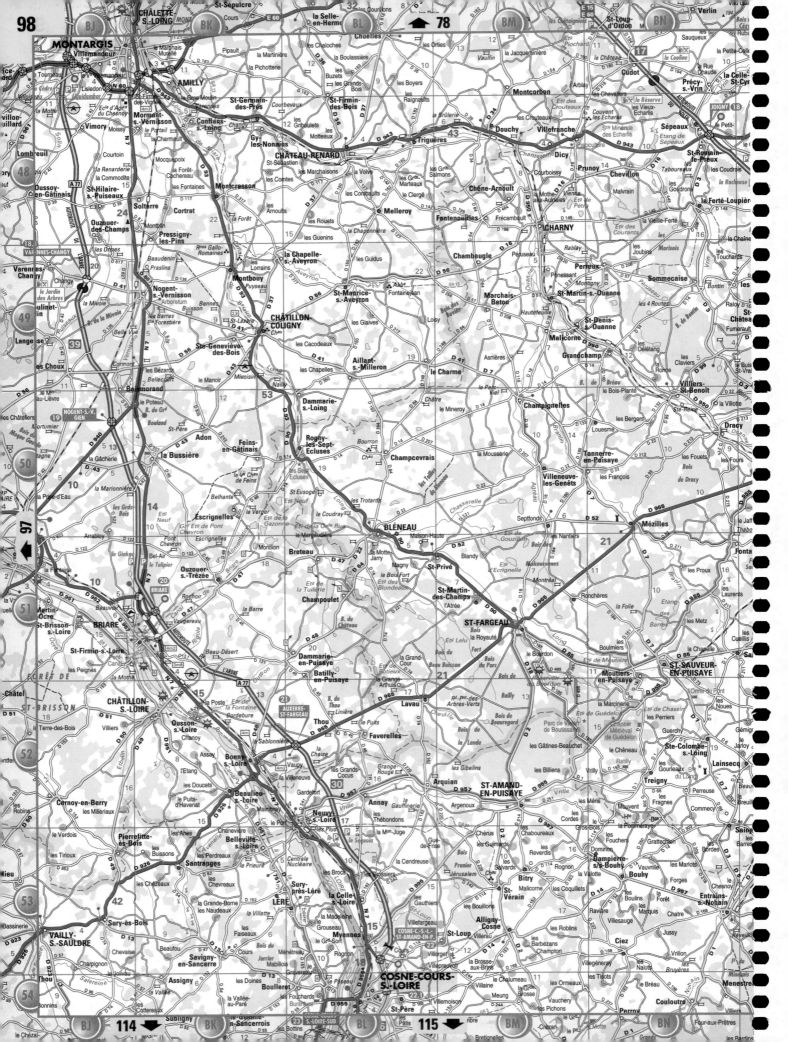

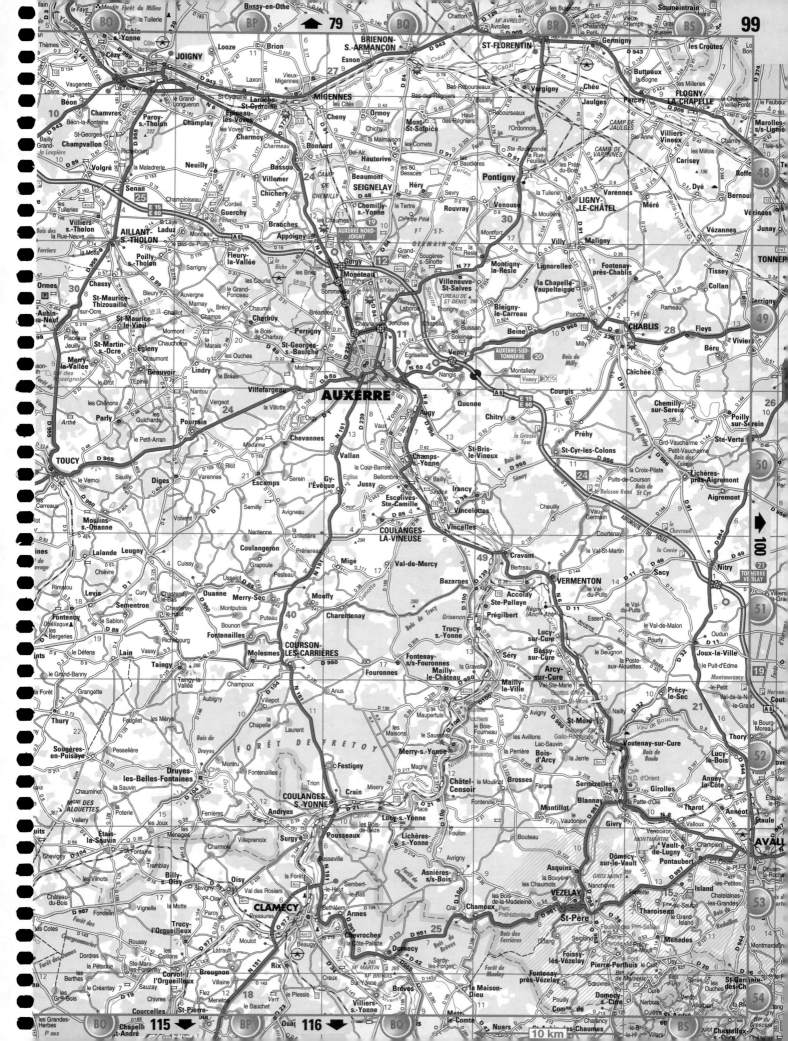

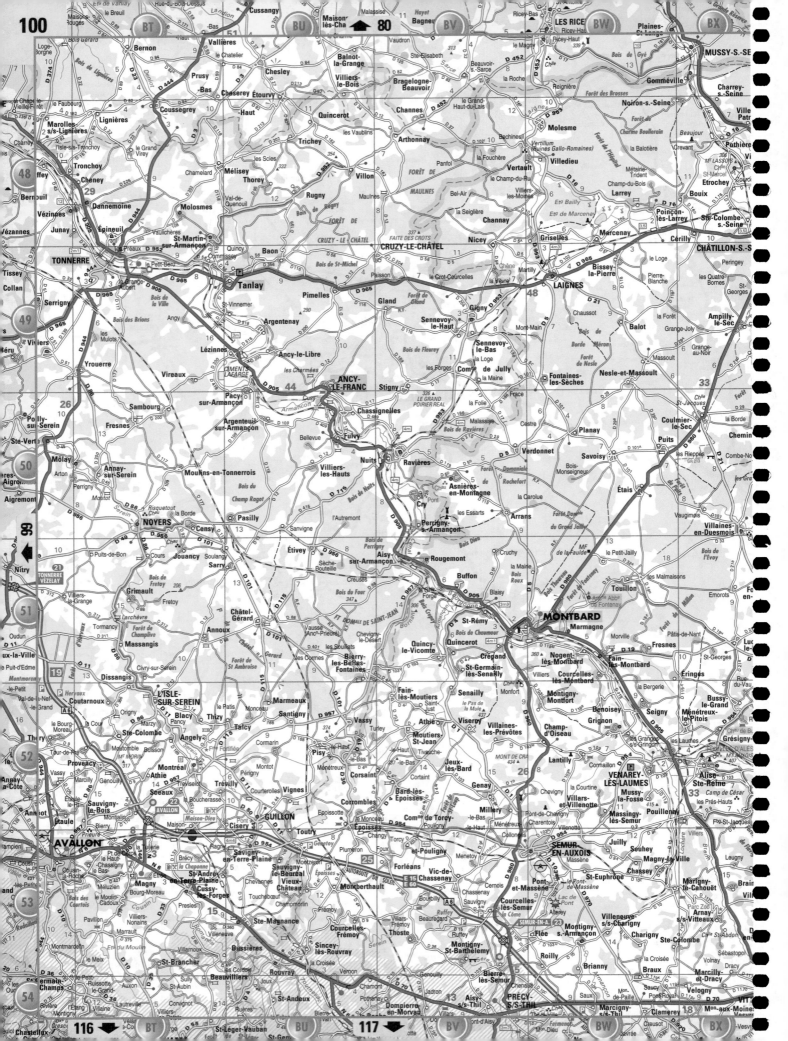

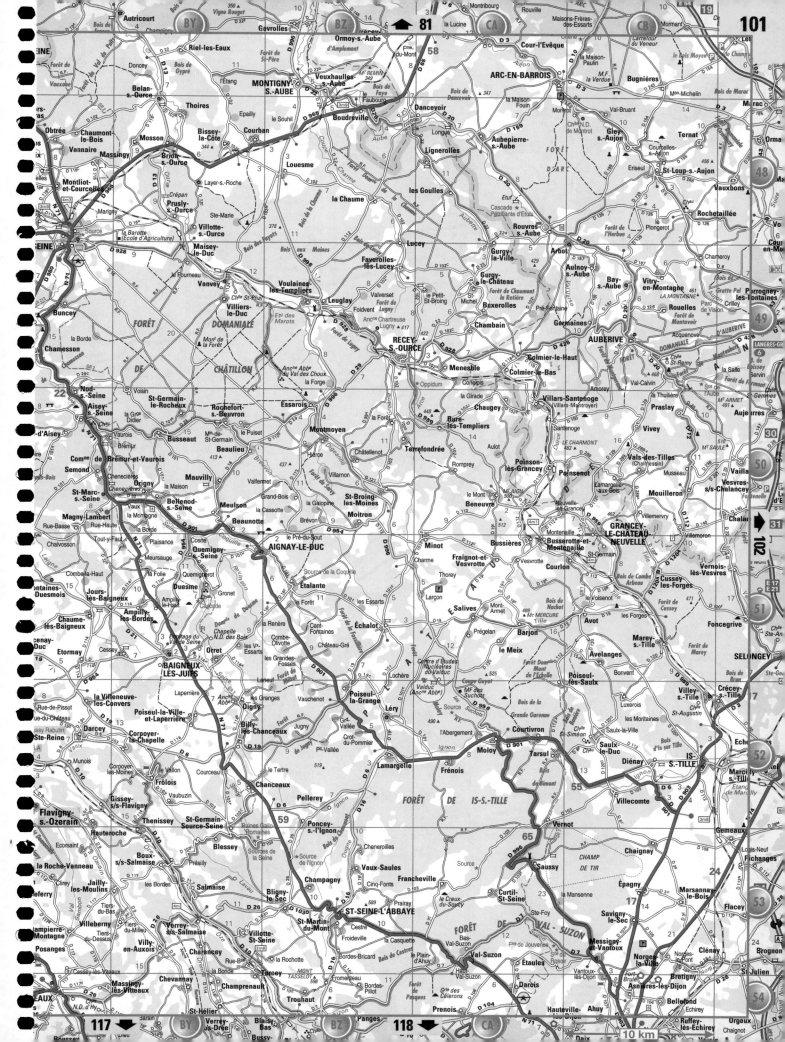

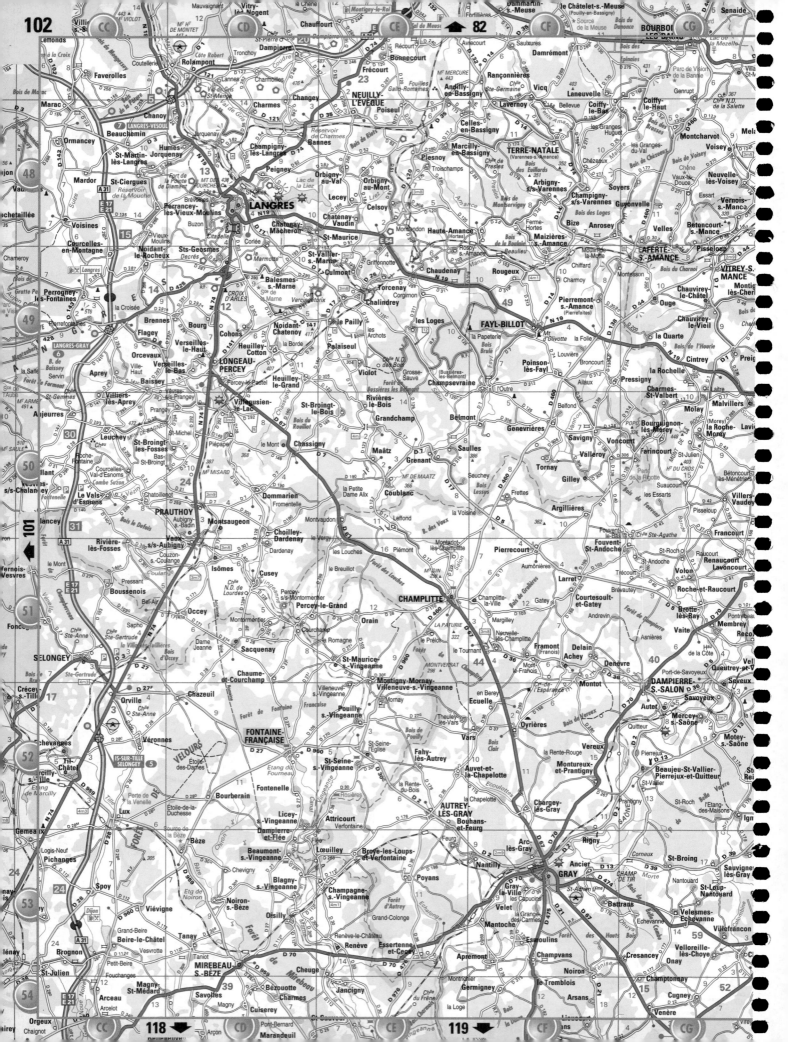

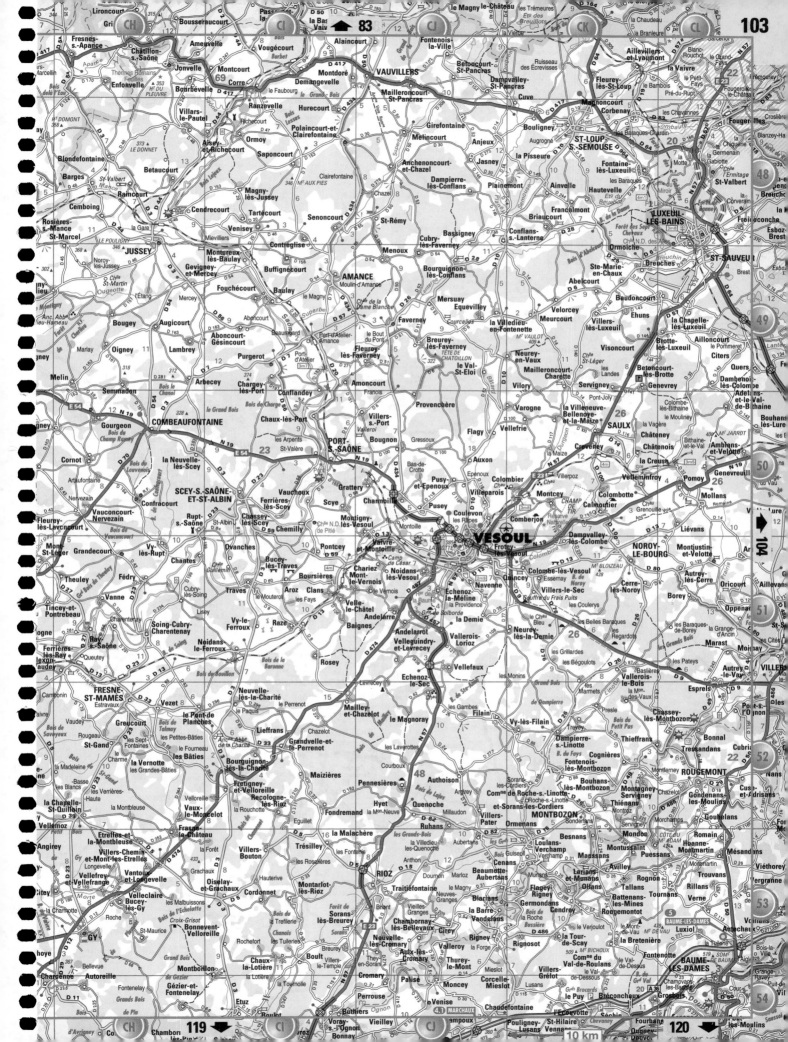

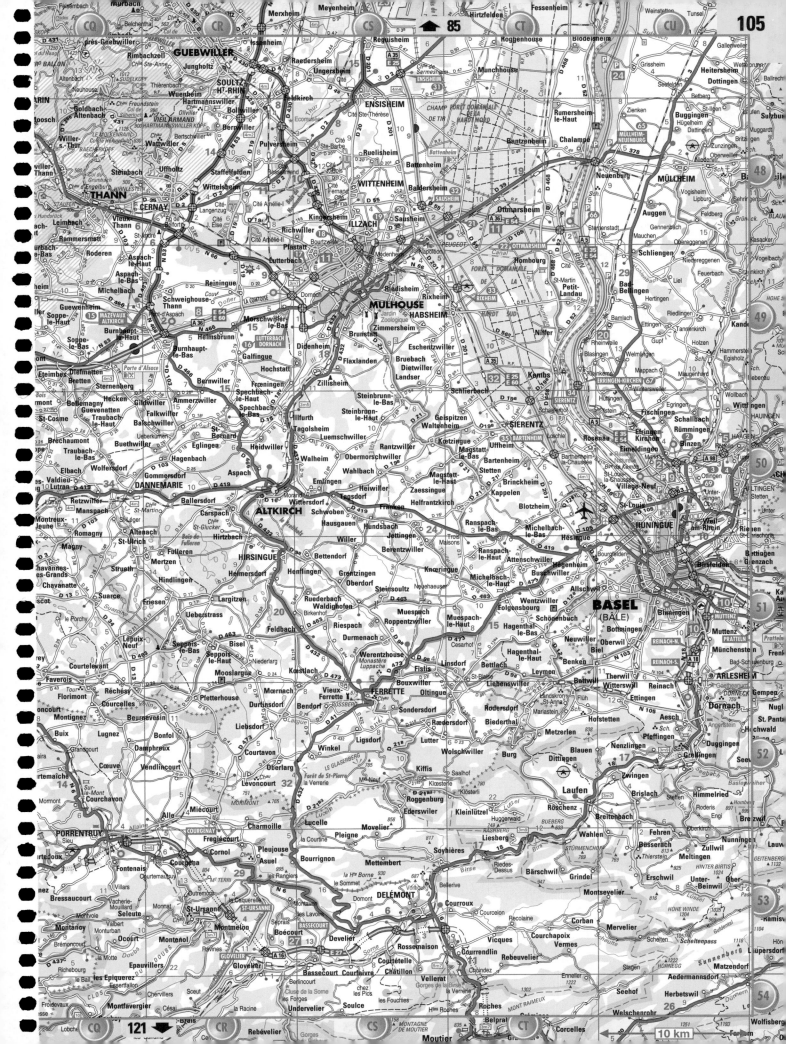

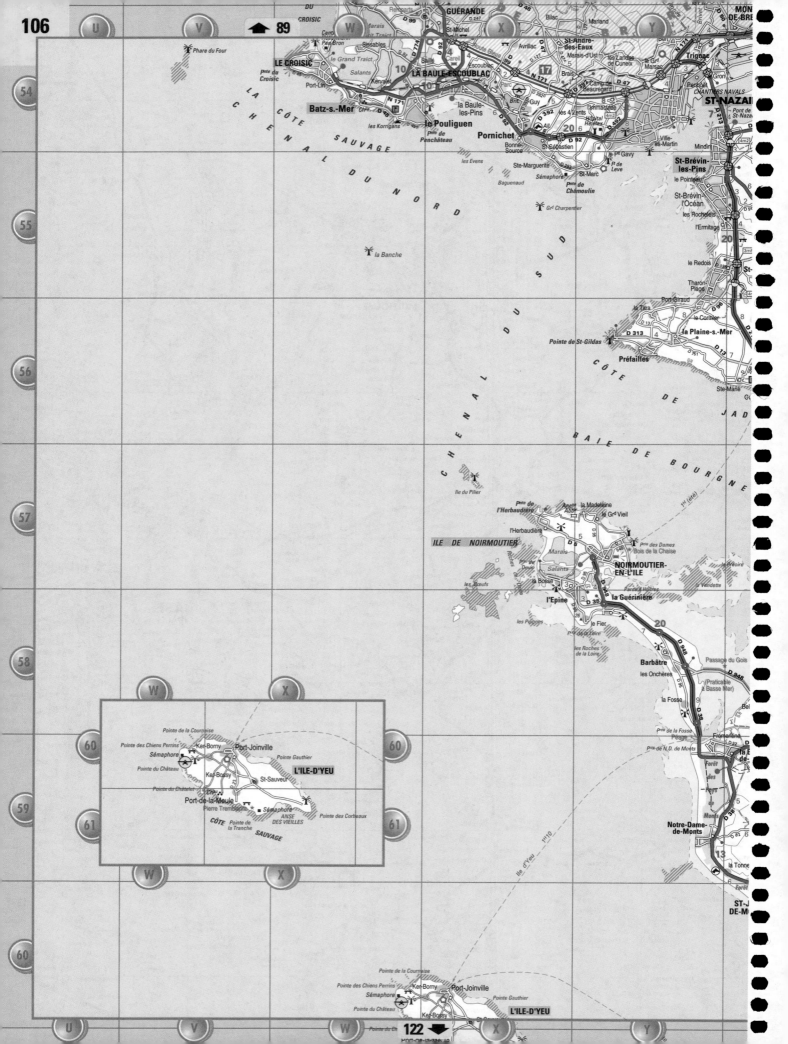

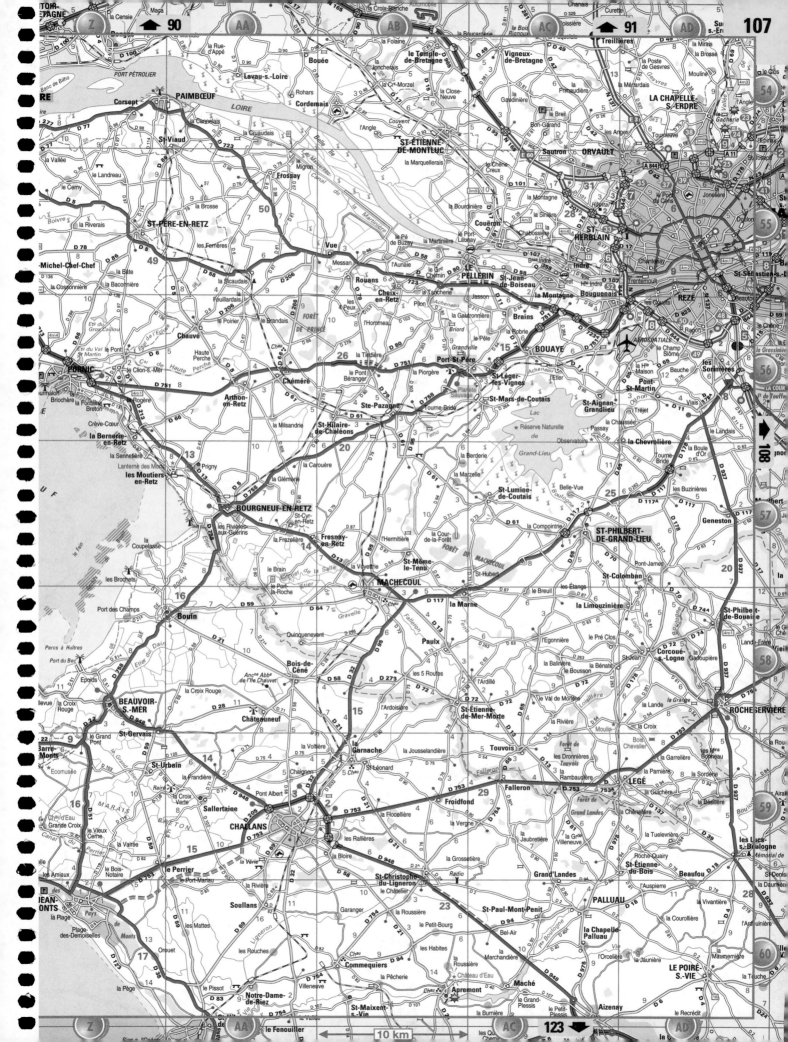

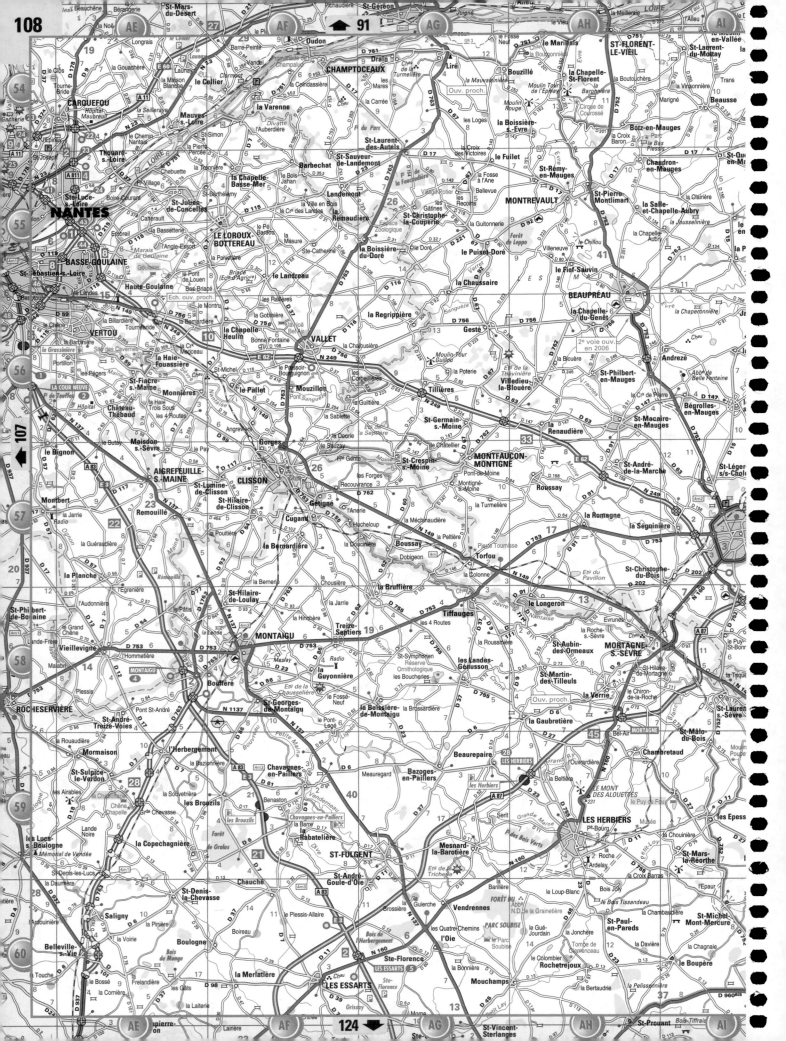

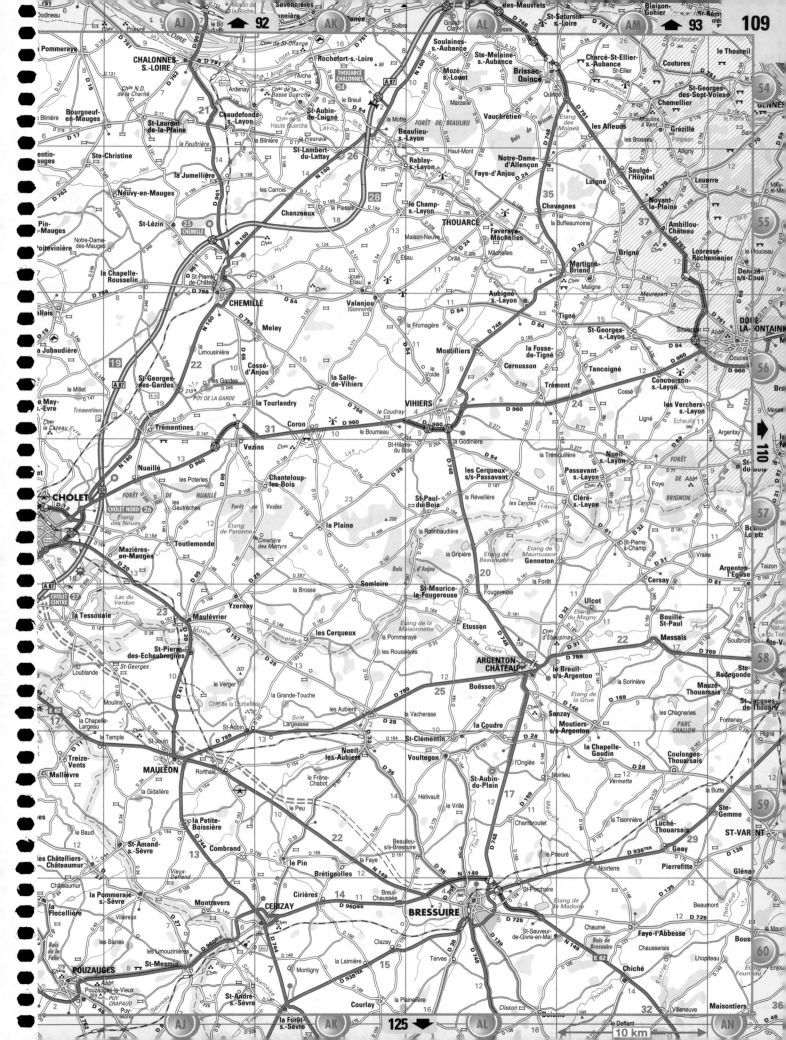

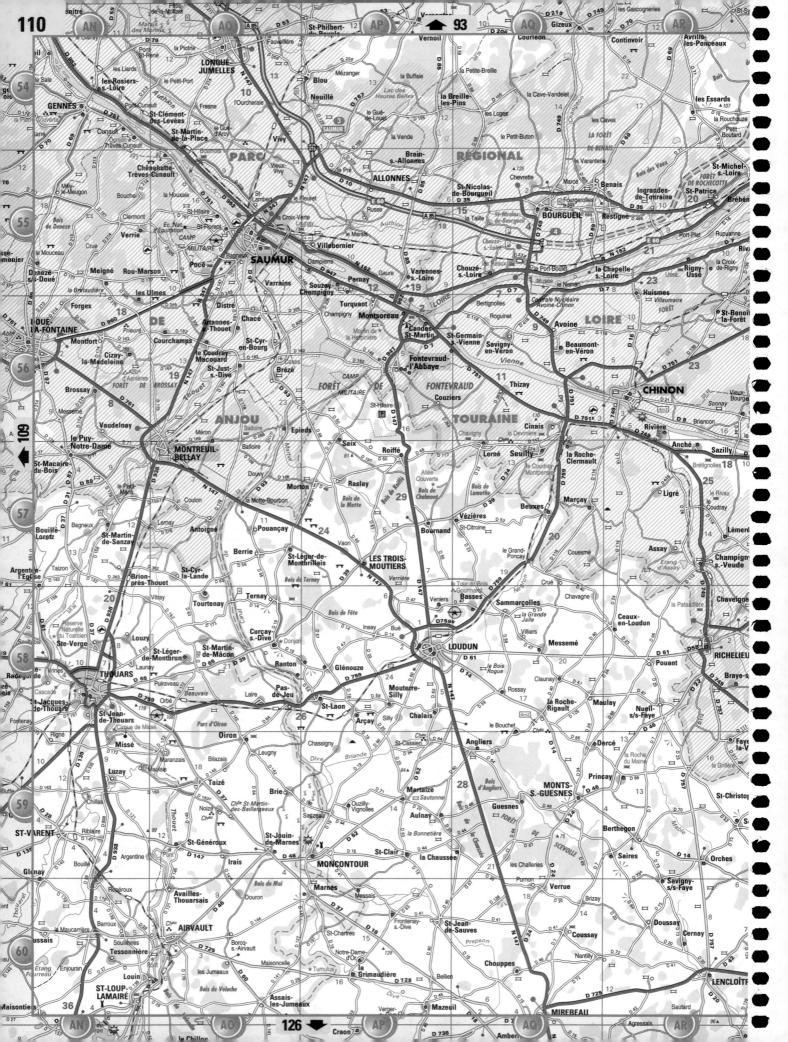

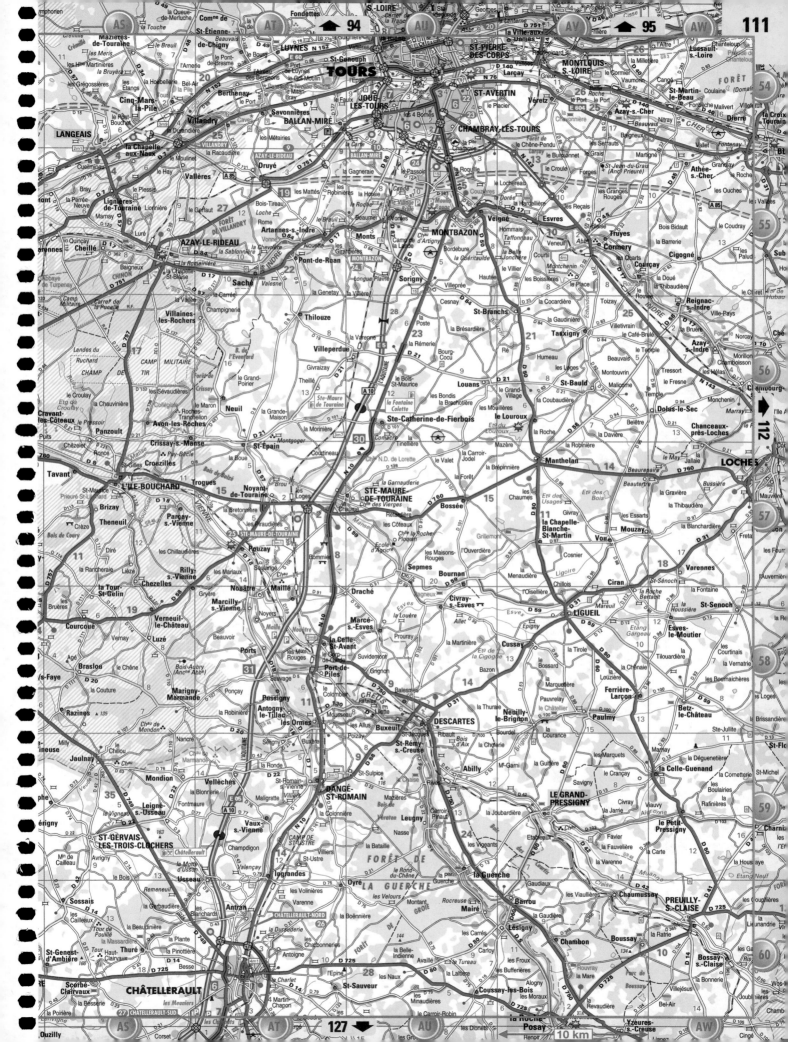

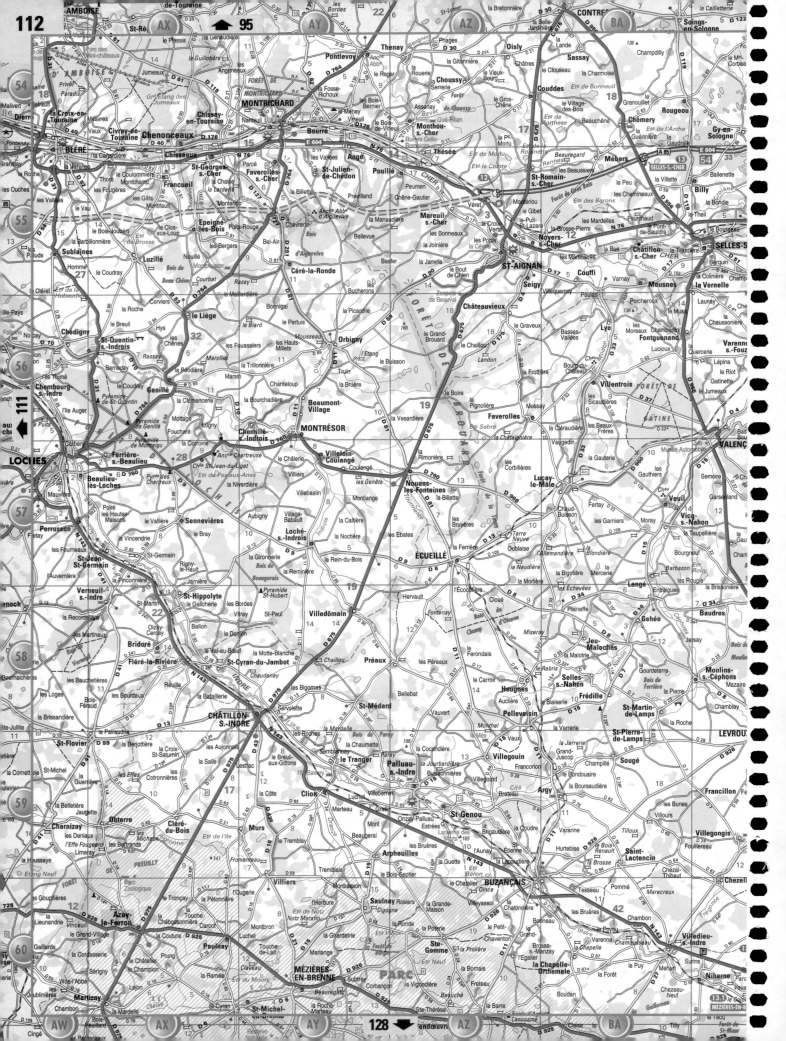

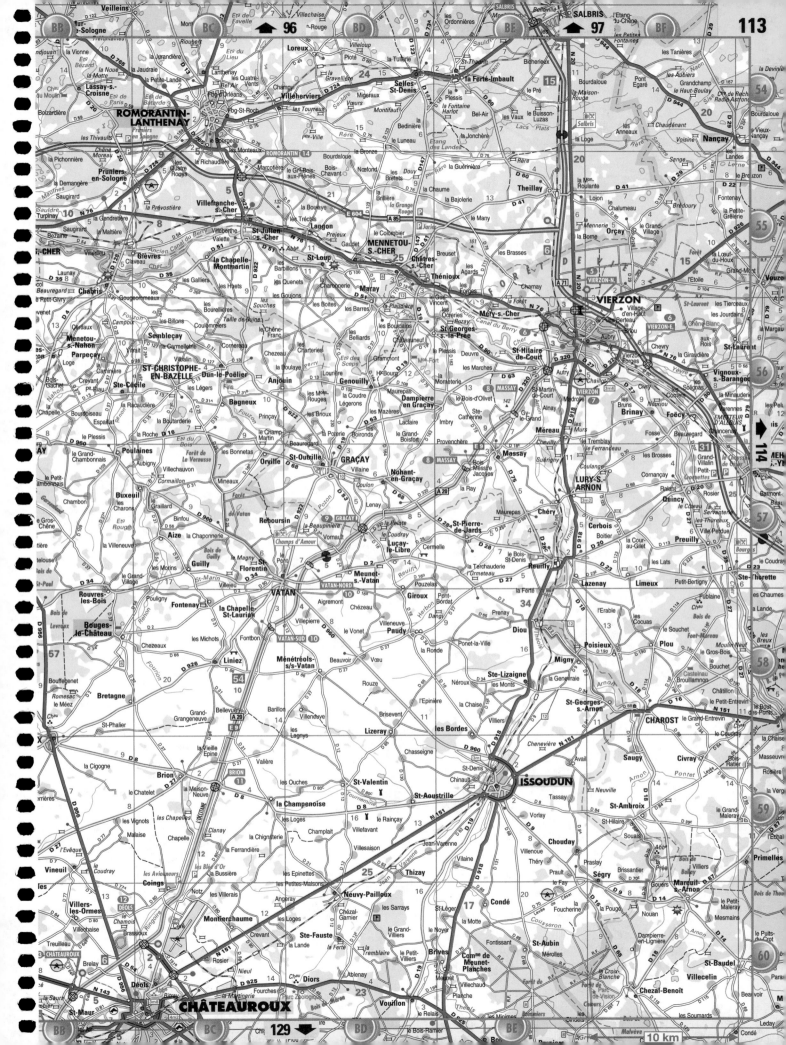

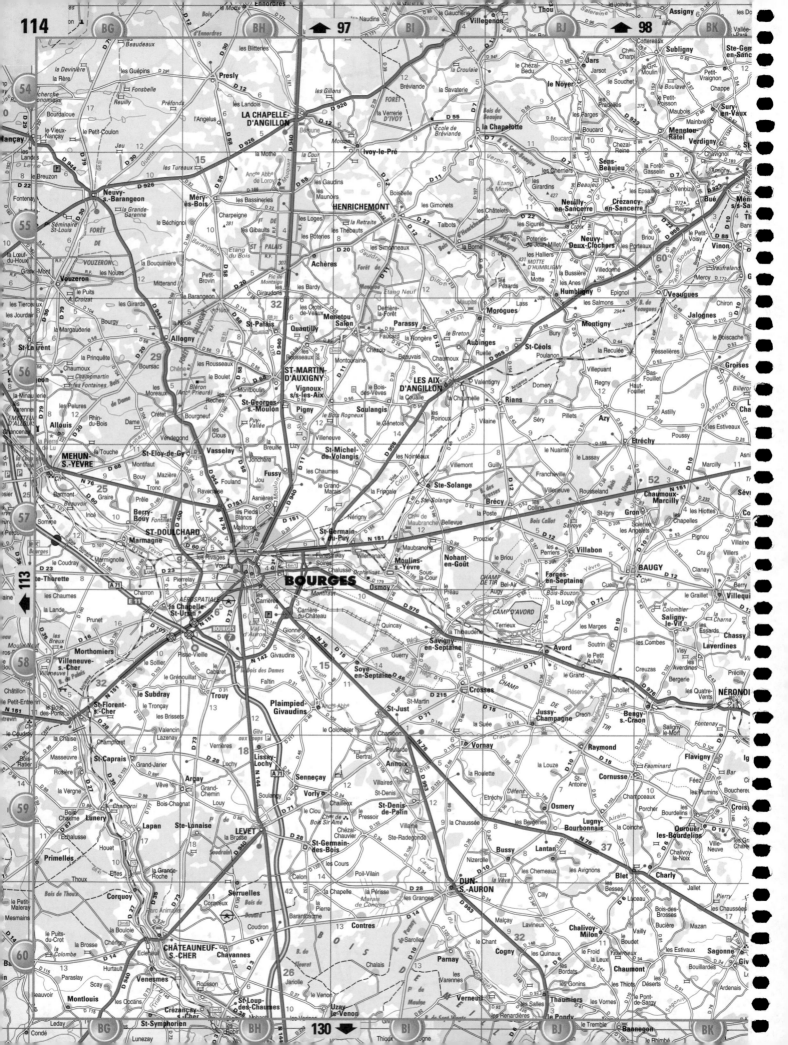

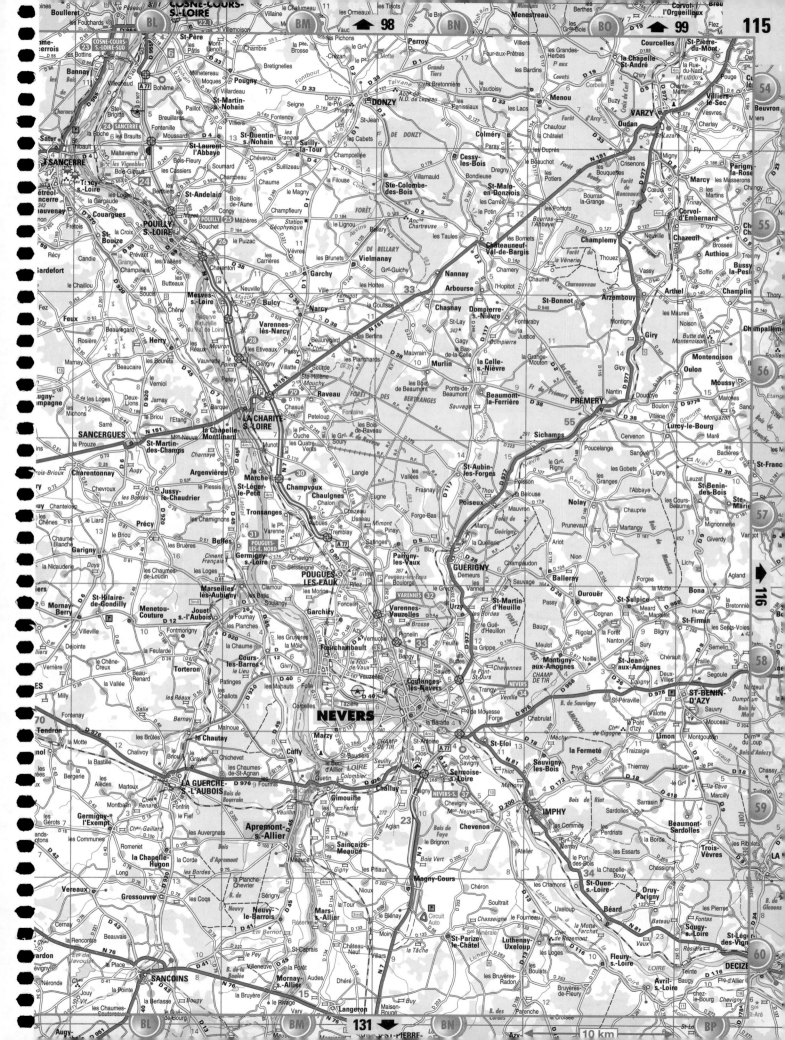

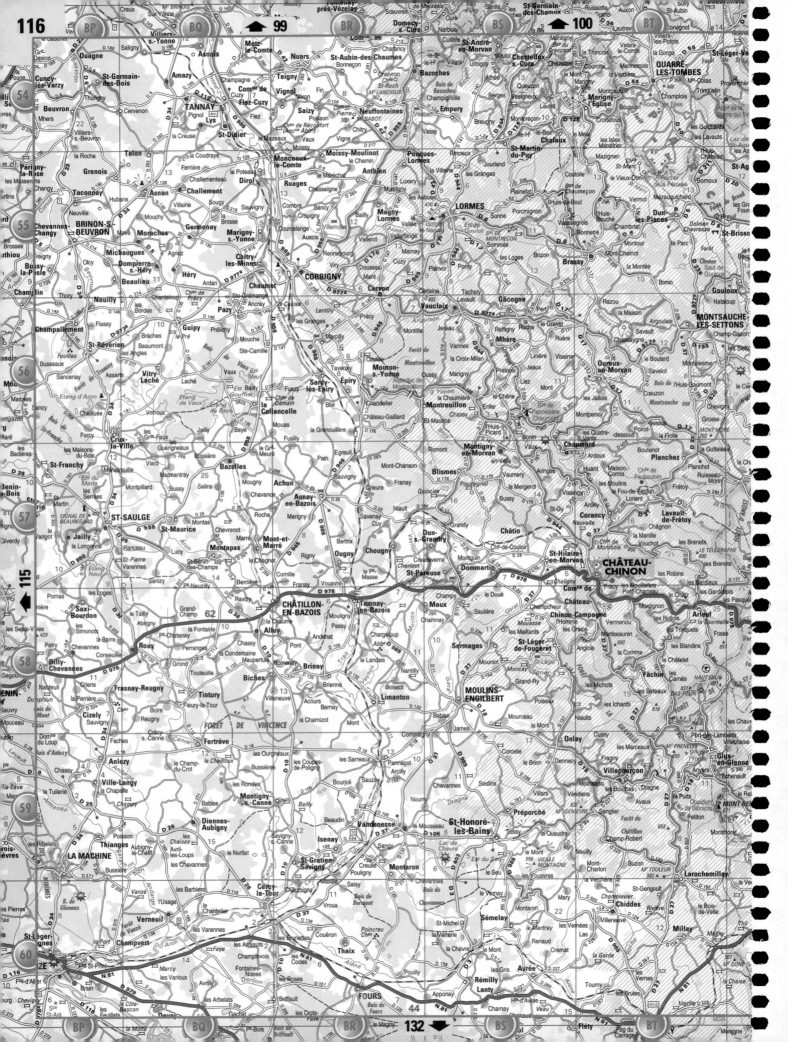

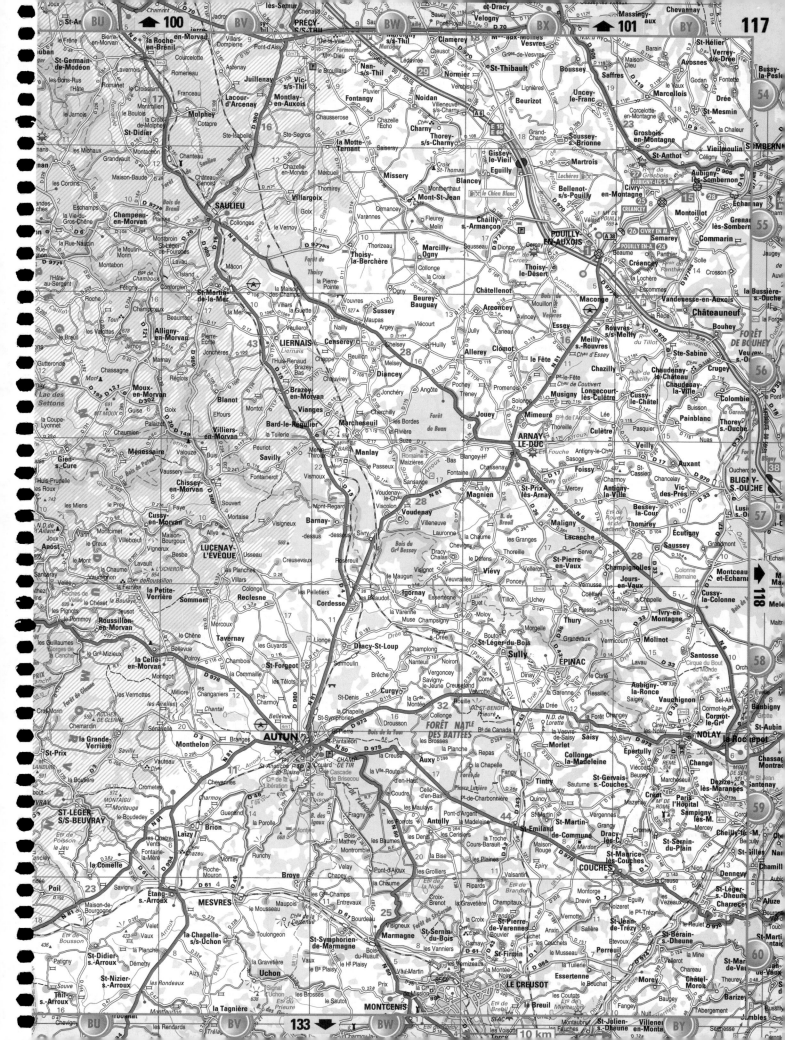

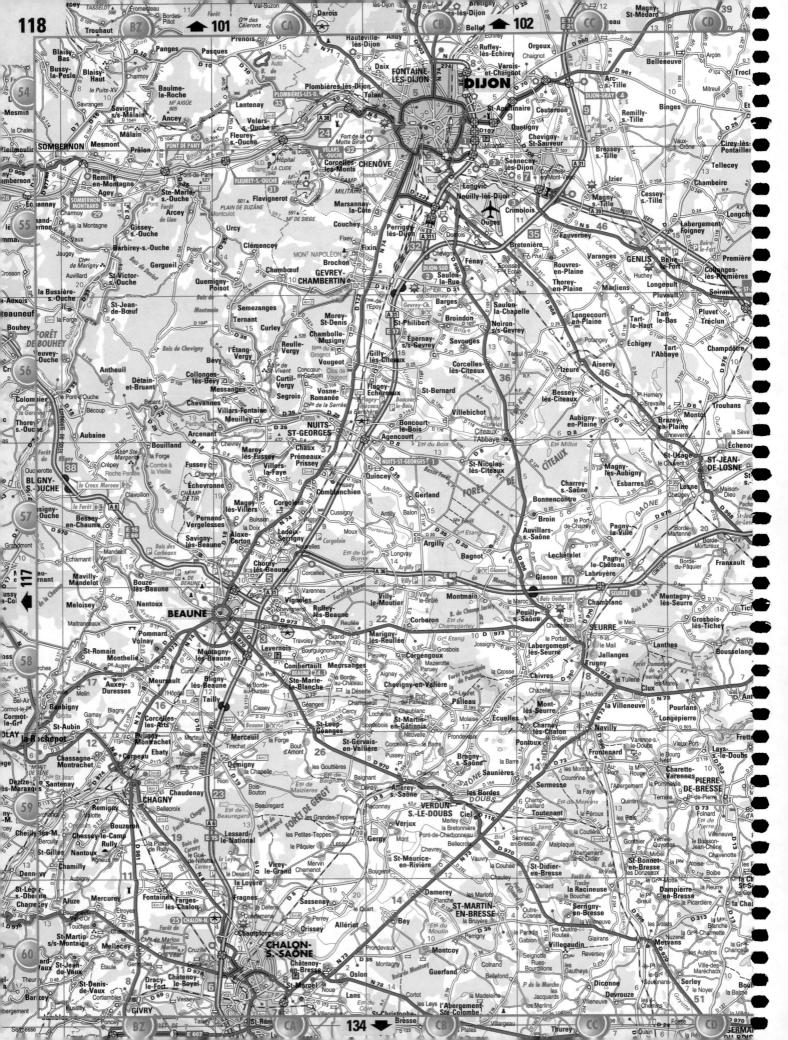

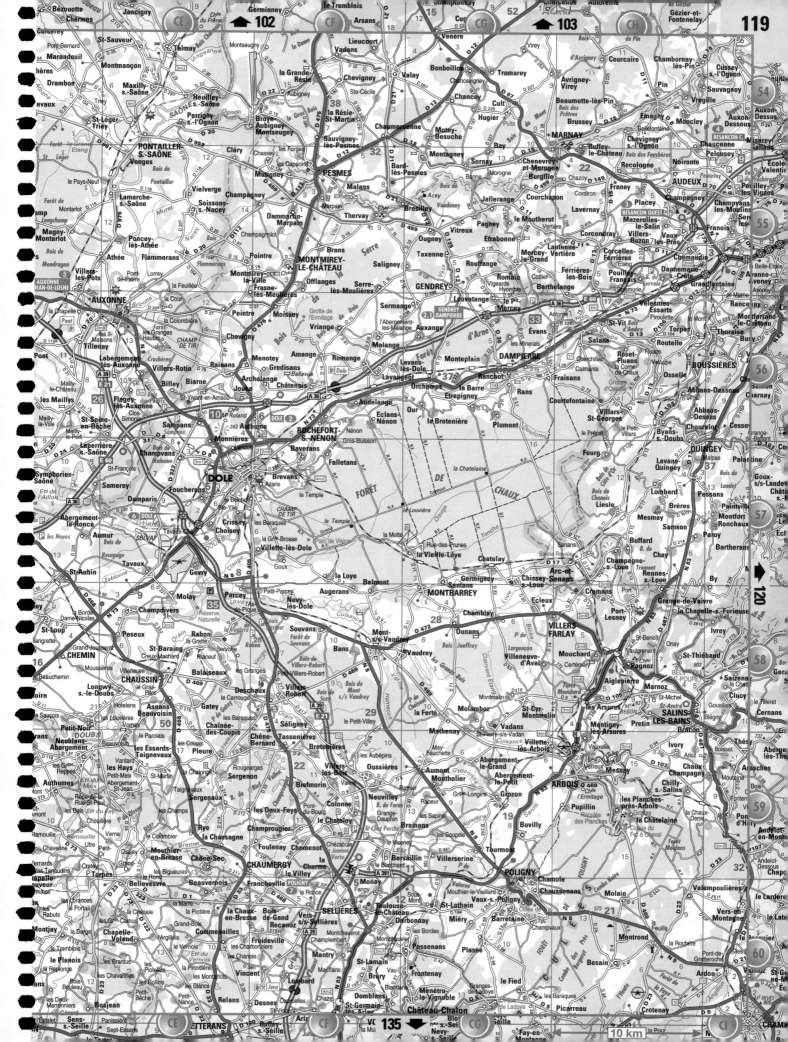

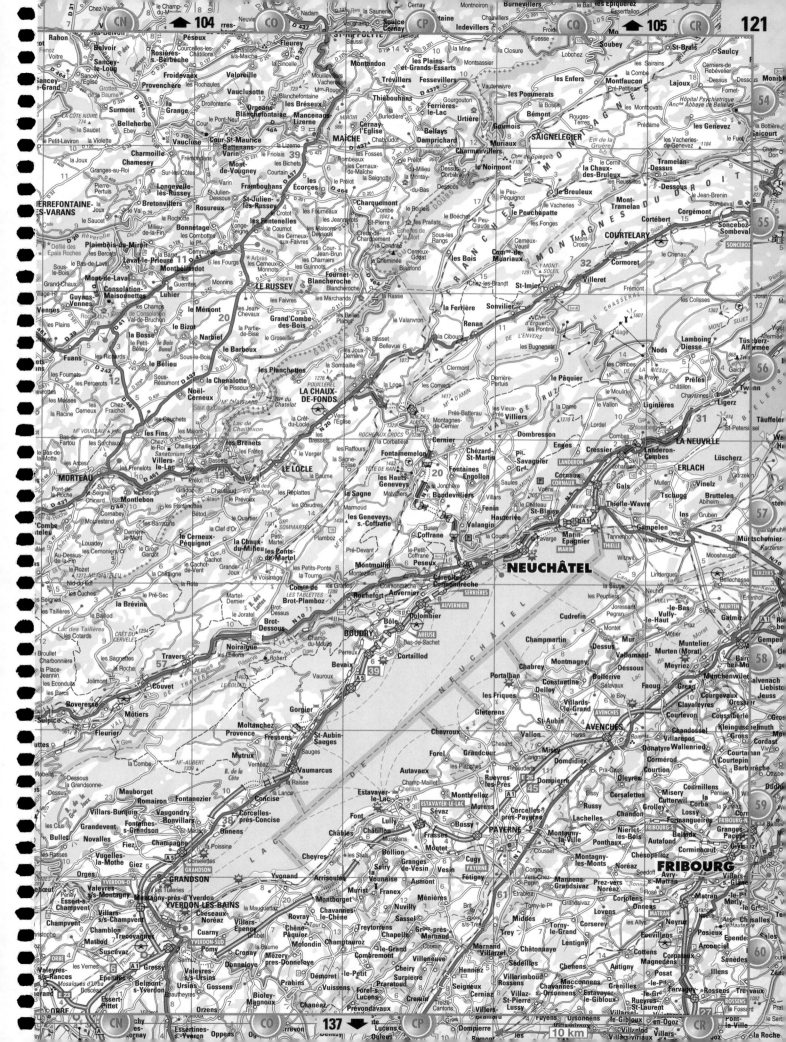

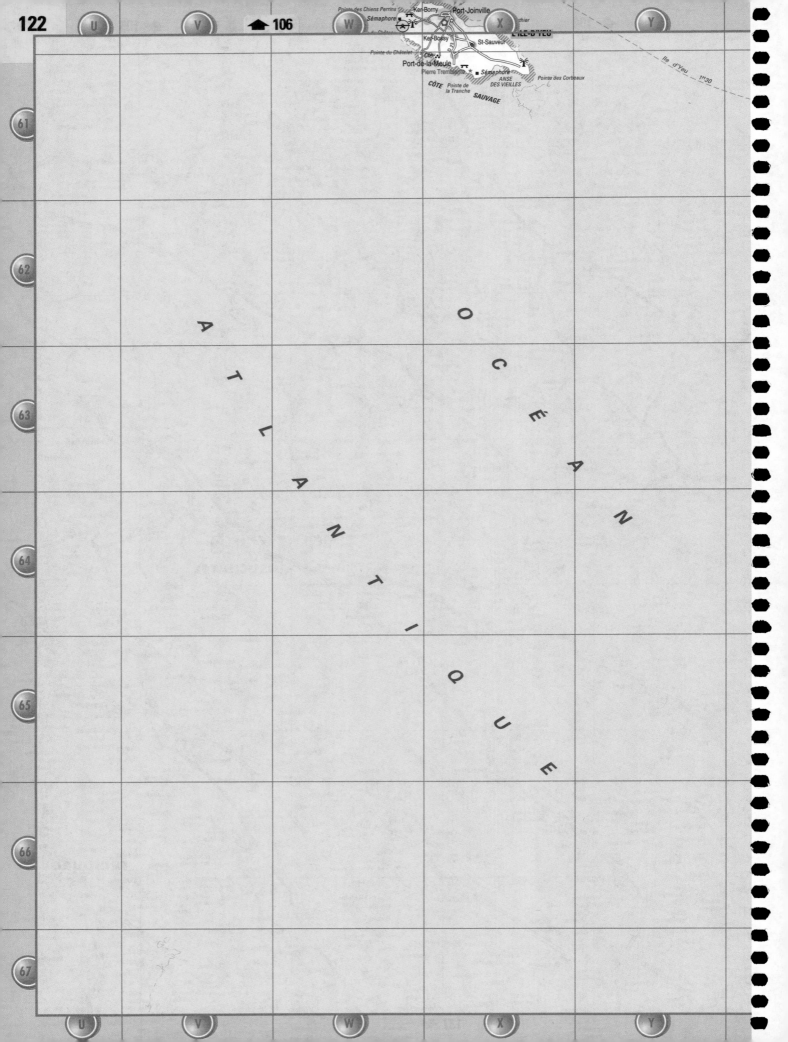

OCÉAN

ATLANTIQUE

L'ÎLE-D'YEU

Pointe des Chiens Perrins
Ker-Borny
Port-Joinville
Sémaphore
Ker-Bossy
St-Sauveur
Pointe du Châtelet
Port-de-la-Meule
Pierre Tremblante
Sémaphore
CÔTE
Pointe de la Tranche
SAUVAGE
ANSE DES VIEILLES
Pointe des Corbeaux
Île d'Yeu 1° 30

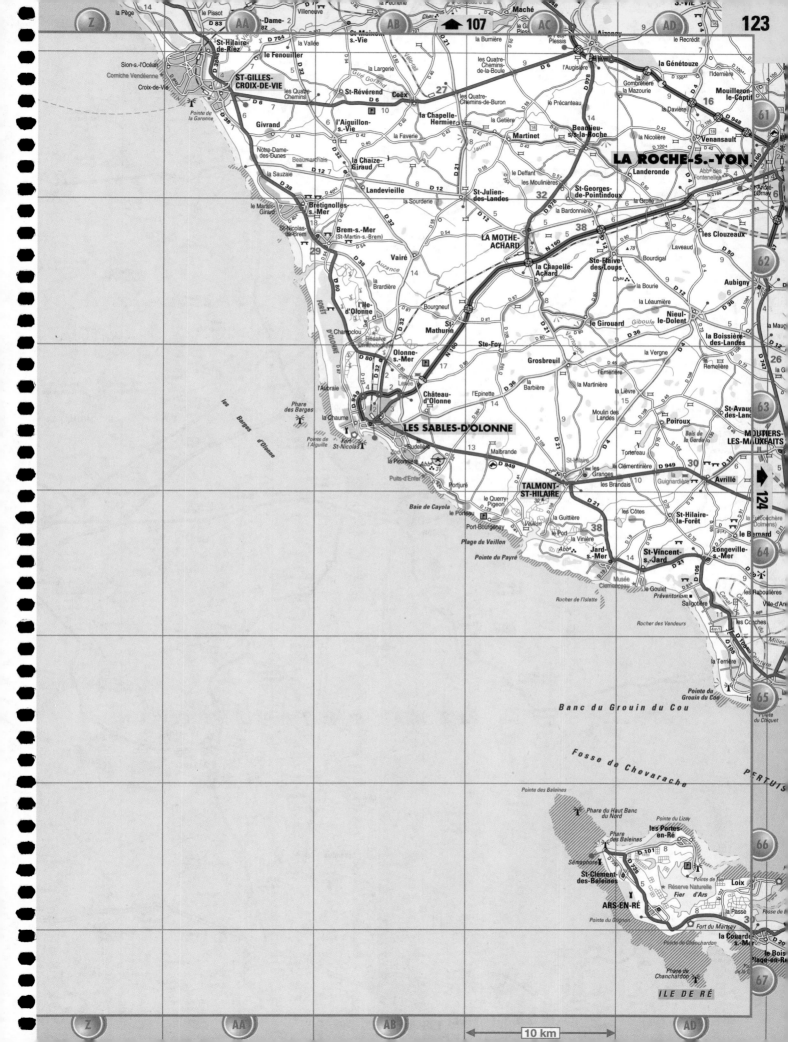

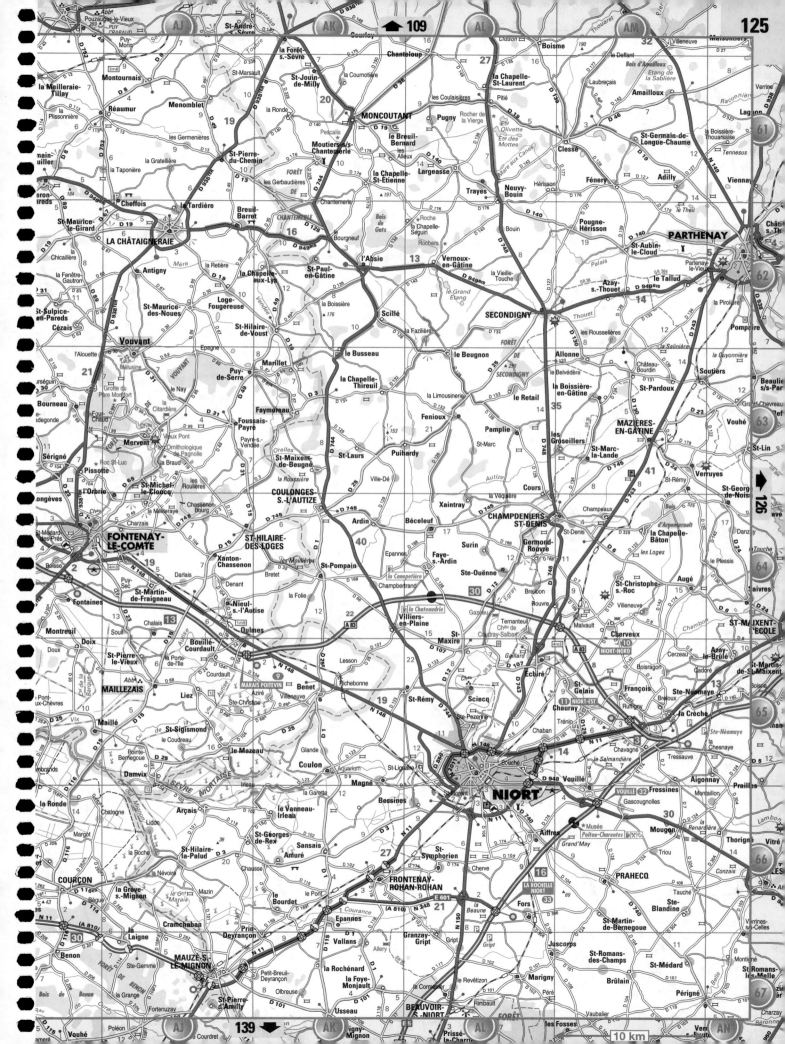

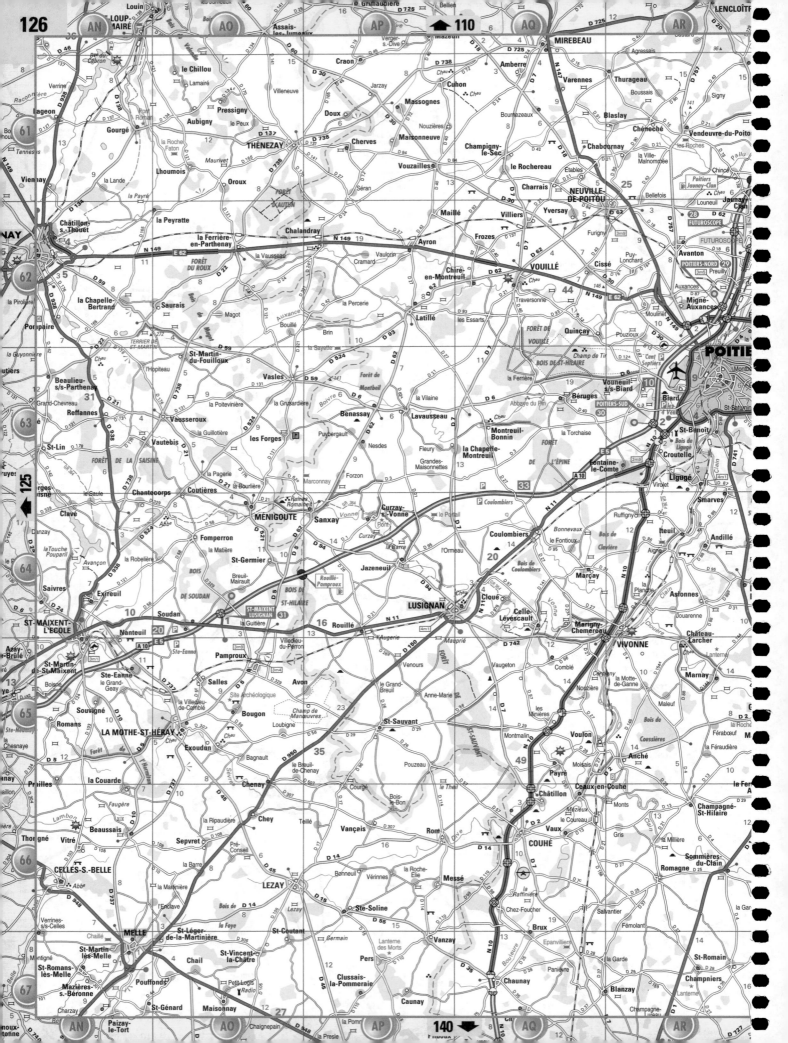

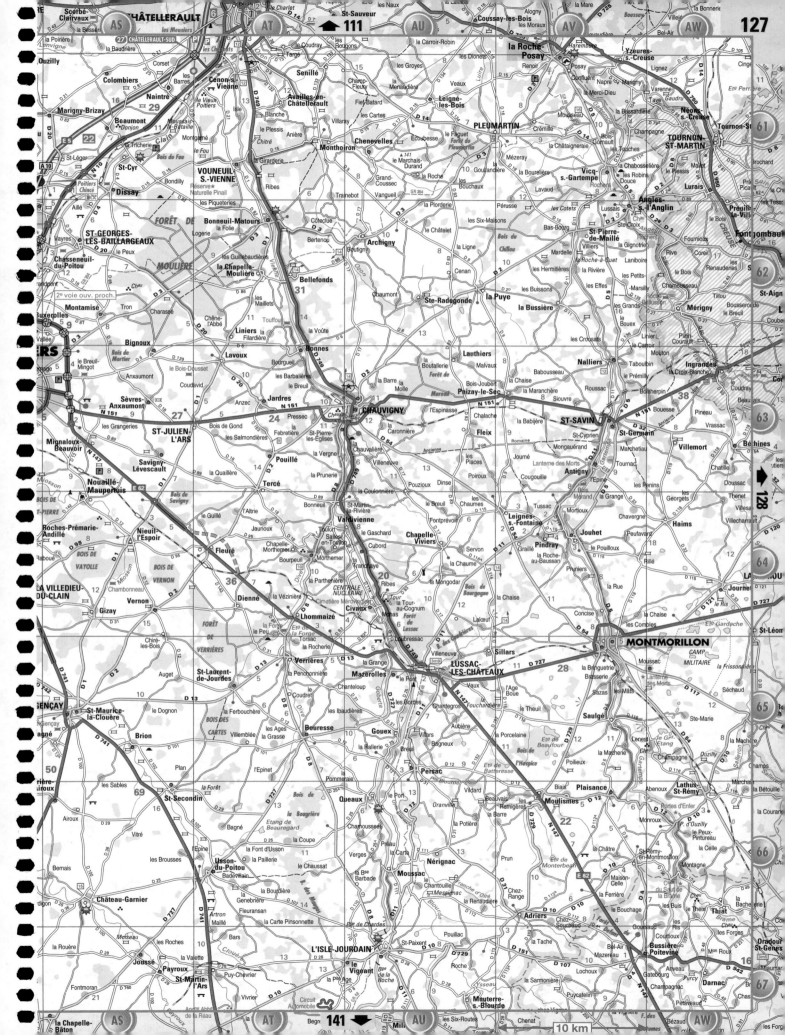

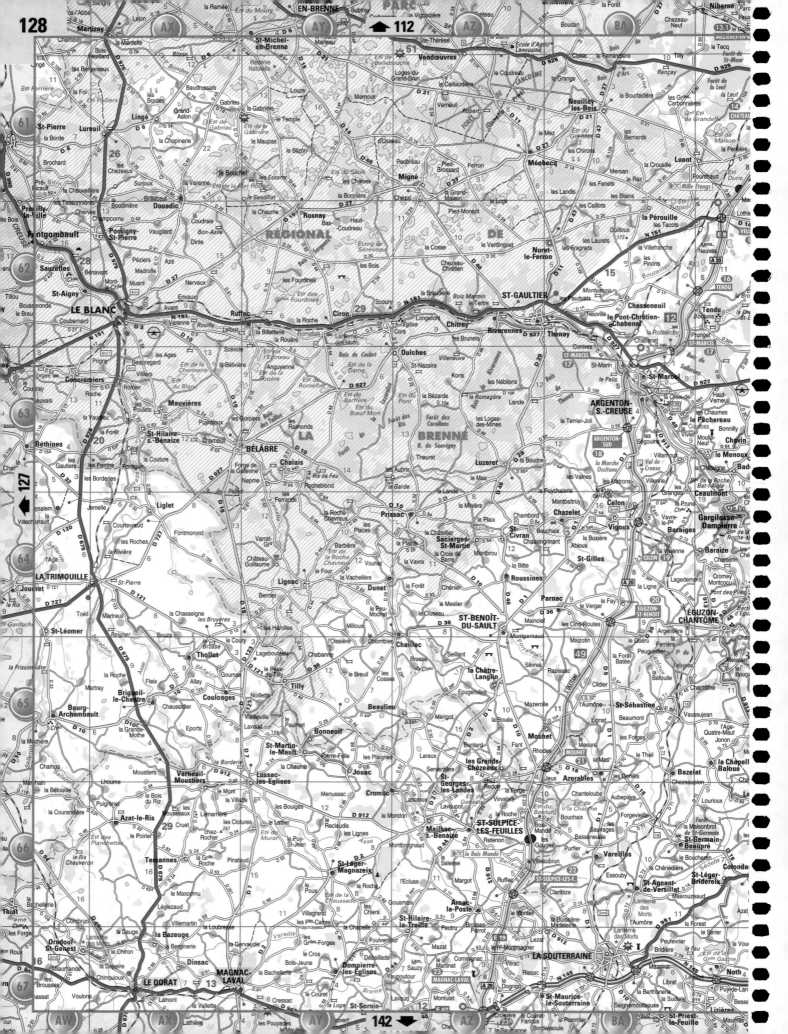

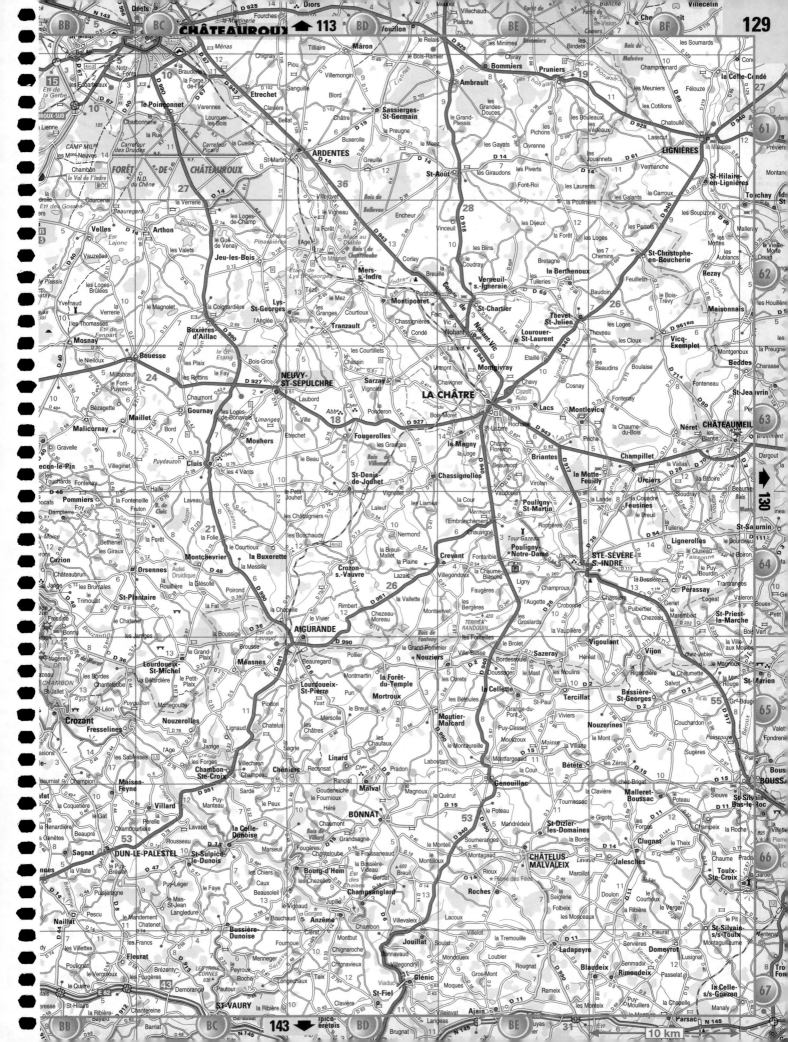

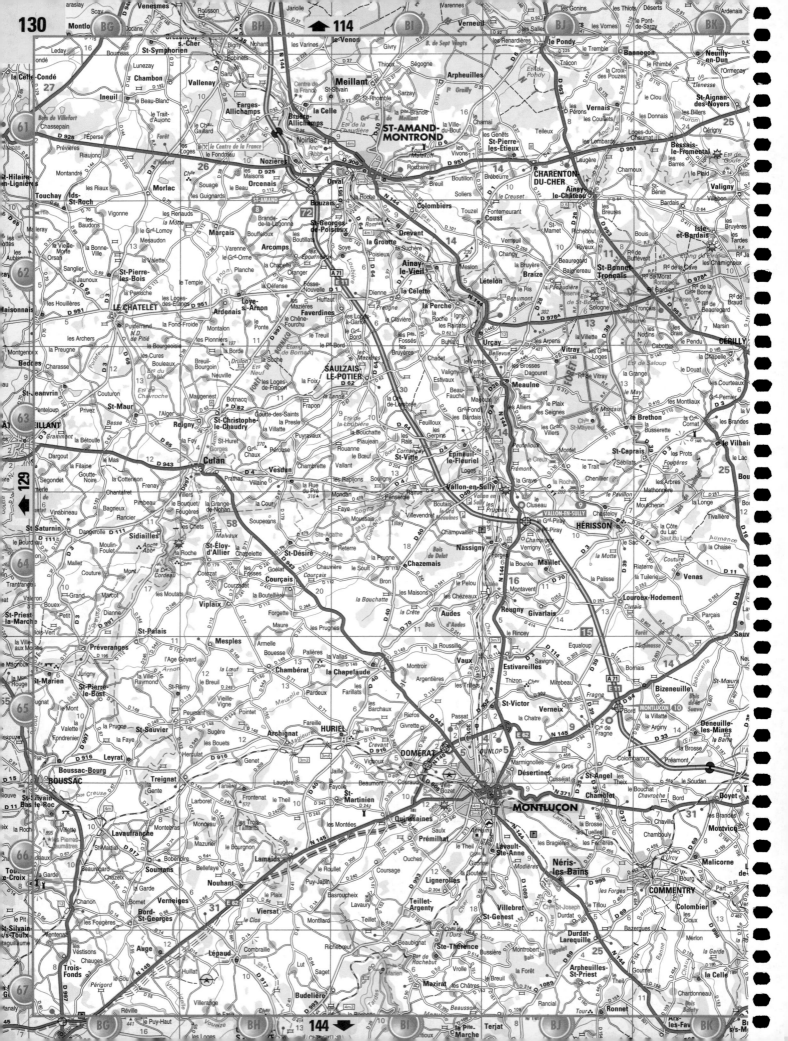

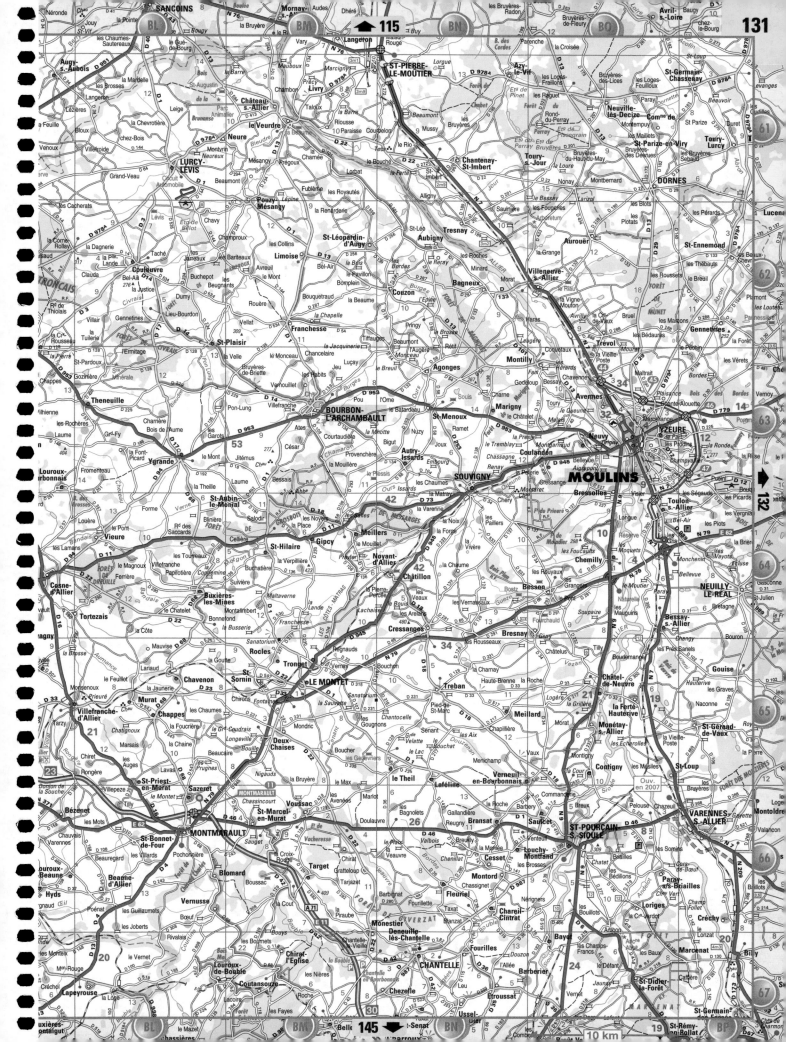

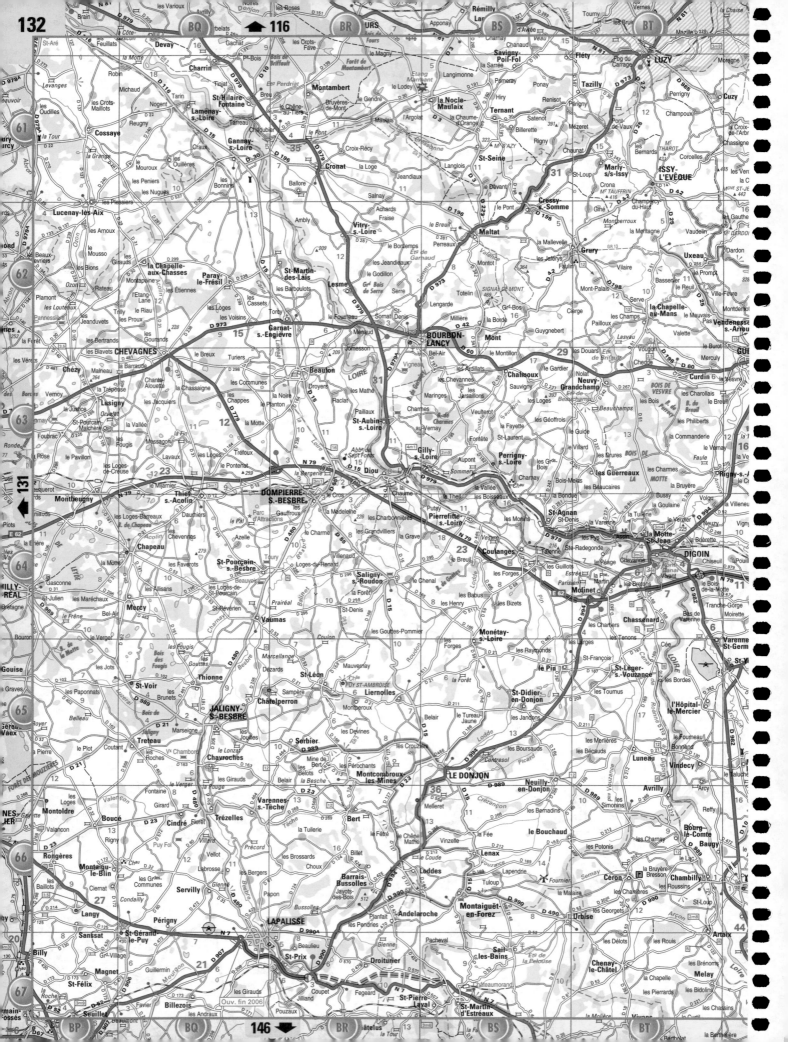

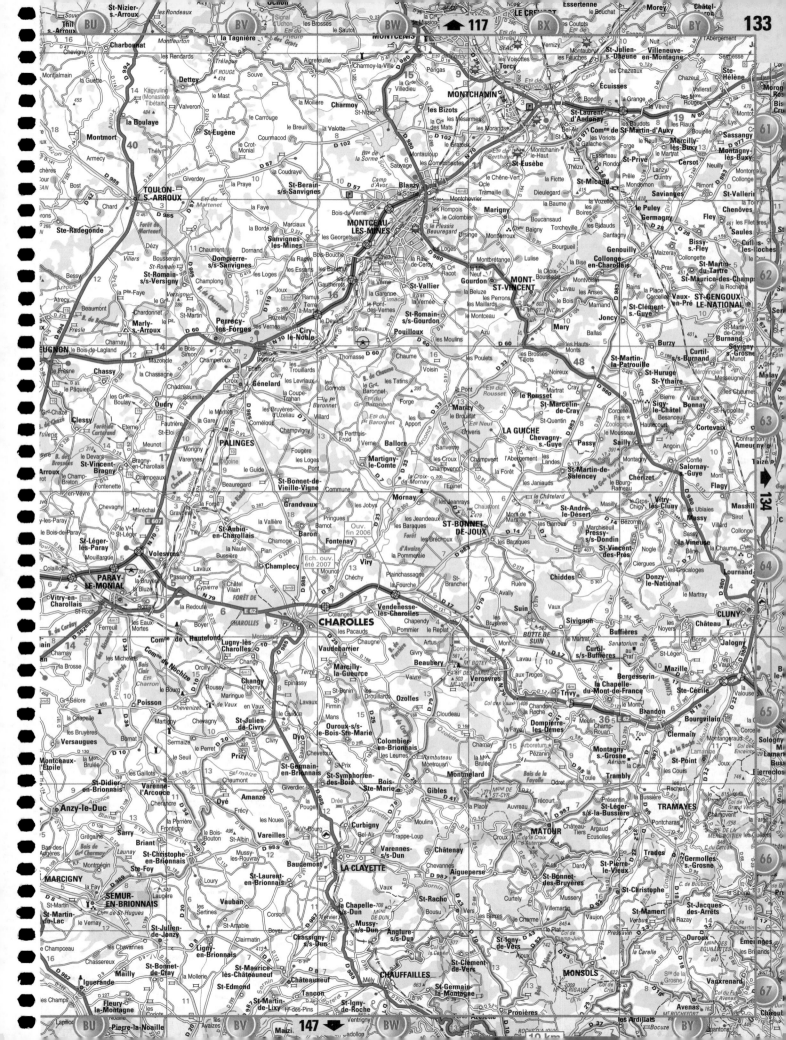

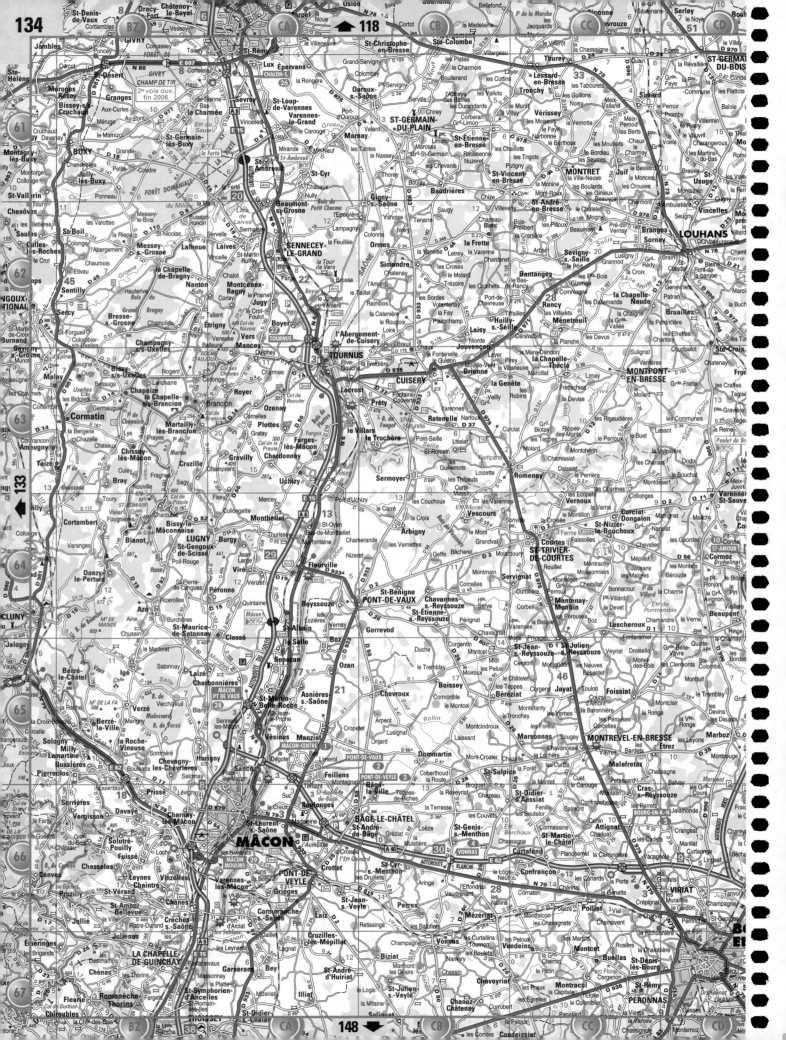

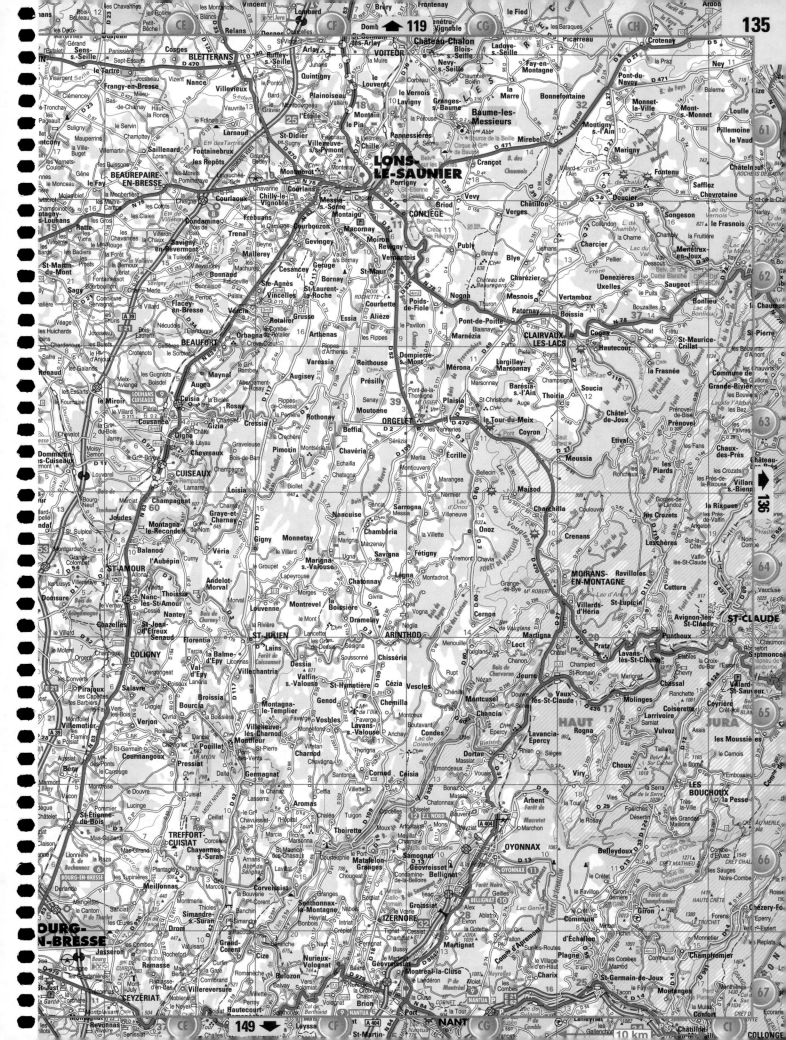

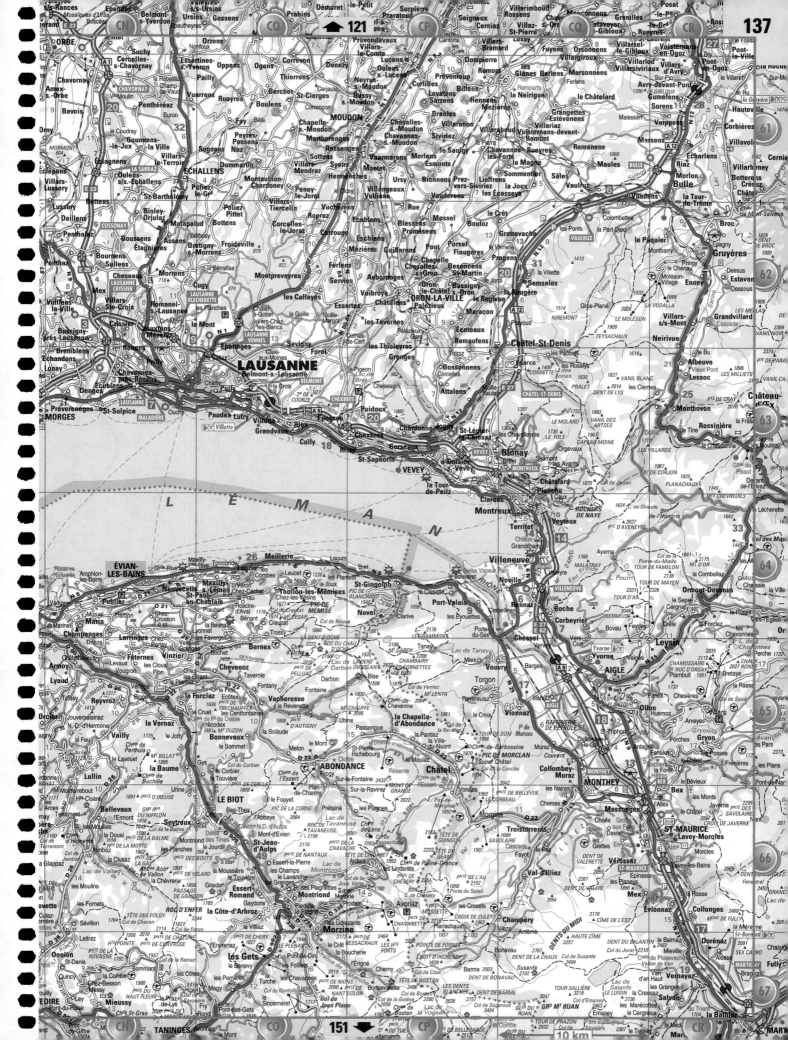

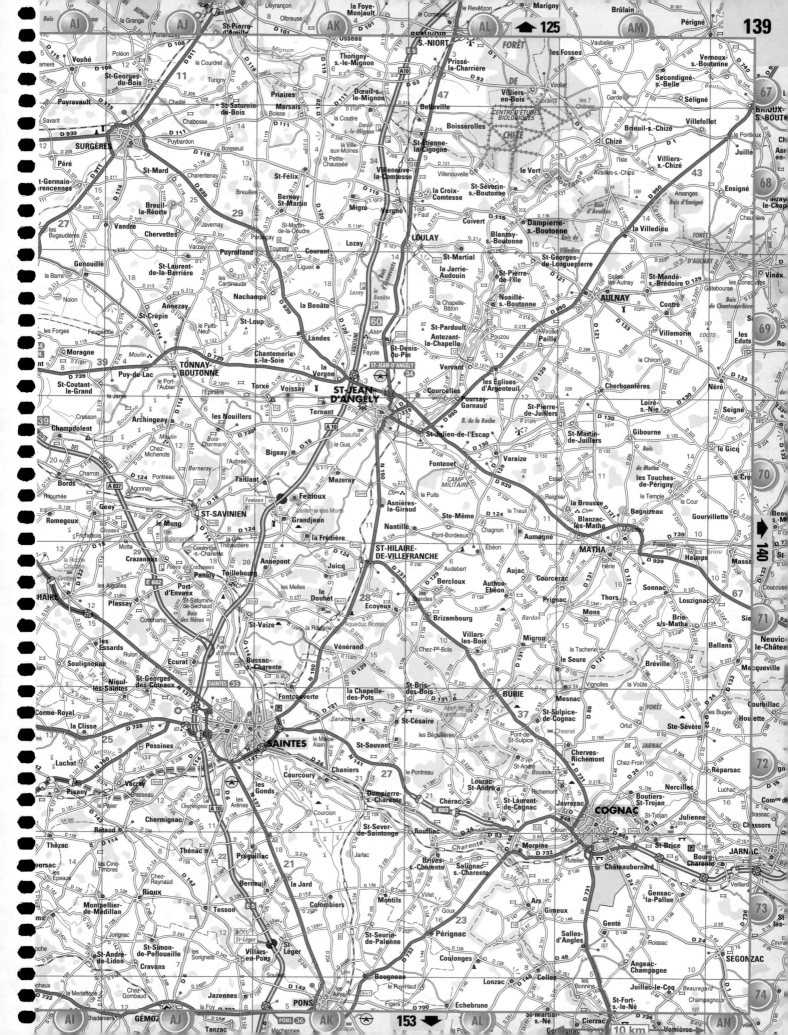

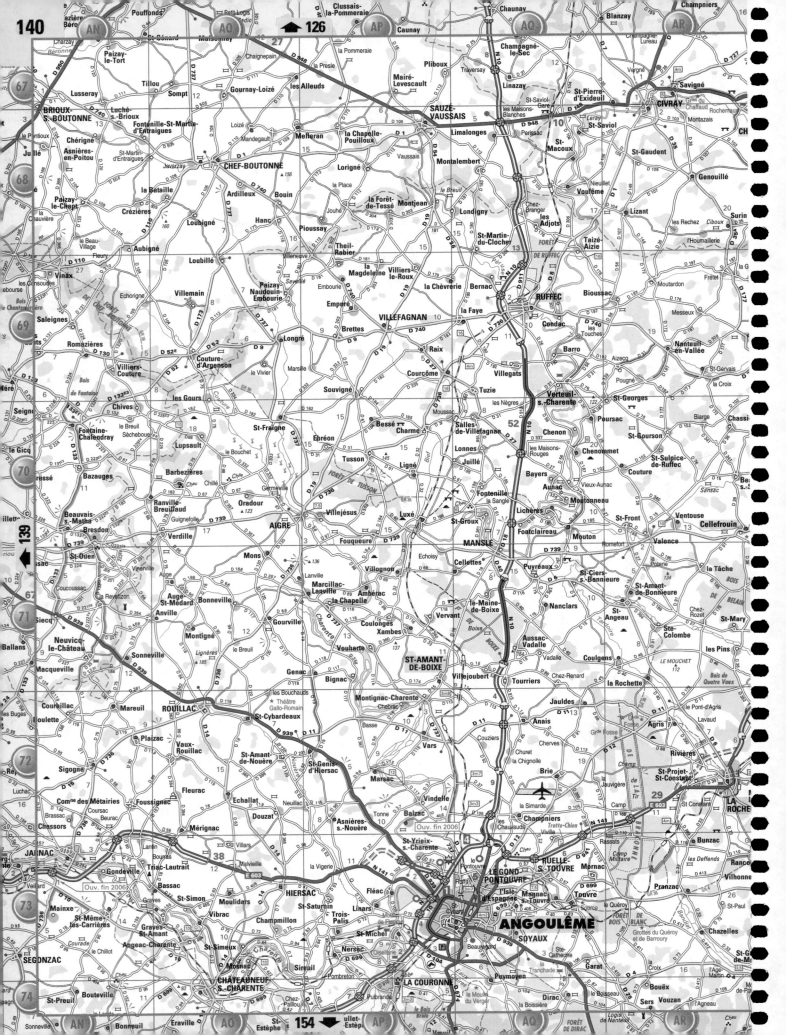

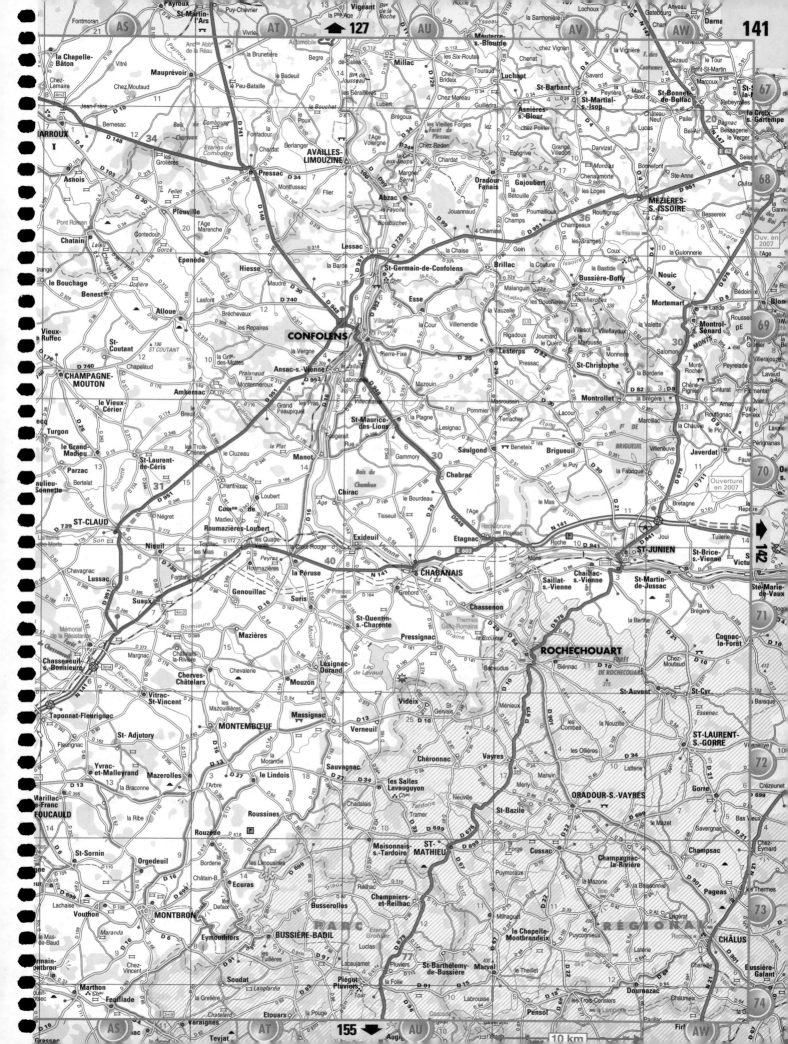

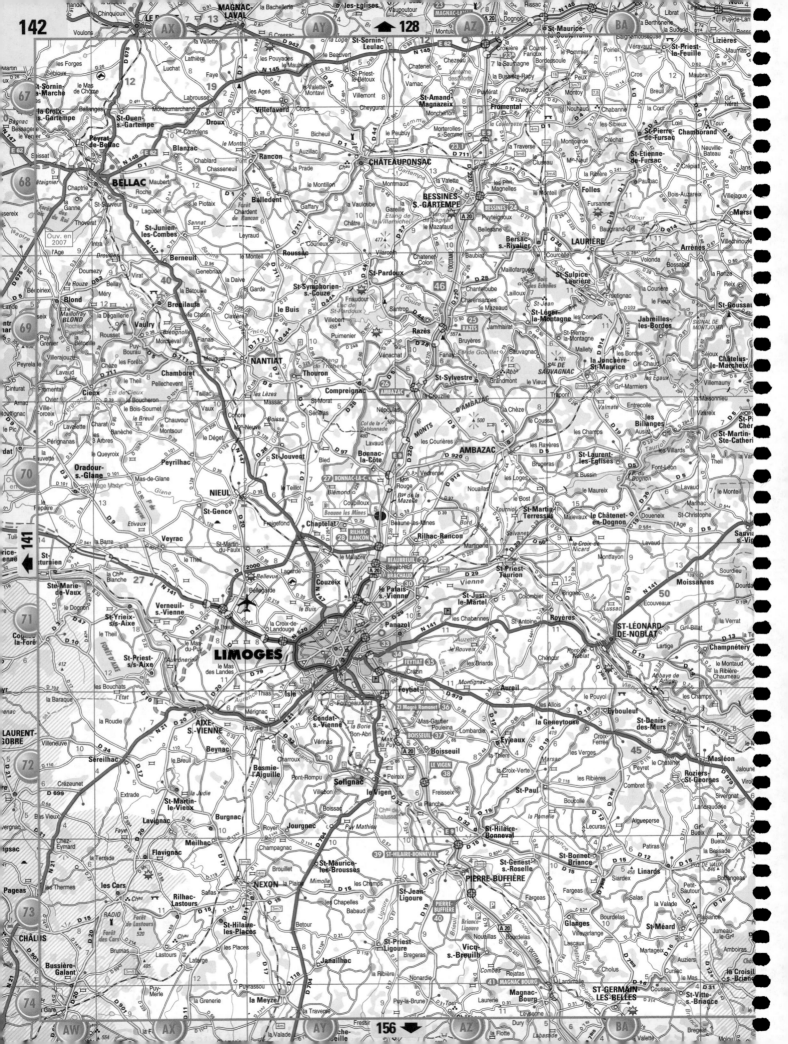

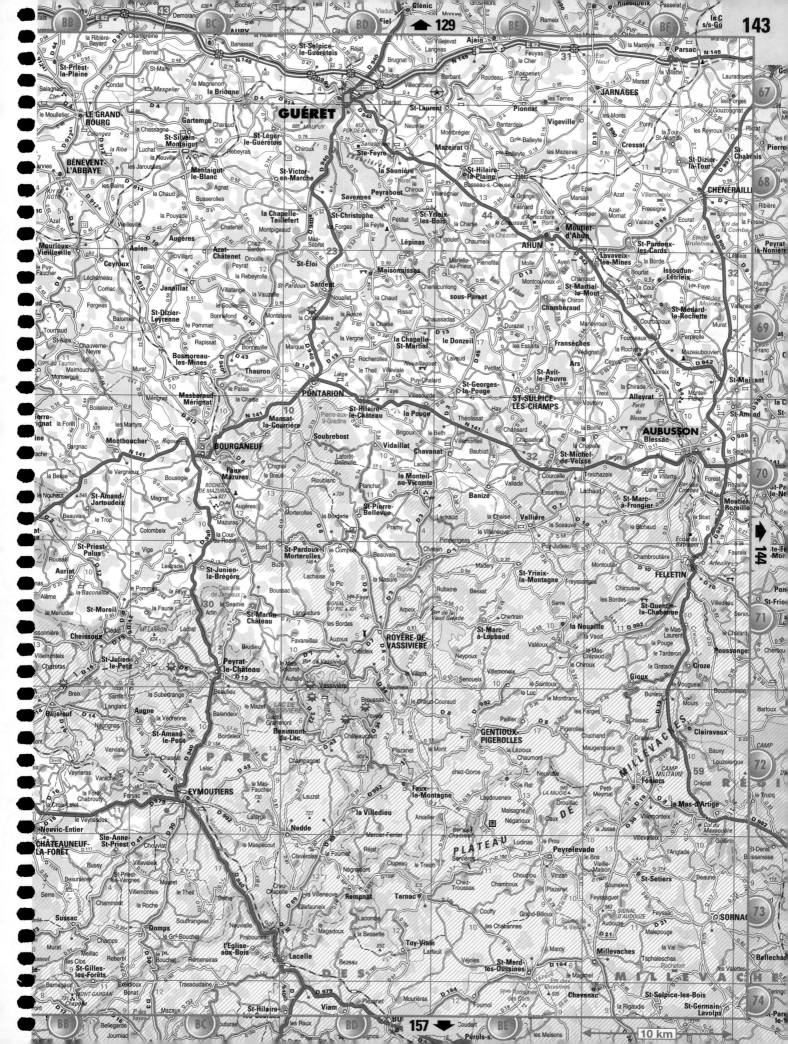

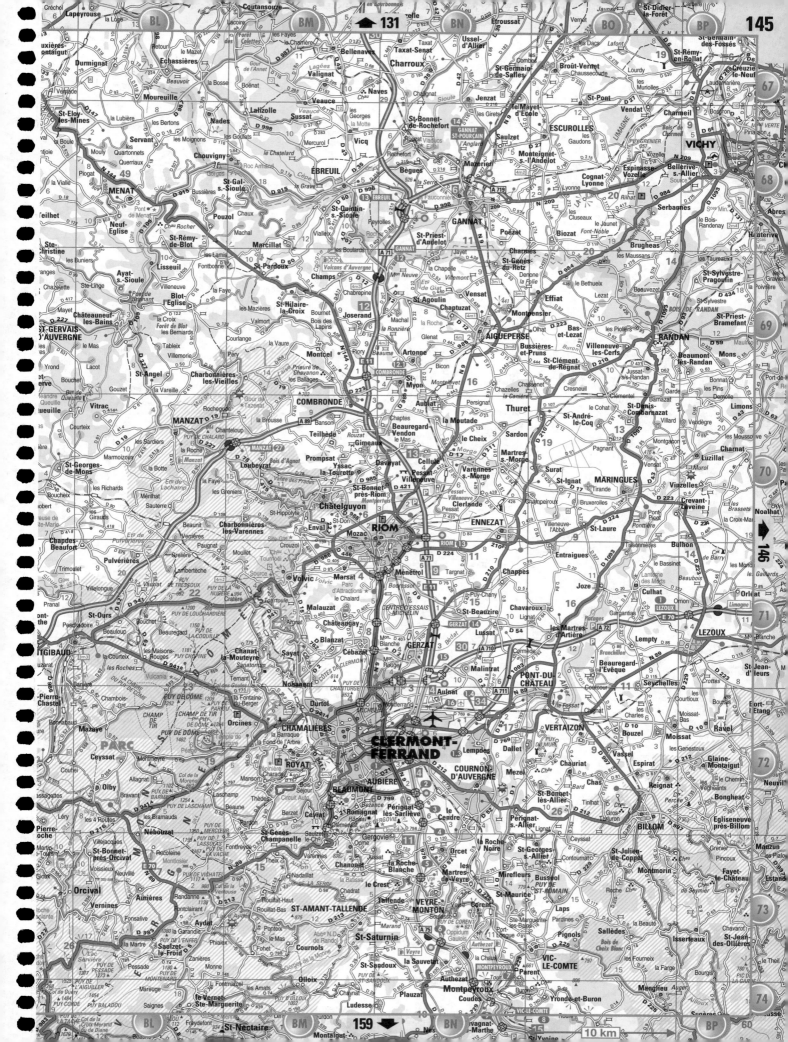

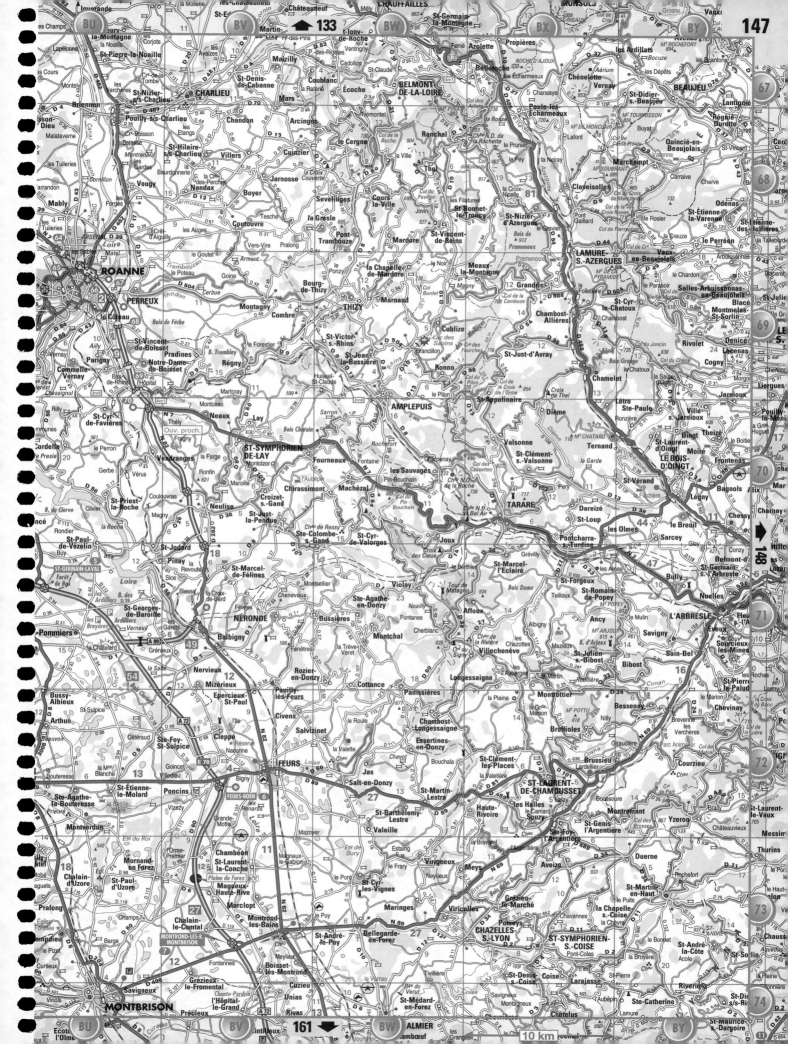

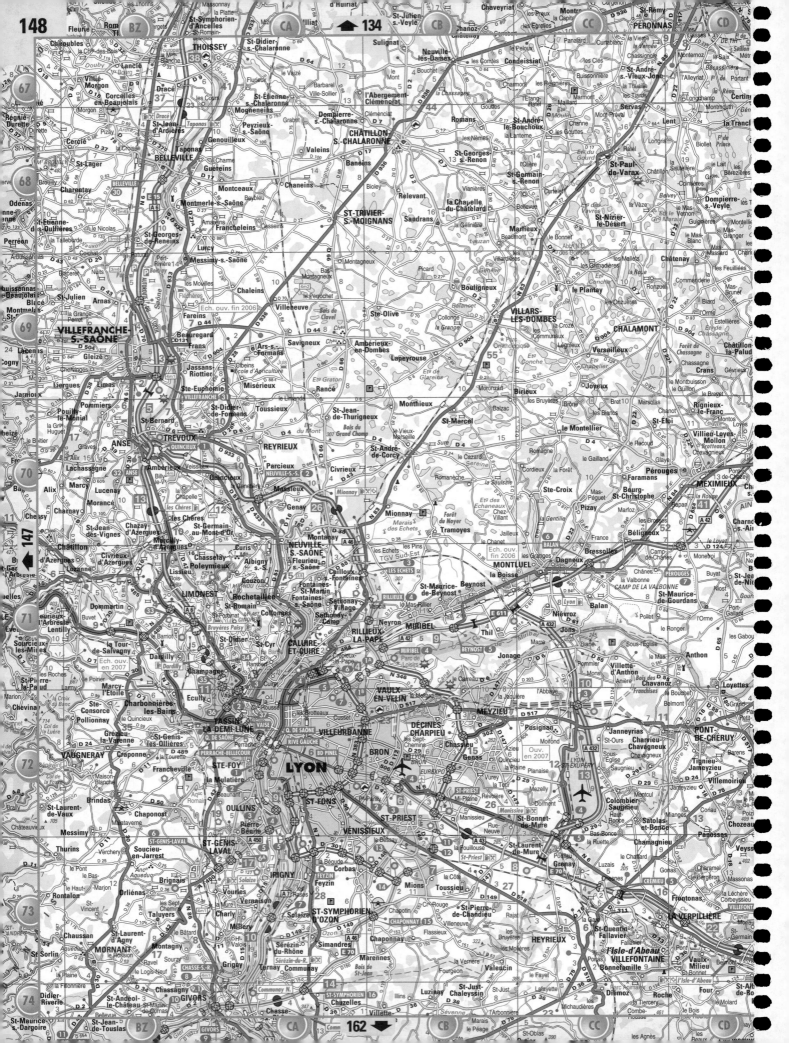

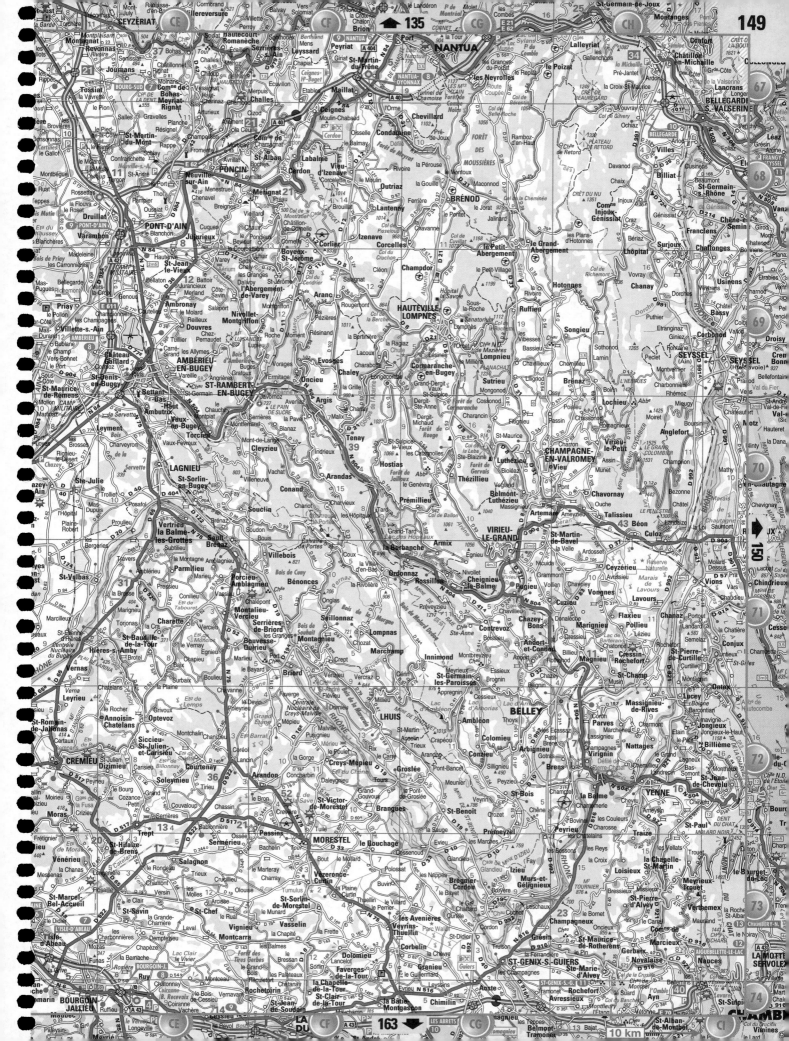

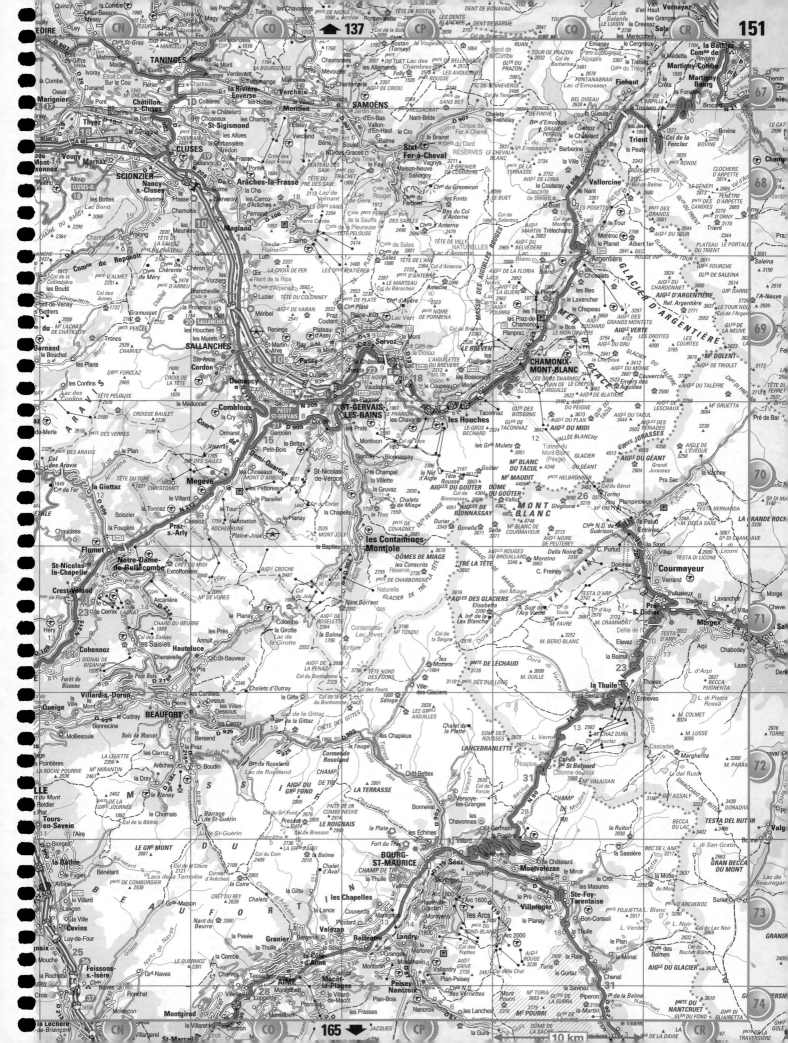

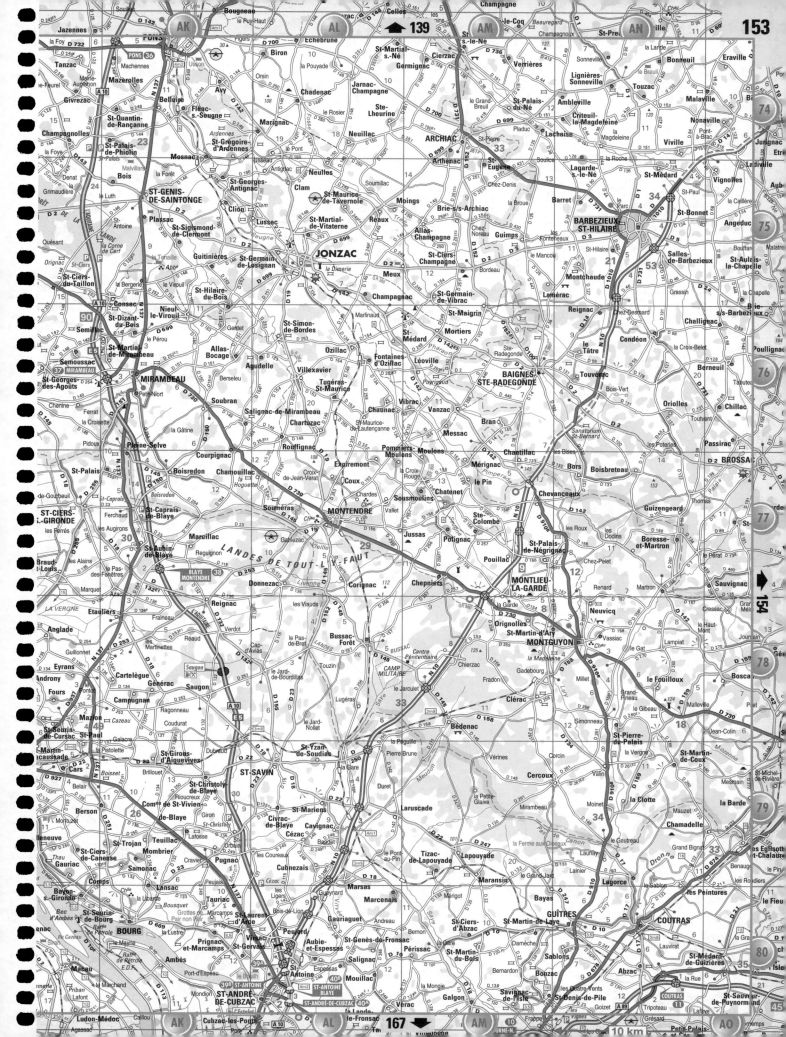

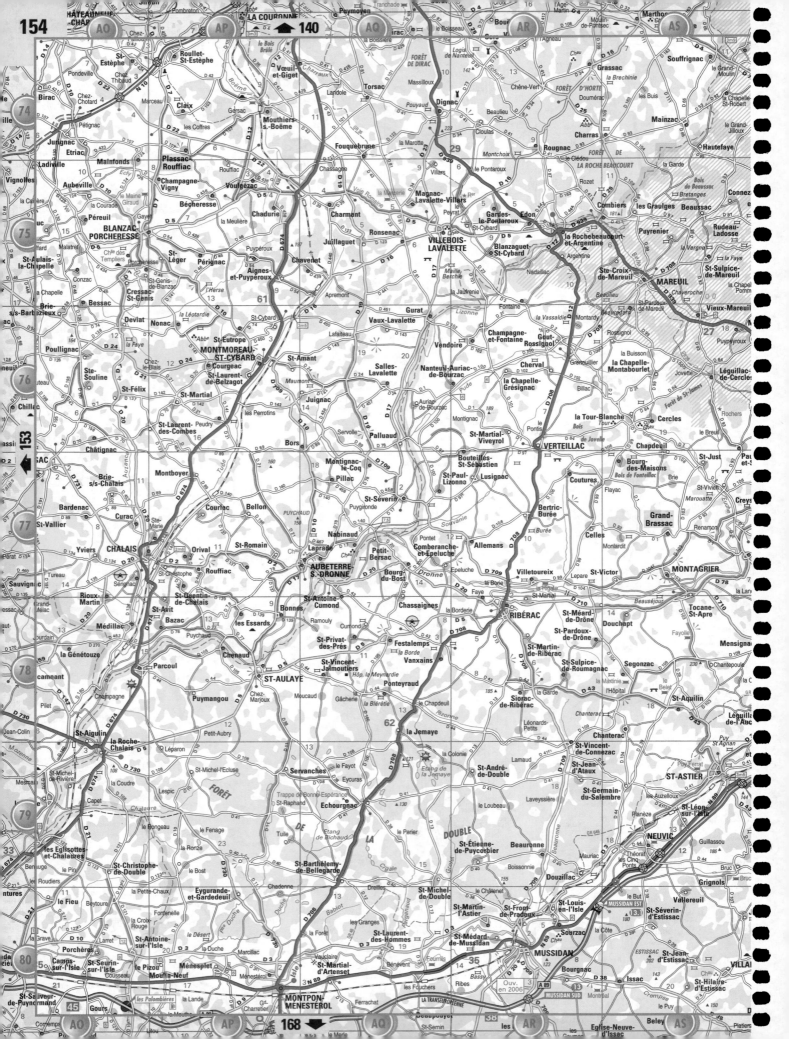

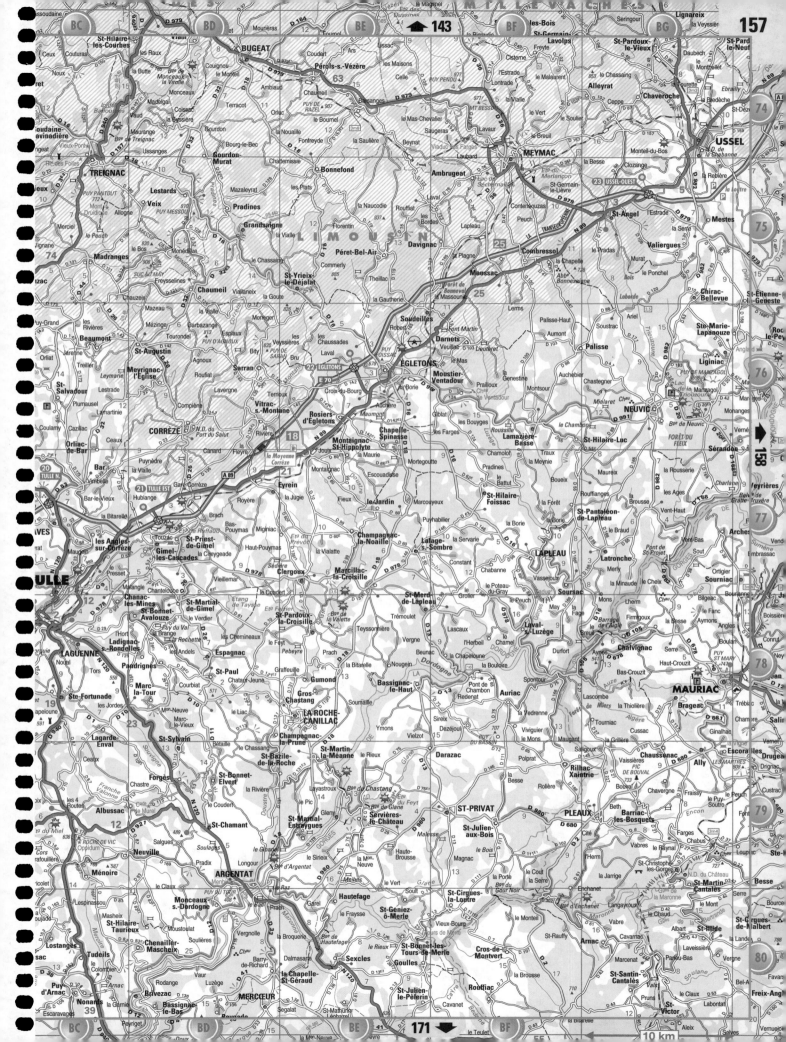

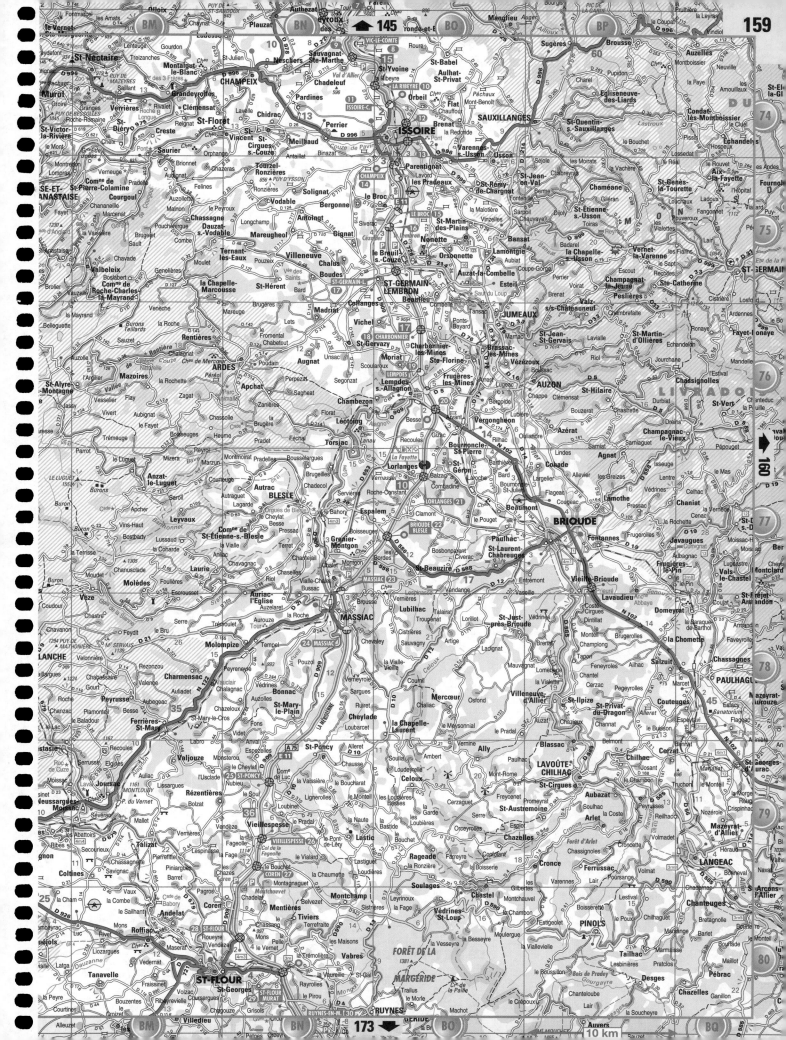

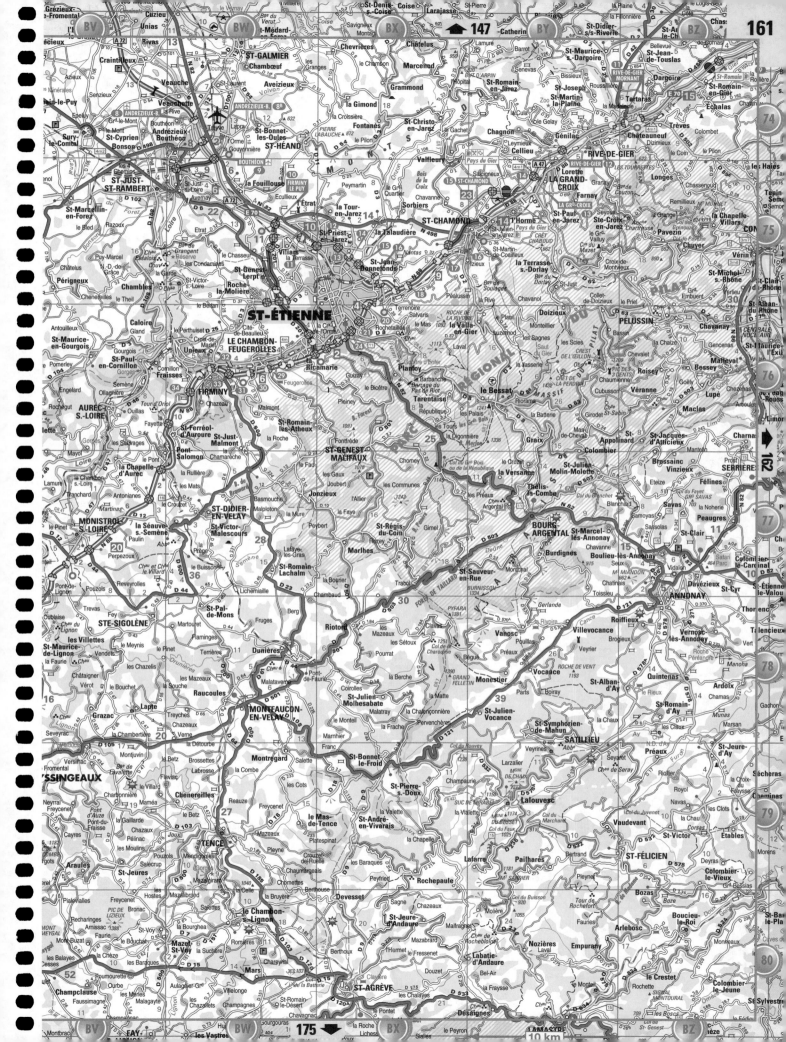

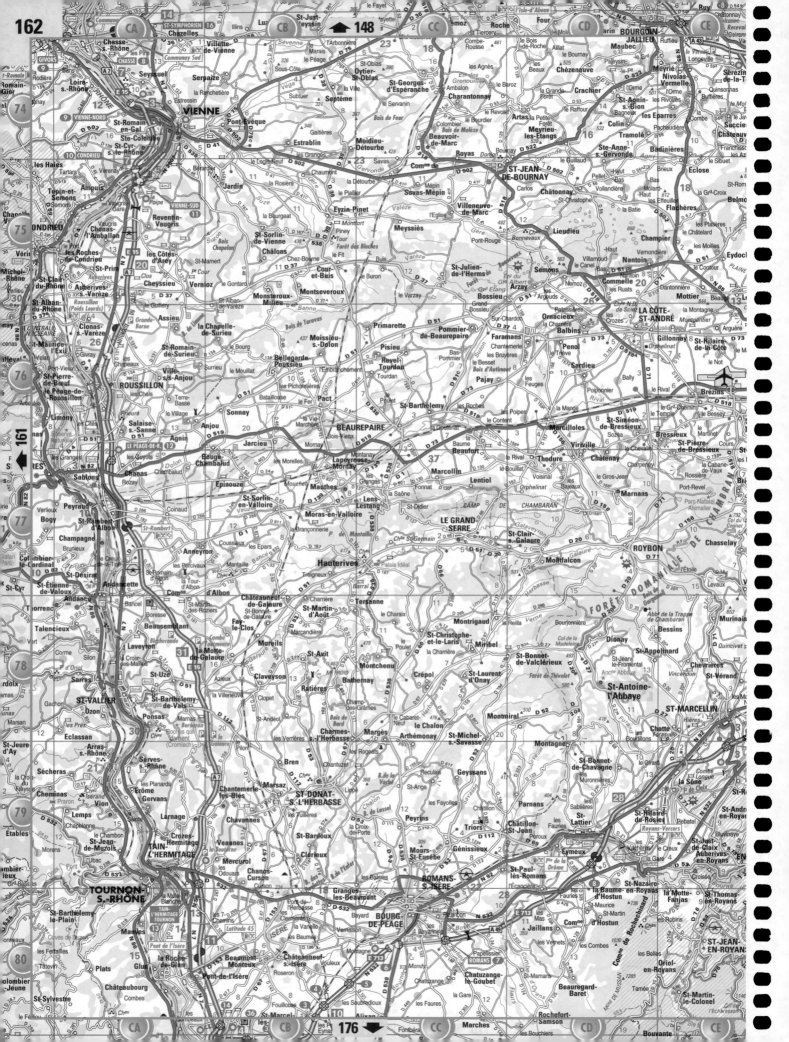

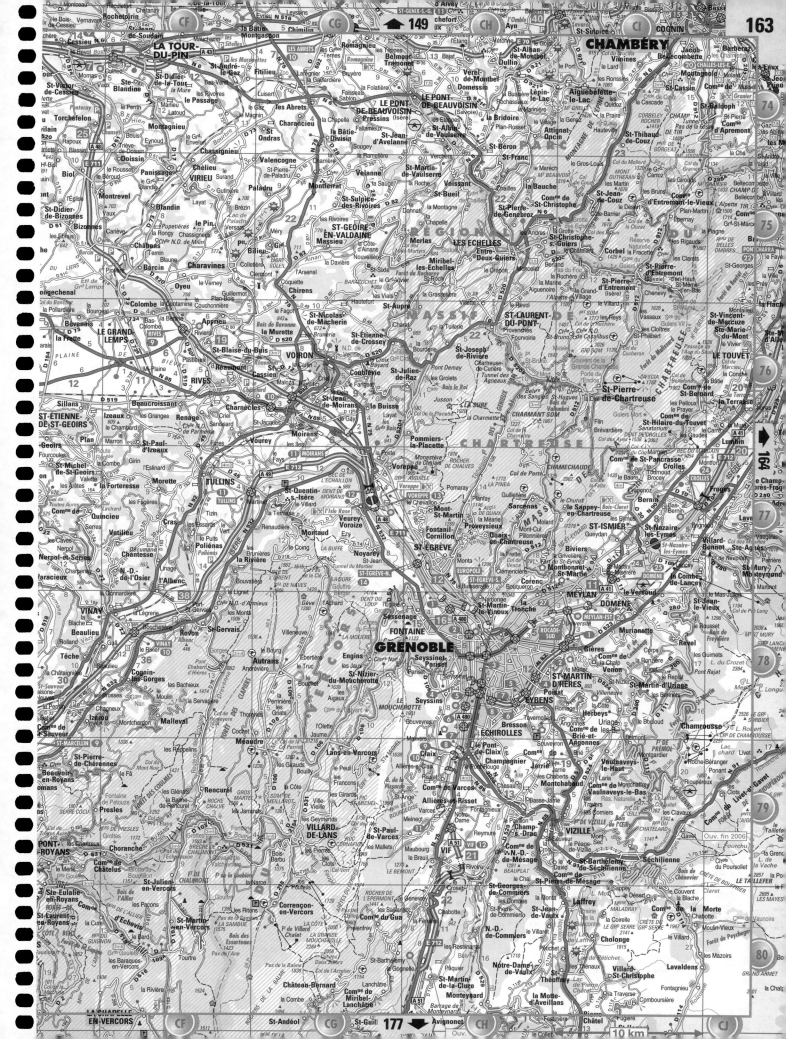

MONTMÉLIAN — LA ROCHETTE — ALLEVARD — GONCELIN — CHAMOUX-SUR-GELON — AIGUEBELLE — LA CHAMBRE — ST-JEAN-DE-MAURIENNE — ST-MICHEL-DE-MAURIENNE — ST-MARTIN-DE-BELLEVILLE — VALLOIRE — LE BOURG-D'OISANS — L'ALPE D'HUEZ — VAUJANY — LA GRAVE — LES DEUX-ALPES — LE MONÊTIER-LES-BAINS

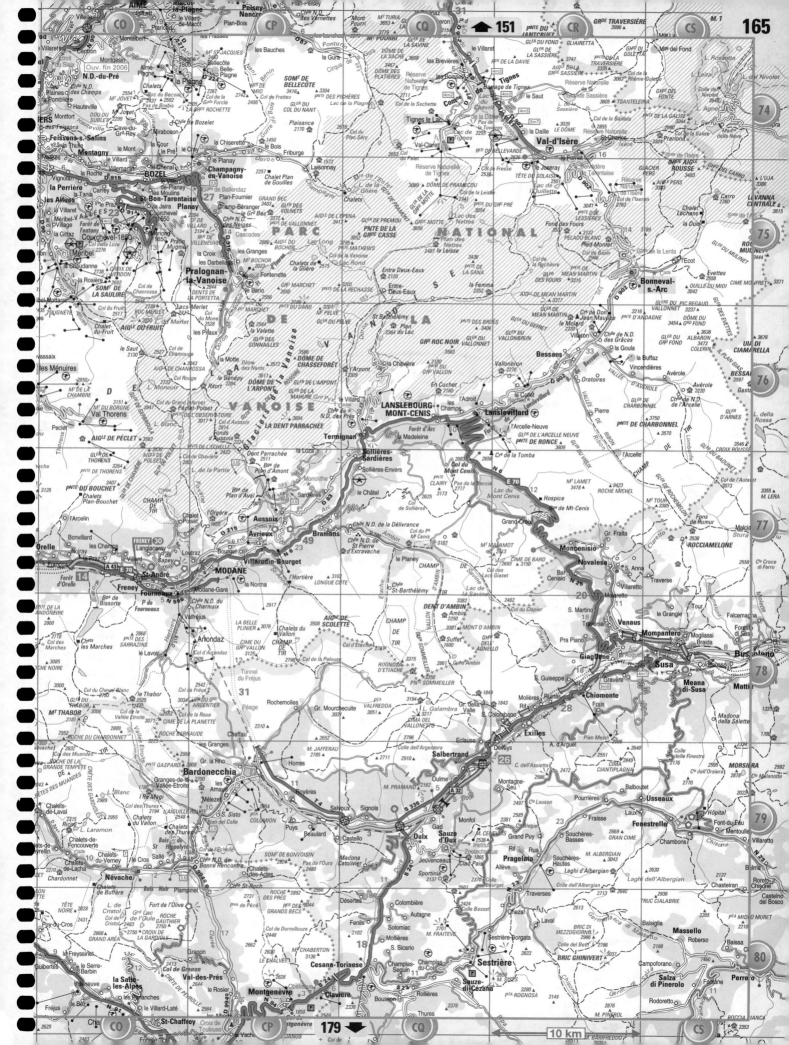

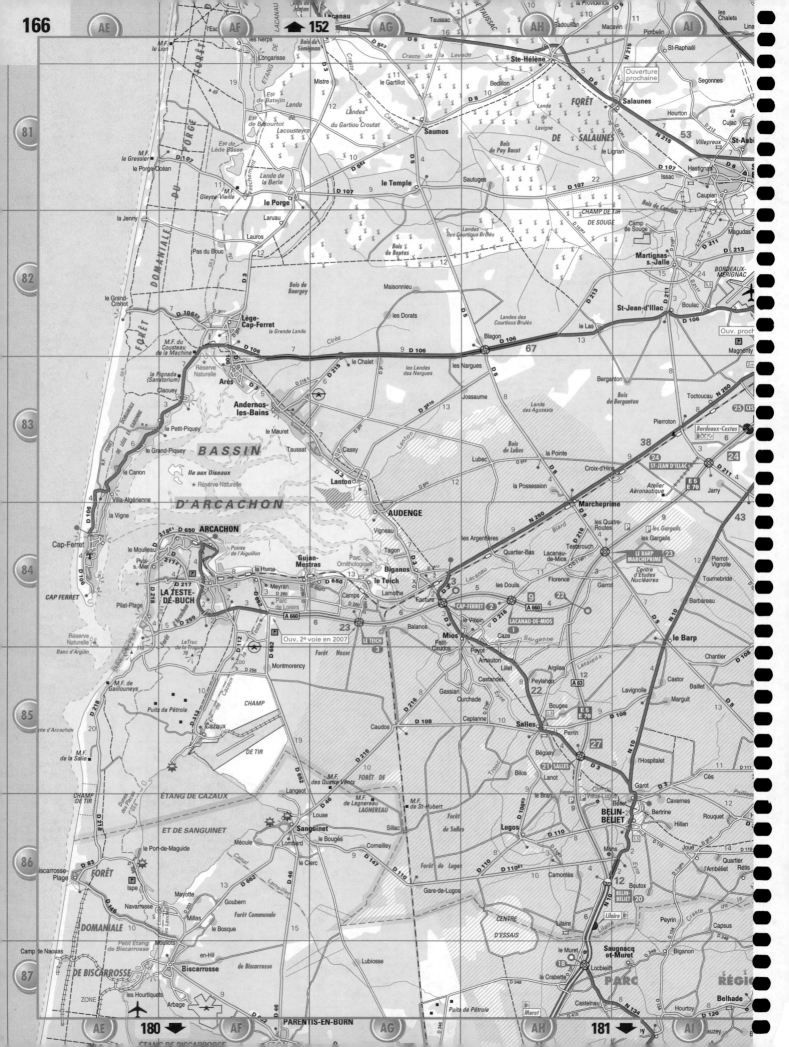

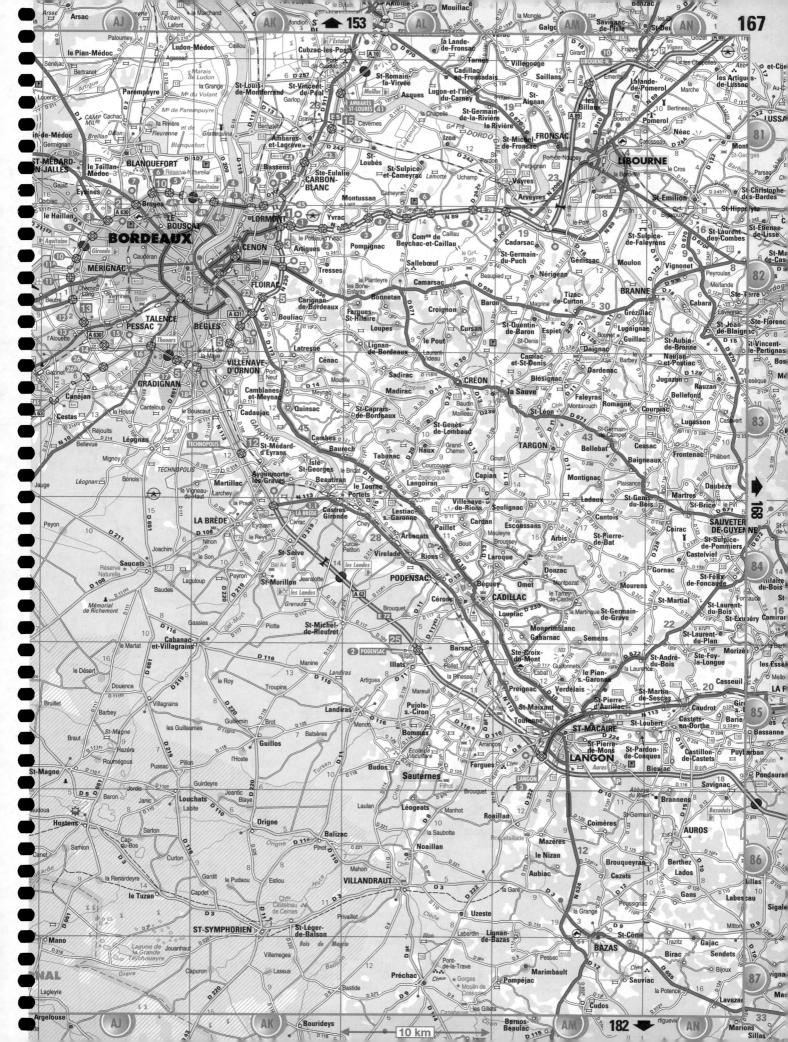

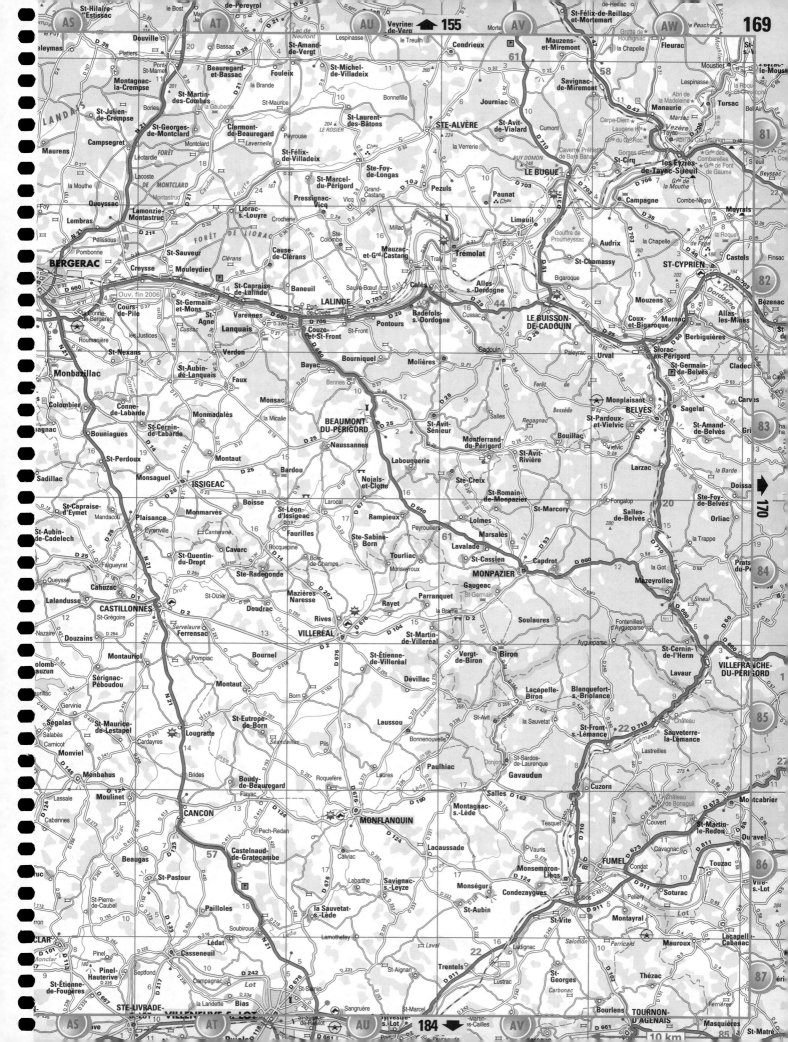

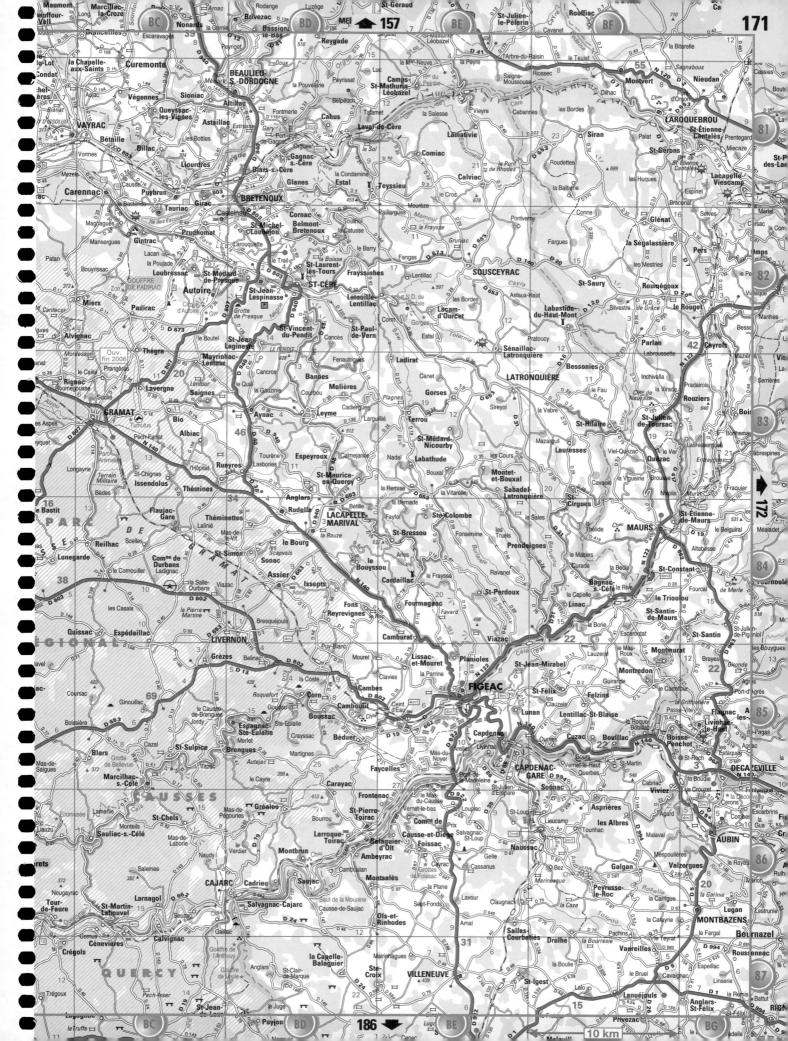

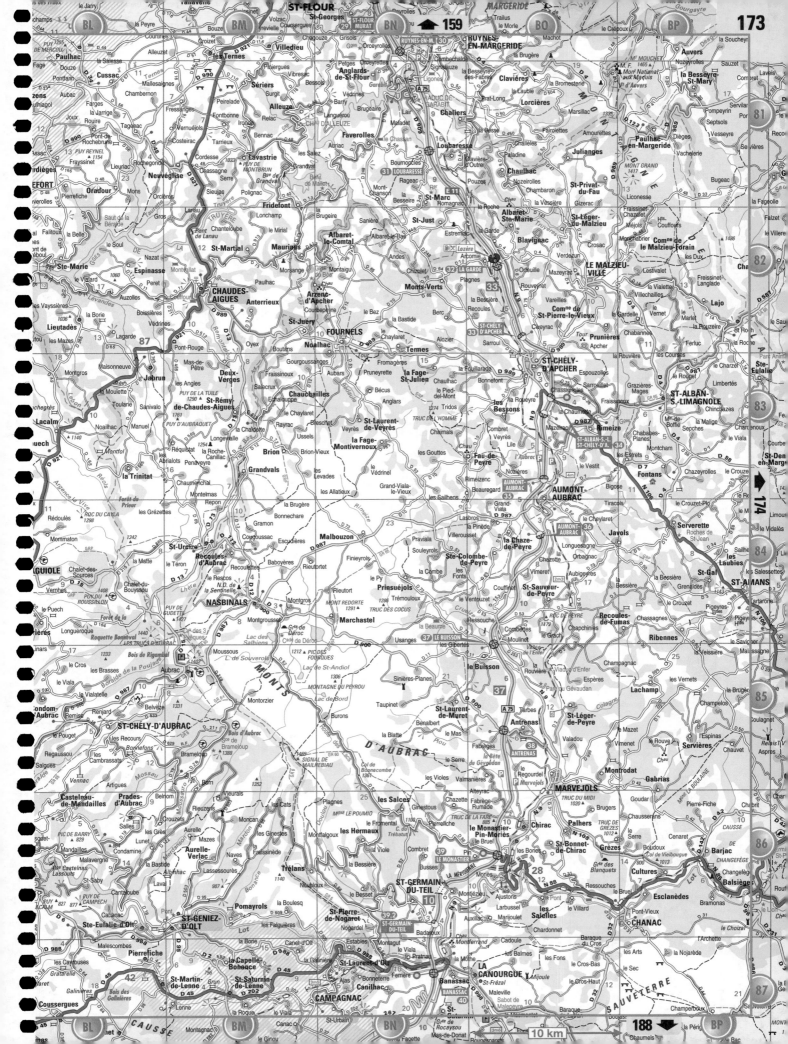

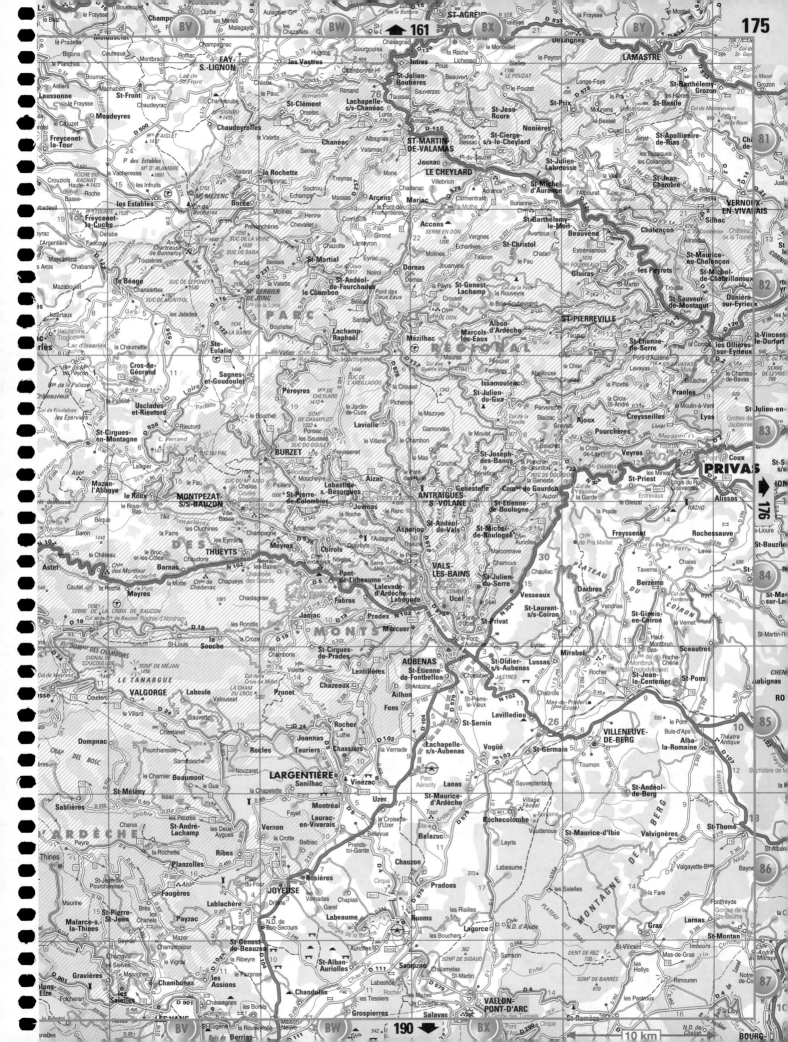

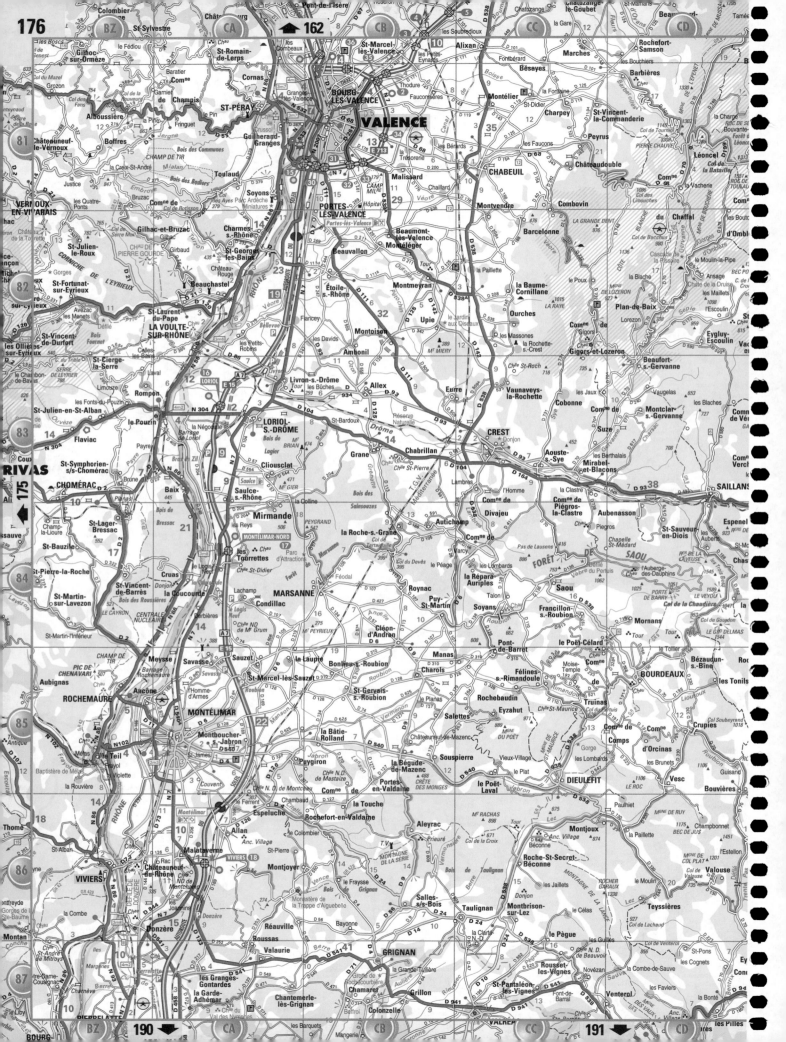

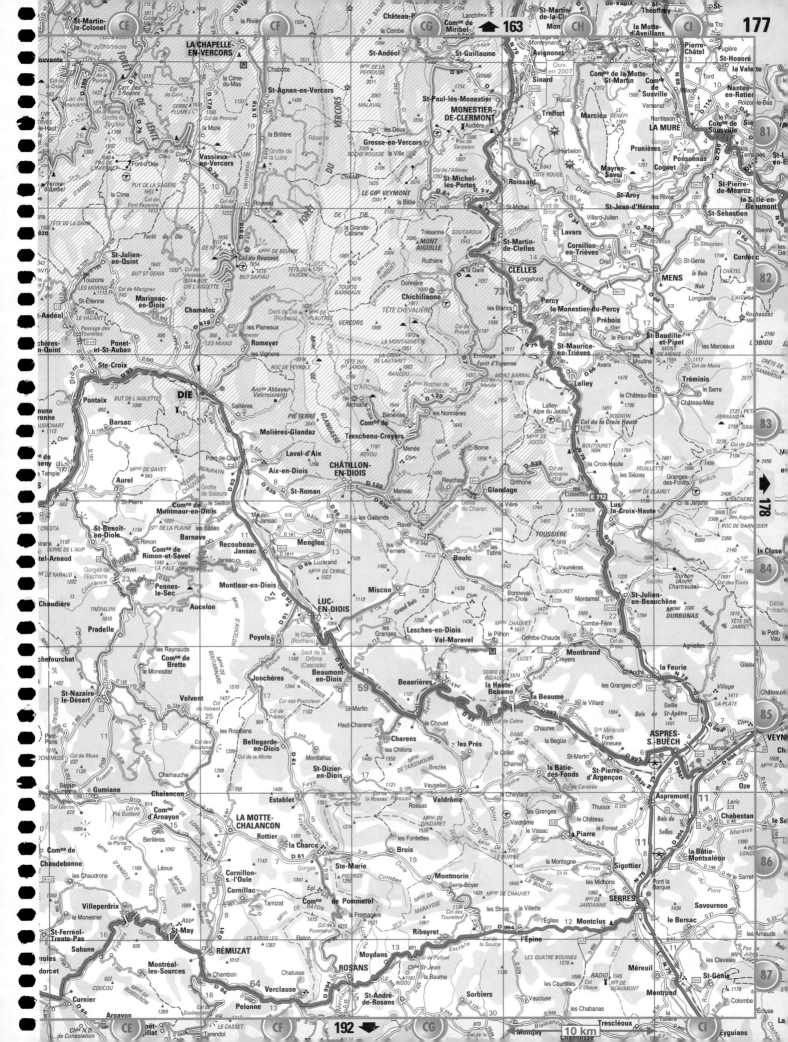

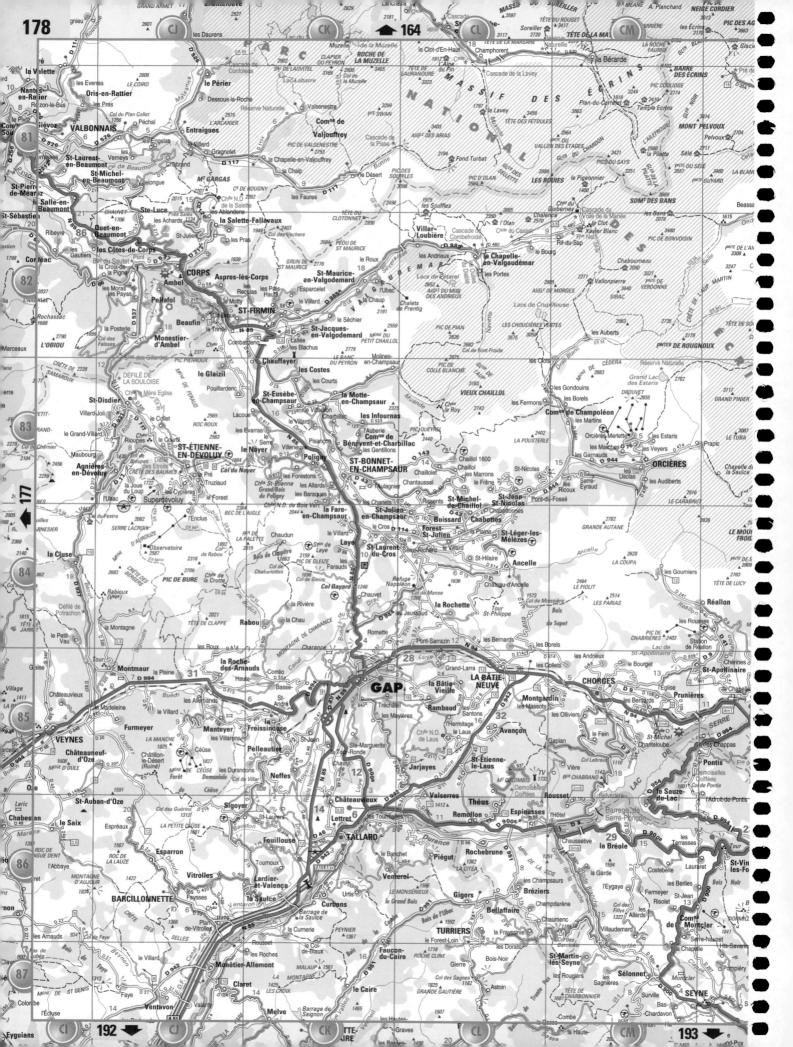

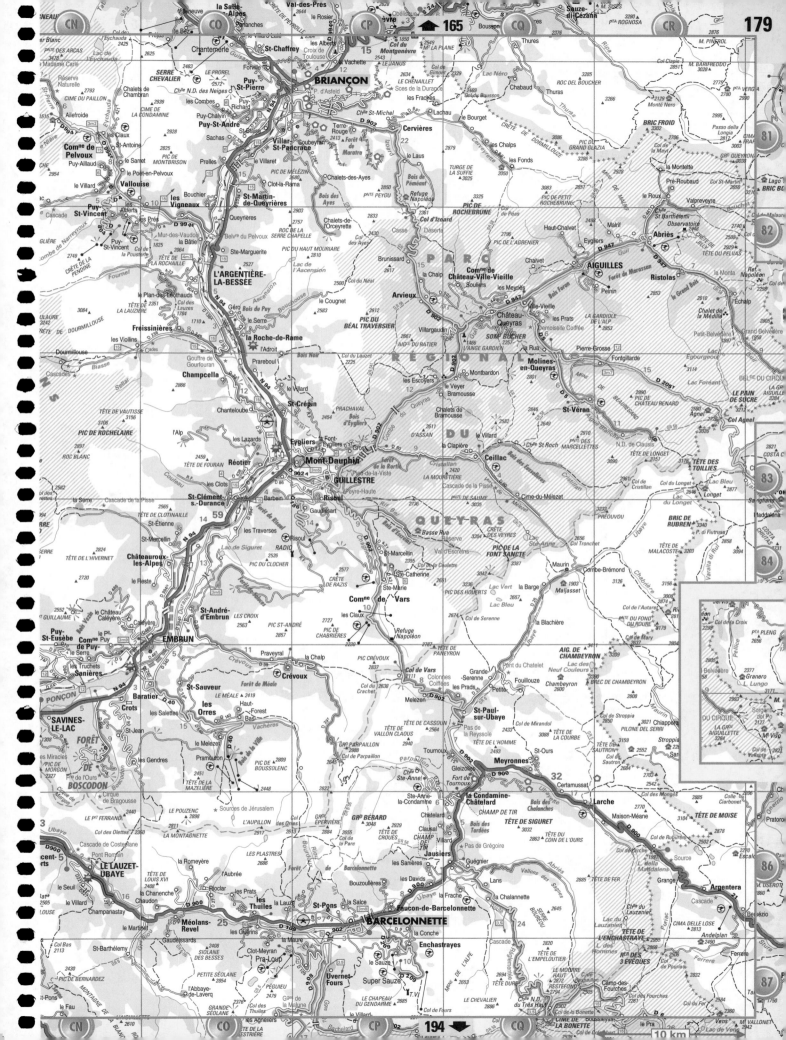

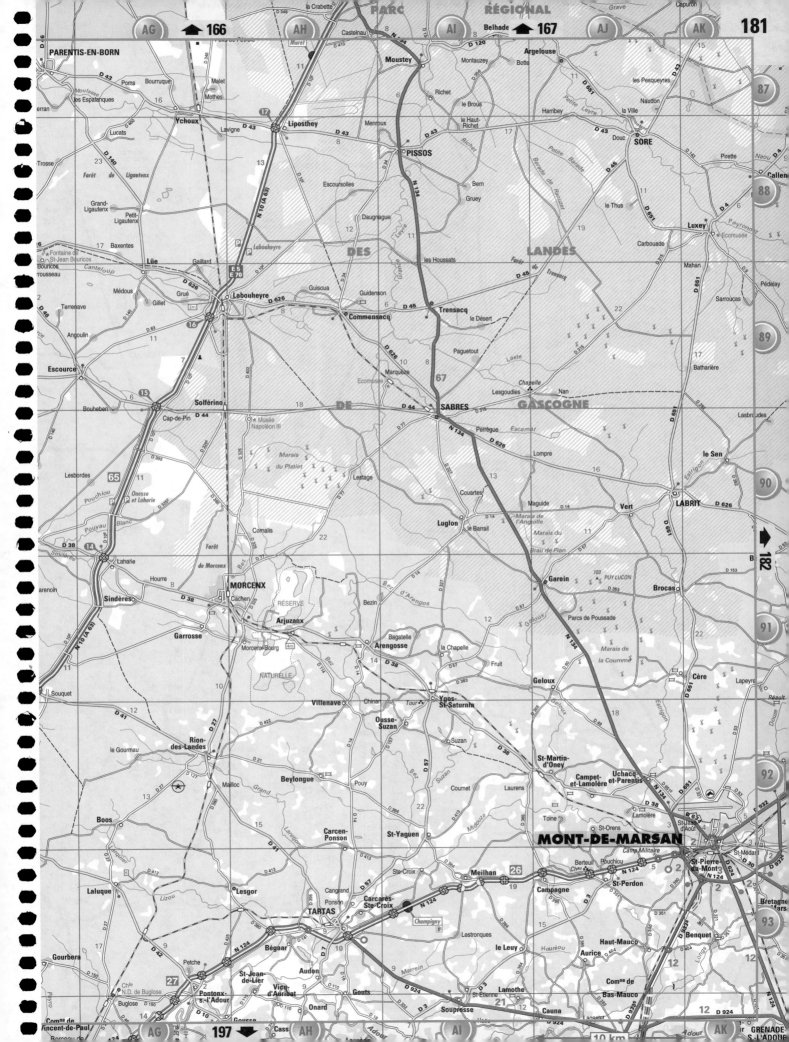

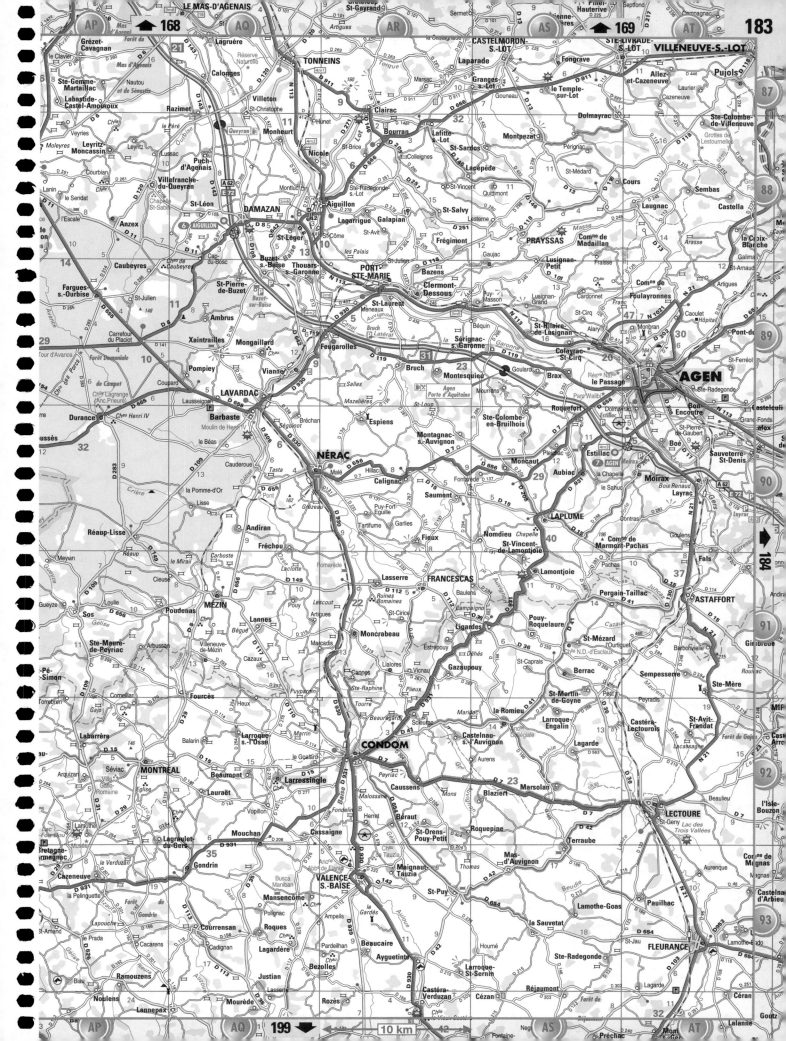

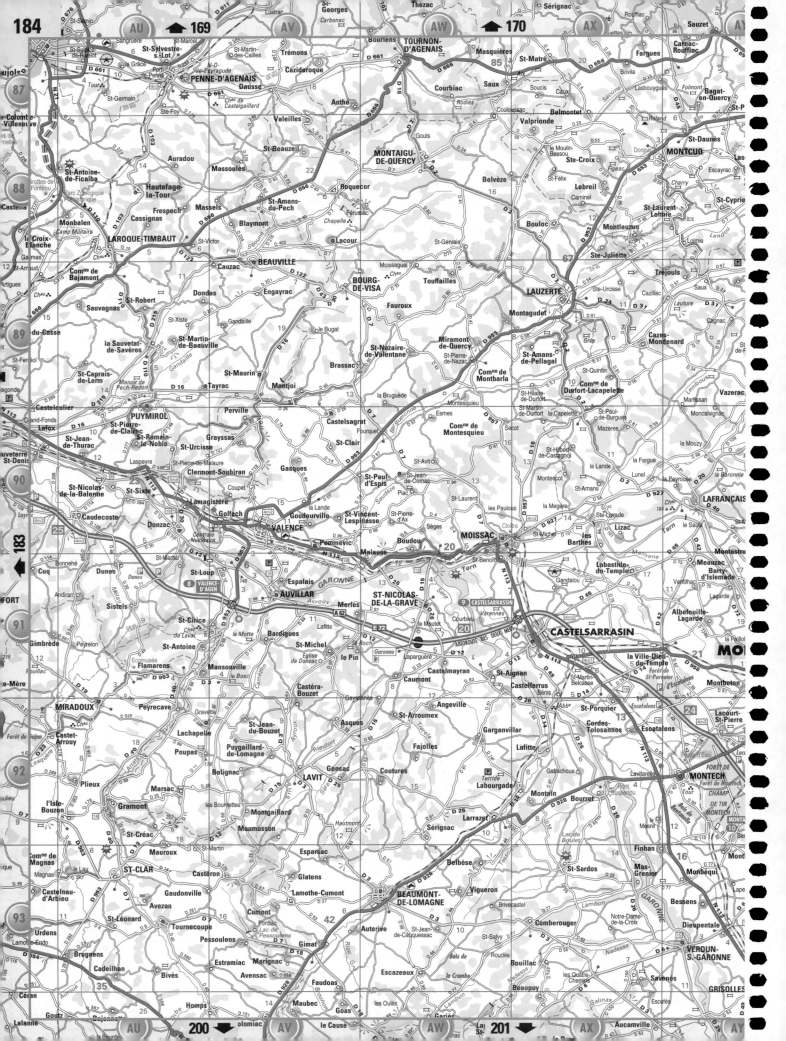

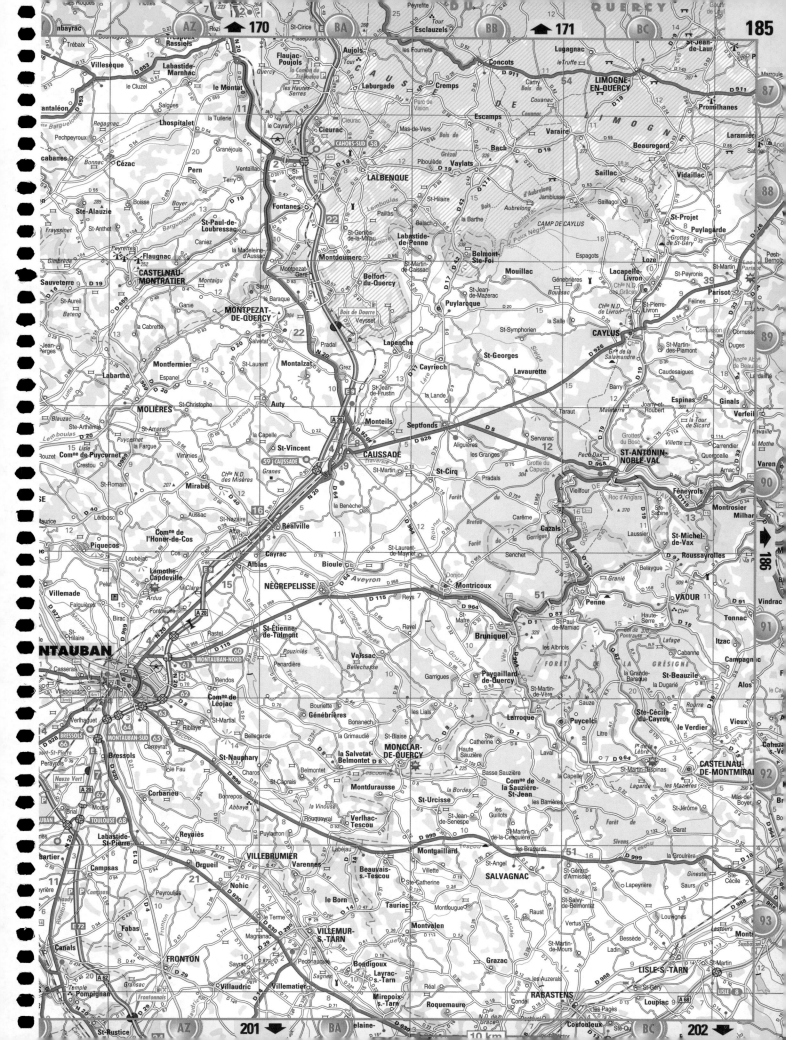

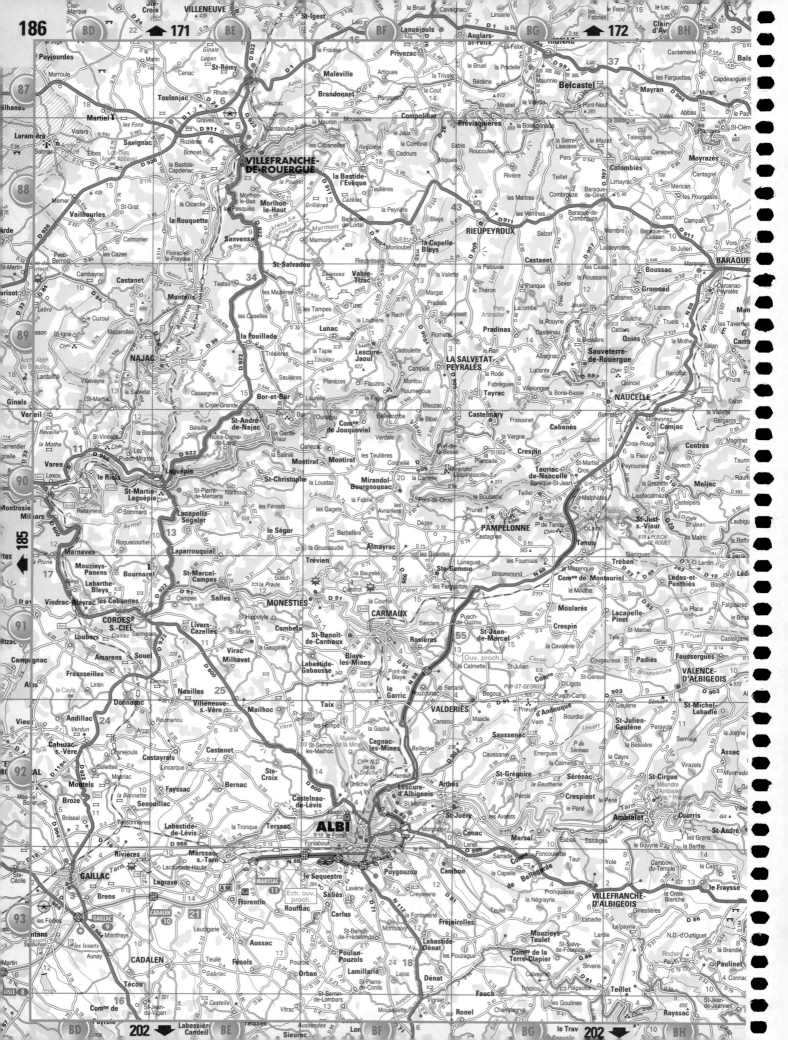

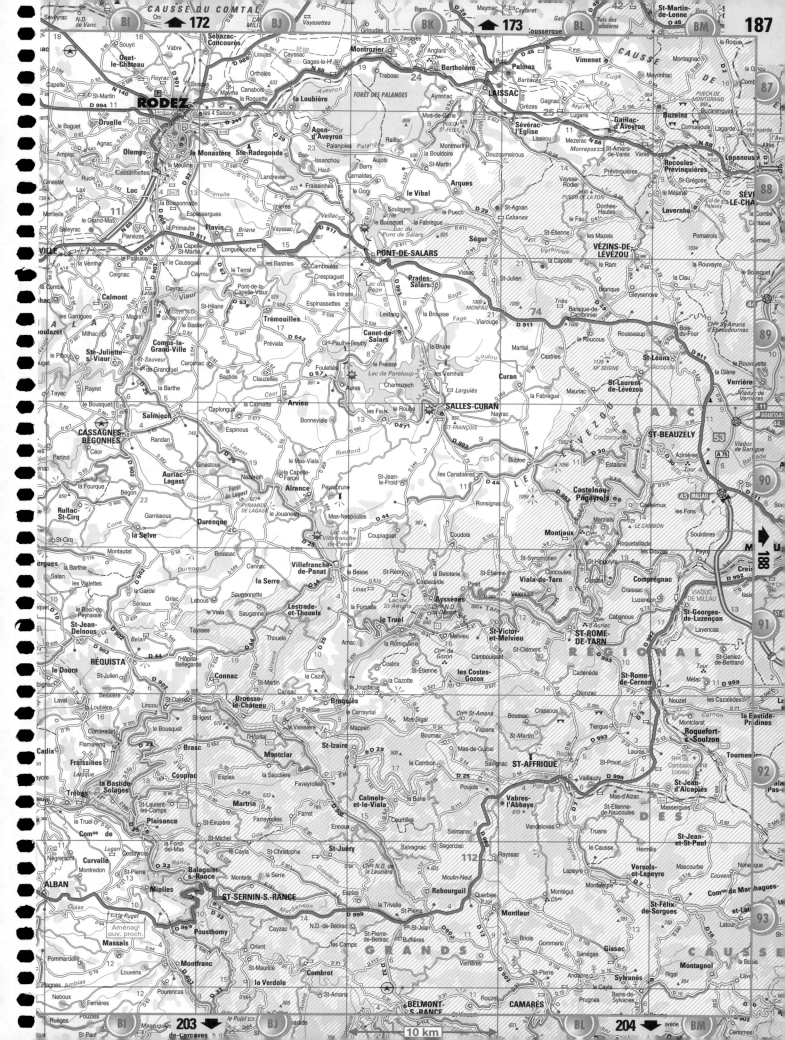

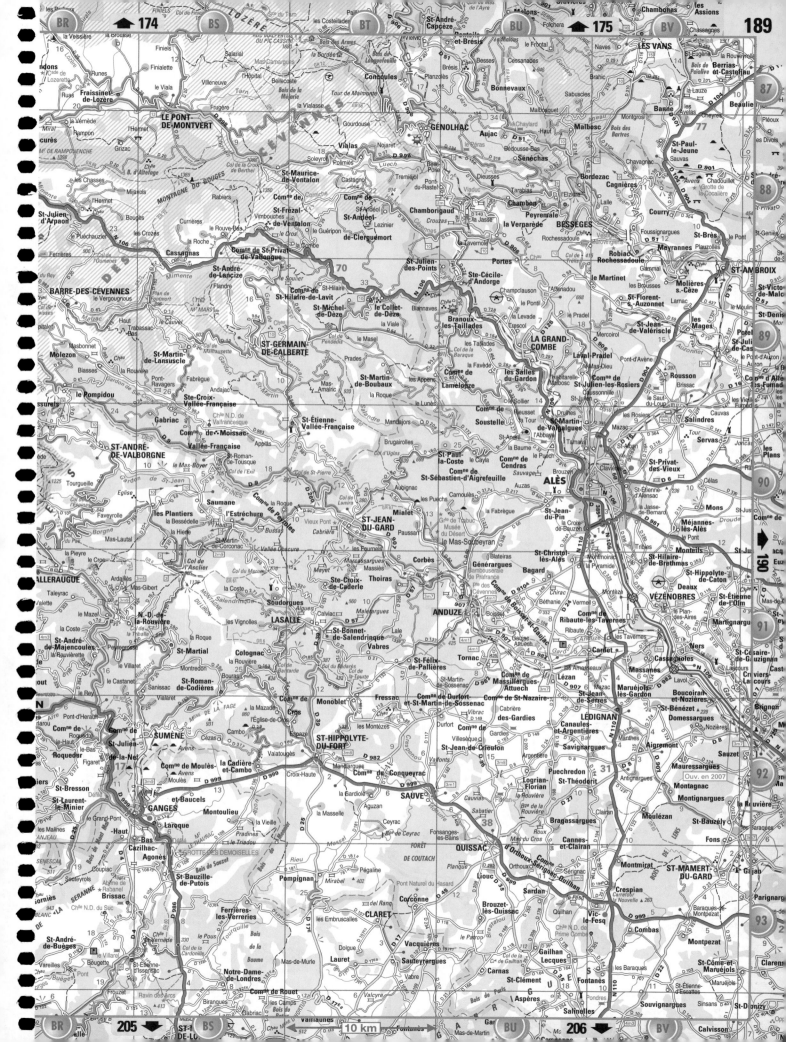

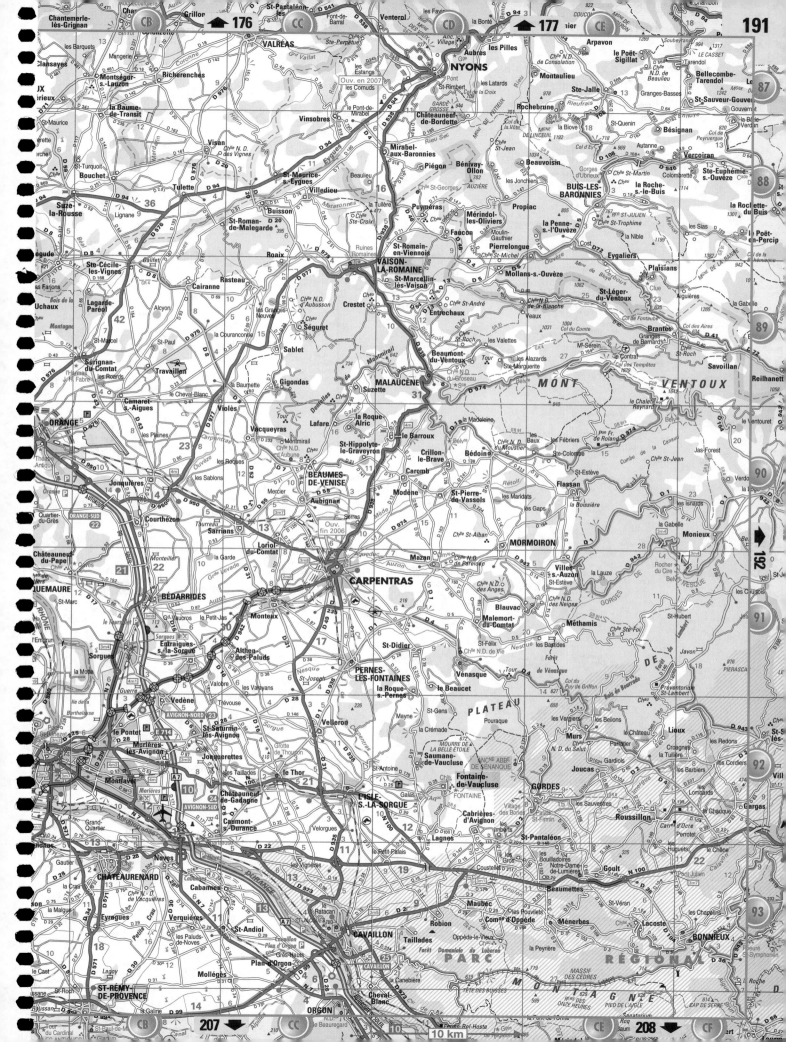

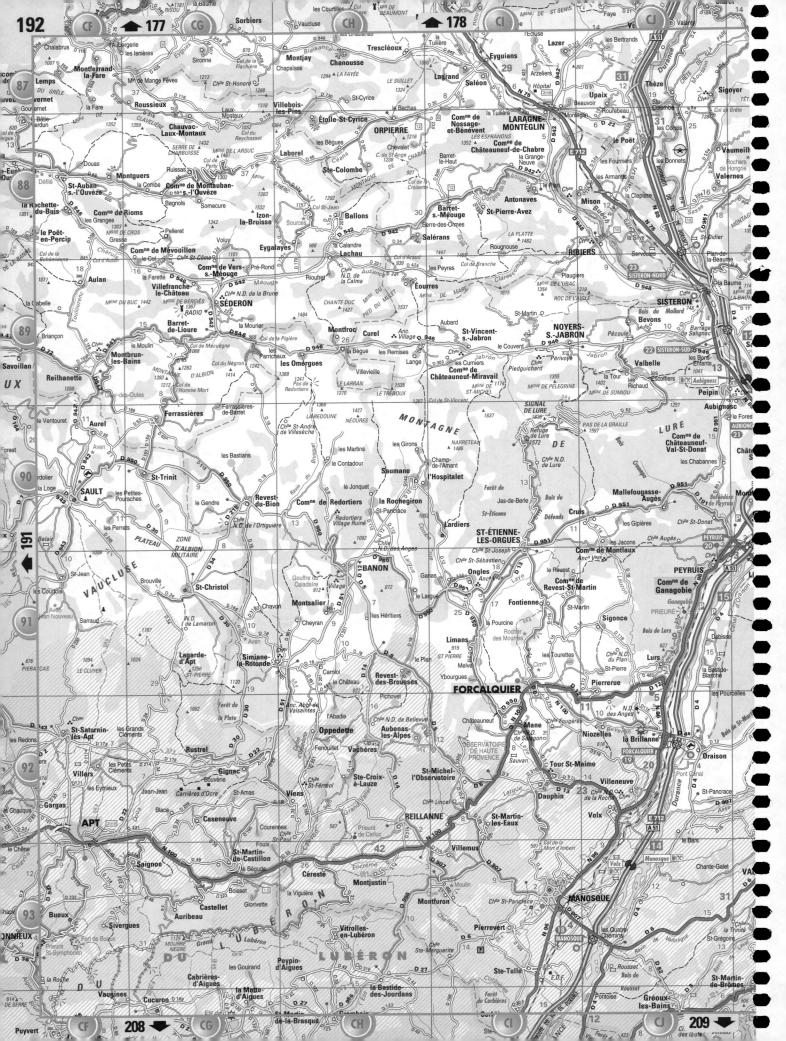

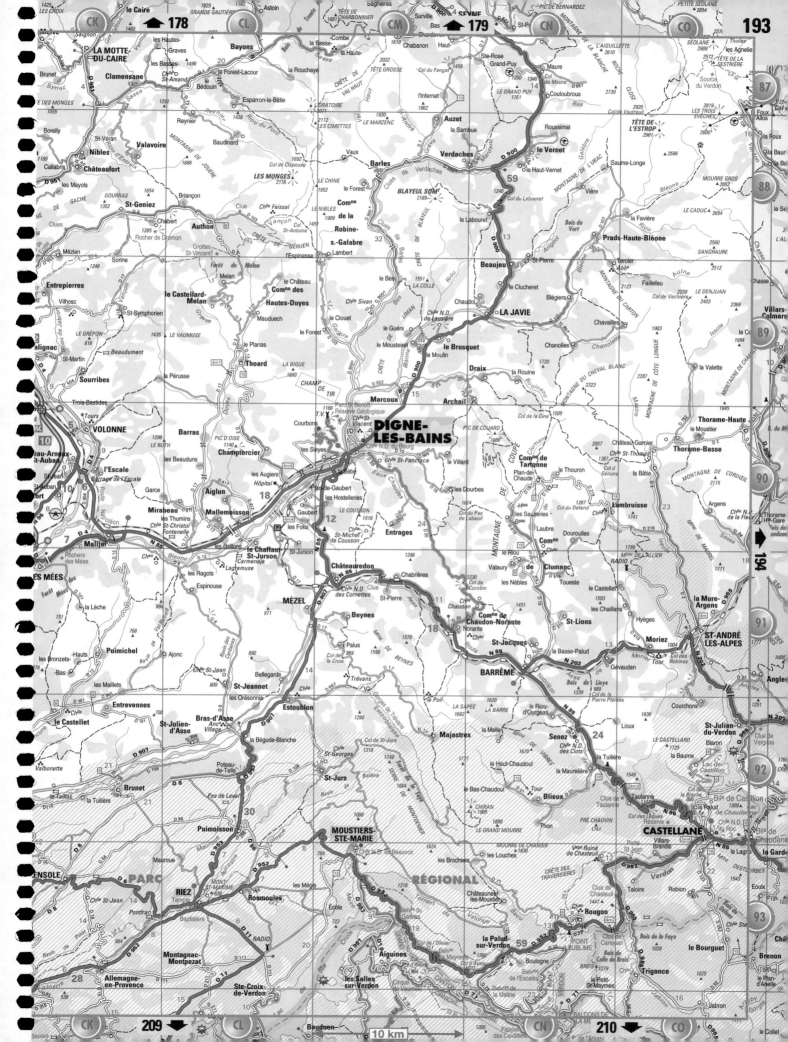

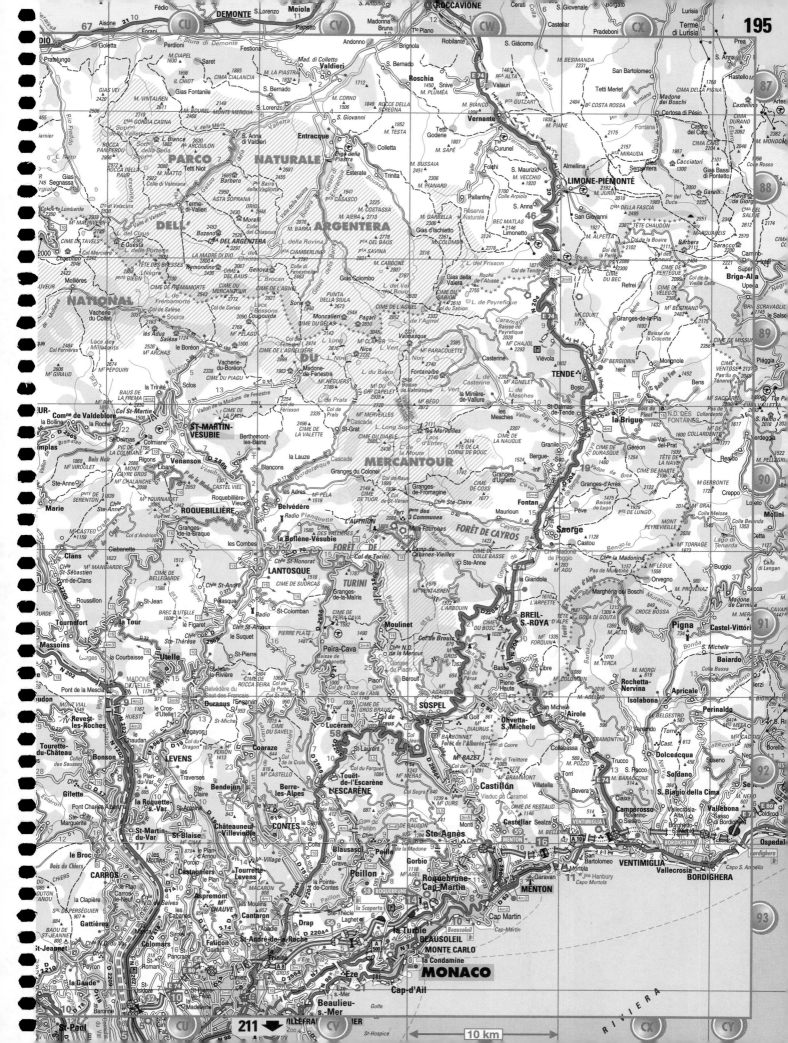

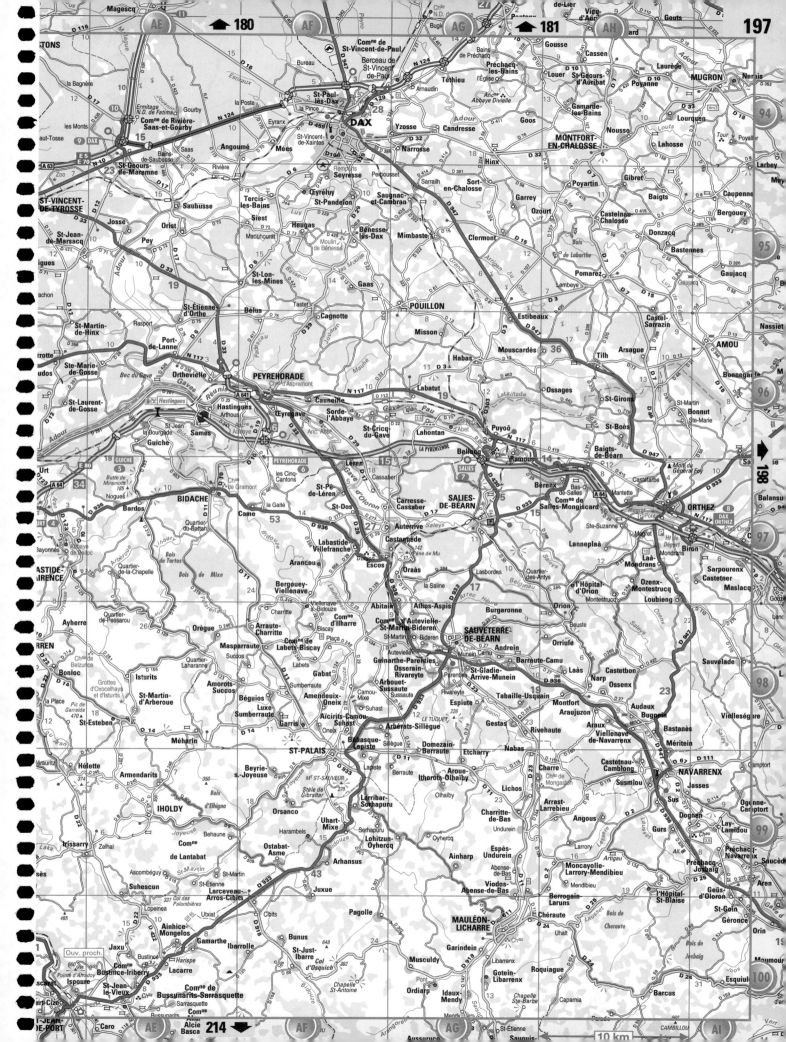

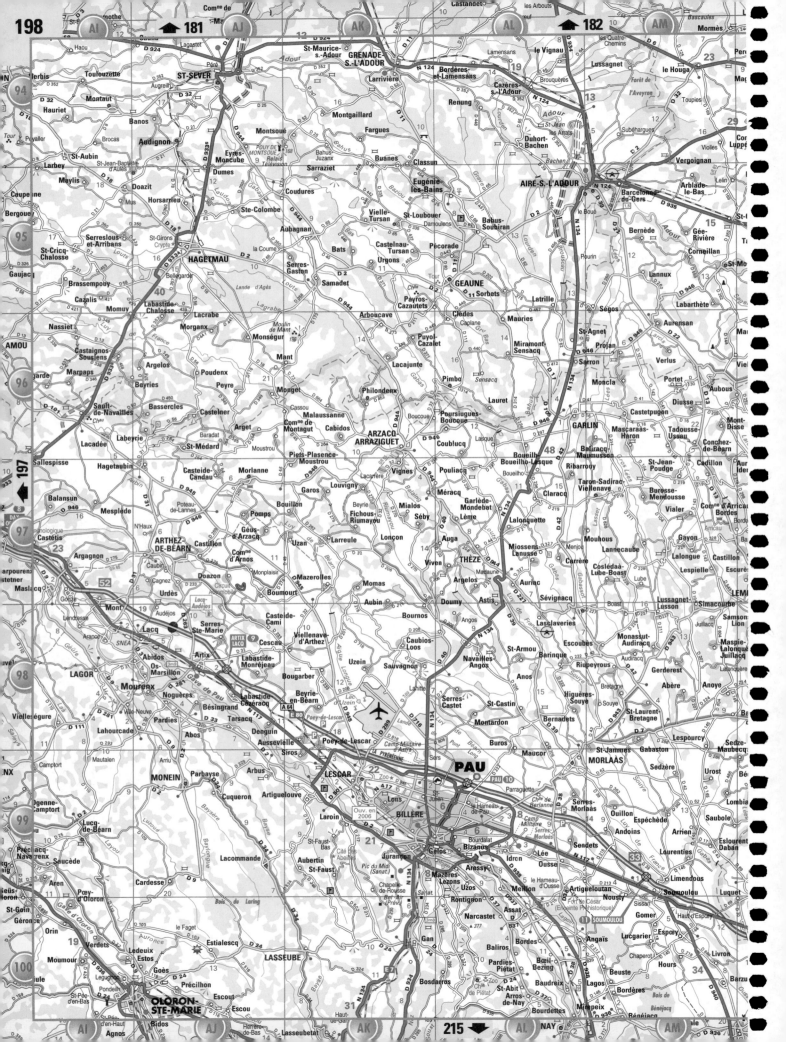

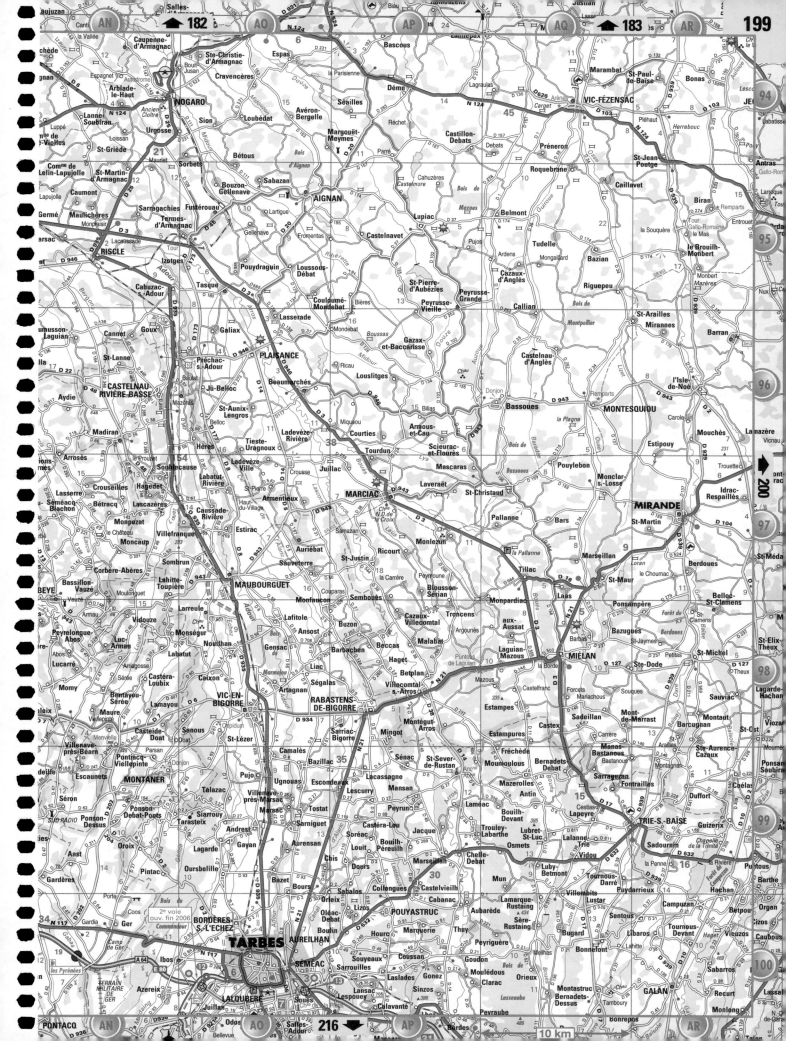

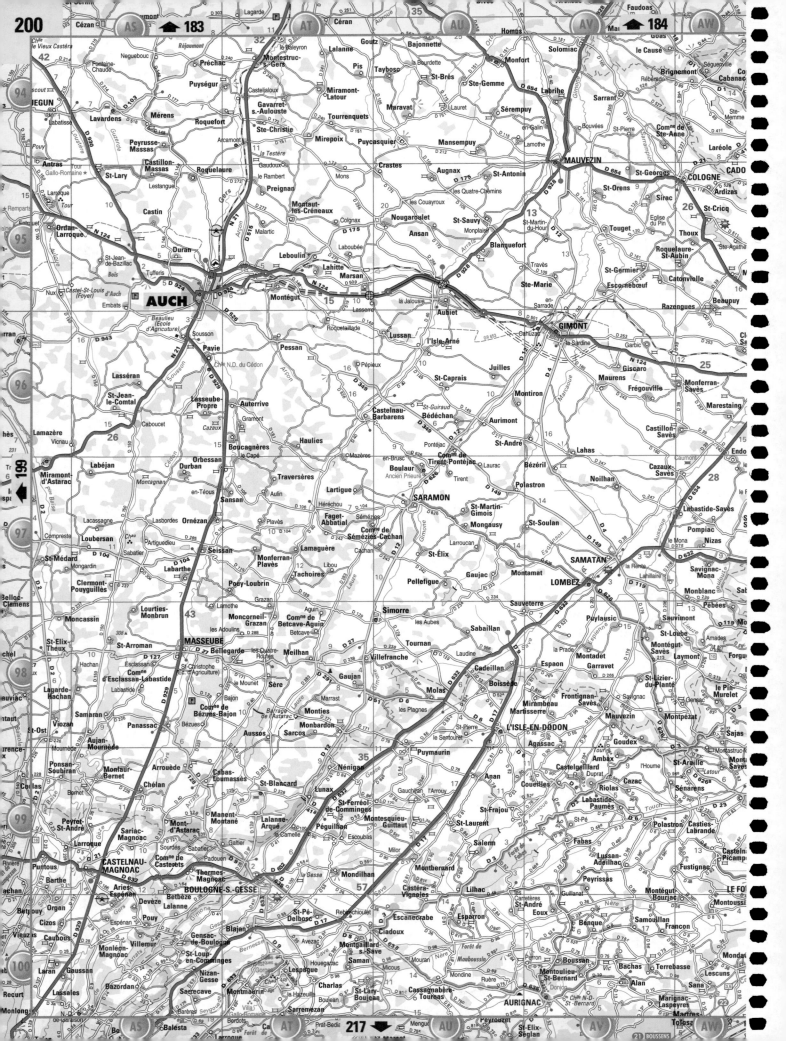

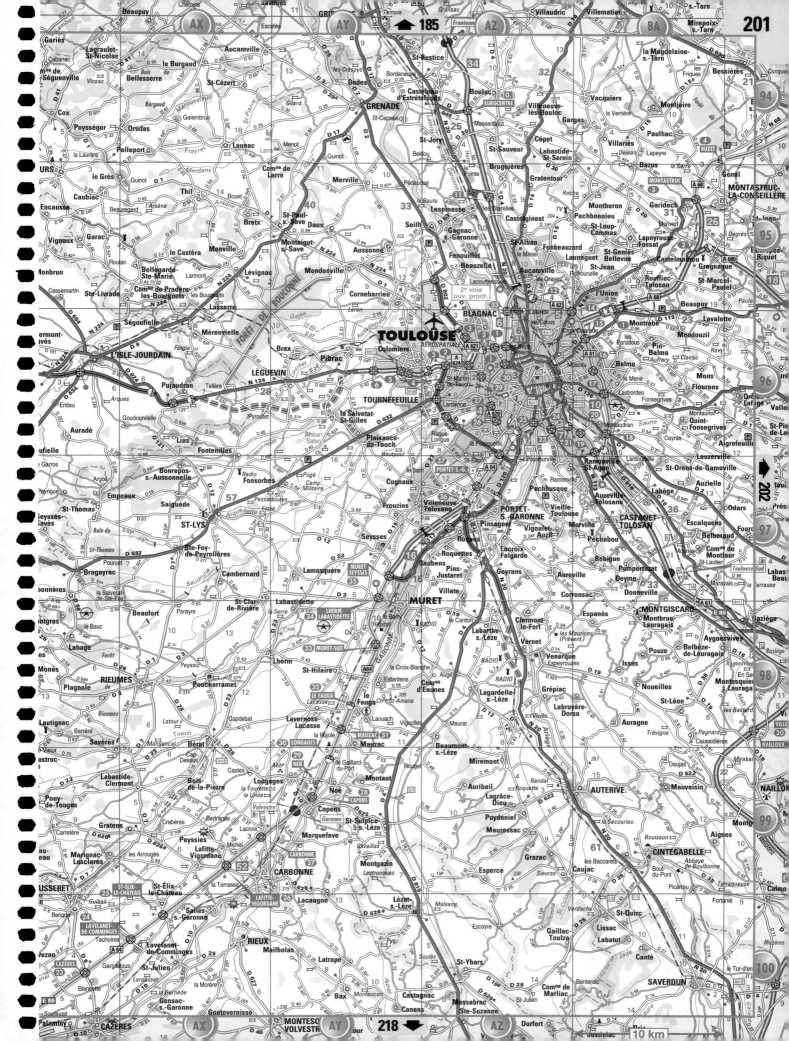

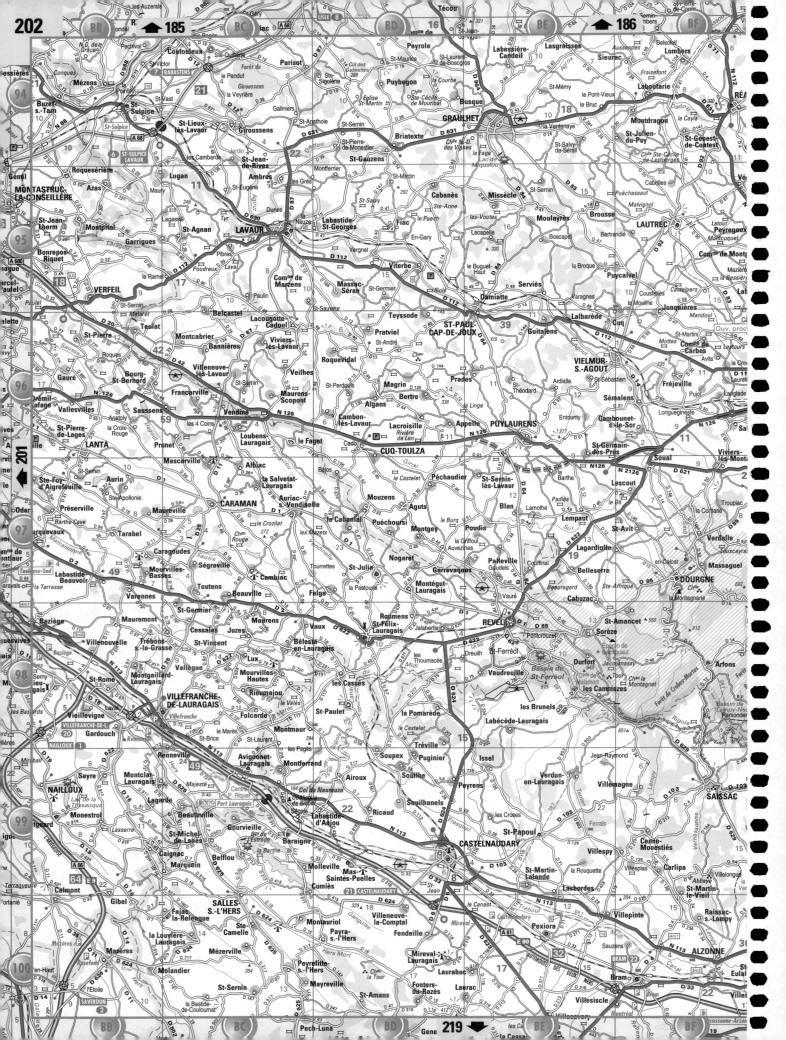

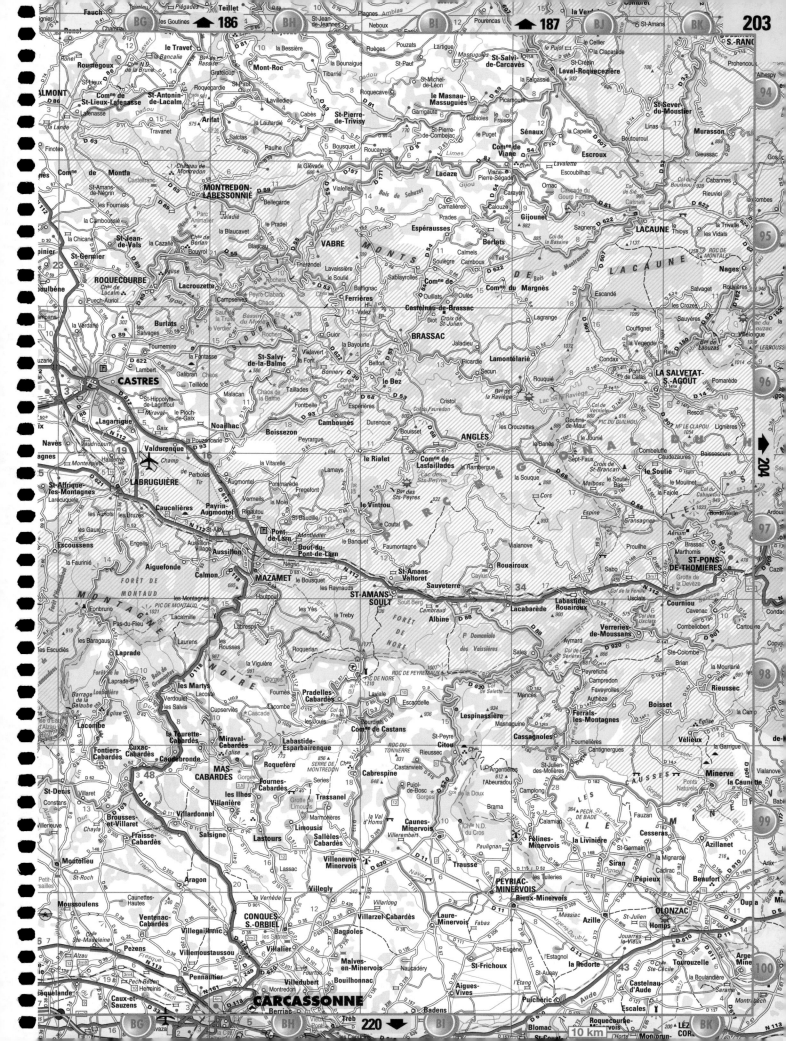

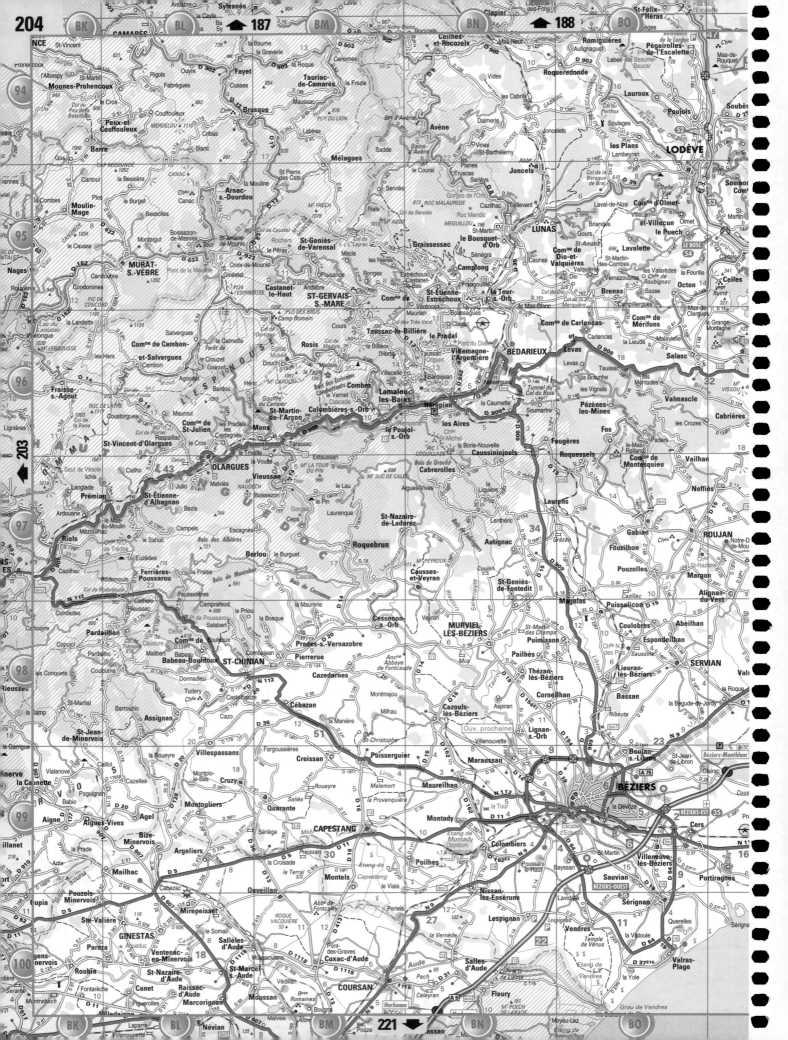

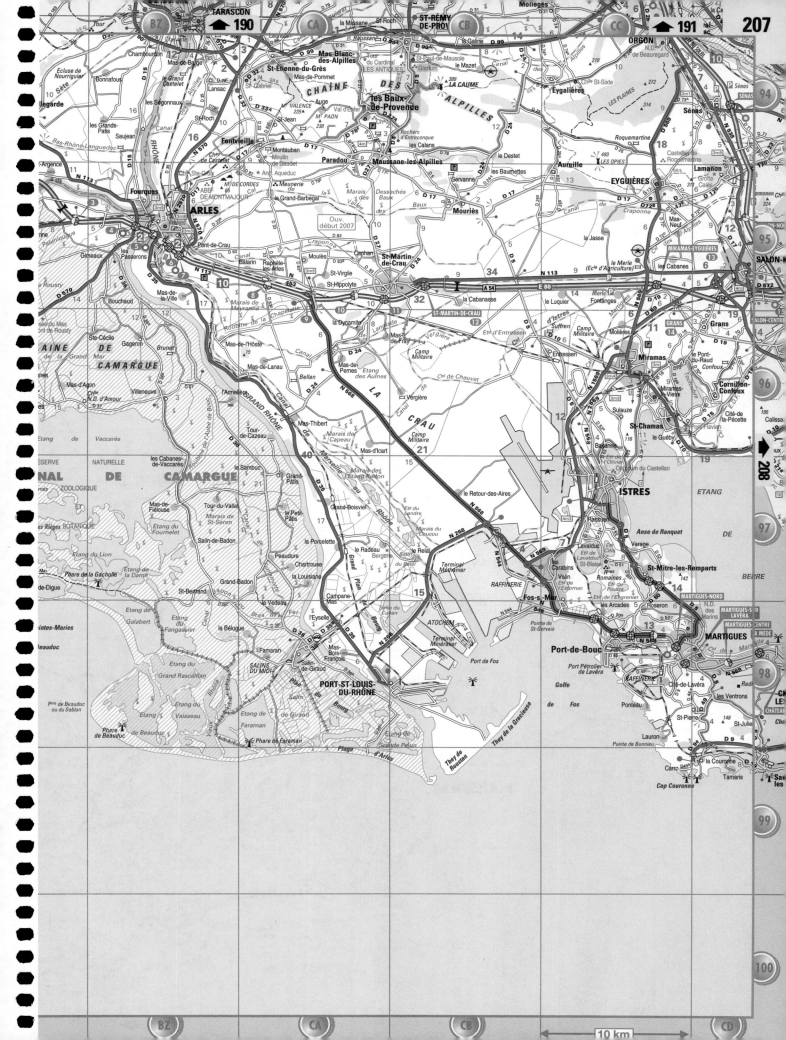

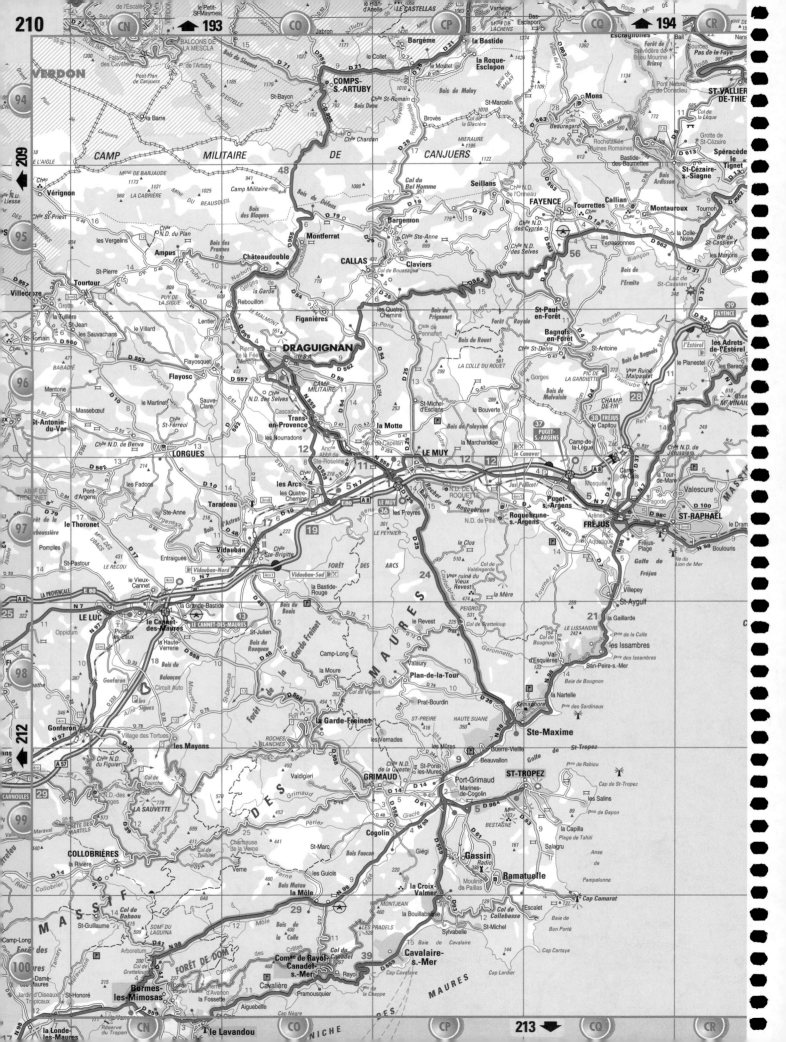

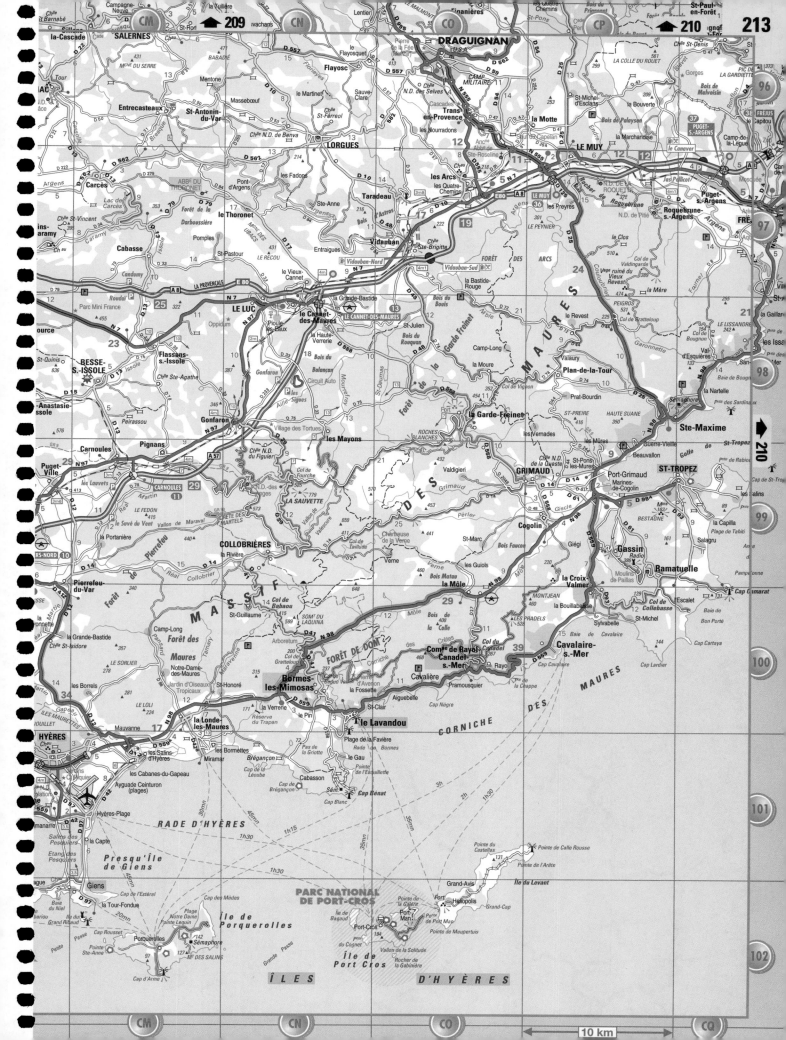

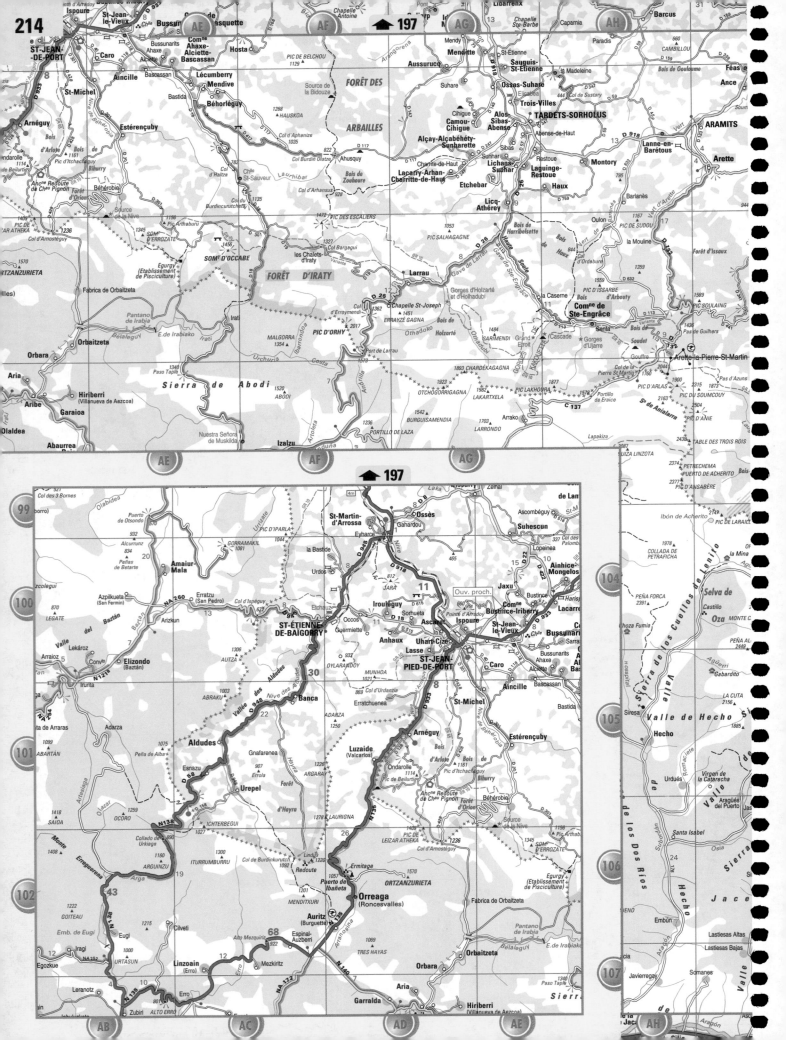

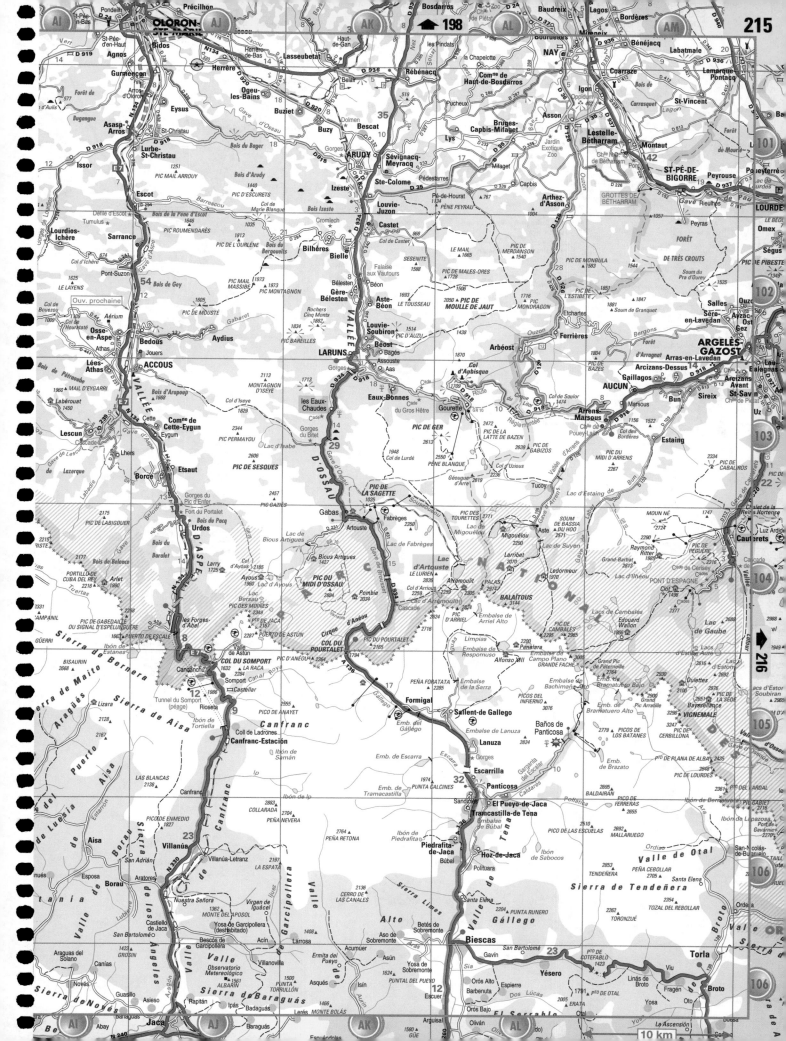

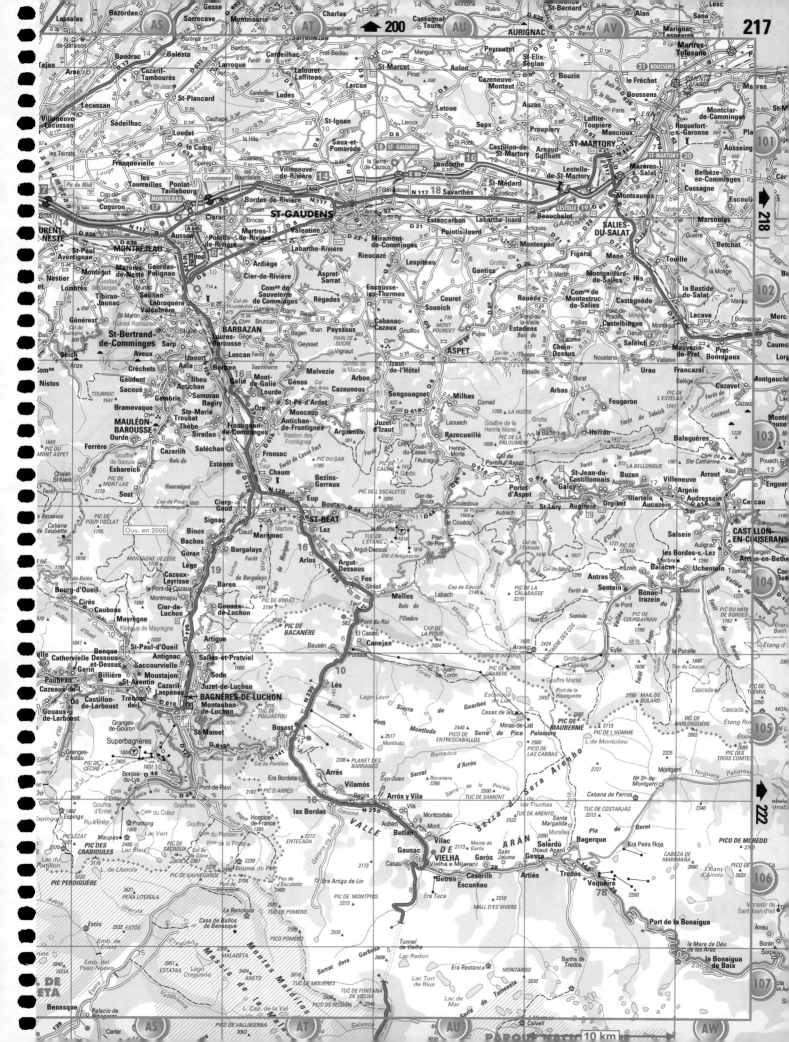

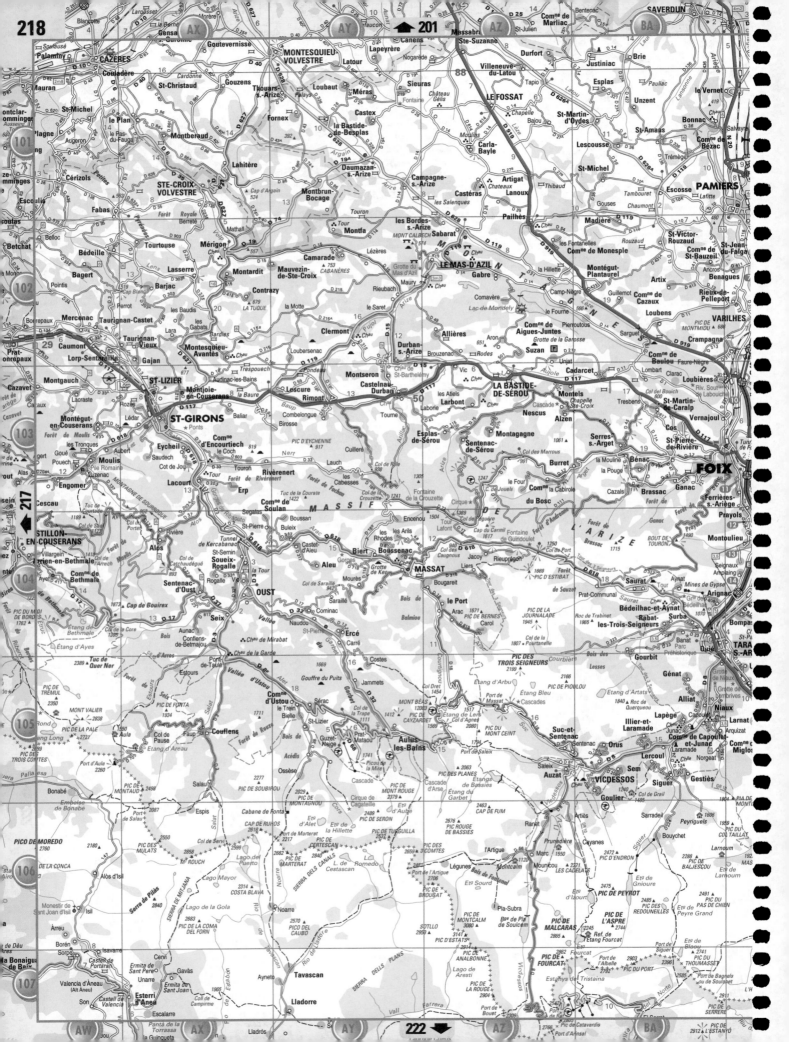

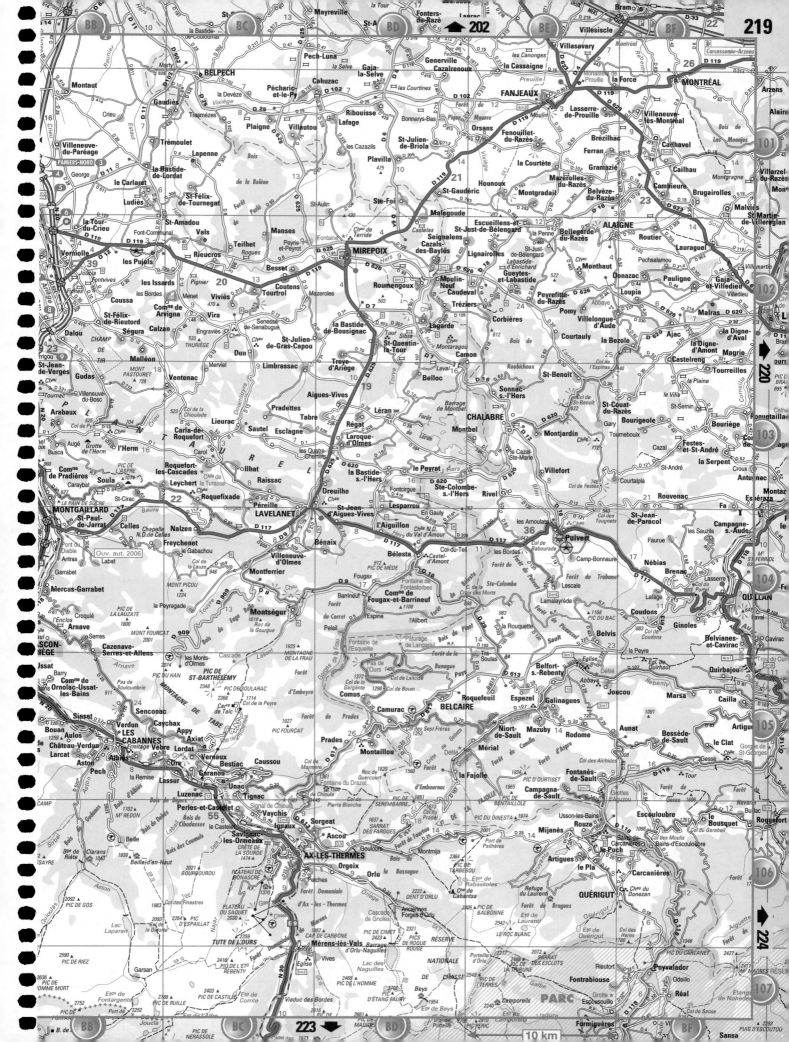

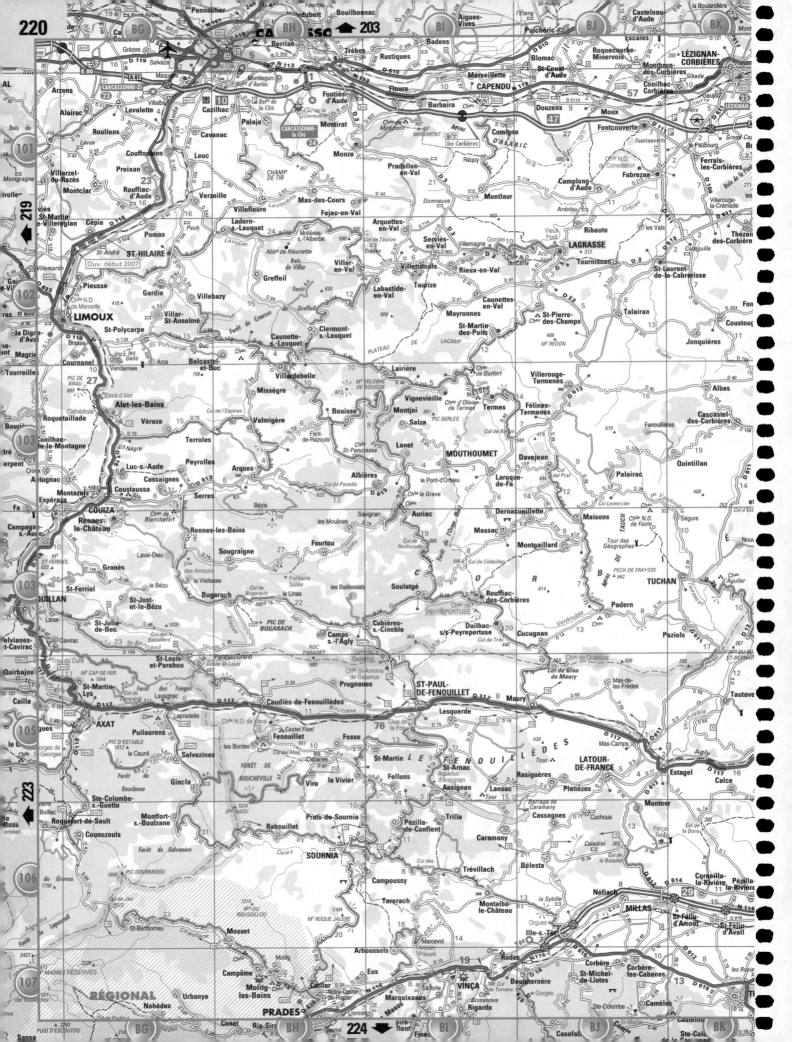

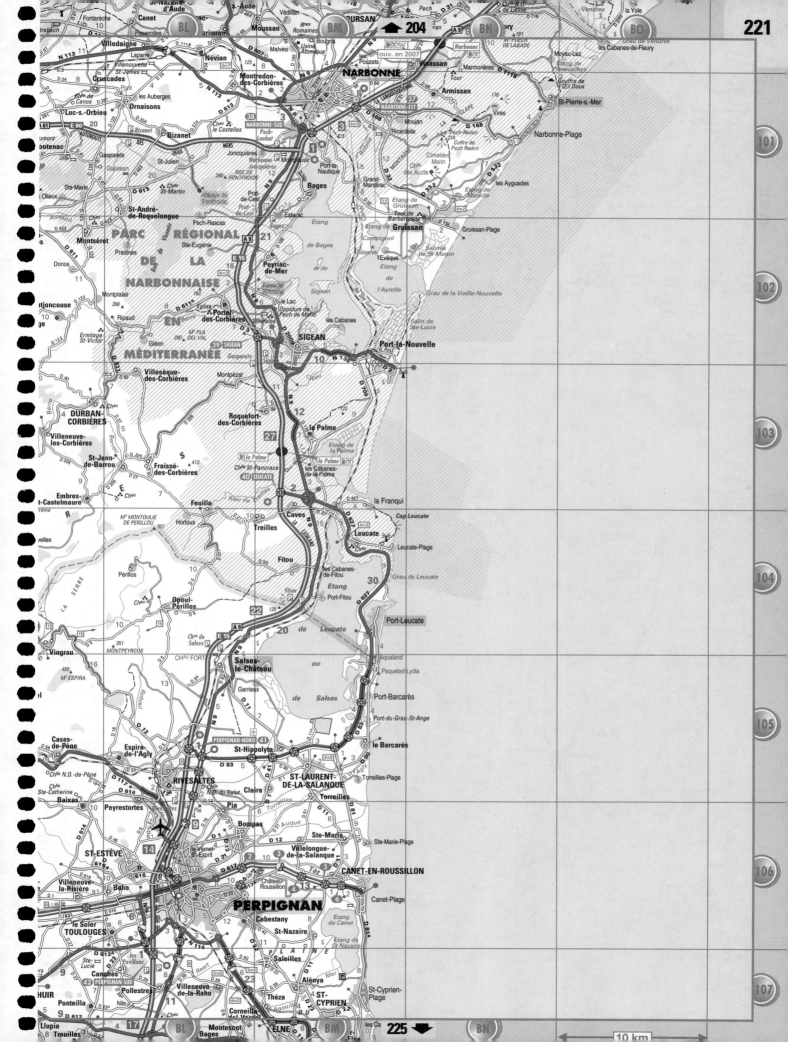

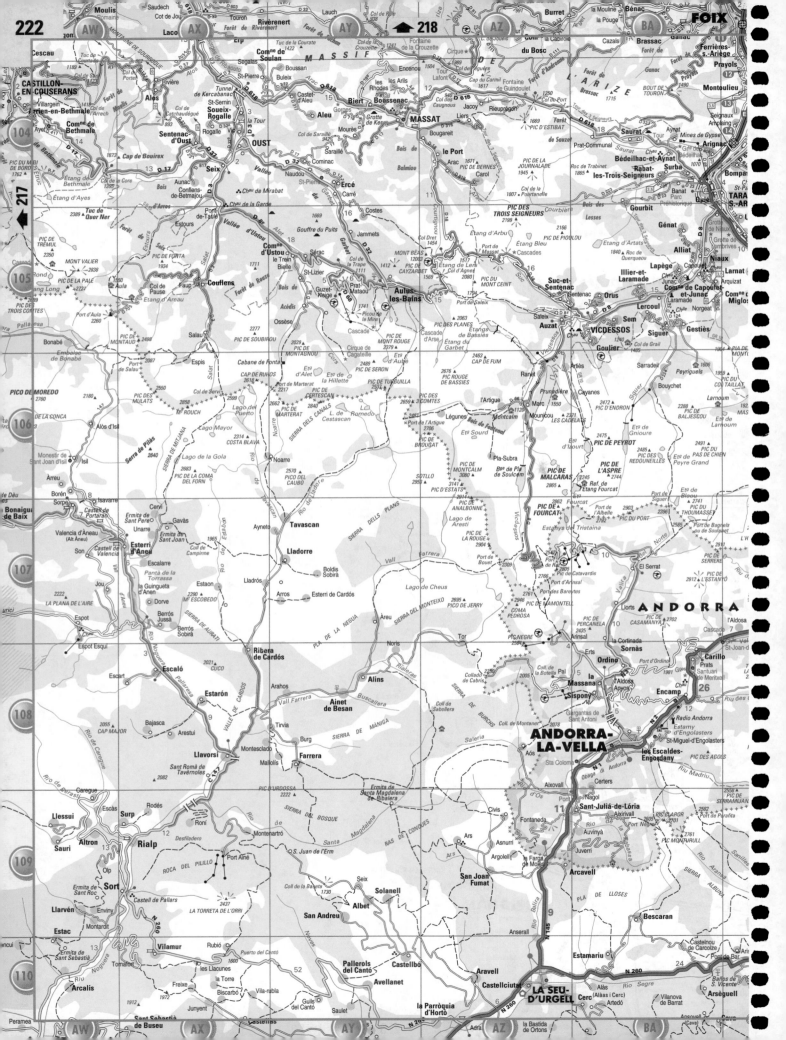

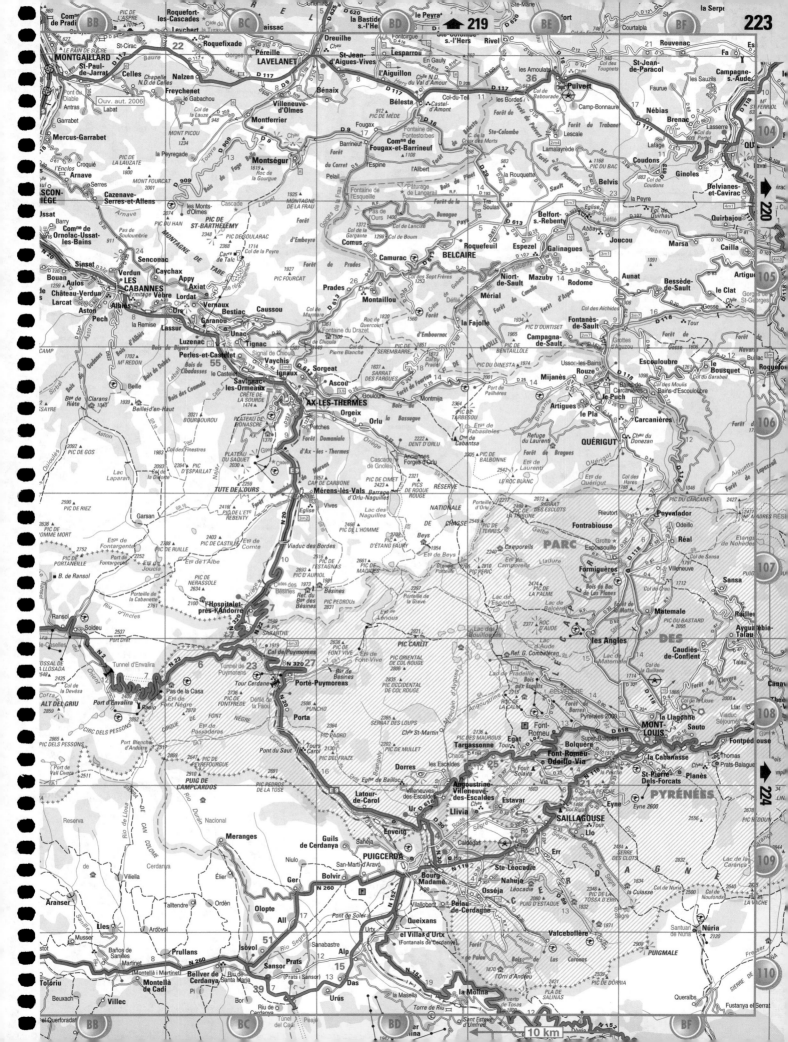

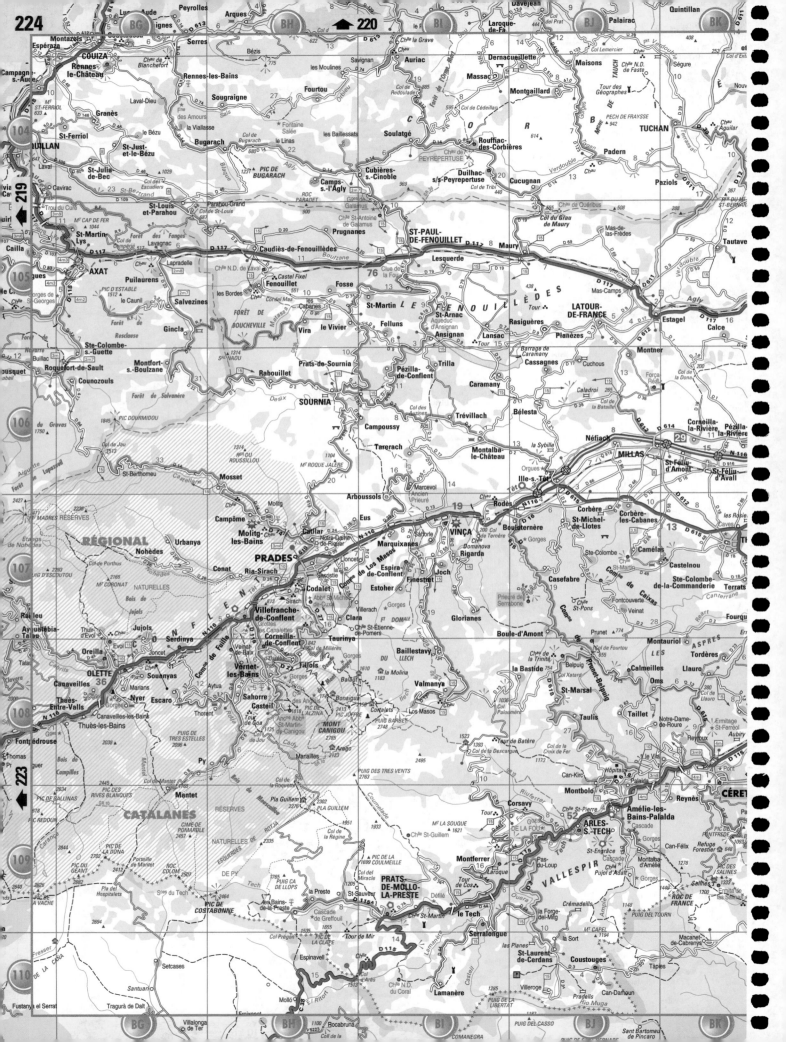

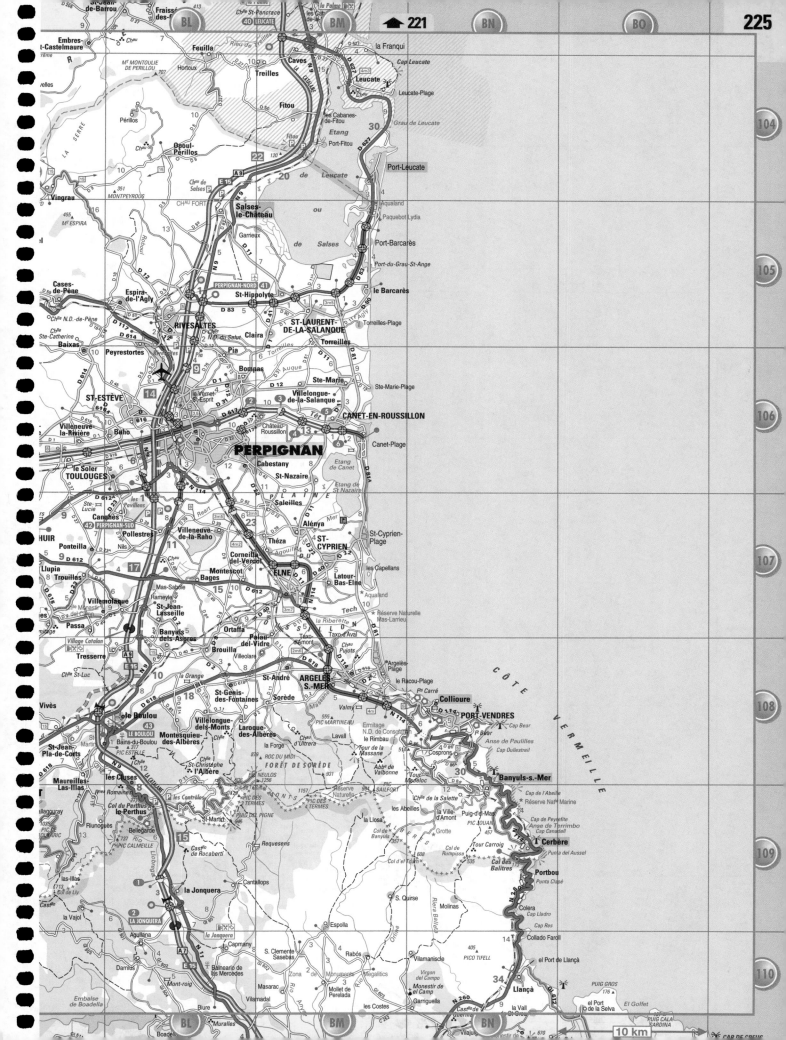

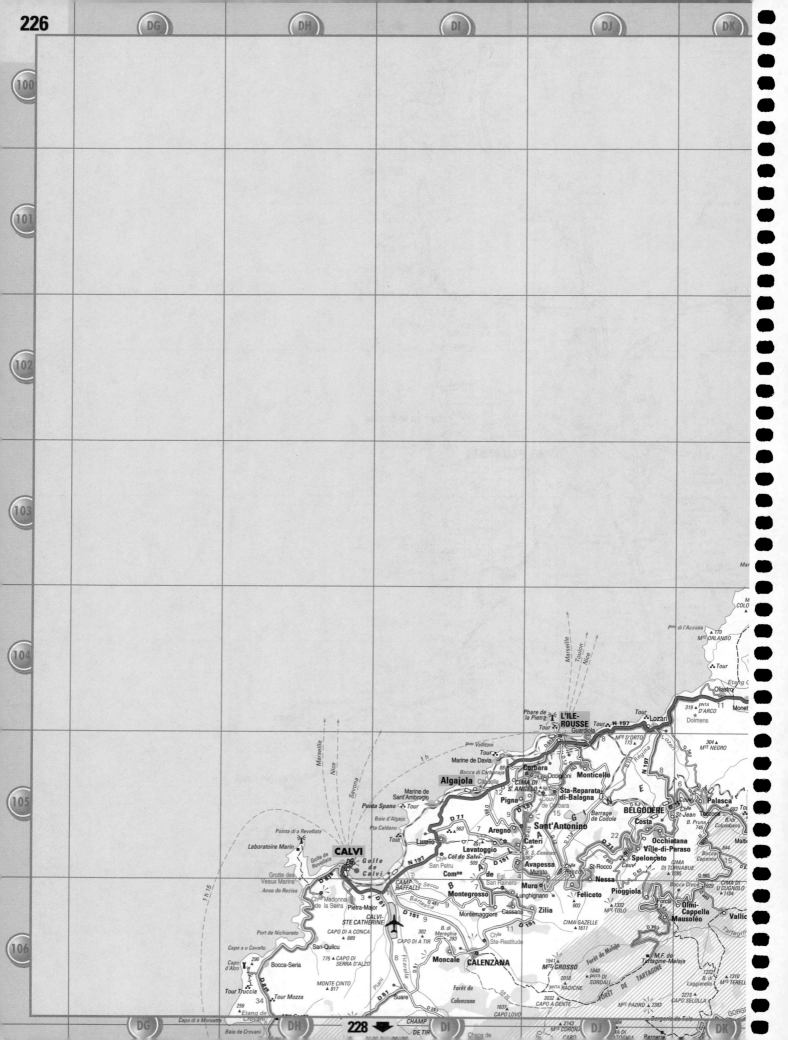

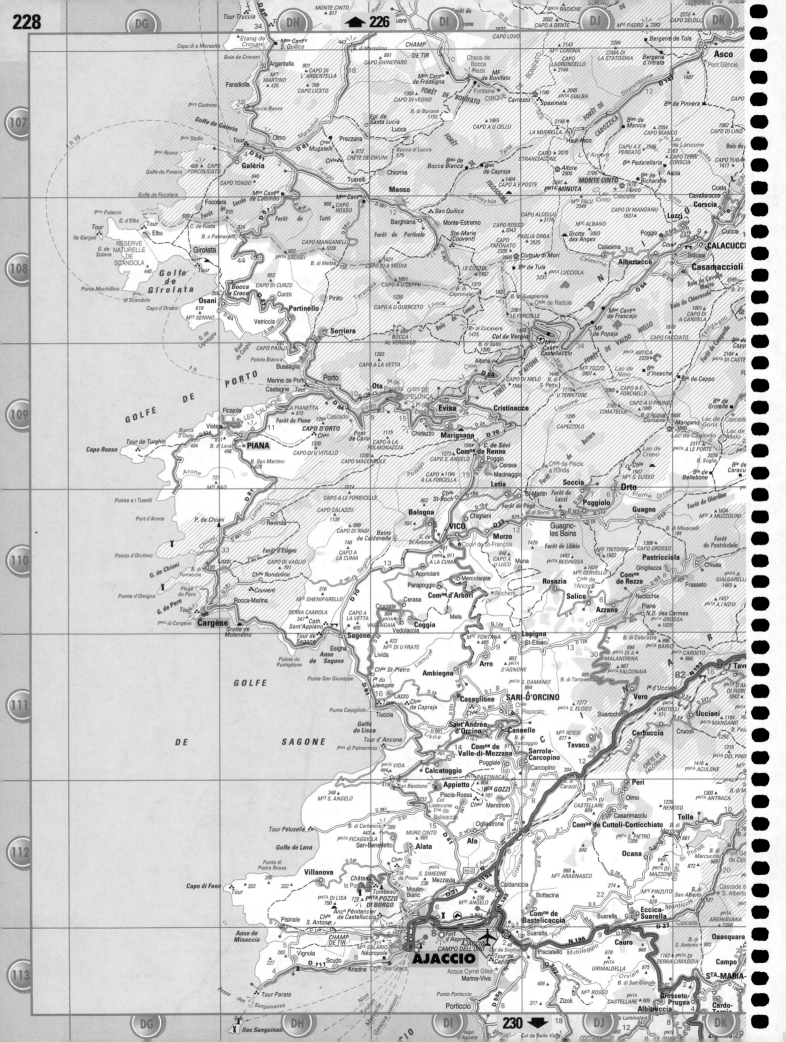

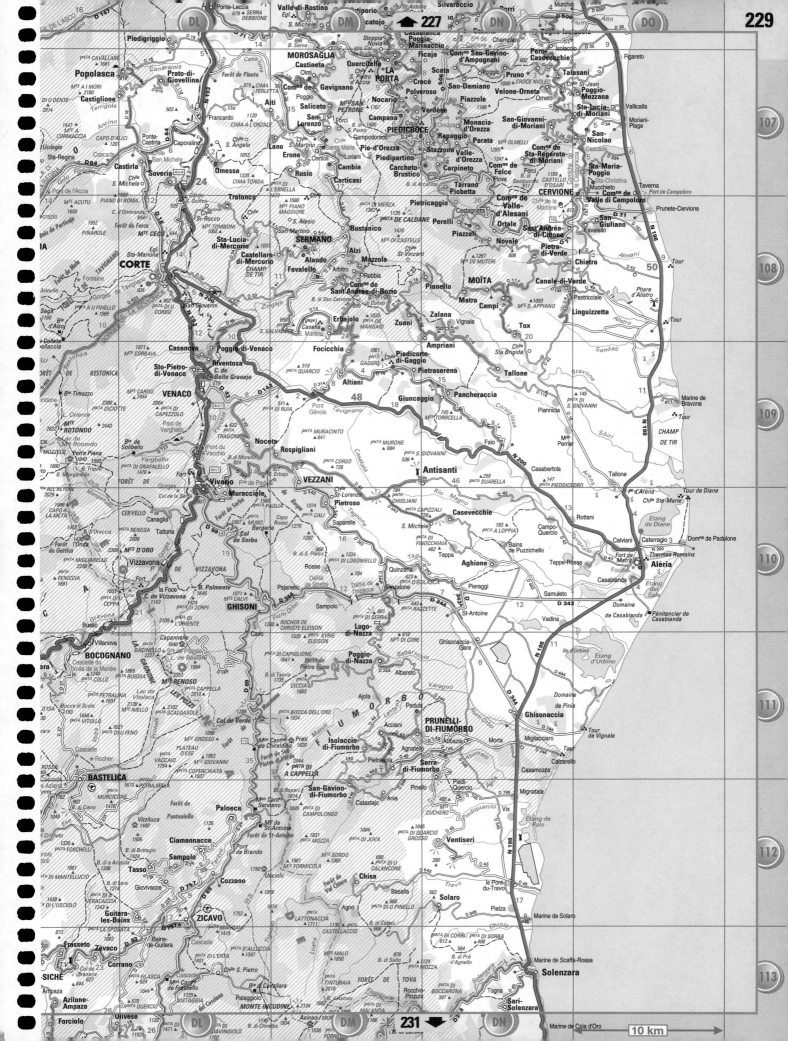

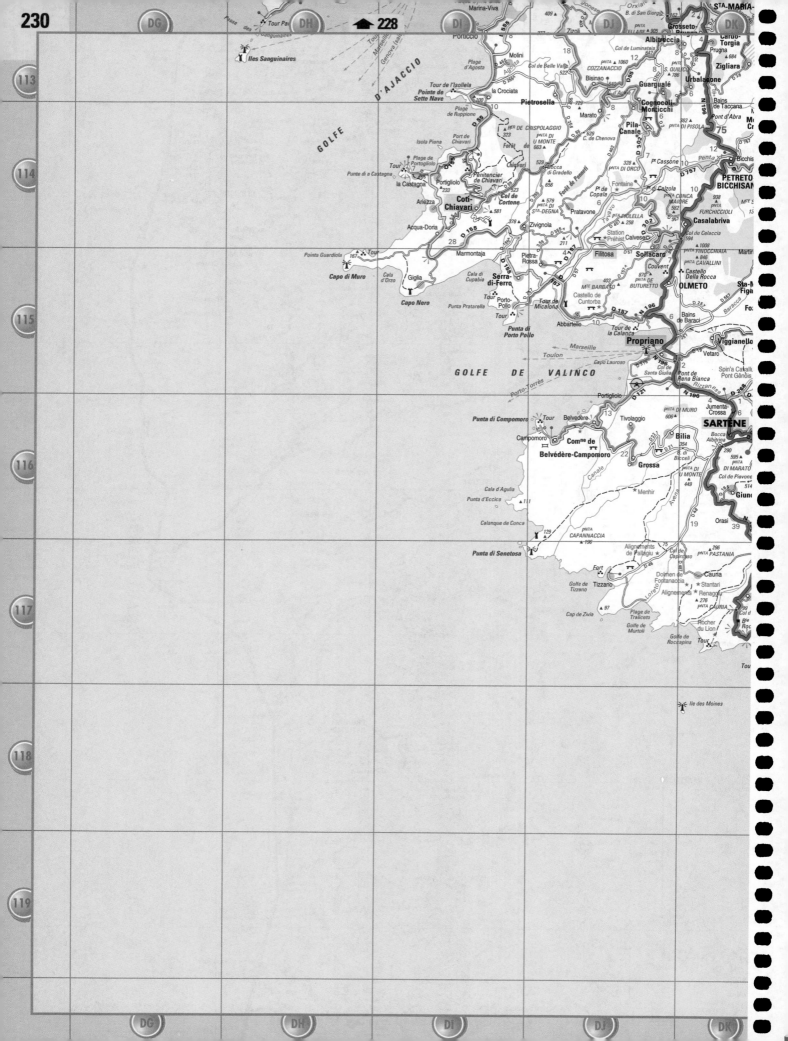

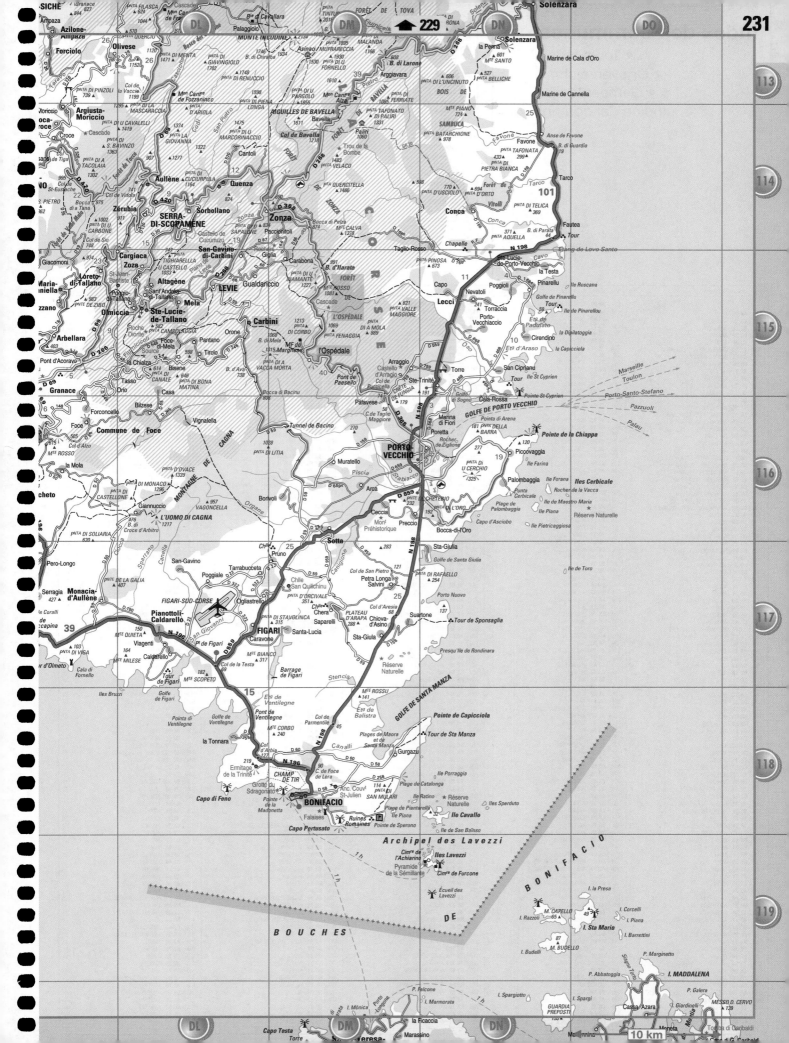

Index des communes

- Town index
- Ortsverzeichnis
- Gemeente-lijst
- Indice dei comuni

N°	Département		N°	Département		N°	Département		N°	Département
01	Ain		24	Dordogne		49	Maine-et-Loire		73	Savoie
02	Aisne		25	Doubs		50	Manche		74	Savoie (Haute)
03	Allier		26	Drôme		51	Marne		75	Paris
04	Alpes-de-Haute Provence		27	Eure		52	Marne (Haute)		76	Seine-Maritime
05	Alpes (Hautes)		28	Eure-et-Loir		53	Mayenne		77	Seine-et-Marne
06	Alpes-Maritimes		29	Finistère		54	Meurthe-et-Moselle		78	Yvelines
07	Ardèche		30	Gard		55	Meuse		79	Deux-Sèvres
08	Ardennes		31	Garonne (Haute)		56	Morbihan		80	Somme
09	Ariège		32	Gers		57	Moselle		81	Tarn
10	Aube		33	Gironde		58	Nièvre		82	Tarn-et-Garonne
11	Aude		34	Hérault		59	Nord		83	Var
12	Aveyron		35	Ille-et-Vilaine		60	Oise		84	Vaucluse
13	Bouches-du-Rhône		36	Indre		61	Orne		85	Vendée
14	Calvados		37	Indre-et-Loire		62	Pas-de-Calais		86	Vienne
15	Cantal		38	Isère		63	Puy-de-Dôme		87	Vienne (Haute)
16	Charente		39	Jura		64	Pyrénées-Atlantiques		88	Vosges
17	Charente-Maritime		40	Landes		65	Pyrénées (Hautes)		89	Yonne
18	Cher		41	Loir-et-Cher		66	Pyrénées-Orientales		90	Belfort (Territoire de)
19	Corrèze		42	Loire		67	Rhin (Bas)		91	Essonne
2A	Corse du Sud		43	Loire (Haute)		68	Rhin (Haut)		92	Hauts-de-Seine
2B	Corse (Haute)		44	Loire-Atlantique		69	Rhône		93	Seine-Saint-Denis
21	Côte-d'Or		45	Loiret		70	Saône (Haute)		94	Val-de-Marne
22	Côtes-d'Armor		46	Lot		71	Saône-et-Loire		95	Val d'Oise
23	Creuse		47	Lot-et-Garonne		72	Sarthe			
			48	Lozère						

Administratif :
C Chef-Lieu de Canton
S Sous-Préfecture
P Préfecture

Page	Carreau	Commune	Adm.	Dpt
158	BJ 74	AVEZE		63
188	BR 92	AVEZE		30
150	CL 69	AVIERNOZ		74
190	CA 92	AVIGNON	P	84
135	CH 64	AVIGNON LES SAINT CLAUDE		39
177	CH 80	AVIGNONET		38
202	BC 99	AVIGNONET LAURAGAIS		31
40	CF 32	AVILLERS		54
83	CJ 43	AVILLERS		88
60	CF 35	AVILLERS SAINTE CROIX		55
103	CK 53	AVILLEY		25
55	BI 34	AVILLY SAINT LEONARD		60
12	BK 20	AVION	C	62
40	CD 29	AVIOTH		55
92	AJ 50	AVIRE		49
80	BV 47	AVIREY LINGEY		10
53	AY 35	AVIRON		27
58	BT 36	AVIZE	C	51
39	CB 33	AVOCOURT		55
51	AP 39	AVOINE		61
110	AQ 56	AVOINE		37
93	AN 48	AVOISE		72
64	CT 40	AVOLSHEIM		67
78	BJ 43	AVON		77
126	AO 65	AVON		79
79	BQ 43	AVON LA PEZE		10
111	AS 56	AVON LES ROCHES		37
11	BF 20	AVONDANCE		62
114	BJ 58	AVORD		18
117	BY 54	AVOSNES		21
101	CB 51	AVOT		21
120	CM 56	AVOUDREY		25
61	CH 38	AVRAINVILLE		54
77	BG 41	AVRAINVILLE		91
83	CJ 42	AVRAINVILLE		88
49	AF 39	AVRANCHES	S	50
82	CE 42	AVRANVILLE		88
35	BH 31	AVRECHY		60
116	BS 60	AVREE		58
19	AW 26	AVREMESNIL		76
149	CH 74	AVRESSIEUX		73
80	BT 47	AVREUIL		10
62	CN 39	AVRICOURT		57
36	BK 29	AVRICOURT		60
62	CN 39	AVRICOURT		54
165	CP 77	AVRIEUX		73
119	CH 54	AVRIGNEY VIREY		70
35	BI 32	AVRIGNY		60
41	CH 32	AVRIL		54
115	BO 60	AVRIL SUR LOIRE		58
92	AK 52	AVRILLE		49
123	AD 63	AVRILLE		85
110	AR 54	AVRILLE LES PONCEAUX		37
53	AY 37	AVRILLY		27
72	AL 41	AVRILLY		61
132	BT 66	AVRILLY		03
11	BF 18	AVROULT		62
153	AK 74	AVY		17
22	BN 23	AWOINGT		59
223	BC 106	AX LES THERMES	C	09
224	BG 105	AXAT	C	11
223	BC 105	AXIAT		09
58	BT 35	AY	C	51
41	CJ 33	AY SUR MOSELLE		57
145	BL 69	AYAT SUR SIOULE		63
145	BL 73	AYDAT		63
199	AN 96	AYDIE		64
215	AJ 102	AYDIUS		64
84	CM 44	AYDOILLES		88
156	AY 78	AYEN	C	19
35	BI 29	AYENCOURT		80
22	BJ 23	AYETTE		62
223	BF 107	AYGUATEBIA TALAU		66
167	AK 83	AYGUEMORTE LES GRAVES		33
201	BA 98	AYGUESVIVES		31
183	AR 93	AYGUETINTE		32
197	AD 98	AYHERRE		64
149	CH 74	AYN		73
171	BD 83	AYNAC		46
104	CL 51	AYNANS, LES		70
172	BG 81	AYRENS		15
126	AP 62	AYRON		86
216	AN 102	AYROS ARBOUIX		65
150	CM 68	AYSE		74
187	BK 91	AYSSENES		12
138	AG 67	AYTRE	C	17
39	BY 28	AYVELLES, LES		08
215	AM 102	AYZAC OST		65
182	AO 93	AYZIEU		32
40	CD 32	AZANNES ET SOUMAZANNES		55
202	BB 95	AZAS		31
143	BC 69	AZAT CHATENET		23
128	AX 66	AZAT LE RIS		87
125	AN 65	AZAY LE BRULE		79
112	AX 60	AZAY LE FERRON		36
111	AS 55	AZAY LE RIDEAU	C	37
111	AV 54	AZAY SUR CHER		37
111	AW 56	AZAY SUR INDRE		37
125	AM 62	AZAY SUR THOUET		79
92	AK 49	AZE		53
95	AX 49	AZE		41
134	BZ 64	AZE		71
61	CJ 40	AZELOT		54
128	BA 65	AZERABLES		23
84	CN 41	AZERAILLES		54
155	AX 79	AZERAT		24
159	BP 76	AZERAT		43
199	AN 100	AZEREIX		65
216	AQ 105	AZET		65
29	AG 30	AZEVILLE		50
203	BK 99	AZILLANET		34
203	BJ 100	AZILLE		11
229	DK 113	AZILONE AMPAZA		2A
11	BF 20	AZINCOURT		62
147	BX 67	AZOLETTE		69
62	CN 38	AZOUDANGE		57
180	AD 93	AZUR		40
114	BJ 56	AZY		18
131	BN 61	AZY LE VIF		58
57	BO 36	AZY SUR MARNE		02
228	DJ 110	AZZANA		2A
		B		
39	CC 30	BAALON		55
39	BX 29	BAALONS		08
204	BL 98	BABEAU BOULDOUX		34
36	BM 29	BABOEUF		60
79	BO 43	BABY		77
84	CN 41	BACCARAT	C	54
96	BB 48	BACCON		45
185	BB 88	BACH		46
23	BR 22	BACHANT		59
200	AV 100	BACHAS		31
156	AX 79	BACHELLERIE, LA		24
34	BE 33	BACHIVILLERS		60
217	AS 104	BACHOS		31
12	BN 19	BACHY		59
49	AF 39	BACILLY		50
58	BV 34	BACONNES		51
72	AJ 45	BACONNIERE, LA		53
35	BH 29	BACOUEL		60
21	BG 27	BACOUEL SUR SELLE		80
61	CK 36	BACOURT		57
53	AX 35	BACQUEPUIS		27
33	AZ 33	BACQUEVILLE		27
33	AX 27	BACQUEVILLE EN CAUX	C	76
172	BJ 81	BADAILHAC		15
174	BQ 86	BADAROUX		48
128	BB 63	BADECON LE PIN		36
156	AX 78	BADEFOLS D'ANS		24
169	AU 82	BADEFOLS SUR DORDOGNE		24
89	T 50	BADEN		56
220	BI 100	BADENS		11
104	CP 52	BADEVEL		25
162	CD 74	BADINIERES		38
84	CM 43	BADMENIL AUX BOIS		88
84	CO 41	BADONVILLER	C	54
82	CE 40	BADONVILLIERS GERAUVILLIERS		55
62	CP 37	BAERENDORF		67
64	CS 35	BAERENTHAL		57
84	CM 44	BAFFE, LA		88
160	BS 75	BAFFIE		63
189	BU 91	BAGARD		30
168	AO 84	BAGAS		33
184	AY 87	BAGAT EN QUERCY		46
134	CB 66	BAGE LA VILLE		01
134	CA 66	BAGE LE CHATEL	C	01
218	AW 102	BAGERT		09
221	BM 101	BAGES		11
225	BL 107	BAGES		66
217	AS 103	BAGIRY		31
171	BF 84	BAGNAC SUR CELE		46
79	BQ 44	BAGNEAUX		89
78	BJ 45	BAGNEAUX SUR LOING		77
216	AO 102	BAGNERES DE BIGORRE	S	65
217	AS 105	BAGNERES DE LUCHON	C	31
55	BG 38	BAGNEUX	C	92
61	CH 40	BAGNEUX		54
36	BN 31	BAGNEUX		02
131	BN 62	BAGNEUX		03
113	BC 56	BAGNEUX		36
79	BR 41	BAGNEUX		51
80	BV 47	BAGNEUX LA FOSSE		10
139	AM 70	BAGNIZEAU		17
203	BH 100	BAGNOLES		11
73	AM 41	BAGNOLES DE L'ORNE		61
55	BH 37	BAGNOLET	C	93
158	BJ 75	BAGNOLS		63
147	BY 70	BAGNOLS		69
210	CQ 96	BAGNOLS EN FORET		83
174	BR 86	BAGNOLS LES BAINS		48
190	BY 89	BAGNOLS SUR CEZE	C	30
118	CB 57	BAGNOT		21
48	AC 40	BAGUER MORVAN		35
49	AD 40	BAGUER PICAN		35
221	BL 106	BAHO		66
198	AL 95	BAHUS SOUBIRAN		40
76	BD 46	BAIGNEAUX		28
95	AY 50	BAIGNEAUX		41
167	AM 83	BAIGNEAUX		33
103	CI 51	BAIGNES		70
153	AM 76	BAIGNES SAINTE RADEGONDE	C	16
101	BY 51	BAIGNEUX LES JUIFS	C	21
76	BB 45	BAIGNOLET		28
197	AH 95	BAIGTS		40
197	AH 96	BAIGTS DE BEARN		64
206	BU 95	BAILLARGUES		34
71	AF 42	BAILLE		35
76	BB 41	BAILLEAU ARMENONVILLE		28
75	AZ 43	BAILLEAU LE PIN		28
76	BA 42	BAILLEAU L'EVEQUE		28
224	BI 108	BAILLESTAVY		66
55	BG 35	BAILLET EN FRANCE		95
12	BJ 17	BAILLEUL	C	59
20	BD 25	BAILLEUL		80
51	AP 38	BAILLEUL		61
93	AO 49	BAILLEUL, LE		72
21	BH 21	BAILLEUL AUX CORNAILLES		62
32	AS 34	BAILLEUL LA VALLEE		27
35	BI 31	BAILLEUL LE SOC		60
11	BH 19	BAILLEUL LES PERNES		62
20	BA 27	BAILLEUL NEUVILLE		76
22	BK 21	BAILLEUL SIR BERTHOULT		62
35	BG 32	BAILLEUL SUR THERAIN		60
21	BJ 23	BAILLEULMONT		62
21	BJ 22	BAILLEULVAL		62
35	BH 32	BAILLEVAL		60
34	BA 27	BAILLOLET		76
95	AV 47	BAILLOU		41
36	BL 30	BAILLY		60
55	BF 38	BAILLY		78
81	CA 42	BAILLY AUX FORGES		52
19	AZ 26	BAILLY EN RIVIERE		76
81	BY 41	BAILLY LE FRANC		10
56	BK 38	BAILLY ROMAINVILLIERS		77
91	AD 48	BAIN DE BRETAGNE	C	35
10	BC 17	BAINCTHUN		62
10	BD 16	BAINGHEN		62
160	BS 80	BAINS		43
83	CK 46	BAINS LES BAINS	C	88
90	Z 49	BAINS SUR OUST		35
83	CJ 42	BAINVILLE AUX MIROIRS		54
83	CJ 44	BAINVILLE AUX SAULES		88
61	CI 40	BAINVILLE SUR MADON		54
194	CT 91	BAIROLS		06
73	AN 44	BAIS	C	53
71	AF 46	BAIS		35
12	BN 18	BAISIEUX		59
102	CC 49	BAISSEY		52
24	BU 24	BAIVES		59
176	CA 83	BAIX		07
221	BK 106	BAIXAS		66
21	BI 25	BAIZIEUX		80
57	BR 36	BAIZIL, LE		51
184	AU 89	BAJAMONT		47
200	AU 94	BAJONNETTE		32
11	BH 20	BAJUS		62
217	AV 104	BALACET		09
170	BA 81	BALADOU		46
35	BG 33	BALAGNY SUR THERAIN		60
217	AV 103	BALAGUERES		09
171	BD 86	BALAGUIER D'OLT		12
187	BI 93	BALAGUIER SUR RANCE		12
119	CE 58	BALAISEAUX		39
39	BY 28	BALAIVES ET BUTZ		08
39	BZ 28	BALAN		08
148	CC 71	BALAN		01
135	CE 64	BALANOD		39
198	AI 97	BALANSUN		64
138	AI 72	BALANZAC		17
205	BR 98	BALARUC LE VIEUX		34
205	BR 98	BALARUC LES BAINS		34
36	BK 28	BALATRE		80
71	AG 45	BALAZE		35
175	BX 86	BALAZUC		07
147	BV 71	BALBIGNY		42
162	CD 76	BALBINS		38
63	CS 39	BALBRONN		67
85	CT 43	BALDENHEIM		67
105	CS 48	BALDERSHEIM		68
49	AG 36	BALEINE, LA		50
198	AN 98	BALEIX		64
102	CD 49	BALESMES SUR MARNE		52
217	AS 100	BALESTA		31
168	AP 84	BALEYSSAGUES		47
85	CT 47	BALGAU		68
38	BU 30	BALHAM		08
184	AV 92	BALIGNAC		82
80	BW 41	BALIGNICOURT		10
53	AX 39	BALINES		27
10	BE 15	BALINGHEM		62
198	AL 96	BALIRACQ MAUMUSSON		64
198	AL 100	BALIROS		64
167	AK 86	BALIZAC		33
55	BG 40	BALLAINVILLIERS		91
136	CL 65	BALLAISON		74
111	AT 54	BALLAN MIRE	C	37
77	BH 41	BALLANCOURT SUR ESSONNE		91
139	AN 71	BALLANS		17
39	BY 31	BALLAY		08
142	AY 68	BALLEDENT		87
93	AM 48	BALLEE		53
115	BO 57	BALLERAY		58
30	AJ 33	BALLEROY	C	14
105	CR 50	BALLERSDORF		68
82	CG 43	BALLEVILLE		88
74	AR 45	BALLON	C	72
138	AH 68	BALLON		17
192	CH 88	BALLONS		26
133	BW 63	BALLORE		71
92	AH 48	BALLOTS		53
78	BN 43	BALLOY		77
201	BA 96	BALMA		31
149	CH 72	BALME, LA		73
150	CJ 69	BALME DE SILLINGY, LA		74
150	CL 70	BALME DE THUY, LA		74
135	CE 65	BALME D'EPY, LA		39
149	CE 70	BALME LES GROTTES, LA		38
100	BU 47	BALNOT LA GRANGE		10
80	BV 47	BALNOT SUR LAIGNES		10
228	DI 110	BALOGNA		2A
100	BW 49	BALOT		21
186	BH 87	BALSAC		12
105	CQ 50	BALSCHWILLER		68
173	BP 86	BALSIEGES		48
85	CT 45	BALTZENHEIM		68
140	AP 72	BALZAC		16
11	BI 15	BAMBECQUE		59
62	CM 34	BAMBIDERSTROFF		57
84	CQ 43	BAN DE LAVELINE		88
84	CP 42	BAN DE SAPT		88
61	CI 34	BAN SAINT MARTIN, LE		57
84	CP 44	BAN SUR MEURTHE CLEFCY		88
173	BN 87	BANASSAC		48
214	AC 101	BANCA		64
24	BT 27	BANCIGNY		02
22	BK 24	BANCOURT		62
212	CI 101	BANDOL		83
148	CA 68	BANEINS		01
169	AU 82	BANEUIL		24
88	R 53	BANGOR		56
216	AP 102	BANIOS		65
143	BE 70	BANIZE		23
67	O 46	BANNALEC	C	29
120	CK 59	BANNANS		25
61	CL 34	BANNAY		57
57	BR 37	BANNAY		51
115	BK 54	BANNAY		18
189	BV 87	BANNE		07
130	BJ 61	BANNEGON		18
57	BS 38	BANNES		51
102	CD 48	BANNES		52
73	AM 47	BANNES		53
171	BD 83	BANNES		46
51	AO 34	BANNEVILLE LA CAMPAGNE		14
50	AL 35	BANNEVILLE SUR AJON		14
202	BC 96	BANNIERES		81
60	CD 36	BANNONCOURT		55
56	BN 40	BANNOST VILLEGAGNON		77
38	BU 29	BANOGNE RECOUVRANCE		08
192	CH 91	BANON	C	04
198	AI 94	BANOS		40
119	CF 58	BANS		39
159	BO 75	BANSAT		63
134	CC 62	BANTANGES		71
22	BN 24	BANTEUX		59
54	BD 35	BANTHELU		95
39	CA 32	BANTHEVILLE		55
22	BN 22	BANTIGNY		59
22	BN 24	BANTOUZELLE		59
105	CT 48	BANTZENHEIM		68
104	CO 51	BANVILLARS		90
31	AM 32	BANVILLE		14
50	AL 39	BANVOU		61
225	BL 107	BANYULS DELS ASPRES		66
225	BN 108	BANYULS SUR MER		66
100	BU 49	BAON		89
33	AV 29	BAONS LE COMTE		76
22	BK 24	BAPAUME	C	62
157	BC 77	BAR		19
59	CB 38	BAR LE DUC	P	55
39	BZ 31	BAR LES BUZANCY		08
81	BY 44	BAR SUR AUBE	S	10
211	CS 94	BAR SUR LOUP, LE	C	06
80	BW 46	BAR SUR SEINE	C	10
93	AM 51	BARACE		49
202	BC 99	BARAIGNE		11
128	BB 64	BARAIZE		36
22	BL 23	BARALLE		62
186	BH 88	BARAQUEVILLE	C	12
22	BL 24	BARASTRE		62
179	CN 85	BARATIER		05
199	AP 98	BARBACHEN		65
227	DM 104	BARBAGGIO		2B
220	BI 101	BARBAIRA		11
38	BX 28	BARBAISE		08
62	CO 40	BARBAS		54
183	AQ 90	BARBASTE		47
106	Y 58	BARBATRE		85
217	AT 102	BARBAZAN	C	31
216	AO 100	BARBAZAN DEBAT		65
216	AP 101	BARBAZAN DESSUS		65
108	AF 55	BARBECHAT		44
208	CE 95	BARBEN, LA		13
190	CA 93	BARBENTANE		13
163	CJ 74	BARBERAZ		73
80	BT 43	BARBEREY SAINT SULPICE		10
131	BN 67	BARBERIER		03
36	BJ 34	BARBERY		60
51	AN 36	BARBERY		14
30	AK 33	BARBEVILLE		14
78	BM 43	BARBEY		77
84	CO 45	BARBEY SEROUX		88
140	AO 70	BARBEZIERES		16
153	AN 75	BARBEZIEUX SAINT HILAIRE	C	16
176	CD 81	BARBIERES		26
118	BZ 55	BARBIREY SUR OUCHE		21
77	BI 42	BARBIZON		77
57	BQ 40	BARBONNE FAYEL		51
61	CK 40	BARBONVILLE		54
121	CO 56	BARBOUX, LE		25
79	BQ 41	BARBUISE		10
38	BV 30	BARBY		08
150	CJ 74	BARBY		73
53	AV 35	BARC		27
221	BM 105	BARCARES, LE		66
176	CC 82	BARCELONNE		26
198	AM 95	BARCELONNE DU GERS		32
179	CP 86	BARCELONNETTE	S	04
62	CO 38	BARCHAIN		57
178	CJ 86	BARCILLONNETTE	C	05
199	AR 98	BARCUGNAN		32
197	AH 100	BARCUS		64
56	BK 36	BARCY		77
160	BU 74	BARD		42
117	BV 56	BARD LE REGULIER		21
100	BV 52	BARD LES EPOISSES		21
119	CF 55	BARD LES PESMES		70
153	AO 79	BARDE, LA		17
154	AO 77	BARDENAC		16
184	AV 91	BARDIGUES		82
96	BB 49	BARDON, LE		45
197	AE 97	BARDOS		64
169	AT 83	BARDOU		24
33	AW 31	BARDOUVILLE		76
216	AO 104	BAREGES		65
216	AR 104	BAREILLES		65
85	CR 41	BAREMBACH		67
217	AS 104	BAREN		31
33	AW 30	BARENTIN		76
50	AJ 40	BARENTON	C	50
37	BQ 29	BARENTON BUGNY		02
37	BQ 29	BARENTON CEL		02
37	BQ 29	BARENTON SUR SERRE		02
135	CG 63	BARESIA SUR L'AIN		39
29	AH 28	BARFLEUR		50
210	CP 94	BARGEME		83
210	CP 95	BARGEMON		83
103	CH 48	BARGES		70
118	CB 56	BARGES		21
174	BT 82	BARGES		43
56	BL 34	BARGNY		60
167	AN 85	BARIE		33
53	AV 39	BARILS, LES		27
198	AL 98	BARINQUE		64
83	CG 41	BARISEY AU PLAIN		54
82	CG 41	BARISEY LA COTE		54
37	BO 30	BARISIS		02
117	BY 60	BARIZEY		71
190	BX 88	BARJAC	C	30
173	BP 86	BARJAC		48
218	AX 102	BARJAC		09
209	CK 96	BARJOLS	C	83
101	CA 51	BARJON		21
76	BA 43	BARJOUVILLE		28
193	CM 88	BARLES		04
216	AN 101	BARLEST		65
22	BL 26	BARLEUX		80
97	BJ 53	BARLIEU		18
11	BJ 20	BARLIN	C	62
21	BI 22	BARLY		62
21	BG 23	BARLY		80
76	BD 44	BARMAINVILLE		28
175	BV 84	BARNAS		07
177	CE 84	BARNAVE		26
117	BV 57	BARNAY		71
29	AD 31	BARNEVILLE CARTERET	C	50
32	AR 32	BARNEVILLE LA BERTRAN		14
33	AW 32	BARNEVILLE SUR SEINE		27
72	AL 41	BAROCHE SOUS LUCE, LA		61
41	CG 33	BAROCHES, LES		54
20	BA 25	BAROMESNIL		76
56	BJ 34	BARON		60
133	BV 64	BARON		71
167	AL 82	BARON		33
190	BW 91	BARON		30
51	AM 34	BARON SUR ODON		14
62	CM 36	BARONVILLE		57
51	AP 37	BAROU EN AUGE		14
81	BY 45	BAROVILLE		10
166	AI 84	BARP, LE		33
53	AW 35	BARQUET		27
85	CS 41	BARR	C	67
132	BR 66	BARRAIS BUSSOLLES		03
199	AR 96	BARRAN		32
216	AQ 104	BARRANCOUEU		65
193	CL 90	BARRAS		04
197	AG 98	BARRAUTE CAMU		64
163	CJ 75	BARRAUX		38
119	CG 56	BARRE, LA		39
103	CJ 53	BARRE, LA		70
204	BK 94	BARRE		81
107	Z 59	BARRE DE MONTS, LA		85
50	AI 34	BARRE DE SEMILLY, LA		50
189	BR 89	BARRE DES CEVENNES	C	48
52	AU 36	BARRE EN OUCHE, LA		27
193	CN 91	BARREME	C	04
153	AM 75	BARRET		16
192	CG 89	BARRET DE LIOURE		26
192	CI 88	BARRET SUR MEOUGE		05
119	CG 60	BARRETAINE		39
227	DM 102	BARRETTALI		2B
157	BG 79	BARRIAC LES BOSQUETS		15
140	AQ 69	BARRO		16
111	AV 60	BARROU		37
191	CD 90	BARROUX, LE		84
216	AO 101	BARRY		65
184	AY 91	BARRY D'ISLEMADE		82
199	AQ 97	BARS		32
155	AW 79	BARS		24
167	AL 85	BARSAC		33
177	CE 83	BARSAC		26
62	CN 34	BARST		57
104	CO 52	BART		25
105	CT 50	BARTENHEIM		68
200	AR 99	BARTHE		65
216	AR 102	BARTHE DE NESTE, LA	C	65
119	CI 57	BARTHERANS		25
184	AX 90	BARTHES, LES		82
216	AN 101	BARTRES		65
52	AT 34	BARVILLE		27
74	AS 42	BARVILLE		61
82	CG 42	BARVILLE		88
77	BH 46	BARVILLE EN GATINAIS		45
152	AI 74	BARZAN		17
198	AM 100	BARZUN		64
23	BQ 24	BARZY EN THIERACHE		02
57	BP 35	BARZY SUR MARNE		02
160	BU 77	BAS EN BASSET	C	43
145	BO 69	BAS ET LEZAT		63
23	BS 23	BAS LIEU		59
181	AJ 94	BAS MAUCO		40
182	AK 93	BASCONS		40
199	AP 94	BASCOUS		32
40	CF 31	BASLIEUX		54
37	BR 32	BASLIEUX LES FISMES		51
57	BR 35	BASLIEUX SOUS CHATILLON		51
31	AM 33	BASLY		14
140	AO 73	BASSAC		16
204	BO 98	BASSAN		34
168	AN 85	BASSANNE		33
108	AE 55	BASSE GOULAINE	C	44
41	CJ 31	BASSE HAM		57
41	CI 30	BASSE RENTGEN		57
84	CN 46	BASSE SUR LE RUPT		88
83	CI 47	BASSE VAIVRE, LA		70
12	BK 19	BASSEE, LA	C	59
85	CR 42	BASSEMBERG		67
31	AO 33	BASSENEVILLE		14
167	AK 81	BASSENS		33
150	CJ 73	BASSENS		73
198	AJ 96	BASSERCLES		40
110	AQ 58	BASSES		86
21	BJ 22	BASSEUX		62
56	BN 37	BASSEVELLE		77
158	BH 77	BASSIGNAC		15
157	BD 80	BASSIGNAC LE BAS		19
157	BE 78	BASSIGNAC LE HAUT		19
103	CJ 48	BASSIGNEY		70
155	AV 78	BASSILLAC		24
199	AN 97	BASSILLON VAUZE		64
62	CN 37	BASSING		57
37	BO 30	BASSOLES AULERS		02
82	CE 46	BASSONCOURT		52
99	BP 48	BASSOU		89
199	AQ 96	BASSOUES		32
59	BY 38	BASSU		51
59	BX 38	BASSUET		51
188	BR 90	BASSURELS		48
196	AB 97	BASSUSSARRY		64
149	CI 69	BASSY		74
197	AH 98	BASTANES		64
229	DK 112	BASTELICA	C	2A
228	DJ 112	BASTELICACCIA		2A
197	AH 95	BASTENNES		40
227	DN 104	BASTIA	P	2B
210	CP 94	BASTIDE, LA		83
224	BJ 108	BASTIDE, LA		66
196	AD 97	BASTIDE CLAIRENCE, LA	C	64
218	AY 101	BASTIDE DE BESPLAS, LA		09
219	BD 102	BASTIDE DE BOUSIGNAC, LA		09
219	BB 101	BASTIDE DE LORDAT, LA		09
218	AZ 103	BASTIDE DE SEROU, LA	C	09
190	BY 90	BASTIDE D'ENGRAS, LA		30
192	CH 94	BASTIDE DES JOURDANS, LA		84
217	AW 102	BASTIDE DU SALAT, LA		09
186	BF 88	BASTIDE L'EVEQUE, LA		12
188	BM 92	BASTIDE PRADINES, LA		12
174	BT 85	BASTIDE PUYLAURENT, LA		48
187	BI 92	BASTIDE SOLAGES, LA		12
219	BD 103	BASTIDE SUR L'HERS, LA		09
208	CH 94	BASTIDONNE, LA		84
171	BB 84	BASTIT, LE		46
144	BH 71	BASVILLE		23
140	AO 68	BATAILLE, LA		79
62	CL 39	BATHELEMONT LES BAUZEMONT		54
162	CB 78	BATHERNAY		26
151	CN 73	BATHIE, LA		73
177	CH 85	BATIE DES FONDS, LA		26
163	CG 74	BATIE DIVISIN, LA		38
149	CF 74	BATIE MONTGASCON, LA		38
177	CI 86	BATIE MONTSALEON, LA		05
178	CL 85	BATIE NEUVE, LA	C	05
176	CB 85	BATIE ROLLAND, LA		26
178	CL 85	BATIE VIEILLE, LA		05
103	CH 52	BATIES, LES		70
51	AO 39	BATILLY		61
41	CH 34	BATILLY		54
77	BH 46	BATILLY EN GATINAIS		45
98	BL 51	BATILLY EN PUISAYE		45
198	AK 95	BATS		40
216	AQ 102	BATSERE		65
103	CK 53	BATTENANS LES MINES		25
121	CO 55	BATTENANS VARIN		25
105	CS 48	BATTENHEIM		68
83	CJ 42	BATTEXEY		88
83	CH 42	BATTIGNY		54
102	CF 53	BATTRANS		70
106	W 54	BATZ SUR MER		44
64	CU 37	BATZENDORF		67
29	AC 30	BAUBIGNY		50
118	BY 58	BAUBIGNY		21
163	CH 75	BAUCHE, LA		73
88	S 47	BAUD	C	56
79	BR 41	BAUDEMENT		51
133	BV 66	BAUDEMONT		71
182	AO 90	BAUDIGNAN		40
60	CD 40	BAUDIGNECOURT		55
209	CL 94	BAUDINARD SUR VERDON		83
103	CK 49	BAUDONCOURT		70
59	CA 39	BAUDONVILLIERS		55
50	AI 35	BAUDRE		50
61	CL 36	BAUDRECOURT		57
81	CA 42	BAUDRECOURT		52
198	AL 100	BAUDREIX		64
60	CD 37	BAUDREMONT		55
112	BB 58	BAUDRES		36
29	AE 32	BAUDREVILLE		50
76	BD 43	BAUDREVILLE		28
83	CI 43	BAUDRICOURT		88
134	CB 61	BAUDRIERES		71
209	CL 94	BAUDUEN		83
93	AO 52	BAUGE	C	49
114	BK 57	BAUGY	C	18
36	BJ 31	BAUGY		60
132	BT 66	BAUGY		71
103	CI 49	BAULAY		70
96	BC 49	BAULE		45
106	W 54	BAULE ESCOUBLAC, LA	C	44
118	BZ 54	BAULME LA ROCHE		21
77	BH 42	BAULNE		91
57	BQ 36	BAULNE EN BRIE		02
39	CA 33	BAULNY		55
70	AB 46	BAULON		35
218	BA 103	BAULOU		09
137	CN 65	BAUME, LA		74
176	CC 82	BAUME CORNILLANE, LA		26
191	CB 88	BAUME DE TRANSIT, LA		26
162	CD 80	BAUME D'HOSTUN, LA		26
103	CL 53	BAUME LES DAMES	C	25

Page	Carreau	Commune	Adm.Dpt
135	CG 61	BAUME LES MESSIEURS	39
93	AM 53	BAUNE	49
29	AG 32	BAUPTE	50
50	AL 35	BAUQUAY	14
167	AK 83	BAURECH	33
70	AB 43	BAUSSAINE, LA	35
12	BK 19	BAUVIN	59
53	AV 37	BAUX DE BRETEUIL, LES	27
207	CA 94	BAUX DE PROVENCE, LES	13
53	AX 36	BAUX SAINTE CROIX, LES	27
62	CL 39	BAUZEMONT	54
96	BB 52	BAUZY	41
104	CN 52	BAVANS	25
23	BR 22	BAVAY	C 59
21	BH 25	BAVELINCOURT	80
31	AO 33	BAVENT	14
119	CF 57	BAVERANS	39
104	CO 50	BAVILLIERS	90
11	BH 16	BAVINCHOVE	59
21	BI 22	BAVINCOURT	62
201	AY 100	BAX	31
119	CG 55	BAY	70
101	CB 49	BAY SUR AUBE	52
169	AU 83	BAYAC	24
81	CB 41	BAYARD SUR MARNE	52
153	AM 80	BAYAS	33
57	BR 38	BAYE	51
68	O 47	BAYE	29
84	CL 43	BAYECOURT	88
81	BZ 45	BAYEL	10
21	BI 23	BAYENCOURT	80
11	BF 16	BAYENGHEM LES EPERLECQUES	62
11	BF 17	BAYENGHEM LES SENINGHEM	62
140	AQ 70	BAYERS	16
131	BO 67	BAYET	03
30	AK 32	BAYEUX	S 14
83	CK 41	BAYON	C 54
153	AJ 80	BAYON SUR GIRONDE	33
196	AC 97	BAYONNE	S 64
193	CL 87	BAYONS	04
39	CA 31	BAYONVILLE	08
61	CH 35	BAYONVILLE SUR MAD	54
21	BJ 26	BAYONVILLERS	80
154	AP 78	BAZAC	16
128	BA 64	BAZAIGES	36
40	CF 31	BAZAILLES	54
54	BC 38	BAZAINVILLE	78
34	BC 30	BAZANCOURT	60
38	BU 32	BAZANCOURT	51
99	BQ 51	BAZARNES	89
167	AM 87	BAZAS	C 33
140	AN 70	BAZAUGES	17
83	CJ 44	BAZEGNEY	88
39	CA 28	BAZEILLES	08
40	CD 30	BAZEILLES SUR OTHAIN	55
128	BA 65	BAZELAT	23
54	BD 37	BAZEMONT	78
183	AR 89	BAZENS	47
22	BJ 25	BAZENTIN	80
30	AL 32	BAZENVILLE	14
199	AO 99	BAZET	65
128	AX 67	BAZEUGE, LA	87
199	AQ 95	BAZIAN	32
35	BJ 32	BAZICOURT	60
202	BB 98	BAZIEGE	31
84	CN 42	BAZIEN	88
199	AO 99	BAZILLAC	65
34	BC 33	BAZINCOURT SUR EPTE	27
59	CB 39	BAZINCOURT SUR SAULX	55
10	BC 16	BAZINGHEN	62
20	BB 25	BAZINVAL	76
75	AW 45	BAZOCHE GOUET, LA	28
116	BS 54	BAZOCHES	58
51	AO 38	BAZOCHES AU HOULME	61
76	BB 46	BAZOCHES EN DUNOIS	28
78	BN 43	BAZOCHES LES BRAY	77
77	BE 45	BAZOCHES LES GALLERANDES	45
76	BC 45	BAZOCHES LES HAUTES	28
54	BD 39	BAZOCHES SUR GUYONNE	78
74	AS 41	BAZOCHES SUR HOENE	C 61
78	BL 46	BAZOCHES SUR LE BETZ	45
37	BQ 33	BAZOCHES SUR VESLES	02
50	AI 39	BAZOGE, LA	50
74	AQ 46	BAZOGE, LA	72
72	AL 44	BAZOGE MONTPINCON, LA	53
108	AG 59	BAZOGES EN PAILLERS	85
124	AH 62	BAZOGES EN PAREDS	85
83	CI 44	BAZOILLES ET MENIL	88
82	CF 43	BAZOILLES SUR MEUSE	88
116	BQ 57	BAZOLLES	58
61	CK 35	BAZONCOURT	57
50	AL 38	BAZOQUE, LA	61
30	AJ 34	BAZOQUE, LA	14
52	AT 34	BAZOQUES	27
200	AS 100	BAZORDAN	65
72	AL 47	BAZOUGE DE CHEMERE, LA	53
72	AL 45	BAZOUGE DES ALLEUX, LA	53
72	AH 42	BAZOUGE DU DESERT, LA	35
72	AL 47	BAZOUGERS	53
71	AE 42	BAZOUGES LA PEROUSE	35
93	AO 50	BAZOUGES SUR LE LOIR	72
23	BP 24	BAZUEL	59
199	AQ 98	BAZUGUES	32
201	BA 95	BAZUS	31
216	AQ 104	BAZUS AURE	65
216	AR 102	BAZUS NESTE	65
175	BV 82	BEAGE, LE	07
21	BF 23	BEALCOURT	80
11	BF 20	BEALENCOURT	62
115	BO 60	BEARD	58
34	BB 29	BEAUBEC LA ROSIERE	76
133	BW 65	BEAUBERY	71
53	AW 37	BEAUBRAY	27
190	BZ 93	BEAUCAIRE	C 30
183	AR 93	BEAUCAIRE	32
20	BC 27	BEAUCAMPS LE JEUNE	80
20	BC 27	BEAUCAMPS LE VIEUX	80
12	BK 18	BEAUCAMPS LIGNY	59
71	AH 43	BEAUCE	35
216	AN 103	BEAUCENS	65
191	CD 91	BEAUCET, LE	84
217	AV 102	BEAUCHALOT	31
55	BF 36	BEAUCHAMP	C 95
49	AF 37	BEAUCHAMPS	50
20	BB 25	BEAUCHAMPS	80
97	BH 48	BEAUCHAMPS SUR HUILLARD	45
176	CA 82	BEAUCHASTEL	07
53	AW 39	BEAUCHE	28
102	CC 48	BEAUCHEMIN	52
50	AK 39	BEAUCHENE	61
95	AW 48	BEAUCHENE	41
57	BO 40	BEAUCHERY SAINT MARTIN	77
39	CA 31	BEAUCLAIR	55
50	AH 36	BEAUCOUDRAY	50
104	CP 52	BEAUCOURT	C 90
21	BI 27	BEAUCOURT EN SANTERRE	80
22	BJ 24	BEAUCOURT SUR L'ANCRE	80
21	BH 25	BEAUCOURT SUR L'HALLUE	80
92	AK 53	BEAUCOUZE	49
163	CF 76	BEAUCROISSANT	38
216	AP 102	BEAUDEAN	65
35	BE 28	BEAUDEDUIT	60
23	BP 22	BEAUDIGNIES	59
21	BH 22	BEAUDRICOURT	62
52	AT 39	BEAUFAI	61
74	AS 45	BEAUFAY	72
50	AI 38	BEAUFICEL	50
34	BB 31	BEAUFICEL EN LYONS	27
178	CJ 82	BEAUFIN	38
135	CE 62	BEAUFORT	C 39
151	CN 72	BEAUFORT	C 73
23	BS 22	BEAUFORT	59
203	BK 99	BEAUFORT	34
201	AX 98	BEAUFORT	31
162	CC 77	BEAUFORT	38
21	BH 22	BEAUFORT BLAVINCOURT	62
39	CB 30	BEAUFORT EN ARGONNE	55
35	BJ 27	BEAUFORT EN SANTERRE	80
93	AN 53	BEAUFORT EN VALLEE	C 49
176	CD 83	BEAUFORT SUR GERVANNE	26
107	AD 59	BEAUFOU	85
31	AQ 33	BEAUFOUR DRUVAL	14
82	CG 44	BEAUFREMONT	88
169	AS 86	BEAUGAS	47
138	AG 70	BEAUGEAY	17
96	BB 50	BEAUGENCY	C 45
36	BM 29	BEAUGIES SOUS BOIS	60
147	BY 67	BEAUJEU	C 69
193	CN 89	BEAUJEU	04
102	CG 52	BEAUJEU SAINT VALLIER PIERREJUX ET QUITTEUR	70
72	AL 41	BEAULANDAIS	61
22	BK 24	BEAULENCOURT	62
50	AJ 37	BEAULIEU	14
52	AV 39	BEAULIEU	61
116	BQ 55	BEAULIEU	58
101	BY 50	BEAULIEU	21
128	AY 65	BEAULIEU	36
163	CE 78	BEAULIEU	38
159	BO 75	BEAULIEU	63
160	BT 79	BEAULIEU	43
189	BV 87	BEAULIEU	07
206	BU 94	BEAULIEU	34
158	BI 75	BEAULIEU	15
59	CB 35	BEAULIEU EN ARGONNE	55
36	BL 29	BEAULIEU LES FONTAINES	60
112	AX 57	BEAULIEU LES LOCHES	37
123	AC 61	BEAULIEU SOUS LA ROCHE	85
126	AN 63	BEAULIEU SOUS PARTHENAY	79
171	BD 81	BEAULIEU SUR DORDOGNE	C 19
109	AK 54	BEAULIEU SUR LAYON	49
98	BK 52	BEAULIEU SUR LOIRE	45
195	CV 94	BEAULIEU SUR MER	06
72	AH 47	BEAULIEU SUR OUDON	53
140	AR 70	BEAULIEU SUR SONNETTE	16
132	BR 63	BEAULON	03
51	AP 37	BEAUMAIS	14
199	AO 96	BEAUMARCHES	32
170	BA 84	BEAUMAT	46
24	BU 27	BEAUME	02
177	CH 85	BEAUME, LA	05
84	CN 44	BEAUMENIL	88
10	BD 20	BEAUMERIE SAINT MARTIN	62
191	CC 90	BEAUMES DE VENISE	C 84
52	AV 36	BEAUMESNIL	C 27
50	AI 37	BEAUMESNIL	14
191	CE 93	BEAUMETTES	84
21	BF 23	BEAUMETZ	80
11	BG 19	BEAUMETZ LES AIRE	62
22	BL 23	BEAUMETZ LES CAMBRAI	62
21	BJ 22	BEAUMETZ LES LOGES	C 62
145	BM 72	BEAUMONT	C 63
60	CG 37	BEAUMONT	54
99	BQ 48	BEAUMONT	89
127	AS 61	BEAUMONT	86
175	BV 85	BEAUMONT	07
157	BC 76	BEAUMONT	19
159	BO 77	BEAUMONT	43
183	AQ 92	BEAUMONT	32
150	CK 68	BEAUMONT	74
184	AW 93	BEAUMONT DE LOMAGNE	C 82
208	CH 94	BEAUMONT DE PERTUIS	84
77	BI 46	BEAUMONT DU GATINAIS	77
143	BC 72	BEAUMONT DU LAC	87
169	AU 83	BEAUMONT DU PERIGORD	C 24
191	CD 89	BEAUMONT DU VENTOUX	84
39	CA 30	BEAUMONT EN ARGONNE	08
32	AQ 33	BEAUMONT EN AUGE	14
36	BM 28	BEAUMONT EN BEINE	02
23	BO 23	BEAUMONT EN CAMBRESIS	59
177	CF 85	BEAUMONT EN DIOIS	26
40	CD 33	BEAUMONT EN VERDUNOIS, VILLAGE RUINE	55
110	AQ 56	BEAUMONT EN VERON	37
29	AC 28	BEAUMONT HAGUE	C 50
21	BJ 24	BEAUMONT HAMEL	80
115	BN 56	BEAUMONT LA FERRIERE	58
94	AU 52	BEAUMONT LA RONCE	37
33	AY 29	BEAUMONT LE HARENG	76
52	AV 35	BEAUMONT LE ROGER	C 27
75	AW 44	BEAUMONT LES AUTELS	28
34	BE 32	BEAUMONT LES NONAINS	60
145	BP 69	BEAUMONT LES RANDAN	63
176	CB 82	BEAUMONT LES VALENCE	26
162	CB 80	BEAUMONT MONTEUX	26
93	AM 48	BEAUMONT PIED DE BOEUF	53
94	AS 50	BEAUMONT PIED DE BOEUF	72
115	BO 59	BEAUMONT SARDOLLES	58
94	AT 50	BEAUMONT SUR DEME	72
134	CA 62	BEAUMONT SUR GROSNE	71
201	AZ 99	BEAUMONT SUR LEZE	31
55	BG 34	BEAUMONT SUR OISE	C 95
73	AQ 44	BEAUMONT SUR SARTHE	C 72
58	BU 34	BEAUMONT SUR VESLE	51
102	CD 53	BEAUMONT SUR VINGEANNE	21
112	AY 56	BEAUMONT VILLAGE	37
53	AV 35	BEAUMONTEL	27
103	CJ 53	BEAUMOTTE AUBERTANS	70
119	CH 54	BEAUMOTTE LES PIN	70
57	BS 37	BEAUNAY	51
118	BZ 58	BEAUNE	S 21
131	BL 66	BEAUNE D'ALLIER	03
77	BH 46	BEAUNE LA ROLANDE	C 45
160	BS 77	BEAUNE SUR ARZON	43
101	BY 50	BEAUNOTTE	21
134	CD 64	BEAUPONT	01
168	AQ 80	BEAUPOUYET	24
108	AH 56	BEAUPREAU	C 49
201	BA 95	BEAUPUY	31
200	AW 95	BEAUPUY	32
184	AX 93	BEAUPUY	82
168	AP 85	BEAUPUY	47
21	BH 24	BEAUQUESNE	80
23	BP 23	BEAURAIN	59
22	BK 22	BEAURAINS	62
36	BL 29	BEAURAINS LES NOYON	60
10	BD 20	BEAURAINVILLE	62
208	CH 96	BEAURECUEIL	13
185	BC 88	BEAUREGARD	46
148	BZ 69	BEAUREGARD	01
162	CD 80	BEAUREGARD BARET	26
156	AY 79	BEAUREGARD DE TERRASSON	24
169	AT 81	BEAUREGARD ET BASSAC	24
145	BO 71	BEAUREGARD L'EVEQUE	63
145	BN 70	BEAUREGARD VENDON	63
162	CB 76	BEAUREPAIRE	C 38
32	AR 28	BEAUREPAIRE	76
35	BI 33	BEAUREPAIRE	60
108	AG 59	BEAUREPAIRE	85
135	CE 61	BEAUREPAIRE EN BRESSE	C 71
23	BR 24	BEAUREPAIRE SUR SAMBRE	59
22	BN 25	BEAUREVOIR	02
177	CG 85	BEAURIERES	26
24	BT 23	BEAURIEUX	59
37	BR 32	BEAURIEUX	02
154	AR 79	BEAURONNE	24
162	CA 78	BEAUSEMBLANT	26
59	CB 36	BEAUSITE	55
195	CW 93	BEAUSOLEIL	C 06
154	AS 75	BEAUSSAC	24
126	AN 66	BEAUSSAIS	79
34	BB 28	BEAUSSAULT	76
108	AI 54	BEAUSSE	49
209	CJ 100	BEAUSSET, LE	C 83
202	BC 99	BEAUTEVILLE	31
56	BM 39	BEAUTHEIL	77
167	AK 83	BEAUTIRAN	33
37	BO 29	BEAUTOR	02
33	AX 29	BEAUTOT	76
51	AN 40	BEAUVAIN	61
35	BF 31	BEAUVAIS	P 60
140	AN 70	BEAUVAIS SUR MATHA	17
185	BA 93	BEAUVAIS SUR TESCOU	81
21	BG 24	BEAUVAL	80
33	AX 28	BEAUVAL EN CAUX	76
176	CB 82	BEAUVALLON	26
93	AN 52	BEAUVAU	49
175	BY 82	BEAUVENE	07
119	CE 60	BEAUVERNOIS	71
194	CP 89	BEAUVEZER	04
184	AV 89	BEAUVILLE	C 47
202	BC 97	BEAUVILLE	31
100	BT 54	BEAUVILLIERS	89
76	BB 44	BEAUVILLIERS	28
95	AY 49	BEAUVILLIERS	41
49	AE 40	BEAUVOIR	50
35	BH 29	BEAUVOIR	60
56	BK 40	BEAUVOIR	77
99	BO 49	BEAUVOIR	89
162	CC 74	BEAUVOIR DE MARC	38
34	BB 30	BEAUVOIR EN LYONS	76
163	CE 79	BEAUVOIR EN ROYANS	38
107	Z 58	BEAUVOIR SUR MER	C 85
125	AL 67	BEAUVOIR SUR NIORT	C 79
21	BF 22	BEAUVOIR WAVANS	62
21	BG 21	BEAUVOIS	62
23	BO 23	BEAUVOIS EN CAMBRESIS	59
22	BM 27	BEAUVOIS EN VERMANDOIS	02
191	CD 88	BEAUVOISIN	26
206	BX 95	BEAUVOISIN	30
160	BU 78	BEAUX	43
160	BU 77	BEAUZAC	43
201	AZ 95	BEAUZELLE	31
182	AO 88	BEAUZIAC	47
62	CP 38	BEBING	57
85	CS 44	BEBLENHEIM	68
32	AT 28	BEC DE MORTAGNE	76
32	AV 33	BEC HELLOUIN, LE	27
33	AX 33	BEC THOMAS, LE	27
199	AP 98	BECCAS	32
125	AL 64	BECELEUF	79
40	CF 33	BECHAMPS	54
70	AB 43	BECHEREL	C 35
154	AP 75	BECHERESSE	16
61	CK 36	BECHY	57
92	AJ 52	BECON LES GRANITS	49
22	BJ 25	BECORDEL BECOURT	80
10	BD 18	BECOURT	62
23	BP 25	BECQUIGNY	02
35	BI 28	BECQUIGNY	80
204	BN 96	BEDARIEUX	C 34
191	CB 91	BEDARRIDES	C 84
129	BF 63	BEDDES	18
200	AU 96	BEDECHAN	32
70	AB 44	BEDEE	35
222	BA 104	BEDEILHAC ET AYNAT	09
198	AN 99	BEDEILLE	64
218	AW 102	BEDEILLE	09
153	AM 78	BEDENAC	17
191	CD 90	BEDOIN	84
188	BR 88	BEDOUES	48
215	AJ 102	BEDOUS	64
171	BD 85	BEDUER	46
115	BL 57	BEFFES	18
135	CF 63	BEFFIA	39
39	BZ 32	BEFFU ET LE MORTHOMME	08
181	AH 93	BEGAAR	40
152	AH 76	BEGADAN	33
90	Y 51	BEGANNE	56
46	R 39	BEGARD	C 22
167	AK 82	BEGLES	C 33
83	CJ 44	BEGNECOURT	88
216	AQ 101	BEGOLE	65
108	AI 56	BEGROLLES EN MAUGES	49
176	CB 85	BEGUDE DE MAZENC, LA	26
145	BN 68	BEGUES	03
167	AL 84	BEGUEY	33
197	AF 98	BEGUIOS	64
22	BK 23	BEHAGNIES	62
197	AF 98	BEHASQUE LAPISTE	64
20	BC 24	BEHEN	80
21	BH 25	BEHENCOURT	80
36	BM 29	BEHERICOURT	60
59	CB 38	BEHONNE	55
214	AE 101	BEHORLEGUY	64
54	BC 38	BEHOUST	78
42	CO 33	BEHREN LES FORBACH	C 57
92	AK 54	BEHUARD	49
70	Z 47	BEIGNON	56
74	AT 46	BEILLE	72
99	BR 49	BEINE	89
38	BU 33	BEINE NAUROY	C 51
64	CX 36	BEINHEIM	67
102	CC 53	BEIRE LE CHATEL	21
118	CC 55	BEIRE LE FORT	21
144	BG 72	BEISSAT	23
128	AY 63	BELABRE	C 36
101	BY 47	BELAN SUR OURCE	21
205	BQ 97	BELARGA	34
170	AX 86	BELAYE	46
201	BA 97	BELBERAUD	31
184	AW 93	BELBESE	82
33	AY 32	BELBEUF	76
201	BA 98	BELBEZE DE LAURAGAIS	31
217	AW 101	BELBEZE EN COMMINGES	31
223	BD 105	BELCAIRE	C 11
186	BG 87	BELCASTEL	12
202	BC 96	BELCASTEL	81
220	BG 102	BELCASTEL ET BUC	11
208	CH 97	BELCODENE	13
223	BD 104	BELESTA	09
224	BJ 106	BELESTA	66
202	BC 98	BELESTA EN LAURAGAIS	31
168	AS 80	BELEYMAS	24
104	CN 49	BELFAHY	70
121	CP 54	BELFAYS	25
202	BC 99	BELFLOU	11
52	AQ 40	BELFONDS	61
104	CO 50	BELFORT	P 90
185	BA 89	BELFORT DU QUERCY	46
223	BE 105	BELFORT SUR REBENTY	11
72	AL 44	BELGEARD	53
209	CK 99	BELGENTIER	83
226	DJ 105	BELGODERE	C 2B
166	AI 87	BELHADE	40
75	AX 41	BELHOMERT GUEHOUVILLE	28
121	CN 56	BELIEU, LE	25
148	CC 70	BELIGNEUX	01
166	AH 86	BELIN BELIET	C 33
182	AK 91	BELIS	40
142	AX 68	BELLAC	S 87
178	CL 86	BELLAFFAIRE	04
23	BO 21	BELLAING	59
20	BD 24	BELLANCOURT	80
62	CM 36	BELLANGE	57
74	AT 42	BELLAVILLIERS	61
54	BD 34	BELLAY EN VEXIN, LE	95
55	BG 34	BELLE EGLISE	60
10	BC 17	BELLE ET HOULLEFORT	62
46	Q 40	BELLE ISLE EN TERRE	C 22
61	CJ 37	BELLEAU	54
56	BO 35	BELLEAU	02
167	AM 83	BELLEBAT	33
10	BC 17	BELLEBRUNE	62
144	BG 73	BELLECHASSAGNE	19
79	BQ 47	BELLECHAUME	89
136	CI 65	BELLECOMBE	39
150	CK 72	BELLECOMBE EN BAUGES	73
191	CF 87	BELLECOMBE TARENDOL	26
101	CB 54	BELLEFOND	21
167	AN 83	BELLEFOND	33
127	AT 62	BELLEFONDS	86
55	BH 35	BELLEFONTAINE	95
50	AI 39	BELLEFONTAINE	50
136	CJ 63	BELLEFONTAINE	39
84	CL 46	BELLEFONTAINE	88
85	CR 42	BELLEFOSSE	67
97	BH 47	BELLEGARDE	C 45
200	AS 98	BELLEGARDE	32
206	BY 94	BELLEGARDE	30
186	BG 93	BELLEGARDE	81
219	BE 102	BELLEGARDE DU RAZES	11
177	CF 85	BELLEGARDE EN DIOIS	26
147	BW 73	BELLEGARDE EN FOREZ	42
144	BG 69	BELLEGARDE EN MARCHE	C 23
162	CB 76	BELLEGARDE POUSSIEU	38
201	AX 95	BELLEGARDE SAINTE MARIE	31
149	CI 67	BELLEGARDE SUR VALSERINE	C 01
121	CN 54	BELLEHERBE	25
105	CQ 50	BELLEMAGNY	68
74	AT 43	BELLEME	C 61
145	BM 67	BELLENAVES	03
33	AY 28	BELLENCOMBRE	C 76
118	CC 54	BELLENEUVE	21
22	BN 26	BELLENGLISE	02
19	AY 26	BELLENGREVILLE	76
51	AO 34	BELLENGREVILLE	14
101	BY 50	BELLENOD SUR SEINE	21
117	BX 55	BELLENOT SOUS POUILLY	21
151	CP 73	BELLENTRE	73
60	CD 34	BELLERAY	55
145	BO 68	BELLERIVE SUR ALLIER	03
147	BX 67	BELLEROCHE	42
62	CO 37	BELLES FORETS	57
202	BE 97	BELLESERRE	81
201	AX 94	BELLESSERRE	31
37	BO 32	BELLEU	02
35	BF 28	BELLEUSE	80
137	CN 66	BELLEVAUX	74
119	CE 60	BELLEVESVRE	71
148	BZ 68	BELLEVILLE	C 69
61	CI 37	BELLEVILLE	54
139	AL 68	BELLEVILLE	79
33	AX 28	BELLEVILLE EN CAUX	76
39	BZ 31	BELLEVILLE ET CHATILLON SUR BAR	08
98	BK 53	BELLEVILLE SUR LOIRE	18
19	AY 25	BELLEVILLE SUR MER	76
40	CD 34	BELLEVILLE SUR MEUSE	55
108	AD 60	BELLEVILLE SUR VIE	85
160	BS 78	BELLEVUE LA MONTAGNE	43
149	CG 72	BELLEY	S 01
135	CH 66	BELLEYDOUX	01
22	BN 25	BELLICOURT	02
34	BB 29	BELLIERE, LA	76
51	AP 40	BELLIERE, LA	61
135	CG 66	BELLIGNAT	01
92	AH 53	BELLIGNE	44
23	BR 21	BELLIGNIES	59
78	BM 45	BELLIOLE, LA	89
219	BD 103	BELLOC	09
199	AR 97	BELLOC SAINT CLAMENS	32
197	AG 96	BELLOCQ	64
154	AP 77	BELLON	16
22	BL 22	BELLONNE	62
57	BO 38	BELLOT	77
52	AR 36	BELLOU	14
51	AM 39	BELLOU EN HOULME	61
74	AT 44	BELLOU LE TRICHARD	61
74	AV 42	BELLOU SUR HUISNE	61
35	BJ 30	BELLOY	60
55	BH 35	BELLOY EN FRANCE	95
22	BK 26	BELLOY EN SANTERRE	80
20	BD 26	BELLOY SAINT LEONARD	80
21	BF 25	BELLOY SUR SOMME	80
153	AK 74	BELLUIRE	17
33	AX 27	BELMESNIL	76
85	CR 41	BELMONT	67
102	CE 50	BELMONT	52
120	CL 55	BELMONT	25
119	CF 58	BELMONT	39
104	CM 49	BELMONT	70
199	AQ 95	BELMONT	32
162	CE 75	BELMONT	38
171	BD 82	BELMONT BRETENOUX	46
147	BY 71	BELMONT D'AZERGUES	69
147	BW 67	BELMONT DE LA LOIRE	C 42
83	CI 45	BELMONT LES DARNEY	88
149	CG 70	BELMONT LUTHEZIEU	01
185	BB 88	BELMONT SAINTE FOI	46
84	CN 44	BELMONT SUR BUTTANT	88
187	BK 94	BELMONT SUR RANCE	C 12
83	CH 44	BELMONT SUR VAIR	88
163	CG 74	BELMONT TRAMONET	73
184	AX 88	BELMONTET	46
104	CM 49	BELONCHAMP	70
219	BC 101	BELPECH	C 11
60	CC 37	BELRAIN	55
83	CJ 46	BELRUPT	88
60	CD 34	BELRUPT EN VERDUNOIS	55
197	AF 96	BELUS	40
49	AF 35	BELVAL	50
38	BX 27	BELVAL	08
84	CP 42	BELVAL	88
39	CA 31	BELVAL BOIS DES DAMES	08
59	CA 36	BELVAL EN ARGONNE	51
57	BS 35	BELVAL SOUS CHATILLON	51
195	CV 90	BELVEDERE	06
230	DJ 116	BELVEDERE CAMPOMORO	2A
104	CN 50	BELVERNE	70
169	AW 83	BELVES	C 24
168	AO 82	BELVES DE CASTILLON	33
184	AW 88	BELVEZE	82
219	BE 101	BELVEZE DU RAZES	11
174	BS 85	BELVEZET	48
190	BX 90	BELVEZET	30
223	BF 104	BELVIANES ET CAVIRAC	11
223	BE 104	BELVIS	11
121	CN 54	BELVOIR	25
88	R 49	BELZ	C 56
53	AW 38	BEMECOURT	27
218	BA 103	BENAC	09
216	AN 101	BENAC	65
218	BA 102	BENAGUES	09
110	AQ 55	BENAIS	37
223	BD 104	BENAIX	09
62	CM 40	BENAMENIL	54
32	AT 28	BENARVILLE	76
126	AP 63	BENASSAY	86
139	AK 69	BENATE, LA	17
36	BN 28	BENAY	02
156	BA 75	BENAYES	19
195	CU 92	BENDEJUN	06
105	CS 52	BENDORF	68
215	AM 100	BENEJACQ	64
31	AP 32	BENERVILLE SUR MER	14
197	AF 95	BENESSE LES DAX	40
196	AD 95	BENESSE MAREMNE	40
141	AS 69	BENEST	16
62	CN 36	BENESTROFF	57
33	AV 28	BENESVILLE	76
125	AK 65	BENET	85
101	CA 50	BENEUVRE	21
178	CK 83	BENEVENT ET CHARBILLAC	05
143	BB 68	BENEVENT L'ABBAYE	C 23
60	CG 36	BENEY EN WOEVRE	55
85	CT 42	BENFELD	C 67
114	BJ 58	BENGY SUR CRAON	18
12	BK 19	BENIFONTAINE	62
42	CN 34	BENING LES SAINT AVOLD	57
146	BU 68	BENISSON DIEU, LA	42
191	CD 88	BENIVAY OLLON	26
54	BB 35	BENNECOURT	78
32	AT 28	BENNETOT	76
83	CJ 41	BENNEY	54
85	CS 44	BENNWIHR	68
67	K 47	BENODET	29
100	BW 52	BENOISEY	21
29	AD 29	BENOITVILLE	50
125	AI 67	BENON	17
149	CF 71	BENONCES	01
31	AO 33	BENOUVILLE	14
32	AR 28	BENOUVILLE	76
200	AV 100	BENQUE	31
216	AQ 102	BENQUE	65
217	AS 105	BENQUE DESSOUS ET DESSUS	31
181	AK 93	BENQUET	40
199	AN 98	BENTAYOU SEREE	64
135	CD 65	BENY	01
50	AJ 36	BENY BOCAGE, LE	C 14
31	AM 32	BENY SUR MER	14
99	BO 48	BEON	89
149	CH 70	BEON	01
215	AK 102	BEOST	64
201	AX 98	BERAT	31
183	AR 92	BERAUT	32
216	AN 102	BERBERUST LIAS	65
160	BQ 77	BERBEZIT	43
169	AW 82	BERBIGUIERES	24
79	BS 45	BERCENAY EN OTHE	10
79	BQ 43	BERCENAY LE HAYER	10
104	CO 52	BERCHE	25
76	BB 43	BERCHERES LES PIERRES	28
76	BA 41	BERCHERES SAINT GERMAIN	28
54	BB 38	BERCHERES SUR VESGRE	28
10	BB 20	BERCK	C 62
139	AL 71	BERCLOUX	17
74	AU 43	BERD'HUIS	61
199	AR 97	BERDOUES	32
24	BT 22	BERELLES	59
53	AX 35	BERENGEVILLE LA CAMPAGNE	27
105	CS 51	BERENTZWILLER	68
197	AG 97	BERENX	64
134	CB 65	BEREZIAT	01
94	AV 47	BERFAY	72
63	CQ 36	BERG	67
41	CJ 31	BERG SUR MOSELLE	57
170	BB 87	BERGANTY	46
63	CS 40	BERGBIETEN	67
169	AS 82	BERGERAC	S 24
81	BY 45	BERGERES	10
58	BT 37	BERGERES LES VERTUS	51
57	BQ 38	BERGERES SOUS MONTMIRAIL	51
133	BX 65	BERGESSERIN	71
85	CS 44	BERGHEIM	68
85	CR 47	BERGHOLTZ	68
85	CR 47	BERGHOLTZZELL	68
35	BE 28	BERGICOURT	80
38	BU 31	BERGNICOURT	08
159	BN 75	BERGONNE	63
197	AI 95	BERGOUEY	40
197	AF 97	BERGOUEY VIELLENAVE	64
11	BG 20	BERGUENEUSE	62
11	BH 14	BERGUES	C 59
23	BQ 24	BERGUES SUR SAMBRE	02
46	R 38	BERHET	22
62	CM 36	BERIG VINTRANGE	57
50	AJ 34	BERIGNY	50
51	AM 37	BERJOU	61
23	BR 23	BERLAIMONT	C 59
37	BR 27	BERLANCOURT	02

Page	Carreau	Commune	Adm.Dpt
36	BM 29	BERLANCOURT	.60
203	BI 95	BERLATS	.81
21	BH 22	BERLENCOURT LE CAUROY	.62
21	BJ 23	BERLES AU BOIS	.62
21	BI 21	BERLES MONCHEL	.62
39	BZ 30	BERLIERE, LA	.08
63	CQ 37	BERLING	.57
38	BT 28	BERLISE	.02
204	BL 97	BERLOU	.34
23	BP 22	BERMERAIN	.59
38	BS 32	BERMERICOURT	.51
23	BQ 22	BERMERIES	.59
62	CN 36	BERMERING	.57
20	BC 26	BERMESNIL	.80
11	BG 20	BERMICOURT	.62
104	CO 51	BERMONT	.90
32	AU 29	BERMONVILLE	.76
140	AQ 69	BERNAC	.16
186	BE 92	BERNAC	.81
216	AO 101	BERNAC DEBAT	.65
216	AO 101	BERNAC DESSUS	.65
198	AL 98	BERNADETS	.64
199	AQ 99	BERNADETS DEBAT	.65
199	AQ 100	BERNADETS DESSUS	.65
123	AD 64	BERNARD, LE	.85
108	AF 57	BERNARDIERE, LA	.85
85	CS 41	BERNARDSWILLER	.67
85	CS 42	BERNARDVILLE	.67
21	BF 23	BERNATRE	.80
21	BF 23	BERNAVILLE	C .80
52	AU 35	BERNAY	S .27
73	AP 46	BERNAY	.72
20	BC 22	BERNAY EN PONTHIEU	.80
139	AK 68	BERNAY SAINT MARTIN	.17
56	BL 40	BERNAY VILBERT	.77
68	Q 46	BERNE	.56
60	CG 37	BERNECOURT	.54
198	AM 95	BERNEDE	.32
107	Z 56	BERNERIE EN RETZ, LA	.44
22	BM 26	BERNES	.80
55	BG 34	BERNES SUR OISE	.95
30	AJ 32	BERNESQ	.14
21	BF 24	BERNEUIL	.80
139	AJ 73	BERNEUIL	.17
153	AN 76	BERNEUIL	.16
142	AX 69	BERNEUIL	.87
35	BF 32	BERNEUIL EN BRAY	.60
36	BL 31	BERNEUIL SUR AISNE	.60
19	AY 25	BERNEVAL LE GRAND	.76
22	BJ 22	BERNEVILLE	.62
137	CO 65	BERNEX	.74
53	AX 35	BERNIENVILLE	.27
32	AT 29	BERNIERES	.76
51	AP 36	BERNIERES D'AILLY	.14
50	AK 38	BERNIERES LE PATRY	.14
31	AM 32	BERNIERES SUR MER	.14
33	AZ 33	BERNIERES SUR SEINE	.27
10	BD 19	BERNIEULLES	.62
163	CI 77	BERNIN	.38
206	BW 94	BERNIS	.30
64	CU 37	BERNOLSHEIM	.67
100	BT 47	BERNON	.10
182	AM 87	BERNOS BEAULAC	.33
23	BP 26	BERNOT	.02
99	BS 48	BERNOUIL	.89
34	BC 33	BERNOUVILLE	.27
105	CR 49	BERNWILLER	.68
22	BK 26	BERNY EN SANTERRE	.80
36	BM 31	BERNY RIVIERE	.02
53	AX 39	BEROU LA MULOTIERE	.28
183	AS 91	BERRAC	.32
195	CV 92	BERRE LES ALPES	.06
208	CE 97	BERRE L'ETANG	C .13
220	BH 100	BERRIAC	.11
189	BV 87	BERRIAS ET CASTELJAU	.07
89	W 50	BERRIC	.56
110	AO 57	BERRIE	.86
67	N 41	BERRIEN	.29
37	BR 31	BERRIEUX	.02
197	AH 100	BERROGAIN LARUNS	.64
38	BU 33	BERRU	.51
105	CR 48	BERRWILLER	.68
37	BS 31	BERRY AU BAC	.02
114	BG 57	BERRY BOUY	.18
177	CI 86	BERSAC, LE	.05
142	AZ 68	BERSAC SUR RIVALIER	.87
119	CF 59	BERSAILLIN	.39
12	BM 19	BERSEE	.59
24	BS 21	BERSILLIES	.59
153	AJ 79	BERSON	.33
64	CU 38	BERSTETT	.67
64	CU 37	BERSTHEIM	.67
132	BR 66	BERT	.03
21	BG 25	BERTANGLES	.80
37	BO 29	BERTAUCOURT EPOURDON	.02
21	BF 24	BERTEAUCOURT LES DAMES	.80
21	BH 27	BERTEAUCOURT LES THENNES	.80
32	AU 27	BERTHEAUVILLE	.76
35	BG 32	BERTHECOURT	.60
110	AR 59	BERTHEGON	.86
119	CG 55	BERTHELANGE	.25
62	CP 37	BERTHELMING	.57
12	BJ 16	BERTHEN	.59
111	AT 54	BERTHENAY	.37
37	BO 27	BERTHENICOURT	.02
54	BC 34	BERTHENONVILLE	.27
129	BE 62	BERTHENOUX, LA	.36
167	AN 86	BERTHEZ	.33
187	BK 87	BERTHOLENE	.12
52	AU 34	BERTHOUVILLE	.27
146	BR 74	BERTIGNAT	.63
80	BX 46	BERTIGNOLLES	.10
22	BL 24	BERTINCOURT	C .62
38	BV 30	BERTONCOURT	.08
62	CP 39	BERTRAMBOIS	.54
21	BI 24	BERTRANCOURT	.80
41	CI 32	BERTRANGE	.57
202	BD 96	BERTRE	.81
217	AS 103	BERTREN	.65
32	AU 27	BERTREVILLE	.76
19	AX 27	BERTREVILLE SAINT OUEN	.76
154	AR 77	BERTRIC BUREE	.24
84	CO 41	BERTRICHAMPS	.54
38	BT 32	BERTRICOURT	.02
33	AX 28	BERTRIMONT	.76
84	CQ 43	BERTRIMOUTIER	.88
23	BO 24	BERTRY	.59
99	BS 49	BERU	.89
126	AQ 63	BERUGES	.86
79	BQ 45	BERULLE	.10
73	AQ 43	BERUS	.72
33	AW 28	BERVILLE	.76
55	BE 34	BERVILLE	.95
33	AW 33	BERVILLE EN ROUMOIS	.27
53	AW 36	BERVILLE LA CAMPAGNE	.27
32	AS 31	BERVILLE SUR MER	.27
33	AW 31	BERVILLE SUR SEINE	.76
42	CM 32	BERVILLER EN MOSELLE	.57
134	BZ 65	BERZE LA VILLE	.71
134	BZ 65	BERZE LE CHATEL	.71
175	BY 84	BERZEME	.07
59	BZ 34	BERZIEUX	.51
36	BO 32	BERZY LE SEC	.02
39	BZ 29	BESACE, LA	.08
119	CH 60	BESAIN	.39
120	CJ 55	BESANCON	P .25
176	CC 81	BESAYES	.26
215	AK 101	BESCAT	.64
191	CE 88	BESIGNAN	.26
198	AJ 98	BESINGRAND	.64
50	AH 37	BESLON	.50
36	BN 30	BESME	.02
24	BT 27	BESMONT	.02
103	CK 53	BESNANS	.70
90	Z 53	BESNE	.44
29	AD 31	BESNEVILLE	.50
37	BQ 29	BESNY ET LOIZY	.02
154	AO 75	BESSAC	.16
130	BK 61	BESSAIS LE FROMENTAL	.18
160	BU 79	BESSAMOREL	.43
205	BP 99	BESSAN	.34
55	BF 36	BESSANCOURT	.95
165	CR 76	BESSANS	.73
190	BW 88	BESSAS	.07
161	BY 76	BESSAT, LE	.42
124	AG 63	BESSAY	.85
131	BO 64	BESSAY SUR ALLIER	.03
140	AP 70	BESSE	.16
158	BH 79	BESSE	.15
164	CL 79	BESSE	.38
170	AX 84	BESSE	.24
158	BL 75	BESSE ET SAINT ANASTAISE	C .63
94	AU 49	BESSE SUR BRAYE	.72
209	CM 98	BESSE SUR ISSOLE	C .83
223	BF 105	BESSEDE DE SAULT	.11
189	BU 88	BESSEGES	C .30
147	BX 72	BESSENAY	.69
184	AY 93	BESSENS	.82
219	BC 102	BESSET	.09
161	BZ 76	BESSEY	.42
118	BZ 57	BESSEY EN CHAUME	.21
117	BY 57	BESSEY LA COUR	.21
118	CC 56	BESSEY LES CITEAUX	.21
173	BP 81	BESSEYRE SAINT MARY, LA	.43
201	BA 94	BESSIERES	.31
125	AK 66	BESSINES	.79
142	AZ 68	BESSINES SUR GARTEMPE	C .87
162	CE 78	BESSINS	.38
131	BN 64	BESSON	.03
104	CP 50	BESSONCOURT	.90
171	BF 83	BESSONIES	.46
173	BO 83	BESSONS, LES	.48
172	BJ 86	BESSUEJOULS	.12
80	BT 41	BESSY	.10
99	BR 51	BESSY SUR CURE	.89
223	BC 105	BESTIAC	.09
171	BC 81	BETAILLE	.46
103	CH 48	BETAUCOURT	.70
200	AS 100	BETBEZE	.65
182	AM 92	BETBEZER D'ARMAGNAC	.40
200	AT 98	BETCAVE AGUIN	.32
217	AW 102	BETCHAT	.09
129	BE 65	BETETE	.23
36	BK 33	BETHANCOURT EN VALOIS	.60
36	BM 29	BETHANCOURT EN VAUX	.02
40	CC 34	BETHELAINVILLE	.55
55	BG 36	BETHEMONT LA FORET	.95
23	BO 23	BETHENCOURT	.59
20	BB 24	BETHENCOURT SUR MER	.80
36	BL 27	BETHENCOURT SUR SOMME	.80
38	BV 33	BETHENIVILLE	.51
38	BT 33	BETHENY	.51
39	CB 33	BETHINCOURT	.55
127	AW 63	BETHINES	.86
36	BK 33	BETHISY SAINT MARTIN	.60
36	BK 33	BETHISY SAINT PIERRE	.60
222	AW 104	BETHMALE	.09
57	BQ 40	BETHON	.51
73	AQ 43	BETHON	.72
104	CO 51	BETHONCOURT	.25
21	BI 21	BETHONSART	.62
104	CP 50	BETHONVILLIERS	.90
75	AW 45	BETHONVILLIERS	.28
11	BJ 19	BETHUNE	S .62
80	BW 42	BETIGNICOURT	.10
56	BN 39	BETON BAZOCHES	.77
103	CK 49	BETONCOURT LES BROTTE	.70
103	CJ 47	BETONCOURT SAINT PANCRAS	.70
102	CG 48	BETONCOURT SUR MANCE	.70
199	AO 94	BETOUS	.32
199	AP 98	BETPLAN	.32
216	AO 104	BETPOUEY	.65
199	AR 100	BETPOUY	.65
199	AN 97	BETRACQ	.64
64	CV 36	BETSCHDORF	.67
41	CH 32	BETTAINVILLERS	.54
59	CA 40	BETTANCOURT LA FERREE	.52
59	BZ 38	BETTANCOURT LA LONGUE	.51
41	CL 33	BETTANGE	.57
149	CE 70	BETTANT	.01
62	CP 37	BETTBORN	.57
83	CK 43	BETTEGNEY SAINT BRICE	.88
41	CJ 33	BETTELAINVILLE	.57
20	BD 27	BETTEMBOS	.80
20	BE 25	BETTENCOURT RIVIERE	.80
21	BF 25	BETTENCOURT SAINT OUEN	.80
105	CS 51	BETTENDORF	.68
216	AP 102	BETTES	.65
33	AV 30	BETTEVILLE	.76
23	BS 21	BETTIGNIES	.59
42	CN 34	BETTING LES SAINT AVOLD	.57
105	CT 51	BETTLACH	.68
71	AD 44	BETTON	C .35
164	CL 74	BETTON BETTONET	.73
83	CJ 43	BETTONCOURT	.88
23	BQ 21	BETTRECHIES	.59
63	CR 34	BETTVILLER	.57
63	CQ 36	BETTWILLER	.67
56	BL 34	BETZ	C .60
111	AW 58	BETZ LE CHATEAU	.37
11	BI 20	BEUGIN	.62
22	BK 23	BEUGNATRE	.62
37	BO 33	BEUGNEUX	.02
24	BS 23	BEUGNIES	.59
79	BR 47	BEUGNON	.89
125	AL 63	BEUGNON, LE	.79
22	BL 23	BEUGNY	.62
194	CS 90	BEUIL	.06
84	CP 43	BEULAY, LE	.88
104	CN 48	BEULOTTE SAINT LAURENT	.70
120	CI 55	BEURE	.25
80	BW 45	BEUREY	.10
117	BW 56	BEUREY BAUGUAY	.21
59	CA 38	BEUREY SUR SAULX	.55
160	BS 75	BEURIERES	.63
117	BX 54	BEURIZOT	.21
138	AI 70	BEURLAY	.17
81	BZ 43	BEURVILLE	.52
10	BD 19	BEUSSENT	.62
198	AM 100	BEUSTE	.64
104	CN 52	BEUTAL	.25
10	BC 19	BEUTIN	.62
57	BP 34	BEUVARDES	.02
40	CF 31	BEUVEILLE	.54
83	CH 42	BEUVEZIN	.54
52	AR 34	BEUVILLERS	.14
40	CG 31	BEUVILLERS	.54
13	BP 20	BEUVRAGES	.59
36	BK 29	BEUVRAIGNES	.80
10	BC 16	BEUVREQUEN	.62
50	AI 36	BEUVRIGNY	.50
116	BP 54	BEUVRON	.58
31	AP 34	BEUVRON EN AUGE	.14
12	BJ 19	BEUVRY	.62
12	BN 20	BEUVRY LA FORET	.59
61	CK 35	BEUX	.57
110	AQ 57	BEUXES	.86
66	H 44	BEUZEC CAP SIZUN	.29
32	AS 32	BEUZEVILLE	C .27
29	AG 31	BEUZEVILLE AU PLAIN	.50
29	AF 31	BEUZEVILLE LA BASTILLE	.50
32	AT 29	BEUZEVILLE LA GRENIER	.76
32	AU 28	BEUZEVILLE LA GUERARD	.76
32	AT 30	BEUZEVILLETTE	.76
163	CE 76	BEVENAIS	.38
104	CM 51	BEVEUGE	.70
76	BC 42	BEVILLE LE COMTE	.28
23	BO 23	BEVILLERS	.59
192	CJ 89	BEVONS	.04
118	BZ 56	BEVY	.21
118	CB 60	BEY	.71
134	CA 67	BEY	.01
61	CK 38	BEY SUR SEILLE	.54
167	AL 82	BEYCHAC ET CAILLAU	.33
181	AH 92	BEYLONGUE	.40
142	AX 72	BEYNAC	.87
170	AX 82	BEYNAC ET CAZENAC	.24
156	BC 79	BEYNAT	C .19
54	BD 38	BEYNES	.78
193	CM 91	BEYNES	.04
148	CB 71	BEYNOST	.01
216	AQ 103	BEYREDE JUMET	.65
41	CJ 30	BEYREN LES SIERCK	.57
198	AK 98	BEYRIE EN BEARN	.64
197	AF 99	BEYRIE SUR JOYEUSE	.64
198	AJ 96	BEYRIES	.40
156	AZ 76	BEYSSAC	.19
156	AY 76	BEYSSENAC	.19
203	BI 96	BEZ, LE	.81
188	BQ 92	BEZ ET ESPARON	.30
218	BA 101	BEZAC	.09
56	BN 40	BEZALLES	.77
34	BB 31	BEZANCOURT	.76
61	CL 38	BEZANGE LA GRANDE	.54
62	CM 38	BEZANGE LA PETITE	.57
38	BT 34	BEZANNES	.51
194	CT 93	BEZAUDUN LES ALPES	.06
176	CD 85	BEZAUDUN SUR BINE	.26
61	CI 37	BEZAUMONT	.54
102	CD 53	BEZE	.21
170	AX 82	BEZENAC	.24
131	BK 66	BEZENET	.03
200	AV 97	BEZERIL	.32
204	BO 99	BEZIERS	S .34
10	BD 18	BEZINGHEM	.62
217	AT 103	BEZINS GARRAUX	.31
219	BE 102	BEZOLE, LA	.11
183	AQ 93	BEZOLLES	.32
55	BG 37	BEZONS	C .95
40	CD 33	BEZONVAUX, VILLAGE RUINE	.55
190	BY 93	BEZOUCE	.30
102	CD 54	BEZOUOTTE	.21
34	BB 31	BEZU LA FORET	.27
56	BN 36	BEZU LE GUERY	.02
34	BC 33	BEZU SAINT ELOI	.27
57	BO 35	BEZU SAINT GERMAIN	.02
200	AS 98	BEZUES BAJON	.32
22	BL 21	BIACHE SAINT VAAST	.62
22	BK 26	BIACHES	.80
120	CK 58	BIANS LES USIERS	.25
126	AR 63	BIARD	.86
119	CE 56	BIARNE	.39
36	BK 28	BIARRE	.80
196	AB 97	BIARRITZ	C .64
196	AD 96	BIARROTTE	.40
171	BD 81	BIARS SUR CERE	.46
180	AE 89	BIAS	.40
169	AT 87	BIAS	.47
196	AD 96	BIAUDOS	.40
41	CK 32	BIBICHE	.57
64	CV 36	BIBLISHEIM	.67
147	BY 71	BIBOST	.69
36	BN 30	BICHANCOURT	.02
116	BQ 58	BICHES	.58
62	CQ 37	BICKENHOLTZ	.57
61	CH 40	BICQUELEY	.54
197	AE 97	BIDACHE	C .64
196	AD 99	BIDARRAY	.64
196	AA 97	BIDART	.64
62	CN 37	BIDESTROFF	.57
62	CN 34	BIDING	.57
190	BY 87	BIDON	.07
215	AJ 100	BIDOS	.64
83	CH 43	BIECOURT	.88
105	CT 52	BIEDERTHAL	.68
104	CO 54	BIEF	.25
136	CJ 61	BIEF DES MAISONS	.39
120	CJ 60	BIEF DU FOURG	.39
119	CF 59	BIEFMORIN	.39
22	BK 24	BIEFVILLERS LES BAPAUME	.62
215	AK 102	BIELLE	.64
20	BC 25	BIENCOURT	.80
82	CD 40	BIENCOURT SUR ORGE	.55
36	BK 31	BIENVILLE	.60
61	CL 39	BIENVILLE LA PETITE	.54
21	BI 23	BIENVILLERS AU BOIS	.62
38	BV 30	BIERMES	.08
36	BJ 29	BIERMONT	.60
92	AL 49	BIERNE	C .53
11	BH 14	BIERNE	.59
100	BV 54	BIERRE LES SEMUR	.21
100	BU 51	BIERRY LES BELLES FONTAINES	.89
222	AY 104	BIERT	.09
33	AZ 30	BIERVILLE	.76
85	CT 45	BIESHEIM	.68
82	CD 46	BIESLES	.52
64	CU 38	BIETLENHEIM	.67
167	AN 85	BIEUJAC	.33
36	BN 31	BIEUXY	.02
68	S 46	BIEUZY	.56
50	AJ 35	BIEVILLE	.50
31	AN 33	BIEVILLE BEUVILLE	.14
51	AP 35	BIEVILLE QUETIEVILLE	.14
55	BG 39	BIEVRES	C .91
40	CC 29	BIEVRES	.08
37	BR 31	BIEVRES	.02
84	CN 44	BIFFONTAINE	.88
166	AG 84	BIGANOS	.33
140	AP 71	BIGNAC	.16
89	U 47	BIGNAN	.56
139	AK 70	BIGNAY	.17
50	AK 36	BIGNE, LA	.14
38	BW 31	BIGNICOURT	.08
59	BX 39	BIGNICOURT SUR MARNE	.51
59	BY 38	BIGNICOURT SUR SAULX	.51
108	AD 57	BIGNON, LE	.44
92	AL 47	BIGNON DU MAINE, LE	.53
78	BL 45	BIGNON MIRABEAU, LE	.45
127	AS 62	BIGNOUX	.86
227	DM 106	BIGORNO	.2B
72	AJ 44	BIGOTTIERE, LA	.53
227	DN 104	BIGUGLIA	.2B
33	AY 31	BIHOREL	.76
22	BK 23	BIHUCOURT	.62
215	AK 102	BILHERES	.64
230	DJ 116	BILIA	.2A
163	CF 75	BILIEU	.38
171	BC 81	BILLAC	.19
75	AY 42	BILLANCELLES	.28
36	BL 28	BILLANCOURT	.80
142	BA 70	BILLANGES, LES	.87
167	AM 81	BILLAUX, LES	.33
71	AG 43	BILLE	.35
120	CJ 60	BILLECUL	.39
198	AK 99	BILLERE	C .64
119	CE 56	BILLEY	.21
132	BQ 67	BILLEZOIS	.03
149	CH 68	BILLIAT	.01
149	CI 72	BILLIEME	.73
217	AS 105	BILLIERE	.31
89	W 51	BILLIERS	.56
89	V 47	BILLIO	.56
145	BO 72	BILLOM	C .63
51	AO 35	BILLY	.14
131	BP 67	BILLY	.03
112	BB 55	BILLY	.41
12	BK 19	BILLY BERCLAU	.62
116	BP 58	BILLY CHEVANNES	.58
58	BU 35	BILLY LE GRAND	.51
101	BY 52	BILLY LES CHANCEAUX	.21
12	BL 20	BILLY MONTIGNY	.62
40	CE 32	BILLY SOUS MANGIENNES	.55
37	BO 32	BILLY SUR AISNE	.02
99	BO 53	BILLY SUR OISY	.58
36	BN 34	BILLY SUR OURCQ	.02
85	CS 46	BILTZHEIM	.68
64	CU 38	BILWISHEIM	.67
10	BD 19	BIMONT	.62
39	BZ 33	BINARVILLE	.51
96	BA 48	BINAS	.41
85	CU 43	BINDERNHEIM	.67
118	CC 54	BINGES	.21
47	U 39	BINIC	.22
63	CQ 34	BINING	.57
29	AF 31	BINIVILLE	.50
217	AS 104	BINOS	.31
57	BR 35	BINSON ET ORQUIGNY	.51
171	BC 83	BIO	.46
163	CE 75	BIOL	.38
150	CI 72	BIOLLE, LA	.73
144	BJ 69	BIOLLET	.63
50	AI 40	BION	.50
61	CK 38	BIONCOURT	.57
84	CP 41	BIONVILLE	.54
61	CL 34	BIONVILLE SUR NIED	.57
137	CO 66	BIOT, LE	C .74
211	CT 95	BIOT	.06
185	BA 91	BIOULE	.82
140	AQ 69	BIOUSSAC	.16
145	BO 68	BIOZAT	.03
154	AO 74	BIRAC	.16
167	AN 87	BIRAC	.33
168	AQ 86	BIRAC SUR TREC	.47
199	AR 95	BIRAN	.32
155	AT 77	BIRAS	.24
196	Z 98	BIRIATOU	.64
148	CC 69	BIRIEUX	.01
63	CR 39	BIRKENWALD	.67
153	AL 74	BIRON	.17
169	AV 85	BIRON	.24
197	AH 97	BIRON	.64
166	AF 87	BISCARROSSE	.40
64	CV 39	BISCHHEIM	C .67
64	CT 36	BISCHHOLTZ	.67
64	CT 40	BISCHOFFSHEIM	.67
85	CS 45	BISCHWIHR	.68
64	CV 37	BISCHWILLER	C .67
105	CR 51	BISEL	.68
227	DM 106	BISINCHI	.2B
60	CE 37	BISLEE	.55
62	CP 36	BISSERT	.67
58	BT 35	BISSEUIL	.51
101	BY 48	BISSEY LA COTE	.21
100	BW 49	BISSEY LA PIERRE	.21
134	BZ 61	BISSEY SOUS CRUCHAUD	.71
11	BH 15	BISSEZEELE	.59
51	AP 34	BISSIERES	.14
134	BZ 64	BISSY LA MACONNAISE	.71
134	BZ 63	BISSY SOUS UXELLES	.71
133	BY 62	BISSY SUR FLEY	.71
42	CM 33	BISTEN EN LORRAINE	.57
62	CM 35	BISTROFF	.57
63	CS 34	BITCHE	C .57
36	BM 31	BITRY	.60
98	BM 53	BITRY	.58
64	CT 36	BITSCHHOFFEN	.67
104	CQ 48	BITSCHWILLER LES THANN	.68
184	AU 93	BIVES	.32
163	CI 77	BIVIERS	.38
29	AC 28	BIVILLE	.50
33	AX 28	BIVILLE LA BAIGNARDE	.76
33	AW 27	BIVILLE LA RIVIERE	.76
19	AZ 25	BIVILLE SUR MER	.76
74	AU 41	BIVILLIERS	.61
221	BL 101	BIZANET	.11
198	AL 99	BIZANOS	.64
102	CF 48	BIZE	.52
216	AR 102	BIZE	.65
204	BL 99	BIZE MINERVOIS	.11
130	BK 65	BIZENEUILLE	.03
134	CB 67	BIZIAT	.01
163	CE 75	BIZONNES	.38
121	CN 56	BIZOT, LE	.25
133	BW 61	BIZOTS, LES	.71
74	AV 41	BIZOU	.61
216	AR 102	BIZOUS	.65
147	BY 69	BLACE	.69
34	BD 31	BLACOURT	.60
33	AW 30	BLACQUEVILLE	.76
58	BX 39	BLACY	.51
100	BT 52	BLACY	.89
64	CT 40	BLAESHEIM	.67
201	AZ 96	BLAGNAC	C .31
39	CB 29	BLAGNY	.08
102	CD 53	BLAGNY SUR VINGEANNE	.21
168	AN 85	BLAIGNAC	.33
152	AH 76	BLAIGNAN	.33
90	AC 52	BLAIN	C .44
35	BH 34	BLAINCOURT LES PRECY	.60
80	BW 43	BLAINCOURT SUR AUBE	.10
33	AZ 30	BLAINVILLE CREVON	.76
61	CK 40	BLAINVILLE SUR L'EAU	.54
49	AE 34	BLAINVILLE SUR MER	.50
31	AN 33	BLAINVILLE SUR ORNE	.14
22	BJ 22	BLAIRVILLE	.62
59	BX 40	BLAISE SOUS ARZILLIERES	.51
93	AM 54	BLAISON GOHIER	.49
81	CA 45	BLAISY	.52
118	BY 54	BLAISY BAS	.21
118	BZ 54	BLAISY HAUT	.21
200	AT 100	BLAJAN	.31
62	CO 40	BLAMONT	C .54
104	CP 53	BLAMONT	.25
202	BE 97	BLAN	.81
128	AW 62	BLANC, LE	S .36
55	BH 37	BLANC MESNIL, LE	C .93
97	BI 52	BLANCAFORT	.18
117	BW 55	BLANCEY	.21
35	BF 29	BLANCFOSSE	.60
62	CM 38	BLANCHE EGLISE	.57
38	BU 27	BLANCHEFOSSE ET BAY	.08
85	CQ 41	BLANCHERUPT	.67
75	AZ 44	BLANDAINVILLE	.28
188	BQ 93	BLANDAS	.30
163	CF 75	BLANDIN	.38
73	AN 46	BLANDOUET	.53
77	BG 44	BLANDY	.91
78	BK 41	BLANDY	.77
21	BG 21	BLANGERVAL BLANGERMONT	.62
32	AS 33	BLANGY LE CHATEAU	C .14
34	BE 28	BLANGY SOUS POIX	.80
20	BB 26	BLANGY SUR BRESLE	C .76
11	BF 20	BLANGY SUR TERNOISE	.62
21	BH 26	BLANGY TRONVILLE	.80
99	BR 52	BLANNAY	.89
117	BV 56	BLANOT	.21
134	BZ 64	BLANOT	.71
167	AJ 81	BLANQUEFORT	C .33
200	AU 95	BLANQUEFORT	.32
169	AV 85	BLANQUEFORT SUR BRIOLANCE	.47
160	BS 79	BLANZAC	.43
142	AX 68	BLANZAC	.87
139	AM 70	BLANZAC LES MATHA	.17
154	AO 75	BLANZAC PORCHERESSE	C .16
154	AR 75	BLANZAGUET SAINT CYBARD	.16
145	BM 71	BLANZAT	.63
126	AR 67	BLANZAY	.86
139	AL 68	BLANZAY SUR BOUTONNE	.17
60	CE 34	BLANZEE	.55
133	BW 61	BLANZY	.71
38	BU 30	BLANZY LA SALONNAISE	.08
37	BQ 32	BLANZY LES FISMES	.02
34	BC 29	BLARGIES	.60
103	CJ 53	BLARIANS	.25
11	BH 17	BLARINGHEM	.59
171	BC 85	BLARS	.46
54	BA 35	BLARU	.78
168	AN 83	BLASIMON	.33
126	AR 61	BLASLAY	.86
159	BP 79	BLASSAC	.43
129	BE 67	BLAUDEIX	.23
195	CV 93	BLAUSASC	.06
191	CD 91	BLAUVAC	.84
190	BX 92	BLAUZAC	.30
173	BO 82	BLAVIGNAC	.48
160	BT 80	BLAVOZY	.43
30	AJ 33	BLAY	.14
152	AJ 79	BLAYE	S .33
186	BF 91	BLAYE LES MINES	.81
184	AV 88	BLAYMONT	.47
183	AS 92	BLAZIERT	.32
22	BN 22	BLECOURT	.59
81	CB 43	BLECOURT	.52
99	BR 49	BLEIGNY LE CARREAU	.89
62	CN 40	BLEMEREY	.54
83	CI 43	BLEMEREY	.88
11	BG 17	BLENDECQUES	.62
98	BL 50	BLENEAU	C .89
78	BM 44	BLENNES	.77
61	CH 37	BLENOD LES PONT A MOUSSON	.54
60	CG 40	BLENOD LES TOUL	.54
10	BE 17	BLEQUIN	.62
36	BN 30	BLERANCOURT	.02
112	AW 55	BLERE	C .37
70	Z 45	BLERUAIS	.35
167	AM 83	BLESIGNAC	.33
159	BN 77	BLESLE	C .43
59	BY 39	BLESME	.51
57	BP 36	BLESMES	.02
143	BF 70	BLESSAC	.23
101	BY 53	BLESSEY	.21
81	CA 46	BLESSONVILLE	.52
11	BG 18	BLESSY	.62
114	BJ 59	BLET	.18
135	CE 61	BLETTERANS	C .39
83	CH 46	BLEURVILLE	.88
76	BC 41	BLEURY	.28
82	CF 45	BLEVAINCOURT	.88
74	AS 42	BLEVES	.72
174	BR 86	BLEYMARD, LE	C .48
35	BF 30	BLICOURT	.60
85	CS 42	BLIENSCHWILLER	.67
42	CQ 34	BLIES EBERSING	.57
42	CP 33	BLIES GUERSVILLER	.57
43	CQ 34	BLIESBRUCK	.57
193	CN 92	BLIEUX	.04
80	BX 42	BLIGNICOURT	.10
37	BR 34	BLIGNY	.51
81	BX 45	BLIGNY	.10
101	BZ 53	BLIGNY LE SEC	.21
118	BZ 58	BLIGNY LES BEAUNE	.21
117	BY 57	BLIGNY SUR OUCHE	C .21
35	BI 32	BLINCOURT	.60
11	BF 20	BLINGEL	.62
155	AV 78	BLIS ET BORN	.24
116	BS 57	BLISMES	.58
105	CT 47	BLODELSHEIM	.68
95	AY 52	BLOIS	P .41
135	CG 60	BLOIS SUR SEILLE	.39
220	BJ 100	BLOMAC	.11

Page	Carreau	Commune	Adm.Dpt
131	BL 66	BLOMARD	.03
24	BW 27	BLOMBAY	.08
142	AW 69	BLOND	.87
103	CH 48	BLONDEFONTAINE	.70
31	AP 32	BLONVILLE SUR MER	.14
19	AV 26	BLOSSEVILLE	.76
29	AG 31	BLOSVILLE	.50
145	BL 69	BLOT L'EGLISE	.63
105	CT 50	BLOTZHEIM	.68
110	AP 54	BLOU	.49
199	AP 97	BLOUSSON SERIAN	.32
49	AG 37	BLOUTIERE, LA	.50
150	CI 71	BLOYE	.74
150	CL 70	BLUFFY	.74
81	BZ 43	BLUMERAY	.52
104	CN 53	BLUSSANGEAUX	.25
104	CN 53	BLUSSANS	.25
135	CG 62	BLYE	.39
148	CD 71	BLYES	.01
51	AM 37	BO, LE	.14
55	BH 37	BOBIGNY	P .93
70	Z 42	BOBITAL	.22
33	AX 29	BOCASSE, LE	.76
93	AO 52	BOCE	.49
229	DK 111	BOCOGNANO	C .2A
83	CK 44	BOCQUEGNEY	.88
52	AT 38	BOCQUENCE	.61
69	U 42	BODEO, LE	.22
45	L 39	BODILIS	.29
183	AT 90	BOE	.47
74	AT 41	BOECE	.61
136	CM 66	BOEGE	C .74
198	AL 100	BOEIL BEZING	.64
146	BU 72	BOEN	C .42
85	CS 41	BOERSCH	.67
12	BJ 16	BOESCHEPE	.59
11	BH 18	BOESEGHEM	.59
85	CT 43	BOESENBIESEN	.67
74	AT 46	BOESSE LE SEC	.72
77	BH 45	BOESSES	.45
109	AL 58	BOESSES	.79
79	BR 46	BOEURS EN OTHE	.89
21	BF 22	BOFFLES	.62
176	BZ 81	BOFFRES	.07
136	CM 66	BOGEVE	.74
25	BY 26	BOGNY SUR MEUSE	.08
162	BZ 77	BOGY	.07
23	BP 25	BOHAIN EN VERMANDOIS	C .02
89	X 48	BOHAL	.56
93	AM 53	BOHALLE, LA	.49
44	I 40	BOHARS	.29
149	CE 67	BOHAS MEYRIAT RIGNAT	.01
77	BH 43	BOIGNEVILLE	.91
96	BE 48	BOIGNY SUR BIONNE	.45
54	BC 37	BOINVILLE EN MANTOIS	.78
40	CF 33	BOINVILLE EN WOEVRE	.55
76	BD 42	BOINVILLE LE GAILLARD	.78
54	BB 37	BOINVILLIERS	.78
22	BK 22	BOIRY BECQUERELLE	.62
22	BL 22	BOIRY NOTRE DAME	.62
22	BJ 23	BOIRY SAINT MARTIN	.62
22	BK 23	BOIRY SAINTE RICTRUDE	.62
153	AK 75	BOIS	.17
164	CN 74	BOIS, LE	.73
52	AU 37	BOIS ANZERAY	.27
52	AV 38	BOIS ARNAULT	.27
22	BL 21	BOIS BERNARD	.62
55	BG 37	BOIS COLOMBES	C .92
136	CJ 63	BOIS D AMONT	.39
54	BE 38	BOIS D'ARCY	.78
99	BR 52	BOIS D'ARCY	.89
107	AA 58	BOIS DE CENE	.85
84	CO 43	BOIS DE CHAMP	.88
119	CF 60	BOIS DE GAND	.39
201	AX 99	BOIS DE LA PIERRE	.31
33	AZ 31	BOIS D'ENNEBOURG	.76
147	BY 70	BOIS D'OINGT, LE	C .69
12	BK 18	BOIS GRENIER	.59
34	BA 30	BOIS GUILBERT	.76
33	AY 31	BOIS GUILLAUME	C .76
32	AS 33	BOIS HELLAIN, LE	.27
34	BA 30	BOIS HEROULT	.76
77	BG 43	BOIS HERPIN	.91
32	AU 29	BOIS HIMONT	.76
54	BB 35	BOIS JEROME SAINT OUEN	.27
53	AZ 38	BOIS LE ROI	.27
78	BJ 42	BOIS LE ROI	.77
37	BQ 28	BOIS LES PARGNY	.02
33	AZ 31	BOIS L'EVEQUE	.76
52	AU 37	BOIS NORMAND PRES LYRE	.27
124	AE 67	BOIS PLAGE EN RE, LE	.17
19	AY 27	BOIS ROBERT, LE	.76
133	BW 66	BOIS SAINTE MARIE	.71
21	BG 23	BOISBERGUES	.80
153	AN 77	BOISBRETEAU	.16
77	BH 47	BOISCOMMUN	.45
11	BF 17	BOISDINGHEM	.62
56	BN 40	BOISDON	.77
54	BE 36	BOISEMONT	.95
34	BA 33	BOISEMONT	.27
75	AX 47	BOISGASSON	.28
70	AA 44	BOISGERVILLY	.35
10	BC 20	BOISJEAN	.62
20	BE 22	BOISLE, LE	.80
22	BK 23	BOISLEUX AU MONT	.62
22	BK 22	BOISLEUX SAINT MARC	.62
125	AL 60	BOISME	.79
20	BC 23	BOISMONT	.80
40	CF 31	BOISMONT	.54
98	BJ 50	BOISMORAND	.45
52	AU 34	BOISNEY	.27
153	AK 77	BOISREDON	.17
49	AE 34	BOISROGER	.50
33	AZ 30	BOISSAY	.76
169	AT 84	BOISSE	.24
148	CB 71	BOISSE, LA	.01
171	BF 85	BOISSE PENCHOT	.12
95	AZ 50	BOISSEAU	.41
76	BE 44	BOISSEAUX	.45
200	AU 98	BOISSEDE	.31
51	AQ 39	BOISSEI LA LANDE	.61
139	AL 68	BOISSEROLLES	.79
206	BV 94	BOISSERON	.34
160	BT 77	BOISSET	.43
171	BG 83	BOISSET	.15
203	BJ 98	BOISSET	.34
189	BU 91	BOISSET ET GAUJAC	.30
147	BV 73	BOISSET LES MONTROND	.42
53	AZ 36	BOISSET LES PREVANCHES	.27
160	BU 75	BOISSET SAINT PRIEST	.42
54	BB 38	BOISSETS	.78
77	BI 41	BOISSETTES	.77
142	AZ 72	BOISSEUIL	.87
156	AX 77	BOISSEUILH	.24
51	AQ 36	BOISSEY	.14
134	CB 65	BOISSEY	.01
33	AV 33	BOISSEY LE CHATEL	.27
203	BH 96	BOISSEZON	.81
135	CH 62	BOISSIA	.39
53	AZ 37	BOISSIERE, LA	.27
52	AQ 34	BOISSIERE, LA	.14
135	CF 64	BOISSIERE, LA	.39
92	AI 49	BOISSIERE, LA	.53
205	BR 95	BOISSIERE, LA	.34
155	AW 78	BOISSIERE D'ANS, LA	.24
108	AG 58	BOISSIERE DE MONTAIGU, LA	.85
123	AD 62	BOISSIERE DES LANDES, LA	.85
108	AG 55	BOISSIERE DU DORE, LA	.44
54	BB 39	BOISSIERE ECOLE, LA	.78
125	AM 63	BOISSIERE EN GATINE, LA	.79
108	AG 54	BOISSIERE SUR EVRE, LA	.49
170	AZ 86	BOISSIERES	.46
206	BW 94	BOISSIERES	.30
77	BI 41	BOISSISE LA BERTRAND	.77
77	BI 41	BOISSISE LE ROI	.77
77	BI 44	BOISSY AUX CAILLES	.77
53	AY 39	BOISSY EN DROUAIS	.28
56	BL 34	BOISSY FRESNOY	.60
77	BF 43	BOISSY LA RIVIERE	.91
55	BE 35	BOISSY L'AILLERIE	.95
52	AU 34	BOISSY LAMBERVILLE	.27
34	BE 33	BOISSY LE BOIS	.60
56	BM 38	BOISSY LE CHATEL	.77
77	BG 42	BOISSY LE CUTTE	.91
57	BQ 38	BOISSY LE REPOS	.51
77	BF 42	BOISSY LE SEC	.91
53	AW 39	BOISSY LES PERCHE	.28
74	AU 42	BOISSY MAUGIS	.61
54	BB 36	BOISSY MAUVOISIN	.78
55	BI 39	BOISSY SAINT LEGER	C .94
54	BD 38	BOISSY SANS AVOIR	.78
77	BF 41	BOISSY SOUS SAINT YON	.91
71	AF 47	BOISTRUDAN	.35
76	BC 43	BOISVILLE LA SAINT PERE	.28
50	AH 38	BOISYVON	.50
56	BN 37	BOITRON	.77
74	AR 41	BOITRON	.61
120	CJ 57	BOLANDOZ	.25
68	P 41	BOLAZEC	.29
32	AT 30	BOLBEC	C .76
190	CA 88	BOLLENE	C .84
195	CV 90	BOLLENE VESUBIE, LA	.06
29	AE 32	BOLLEVILLE	.50
32	AU 29	BOLLEVILLE	.76
11	BG 15	BOLLEZEELE	.59
105	CR 48	BOLLWILLER	.68
81	CB 45	BOLOGNE	.52
135	CF 67	BOLOZON	.01
223	BE 108	BOLQUERE	.66
85	CT 41	BOLSENHEIM	.67
78	BK 41	BOMBON	.77
167	AL 85	BOMMES	.33
129	BE 61	BOMMIERS	.36
222	BB 104	BOMPAS	.09
221	BL 106	BOMPAS	.66
11	BG 18	BOMY	.62
183	AT 90	BON ENCONTRE	.47
115	BP 58	BONA	.58
217	AV 104	BONAC IRAZEIN	.09
199	AR 94	BONAS	.32
119	CG 54	BONBOILLON	.70
76	BA 44	BONCE	.28
72	AK 46	BONCHAMP LES LAVAL	.53
37	BS 29	BONCOURT	.02
40	CG 34	BONCOURT	.54
53	AZ 36	BONCOURT	.27
54	BA 38	BONCOURT	.28
118	CB 56	BONCOURT LE BOIS	.21
60	CE 38	BONCOURT SUR MEUSE	.55
77	BG 45	BONDAROY	.45
104	CP 52	BONDEVAL	.25
185	BA 93	BONDIGOUX	.31
188	BR 87	BONDONS, LES	.48
55	BH 40	BONDOUFLE	.91
12	BM 17	BONDUES	.59
55	BI 37	BONDY	C .93
145	BP 72	BONGHEAT	.63
85	CQ 44	BONHOMME, LE	.68
231	DM 118	BONIFACIO	C .2A
35	BF 31	BONLIER	.60
135	CH 62	BONLIEU	.39
176	CB 85	BONLIEU SUR ROUBION	.26
197	AD 98	BONLOC	.64
159	BN 78	BONNAC	.15
218	BA 101	BONNAC	.09
142	AY 70	BONNAC LA COTE	.87
103	CL 52	BONNAL	.25
99	BP 48	BONNARD	.89
129	BD 66	BONNAT	C .23
135	CE 62	BONNAUD	.39
21	BI 26	BONNAY	.80
120	CI 54	BONNAY	.25
133	BY 63	BONNAY	.71
136	CL 67	BONNE	.74
31	AQ 34	BONNEBOSQ	.14
102	CE 47	BONNECOURT	.52
97	BH 49	BONNEE	.45
148	CC 73	BONNEFAMILLE	.38
52	AT 39	BONNEFOI	.61
157	BE 75	BONNEFOND	.19
199	AQ 100	BONNEFONT	.65
135	CG 61	BONNEFONTAINE	.39
197	AI 96	BONNEGARDE	.40
57	BO 36	BONNEIL	.02
54	BE 40	BONNELLES	.78
70	AC 41	BONNEMAIN	.35
50	AL 36	BONNEMAISON	.14
216	AP 101	BONNEMAZON	.65
118	CC 57	BONNENCONTRE	.21
127	AT 63	BONNES	.86
154	AP 78	BONNES	.16
57	BO 35	BONNESVALYN	.02
82	CD 41	BONNET	.55
74	AS 45	BONNETABLE	C .72
121	CN 55	BONNETAGE	.25
167	AL 82	BONNETAN	.33
128	AY 65	BONNEUIL	.36
153	AN 74	BONNEUIL	.16
55	BH 36	BONNEUIL EN FRANCE	.95
36	BL 33	BONNEUIL EN VALOIS	.60
35	BG 29	BONNEUIL LES EAUX	.60
127	AT 62	BONNEUIL MATOURS	.86
55	BI 38	BONNEUIL SUR MARNE	C .94
76	AZ 45	BONNEVAL	C .28
160	BR 77	BONNEVAL	.43
164	CM 74	BONNEVAL	.73
165	CR 75	BONNEVAL SUR ARC	.73
120	CK 60	BONNEVAUX	.25
137	CO 65	BONNEVAUX	.74
189	BU 87	BONNEVAUX	.30
120	CK 56	BONNEVAUX LE PRIEURE	.25
94	AV 49	BONNEVEAU	.41
103	CH 53	BONNEVENT VELLOREILLE	.70
150	CM 68	BONNEVILLE	S .74
21	BG 24	BONNEVILLE	.80
29	AF 31	BONNEVILLE, LA	.50
140	AO 71	BONNEVILLE	.16
32	AV 33	BONNEVILLE APTOT	.27
168	AP 82	BONNEVILLE ET SAINT AVIT DE FUMADIERES	.24
32	AS 33	BONNEVILLE LA LOUVET	.14
53	AX 36	BONNEVILLE SUR ITON, LA	.27
32	AQ 32	BONNEVILLE SUR TOUQUES	.14
21	BG 22	BONNIERES	.62
34	BE 30	BONNIERES	.60
54	BB 36	BONNIERES SUR SEINE	C .78
191	CF 93	BONNIEUX	C .84
11	BE 16	BONNINGUES LES ARDRES	.62
10	BD 15	BONNINGUES LES CALAIS	.62
51	AN 37	BONNOEIL	.14
91	AF 52	BONNOEUVRE	.44
197	AH 96	BONNUT	.64
98	BK 52	BONNY SUR LOIRE	.45
89	T 50	BONO	.56
216	AQ 100	BONREPOS	.65
202	BB 95	BONREPOS RIQUET	.31
201	AX 97	BONREPOS SUR AUSSONNELLE	.31
136	CM 66	BONS EN CHABLAIS	.74
51	AN 36	BONS TASSILLY	.14
33	AY 31	BONSECOURS	.76
52	AT 40	BONSMOULINS	.61
161	BV 74	BONSON	.42
195	CT 92	BONSON	.06
150	CL 73	BONVILLARD	.73
150	CL 73	BONVILLARET	.73
62	CL 39	BONVILLER	.54
35	BH 30	BONVILLERS	.60
83	CI 45	BONVILLET	.88
22	BN 25	BONY	.02
153	AM 80	BONZAC	.33
60	CE 34	BONZEE	.55
216	AN 102	BOO SILHEN	.65
85	CU 42	BOOFZHEIM	.67
33	AY 32	BOOS	C .76
181	AG 92	BOOS	.40
85	CT 44	BOOTZHEIM	.67
69	T 41	BOQUEHO	.22
186	BE 89	BOR ET BAR	.12
55	BH 34	BORAN SUR OISE	.60
215	AJ 103	BORCE	.64
130	BG 66	BORD SAINT GEORGES	.23
167	AJ 82	BORDEAUX	P .33
77	BI 46	BORDEAUX EN GATINAIS	.45
32	AR 28	BORDEAUX SAINT CLAIR	.76
198	AM 100	BORDERES	.64
198	AL 94	BORDERES ET LAMENSANS	.40
216	AR 104	BORDERES LOURON	C .65
199	AO 100	BORDERES SUR L'ECHEZ	C .65
79	BO 46	BORDES, LES	.89
97	BH 49	BORDES, LES	.45
113	BE 58	BORDES, LES	.36
118	CB 59	BORDES, LES	.71
198	AL 100	BORDES	.64
216	AP 100	BORDES	.65
80	BU 45	BORDES AUMONT, LES	.10
217	AT 101	BORDES DE RIVIERE	.31
218	AY 102	BORDES SUR ARIZE, LES	.09
217	AV 104	BORDES SUR LEZ, LES	.09
189	BU 88	BORDEZAC	.30
139	AI 70	BORDS	.17
175	BV 81	BOREE	.07
153	AN 77	BORESSE ET MARTRON	.17
56	BJ 34	BOREST	.60
103	CL 51	BOREY	.70
227	DN 105	BORGO	C .2B
210	CN 100	BORMES LES MIMOSAS	.83
174	BQ 85	BORN, LE	.48
185	BA 93	BORN, LE	.31
32	AS 29	BORNAMBUSC	.76
135	CF 62	BORNAY	.39
160	BS 79	BORNE	.43
174	BU 85	BORNE	.07
55	BG 34	BORNEL	.60
104	CQ 51	BORON	.90
11	BI 17	BORRE	.59
170	AZ 81	BORREZE	.24
153	AN 77	BORS (Baignes)	.16
154	AP 76	BORS (Montmoreau)	.16
158	BI 76	BORT LES ORGUES	C .19
146	BP 72	BORT L'ETANG	.63
83	CL 41	BORVILLE	.54
204	BP 95	BOSC, LE	.34
222	AZ 103	BOSC, LE	.09
33	AW 32	BOSC BENARD COMMIN	.27
33	AV 32	BOSC BENARD CRESCY	.27
33	AZ 29	BOSC BERENGER	.76
34	BA 29	BOSC BORDEL	.76
34	BA 30	BOSC EDELINE	.76
33	AX 30	BOSC GUERARD SAINT ADRIEN	.76
34	BB 31	BOSC HYONS	.76
33	AY 29	BOSC LE HARD	.76
33	AZ 29	BOSC MESNIL	.76
52	AS 37	BOSC RENOULT, LE	.61
52	AU 36	BOSC RENOULT EN OUCHE	.27
33	AV 33	BOSC RENOULT EN ROUMOIS	.27
33	AW 33	BOSC ROGER EN ROUMOIS, LE	.27
34	BA 30	BOSC ROGER SUR BUCHY	.76
153	AO 78	BOSCAMNANT	.17
198	AK 100	BOSDARROS	.64
33	AW 32	BOSGOUET	.27
33	AW 33	BOSGUERARD DE MARCOUVILLE	.27
119	CD 60	BOSJEAN	.71
142	AY 72	BOSMIE L'AIGUILLE	.87
37	BS 28	BOSMONT SUR SERRE	.02
143	BC 69	BOSMOREAU LES MINES	.23
33	AW 33	BOSNORMAND	.27
35	BF 28	BOSQUEL	.80
34	BB 31	BOSQUENTIN	.27
33	AV 33	BOSROBERT	.27
144	BG 69	BOSROGER	.23
81	BX 44	BOSSANCOURT	.10
111	AW 60	BOSSAY SUR CLAISE	.37
121	CN 56	BOSSE, LA	.25
74	AT 45	BOSSE, LA	.72
91	AD 48	BOSSE DE BRETAGNE, LA	.35
111	AU 57	BOSSEE	.37
64	CT 37	BOSSENDORF	.67
168	AR 81	BOSSET	.24
39	BZ 27	BOSSEVAL ET BRIANCOURT	.08
150	CK 67	BOSSEY	.74
162	CC 75	BOSSIEU	.38
168	AN 83	BOSSUGAN	.33
24	BU 27	BOSSUS LES RUMIGNY	.08
146	BP 67	BOST	.03
182	AL 92	BOSTENS	.40
32	AV 27	BOSVILLE	.76
104	CO 51	BOTANS	.90
67	M 41	BOTMEUR	.29
46	O 40	BOTSORHEL	.29
52	AU 37	BOTTEREAUX, LES	.27
108	AH 54	BOTZ EN MAUGES	.49
97	BE 49	BOU	.45
54	BD 36	BOUAFLE	.78
34	BA 34	BOUAFLES	.27
223	BB 105	BOUAN	.09
107	AC 56	BOUAYE	C .44
10	BE 20	BOUBERS LES HESMOND	.62
21	BG 22	BOUBERS SUR CANCHE	.62
34	BD 34	BOUBIERS	.60
208	CG 97	BOUC BEL AIR	.13
200	AT 96	BOUCAGNERES	.32
196	AC 96	BOUCAU	.64
51	AP 40	BOUCE	.61
132	BP 66	BOUCE	.03
149	CF 73	BOUCHAGE, LE	.38
141	AS 69	BOUCHAGE, LE	.16
22	BN 22	BOUCHAIN	C .59
92	AH 49	BOUCHAMPS LES CRAON	.53
132	BS 66	BOUCHAUD, LE	.03
22	BL 25	BOUCHAVESNES BERGEN	.80
92	AK 53	BOUCHEMAINE	.49
42	CM 34	BOUCHEPORN	.57
191	CB 88	BOUCHET	.26
150	CM 71	BOUCHET, LE	.74
174	BS 82	BOUCHET SAINT NICOLAS, LE	.43
34	BC 32	BOUCHEVILLIERS	.27
36	BJ 28	BOUCHOIR	.80
20	BE 25	BOUCHON	.80
59	CC 40	BOUCHON SUR SAULX, LE	.55
135	CH 66	BOUCHOUX, LES	C .39
57	BP 40	BOUCHY SAINT GENEST	.51
161	BZ 80	BOUCIEU LE ROI	.07
120	CK 55	BOUCLANS	.25
189	BV 91	BOUCOIRAN ET NOZIERES	.30
39	BY 33	BOUCONVILLE	.08
60	CF 37	BOUCONVILLE SUR MADT	.55
37	BR 31	BOUCONVILLE VAUCLAIR	.02
54	BD 34	BOUCONVILLERS	.60
60	CG 38	BOUCQ	.54
159	BN 75	BOUDES	.63
33	AW 28	BOUDEVILLE	.76
184	AW 90	BOUDOU	.82
217	AS 100	BOUDRAC	.31
101	BZ 48	BOUDREVILLE	.21
169	AT 85	BOUDY DE BEAUREGARD	.47
23	BQ 25	BOUE	.02
107	AA 54	BOUEE	.44
198	AL 97	BOUEILH BOUEILHO LASQUE	.64
34	BA 28	BOUELLES	.76
74	AU 46	BOUER	.72
92	AL 48	BOUERE	.53
93	AM 48	BOUESSAY	.53
129	BC 63	BOUESSE	.36
140	AR 74	BOUEX	.16
71	AF 44	BOUEXIERE, LA	.35
55	BG 36	BOUFFEMONT	.95
108	AF 58	BOUFFERE	.85
37	BR 32	BOUFFIGNEREUX	.02
20	BE 22	BOUFFLERS	.80
75	AX 47	BOUFFRY	.41
21	BE 26	BOUGAINVILLE	.80
198	AK 98	BOUGARBER	.64
162	CA 77	BOUGE CHAMBALUD	.38
113	BB 58	BOUGES LE CHATEAU	.36
103	CH 49	BOUGEY	.70
55	BF 38	BOUGIVAL	.78
76	BA 41	BOUGLAINVAL	.28
77	BJ 45	BOUGLIGNY	.77
182	AO 87	BOUGLON	C .47
139	AK 74	BOUGNEAU	.17
103	CJ 50	BOUGNON	.70
126	AO 65	BOUGON	.79
182	AK 93	BOUGUE	.40
107	AC 55	BOUGUENAIS	.44
51	AM 34	BOUGY	.14
76	BE 47	BOUGY LEZ NEUVILLE	.45
118	CD 60	BOUHANS	.71
102	CE 52	BOUHANS ET FEURG	.70
104	CL 50	BOUHANS LES LURE	.70
103	CK 52	BOUHANS LES MONTBOZON	.70
138	AI 67	BOUHET	.17
117	BY 56	BOUHEY	.21
98	BN 53	BOUHY	.58
199	AQ 99	BOUILH DEVANT	.65
199	AP 99	BOUILH PEREUILH	.65
203	BH 100	BOUILHONNAC	.11
169	AV 83	BOUILLAC	.24
171	BF 85	BOUILLAC	.12
184	AX 93	BOUILLAC	.82
208	CH 98	BOUILLADISSE, LA	.13
20	BB 25	BOUILLANCOURT EN SERY	.80
35	BI 28	BOUILLANCOURT LA BATAILLE	.80
56	BL 35	BOUILLANCY	.60
118	BZ 57	BOUILLAND	.21
206	BX 94	BOUILLARGUES	C .30
33	AW 32	BOUILLE, LA	.76
125	AJ 65	BOUILLE COURDAULT	.85
110	AN 57	BOUILLE LORETZ	.79
92	AI 50	BOUILLE MENARD	.49
109	AM 58	BOUILLE SAINT PAUL	.79
47	X 40	BOUILLIE, LA	.22
73	AQ 41	BOUILLON, LE	.61
198	AJ 97	BOUILLON	.64
60	CG 36	BOUILLONVILLE	.54
80	BT 45	BOUILLY	C .10
37	BS 34	BOUILLY	.51
77	BG 46	BOUILLY EN GATINAIS	.45
140	AO 68	BOUIN	.79
107	AA 58	BOUIN	.85
20	BE 21	BOUIN PLUMOISON	.62
220	BH 103	BOUISSE	.11
100	BX 48	BOUIX	.21
120	CJ 59	BOUJAILLES	.25
204	BO 99	BOUJAN SUR LIBRON	.34
79	BS 41	BOULAGES	.10
83	CI 42	BOULAINCOURT	.88
77	BH 44	BOULANCOURT	.77
41	CH 31	BOULANGE	.57
200	AU 97	BOULAUR	.32
95	AV 51	BOULAY, LE	.37
96	BC 47	BOULAY LES BARRES	.45
73	AO 42	BOULAY LES IFS	.53
53	AY 35	BOULAY MORIN, LE	.27
41	CL 33	BOULAY MOSELLE	S .57
133	BU 61	BOULAYE, LA	.71
155	AU 78	BOULAZAC	.24
190	CA 93	BOULBON	.13
177	CG 84	BOULC	.26
224	BI 107	BOULE D'AMONT	.66
224	BI 107	BOULETERNERE	.66
56	BL 37	BOULEURS	.77
37	BR 33	BOULEUSE	.51
167	AK 82	BOULIAC	.33
161	BY 77	BOULIEU LES ANNONAY	.07
148	CB 69	BOULIGNEUX	.01
103	CK 48	BOULIGNEY	.70
40	CF 32	BOULIGNY	.55
199	AO 100	BOULIN	.65
56	BL 35	BOULLARRE	.60
53	AZ 40	BOULLAY LES DEUX EGLISES, LE	.28
55	BE 40	BOULLAY LES TROUX	.91
54	BA 40	BOULLAY MIVOYE, LE	.28
54	BA 40	BOULLAY THIERRY, LE	.28
98	BK 54	BOULLERET	.18
32	AS 32	BOULLEVILLE	.27
184	AX 88	BOULOC	.82
201	AZ 94	BOULOC	.31
108	AE 60	BOULOGNE	.85
55	BG 38	BOULOGNE BILLANCOURT	S .92
36	BJ 29	BOULOGNE LA GRASSE	.60
200	AS 99	BOULOGNE SUR GESSE	C .31
23	BR 24	BOULOGNE SUR HELPE	.59
10	BB 17	BOULOGNE SUR MER	S .62
94	AT 47	BOULOIRE	C .72
51	AN 35	BOULON	.14
120	CI 54	BOULOT	.70
225	BL 108	BOULOU, LE	.66
103	CI 53	BOULT	.70
39	BZ 31	BOULT AUX BOIS	.08
38	BT 32	BOULT SUR SUIPPE	.51
170	AX 87	BOULVE, LE	.46
39	BY 28	BOULZICOURT	.08
198	AJ 97	BOUMOURT	.64
169	AS 83	BOUNIAGUES	.24
108	AI 60	BOUPERE, LE	.85
10	BD 16	BOUQUEHAULT	.62
32	AT 31	BOUQUELON	.27
21	BH 23	BOUQUEMAISON	.80
60	CD 36	BOUQUEMONT	.55
190	BW 90	BOUQUET	.30
33	AV 32	BOUQUETOT	.27
55	BH 36	BOUQUEVAL	.95
80	BU 44	BOURANTON	.10
77	BG 41	BOURAY SUR JUINE	.91
105	CQ 49	BOURBACH LE BAS	.68
104	CQ 48	BOURBACH LE HAUT	.68
102	CD 52	BOURBERAIN	.21
103	CH 47	BOURBEVELLE	.70
132	BS 62	BOURBON LANCY	C .71
131	BM 63	BOURBON L'ARCHAMBAULT	C .03
82	CG 47	BOURBONNE LES BAINS	C .52
158	BJ 74	BOURBOULE, LA	.63
11	BG 14	BOURBOURG	C .59
68	R 40	BOURBRIAC	C .22
138	AF 70	BOURCEFRANC LE CHAPUS	.17
135	CE 65	BOURCIA	.39
39	BX 32	BOURCQ	.08
33	AW 28	BOURDAINVILLE	.76
182	AM 93	BOURDALAT	.40
150	CI 72	BOURDEAU	.73
176	CD 85	BOURDEAUX	C .26
155	AT 77	BOURDEILLES	.24
155	AT 74	BOURDEIX, LE	.24
168	AO 85	BOURDELLES	.33
79	BQ 43	BOURDENAY	.10
125	AK 66	BOURDET, LE	.79
198	AL 100	BOURDETTES	.64
190	BX 92	BOURDIC	.30
76	BA 44	BOURDINIERE SAINT LOUP, LA	.28
21	BF 25	BOURDON	.80
62	CN 38	BOURDONNAY	.57
54	BB 39	BOURDONNE	.78
82	CD 45	BOURDONS SUR ROGNON	.52
11	BH 19	BOURECQ	.62
56	BN 35	BOURESCHES	.02
127	AT 65	BOURESSE	.86
21	BG 22	BOURET SUR CANCHE	.62
39	CA 34	BOUREUILLES	.55
153	AK 80	BOURG	C .33
102	CD 49	BOURG	.52
171	BD 84	BOURG, LE	.46
33	AV 32	BOURG ACHARD	.27
128	AW 65	BOURG ARCHAMBAULT	.86
161	BY 77	BOURG ARGENTAL	C .42
33	AZ 32	BOURG BEAUDOUIN	.27
44	I 39	BOURG BLANC	.29
85	CQ 42	BOURG BRUCHE	.67
139	AM 73	BOURG CHARENTE	.16
216	AP 102	BOURG DE BIGORRE	.65
162	CC 80	BOURG DE PEAGE	C .26
136	CI 61	BOURG DE SIROD	.39
147	BV 69	BOURG DE THIZY	.69
184	AV 89	BOURG DE VISA	C .82
90	AC 47	BOURG DES COMPTES	.35
154	AS 77	BOURG DES MAISONS	.24
129	BD 66	BOURG D'HEM, LE	.23
92	AH 50	BOURG D'IRE, LE	.49
164	CJ 79	BOURG D'OISANS, LE	C .38
217	AR 104	BOURG D'OUEIL	.31
154	AQ 77	BOURG DU BOST	.24
19	AW 26	BOURG DUN, LE	.76
134	CD 67	BOURG EN BRESSE	P .01
37	BQ 31	BOURG ET COMIN	.02
24	BW 26	BOURG FIDELE	.08
55	BG 39	BOURG LA REINE	C .92
144	BI 73	BOURG LASTIC	C .63
132	BT 66	BOURG LE COMTE	.71
74	AQ 43	BOURG LE ROI	.72
176	CB 81	BOURG LES VALENCE	C .26
92	AH 50	BOURG L'EVEQUE	.49
223	BD 109	BOURG MADAME	.66
190	BZ 87	BOURG SAINT ANDEOL	C .07
202	BB 96	BOURG SAINT BERNARD	.31
148	CC 70	BOURG SAINT CHRISTOPHE	.01
51	AQ 38	BOURG SAINT LEONARD, LE	.61
151	CP 73	BOURG SAINT MAURICE	C .73
82	CE 45	BOURG SAINTE MARIE	.52
104	CP 49	BOURG SOUS CHATELET	.90
62	CN 37	BOURGALTROFF	.57
143	BC 70	BOURGANEUF	C .23
71	AD 47	BOURGBARRE	.35
31	AQ 33	BOURGEAUVILLE	.14
114	BH 57	BOURGES	P .18
55	BH 37	BOURGET, LE	C .93
150	CI 73	BOURGET DU LAC, LE	.73
164	CL 74	BOURGET EN HUILE	.73
85	CT 41	BOURGHEIM	.67
12	BN 19	BOURGHELLES	.59
154	AR 80	BOURGNAC	.24
124	AG 67	BOURGNEUF	.17
150	CL 74	BOURGNEUF	.73
109	AI 54	BOURGNEUF EN MAUGES	.49
107	AA 57	BOURGNEUF EN RETZ	C .44
72	AI 45	BOURGNEUF LA FORET, LE	.53
38	BT 32	BOURGOGNE	C .51
149	CD 74	BOURGOIN JALLIEU	C .38
72	AH 45	BOURGON	.53
84	CO 43	BOURGONCE, LA	.88
168	AR 85	BOURGOUGNAGUE	.47
33	AV 33	BOURGTHEROULDE INFREVILLE	C .27

Page	Carreau	Commune	Adm.Dpt
51	AN 34	BOURGUEBUS	C .14
110	AQ 55	BOURGUEIL	C .37
49	AG 38	BOURGUENOLLES	.50
193	CO 93	BOURGUET, LE	.83
104	CO 53	BOURGUIGNON	.25
103	CJ 49	BOURGUIGNON LES CONFLANS	.70
103	CI 52	BOURGUIGNON LES LA CHARITE	.70
102	CG 50	BOURGUIGNON LES MOREY	.70
36	BM 30	BOURGUIGNON SOUS COUCY	.02
37	BP 30	BOURGUIGNON SOUS MONTBAVIN	.02
80	BW 45	BOURGUIGNONS	.10
133	BY 65	BOURGVILAIN	.71
182	AK 87	BOURIDEYS	.33
219	BF 103	BOURIEGE	.11
219	BF 103	BOURIGEOLE	.11
216	AQ 104	BOURISP	.65
184	AW 87	BOURLENS	.47
22	BM 23	BOURLON	.62
82	CF 44	BOURMONT	C .52
52	AT 34	BOURNAINVILLE FAVEROLLES	.27
111	AU 57	BOURNAN	.37
110	AP 57	BOURNAND	.86
186	BD 91	BOURNAZEL	.81
172	BG 87	BOURNAZEL	.12
125	AI 63	BOURNEAU	.85
169	AT 85	BOURNEL	.47
32	AU 31	BOURNEVILLE	.27
124	AF 62	BOURNEZEAU	.85
169	AU 83	BOURNIQUEL	.24
104	CM 52	BOURNOIS	.25
159	BO 76	BOURNONCLE SAINT PIERRE	.43
10	BD 17	BOURNONVILLE	.62
198	AK 98	BOURNOS	.64
104	CP 51	BOUROGNE	.90
183	AR 88	BOURRAN	.47
112	AY 54	BOURRE	.41
216	AN 101	BOURREAC	.65
184	AX 92	BOURRET	.82
182	AM 90	BOURRIOT BERGONCE	.40
78	BJ 43	BOURRON MARLOTTE	.77
155	AT 80	BOURROU	.24
182	AO 93	BOURROUILLAN	.32
11	BH 20	BOURS	.62
199	AO 99	BOURS	.65
57	BR 35	BOURSAULT	.51
75	AW 47	BOURSAY	.41
63	CQ 38	BOURSCHEID	.57
70	Z 41	BOURSEUL	.22
20	BB 24	BOURSEVILLE	.80
103	CI 51	BOURSIERES	.70
22	BL 23	BOURSIES	.59
10	BD 16	BOURSIN	.62
56	BM 34	BOURSONNE	.60
53	AV 38	BOURTH	.27
10	BD 18	BOURTHES	.62
19	AV 27	BOURVILLE	.76
34	BC 33	BOURY EN VEXIN	.60
42	CO 33	BOUSBACH	.57
12	BM 16	BOUSBECQUE	.59
167	AJ 82	BOUSCAT, LE	C .33
23	BQ 23	BOUSIES	.59
13	BO 20	BOUSIGNIES	.59
24	BU 22	BOUSIGNIES SUR ROC	.59
223	BF 106	BOUSQUET, LE	.11
204	BN 95	BOUSQUET D'ORB, LE	.34
130	BG 66	BOUSSAC	C .23
71	AD 41	BOUSSAC, LA	.35
171	BD 85	BOUSSAC	.46
186	BH 89	BOUSSAC	.12
130	BG 65	BOUSSAC BOURG	.23
110	AN 60	BOUSSAIS	.79
200	AV 100	BOUSSAN	.31
108	AG 57	BOUSSAY	.44
111	AV 60	BOUSSAY	.37
41	CI 32	BOUSSE	.57
93	AO 49	BOUSSE	.72
118	CD 58	BOUSSELANGE	.21
222	AY 104	BOUSSENAC	.09
102	CC 51	BOUSSENOIS	.21
217	AV 101	BOUSSENS	.31
83	CH 47	BOUSSERAUCOURT	.70
182	AP 90	BOUSSES	.47
43	CS 34	BOUSSEVILLER	.57
117	BX 54	BOUSSEY	.21
35	BI 28	BOUSSICOURT	.80
119	CH 56	BOUSSIERES	C .25
23	BO 23	BOUSSIERES EN CAMBRESIS	.59
23	BR 22	BOUSSIERES SUR SAMBRE	.59
24	BT 22	BOUSSOIS	.59
150	CJ 70	BOUSSY	.74
55	BI 39	BOUSSY SAINT ANTOINE	.91
41	CJ 31	BOUST	.57
62	CM 35	BOUSTROFF	.57
203	BH 97	BOUT DU PONT DE LARN	.81
39	BY 28	BOUTANCOURT	.08
34	BC 29	BOUTAVENT	.60
23	BS 26	BOUTEILLE, LA	.02
154	AR 77	BOUTEILLES SAINT SEBASTIEN	.24
220	BK 101	BOUTENAC	.11
152	AI 75	BOUTENAC TOUVENT	.17
34	BD 32	BOUTENCOURT	.60
77	BE 42	BOUTERVILLIERS	.91
140	AN 74	BOUTEVILLE	.16
139	AM 72	BOUTIERS SAINT TROJAN	.16
56	BL 37	BOUTIGNY	.77
54	BB 39	BOUTIGNY PROUAIS	.28
77	BH 42	BOUTIGNY SUR ESSONNE	.91
20	BB 26	BOUTTENCOURT	.80
29	AG 31	BOUTTEVILLE	.50
217	AT 103	BOUTX	.31
20	BA 24	BOUVAINCOURT SUR BRESLE	.80
37	BR 32	BOUVANCOURT	.51
176	CD 80	BOUVANTE	.26
11	BE 17	BOUVELINGHEM	.62
39	BX 29	BOUVELLEMONT	.08
120	CK 59	BOUVERANS	.25
149	CE 71	BOUVESSE QUIRIEU	.38
176	CD 85	BOUVIERES	.26
12	BN 20	BOUVIGNIES	.59
11	BJ 20	BOUVIGNY BOYEFFLES	.62
33	AW 30	BOUVILLE	.76
75	AZ 44	BOUVILLE	.28
77	BG 42	BOUVILLE	.91
22	BL 26	BOUVINCOURT EN VERMANDOIS	.80
12	BM 18	BOUVINES	.59
34	BC 29	BOUVRESSE	.60
61	CH 38	BOUVRON	.54
90	AB 53	BOUVRON	.44
101	BY 53	BOUX SOUS SALMAISE	.21
83	CK 44	BOUXIERES AUX BOIS	.88
61	CJ 38	BOUXIERES AUX CHENES	.54
61	CJ 38	BOUXIERES AUX DAMES	.54
61	CI 36	BOUXIERES SOUS FROIDMONT	.54
83	CJ 43	BOUXURULLES	.88
64	CS 37	BOUXWILLER	C .67
105	CS 52	BOUXWILLER	.68
58	BV 35	BOUY	.51
80	BV 43	BOUY LUXEMBOURG	.10
79	BP 42	BOUY SUR ORVIN	.10
194	CT 92	BOUYON	.06
171	BD 84	BOUYSSOU, LE	.46
130	BH 62	BOUZAIS	.18
81	CA 43	BOUZANCOURT	.52
83	CI 42	BOUZANVILLE	.54
118	BZ 57	BOUZE LES BEAUNE	.21
145	BO 72	BOUZEL	.63
83	CJ 44	BOUZEMONT	.88
118	BZ 59	BOUZERON	.71
170	AX 84	BOUZIC	.24
170	BB 86	BOUZIES	.46
205	BR 98	BOUZIGUES	.34
108	AH 54	BOUZILLE	.49
217	AV 101	BOUZIN	.31
21	BI 25	BOUZINCOURT	.80
199	AO 95	BOUZON GELLENAVE	.32
42	CL 32	BOUZONVILLE	C .57
77	BG 46	BOUZONVILLE AUX BOIS	.45
58	BU 35	BOUZY	.51
97	BH 49	BOUZY LA FORET	.45
60	CE 39	BOVEE SUR BARBOURE	.55
70	AA 47	BOVEL	.35
21	BF 26	BOVELLES	.80
21	BH 27	BOVES	C .80
60	CD 39	BOVIOLLES	.55
11	BG 20	BOYAVAL	.62
22	BK 23	BOYELLES	.62
134	CA 62	BOYER	.71
147	BV 68	BOYER	.42
149	CF 69	BOYEUX SAINT JEROME	.01
77	BH 46	BOYNES	.45
134	CA 65	BOZ	.01
161	BZ 80	BOZAS	.07
165	CO 75	BOZEL	C .73
172	BJ 86	BOZOULS	C .12
59	CB 34	BRABANT EN ARGONNE	.55
59	CA 37	BRABANT LE ROI	.55
40	CC 33	BRABANT SUR MEUSE	.55
152	AH 80	BRACH	.33
81	CB 43	BRACHAY	.52
35	BI 28	BRACHES	.80
19	AX 27	BRACHY	.76
96	BB 52	BRACIEUX	C .41
119	CH 59	BRACON	.39
19	AY 25	BRACQUEMONT	.76
33	AY 29	BRACQUETUIT	.76
34	BA 29	BRADIANCOURT	.76
49	AG 38	BRAFFAIS	.50
189	BU 92	BRAGASSARGUES	.30
201	AW 97	BRAGAYRAC	.31
157	BG 78	BRAGEAC	.15
100	BV 47	BRAGELOGNE BEAUVOIR	.10
118	CB 59	BRAGNY SUR SAONE	.71
120	CJ 54	BRAILLANS	.25
20	BE 22	BRAILLY CORNEHOTTE	.80
100	BX 53	BRAIN	.21
110	AP 55	BRAIN SUR ALLONNES	.49
93	AM 53	BRAIN SUR L'AUTHION	.49
92	AJ 51	BRAIN SUR LONGUENEE	.49
119	CG 59	BRAINANS	.39
37	BP 32	BRAINE	C .02
107	AC 56	BRAINS	.44
73	AP 47	BRAINS SUR GEE	.72
91	AG 48	BRAINS SUR LES MARCHES	.53
60	CG 34	BRAINVILLE	.54
49	AE 34	BRAINVILLE	.50
82	CF 45	BRAINVILLE SUR MEUSE	.52
36	BK 31	BRAISNES	.60
130	BJ 62	BRAIZE	.03
83	CJ 42	BRALLEVILLE	.54
202	BE 100	BRAM	.11
165	CP 77	BRAMANS	.73
33	AW 27	BRAMETOT	.76
217	AS 103	BRAMEVAQUE	.65
153	AM 76	BRAN	.17
156	BC 80	BRANCEILLES	.19
99	BP 48	BRANCHES	.89
37	BO 30	BRANCOURT EN LAONNOIS	.02
23	BO 25	BRANCOURT LE GRAND	.02
88	R 48	BRANDERION	.56
40	CC 31	BRANDEVILLE	.55
89	T 48	BRANDIVY	.56
227	DN 103	BRANDO	C .2B
133	BY 65	BRANDON	.71
186	BF 87	BRANDONNET	.12
58	BX 40	BRANDONVILLERS	.51
134	CC 62	BRANGES	.71
149	CF 72	BRANGUES	.38
78	BM 45	BRANNAY	.89
167	AM 82	BRANNE	C .33
104	CM 53	BRANNE	.25
167	AN 86	BRANNENS	.33
189	BU 89	BRANOUX LES TAILLADES	.30
119	CF 55	BRANS	.39
131	BN 66	BRANSAT	.03
37	BR 33	BRANSCOURT	.51
78	BK 45	BRANSLES	.77
191	CE 89	BRANTES	.84
83	CK 43	BRANTIGNY	.88
155	AT 76	BRANTOME	C .24
31	AQ 33	BRANVILLE	.14
29	AD 28	BRANVILLE HAGUE	.50
60	CF 34	BRAQUIS	.55
209	CK 97	BRAS	.83
193	CL 92	BRAS D'ASSE	.04
40	CD 33	BRAS SUR MEUSE	.55
187	BI 92	BRASC	.12
57	BP 35	BRASLES	.02
111	AS 58	BRASLOU	.37
67	M 42	BRASPARTS	.29
203	BI 96	BRASSAC	C .81
184	AV 89	BRASSAC	.82
222	BA 103	BRASSAC	.09
159	BO 76	BRASSAC LES MINES	.63
198	AI 95	BRASSEMPOUY	.40
35	BJ 33	BRASSEUSE	.60
35	BE 28	BRASSY	.80
116	BS 55	BRASSY	.58
61	CJ 37	BRATTE	.54
153	AJ 77	BRAUD ET SAINT LOUIS	.33
59	CB 40	BRAUVILLIERS	.55
80	BW 42	BRAUX	.10
100	BW 53	BRAUX	.21
194	CQ 91	BRAUX	.04
81	CA 46	BRAUX LE CHATEL	.52
59	BZ 35	BRAUX SAINT REMY	.51
59	BZ 35	BRAUX SAINTE COHIERE	.51
201	AY 96	BRAX	.31
183	AS 89	BRAX	.47
53	AW 35	BRAY	.27
134	BZ 63	BRAY	.71
4	BI 13	BRAY DUNES	.59
97	BH 49	BRAY EN VAL	.45
54	BC 35	BRAY ET LU	.95
20	BD 24	BRAY LES MAREUIL	.80
36	BM 27	BRAY SAINT CHRISTOPHE	.02
78	BN 42	BRAY SUR SEINE	C .77
22	BJ 25	BRAY SUR SOMME	C .80
37	BO 31	BRAYE	.02
37	BQ 31	BRAYE EN LAONNOIS	.02
37	BS 27	BRAYE EN THIERACHE	.02
110	AR 58	BRAYE SOUS FAYE	.37
94	AR 52	BRAYE SUR MAULNE	.37
117	BV 56	BRAZEY EN MORVAN	.21
118	CC 56	BRAZEY EN PLAINE	.21
70	AB 46	BREAL SOUS MONTFORT	.35
72	AH 46	BREAL SOUS VITRE	.35
54	BE 35	BREANCON	.95
78	BK 41	BREAU	.77
188	BQ 92	BREAU ET SALAGOSSE	.30
32	AS 29	BREAUTE	.76
80	BW 41	BREBAN	.51
22	BL 21	BREBIERES	.62
104	CP 51	BREBOTTE	.90
72	AJ 42	BRECE	.53
71	AE 45	BRECE	.35
50	AH 38	BRECEY	C .50
88	T 49	BRECH	.56
82	CE 43	BRECHAINVILLE	.88
54	BB 40	BRECHAMPS	.28
105	CQ 50	BRECHAUMONT	.68
94	AS 52	BRECHES	.37
103	CK 54	BRECONCHAUX	.25
50	AI 35	BRECTOUVILLE	.50
57	BP 34	BRECY	.02
114	BJ 57	BRECY	.18
39	BY 32	BRECY BRIERES	.08
167	AK 84	BREDE, LA	C .33
72	AL 45	BREE	.53
138	AE 69	BREE LES BAINS, LA	.17
51	AN 38	BREEL	.61
149	CG 73	BREGNIER CORDON	.01
56	BK 35	BREGY	.60
62	CL 36	BREHAIN	.57
40	CG 31	BREHAIN LA VILLE	.54
49	AE 36	BREHAL	C .50
69	V 45	BREHAN	.56
69	W 41	BREHAND	.22
111	AR 55	BREHEMONT	.37
40	CC 31	BREHEVILLE	.55
43	CS 33	BREIDENBACH	.57
93	AQ 53	BREIL	.49
74	AT 47	BREIL SUR MERIZE, LE	.72
195	CW 91	BREIL SUR ROYA	C .06
110	AP 54	BREILLE LES PINS, LA	.49
21	BF 26	BREILLY	.80
41	CJ 30	BREISTROFF LA GRANDE	.57
85	CR 42	BREITENAU	.67
85	CR 42	BREITENBACH	.67
85	CQ 46	BREITENBACH HAUT RHIN	.68
44	H 39	BRELES	.29
46	R 38	BRELIDY	.22
123	AB 62	BREM SUR MER	.85
62	CO 40	BREMENIL	.54
10	BE 15	BREMES	.62
83	CK 41	BREMONCOURT	.54
120	CL 55	BREMONDANS	.25
34	BB 30	BREMONTIER MERVAL	.76
50	AK 36	BREMOY	.14
101	BX 50	BREMUR ET VAUROIS	.21
162	CB 79	BREN	.26
223	BF 104	BRENAC	.11
204	BO 95	BRENAS	.34
159	BO 74	BRENAT	.63
149	CH 69	BRENAZ	.01
37	BP 32	BRENELLE	.02
171	BD 85	BRENGUES	.46
102	CC 49	BRENNES	.52
67	N 41	BRENNILIS	.29
149	CG 68	BRENOD	C .01
194	CO 93	BRENON	.83
35	BI 33	BRENOUILLE	.60
174	BQ 86	BRENOUX	.48
186	BD 93	BRENS	.81
149	CG 72	BRENS	.01
136	CM 66	BRENTHONNE	.74
57	BO 34	BRENY	.02
178	CM 86	BREOLE, LA	.04
119	CH 57	BRERES	.25
119	CF 60	BRERY	.39
140	AN 70	BRESDON	.17
121	CO 54	BRESEUX, LES	.25
119	CG 55	BRESILLEY	.70
21	BI 25	BRESLE	.80
35	BG 32	BRESLES	.60
131	BN 64	BRESNAY	.03
52	AU 40	BRESOLETTES	.61
84	CO 46	BRESSE, LA	.88
134	BZ 62	BRESSE SUR GROSNE	.71
118	CC 55	BRESSEY SUR TILLE	.21
162	CE 76	BRESSIEUX	.38
131	BO 64	BRESSOLLES	.03
148	CC 71	BRESSOLLES	.01
185	AZ 92	BRESSOLS	.82
163	CH 78	BRESSON	.38
109	AL 60	BRESSUIRE	S .79
66	I 41	BREST	S .29
32	AV 32	BRESTOT	.27
104	CQ 51	BRETAGNE	.90
113	BB 58	BRETAGNE	.36
183	AP 93	BRETAGNE D'ARMAGNAC	.32
182	AK 93	BRETAGNE DE MARSAN	.40
53	AZ 37	BRETAGNOLLES	.27
98	BL 51	BRETEAU	.45
70	AB 45	BRETEIL	.35
118	CB 55	BRETENIERE	.21
103	CK 53	BRETENIERE, LA	.25
119	CG 56	BRETENIERE, LA	.39
119	CF 59	BRETENIERES	.39
171	BD 81	BRETENOUX	C .46
53	AW 38	BRETEUIL	C .27
35	BG 29	BRETEUIL	C .60
52	AT 39	BRETHEL	.61
81	CB 45	BRETHENAY	.52
130	BK 63	BRETHON, LE	.03
104	CN 52	BRETIGNEY	.25
120	CL 54	BRETIGNEY NOTRE DAME	.25
109	AK 59	BRETIGNOLLES	.79
123	AA 62	BRETIGNOLLES SUR MER	.85
36	BM 30	BRETIGNY	.60
32	AU 34	BRETIGNY	.27
101	CB 54	BRETIGNY	.21
77	BG 40	BRETIGNY SUR ORGE	C .91
75	AV 42	BRETONCELLES	.61
124	AF 63	BRETONNIERE LA CLAYE, LA	.85
121	CN 55	BRETONVILLERS	.25
177	CE 85	BRETTE	.26
94	AR 48	BRETTE LES PINS	.72
105	CQ 49	BRETTEN	.68
140	AP 69	BRETTES	.16
29	AE 28	BRETTEVILLE	.50
32	AS 28	BRETTEVILLE DU GRAND CAUX	.76
51	AO 35	BRETTEVILLE LE RABET	.14
31	AM 33	BRETTEVILLE L'ORGUEILLEUSE	.14
33	AW 27	BRETTEVILLE SAINT LAURENT	.76
29	AE 32	BRETTEVILLE SUR AY	.50
51	AP 35	BRETTEVILLE SUR DIVES	.14
51	AN 35	BRETTEVILLE SUR LAIZE	C .14
51	AM 34	BRETTEVILLE SUR ODON	.14
42	CL 32	BRETTNACH	.57
201	AX 95	BRETX	.31
103	CK 49	BREUCHES	.70
104	CL 48	BREUCHOTTE	.70
99	BP 54	BREUGNON	.58
37	BR 32	BREUIL	.51
36	BL 28	BREUIL	.80
57	BQ 36	BREUIL, LE	.51
117	BX 60	BREUIL, LE	.71
147	BY 70	BREUIL, LE	.69
146	BQ 67	BREUIL, LE	.03
125	AJ 62	BREUIL BARRET	.85
125	AK 61	BREUIL BERNARD, LE	.79
54	BC 37	BREUIL BOIS ROBERT	.78
32	AR 33	BREUIL EN AUGE, LE	.14
30	AJ 33	BREUIL EN BESSIN, LE	.14
139	AJ 68	BREUIL LA REORTE	.17
35	BH 32	BREUIL LE SEC	.60
35	BH 32	BREUIL LE VERT	.60
138	AH 69	BREUIL MAGNE	.17
109	AM 58	BREUIL SOUS ARGENTON, LE	.79
159	BO 75	BREUIL SUR COUZE, LE	.63
142	AX 69	BREUILAUFA	.87
155	AU 80	BREUILH	.24
77	BF 41	BREUILLET	.91
138	AG 72	BREUILLET	.17
54	BA 36	BREUILPONT	.27
103	CJ 49	BREUREY LES FAVERNEY	.70
64	CT 39	BREUSCHWICKERSHEIM	.67
82	CF 46	BREUVANNES EN BASSIGNY	.52
58	BV 37	BREUVERY SUR COOLE	.51
29	AD 29	BREUVILLE	.50
40	CD 29	BREUX	.55
77	BF 41	BREUX JOUY	.91
53	AX 39	BREUX SUR AVRE	.27
95	AZ 48	BREVAINVILLE	.41
54	BA 37	BREVAL	.78
30	AH 32	BREVANDS	.50
119	CF 57	BREVANS	.39
32	AS 33	BREVEDENT, LE	.14
99	BQ 54	BREVES	.58
54	BC 39	BREVIAIRES, LES	.78
80	BT 44	BREVIANDES	.10
52	AQ 36	BREVIERE, LA	.14
139	AM 71	BREVILLE	.16
31	AO 33	BREVILLE LES MONTS	.14
49	AE 37	BREVILLE SUR MER	.50
21	BH 22	BREVILLERS	.80
20	BE 21	BREVILLERS	.62
104	CO 51	BREVILLIERS	.70
39	CA 28	BREVILLY	.08
80	BW 43	BREVONNES	.10
10	BC 19	BREXENT ENOCQ	.62
120	CK 60	BREY ET MAISON DU BOIS	.25
110	AO 56	BREZE	.49
178	CL 86	BREZIERS	.05
219	BE 101	BREZILHAC	.11
162	CE 76	BREZINS	.38
53	AX 39	BREZOLLES	C .28
172	BK 81	BREZONS	.15
179	CP 81	BRIANCON	S .05
194	CQ 92	BRIANCONNET	.06
100	BW 53	BRIANNY	.21
133	BU 66	BRIANT	.71
129	BE 63	BRIANTES	.36
98	BJ 51	BRIARE	C .45
77	BH 45	BRIARRES SUR ESSONNE	.45
11	BH 20	BRIAS	.62
23	BP 23	BRIASTRE	.59
202	BD 94	BRIATEXTE	.81
82	CC 45	BRIAUCOURT	.52
103	CK 48	BRIAUCOURT	.70
81	CA 46	BRICON	.52
76	BA 41	BRICONVILLE	.28
29	AE 30	BRICQUEBEC	C .50
29	AD 29	BRICQUEBOSQ	.50
30	AI 32	BRICQUEVILLE	.14
49	AF 35	BRICQUEVILLE LA BLOUETTE	.50
49	AE 36	BRICQUEVILLE SUR MER	.50
96	BC 47	BRICY	.45
164	CN 75	BRIDES LES BAINS	.73
163	CH 74	BRIDOIRE, LA	.73
112	AX 58	BRIDORE	.37
22	BL 26	BRIE	.80
37	BP 29	BRIE	.02
71	AE 47	BRIE	.35
110	AO 59	BRIE	.79
140	AQ 72	BRIE	.16
218	BA 100	BRIE	.09
55	BJ 39	BRIE COMTE ROBERT	C .77
163	CI 78	BRIE ET ANGONNES	.38
153	AM 75	BRIE SOUS ARCHIAC	.17
154	AO 76	BRIE SOUS BARBEZIEUX	.16
154	AO 77	BRIE SOUS CHALAIS	.16
139	AM 71	BRIE SOUS MATHA	.17
152	AI 75	BRIE SOUS MORTAGNE	.17
67	L 44	BRIEC	C .29
80	BV 45	BRIEL SUR BARSE	.10
72	AH 47	BRIELLES	.35
134	CB 63	BRIENNE	.71
80	BX 43	BRIENNE LA VIEILLE	.10
80	BW 43	BRIENNE LE CHATEAU	C .10
38	BT 31	BRIENNE SUR AISNE	.08
147	BU 68	BRIENNON	.42
99	BQ 47	BRIENON SUR ARMANCON	C .89
77	BF 42	BRIERES LES SCELLES	.91
139	AM 68	BRIEUIL SUR CHIZE	.79
39	BZ 30	BRIEULLES SUR BAR	.08
39	CB 32	BRIEULLES SUR MEUSE	.55
51	AP 38	BRIEUX	.61
41	CH 33	BRIEY	S .54
144	BJ 73	BRIFFONS	.63
69	X 45	BRIGNAC	.56
205	BQ 96	BRIGNAC	.34
156	AZ 78	BRIGNAC LA PLAINE	.19
148	BZ 73	BRIGNAIS	.69
54	BE 35	BRIGNANCOURT	.95
109	AM 55	BRIGNE	.49
200	AV 94	BRIGNEMONT	.31
45	K 38	BRIGNOGAN PLAGE	.29
209	CL 98	BRIGNOLES	S .83
190	BW 92	BRIGNON	.30
174	BT 81	BRIGNON, LE	.43
195	CX 90	BRIGUE, LA	.06
128	AX 65	BRIGUEIL LE CHANTRE	.86
141	AV 70	BRIGUEUIL	.16
55	BF 40	BRIIS SOUS FORGES	.91
141	AU 69	BRILLAC	.16
192	CJ 92	BRILLANNE, LA	.04
80	BW 42	BRILLECOURT	.10
29	AF 28	BRILLEVAST	.50
12	BN 20	BRILLON	.59
59	CB 39	BRILLON EN BARROIS	.55
10	BD 20	BRIMEUX	.62
38	BT 32	BRIMONT	.51
61	CK 38	BRIN SUR SEILLE	.54
116	BR 58	BRINAY	.58
113	BF 56	BRINAY	.18
105	CT 50	BRINCKHEIM	.68
148	BZ 72	BRINDAS	.69
47	T 39	BRINGOLO	.22
116	BP 55	BRINON SUR BEUVRON	C .58
97	BG 52	BRINON SUR SAULDRE	.18
135	CG 62	BRIOD	.39
92	AL 52	BRIOLLAY	.49
93	AO 53	BRION	.49
117	BV 59	BRION	.71
127	AS 65	BRION	.86
135	CF 67	BRION	.01
113	BC 59	BRION	.36
99	BP 47	BRION	.89
162	CE 77	BRION	.38
173	BM 83	BRION	.48
110	AN 57	BRION PRES THOUET	.79
101	BY 48	BRION SUR OURCE	.21
32	AV 34	BRIONNE	C .27
143	BC 67	BRIONNE, LA	.23
149	CF 71	BRIORD	.01
74	AS 45	BRIOSNE LES SABLES	.72
34	BD 29	BRIOT	.60
96	BA 49	BRIOU	.41
159	BP 77	BRIOUDE	S .43
140	AN 68	BRIOUX SUR BOUTONNE	C .79
51	AM 39	BRIOUZE	C .61
21	BF 26	BRIQUEMESNIL FLOXICOURT	.80
39	BZ 31	BRIQUENAY	.08
196	AD 97	BRISCOUS	.64
150	CI 72	BRISON SAINT INNOCENT	.73
189	BR 93	BRISSAC	.34
109	AL 54	BRISSAC QUINCE	.49
92	AL 50	BRISSARTHE	.49
37	BO 28	BRISSAY CHOIGNY	.02
37	BO 28	BRISSY HAMEGICOURT	.02
156	BA 79	BRIVE LA GAILLARDE	S .19
113	BD 60	BRIVES	.36
160	BT 80	BRIVES CHARENSAC	.43
139	AL 73	BRIVES SUR CHARENTE	.17
157	BD 80	BRIVEZAC	.19
29	AE 29	BRIX	.50
82	CG 41	BRIXEY AUX CHANOINES	.55
139	AL 71	BRIZAMBOURG	.17
111	AS 57	BRIZAY	.37
59	CA 36	BRIZEAUX	.55
150	CM 68	BRIZON	.74
94	AQ 52	BROC	.49
159	BO 75	BROC, LE	.63
195	CT 93	BROC, LE	.06
181	AJ 91	BROCAS	.40
118	CA 55	BROCHON	.21
20	BD 27	BROCOURT	.80
59	CB 34	BROCOURT EN ARGONNE	.55
52	AT 36	BROGLIE	C .27
104	CP 51	BROGNARD	.25
24	BU 25	BROGNON	.08
102	CC 53	BROGNON	.21
118	CC 57	BROIN	.21
118	CB 56	BROINDON	.21
135	CE 65	BROISSIA	.39
34	BD 29	BROMBOS	.60
77	BI 45	BROMEILLES	.45
172	BJ 82	BROMMAT	.12
144	BK 71	BROMONT LAMOTHE	.63
148	CB 72	BRON	C .69
41	CI 33	BRONVAUX	.57
70	Y 43	BROONS	C .22
85	CR 41	BROQUE, LA	.67
34	BD 29	BROQUIERS	.60
187	BJ 92	BROQUIES	.12
153	AO 77	BROSSAC	C .16
161	BZ 77	BROSSAINC	.07
110	AN 56	BROSSAY	.49
78	BL 43	BROSSE MONTCEAUX, LA	.77
99	BR 52	BROSSES	.89
53	AX 35	BROSVILLE	.27
103	CL 49	BROTTE LES LUXEUIL	.70
102	CG 51	BROTTE LES RAY	.70
75	AY 45	BROU	C .28
55	BJ 37	BROU SUR CHANTEREINE	.77
50	AI 39	BROUAINS	.50
71	AD 41	BROUALAN	.35
30	AL 33	BROUAY	.14
155	AW 78	BROUCHAUD	.24
36	BM 28	BROUCHY	.80
61	CL 34	BROUCK	.57
11	BG 14	BROUCKERQUE	.59
62	CP 38	BROUDERDORFF	.57
54	BB 39	BROUE	.28
39	CC 30	BROUENNES	.55
199	AR 95	BROUILH MONBERT, LE	.32
225	BL 108	BROUILLA	.66
37	BR 33	BROUILLET	.51
167	AM 86	BROUQUEYRAN	.33
139	AM 70	BROUSSE, LA	.17
202	BE 95	BROUSSE	.81
144	BH 70	BROUSSE	.23
159	BP 74	BROUSSE	.63
187	BJ 92	BROUSSE LE CHATEAU	.12
203	BG 99	BROUSSES ET VILLARET	.11
81	CA 41	BROUSSEVAL	.52
60	CE 40	BROUSSEY EN BLOIS	.55
60	CF 37	BROUSSEY RAULECOURT	.55
57	BS 38	BROUSSY LE GRAND	.51
57	BR 38	BROUSSY LE PETIT	.51
145	BO 67	BROUT VERNET	.03
84	CN 44	BROUVELIEURES	C .88
84	CN 41	BROUVILLE	.54
62	CQ 38	BROUVILLER	.57
77	BG 44	BROUY	.91
190	BW 90	BROUZET LES ALES	.30
189	BU 93	BROUZET LES QUISSAC	.30
108	AE 59	BROUZILS, LES	.85
11	BG 16	BROXEELE	.59
117	BV 59	BROYE	.71
119	CF 54	BROYE AUBIGNEY MONTSEUGNY	.70
102	CE 53	BROYE LES LOUPS ET VERFONTAINE	.70
35	BH 29	BROYES	.60
57	BR 39	BROYES	.51
186	BD 92	BROZE	.81
84	CN 42	BRU	.88
134	CD 62	BRUAILLES	.71
11	BI 20	BRUAY LA BUISSIERE	C .62
13	BP 20	BRUAY SUR L'ESCAUT	.59

Page	Carreau	Commune	Adm.	Dpt
56	BK 37	CHARMENTRAY		77
83	CK 42	CHARMES	C	88
37	BO 29	CHARMES		02
102	CD 54	CHARMES		21
102	CD 48	CHARMES		52
145	BN 69	CHARMES		03
81	CA 43	CHARMES EN L'ANGLE		52
60	CG 40	CHARMES LA COTE		54
81	CA 42	CHARMES LA GRANDE		52
102	CG 49	CHARMES SAINT VALBERT		70
162	CB 78	CHARMES SUR L'HERBASSE		26
176	CA 82	CHARMES SUR RHONE		07
121	CN 55	CHARMOILLE		25
103	CJ 50	CHARMOILLE		70
104	CP 51	CHARMOIS		90
83	CK 40	CHARMOIS		54
84	CM 44	CHARMOIS DEVANT BRUYERES		88
83	CK 45	CHARMOIS L'ORGUEILLEUX		88
54	BD 35	CHARMONT		95
59	BZ 37	CHARMONT		51
77	BF 45	CHARMONT EN BEAUCE		45
80	BU 42	CHARMONT SOUS BARBUISE		10
59	CA 36	CHARMONTOIS, LES		51
133	BW 61	CHARMOY		71
79	BQ 43	CHARMOY		10
99	BP 48	CHARMOY		89
161	BZ 76	CHARNAS		07
145	BP 70	CHARNAT		63
120	CI 56	CHARNAY		25
148	BY 70	CHARNAY		69
118	CC 58	CHARNAY LES CHALON		71
134	BZ 66	CHARNAY LES MACON		71
163	CF 76	CHARNECLES		38
112	AW 59	CHARNIZAY		37
135	CF 65	CHARNOD		39
25	BY 23	CHARNOIS		08
148	CD 70	CHARNOZ SUR AIN		01
98	BM 48	CHARNY	C	89
56	BJ 36	CHARNY		77
117	BW 54	CHARNY		21
80	BS 41	CHARNY LE BACHOT		10
40	CD 33	CHARNY SUR MEUSE	C	55
133	BW 64	CHAROLLES	S	71
176	CB 85	CHAROLS		26
75	AZ 44	CHARONVILLE		28
113	BF 58	CHAROST	C	18
39	CA 33	CHARPENTRY		55
176	CC 81	CHARPEY		26
54	BA 39	CHARPONT		28
121	CP 55	CHARQUEMONT		25
126	AQ 61	CHARRAIS		86
160	BQ 80	CHARRAIX		43
154	AR 74	CHARRAS		16
95	AZ 47	CHARRAY		28
197	AH 99	CHARRE		64
117	BY 60	CHARRECEY		71
118	CC 57	CHARREY SUR SAONE		21
100	BX 47	CHARREY SUR SEINE		21
132	BQ 61	CHARRIN		58
197	AG 99	CHARRITTE DE BAS		64
124	AG 66	CHARRON		17
144	BI 69	CHARRON		23
140	AR 68	CHARROUX	C	86
145	BN 67	CHARROUX		03
54	BE 34	CHARS		95
96	BB 48	CHARSONVILLE		45
76	BA 41	CHARTAINVILLIERS		28
57	BP 35	CHARTEVES		02
94	AT 50	CHARTRE SUR LE LOIR, LA	C	72
93	AO 52	CHARTRENE		49
76	BA 42	CHARTRES	P	28
71	AC 46	CHARTRES DE BRETAGNE		35
78	BJ 42	CHARTRETTES		77
156	AZ 80	CHARTRIER FERRIERE		19
56	BN 39	CHARTRONGES		77
153	AL 76	CHARTUZAC		17
148	CC 72	CHARVIEU CHAVAGNEUX		38
150	CK 69	CHARVONNEX		74
145	BO 72	CHAS		63
100	BT 48	CHASEREY BAS		10
124	AF 64	CHASNAIS		85
120	CL 57	CHASNANS		25
115	BN 56	CHASNAY		58
71	AE 44	CHASNE SUR ILLET		35
160	BT 79	CHASPINHAC		43
160	BR 80	CHASPUZAC		43
119	CE 59	CHASSAGNE, LA		39
159	BM 75	CHASSAGNE		63
118	BY 59	CHASSAGNE MONTRACHET		21
120	CJ 57	CHASSAGNE SAINT DENIS		25
159	BQ 78	CHASSAGNES		43
148	BZ 74	CHASSAGNY		69
154	AQ 78	CHASSAIGNES		24
135	CH 65	CHASSAL		39
75	AX 44	CHASSANT		28
74	AR 42	CHASSE		72
162	CA 74	CHASSE SUR RHONE		38
50	AH 39	CHASSEGUEY		50
134	BZ 66	CHASSELAS		71
148	BZ 71	CHASSELAY		69
162	CE 77	CHASSELAY		38
37	BP 32	CHASSEMY		02
132	BT 64	CHASSENARD		03
128	BA 62	CHASSENEUIL		36
127	AS 62	CHASSENEUIL DU POITOU		86
141	AS 71	CHASSENEUIL SUR BONNIEURE		16
141	AU 71	CHASSENON		16
174	BS 85	CHASSERADES		48
100	BW 53	CHASSEY		21
82	CD 42	CHASSEY BEAUPRE		55
118	BZ 59	CHASSEY LE CAMP		71
103	CK 52	CHASSEY LES MONTBOZON		70
103	CI 50	CHASSEY LES SCEY		70
140	AR 70	CHASSIECQ		16
175	BW 85	CHASSIERS		07
148	CB 72	CHASSIEU		69
100	BU 50	CHASSIGNELLES		89
163	CF 75	CHASSIGNIEU		38
129	BE 63	CHASSIGNOLLES		36
159	BQ 76	CHASSIGNOLLES		43
102	CD 50	CHASSIGNY		52
133	BV 67	CHASSIGNY SOUS DUN		71
73	AO 47	CHASSILLE		72
139	AN 72	CHASSORS		16
99	BO 49	CHASSY		89
114	BK 58	CHASSY		18
133	BU 63	CHASSY		71
156	BC 79	CHASTANG, LE		19
174	BS 83	CHASTANIER		48
156	BA 80	CHASTEAUX		19
159	BO 80	CHASTEL		43
176	CD 84	CHASTEL ARNAUD		26
174	BQ 85	CHASTEL NOUVEL		48
158	BL 79	CHASTEL SUR MURAT		15
116	BS 54	CHASTELLUX SUR CURE		89
158	BK 75	CHASTREIX		63
125	AJ 62	CHATAIGNERAIE, LA	C	85
141	AS 68	CHATAIN		86
53	AY 39	CHATAINCOURT		28
84	CP 42	CHATAS		88
133	BY 64	CHATEAU		71
192	CK 90	CHATEAU ARNOUX SAINT AUBAN		04
163	CG 80	CHATEAU BERNARD		38
61	CL 36	CHATEAU BREHAIN		57
135	CG 60	CHATEAU CHALON		39
156	AZ 74	CHATEAU CHERVIX		87
116	BT 57	CHATEAU CHINON (Ville)	S	58
116	BS 58	CHATEAU CHINON CAMPAGNE		58
52	AQ 39	CHATEAU D'ALMENECHES, LE		61
136	CI 63	CHATEAU DES PRES		39
138	AF 70	CHATEAU D'OLERON, LE	C	17
123	AB 63	CHATEAU D'OLONNE		85
94	AS 50	CHATEAU DU LOIR	C	72
149	CE 69	CHATEAU GAILLARD		01
127	AS 66	CHATEAU GARNIER		86
92	AJ 49	CHATEAU GONTIER	S	53
124	AF 62	CHATEAU GUIBERT		85
94	AR 52	CHATEAU LA VALLIERE	C	37
13	BP 19	CHATEAU L'ABBAYE		59
78	BJ 46	CHATEAU LANDON	C	77
126	AR 64	CHATEAU LARCHER		86
155	AT 78	CHATEAU L'EVEQUE		24
94	AQ 49	CHATEAU L'HERMITAGE		72
38	BU 30	CHATEAU PORCIEN	C	08
98	BK 48	CHATEAU RENARD	C	45
95	AW 52	CHATEAU RENAULT	C	37
42	CL 32	CHATEAU ROUGE		57
62	CL 37	CHATEAU SALINS	S	57
131	BM 61	CHATEAU SUR ALLIER		03
144	BI 68	CHATEAU SUR CHER		63
54	BB 34	CHATEAU SUR EPTE		27
108	AE 56	CHATEAU THEBAUD		44
57	BO 35	CHATEAU THIERRY	S	02
223	BB 105	CHATEAU VERDUN		09
179	CQ 82	CHATEAU VILLE VIEILLE		05
62	CM 37	CHATEAU VOUE		57
139	AM 73	CHATEAUBERNARD		16
78	BM 41	CHATEAUBLEAU		77
71	AE 45	CHATEAUBOURG	C	35
162	CA 80	CHATEAUBOURG		07
91	AF 50	CHATEAUBRIANT	S	44
176	CC 81	CHATEAUDOUBLE		26
210	CO 95	CHATEAUDOUBLE		83
75	AY 46	CHATEAUDUN	S	28
55	BE 39	CHATEAUFORT		78
193	CK 88	CHATEAUFORT		04
145	BM 71	CHATEAUGAY		63
71	AD 46	CHATEAUGIRON	C	35
67	K 43	CHATEAULIN	S	29
129	BF 63	CHATEAUMEILLANT	C	18
107	AA 58	CHATEAUNEUF		85
133	BV 67	CHATEAUNEUF		71
117	BY 56	CHATEAUNEUF		21
161	BZ 74	CHATEAUNEUF		42
150	CK 74	CHATEAUNEUF		73
191	CD 88	CHATEAUNEUF DE BORDETTE		26
192	CI 88	CHATEAUNEUF DE CHABRE		05
191	CC 92	CHATEAUNEUF DE GADAGNE		84
162	CB 78	CHATEAUNEUF DE GALAURE		26
174	BR 84	CHATEAUNEUF DE RANDON	C	48
175	BZ 81	CHATEAUNEUF DE VERNOUX		07
194	CQ 89	CHATEAUNEUF D'ENTRAUNES		06
48	AB 40	CHATEAUNEUF D'ILLE ET VILAINE	C	35
178	CI 85	CHATEAUNEUF D'OZE		05
67	M 43	CHATEAUNEUF DU FAOU	C	29
191	CA 91	CHATEAUNEUF DU PAPE		84
176	BZ 86	CHATEAUNEUF DU RHONE		26
75	AY 41	CHATEAUNEUF EN THYMERAIS	C	28
211	CS 94	CHATEAUNEUF GRASSE		06
143	BB 73	CHATEAUNEUF LA FORET	C	87
208	CH 97	CHATEAUNEUF LE ROUGE		13
145	BK 69	CHATEAUNEUF LES BAINS		63
208	CD 98	CHATEAUNEUF LES MARTIGUES	C	13
192	CI 89	CHATEAUNEUF MIRAVAIL		04
140	AO 74	CHATEAUNEUF SUR CHARENTE	C	16
114	BG 60	CHATEAUNEUF SUR CHER	C	18
162	CB 80	CHATEAUNEUF SUR ISERE		26
97	BG 49	CHATEAUNEUF SUR LOIRE	C	45
92	AL 50	CHATEAUNEUF SUR SARTHE	C	49
115	BN 55	CHATEAUNEUF VAL DE BARGIS		58
192	CJ 90	CHATEAUNEUF VAL SAINT DONAT		04
195	CU 92	CHATEAUNEUF VILLEVIEILLE		06
142	AY 68	CHATEAUPONSAC	C	87
193	CM 91	CHATEAUREDON		04
191	CB 93	CHATEAURENARD	C	13
113	BC 60	CHATEAUROUX	P	36
179	CN 84	CHATEAUROUX LES ALPES		05
209	CK 97	CHATEAUVERT		83
112	AZ 56	CHATEAUVIEUX		41
194	CP 93	CHATEAUVIEUX		83
178	CK 86	CHATEAUVIEUX		05
120	CK 57	CHATEAUVIEUX LES FOSSES		25
162	CE 74	CHATEAUVILAIN		38
81	CA 47	CHATEAUVILLAIN	C	52
137	CP 65	CHATEL		74
164	CM 76	CHATEL, LE		73
99	BQ 52	CHATEL CENSOIR		89
39	BZ 33	CHATEL CHEHERY		08
135	CH 63	CHATEL DE JOUX		39
131	BO 65	CHATEL DE NEUVRE		03
100	BU 51	CHATEL GERARD		89
146	BR 68	CHATEL MONTAGNE		03
117	BY 60	CHATEL MORON		71
61	CI 34	CHATEL SAINT GERMAIN		57
83	CL 43	CHATEL SUR MOSELLE	C	88
138	AG 68	CHATELAILLON PLAGE		17
92	AK 49	CHATELAIN		53
119	CH 59	CHATELAINE, LA		39
92	AI 49	CHATELAIS		49
150	CK 72	CHATELARD, LE	C	73
144	BH 70	CHATELARD		23
47	T 40	CHATELAUDREN	C	22
119	CG 57	CHATELAY		39
136	CJ 61	CHATELBLANC		25
146	BQ 70	CHATELDON	C	63
130	BG 62	CHATELET, LE	C	18
78	BK 41	CHATELET EN BRIE, LE	C	77
82	CF 47	CHATELET SUR MEUSE, LE		52
38	BV 31	CHATELET SUR RETOURNE, LE		08
24	BW 27	CHATELET SUR SORMONNE, LE		08
53	AX 40	CHATELETS, LES		28
119	CF 59	CHATELEY, LE		39
145	BM 70	CHATELGUYON		63
59	BZ 37	CHATELIER, LE		51
117	BX 55	CHATELLENOT		21
111	AS 60	CHATELLERAULT	S	86
50	AL 39	CHATELLIER, LE		61
71	AG 42	CHATELLIER, LE		35
109	AI 59	CHATELLIERS CHATEAUMUR, LES		85
75	AY 43	CHATELLIERS NOTRE DAME, LES		28
135	CI 61	CHATELNEUF		39
146	BT 73	CHATELNEUF		42
132	BQ 65	CHATELPERRON		03
58	BX 39	CHATELRAOULD SAINT LOUVENT		51
146	BR 67	CHATELUS		03
161	BX 74	CHATELUS		42
163	CE 79	CHATELUS		38
142	BB 69	CHATELUS LE MARCHEIX		23
129	BE 66	CHATELUS MALVALEIX	C	23
76	BD 43	CHATENAY		28
133	BW 66	CHATENAY		71
148	CC 69	CHATENAY		01
162	CD 77	CHATENAY		38
55	BH 35	CHATENAY EN FRANCE		95
102	CD 48	CHATENAY MACHERON		52
55	BG 39	CHATENAY MALABRY	C	92
78	BM 43	CHATENAY SUR SEINE		77
102	CE 48	CHATENAY VAUDIN		52
153	AM 77	CHATENET		17
142	BA 70	CHATENET EN DOGNON, LE		87
103	CK 50	CHATENEY		70
82	CG 43	CHATENOIS	C	88
85	CS 43	CHATENOIS		67
103	CK 50	CHATENOIS		70
119	CF 56	CHATENOIS		39
104	CO 51	CHATENOIS LES FORGES	C	90
77	BI 45	CHATENOY		77
97	BH 48	CHATENOY		45
118	CA 60	CHATENOY EN BRESSE		71
118	BZ 60	CHATENOY LE ROYAL		71
154	AO 76	CHATIGNAC		16
76	BD 42	CHATIGNONVILLE		91
55	BG 38	CHATILLON	C	92
131	BN 64	CHATILLON		03
126	AQ 66	CHATILLON		86
135	CG 62	CHATILLON		39
148	BY 71	CHATILLON		69
98	BK 49	CHATILLON COLIGNY	C	45
116	BR 58	CHATILLON EN BAZOIS	C	58
177	CF 83	CHATILLON EN DIOIS	C	26
75	AY 46	CHATILLON EN DUNOIS		28
149	CH 67	CHATILLON EN MICHAILLE		01
71	AG 44	CHATILLON EN VENDELAIS		35
120	CJ 54	CHATILLON GUYOTTE		25
78	BK 41	CHATILLON LA BORDE		77
148	CD 69	CHATILLON LA PALUD		01
120	CI 54	CHATILLON LE DUC		25
77	BF 45	CHATILLON LE ROI		45
37	BQ 28	CHATILLON LES SONS		02
162	CD 79	CHATILLON SAINT JEAN		26
60	CE 34	CHATILLON SOUS LES COTES		55
81	BY 41	CHATILLON SUR BROUE		51
148	CA 68	CHATILLON SUR CHALARONNE	C	01
112	BA 55	CHATILLON SUR CHER		41
151	CN 67	CHATILLON SUR CLUSES		74
72	AK 43	CHATILLON SUR COLMONT		53
112	AX 58	CHATILLON SUR INDRE	C	36
120	CI 57	CHATILLON SUR LISON		25
98	BJ 52	CHATILLON SUR LOIRE	C	45
57	BR 35	CHATILLON SUR MARNE	C	51
57	BP 39	CHATILLON SUR MORIN		51
23	BO 27	CHATILLON SUR OISE		02
103	CH 47	CHATILLON SUR SAONE		88
100	BX 49	CHATILLON SUR SEINE	C	21
126	AN 62	CHATILLON SUR THOUET		79
116	BS 57	CHATIN		58
135	CF 64	CHATONNAY		39
162	CD 75	CHATONNAY		38
81	CB 41	CHATONRUPT SOMMERMONT		52
55	BF 37	CHATOU	C	78
129	BE 63	CHATRE, LA	S	36
128	AZ 65	CHATRE LANGLIN, LA		36
56	BK 39	CHATRES		77
79	BS 41	CHATRES		10
156	AY 78	CHATRES		24
73	AM 45	CHATRES LA FORET		53
113	BD 55	CHATRES SUR CHER		41
59	CA 35	CHATRICES		51
39	CC 33	CHATTANCOURT		55
162	CD 78	CHATTE		38
162	CC 80	CHATUZANGE LE GOUBET		26
119	CH 54	CHAUCENNE		25
173	BM 83	CHAUCHAILLES		48
108	AF 60	CHAUCHE		85
144	BH 68	CHAUCHET, LE		23
80	BT 42	CHAUCHIGNY		10
56	BK 36	CHAUCONIN NEUFMONTIERS		77
37	BR 32	CHAUDARDES		02
177	CD 86	CHAUDEBONNE		26
109	AJ 54	CHAUDEFONDS SUR LAYON		49
59	BZ 35	CHAUDEFONTAINE		51
103	CJ 54	CHAUDEFONTAINE		25
102	CE 49	CHAUDENAY		52
118	BZ 59	CHAUDENAY		71
117	BY 56	CHAUDENAY LA VILLE		21
117	BY 56	CHAUDENAY LE CHATEAU		21
61	CH 39	CHAUDENEY SUR MOSELLE		54
173	BM 82	CHAUDES AIGUES	C	15
174	BS 84	CHAUDEYRAC		48
175	BV 81	CHAUDEYROLLES		43
177	CD 84	CHAUDIERE, LA		26
54	BA 40	CHAUDON		28
193	CN 91	CHAUDON NORANTE		04
80	BV 41	CHAUDREY		10
108	AH 55	CHAUDRON EN MAUGES		49
36	BN 32	CHAUDUN		02
133	BW 67	CHAUFFAILLES	C	71
178	CK 83	CHAUFFAYER		05
83	CJ 43	CHAUFFECOURT		88
80	BV 45	CHAUFFOUR LES BAILLY		10
77	BF 41	CHAUFFOUR LES ETRECHY		91
156	BB 80	CHAUFFOUR SUR VELL		19
75	AZ 43	CHAUFFOURS		28
82	CD 47	CHAUFFOURT		52
56	BN 38	CHAUFFRY		77
54	BA 36	CHAUFOUR LES BONNIERES		78
73	AP 47	CHAUFOUR NOTRE DAME		72
101	CA 50	CHAUGEY		21
115	BM 57	CHAULGNES		58
173	BO 81	CHAULHAC		48
50	AJ 39	CHAULIEU		50
160	BT 75	CHAULME, LA		63
22	BK 27	CHAULNES	C	80
217	AT 103	CHAUM		31
116	BS 57	CHAUMARD		58
101	BZ 48	CHAUME, LA		21
102	CD 51	CHAUME ET COURCHAMP		21
101	BX 51	CHAUME LES BAIGNEUX		21
157	BD 75	CHAUMEIL		19
119	CF 54	CHAUMERCENNE		70
119	CE 59	CHAUMERGY	C	39
56	BK 40	CHAUMES EN BRIE		77
81	BX 43	CHAUMESNIL		10
81	CB 46	CHAUMONT	P	52
52	AS 38	CHAUMONT		61
114	BJ 60	CHAUMONT		18
78	BM 44	CHAUMONT		89
150	CI 68	CHAUMONT		74
93	AN 52	CHAUMONT D'ANJOU		49
40	CD 32	CHAUMONT DEVANT DAMVILLERS		55
34	BD 33	CHAUMONT EN VEXIN	C	60
82	CF 45	CHAUMONT LA VILLE		52
101	BX 48	CHAUMONT LE BOIS		21
160	BS 75	CHAUMONT LE BOURG		63
38	BU 29	CHAUMONT PORCIEN	C	08
60	CC 36	CHAUMONT SUR AIRE		55
95	AY 53	CHAUMONT SUR LOIRE		41
96	BD 51	CHAUMONT SUR THARONNE		41
55	BH 35	CHAUMONTEL		95
78	BN 46	CHAUMOT		89
116	BQ 55	CHAUMOT		58
83	CK 44	CHAUMOUSEY		88
114	BK 57	CHAUMOUX MARCILLY		18
111	AV 60	CHAUMUSSAY		37
136	CI 62	CHAUMUSSE, LA		39
57	BS 34	CHAUMUZY		51
153	AL 76	CHAUNAC		17
126	AQ 67	CHAUNAY		86
36	BN 29	CHAUNY	C	02
125	AL 65	CHAURAY		79
145	BO 72	CHAURIAT		63
144	BG 70	CHAUSSADE, LA		23
108	AG 55	CHAUSSAIRE, LA		49
148	BZ 73	CHAUSSAN		69
19	AY 27	CHAUSSEE, LA		76
110	AP 59	CHAUSSEE, LA		86
54	BA 37	CHAUSSEE D'IVRY, LA		28
95	AZ 51	CHAUSSEE SAINT VICTOR, LA		41
58	BX 38	CHAUSSEE SUR MARNE, LA		51
21	BF 25	CHAUSSEE TIRANCOURT, LA		80
157	BG 79	CHAUSSENAC		15
119	CG 60	CHAUSSENANS		39
146	BR 70	CHAUSSETERRE		42
119	CE 58	CHAUSSIN	C	39
35	BG 28	CHAUSSOY EPAGNY		80
54	BC 35	CHAUSSY		95
76	BE 45	CHAUSSY		45
115	BL 59	CHAUTAY, LE		18
192	CG 88	CHAUVAC LAUX MONTAUX		26
107	AA 56	CHAUVE		44
40	CC 30	CHAUVENCY LE CHATEAU		55
40	CC 30	CHAUVENCY SAINT HUBERT		55
71	AE 42	CHAUVIGNE		35
127	AU 63	CHAUVIGNY	C	86
95	AX 48	CHAUVIGNY DU PERCHE		41
34	BC 33	CHAUVINCOURT PROVEMONT		27
102	CG 49	CHAUVIREY LE CHATEL		70
102	CG 49	CHAUVIREY LE VIEIL		70
60	CE 37	CHAUVONCOURT		55
55	BG 35	CHAUVRY		95
51	AN 40	CHAUX, LA		61
104	CO 49	CHAUX		90
118	CA 57	CHAUX		21
120	CM 57	CHAUX, LA		25
118	CD 60	CHAUX, LA		71
119	CH 59	CHAUX CHAMPAGNY		39
136	CI 61	CHAUX DES CROTENAY		39
135	CI 63	CHAUX DES PRES		39
136	CI 62	CHAUX DU DOMBIEF, LA		39
119	CE 60	CHAUX EN BRESSE, LA		39
103	CI 53	CHAUX LA LOTIERE		70
104	CM 53	CHAUX LES CLERVAL		25
120	CL 55	CHAUX LES PASSAVANT		25
103	CI 50	CHAUX LES PORT		70
136	CK 61	CHAUX NEUVE		25
175	BW 86	CHAUZON		07
158	BL 79	CHAVAGNAC		15
156	AZ 80	CHAVAGNAC		24
70	AC 46	CHAVAGNE		35
109	AL 55	CHAVAGNES		49
108	AF 59	CHAVAGNES EN PAILLERS		85
124	AI 61	CHAVAGNES LES REDOUX		85
93	AP 52	CHAVAIGNES		49
143	BE 74	CHAVANAC		19
143	BD 70	CHAVANAT		23
105	CQ 51	CHAVANATTE		90
161	BZ 76	CHAVANAY		42
80	BX 41	CHAVANGES	C	10
160	BQ 79	CHAVANIAC LAFAYETTE		43
150	CJ 68	CHAVANNAZ		74
104	CN 51	CHAVANNE		70
164	CK 74	CHAVANNE, LA		73
114	BH 60	CHAVANNES		18
162	CB 79	CHAVANNES		26
164	CL 75	CHAVANNES EN MAURIENNE, LES		73
104	CQ 51	CHAVANNES LES GRANDS		90
104	CQ 50	CHAVANNES SUR L'ETANG		68
134	CB 64	CHAVANNES SUR REYSSOUZE		01
135	CE 66	CHAVANNES SUR SURAN		01
150	CJ 70	CHAVANOD		74
148	CC 71	CHAVANOZ		38
145	BN 71	CHAVAROUX		63
36	BJ 28	CHAVATTE, LA		80
110	AR 58	CHAVEIGNES		37
83	CL 44	CHAVELOT		88
154	AP 75	CHAVENAT		16
54	BE 38	CHAVENAY		78
54	BE 34	CHAVENCON		60
131	BL 65	CHAVENON		03
135	CF 63	CHAVERIA		39
157	BG 74	CHAVEROCHE		19
134	CB 67	CHAVEYRIAT		01
37	BP 31	CHAVIGNON		02
36	BN 31	CHAVIGNY		02
61	CI 39	CHAVIGNY		54
53	AY 37	CHAVIGNY BAILLEUL		27
55	BF 38	CHAVILLE	C	92
128	BB 63	CHAVIN		36
37	BP 31	CHAVONNE		02
149	CH 70	CHAVORNAY		01
57	BS 36	CHAVOT COURCOURT		51
49	AG 38	CHAVOY		50
132	BQ 65	CHAVROCHES		03
119	CH 57	CHAY		25
138	AH 73	CHAY, LE		17
148	BZ 70	CHAZAY D'AZERGUES		69
173	BO 84	CHAZE DE PEYRE, LA		48
92	AH 49	CHAZE HENRY		49
92	AI 51	CHAZE SUR ARGOS		49
175	BW 85	CHAZEAUX		07
128	BA 64	CHAZELET		36
135	CD 64	CHAZELLES		39
140	AR 73	CHAZELLES		16
159	BQ 80	CHAZELLES		43
159	BO 79	CHAZELLES		15
62	CN 40	CHAZELLES SUR ALBE		54
160	BU 74	CHAZELLES SUR LAVIEU		42
147	BX 73	CHAZELLES SUR LYON	C	42
130	BI 64	CHAZEMAIS		03
102	CD 52	CHAZEUIL		21
115	BO 55	CHAZEUIL		58
149	CG 71	CHAZEY BONS		01
148	CD 70	CHAZEY SUR AIN		01
117	BX 56	CHAZILLY		21
120	CM 54	CHAZOT		25
96	BE 48	CHECY	C	45
112	AW 56	CHEDIGNY		37
140	AO 68	CHEF BOUTONNE	C	79
29	AG 31	CHEF DU PONT		50
83	CI 43	CHEF HAUT		88
92	AL 51	CHEFFES		49
125	AJ 62	CHEFFOIS		85
52	AR 35	CHEFFREVILLE TONNENCOURT		14
50	AH 36	CHEFRESNE, LE		50
39	BZ 29	CHEHERY		08
149	CG 71	CHEIGNIEU LA BALME		01
111	AS 55	CHEILLE		37
117	BY 59	CHEILLY LES MARANGES		71
217	AV 102	CHEIN DESSUS		31
143	BB 71	CHEISSOUX		87
145	BN 70	CHEIX, LE		63
107	AB 55	CHEIX EN RETZ		44
200	AS 99	CHELAN		32
21	BH 21	CHELERS		62
163	CF 75	CHELIEU		38
199	AP 99	CHELLE DEBAT		65
216	AP 101	CHELLE SPOU		65
55	BI 37	CHELLES	C	77
36	BM 32	CHELLES		60
91	AG 48	CHELUN		35
119	CH 55	CHEMAUDIN		25
92	AJ 49	CHEMAZE		53
109	AM 54	CHEMELLIER		49
119	CF 59	CHEMENOT		39
107	AA 56	CHEMERE		44
73	AM 47	CHEMERE LE ROI		53
112	BA 54	CHEMERY		41
41	CK 32	CHEMERY LES DEUX		57
39	BZ 29	CHEMERY SUR BAR		08
135	CF 65	CHEMILLA		39
109	AJ 56	CHEMILLE	C	49
94	AU 51	CHEMILLE SUR DEME		37
112	AY 56	CHEMILLE SUR INDROIS		37
74	AS 43	CHEMILLI		61
131	BO 64	CHEMILLY		03
103	CI 50	CHEMILLY		70
99	BS 50	CHEMILLY SUR SEREIN		89
99	BQ 48	CHEMILLY SUR YONNE		89
119	CD 58	CHEMIN	C	39
59	CA 36	CHEMIN, LE		51
100	BX 50	CHEMIN D'AISEY		21
162	BZ 79	CHEMINAS		07
59	BZ 39	CHEMINON		51
61	CI 36	CHEMINOT		57
73	AO 46	CHEMIRE EN CHARNIE		72
93	AP 48	CHEMIRE LE GAUDIN		72
93	AM 50	CHEMIRE SUR SARTHE		49
12	BL 19	CHEMY		59
152	AI 74	CHENAC SAINT SEURIN D'UZET		17
157	BD 80	CHENAILLER MASCHEIX		19
121	CO 56	CHENALOTTE, LA		25
134	BZ 67	CHENAS		69
154	AP 78	CHENAUD		24
37	BS 33	CHENAY		51
74	AQ 42	CHENAY		72
126	AO 66	CHENAY		79
132	BT 67	CHENAY LE CHATEL		71
80	BU 41	CHENE, LE		10
98	BM 48	CHENE ARNOULT		89
119	CF 59	CHENE BERNARD		39
149	CI 68	CHENE EN SEMINE		74
119	CE 59	CHENE SEC		39
104	CN 50	CHENEBIER		70
119	CI 56	CHENECEY BUILLON		25
126	AR 61	CHENECHE		86
50	AK 37	CHENEDOLLE		14
51	AN 38	CHENEDOUIT		61
110	AN 55	CHENEHUTTE TREVES CUNAULT		49
147	BX 67	CHENELETTE		69
143	BF 68	CHENERAILLES	C	23
160	BU 75	CHENEREILLES		42
161	BW 79	CHENEREILLES		43
127	AU 61	CHENEVELLES		86
84	CM 41	CHENEVIERES		54
119	CG 55	CHENEVREY ET MOROGNE		70
150	CJ 68	CHENEX		74
100	BT 48	CHENEY		89
61	CJ 37	CHENICOURT		54
40	CF 30	CHENIERES		54
58	BU 37	CHENIERS		51
129	BC 65	CHENIERS		23
92	AK 50	CHENILLE CHANGE		49
84	CM 45	CHENIMENIL		88
53	AV 39	CHENNEBRUN		27
79	BS 45	CHENNEGY		10
55	BI 35	CHENNEVIERES LES LOUVRES		95
55	BI 38	CHENNEVIERES SUR MARNE	C	94
61	CL 36	CHENOIS		57
56	BN 40	CHENOISE		77
140	AQ 70	CHENOMMET		16
140	AQ 70	CHENON		16
112	AX 54	CHENONCEAUX		37
77	BJ 45	CHENOU		77
118	CB 55	CHENOVE	C	21
133	BY 62	CHENOVES		71
136	CL 65	CHENS SUR LEMAN		74
94	AR 51	CHENU		72
99	BQ 48	CHENY		89
153	AM 77	CHEPNIERS		17
35	BH 29	CHEPOIX		60
58	BW 35	CHEPPE, LA		51
58	BW 38	CHEPPES LA PRAIRIE		51
39	CA 33	CHEPPY		55
77	BG 41	CHEPTAINVILLE		91
58	BW 37	CHEPY		51
20	BC 24	CHEPY		80
139	AL 72	CHERAC		17
74	AQ 44	CHERANCE		72
92	AI 49	CHERANCE		53
197	AH 100	CHERAUTE		64
139	AM 69	CHERBONNIERES		17
29	AE 28	CHERBOURG OCTEVILLE	S	50
54	BC 35	CHERENCE		95
49	AH 38	CHERENCE LE HERON		50
50	AI 39	CHERENCE LE ROUSSEL		50
12	BN 18	CHERENG		59
148	BZ 70	CHERES, LES		69
37	BQ 30	CHERET		02
21	BE 21	CHERIENNES		62
146	BT 69	CHERIER		42
140	AN 68	CHERIGNE		79
49	AG 40	CHERIS, LES		50
74	AQ 43	CHERISAY		72
61	CJ 35	CHERISEY		57
54	BA 39	CHERISY		28
22	BK 22	CHERISY		62
133	BY 63	CHERIZET		71
139	AJ 72	CHERMIGNAC		17
82	CE 42	CHERMISEY		88
37	BR 31	CHERMIZY AILLES		02

Page	Carreau	Commune	Adm.	Dpt
145	BM 70	COMBRONDE	C	63
55	BI 40	COMBS LA VILLE	C	77
117	BU 59	COMELLE, LA		71
171	BE 81	COMIAC		46
220	BI 101	COMIGNE		11
12	BL 16	COMINES		59
67	M 41	COMMANA		29
117	BY 55	COMMARIN		21
51	AO 38	COMMEAUX		61
162	CD 75	COMMELLE		38
147	BU 69	COMMELLE VERNAY		42
119	CE 60	COMMENAILLES		39
36	BM 29	COMMENCHON		02
181	AH 89	COMMENSACQ		40
130	BK 66	COMMENTRY	C	03
54	BD 35	COMMENY		95
107	AB 60	COMMEQUIERS		85
72	AK 44	COMMER		53
60	CE 38	COMMERCY	S	55
74	AS 43	COMMERVEIL		72
30	AK 32	COMMES		14
120	CJ 60	COMMUNAILLES EN MONTAGNE		39
148	CA 73	COMMUNAY		69
158	BL 76	COMPAINS		63
34	BB 29	COMPAINVILLE		76
56	BJ 36	COMPANS		77
144	BI 69	COMPAS, LE		23
58	BV 37	COMPERTRIX		51
188	BM 90	COMPEYRE		12
36	BK 31	COMPIEGNE	S	60
78	BN 43	COMPIGNY		89
186	BF 88	COMPOLIBAT		12
150	CK 72	COMPOTE, LA		73
187	BL 91	COMPREGNAC		12
142	AY 69	COMPREIGNAC		87
176	CD 85	COMPS		26
153	AJ 79	COMPS		33
190	BZ 93	COMPS		30
187	BI 89	COMPS LA GRAND VILLE		12
210	CO 94	COMPS SUR ARTUBY	C	83
11	BH 20	COMTE, LA		62
223	BD 105	COMUS		11
95	AZ 50	CONAN		41
149	CF 70	CONAND		01
224	BH 107	CONAT		66
231	DN 114	CONCA		2A
67	L 47	CONCARNEAU	C	29
37	BR 32	CONCEVREUX		02
156	AZ 77	CONCEZE		19
53	AW 36	CONCHES EN OUCHE	C	27
56	BJ 38	CONCHES SUR GONDOIRE		77
198	AM 96	CONCHEZ DE BEARN		64
20	BB 21	CONCHIL LE TEMPLE		62
36	BJ 29	CONCHY LES POTS		60
21	BF 22	CONCHY SUR CANCHE		62
170	AZ 84	CONCORES		46
70	Z 45	CONCORET		56
185	BB 87	CONCOTS		46
189	BT 87	CONCOULES		30
109	AM 56	CONCOURSON SUR LAYON		49
128	AW 63	CONCREMIERS		36
97	BI 53	CONCRESSAULT		18
96	BA 50	CONCRIERS		41
140	AQ 69	CONDAC		16
134	CD 64	CONDAL		71
135	CE 62	CONDAMINE		39
149	CF 68	CONDAMINE		01
179	CQ 86	CONDAMINE CHATELARD, LA		04
158	BK 77	CONDAT	C	15
171	BB 81	CONDAT		46
144	BI 71	CONDAT EN COMBRAILLE		63
159	BQ 74	CONDAT LES MONTBOISSIER		63
156	BB 75	CONDAT SUR GANAVEIX		19
155	AU 76	CONDAT SUR TRINCOU		24
156	AY 79	CONDAT SUR VEZERE		24
142	AY 72	CONDAT SUR VIENNE		87
113	BE 60	CONDE		36
57	BP 36	CONDE EN BRIE	C	02
20	BE 25	CONDE FOLIE		80
39	BZ 33	CONDE LES AUTRY		08
38	BU 30	CONDE LES HERPY		08
41	CK 34	CONDE NORTHEN		57
56	BK 37	CONDE SAINTE LIBIAIRE		77
37	BP 32	CONDE SUR AISNE		02
75	AW 43	CONDE SUR HUISNE		61
51	AP 35	CONDE SUR IFS		14
53	AW 38	CONDE SUR ITON		27
13	BP 20	CONDE SUR L'ESCAUT	C	59
58	BU 35	CONDE SUR MARNE		51
50	AL 37	CONDE SUR NOIREAU	C	14
32	AU 32	CONDE SUR RISLE		27
73	AP 42	CONDE SUR SARTHE		61
30	AL 33	CONDE SUR SEULLES		14
37	BS 31	CONDE SUR SUIPPE		02
54	BB 39	CONDE SUR VESGRE		78
50	AI 35	CONDE SUR VIRE		50
75	AV 43	CONDEAU		61
54	BD 36	CONDECOURT		95
148	CB 67	CONDEISSIAT		01
153	AN 76	CONDEON		16
135	CG 65	CONDES		39
81	CB 45	CONDES		52
10	BB 18	CONDETTE		62
169	AV 86	CONDEZAYGUES		47
176	CA 84	CONDILLAC		26
183	AR 92	CONDOM	S	32
172	BL 85	CONDOM D'AUBRAC		12
176	CD 87	CONDORCET		26
36	BN 29	CONDREN		02
161	BZ 75	CONDRIEU	C	69
103	CI 50	CONFLANDEY		70
40	CG 34	CONFLANS EN JARNISY	C	54
55	BF 36	CONFLANS SAINTE HONORINE	C	78
94	AV 48	CONFLANS SUR ANILLE		72
103	CK 48	CONFLANS SUR LANTERNE		70
98	BK 48	CONFLANS SUR LOING		45
79	BQ 41	CONFLANS SUR SEINE		51
141	AT 69	CONFOLENS	S	16
158	BI 75	CONFOLENT PORT DIEU		19
149	CH 67	CONFORT		01
66	I 45	CONFORT MEILARS		29
103	CH 50	CONFRACOURT		70
134	CC 66	CONFRANCON		01
74	AR 45	CONGE SUR ORNE		72
206	BV 94	CONGENIES		30
76	BE 43	CONGERVILLE THIONVILLE		91
56	BL 36	CONGIS SUR THEROUANNE		77
91	AG 49	CONGRIER		53
57	BS 38	CONGY		51
76	BA 46	CONIE MOLITARD		28
220	BJ 101	CONILHAC CORBIERES		11
219	BF 103	CONILHAC DE LA MONTAGNE		11
149	CI 71	CONJUX		73
73	AP 45	CONLIE	C	72
135	CG 62	CONLIEGE	C	39
187	BJ 91	CONNAC		12
160	BR 77	CONNANGLES		43
58	BT 39	CONNANTRAY VAUREFROY		51
57	BS 39	CONNANTRE		51
190	BZ 90	CONNAUX		30
169	AS 83	CONNE DE LABARDE		24
33	AZ 33	CONNELLES		27
74	AT 46	CONNERRE		72
154	AS 75	CONNEZAC		24
57	BP 36	CONNIGIS		02
90	AC 51	CONQUEREUIL		44
172	BH 85	CONQUES	C	12
203	BH 100	CONQUES SUR ORBIEL	C	11
66	G 41	CONQUET, LE		29
189	BT 92	CONQUEYRAC		30
40	CF 30	CONS LA GRANDVILLE		54
150	CM 71	CONS SAINTE COLOMBE		74
153	AK 76	CONSAC		17
194	CS 92	CONSEGUDES		06
40	CC 32	CONSENVOYE		55
82	CD 45	CONSIGNY		52
121	CN 55	CONSOLATION MAISONNETTES		25
22	BJ 25	CONTALMAISON		80
150	CJ 68	CONTAMINE SARZIN		74
150	CL 67	CONTAMINE SUR ARVE		74
151	CP 70	CONTAMINES MONTJOIE, LES		74
59	BZ 37	CONTAULT		51
21	BH 25	CONTAY		80
120	CI 60	CONTE		39
195	CV 92	CONTES	C	06
10	BE 20	CONTES		62
36	BN 27	CONTESCOURT		02
72	AK 44	CONTEST		53
51	AO 35	CONTEVILLE		14
32	AS 31	CONTEVILLE		27
35	BE 29	CONTEVILLE		60
34	BB 28	CONTEVILLE		76
21	BE 23	CONTEVILLE		80
11	BG 20	CONTEVILLE EN TERNOIS		62
10	BC 17	CONTEVILLE LES BOULOGNE		62
62	CM 36	CONTHIL		57
92	AL 50	CONTIGNE		49
131	BO 65	CONTIGNY		03
74	AS 43	CONTILLY		72
110	AR 54	CONTINVOIR		37
35	BI 28	CONTOIRE		80
218	AX 102	CONTRAZY		09
35	BF 28	CONTRE		80
139	AM 69	CONTRE		17
103	CI 49	CONTREGLISE		70
32	AT 28	CONTREMOULINS		76
96	BA 54	CONTRES	C	41
114	BI 60	CONTRES		18
38	BX 32	CONTREUVE		08
149	CG 71	CONTREVOZ		01
83	CH 45	CONTREXEVILLE		88
49	AF 35	CONTRIERES		50
59	CA 38	CONTRISSON		55
35	BF 28	CONTY	C	80
41	CJ 30	CONTZ LES BAINS		57
149	CG 72	CONZIEU		01
58	BW 39	COOLE		51
58	BV 37	COOLUS		51
108	AE 59	COPECHAGNIERE, LA		85
150	CJ 68	COPPONEX		74
32	AR 34	COQUAINVILLIERS		14
10	BD 14	COQUELLES		62
155	AW 74	COQUILLE, LA		24
76	BA 43	CORANCEZ		28
116	BT 57	CORANCY		58
67	N 45	CORAY		29
226	DJ 105	CORBARA		2B
185	AZ 92	CORBARIEU		82
148	CA 73	CORBAS		69
22	BM 21	CORBEHEM		62
80	BW 41	CORBEIL		51
35	BF 33	CORBEIL CERF		60
55	BH 40	CORBEIL ESSONNES	C	91
77	BI 46	CORBEILLES		45
163	CI 75	CORBEL		73
149	CG 73	CORBELIN		38
103	CK 48	CORBENAY		70
37	BR 31	CORBENY		02
224	BJ 107	CORBERE		66
199	AN 97	CORBERE ABERES		64
224	BJ 107	CORBERE LES CABANES		66
118	CB 58	CORBERON		21
189	BT 91	CORBES		30
21	BI 26	CORBIE	C	80
104	CL 49	CORBIERE, LA		70
209	CI 94	CORBIERES		04
219	BE 102	CORBIERES		11
116	BR 55	CORBIGNY	C	58
51	AP 34	CORBON		14
74	AU 42	CORBON		61
149	CH 69	CORBONOD		01
76	BE 42	CORBREUSE		91
103	CJ 54	CORCELLE MIESLOT		25
149	CF 68	CORCELLES		01
148	BZ 67	CORCELLES EN BEAUJOLAIS		69
119	CH 55	CORCELLES FERRIERES		25
118	BZ 58	CORCELLES LES ARTS		21
118	CB 56	CORCELLES LES CITEAUX		21
118	CA 55	CORCELLES LES MONTS		21
84	CO 44	CORCIEUX	C	88
119	CH 55	CORCONDRAY		25
189	BT 93	CORCONNE		30
107	AD 58	CORCOUE SUR LOGNE		44
36	BN 33	CORCY		02
177	CI 82	CORDEAC		38
52	AS 35	CORDEBUGLE		14
147	BU 70	CORDELLE		42
107	AA 54	CORDEMAIS		44
186	BD 91	CORDES SUR CIEL	C	81
184	AX 92	CORDES TOLOSANNES		82
117	BW 58	CORDESSE		71
51	AO 37	CORDEY		14
151	CO 69	CORDON		74
103	CI 53	CORDONNET		70
159	BM 80	COREN		15
163	CH 77	CORENC		38
145	BN 73	CORENT		63
57	BQ 38	CORFELIX		51
118	CB 58	CORGENGOUX		21
155	AV 76	CORGNAC SUR L'ISLE		24
118	CA 57	CORGOLOIN		21
153	AL 77	CORIGNAC		17
69	T 42	CORLAY	C	22
149	CF 68	CORLIER		01
76	BB 46	CORMAINVILLE		28
149	CG 69	CORMARANCHE EN BUGEY		01
134	BZ 63	CORMATIN		71
138	AI 73	CORME ECLUSE		17
139	AI 72	CORME ROYAL		17
32	AS 33	CORMEILLES	C	27
35	BF 29	CORMEILLES		60
55	BG 36	CORMEILLES EN PARISIS	C	95
54	BE 35	CORMEILLES EN VEXIN		95
51	AN 34	CORMELLES LE ROYAL		14
95	AW 47	CORMENON		41
95	AZ 53	CORMERAY		41
111	AV 55	CORMERY		37
74	AU 45	CORMES		72
37	BS 32	CORMICY		51
53	AZ 36	CORMIER, LE		27
50	AJ 34	CORMOLAIN		14
10	BC 19	CORMONT		62
38	BT 33	CORMONTREUIL		51
134	CA 66	CORMORANCHE SUR SAONE		01
80	BU 45	CORMOST		10
117	BY 58	CORMOT LE GRAND		21
57	BS 35	CORMOYEUX		51
134	CD 64	CORMOZ		01
171	BD 85	CORN		46
171	BD 82	CORNAC		46
78	BN 46	CORNANT		89
176	CA 81	CORNAS		07
39	BZ 32	CORNAY		08
93	AM 53	CORNE		49
201	AY 95	CORNEBARRIEU		31
204	BN 98	CORNEILHAN		34
224	BH 107	CORNEILLA DE CONFLENT		66
221	BL 107	CORNEILLA DEL VERCOL		66
224	BK 106	CORNEILLA LA RIVIERE		66
198	AM 95	CORNEILLAN		32
53	AY 37	CORNEUIL		27
52	AU 35	CORNEVILLE LA FOUQUETIERE		27
32	AU 32	CORNEVILLE SUR RISLE		27
150	CL 68	CORNIER		74
156	BB 78	CORNIL		19
177	CF 86	CORNILLAC		26
71	AF 46	CORNILLE		35
155	AU 78	CORNILLE		24
93	AN 52	CORNILLE LES CAVES		49
190	BY 89	CORNILLON		30
207	CD 96	CORNILLON CONFOUX		13
177	CH 82	CORNILLON EN TRIEVES		38
177	CF 86	CORNILLON SUR L'OULE		26
84	CO 47	CORNIMONT		88
135	CF 65	CORNOD		39
103	CH 50	CORNOT		70
92	AI 52	CORNUAILLE, LA		49
188	BN 93	CORNUS	C	12
114	BJ 59	CORNUSSE		18
34	BA 33	CORNY		27
38	BW 29	CORNY MACHEROMENIL		08
61	CI 35	CORNY SUR MOSELLE		57
109	AK 56	CORON		49
124	AF 63	CORPE		85
118	BZ 59	CORPEAU		21
101	BY 52	CORPOYER LA CHAPELLE		21
178	CJ 82	CORPS	C	38
71	AD 47	CORPS NUDS		35
78	BJ 47	CORQUILLEROY		45
114	BG 60	CORQUOY		18
229	DK 113	CORRANO		2A
104	CN 48	CORRAVILLERS		70
103	CI 47	CORRE		70
163	CG 80	CORRENCON EN VERCORS		38
209	CL 97	CORRENS		83
157	BD 76	CORREZE	C	19
57	BR 37	CORRIBERT		51
57	BQ 37	CORROBERT		51
100	BU 52	CORROMBLES		21
201	AZ 97	CORRONSAC		31
57	BS 39	CORROY		51
100	BU 52	CORSAINT		21
224	BJ 109	CORSAVY		66
228	DK 108	CORSCIA		2B
107	Z 54	CORSEPT		44
70	Z 41	CORSEUL		22
134	BZ 64	CORTAMBERT		71
229	DL 108	CORTE	S	2B
133	BY 63	CORTEVAIX		71
98	BK 48	CORTRAT		45
75	AY 43	CORVEES LES YYS, LES		28
135	CF 66	CORVEISSIAT		01
115	BP 55	CORVOL D'EMBERNARD		58
99	BO 54	CORVOL L'ORGUEILLEUX		58
93	AM 52	CORZE		49
218	BA 103	COS		09
135	CE 60	COSGES		39
198	AM 97	COSLEDAA LUBE BOAST		64
92	AI 48	COSMES		53
156	BA 79	COSNAC		19
98	BL 54	COSNE COURS SUR LOIRE	S	58
131	BK 64	COSNE D'ALLIER		03
40	CF 30	COSNES ET ROMAIN		54
29	AF 28	COSQUEVILLE		50
132	BP 61	COSSAYE		58
109	AJ 56	COSSE D'ANJOU		49
93	AN 47	COSSE EN CHAMPAGNE		53
92	AI 47	COSSE LE VIVIEN	C	53
51	AM 37	COSSESSEVILLE		14
63	CS 39	COSSWILLER		67
226	DJ 105	COSTA		2B
174	BS 82	COSTAROS		43
178	CK 83	COSTES, LES		05
187	BK 91	COSTES GOZON, LES		12
104	CM 50	COTE, LA		70
151	CO 73	COTE D'AIME, LA		73
137	CO 66	COTE D'ARBROZ, LA		74
146	BS 72	COTE EN COUZAN, LA		42
162	CD 76	COTE SAINT ANDRE, LA	C	38
147	BU 69	COTEAU, LE		42
120	CK 55	COTEBRUNE		25
162	CA 75	COTES D'AREY, LES		38
178	CJ 82	COTES DE CORPS, LES		38
230	DI 114	COTI CHIAVARI		2A
209	CL 96	COTIGNAC	C	83
147	BW 71	COTTANCE		42
21	BH 27	COTTENCHY		80
33	AY 29	COTTEVRARD		76
30	AK 32	COTTUN		14
126	AN 65	COUARDE, LA		79
123	AD 67	COUARDE SUR MER, LA		17
115	BL 55	COUARGUES		18
56	BJ 40	COUBERT		77
168	AO 83	COUBEYRAC		33
172	BK 85	COUBISOU		12
156	AY 78	COUBJOURS		24
102	CE 50	COUBLANC		52
147	BV 67	COUBLANC		71
163	CG 76	COUBLEVIE		38
198	AL 96	COUBLUCQ		64
174	BT 81	COUBON		43
55	BI 37	COUBRON		93
117	BX 59	COUCHES	C	71
118	CA 55	COUCHEY		21
176	CA 84	COUCOURDE, LA		26
174	BT 83	COUCOURON	C	07
38	BW 30	COUCY		08
37	BO 30	COUCY LA VILLE		02
37	BO 30	COUCY LE CHATEAU AUFFRIQUE	C	02
37	BR 30	COUCY LES EPPES		02
112	AZ 54	COUDDES		41
52	AQ 37	COUDEHARD		61
4	BH 14	COUDEKERQUE		59
4	BH 14	COUDEKERQUE BRANCHE	C	59
145	BN 74	COUDES		63
49	AE 37	COUDEVILLE SUR MER		50
223	BF 104	COUDONS		11
208	CE 96	COUDOUX		13
34	BA 32	COUDRAY		27
77	BH 44	COUDRAY		45
92	AK 49	COUDRAY		53
76	BA 42	COUDRAY, LE		28
75	AV 44	COUDRAY AU PERCHE		28
110	AO 56	COUDRAY MACOUARD, LE		49
77	BI 41	COUDRAY MONTCEAUX, LE		91
32	AR 33	COUDRAY RABUT		14
34	BD 32	COUDRAY SAINT GERMER, LE	C	60
35	BF 33	COUDRAY SUR THELLE, LE		60
109	AL 58	COUDRE, LA		79
75	AW 43	COUDRECEAU		28
94	AT 47	COUDRECIEUX		72
53	AY 38	COUDRES		27
97	BH 48	COUDROY		45
36	BK 31	COUDUN		60
198	AK 95	COUDURES		40
200	AU 99	COUEILLES		31
107	AC 55	COUERON		44
94	AR 52	COUESMES		37
72	AK 42	COUESMES VAUCE		53
91	AF 53	COUFFE		44
112	BA 55	COUFFI		41
220	BG 101	COUFFOULENS		11
144	BG 73	COUFFY SUR SARSONNE		19
222	AX 105	COUFLENS		09
202	BC 94	COUFOULEUX		81
126	AQ 66	COUHE	C	86
56	BK 37	COUILLY PONT AUX DAMES		77
21	BI 23	COUIN		62
224	BG 104	COUIZA	C	11
218	AW 101	COULADERE		31
74	AQ 47	COULAINES		72
131	BN 63	COULANDON		03
99	BP 51	COULANGERON		89
95	AY 52	COULANGES		41
132	BS 64	COULANGES		03
99	BQ 50	COULANGES LA VINEUSE	C	89
115	BN 58	COULANGES LES NEVERS		58
99	BP 52	COULANGES SUR YONNE	C	89
73	AP 47	COULANS SUR GEE		72
155	AW 77	COULAURES		24
131	BL 62	COULEUVRE		03
103	CJ 50	COULEVON		70
140	AQ 71	COULGENS		16
74	AS 42	COULIMER		61
35	BH 29	COULLEMELLE		80
21	BH 22	COULLEMONT		62
97	BI 51	COULLONS		45
52	AR 38	COULMER		61
100	BW 50	COULMIER LE SEC		21
96	BB 48	COULMIERS		45
204	BO 98	COULOBRES		34
10	BD 15	COULOGNE		62
36	BL 32	COULOISY		60
73	AQ 44	COULOMBIERS		72
126	AQ 64	COULOMBIERS		86
54	BB 40	COULOMBS		28
31	AL 33	COULOMBS		14
56	BM 35	COULOMBS EN VALOIS		77
10	BE 17	COULOMBY		62
56	BL 37	COULOMMES		77
38	BX 31	COULOMMES ET MARQUENY		08
37	BS 33	COULOMMES LA MONTAGNE		51
56	BM 38	COULOMMIERS	C	77
95	AX 49	COULOMMIERS LA TOUR		41
125	AK 65	COULON		79
51	AP 38	COULONCES		61
50	AJ 37	COULONCES		14
51	AM 40	COULONCHE, LA		61
94	AQ 50	COULONGE		72
128	AX 65	COULONGES		86
139	AL 73	COULONGES		17
140	AP 71	COULONGES		16
37	BQ 34	COULONGES COHAN		02
75	AW 42	COULONGES LES SABLONS		61
125	AK 64	COULONGES SUR L'AUTIZE	C	79
74	AS 41	COULONGES SUR SARTHE		61
109	AM 59	COULONGES THOUARSAIS		79
20	BE 23	COULONVILLERS		80
199	AO 95	COULOUME MONDEBAT		32
155	AT 78	COULOUNIEIX CHAMIERS		24
79	BQ 45	COULOURS		89
98	BN 54	COULOUTRE		58
50	AH 38	COULOUVRAY BOISBENATRE		50
50	AK 35	COULVAIN		14
168	AR 86	COULX		47
42	CL 33	COUME		57
224	BG 106	COUNOZOULS		11
11	BF 19	COUPELLE NEUVE		62
11	BF 19	COUPELLE VIEILLE		62
51	AQ 35	COUPESARTE		14
58	BV 38	COUPETZ		51
59	BX 37	COUPEVILLE		51
187	BI 92	COUPIAC		12
101	CA 47	COUPRAY		52
56	BN 36	COUPRU		02
73	AN 41	COUPTRAIN	C	53
56	BK 37	COUPVRAY		77
152	AH 76	COUQUEQUES		33
96	BA 53	COUR CHEVERNY		41
162	CB 75	COUR ET BUIS		38
101	CA 47	COUR L'EVEQUE		52
97	BJ 48	COUR MARIGNY, LA		45
121	CO 54	COUR SAINT MAURICE		25
95	AZ 51	COUR SUR LOIRE		41
77	BH 42	COURANCES		91
139	AK 69	COURANT		17
101	BY 48	COURBAN		21
51	AO 39	COURBE, LA		61
76	BB 45	COURBEHAYE		28
52	AT 35	COURBEPINE		27
37	BO 28	COURBES		02
61	CK 39	COURBESSEAUX		54
135	CF 62	COURBETTE		39
72	AI 47	COURBEVEILLE		53
55	BG 37	COURBEVOIE	C	92
184	AW 87	COURBIAC		47
140	AN 72	COURBILLAC		16
57	BP 36	COURBOIN		02
135	CF 62	COURBOUZON		39
96	BB 50	COURBOUZON		41
130	BH 64	COURCAIS		03
111	AV 55	COURCAY		37
74	AR 45	COURCEBOEUFS		72
22	BJ 24	COURCELETTE		80
83	CI 42	COURCELLES		54
120	CI 57	COURCELLES		25
115	BO 54	COURCELLES		58
105	CQ 52	COURCELLES		90
139	AL 69	COURCELLES		17
77	BG 46	COURCELLES		45
21	BI 24	COURCELLES AU BOIS		80
61	CK 34	COURCELLES CHAUSSY		57
94	AR 53	COURCELLES DE TOURAINE		37
60	CD 38	COURCELLES EN BARROIS		55
78	BM 43	COURCELLES EN BASSEE		77
102	CC 48	COURCELLES EN MONTAGNE		52
35	BI 30	COURCELLES EPAYELLES		60
100	BU 53	COURCELLES FREMOY		21
93	AP 49	COURCELLES LA FORET		72
22	BK 23	COURCELLES LE COMTE		62
34	BC 33	COURCELLES LES GISORS		60
12	BL 20	COURCELLES LES LENS		62
100	BW 51	COURCELLES LES MONTBARD		21
104	CO 52	COURCELLES LES MONTBELIARD		25
100	BV 53	COURCELLES LES SEMUR		21
37	BS 33	COURCELLES SAPICOURT		51
82	CG 43	COURCELLES SOUS CHATENOIS		88
21	BE 27	COURCELLES SOUS MOYENCOURT		80
35	BF 28	COURCELLES SOUS THOIX		80
60	CC 36	COURCELLES SUR AIRE		55
81	CA 42	COURCELLES SUR BLAISE		52
61	CJ 35	COURCELLES SUR NIED		57
53	AZ 34	COURCELLES SUR SEINE		27
37	BP 32	COURCELLES SUR VESLES		02
54	BE 35	COURCELLES SUR VIOSNE		95
80	BX 42	COURCELLES SUR VOIRE		10
57	BS 40	COURCEMAIN		51
74	AR 45	COURCEMONT		72
139	AL 71	COURCERAC		17
74	AU 42	COURCERAULT		61
79	BO 42	COURCEROY		10
56	BN 40	COURCHAMP		77
56	BN 35	COURCHAMPS		02
110	AO 56	COURCHAMPS		49
119	CG 55	COURCHAPON		25
104	CM 52	COURCHATON		70
22	BL 21	COURCHELETTES		59
73	AN 43	COURCITE		53
74	AS 44	COURCIVAL		72
140	AP 69	COURCOME		16
125	AI 66	COURCON	C	17
111	AS 58	COURCOUE		37
55	BH 40	COURCOURONNES		91
139	AK 72	COURCOURY		17
119	CH 54	COURCUIRE		70
38	BS 32	COURCY		51
49	AF 35	COURCY		50
51	AP 36	COURCY		14
77	BF 46	COURCY AUX LOGES		45
53	AY 38	COURDEMANCHE		27
94	AT 49	COURDEMANCHE		72
58	BW 39	COURDEMANGES		51
54	BE 36	COURDIMANCHE		95
77	BG 42	COURDIMANCHE SUR ESSONNE		91
217	AU 102	COURET		31
74	AR 44	COURGAINS		72
154	AP 76	COURGEAC		16
74	AV 45	COURGENARD		72
79	BP 44	COURGENAY		89
54	BB 37	COURGENT		78
74	AU 42	COURGEON		61
74	AT 41	COURGEOUT		61
99	BR 50	COURGIS		89
57	BP 39	COURGIVAUX		51
159	BM 75	COURGOUL		63
57	BR 38	COURJEONNET		51
154	AP 77	COURLAC		16
37	BR 32	COURLANDON		51
135	CF 61	COURLANS		39
135	CE 62	COURLAOUX		39
109	AK 60	COURLAY		79
110	AQ 54	COURLEON		49
101	CA 51	COURLON		21
78	BN 43	COURLON SUR YONNE		89
135	CE 65	COURMANGOUX		01
57	BS 34	COURMAS		51
36	BN 32	COURMELLES		02
96	BB 53	COURMEMIN		41
52	AR 38	COURMENIL		61
194	CS 93	COURMES		06
57	BQ 34	COURMONT		02
104	CN 51	COURMONT		70
220	BG 102	COURNANEL		11
55	BH 37	COURNEUVE, LA	C	93
203	BK 98	COURNIOU		34
145	BM 73	COURNOLS		63
90	Z 49	COURNON		56
145	BN 72	COURNON D'AUVERGNE	C	63
205	BR 97	COURNONSEC		34
205	BS 96	COURNONTERRAL		34
140	AP 74	COURONNE, LA	C	16
60	CD 36	COUROUVRE		55
56	BL 40	COURPALAY		77
167	AM 83	COURPIAC		33
146	BQ 72	COURPIERE	C	63
153	AK 77	COURPIGNAC		17
56	BK 40	COURQUETAINE		77
183	AQ 93	COURRENSAN		32
12	BL 20	COURRIERES	C	62
186	BH 92	COURRIS		81
189	BV 88	COURRY		30
125	AL 63	COURS		79
89	W 49	COURS, LE		56
183	AT 88	COURS		47
170	BA 86	COURS		46
168	AP 84	COURS DE MONSEGUR		33
169	AS 82	COURS DE PILE		24
147	BW 68	COURS LA VILLE		69
182	AO 87	COURS LES BAINS		33
115	BM 58	COURS LES BARRES		18
155	AT 79	COURSAC		24
204	BM 100	COURSAN	C	11
79	BS 46	COURSAN EN OTHE		10
194	CS 93	COURSEGOULES	C	06
10	BD 18	COURSET		62
31	AM 32	COURSEULLES SUR MER		14
50	AH 37	COURSON		14
99	BP 51	COURSON LES CARRIERES	C	89
77	BF 41	COURSON MONTELOUP		91
56	BO 39	COURTACON		77
58	BS 34	COURTAGNON		51
75	AY 46	COURTALAIN		28
79	BS 47	COURTAOULT		10
219	BE 102	COURTAULY		11
105	CR 52	COURTAVON		68
104	CP 54	COURTEFONTAINE		25
119	CG 56	COURTEFONTAINE		39
53	AX 39	COURTEILLES		27
144	BH 73	COURTEIX		19
105	CQ 51	COURTELEVANT		90

Page	Carreau	Commune	Adm.	Dpt
35	BI 29	COURTEMANCHE		80
78	BL 47	COURTEMAUX		45
59	BY 34	COURTEMONT		51
57	BP 35	COURTEMONT VARENNES		02
77	BJ 46	COURTEMPIERRE		45
78	BM 47	COURTENAY	C	45
149	CE 72	COURTENAY		38
80	BV 45	COURTENOT		10
80	BU 44	COURTERANGES		10
80	BW 47	COURTERON		10
134	CC 64	COURTES		01
102	CF 51	COURTESOULT ET GATEY		70
120	CL 55	COURTETAIN ET SALANS		25
219	BE 101	COURTETE, LA		11
55	BI 34	COURTEUIL		60
191	CB 90	COURTHEZON		84
57	BQ 35	COURTHIEZY		51
199	AP 96	COURTIES		32
36	BM 32	COURTIEUX		60
93	AN 49	COURTILLERS		72
49	AF 40	COURTILS		50
144	BG 73	COURTINE, LA	C	23
58	BX 36	COURTISOLS		51
101	CA 52	COURTIVRON		21
78	BM 46	COURTOIN		89
78	BN 45	COURTOIS SUR YONNE		89
52	AS 40	COURTOMER	C	61
56	BL 40	COURTOMER		77
52	AS 34	COURTONNE LA MEURDRAC		14
52	AS 35	COURTONNE LES DEUX EGLISES		14
37	BR 30	COURTRIZY ET FUSSIGNY		02
55	BI 37	COURTRY		77
50	AL 35	COURVAUDON		14
120	CJ 59	COURVIERES		25
37	BQ 33	COURVILLE		51
75	AY 42	COURVILLE SUR EURE	C	28
147	BY 72	COURZIEU		69
135	CE 63	COUSANCE		39
59	CB 40	COUSANCES LES FORGES		55
60	CD 38	COUSANCES LES TRICONVILLE		55
24	BT 22	COUSOLRE		59
219	BB 102	COUSSA		09
156	AY 75	COUSSAC BONNEVAL		87
199	AP 100	COUSSAN		65
110	AQ 60	COUSSAY		86
111	AU 60	COUSSAY LES BOIS		86
100	BT 48	COUSSEGREY		10
173	BL 87	COUSSERGUES		12
82	CF 42	COUSSEY	C	88
130	BJ 62	COUST		18
220	BG 103	COUSTAUSSA		11
220	BK 102	COUSTOUGE		11
224	BJ 110	COUSTOUGES		66
49	AF 35	COUTANCES	S	50
131	BM 67	COUTANSOUZE		03
100	BS 52	COUTARNOUX		89
78	BL 42	COUTENCON		77
219	BC 102	COUTENS		09
73	AM 41	COUTERNE		61
118	CC 54	COUTERNON		21
159	BP 78	COUTEUGES		43
56	BK 38	COUTEVROULT		77
104	CN 51	COUTHENANS		70
168	AP 86	COUTHURES SUR GARONNE		47
12	BM 20	COUTICHES		59
126	AO 63	COUTIERES		79
147	BV 68	COUTOUVRE		42
153	AN 80	COUTRAS	C	33
12	BJ 18	COUTURE, LA		62
140	AR 70	COUTURE		16
124	AF 63	COUTURE, LA		85
54	BA 37	COUTURE BOUSSEY, LA		27
140	AO 69	COUTURE D'ARGENSON		79
94	AU 50	COUTURE SUR LOIR		41
21	BI 23	COUTURELLE		62
109	AM 54	COUTURES		49
154	AR 77	COUTURES		24
168	AO 84	COUTURES		33
184	AW 92	COUTURES		82
30	AI 34	COUVAINS		50
52	AT 37	COUVAINS		61
188	BO 93	COUVERTOIRADE, LA		12
60	CC 40	COUVERTPUIS		55
81	BY 45	COUVIGNON		10
29	AD 29	COUVILLE		50
59	CA 38	COUVONGES		55
37	BP 32	COUVRELLES		02
37	BP 29	COUVRON ET AUMENCOURT		02
58	BX 39	COUVROT		51
153	AL 77	COUX		17
175	BZ 83	COUX		07
169	AW 82	COUX ET BIGAROQUE		24
114	BK 57	COUY		18
91	AE 48	COUYERE, LA		35
169	AU 82	COUZE ET SAINT FRONT		24
142	AY 71	COUZEIX		87
110	AP 56	COUZIERS		37
131	BN 62	COUZON		03
148	CA 71	COUZON AU MONT D'OR		69
170	BB 83	COUZOU		46
201	AW 94	COX		31
55	BH 34	COYE LA FORET		60
11	BF 18	COYECQUES		62
36	BM 33	COYOLLES		02
135	CI 65	COYRIERE		39
135	CG 63	COYRON		39
61	CK 40	COYVILLER		54
138	AI 74	COZES	C	17
229	DL 112	COZZANO		2A
88	S 50	CRACH		56
162	CD 74	CRACHIER		38
99	BQ 52	CRAIN		89
61	CK 37	CRAINCOURT		57
161	BV 74	CRAINTILLEUX		42
83	CH 45	CRAINVILLIERS		88
37	BO 34	CRAMAILLE		02
119	CH 58	CRAMANS		39
58	BT 36	CRAMANT		51
125	AJ 66	CRAMCHABAN		17
51	AN 38	CRAMENIL		61
35	BH 33	CRAMOISY		60
21	BE 23	CRAMONT		80
218	BA 102	CRAMPAGNA		09
150	CK 70	CRAN GEVRIER		74
79	BQ 41	CRANCEY		10
135	CG 61	CRANCOT		39
172	BG 81	CRANDELLES		15
93	AP 47	CRANNES EN CHAMPAGNE		72
136	CI 61	CRANS		39
148	CD 69	CRANS		01
172	BG 86	CRANSAC		12
83	CJ 41	CRANTENOY		54
136	CL 67	CRANVES SALES		74
92	AI 48	CRAON	C	53
126	AP 61	CRAON		86
37	BR 31	CRAONNE	C	02
37	BR 31	CRAONNELLE		02
36	BK 29	CRAPEAUMESNIL		60
148	BZ 72	CRAPONNE		69
160	BS 77	CRAPONNE SUR ARZON	C	43
163	CF 77	CRAS		38
170	BA 85	CRAS		46
134	CC 66	CRAS SUR REYSSOUZE		01
63	CS 39	CRASTATT		67
200	AU 95	CRASTES		32
29	AG 29	CRASVILLE		50
33	AX 34	CRASVILLE		27
18	AV 27	CRASVILLE LA MALLET		76
19	AW 27	CRASVILLE LA ROCQUEFORT		76
212	CL 100	CRAU, LA	C	83
104	CO 50	CRAVANCHE		90
139	AJ 73	CRAVANS		17
96	BB 49	CRAVANT		45
99	BR 51	CRAVANT		89
111	AR 56	CRAVANT LES COTEAUX		37
199	AO 94	CRAVENCERES		32
54	BA 36	CRAVENT		78
170	AY 86	CRAYSSAC		46
11	BG 14	CRAYWICK		59
139	AJ 71	CRAZANNES		17
93	AO 51	CRE		72
29	AE 33	CREANCES		50
117	BY 55	CREANCEY		21
101	CC 52	CRECEY SUR TILLE		21
125	AM 65	CRECHE, LA		79
134	BZ 66	CRECHES SUR SAONE		71
217	AS 103	CRECHETS		65
131	BP 66	CRECHY		03
37	BO 31	CRECY AU MONT		02
53	AZ 40	CRECY COUVE		28
20	BD 22	CRECY EN PONTHIEU	C	80
56	BL 38	CRECY LA CHAPELLE	C	77
37	BQ 28	CRECY SUR SERRE	C	02
69	U 46	CREDIN		56
171	BB 87	CREGOLS		46
56	BL 36	CREGY LES MEAUX		77
62	CL 35	CREHANGE		57
48	Z 40	CREHEN		22
35	BI 33	CREIL	C	60
204	BM 99	CREISSAN		34
188	BM 91	CREISSELS		12
10	BD 17	CREMAREST		62
146	BT 70	CREMEAUX		42
36	BK 28	CREMERY		80
149	CD 72	CREMIEU	C	38
150	CI 69	CREMPIGNY BONNEGUETE		74
185	BB 87	CREMPS		46
135	CH 64	CRENANS		39
80	BU 43	CRENEY PRES TROYES		10
73	AN 43	CRENNES SUR FRAUBEE		53
167	AL 83	CREON	C	33
182	AN 91	CREON D'ARMAGNAC		40
117	BY 59	CREOT		71
100	BV 51	CREPAND		21
83	CH 41	CREPEY		54
162	CC 78	CREPOL		26
31	AM 32	CREPON		14
37	BP 29	CREPY		02
11	BG 20	CREPY		62
36	BK 33	CREPY EN VALOIS	C	60
11	BE 19	CREQUY		62
205	BT 95	CRES, LE		34
102	CG 53	CRESANCEY		70
80	BT 46	CRESANTIGNES		10
50	AH 39	CRESNAYS, LES		50
189	BV 93	CRESPIAN		30
54	BD 37	CRESPIERES		78
13	BQ 20	CRESPIN		59
186	BG 90	CRESPIN		12
186	BG 91	CRESPIN		81
186	BG 92	CRESPINET		81
81	BX 42	CRESPY LE NEUF		10
154	AO 75	CRESSAC SAINT GENIS		16
131	BN 64	CRESSANGES		03
143	BF 68	CRESSAT		23
139	AN 70	CRESSE		17
188	BN 90	CRESSE, LA		12
156	BA 80	CRESSENSAC		46
31	AN 32	CRESSERONS		14
31	AQ 33	CRESSEVEUILLE		14
135	CE 63	CRESSIA		39
149	CH 71	CRESSIN ROCHEFORT		01
35	BI 31	CRESSONSACQ		60
33	AY 28	CRESSY		76
36	BL 28	CRESSY MOYENCOURT		80
132	BS 62	CRESSY SUR SOMME		71
176	CC 83	CREST	C	26
145	BN 73	CREST, LE		63
151	CN 71	CREST VOLAND		73
159	BM 74	CRESTE		63
191	CC 89	CRESTET		84
161	BZ 80	CRESTET, LE		07
33	AW 34	CRESTOT		27
55	BH 38	CRETEIL	P	94
29	AF 31	CRETTEVILLE		50
31	AM 32	CREULLY	C	14
21	BF 27	CREUSE		80
103	CK 50	CREUSE, LA		70
117	BX 60	CREUSOT, LE	C	71
42	CM 33	CREUTZWALD		57
145	BP 67	CREUZIER LE NEUF		03
146	BP 67	CREUZIER LE VIEUX		03
104	CN 51	CREVANS ET LA CHAPELLE LES GRANGES		70
129	BE 64	CREVANT		36
145	BP 70	CREVANT LAVEINE		63
83	CJ 41	CREVECHAMPS		54
51	AP 34	CREVECŒUR EN AUGE		14
56	BL 39	CREVECŒUR EN BRIE		77
35	BF 29	CREVECŒUR LE GRAND	C	60
35	BI 30	CREVECŒUR LE PETIT		60
22	BN 24	CREVECŒUR SUR L'ESCAUT		59
103	CK 50	CREVENEY		70
61	CK 39	CREVIC		54
71	AD 47	CREVIN		35
179	CO 85	CREVOUX		05
149	CF 72	CREYS MEPIEU		38
154	AS 77	CREYSSAC		24
170	BA 82	CREYSSE		46
169	AS 82	CREYSSE		24
175	BY 83	CREYSSEILLES		07
155	AT 80	CREYSSENSAC ET PISSOT		24
114	BG 60	CREZANCAY SUR CHER		18
57	BP 35	CREZANCY		02
114	BJ 55	CREZANCY EN SANCERRE		18
140	AN 68	CREZIERES		79
61	CG 40	CREZILLES		54
32	AQ 31	CRICQUEBOEUF		14
31	AP 33	CRICQUEVILLE EN AUGE		14
30	AI 31	CRICQUEVILLE EN BESSIN		14
19	AZ 25	CRIEL SUR MER		76
34	BE 30	CRILLON		60
191	CD 90	CRILLON LE BRAVE		84
118	CB 55	CRIMOLOIS		21
62	CL 39	CRION		54
33	AY 28	CRIQUE, LA		76
32	AS 27	CRIQUEBEUF EN CAUX		76
33	AX 34	CRIQUEBEUF LA CAMPAGNE		27
33	AX 33	CRIQUEBEUF SUR SEINE		27
18	AU 27	CRIQUETOT LE MAUCONDUIT		76
32	AS 29	CRIQUETOT L'ESNEVAL	C	76
33	AY 27	CRIQUETOT SUR LONGUEVILLE		76
33	AW 28	CRIQUETOT SUR OUVILLE		76
34	BC 28	CRIQUIERS		76
56	BK 40	CRISENOY		77
36	BL 29	CRISOLLES		60
111	AS 57	CRISSAY SUR MANSE		37
73	AP 45	CRISSE		72
118	CA 60	CRISSEY		71
119	CE 57	CRISSEY		39
228	DI 109	CRISTINACCE		2A
30	AL 34	CRISTOT		14
153	AN 74	CRITEUIL LA MAGDELEINE		16
33	AZ 29	CRITOT		76
229	DM 107	CROCE		2B
11	BH 15	CROCHTE		59
227	DM 106	CROCICCHIA		2B
144	BH 71	CROCQ	C	23
35	BF 29	CROCQ, LE		60
51	AP 37	CROCY		14
64	CW 35	CROETTWILLER		67
167	AL 82	CROIGNON		33
174	BQ 82	CROISANCES		43
21	BG 21	CROISETTE		62
106	W 54	CROISIC, LE	C	44
53	AX 36	CROISILLE, LA		27
142	BB 73	CROISILLE SUR BRIANCE, LA		87
22	BK 23	CROISILLES	C	62
51	AM 36	CROISILLES		14
52	AR 38	CROISILLES		61
54	BA 39	CROISILLES		28
62	CM 40	CROISMARE		54
51	AP 34	CROISSANVILLE		14
55	BJ 38	CROISSY BEAUBOURG		77
35	BF 28	CROISSY SUR CELLE		60
55	BF 37	CROISSY SUR SEINE		78
68	Q 45	CROISTY, LE		56
114	BK 59	CROISY		18
34	BA 31	CROISY SUR ANDELLE		76
53	AZ 36	CROISY SUR EURE		27
12	BM 17	CROIX		59
104	CP 52	CROIX		90
39	BY 31	CROIX AUX BOIS, LA		08
84	CQ 44	CROIX AUX MINES, LA		88
49	AF 40	CROIX AVRANCHIN, LA		50
184	AT 88	CROIX BLANCHE, LA		47
23	BP 23	CROIX CALUYAU		59
138	AH 68	CROIX CHAPEAU		17
139	AL 68	CROIX COMTESSE, LA		17
164	CK 75	CROIX DE LA ROCHETTE, LA		73
75	AX 44	CROIX DU PERCHE, LA		28
78	BM 41	CROIX EN BRIE, LA		77
59	BX 35	CROIX EN CHAMPAGNE, LA		51
21	BG 21	CROIX EN TERNOIS		62
112	AW 54	CROIX EN TOURAINE, LA		37
23	BO 26	CROIX FONSOMMES		02
69	X 46	CROIX HELLEAN, LA		56
33	AW 29	CROIX MARE		76
22	BL 27	CROIX MOLIGNEAUX		80
53	AZ 35	CROIX SAINT LEUFROY, LA		27
142	AW 68	CROIX SUR GARTEMPE, LA		87
57	BO 34	CROIX SUR OURCQ, LA		02
194	CR 91	CROIX SUR ROUDOULE, LA		06
210	CP 99	CROIX VALMER, LA		83
69	U 44	CROIXANVEC		56
19	AZ 27	CROIXDALLE		76
72	AH 44	CROIXILLE, LA		53
34	BE 27	CROIXRAULT		80
147	BV 70	CROIZET SUR GAND		42
163	CI 77	CROLLES		38
49	AF 40	CROLLON		50
128	AY 66	CROMAC		87
103	CJ 54	CROMARY		70
132	BR 61	CRONAT		71
159	BP 79	CRONCE		43
93	AL 47	CROPTE, LA		53
33	AY 28	CROPUS		76
189	BT 92	CROS		30
158	BJ 75	CROS		63
188	BP 93	CROS, LE		34
175	BV 83	CROS DE GEORAND		07
157	BF 80	CROS DE MONTVERT		15
172	BJ 82	CROS DE RONESQUE		15
104	CM 53	CROSEY LE GRAND		25
104	CM 54	CROSEY LE PETIT		25
93	AO 50	CROSMIERES		72
55	BH 39	CROSNE		91
90	Z 53	CROSSAC		44
114	BI 58	CROSSES		18
53	AW 34	CROSVILLE LA VIEILLE		27
29	AF 31	CROSVILLE SUR DOUVE		50
19	AX 27	CROSVILLE SUR SCIE		76
95	AV 52	CROTELLES		37
135	CH 60	CROTENAY		39
53	AZ 38	CROTH		27
20	BB 23	CROTOY, LE		80
179	CN 85	CROTS		05
77	BF 46	CROTTES EN PITHIVERAIS		45
134	CA 66	CROTTET		01
70	Z 44	CROUAIS, LE		35
30	AK 33	CROUAY		14
52	AR 36	CROUPTE, LA		14
199	AN 97	CROUSEILLES		64
126	AR 63	CROUTELLE		86
99	BS 47	CROUTES, LES		10
36	BL 32	CROUTOY		60
52	AQ 37	CROUTTES		61
56	BN 36	CROUTTES SUR MARNE		02
37	BO 31	CROUY		02
35	BG 34	CROUY EN THELLE		60
21	BF 25	CROUY SAINT PIERRE		80
96	BB 51	CROUY SUR COSSON		41
56	BM 35	CROUY SUR OURCQ		77
136	CJ 61	CROUZET, LE		25
120	CI 58	CROUZET MIGETTE		25
144	BJ 67	CROUZILLE, LA		63
111	AS 57	CROUZILLES		37
129	BB 65	CROZANT		23
143	BF 71	CROZE		23
162	CA 79	CROZES HERMITAGE		26
136	CJ 66	CROZET		01
146	BS 67	CROZET, LE		42
135	CH 64	CROZETS, LES		39
66	I 42	CROZON	C	29
129	BD 64	CROZON SUR VAUVRE		36
176	CA 84	CRUAS		07
53	AX 40	CRUCEY VILLAGES		28
95	AX 50	CRUCHERAY		41
172	BK 87	CRUEJOULS		12
164	CK 74	CRUET		73
117	BY 56	CRUGEY		21
37	BR 33	CRUGNY		51
89	W 47	CRUGUEL		56
192	CI 90	CRUIS		04
52	AU 39	CRULAI		61
176	CD 85	CRUPIES		26
23	BR 26	CRUPILLY		02
221	BK 101	CRUSCADES		11
150	CK 68	CRUSEILLES	C	74
41	CG 31	CRUSNES		54
189	BW 91	CRUVIERS LASCOURS		30
116	BP 56	CRUX LA VILLE		58
134	BZ 63	CRUZILLE		71
134	CA 67	CRUZILLES LES MEPILLAT		01
204	BL 99	CRUZY		34
100	BV 49	CRUZY LE CHATEL	C	89
100	BV 50	CRY		89
160	BQ 80	CUBELLES		43
174	BS 86	CUBIERES		48
224	BI 104	CUBIERES SUR CINOBLE		11
174	BS 86	CUBIERETTES		48
155	AV 78	CUBJAC		24
156	AY 79	CUBLAC		19
147	BW 69	CUBLIZE		69
153	AL 79	CUBNEZAIS		33
103	CL 52	CUBRIAL		25
104	CL 52	CUBRY		25
103	CJ 48	CUBRY LES FAVERNEY		70
167	AK 80	CUBZAC LES PONTS		33
78	BN 41	CUCHARMOY		77
57	BR 34	CUCHERY		51
10	BB 20	CUCQ		62
224	BJ 104	CUCUGNAN		11
192	CG 94	CUCURON		84
167	AM 87	CUDOS		33
98	BN 47	CUDOT		89
194	CS 92	CUEBRIS		06
199	AR 99	CUELAS		32
209	CL 99	CUERS	C	83
36	BN 31	CUFFIES		02
115	BM 59	CUFFY		18
108	AF 57	CUGAND		85
209	CI 99	CUGES LES PINS		13
201	AY 97	CUGNAUX		31
102	CG 54	CUGNEY		70
36	BM 28	CUGNY		02
71	AD 41	CUGUEN		35
217	AS 101	CUGURON		31
126	AP 61	CUHON		86
35	BH 31	CUIGNIERES		60
34	BD 31	CUIGY EN BRAY		60
72	AH 47	CUILLE		53
12	BJ 19	CUINCHY		62
22	BM 21	CUINCY		59
217	AS 101	CUING, LE		31
147	BV 68	CUINZIER		42
37	BR 28	CUIRIEUX		02
37	BP 33	CUIRY HOUSSE		02
37	BR 32	CUIRY LES CHAUDARDES		02
38	BT 27	CUIRY LES IVIERS		02
58	BS 36	CUIS		51
36	BL 32	CUISE LA MOTTE		60
135	CE 63	CUISEAUX	C	71
102	CD 54	CUISEREY		21
134	CB 63	CUISERY	C	71
135	CE 63	CUISIA		39
73	AP 42	CUISSAI		61
37	BQ 31	CUISSY ET GENY		02
56	BK 36	CUISY		77
39	CB 33	CUISY		55
36	BN 31	CUISY EN ALMONT		02
130	BH 63	CULAN		18
117	BX 56	CULETRE		21
51	AL 36	CULEY LE PATRY		14
145	BO 71	CULHAT		63
162	CD 74	CULIN		38
133	BY 62	CULLES LES ROCHES		71
31	AL 33	CULLY		14
102	CE 49	CULMONT		52
149	CH 70	CULOZ		01
119	CG 54	CULT		70
173	BP 86	CULTURES		48
57	BS 35	CUMIERES		51
40	CC 33	CUMIERES LE MORT HOMME		55
202	BD 99	CUMIES		11
184	AV 93	CUMONT		82
186	BG 92	CUNAC		81
116	BP 54	CUNCY LES VARZY		58
168	AR 83	CUNEGES		24
39	CB 32	CUNEL		55
104	CP 50	CUNELIERES		90
81	BY 47	CUNFIN		10
146	BQ 73	CUNLHAT	C	63
93	AO 53	CUON		49
58	BW 35	CUPERLY		51
202	BE 96	CUQ		81
184	AT 91	CUQ		47
202	BD 96	CUQ TOULZA	C	81
198	AJ 99	CUQUERON		64
154	AO 77	CURAC		16
187	BL 89	CURAN		12
178	CK 86	CURBANS		04
133	BW 66	CURBIGNY		71
110	AO 58	CURCAY SUR DIVE		86
36	BK 27	CURCHY		80
134	CC 64	CURCIAT DONGALON		01
51	AM 35	CURCY SUR ORNE		14
132	BT 63	CURDIN		71
81	CB 41	CUREL		52
192	CH 89	CUREL		04
171	BC 81	CUREMONTE		19
73	AP 46	CURES		72
23	BP 21	CURGIES		59
117	BW 58	CURGY		71
150	CJ 74	CURIENNE		73
172	BL 84	CURIERES		12
148	CA 71	CURIS AU MONT D'OR		69
118	CA 56	CURLEY		21
22	BK 25	CURLU		80
81	CA 44	CURMONT		52
177	CE 87	CURNIER		26
167	AL 82	CURSAN		33
134	CC 66	CURTAFOND		01
101	CA 53	CURTIL SAINT SEINE		21
133	BX 65	CURTIL SOUS BUFFIERES		71
133	BY 63	CURTIL SOUS BURNAND		71
118	CA 56	CURTIL VERGY		21
187	BI 93	CURVALLE		81
126	AP 64	CURZAY SUR VONNE		86
124	AF 64	CURZON		85
120	CL 54	CUSANCE		25
103	CL 52	CUSE ET ADRISANS		25
102	CD 51	CUSEY		52
173	BL 81	CUSSAC		15
141	AV 73	CUSSAC		87
152	AI 79	CUSSAC FORT MEDOC		33
174	BT 81	CUSSAC SUR LOIRE		43
80	BU 47	CUSSANGY		10
111	AV 58	CUSSAY		37
146	BP 68	CUSSET	C	03
101	CB 51	CUSSEY LES FORGES		21
120	CI 57	CUSSEY SUR LISON		25
119	CI 54	CUSSEY SUR L'OGNON		25
30	AK 32	CUSSY		14
117	BU 57	CUSSY EN MORVAN		71
117	BY 58	CUSSY LA COLONNE		21
117	BY 56	CUSSY LE CHATEL		21
100	BT 53	CUSSY LES FORGES		89
61	CJ 38	CUSTINES		54
150	CJ 71	CUSY		74
36	BN 32	CUTRY		02
40	CF 30	CUTRY		54
36	BM 30	CUTS		60
62	CN 37	CUTTING		57
228	DJ 112	CUTTOLI CORTICCHIATO		2A
135	CH 64	CUTTURA		39
150	CK 69	CUVAT		74
103	CK 48	CUVE		70
56	BL 34	CUVERGNON		60
31	AO 34	CUVERVILLE		14
32	AS 28	CUVERVILLE		76
34	BA 33	CUVERVILLE		27
20	BA 25	CUVERVILLE SUR YERES		76
50	AH 39	CUVES		50
82	CD 46	CUVES		52
120	CJ 59	CUVIER		39
22	BN 22	CUVILLERS		59
36	BJ 30	CUVILLY		60
61	CJ 35	CUVRY		57
203	BG 99	CUXAC CABARDES		11
204	BM 100	CUXAC D'AUDE		11
36	BL 30	CUY		60
78	BN 44	CUY		89
34	BC 30	CUY SAINT FIACRE		76
171	BF 85	CUZAC		46
170	BA 81	CUZANCE		46
147	BV 74	CUZIEU		42
149	CH 71	CUZIEU		01
129	BB 64	CUZION		36
169	AW 85	CUZORN		47
132	BU 61	CUZY		71
37	BQ 32	CYS LA COMMUNE		02
12	BN 18	CYSOING	C	59

D

Page	Carreau	Commune	Adm.	Dpt
63	CR 39	DABO		57
64	CT 40	DACHSTEIN		67
77	BG 45	DADONVILLE		45
170	AX 83	DAGLAN		24
148	CC 71	DAGNEUX		01
56	BN 39	DAGNY		77
38	BT 27	DAGNY LAMBERCY		02
60	CD 38	DAGONVILLE		55
93	AM 53	DAGUENIERE, LA		49
64	CT 39	DAHLENHEIM		67
167	AM 82	DAIGNAC		33
39	CA 28	DAIGNY		08
81	CA 44	DAILLANCOURT		52
82	CE 46	DAILLECOURT		52
22	BJ 22	DAINVILLE	C	62
82	CE 42	DAINVILLE BERTHELEVILLE		55
118	CB 54	DAIX		21
42	CM 32	DALEM		57
62	CM 36	DALHAIN		57
64	CW 37	DALHUNDEN		67
145	BN 72	DALLET		63
22	BN 27	DALLON		02
219	BB 102	DALOU		09
41	CK 32	DALSTEIN		57
194	CQ 90	DALUIS		06
83	CL 42	DAMAS AUX BOIS		88
83	CK 44	DAMAS ET BETTEGNEY		88
183	AQ 88	DAMAZAN	C	47
64	CT 35	DAMBACH		67
85	CS 42	DAMBACH LA VILLE		67
104	CN 53	DAMBELIN		25
104	CP 51	DAMBENOIS		25
103	CL 49	DAMBENOIT LES COLOMBE		70
82	CF 46	DAMBLAIN		88
51	AO 37	DAMBLAINVILLE		14
76	BD 46	DAMBRON		28
53	AX 38	DAME MARIE		27
74	AT 43	DAME MARIE		61
95	AX 52	DAME MARIE LES BOIS		37
61	CK 40	DAMELEVIERES		54
34	BE 28	DAMERAUCOURT		60
118	CB 60	DAMEREY		71
36	BJ 28	DAMERY		80
57	BS 35	DAMERY		51
89	V 51	DAMGAN		56
202	BE 95	DAMIATTE		81
73	AQ 42	DAMIGNY		61
40	CE 33	DAMLOUP		55
56	BN 34	DAMMARD		02
76	BA 43	DAMMARIE		28
98	BL 51	DAMMARIE EN PUISAYE		45
77	BI 41	DAMMARIE LES LYS		77
98	BL 50	DAMMARIE SUR LOING		45
60	CC 40	DAMMARIE SUR SAULX		55
55	BJ 35	DAMMARTIN EN GOELE	C	77
54	BB 37	DAMMARTIN EN SERVE		78
120	CK 54	DAMMARTIN LES TEMPLIERS		25
119	CF 55	DAMMARTIN MARPAIN		39
82	CF 47	DAMMARTIN SUR MEUSE		52
56	BL 38	DAMMARTIN SUR TIGEAUX		77
23	BS 22	DAMOUSIES		59
25	BX 27	DAMOUZY		08
119	CE 57	DAMPARIS		39
119	CG 56	DAMPIERRE	C	39
50	AJ 35	DAMPIERRE		14
102	CD 47	DAMPIERRE		52
80	BW 41	DAMPIERRE		10
58	BW 35	DAMPIERRE AU TEMPLE		51
34	BB 30	DAMPIERRE EN BRAY		76
118	CC 60	DAMPIERRE EN BRESSE		71
97	BI 50	DAMPIERRE EN BURLY		45
97	BI 53	DAMPIERRE EN CROT		18
113	BD 56	DAMPIERRE EN GRACAIS		18
100	BX 53	DAMPIERRE EN MONTAGNE		21
54	BE 39	DAMPIERRE EN YVELINES		78
102	CD 53	DAMPIERRE ET FLEE		21
59	BZ 36	DAMPIERRE LE CHATEAU		51
104	CP 52	DAMPIERRE LES BOIS		25
103	CJ 48	DAMPIERRE LES CONFLANS		70
19	AY 26	DAMPIERRE SAINT NICOLAS		76
98	BN 53	DAMPIERRE SOUS BOUHY		58
75	AX 45	DAMPIERRE SOUS BROU		28
53	AY 39	DAMPIERRE SUR AVRE		28
139	AL 68	DAMPIERRE SUR BOUTONNE		17
104	CN 52	DAMPIERRE SUR LE DOUBS		25

Page	Carreau	Commune	Adm.	Dpt
103	CK 52	DAMPIERRE SUR LINOTTE		70
58	BX 37	DAMPIERRE SUR MOIVRE		51
102	CG 52	DAMPIERRE SUR SALON	C	70
104	CO 54	DAMPJOUX		25
36	BN 33	DAMPLEUX		02
56	BJ 37	DAMPMART		77
156	BB 79	DAMPNIAT		19
121	CP 54	DAMPRICHARD		25
33	AY 33	DAMPS, LES		27
54	BB 34	DAMPSMESNIL		27
103	CK 51	DAMPVALLEY LES COLOMBE		70
103	CJ 47	DAMPVALLEY SAINT PANCRAS		70
60	CG 35	DAMPVITOUX		54
102	CF 47	DAMREMONT		52
53	AX 37	DAMVILLE	C	27
40	CC 32	DAMVILLERS	C	55
125	AJ 65	DAMVIX		85
75	AV 43	DANCE		61
146	BU 70	DANCE		42
101	CA 48	DANCEVOIR		52
20	BB 26	DANCOURT		76
36	BJ 29	DANCOURT POPINCOURT		80
76	BA 45	DANCY		28
31	AQ 33	DANESTAL		14
111	AT 59	DANGE SAINT ROMAIN	C	86
75	AZ 45	DANGEAU		28
75	AZ 41	DANGERS		28
74	AR 44	DANGEUL		72
63	CS 40	DANGOLSHEIM		67
34	BC 33	DANGU		27
49	AG 35	DANGY		50
37	BO 29	DANIZY		02
104	CP 50	DANJOUTIN	C	90
63	CR 38	DANNE ET QUATRE VENTS		57
63	CQ 38	DANNELBOURG		57
105	CQ 50	DANNEMARIE	C	68
54	BB 39	DANNEMARIE		78
104	CP 53	DANNEMARIE		25
119	CH 55	DANNEMARIE SUR CRETE		25
100	BT 48	DANNEMOINE		89
77	BH 42	DANNEMOIS		91
10	BB 18	DANNES		62
39	CB 32	DANNEVOUX		55
50	AK 36	DANVOU LA FERRIERE		14
95	AX 48	DANZE		41
92	AK 49	DAON		53
67	J 41	DAOULAS	C	29
21	BH 26	DAOURS		80
157	BF 79	DARAZAC		19
119	CF 60	DARBONNAY		39
175	BY 84	DARBRES		07
101	BX 52	DARCEY		21
167	AM 83	DARDENAC		33
53	AY 35	DARDEZ		27
148	BZ 71	DARDILLY		69
147	BX 70	DAREIZE		69
34	BE 28	DARGIES		60
20	BB 24	DARGNIES		80
161	BZ 74	DARGOIRE		42
81	CC 45	DARMANNES		52
127	AW 67	DARNAC		87
33	AY 31	DARNETAL	C	76
157	BF 76	DARNETS		19
83	CI 46	DARNEY	C	88
82	CG 43	DARNEY AUX CHENES		88
83	CK 44	DARNIEULLES		88
101	CA 54	DAROIS		21
78	BK 44	DARVAULT		77
97	BF 49	DARVOY		45
104	CP 52	DASLE		25
85	CU 42	DAUBENSAND		67
33	AX 34	DAUBEUF LA CAMPAGNE		27
33	AZ 33	DAUBEUF PRES VATTEVILLE		27
32	AT 28	DAUBEUF SERVILLE		76
167	AN 83	DAUBEZE		33
64	CT 37	DAUENDORF		67
218	AY 101	DAUMAZAN SUR ARIZE		09
93	AM 50	DAUMERAY		49
192	CI 92	DAUPHIN		04
184	AV 87	DAUSSE		47
201	AY 95	DAUX		31
159	BM 75	DAUZAT SUR VODABLE		63
145	BN 70	DAVAYAT		63
134	BZ 66	DAVAYE		71
220	BJ 103	DAVEJEAN		11
35	BI 28	DAVENESCOURT		80
161	BZ 77	DAVEZIEUX		07
157	BE 75	DAVIGNAC		19
80	BT 47	DAVREY		10
54	BD 37	DAVRON		78
197	AF 94	DAX	S	40
31	AQ 32	DEAUVILLE		14
189	BV 91	DEAUX		30
146	BT 72	DEBATS RIVIERE D'ORPRA		42
171	BG 85	DECAZEVILLE	C	12
22	BM 21	DECHY		59
148	CB 72	DECINES CHARPIEU	C	69
115	BP 60	DECIZE	C	58
170	AY 84	DEGAGNAC		46
73	AQ 46	DEGRE		72
74	AT 45	DEHAULT		72
23	BO 24	DEHERIES		59
63	CQ 35	DEHLINGEN		67
84	CM 42	DEINVILLERS		88
102	CF 51	DELAIN		70
11	BG 18	DELETTES		62
34	BD 33	DELINCOURT		60
104	CP 52	DELLE	C	90
61	CK 37	DELME	C	57
60	CE 40	DELOUZE ROSIERES		55
35	BF 33	DELUGE, LE		60
40	CD 31	DELUT		55
120	CK 54	DELUZ		25
194	CP 92	DEMANDOLX		04
60	CE 40	DEMANGE AUX EAUX		55
103	CI 47	DEMANGEVELLE		70
151	CO 70	DEMI QUARTIER		74
103	CJ 51	DEMIE, LA		70
118	CA 59	DEMIGNY		71
31	AO 34	DEMOUVILLE		14
199	AP 94	DEMU		32
21	BI 27	DEMUIN		80
23	BO 21	DENAIN	C	59
186	BF 93	DENAT		81
92	AI 48	DENAZE		53
92	AK 54	DENEE		49
19	AY 27	DENESTANVILLE		76
131	BN 67	DENEUILLE LES CHANTELLE		03
130	BK 65	DENEUILLE LES MINES		03
84	CN 41	DENEUVRE		54
102	CF 51	DENEVRE		70
109	AN 55	DENEZE SOUS DOUE		49
93	AQ 52	DENEZE SOUS LE LUDE		49
135	CH 62	DENEZIERES		39
198	AJ 98	DENGUIN		64
147	BY 69	DENICE		69
21	BH 22	DENIER		62
84	CP 42	DENIPAIRE		88
11	BF 18	DENNEBROEUCQ		62
29	AD 32	DENNEVILLE		50
117	BY 59	DENNEVY		71
104	CP 50	DENNEY		90
76	BD 43	DENONVILLE		28
42	CL 33	DENTING		57
113	BB 60	DEOLS		36
83	CK 43	DERBAMONT		88
110	AQ 59	DERCE		86
19	AY 25	DERCHIGNY		76
37	BQ 28	DERCY		02
224	BI 104	DERNACUEILLETTE		11
21	BI 25	DERNANCOURT		80
91	AC 50	DERVAL	C	44
175	BX 80	DESAIGNES		07
104	CN 51	DESANDANS		25
111	AU 58	DESCARTES	C	37
119	CE 58	DESCHAUX, LE		39
50	AJ 37	DESERT, LE		14
72	AJ 41	DESERTINES		53
130	BJ 65	DESERTINES		03
150	CJ 73	DESERTS, LES		73
120	CJ 58	DESERVILLERS		25
159	BP 80	DESGES		43
150	CI 69	DESINGY		74
77	BH 45	DESMONTS		45
119	CF 60	DESNES		39
62	CO 38	DESSELING		57
85	CT 46	DESSENHEIM		68
135	CF 65	DESSIA		39
84	CM 43	DESTORD		88
208	CH 98	DESTROUSSE, LA		13
62	CM 36	DESTRY		57
10	BD 17	DESVRES	C	62
118	BZ 56	DETAIN ET BRUANT		21
164	CK 75	DETRIER		73
51	AN 37	DETROIT, LE		14
133	BV 61	DETTEY		71
63	CS 37	DETTWILLER		67
55	BG 36	DEUIL LA BARRE		95
37	BO 29	DEUILLET		02
12	BL 17	DEULEMONT		59
131	BM 65	DEUX CHAISES		03
72	AL 45	DEUX EVAILLES		53
119	CF 59	DEUX FAYS, LES		39
30	AJ 32	DEUX JUMEAUX		14
173	BM 83	DEUX VERGES		15
39	CB 29	DEUX VILLES, LES		08
61	CL 39	DEUXVILLE		54
132	BQ 60	DEVAY		58
120	CI 54	DEVECEY		25
161	BX 80	DEVESSET		07
200	AS 100	DEVEZE		65
154	AO 76	DEVIAT		16
169	AU 85	DEVILLAC		47
25	BX 26	DEVILLE		08
33	AX 31	DEVILLE LES ROUEN		76
22	BL 26	DEVISE		80
118	CC 60	DEVROUZE		71
84	CN 44	DEYCIMONT		88
201	BA 97	DEYME		31
84	CM 44	DEYVILLERS		88
30	AH 33	DEZERT, LE		50
117	BY 59	DEZIZE LES MARANGES		71
77	BG 42	D'HUISON LONGUEVILLE		91
56	BM 36	DHUISY		77
37	BQ 32	DHUIZEL		02
96	BB 52	DHUIZON		41
117	BW 56	DIANCEY		21
62	CO 38	DIANE CAPELLE		57
78	BL 44	DIANT		77
83	CJ 42	DIARVILLE		54
118	CC 60	DICONNE		71
98	BM 48	DICY		89
105	CS 49	DIDENHEIM		68
177	CE 83	DIE	S	26
62	CO 34	DIEBLING		57
85	CU 43	DIEBOLSHEIM		67
62	CP 36	DIEDENDORF		67
85	CR 43	DIEFFENBACH AU VAL		67
64	CU 35	DIEFFENBACH LES WOERTH		67
85	CS 43	DIEFFENTHAL		67
105	CQ 49	DIEFMATTEN		68
147	BX 70	DIEME		69
63	CQ 36	DIEMERINGEN		67
148	CC 74	DIEMOZ		38
101	CB 52	DIENAY		21
127	AT 64	DIENNE		86
158	BK 79	DIENNE		15
116	BQ 59	DIENNES AUBIGNY		58
80	BX 43	DIENVILLE		10
19	AX 26	DIEPPE	S	76
40	CE 33	DIEPPE SOUS DOUAUMONT		55
111	AW 54	DIERRE		37
79	BS 44	DIERREY SAINT JULIEN		10
79	BR 43	DIERREY SAINT PIERRE		10
42	CM 33	DIESEN		57
105	CS 49	DIETWILLER		68
35	BG 33	DIEUDONNE		60
60	CD 35	DIEUE SUR MEUSE		55
176	CC 85	DIEULEFIT	C	26
168	AP 84	DIEULIVOL		33
61	CI 37	DIEULOUARD	C	54
184	AY 93	DIEUPENTALE		82
62	CM 37	DIEUZE	C	57
11	BH 20	DIEVAL		62
62	CN 35	DIFFEMBACH LES HELLIMER		57
99	BO 50	DIGES		89
135	CE 63	DIGNA		39
154	AQ 74	DIGNAC		16
219	BF 102	DIGNE D'AMONT, LA		11
219	BF 102	DIGNE D'AVAL, LA		11
193	CM 90	DIGNE LES BAINS	P	04
84	CL 44	DIGNONVILLE		88
75	AY 41	DIGNY		28
132	BT 64	DIGOIN	C	71
29	AF 28	DIGOSVILLE		50
28	AC 28	DIGULLEVILLE		50
118	CB 54	DIJON	P	21
77	BH 45	DIMANCHEVILLE		45
63	CR 38	DIMBSTHAL		67
24	BT 23	DIMECHAUX		59
23	BS 23	DIMONT		59
70	AA 41	DINAN	S	22
48	AA 39	DINARD	C	35
67	K 43	DINEAULT		29
71	AC 42	DINGE		35
64	CU 39	DINGSHEIM		67
150	CI 68	DINGY EN VUACHE		74
150	CL 70	DINGY SAINT CLAIR		74
84	CL 45	DINOZE		88
128	AX 67	DINSAC		87
63	CS 40	DINSHEIM SUR BRUCHE		67
81	BZ 47	DINTEVILLE		52
204	BO 95	DIO ET VALQUIERES		34
162	CD 78	DIONAY		38
190	BW 92	DIONS		30
113	BD 60	DIORS		36
132	BR 63	DIOU		03
113	BE 58	DIOU		36
140	AQ 74	DIRAC		16
67	J 41	DIRINON		29
116	BQ 55	DIROL		58
100	BT 51	DISSANGIS		89
127	AS 61	DISSAY		86
94	AT 51	DISSAY SOUS COURCILLON		72
74	AR 44	DISSE SOUS BALLON		72
94	AQ 51	DISSE SOUS LE LUDE		72
110	AO 56	DISTRE		49
41	CJ 32	DISTROFF		57
198	AM 96	DIUSSE		64
176	CC 84	DIVAJEU		26
36	BK 29	DIVES		60
31	AP 33	DIVES SUR MER		14
11	BI 20	DIVION	C	62
136	CK 65	DIVONNE LES BAINS		01
79	BO 46	DIXMONT		89
149	CE 72	DIZIMIEU		38
58	BT 35	DIZY		51
38	BT 29	DIZY LE GROS		02
198	AJ 95	DOAZIT		40
198	AJ 97	DOAZON		64
84	CM 45	DOCELLES		88
139	AK 67	DOEUIL SUR LE MIGNON		17
197	AH 99	DOGNEN		64
84	CL 44	DOGNEVILLE		88
11	BF 18	DOHEM		62
38	BU 27	DOHIS		02
22	BL 23	DOIGNIES		59
22	BL 26	DOINGT		80
169	AW 83	DOISSAT		24
163	CF 75	DOISSIN		38
125	AI 65	DOIX		85
161	BY 76	DOIZIEUX		42
49	AC 40	DOL DE BRETAGNE	C	35
82	CG 43	DOLAINCOURT		88
81	BX 44	DOLANCOURT		10
83	CH 41	DOLCOURT		54
119	CE 57	DOLE	S	39
38	BT 28	DOLIGNON		02
104	CP 48	DOLLEREN		68
74	AT 47	DOLLON		72
78	BM 45	DOLLOT		89
183	AS 88	DOLMAYRAC		47
70	Y 42	DOLO		22
149	CF 73	DOLOMIEU		38
138	AE 70	DOLUS D'OLERON		17
111	AW 56	DOLUS LE SEC		37
62	CP 37	DOLVING		57
39	BY 28	DOM LE MESNIL		08
71	AF 46	DOMAGNE		35
146	BQ 73	DOMAIZE		63
71	AG 47	DOMALAIN		35
151	CO 69	DOMANCY		74
149	CD 74	DOMARIN		38
21	BF 24	DOMART EN PONTHIEU	C	80
21	BI 27	DOMART SUR LA LUCE		80
78	BM 46	DOMATS		89
190	BZ 92	DOMAZAN		30
83	CI 45	DOMBASLE DEVANT DARNEY		88
59	CB 34	DOMBASLE EN ARGONNE		55
83	CI 43	DOMBASLE EN XAINTOIS		88
61	CK 39	DOMBASLE SUR MEURTHE		54
81	CA 42	DOMBLAIN		52
119	CF 60	DOMBLANS		39
40	CD 31	DOMBRAS		55
83	CH 45	DOMBROT LE SEC		88
83	CH 44	DOMBROT SUR VAIR		88
99	BR 54	DOMECY SUR CURE		89
99	BR 53	DOMECY SUR LE VAULT		89
35	BF 29	DOMELIERS		60
163	CI 78	DOMENE	C	38
130	BI 65	DOMERAT	C	03
21	BF 24	DOMESMONT		80
189	BV 92	DOMESSARGUES		30
163	CH 74	DOMESSIN		73
61	CH 37	DOMEVRE EN HAYE	C	54
83	CI 44	DOMEVRE SOUS MONTFORT		88
83	CL 44	DOMEVRE SUR AVIERE		88
84	CL 43	DOMEVRE SUR DURBION		88
62	CO 40	DOMEVRE SUR VEZOUZE		54
159	BP 78	DOMEYRAT		43
129	BF 67	DOMEYROT		23
197	AG 98	DOMEZAIN BERRAUTE		64
84	CN 44	DOMFAING		88
62	CQ 36	DOMFESSEL		67
50	AL 40	DOMFRONT	C	61
35	BI 29	DOMFRONT		60
73	AP 46	DOMFRONT EN CHAMPAGNE		72
60	CG 40	DOMGERMAIN		54
91	AC 49	DOMINELAIS, LA		35
20	BD 21	DOMINOIS		80
50	AI 36	DOMJEAN		50
62	CN 40	DOMJEVIN		54
83	CI 44	DOMJULIEN		88
21	BE 23	DOMLEGER LONGVILLERS		80
71	AE 46	DOMLOUP		35
83	CI 42	DOMMARIE EULMONT		54
102	CD 50	DOMMARIEN		52
61	CJ 38	DOMMARTEMONT		54
35	BH 27	DOMMARTIN		80
116	BS 57	DOMMARTIN		58
120	CL 58	DOMMARTIN		25
134	CB 65	DOMMARTIN		01
148	BZ 71	DOMMARTIN		69
83	CK 45	DOMMARTIN AUX BOIS		88
59	BZ 35	DOMMARTIN DAMPIERRE		51
60	CG 35	DOMMARTIN LA CHAUSSEE		54
60	CE 35	DOMMARTIN LA MONTAGNE		55
80	BV 41	DOMMARTIN LE COQ		10
81	CA 42	DOMMARTIN LE FRANC		52
81	BZ 42	DOMMARTIN LE SAINT PERE		52
135	CD 63	DOMMARTIN LES CUISEAUX		71
84	CN 46	DOMMARTIN LES REMIREMONT		88
61	CH 39	DOMMARTIN LES TOUL		54
83	CI 45	DOMMARTIN LES VALLOIS		88
58	BV 38	DOMMARTIN LETTREE		51
61	CJ 38	DOMMARTIN SOUS AMANCE		54
59	BY 34	DOMMARTIN SOUS HANS		51
83	CH 43	DOMMARTIN SUR VRAINE		88
59	BZ 36	DOMMARTIN VARIMONT		51
40	CF 32	DOMMARY BARONCOURT		55
170	AY 83	DOMME	C	24
38	BW 28	DOMMERY		08
36	BN 32	DOMMIERS		02
62	CN 37	DOMNON LES DIEUZE		57
55	BG 36	DOMONT	C	95
83	CJ 44	DOMPAIRE	C	88
60	CD 36	DOMPCEVRIN		55
50	AL 40	DOMPIERRE		61
35	BI 29	DOMPIERRE		60
84	CM 43	DOMPIERRE		88
60	CE 36	DOMPIERRE AUX BOIS		55
22	BK 26	DOMPIERRE BECQUINCOURT		80
72	AH 44	DOMPIERRE DU CHEMIN		35
100	BV 54	DOMPIERRE EN MORVAN		21
128	AY 67	DOMPIERRE LES EGLISES		87
133	BX 65	DOMPIERRE LES ORMES		71
120	CK 59	DOMPIERRE LES TILLEULS		25
133	BV 62	DOMPIERRE SOUS SANVIGNES		71
20	BD 22	DOMPIERRE SUR AUTHIE		80
132	BQ 64	DOMPIERRE SUR BESBRE	C	03
148	CA 68	DOMPIERRE SUR CHALARONNE		01
139	AK 72	DOMPIERRE SUR CHARENTE		17
23	BR 23	DOMPIERRE SUR HELPE		59
116	BQ 55	DOMPIERRE SUR HERY		58
124	AG 67	DOMPIERRE SUR MER		17
135	CF 63	DOMPIERRE SUR MONT		39
115	BN 56	DOMPIERRE SUR NIEVRE		58
148	CD 68	DOMPIERRE SUR VEYLE		01
124	AE 61	DOMPIERRE SUR YON		85
175	BU 85	DOMPNAC		07
120	CM 55	DOMPREL		25
59	BY 39	DOMPREMY		51
40	CF 32	DOMPRIX		54
143	BC 73	DOMPS		87
84	CM 41	DOMPTAIL		88
83	CK 41	DOMPTAIL EN L'AIR		54
56	BN 36	DOMPTIN		02
21	BE 24	DOMQUEUR		80
40	CF 32	DOMREMY LA CANNE		55
82	CF 42	DOMREMY LA PUCELLE		88
82	CC 43	DOMREMY LANDEVILLE		52
135	CD 64	DOMSURE		01
83	CI 43	DOMVALLIER		88
20	BE 23	DOMVAST		80
12	BL 19	DON		59
219	BE 102	DONAZAC		11
39	BZ 28	DONCHERY		08
84	CM 42	DONCIERES		88
60	CF 35	DONCOURT AUX TEMPLIERS		55
61	CH 34	DONCOURT LES CONFLANS		54
40	CF 31	DONCOURT LES LONGUYON		54
82	CF 45	DONCOURT SUR MEUSE		52
184	AU 89	DONDAS		47
90	Z 54	DONGES		44
61	CK 37	DONJEUX		57
81	CB 43	DONJEUX		52
132	BS 65	DONJON, LE	C	03
51	AM 36	DONNAY		14
186	BD 92	DONNAZAC		81
62	CN 38	DONNELAY		57
75	AZ 46	DONNEMAIN SAINT MAMES		28
78	BM 42	DONNEMARIE DONTILLY	C	77
80	BW 41	DONNEMENT		10
64	CU 38	DONNENHEIM		67
97	BF 48	DONNERY		45
201	BA 97	DONNEVILLE		31
153	AK 77	DONNEZAC		33
144	BI 70	DONTREIX		23
38	BV 33	DONTRIEN		51
49	AE 37	DONVILLE LES BAINS		50
184	AU 90	DONZAC		82
167	AM 84	DONZAC		33
197	AH 95	DONZACQ		40
143	BE 69	DONZEIL, LE		23
156	BA 78	DONZENAC	C	19
176	BZ 86	DONZERE		26
115	BM 54	DONZY	C	58
133	BY 64	DONZY LE NATIONAL		71
134	BZ 64	DONZY LE PERTUIS		71
160	BR 76	DORANGES		63
104	CO 51	DORANS		90
128	AX 67	DORAT, LE	C	87
146	BP 71	DORAT		63
75	AV 42	DORCEAU		61
78	BK 46	DORDIVES		45
160	BR 76	DORE L'EGLISE		63
72	AI 42	DOREE, LA		53
23	BQ 25	DORENGT		02
64	CS 40	DORLISHEIM		67
57	BQ 35	DORMANS	C	51
78	BL 44	DORMELLES		77
156	AZ 80	DORNAC, LA		24
175	BW 82	DORNAS		07
99	BQ 53	DORNECY		58
131	BO 61	DORNES	C	58
61	CI 35	DORNOT		57
223	BD 108	DORRES		66
135	CG 65	DORTAN		01
80	BU 43	DOSCHES		10
58	BU 40	DOSNON		10
64	CT 39	DOSSENHEIM KOCHERSBERG		67
63	CR 37	DOSSENHEIM SUR ZINSEL		67
128	AX 62	DOUADIC		36
22	BL 21	DOUAI	S	59
54	BA 35	DOUAINS		27
66	J 44	DOUARNENEZ	C	29
40	CD 33	DOUAUMONT		55
120	CL 58	DOUBS		25
74	AQ 44	DOUCELLES		72
154	AS 78	DOUCHAPT		24
36	BM 27	DOUCHY		02
98	BM 48	DOUCHY		45
22	BJ 23	DOUCHY LES AYETTE		62
23	BO 22	DOUCHY LES MINES		59
135	CH 61	DOUCIER		39
150	CK 72	DOUCY EN BAUGES		73
34	BC 30	DOUDEAUVILLE		76
10	BD 18	DOUDEAUVILLE		62
34	BB 32	DOUDEAUVILLE EN VEXIN		27
20	BC 25	DOUDELAINVILLE		80
33	AV 28	DOUDEVILLE	C	76
169	AT 84	DOUDRAC		47
56	BM 37	DOUE		77
109	AN 56	DOUE LA FONTAINE	C	49
170	AZ 86	DOUELLE		46
139	AK 71	DOUHET, LE		17
73	AP 44	DOUILLET		72
36	BM 27	DOUILLY		80
82	CC 43	DOULAINCOURT SAUCOURT	C	52
39	CB 31	DOULCON		55
81	CA 43	DOULEVANT LE CHATEAU	C	52
81	CA 42	DOULEVANT LE PETIT		52
168	AO 83	DOULEZON		33
12	BJ 17	DOULIEU, LE		59
21	BH 23	DOULLENS	C	80
38	BV 29	DOUMELY BEGNY		08
198	AL 98	DOUMY		64
83	CL 45	DOUNOUX		88
188	BP 91	DOURBIES		30
71	AF 44	DOURDAIN		35
76	BE 41	DOURDAN	C	91
12	BL 20	DOURGES		62
202	BF 97	DOURGNE	C	81
20	BD 21	DOURIEZ		62
23	BS 23	DOURLERS		59
187	BI 91	DOURN, LE		81
141	AV 74	DOURNAZAC		87
120	CI 58	DOURNON		39
199	AP 99	DOURS		65
150	CL 71	DOUSSARD		74
110	AR 60	DOUSSAY		86
136	CL 65	DOUVAINE	C	74
169	AS 80	DOUVILLE		24
31	AP 33	DOUVILLE EN AUGE		14
33	AZ 32	DOUVILLE SUR ANDELLE		27
19	AZ 26	DOUVREND		76
149	CE 69	DOUVRES		01
31	AM 32	DOUVRES LA DELIVRANDE	C	14
12	BK 19	DOUVRIN	C	62
38	BW 30	DOUX		08
126	AP 61	DOUX		79
75	AY 47	DOUY		28
56	BL 35	DOUY LA RAMEE		77
169	AS 84	DOUZAINS		47
140	AO 72	DOUZAT		16
155	AV 80	DOUZE, LA		24
220	BJ 101	DOUZENS		11
154	AR 79	DOUZILLAC		24
39	CA 28	DOUZY		08
29	AE 32	DOVILLE		50
120	CJ 60	DOYE		39
130	BK 66	DOYET		03
31	AP 33	DOZULE	C	14
148	BZ 67	DRACE		69
111	AU 58	DRACHE		37
64	CV 35	DRACHENBRONN BIRLENBACH		67
98	BN 50	DRACY		89
118	BZ 60	DRACY LE FORT		71
117	BX 59	DRACY LES COUCHES		71
117	BW 58	DRACY SAINT LOUP		71
49	AE 39	DRAGEY RONTHON		50
210	CO 96	DRAGUIGNAN	S	83
136	CM 65	DRAILLANT		74
108	AG 54	DRAIN		49
193	CN 89	DRAIX		04
38	BV 29	DRAIZE		08
119	CD 54	DRAMBON		21
135	CF 64	DRAMELAY		39
55	BH 37	DRANCY	C	93
195	CV 93	DRAP		06
37	BQ 33	DRAVEGNY		02
55	BH 39	DRAVEIL	C	91
117	BY 54	DREE		21
90	Z 52	DREFFEAC		44
201	BB 96	DREMIL LAFAGE		31
44	J 39	DRENNEC, LE		29
21	BF 26	DREUIL LES AMIENS		80
223	BD 103	DREUILHE		09
54	BA 39	DREUX	S	28
130	BI 62	DREVANT		18
38	BW 31	DRICOURT		08
22	BL 25	DRIENCOURT		80
11	BG 15	DRINCHAM		59
22	BL 21	DROCOURT		62
54	BC 35	DROCOURT		78
53	AY 38	DROISY		27
150	CI 69	DROISY		74
132	BR 67	DROITURIER		03
37	BO 33	DROIZY		02
135	CE 67	DROM		01
20	BD 26	DROMESNIL		80
19	AV 27	DROSAY		76
81	BX 41	DROSNAY		51
75	AX 47	DROUE	C	41
54	BC 40	DROUE SUR DROUETTE		28
91	AF 48	DROUGES		35
58	BW 38	DROUILLY		51
80	BS 42	DROUPT SAINT BASLE		10
80	BS 42	DROUPT SAINTE MARIE		10
61	CL 39	DROUVILLE		54
11	BI 19	DROUVIN LE MARAIS		62
142	AX 68	DROUX		87
81	BY 41	DROYES		52
32	AQ 33	DRUBEC		14
20	BD 23	DRUCAT		80
52	AT 35	DRUCOURT		27
201	AX 94	DRUDAS		31
187	BI 88	DRUELLE		12
158	BH 79	DRUGEAC		15
149	CD 68	DRUILLAT		01
171	BF 87	DRULHE		12
63	CQ 36	DRULINGEN	C	67
150	CJ 73	DRUMETTAZ CLARAFOND	C	73
64	CW 37	DRUSENHEIM		67
115	BO 60	DRUY PARIGNY		58
111	AT 55	DRUYE		37
99	BO 52	DRUYES LES BELLES FONTAINES		89
96	BC 49	DRY		45
68	Q 42	DUAULT		22
49	AG 40	DUCEY	C	50
33	AW 30	DUCLAIR	C	76
30	AL 33	DUCY SAINTE MARGUERITE		14
147	BY 73	DUERNE		69
101	BY 51	DUESME		21
199	AR 99	DUFFORT		32
55	BH 37	DUGNY		93
60	CD 34	DUGNY SUR MEUSE		55
198	AL 94	DUHORT BACHEN		40
224	BI 104	DUILHAC SOUS PEYREPERTUSE		11
150	CK 71	DUINGT		74
22	BJ 22	DUISANS		62
163	CH 74	DULLIN		73
198	AJ 95	DUMES		40
219	BC 102	DUN		09
129	BB 66	DUN LE PALESTEL	C	23
113	BC 56	DUN LE POELIER		36
116	BT 55	DUN LES PLACES		58
114	BI 60	DUN SUR AURON	C	18
116	BS 57	DUN SUR GRANDRY		58
39	CB 31	DUN SUR MEUSE	C	55
74	AT 46	DUNEAU		72
184	AU 91	DUNES		82
128	AY 64	DUNET		36
104	CO 52	DUNG		25
175	BZ 82	DUNIERE SUR EYRIEUX		07
161	BW 78	DUNIERES		43
4	BG 13	DUNKERQUE	S	59
64	CS 38	DUNTZENHEIM		67
64	CT 40	DUPPIGHEIM		67
200	AS 95	DURAN		32
183	AP 90	DURANCE		47
195	CU 92	DURANUS		06
52	AT 34	DURANVILLE		27
168	AP 84	DURAS	C	47
169	AX 86	DURAVEL		46
200	AS 97	DURBAN		32
221	BK 103	DURBAN CORBIERES	C	11
218	AY 102	DURBAN SUR ARIZE		09
171	BC 84	DURBANS		46
51	AM 39	DURCET		61

Page	Carreau	Commune	Adm.	Dpt
130	BJ 67	DURDAT LAREQUILLE		03
93	AO 49	DUREIL		72
187	BJ 90	DURENQUE		12
202	BE 98	DURFORT		81
218	AZ 100	DURFORT		09
189	BU 92	DURFORT ET SAINT MARTIN DE SOSSENAC		30
184	AX 89	DURFORT LACAPELETTE		82
105	CR 52	DURLINSDORF		68
105	CS 51	DURMENACH		68
145	BL 67	DURMIGNAT		63
120	CK 56	DURNES		25
64	CT 38	DURNINGEN		67
64	CU 36	DURRENBACH		67
85	CT 45	DURRENENTZEN		68
63	CQ 36	DURSTEL		67
93	AN 51	DURTAL	C	49
145	BM 72	DURTOL		63
21	BG 27	DURY		80
22	BL 22	DURY		62
36	BM 28	DURY		02
155	AX 76	DUSSAC		24
64	CT 40	DUTTLENHEIM		67
36	BK 33	DUVY		60
40	CE 31	DUZEY		55
99	BS 48	DYE		89
133	BV 65	DYO		71
		E		
91	AG 49	EANCE		35
55	BG 36	EAUBONNE	C	95
20	BD 24	EAUCOURT SUR SOMME		80
201	AZ 98	EAUNES		31
215	AK 103	EAUX BONNES		64
79	BS 46	EAUX PUISEAUX		10
182	AO 93	EAUZE	C	32
118	BZ 59	EBATY		21
11	BH 17	EBBLINGHEM		59
64	CX 35	EBERBACH SELTZ		67
85	CT 43	EBERSHEIM		67
85	CT 42	EBERSMUNSTER		67
41	CK 32	EBERSVILLER		57
41	CL 33	EBLANGE		57
37	BS 28	EBOULEAU		02
140	AP 70	EBREON		16
145	BM 68	EBREUIL	C	03
38	BU 31	ECAILLE, L'		08
22	BN 21	ECAILLON		59
33	AV 29	ECALLES ALIX		76
32	AV 33	ECAQUELON		27
53	AV 35	ECARDENVILLE LA CAMPAGNE		27
53	AZ 35	ECARDENVILLE SUR EURE		27
29	AF 30	ECAUSSEVILLE		50
53	AX 35	ECAUVILLE		27
228	DJ 112	ECCICA SUARELLA		2A
24	BT 23	ECCLES		59
161	BZ 74	ECHALAS		69
140	AO 72	ECHALLAT		16
135	CH 67	ECHALLON		01
101	BZ 51	ECHALOT		21
51	AM 39	ECHALOU		61
159	BQ 74	ECHANDELYS		63
117	BY 55	ECHANNAY		21
77	BH 41	ECHARCON		91
145	BL 67	ECHASSIERES		03
52	AS 39	ECHAUFFOUR		61
104	CN 50	ECHAVANNE		70
120	CI 57	ECHAY		25
153	AL 74	ECHEBRUNE		17
24	BW 27	ECHELLE, L'		08
36	BJ 28	ECHELLE SAINT AURIN, L'		80
163	CH 75	ECHELLES, LES	C	73
79	BR 43	ECHEMINES		10
93	AN 52	ECHEMIRE		49
104	CN 51	ECHENANS		25
104	CO 51	ECHENANS SOUS MONT VAUDOIS		70
82	CC 42	ECHENAY		52
136	CJ 65	ECHENEVEX		01
118	CD 57	ECHENON		21
103	CJ 51	ECHENOZ LA MELINE		70
103	CJ 51	ECHENOZ LE SEC		70
101	CC 52	ECHEVANNES		21
120	CK 57	ECHEVANNES		25
163	CF 80	ECHEVIS		26
118	BZ 57	ECHEVRONNE		21
118	CC 56	ECHIGEY		21
138	AH 70	ECHILLAIS		17
77	BH 45	ECHILLEUSES		45
10	BC 17	ECHINGHEN		62
125	AL 65	ECHIRE		79
163	CH 78	ECHIROLLES	C	38
78	BL 42	ECHOUBOULAINS		77
154	AQ 79	ECHOURGNAC		24
63	CR 37	ECKARTSWILLER		67
64	CU 39	ECKBOLSHEIM		67
64	CU 38	ECKWERSHEIM		67
23	BS 23	ECLAIBES		59
59	CA 36	ECLAIRES		51
81	BY 44	ECLANCE		10
119	CF 56	ECLANS NENON		39
59	BZ 40	ECLARON BRAUCOURT SAINTE LIVIERE	C	52
162	CA 78	ECLASSAN		07
119	CG 58	ECLEUX		39
11	BF 20	ECLIMEUX		62
162	CE 75	ECLOSE		38
22	BK 26	ECLUSIER VAUX		80
54	BA 39	ECLUZELLES		28
38	BV 30	ECLY		08
147	BW 67	ECOCHE		42
21	BG 21	ECOIVRES		62
150	CK 73	ECOLE		73
120	CI 55	ECOLE VALENTIN		25
59	BY 40	ECOLLEMONT		51
94	AR 49	ECOMMOY	C	72
29	AG 31	ECOQUENEAUVILLE		50
52	AU 39	ECORCEI		61
121	CO 55	ECORCES, LES		25
51	AQ 37	ECORCHES		61
38	BX 30	ECORDAL		08
94	AU 48	ECORPAIN		72
54	BB 34	ECOS	C	27
104	CO 53	ECOT		25
82	CD 44	ECOT LA COMBE		52
160	BU 74	ECOTAY L'OLME		42
51	AO 39	ECOUCHE	C	61
55	BH 36	ECOUEN	C	95
92	AL 52	ECOUFLANT		49
34	BA 32	ECOUIS		27
22	BM 22	ECOURT SAINT QUENTIN		62
22	BK 23	ECOUST SAINT MEIN		62
40	CD 30	ECOUVIEZ		55
120	CK 54	ECOUVOTTE, L'		25
139	AK 71	ECOYEUX		17
11	BH 19	ECQUEDECQUES		62
11	BG 17	ECQUES		62
53	AX 34	ECQUETOT		27
54	BD 37	ECQUEVILLY		78
32	AS 29	ECRAINVILLE		76
30	AI 32	ECRAMMEVILLE		14
78	BK 41	ECRENNES, LES		77
32	AU 29	ECRETTEVILLE LES BAONS		76
18	AT 27	ECRETTEVILLE SUR MER		76
59	BY 39	ECRIENNES		51
135	CG 63	ECRILLE		39
104	CM 49	ECROMAGNY		70
76	BC 41	ECROSNES		28
60	CG 39	ECROUVES		54
33	AW 29	ECTOT L'AUBER		76
33	AV 29	ECTOT LES BAONS		76
58	BS 34	ECUEIL		51
112	AZ 57	ECUEILLE	C	36
23	BR 23	ECUELIN		59
102	CF 52	ECUELLE		70
78	BK 43	ECUELLES		77
118	CB 58	ECUELLES		71
92	AL 51	ECUILLE		49
10	BC 20	ECUIRES		62
133	BX 61	ECUISSES		71
29	AC 28	ECULLEVILLE		50
148	BZ 72	ECULLY		69
141	AT 73	ECURAS		16
139	AJ 71	ECURAT		17
104	CO 53	ECURCEY		25
40	CC 32	ECUREY EN VERDUNOIS		55
22	BK 21	ECURIE		62
58	BT 38	ECURY LE REPOS		51
58	BV 37	ECURY SUR COOLE	C	51
117	BY 57	ECUTIGNY		21
36	BL 29	ECUVILLY		60
67	M 44	EDERN		29
154	AR 75	EDON		16
139	AN 69	EDUTS, LES		17
11	BI 16	EECKE		59
145	BO 69	EFFIAT		63
82	CC 41	EFFINCOURT		52
24	BS 26	EFFRY		02
223	BE 108	EGAT		66
99	BO 49	EGLENY		89
157	BE 76	EGLETONS	C	19
78	BM 42	EGLIGNY		77
105	CR 50	EGLINGEN		68
143	BC 73	EGLISE AUX BOIS, L'		19
155	AU 79	EGLISE NEUVE DE VERGT		24
168	AR 80	EGLISE NEUVE D'ISSAC		24
158	BK 76	EGLISENEUVE D'ENTRAIGUES		63
159	BP 74	EGLISENEUVE DES LIARDS		63
145	BP 72	EGLISENEUVE PRES BILLOM		63
139	AL 69	EGLISES D'ARGENTEUIL, LES		17
160	BT 75	EGLISOLLES		63
154	AO 79	EGLISOTTES ET CHALAURES, LES		33
77	BG 41	EGLY		91
78	BL 45	EGREVILLE		77
78	BN 46	EGRISELLES LE BOCAGE		89
77	BH 46	EGRY		45
63	CS 34	EGUELSHARDT		57
104	CP 50	EGUENIGUE		90
138	AG 72	EGUILLE, L'		17
208	CF 96	EGUILLES		13
117	BX 55	EGUILLY		21
80	BX 45	EGUILLY SOUS BOIS		10
85	CR 45	EGUISHEIM		68
128	BA 64	EGUZON CHANTOME	C	36
103	CK 49	EHUNS		70
85	CS 42	EICHHOFFEN		67
62	CM 35	EINCHEVILLE		57
83	CL 41	EINVAUX		54
61	CL 39	EINVILLE AU JARD		54
40	CE 34	EIX		55
39	BY 28	ELAN		08
54	BE 38	ELANCOURT		78
105	CQ 50	ELBACH		68
33	AX 33	ELBEUF	C	76
34	BB 31	ELBEUF EN BRAY		76
34	BA 31	ELBEUF SUR ANDELLE		76
34	BD 28	ELENCOURT		60
24	BS 21	ELESMES		59
18	AT 27	ELETOT		76
12	BK 20	ELEU DIT LEAUWETTE		62
23	BO 24	ELINCOURT		59
36	BK 30	ELINCOURT SAINTE MARGUERITE		60
59	BZ 35	ELISE DAUCOURT		51
34	BC 27	ELLECOURT		76
67	M 45	ELLIANT		29
30	AL 33	ELLON		14
225	BM 107	ELNE	C	66
11	BF 17	ELNES		62
104	CP 50	ELOIE		90
149	CI 68	ELOISE		74
84	CM 45	ELOYES		88
85	CT 44	ELSENHEIM		67
62	CL 35	ELVANGE		57
89	V 49	ELVEN	C	56
41	CJ 31	ELZANGE		57
119	CH 54	EMAGNY		25
53	AY 35	EMALLEVILLE		27
76	BC 41	EMANCE		78
33	AX 29	EMANVILLE		76
53	AW 35	EMANVILLE		27
62	CM 39	EMBERMENIL		54
221	BK 103	EMBRES ET CASTELMAURE		11
20	BB 25	EMBREVILLE		80
179	CO 84	EMBRUN	C	05
10	BE 19	EMBRY		62
55	BJ 38	EMERAINVILLE		77
22	BN 21	EMERCHICOURT		59
133	BY 67	EMERINGES		69
36	BM 33	EMEVILLE		60
51	AO 34	EMIEVILLE		14
105	CS 50	EMLINGEN		68
12	BL 18	EMMERIN		59
29	AG 30	EMONDEVILLE		50
201	AW 97	EMPEAUX		31
161	BY 80	EMPURANY		07
140	AP 69	EMPURE		16
116	BS 54	EMPURY		58
201	AW 95	ENCAUSSE		32
217	AT 102	ENCAUSSE LES THERMES		31
179	CP 87	ENCHASTRAYES		04
63	CR 35	ENCHENBERG		57
218	AX 103	ENCOURTIECH		09
200	AW 96	ENDOUFIELLE		32
34	BD 33	ENENCOURT LE SEC		60
34	BD 33	ENENCOURT LEAGE		60
103	CH 47	ENFONVELLE		52
184	AV 89	ENGAYRAC		47
81	BY 44	ENGENTE		10
77	BG 44	ENGENVILLE		45
55	BG 36	ENGHIEN LES BAINS	C	95
163	CG 78	ENGINS		38
23	BR 26	ENGLANCOURT		02
21	BJ 24	ENGLEBELMER		80
23	BQ 23	ENGLEFONTAINE		59
32	AR 32	ENGLESQUEVILLE EN AUGE		14
30	AI 31	ENGLESQUEVILLE LA PERCEE		14
12	BL 18	ENGLOS		59
218	AW 103	ENGOMER		09
11	BG 18	ENGUINEGATTE		62
64	CT 36	ENGWILLER		67
22	BL 27	ENNEMAIN		80
41	CJ 33	ENNERY		57
55	BF 35	ENNERY		95
12	BL 18	ENNETIERES EN WEPPES		59
12	BM 19	ENNEVELIN		59
145	BN 70	ENNEZAT	C	63
97	BH 54	ENNORDRES		18
11	BG 18	ENQUIN LES MINES		62
10	BD 18	ENQUIN SUR BAILLONS		62
216	AQ 105	ENS		65
139	AN 68	ENSIGNE		79
105	CS 48	ENSISHEIM	C	68
208	CE 98	ENSUES LA REDONNE		13
193	CM 90	ENTRAGES		04
145	BO 71	ENTRAIGUES		63
178	CJ 81	ENTRAIGUES		38
191	CB 91	ENTRAIGUES SUR LA SORGUE		84
98	BN 53	ENTRAINS SUR NOHAIN		58
72	AK 47	ENTRAMMES		53
41	CI 31	ENTRANGE		57
194	CQ 89	ENTRAUNES		06
172	BI 84	ENTRAYGUES SUR TRUYERE	C	12
84	CP 44	ENTRE DEUX EAUX		88
163	CH 75	ENTRE DEUX GUIERS		38
136	CI 62	ENTRE DEUX MONTS		39
209	CM 96	ENTRECASTEAUX		83
191	CD 89	ENTRECHAUX		84
150	CM 69	ENTREMONT		74
163	CI 75	ENTREMONT LE VIEUX		73
193	CK 89	ENTREPIERRES		04
194	CR 91	ENTREVAUX	C	04
193	CK 92	ENTREVENNES		04
150	CK 71	ENTREVERNES		74
64	CU 40	ENTZHEIM		67
145	BM 70	ENVAL		63
223	BD 109	ENVEITG		66
19	AY 26	ENVERMEU	C	76
32	AU 29	ENVRONVILLE		76
192	CH 89	EOURRES		05
200	AV 100	EOUX		31
80	BW 43	EPAGNE		10
20	BD 24	EPAGNE EPAGNETTE		80
36	BN 31	EPAGNY		02
101	CB 53	EPAGNY		21
150	CJ 69	EPAGNY		74
32	AT 33	EPAIGNES		27
51	AO 36	EPANEY		14
125	AK 66	EPANNES		79
24	BT 26	EPARCY		02
60	CE 35	EPARGES, LES		55
152	AI 74	EPARGNES		17
162	CD 74	EPARRES, LES		38
20	BD 26	EPAUMESNIL		80
57	BO 35	EPAUX BEZU		02
75	AZ 44	EPEAUTROLLES		28
21	BF 24	EPECAMPS		80
53	AW 34	EPEGARD		27
22	BM 25	EPEHY		80
112	AX 55	EPEIGNE LES BOIS		37
94	AT 51	EPEIGNE SUR DEME		37
22	BL 27	EPENANCOURT		80
141	AS 69	EPENEDE		16
120	CL 55	EPENOUSE		25
120	CL 56	EPENOY		25
59	BZ 36	EPENSE		51
147	BV 72	EPERCIEUX SAINT PAUL		42
11	BF 16	EPERLECQUES		62
57	BS 35	EPERNAY	S	51
118	CB 56	EPERNAY SOUS GEVREY		21
54	BB 40	EPERNON		28
74	AT 42	EPERRAIS		61
150	CJ 72	EPERSY		73
117	BY 59	EPERTULLY		71
134	CA 61	EPERVANS		71
108	AI 59	EPESSES, LES		85
120	CI 56	EPEUGNEY		25
85	CT 42	EPFIG		67
95	AY 49	EPIAIS		41
55	BI 36	EPIAIS LES LOUVRES		95
55	BF 35	EPIAIS RHUS		95
53	AZ 37	EPIEDS		27
57	BP 35	EPIEDS		02
110	AO 56	EPIEDS		49
96	BB 48	EPIEDS EN BEAUCE		45
164	CM 75	EPIERRE		73
40	CD 30	EPIEZ SUR CHIERS		54
82	CF 41	EPIEZ SUR MEUSE		55
117	BX 58	EPINAC	C	71
84	CL 44	EPINAL	P	88
52	AU 36	EPINAY		27
55	BH 35	EPINAY CHAMPLATREUX		95
72	AJ 41	EPINAY LE COMTE, L'		61
55	BI 39	EPINAY SOUS SENART	C	91
33	AW 30	EPINAY SUR DUCLAIR		76
50	AL 35	EPINAY SUR ODON		14
55	BG 40	EPINAY SUR ORGE		91
55	BG 37	EPINAY SUR SEINE	C	93
58	BW 36	EPINE, L'		51
106	X 58	EPINE, L'		85
177	CH 87	EPINE, L'		05
57	BO 37	EPINE AUX BOIS, L'		02
99	BP 48	EPINEAU LES VOVES		89
73	AO 46	EPINEU LE CHEVREUIL		72
100	BT 48	EPINEUIL		89
130	BI 63	EPINEUIL LE FLEURIEL		18
35	BI 32	EPINEUSE		60
93	AM 47	EPINEUX LE SEGUIN		53
71	AD 41	EPINIAC		35
39	CA 33	EPINONVILLE		55
162	CB 77	EPINOUZE		26
22	BM 22	EPINOY		62
116	BR 56	EPIRY		58
78	BK 43	EPISY		77
82	CD 43	EPIZON		52
34	BE 27	EPLESSIER		80
61	CJ 36	EPLY		54
100	BU 53	EPOISSES		21
54	BD 37	EPONE		78
81	BY 42	EPOTHEMONT		10
32	AR 30	EPOUVILLE		76
38	BU 33	EPOYE		51
24	BU 23	EPPE SAUVAGE		59
37	BR 30	EPPES		02
36	BL 28	EPPEVILLE		80
43	CR 34	EPPING		57
32	AS 30	EPRETOT		76
32	AS 28	EPREVILLE		76
32	AT 34	EPREVILLE EN LIEUVIN		27
33	AV 32	EPREVILLE EN ROUMOIS		27
53	AW 34	EPREVILLE PRES LE NEUBOURG		27
31	AN 33	EPRON		14
11	BG 20	EPS		62
95	AW 48	EPUISAY		41
22	BL 24	EQUANCOURT		80
32	AR 31	EQUEMAUVILLE		14
34	BE 28	EQUENNES ERAMECOURT		80
29	AD 28	EQUEURDREVILLE HAINNEVILLE	C	50
103	CJ 49	EQUEVILLEY		70
120	CI 60	EQUEVILLON		39
10	BB 17	EQUIHEN PLAGE		62
49	AF 37	EQUILLY		50
11	BG 20	EQUIRRE		62
55	BF 36	ERAGNY		95
34	BC 33	ERAGNY SUR EPTE		60
51	AO 37	ERAINES		14
153	AO 74	ERAVILLE		16
229	DM 108	ERBAJOLO		2B
61	CK 38	ERBEVILLER SUR AMEZULE		54
91	AF 50	ERBRAY		44
71	AH 46	ERBREE		35
222	AY 104	ERCE		09
91	AD 48	ERCE EN LAMEE		35
71	AE 44	ERCE PRES LIFFRE		35
76	BE 44	ERCEVILLE		45
36	BJ 28	ERCHES		80
36	BL 28	ERCHEU		80
22	BM 21	ERCHIN		59
43	CQ 34	ERCHING		57
63	CR 36	ERCKARTSWILLER		67
20	BC 24	ERCOURT		80
35	BG 33	ERCUIS		60
88	R 50	ERDEVEN		56
70	Y 43	EREAC		22
64	CT 40	ERGERSHEIM		67
21	BE 24	ERGNIES		80
10	BE 18	ERGNY		62
67	L 45	ERGUE GABERIC		29
11	BG 20	ERIN		62
100	BX 51	ERINGES		21
11	BG 15	ERINGHEM		59
60	CC 37	ERIZE LA BRULEE		55
60	CC 37	ERIZE LA PETITE		55
60	CC 38	ERIZE SAINT DIZIER		55
37	BQ 28	ERLON		02
23	BR 26	ERLOY		02
55	BJ 35	ERMENONVILLE		60
75	AZ 43	ERMENONVILLE LA GRANDE		28
75	AZ 44	ERMENONVILLE LA PETITE		28
19	AV 27	ERMENOUVILLE		76
55	BG 36	ERMONT	C	95
72	AI 43	ERNEE	C	53
34	BD 29	ERNEMONT BOUTAVENT		60
34	BC 31	ERNEMONT LA VILLETTE		76
33	AZ 30	ERNEMONT SUR BUCHY		76
51	AO 36	ERNES		14
62	CO 34	ERNESTVILLER		57
60	CD 38	ERNEVILLE AUX BOIS		55
64	CT 40	ERNOLSHEIM BRUCHE		67
63	CR 37	ERNOLSHEIM LES SAVERNE		67
11	BG 18	ERNY SAINT JULIEN		62
162	CA 79	EROME		26
20	BD 24	ERONDELLE		80
229	DM 107	ERONE		2B
29	AF 30	EROUDEVILLE		50
218	AX 103	ERP		09
35	BH 31	ERQUERY		60
12	BL 18	ERQUINGHEM LE SEC		59
12	BK 17	ERQUINGHEM LYS		59
35	BI 31	ERQUINVILLERS		60
47	X 39	ERQUY		22
223	BE 109	ERR		66
22	BN 21	ERRE		59
104	CO 50	ERREVET		70
40	CG 31	ERROUVILLE		54
227	DM 100	ERSA		2B
85	CU 41	ERSTEIN	C	67
62	CN 35	ERSTROFF		57
78	BL 46	ERVAUVILLE		45
22	BK 23	ERVILLERS		62
79	BS 47	ERVY LE CHATEL	C	10
217	AS 103	ESBAREICH		65
118	CC 57	ESBARRES		21
56	BK 37	ESBLY		77
104	CL 48	ESBOZ BREST		70
216	AR 102	ESCALA		65
182	AO 92	ESCALANS		40
193	CK 90	ESCALE, L'		04
203	BJ 100	ESCALES		11
10	BC 15	ESCALLES		62
201	BA 97	ESCALQUENS		31
34	BD 30	ESCAMES		60
99	BP 50	ESCAMPS		89
185	BB 88	ESCAMPS		46
172	BG 86	ESCANDOLIERES		12
200	AU 100	ESCANECRABE		31
57	BP 39	ESCARDES		51
195	CV 92	ESCARENE, L'	C	06
23	BP 22	ESCARMAIN		59
224	BG 108	ESCARO		66
168	AQ 85	ESCASSEFORT		47
184	AX 92	ESCATALENS		82
22	BO 21	ESCAUDAIN		59
182	AM 88	ESCAUDES		33
22	BN 23	ESCAUDOEUVRES		59
199	AN 99	ESCAUNETS		65
13	BP 20	ESCAUTPONT		59
184	AW 93	ESCAZEAUX		82
64	CU 40	ESCHAU		67
64	CU 36	ESCHBACH		67
85	CQ 46	ESCHBACH AU VAL		68
63	CR 37	ESCHBOURG		67
105	CS 49	ESCHENTZWILLER		68
41	CH 31	ESCHERANGE		57
35	BF 34	ESCHES		60
62	CP 36	ESCHWILLER		67
219	BC 103	ESCLAGNE		09
35	BH 28	ESCLAINVILLERS		80
173	BP 86	ESCLANEDES		48
200	AS 98	ESCLASSAN LABASTIDE		32
170	BB 87	ESCLAUZELS		46
33	AZ 28	ESCLAVELLES		76
79	BQ 41	ESCLAVOLLES LUREY		51
83	CJ 45	ESCLES		88
34	BC 28	ESCLES SAINT PIERRE		60
168	AP 84	ESCLOTTES		47
12	BL 18	ESCOBECQUES		59
10	BE 17	ESCOEUILLES		62
155	AV 78	ESCOIRE		24
99	BQ 50	ESCOLIVES SAINTE CAMILLE		89
39	CB 28	ESCOMBRES ET LE CHESNOIS		08
199	AO 99	ESCONDEAUX		65
216	AP 102	ESCONNETS		65
157	BG 79	ESCORAILLES		15
200	AV 95	ESCORNEBOEUF		32
53	AY 39	ESCORPAIN		28
197	AF 97	ESCOS		64
218	BA 101	ESCOSSE		09
215	AJ 101	ESCOT		64
216	AQ 102	ESCOTS		65
198	AJ 100	ESCOU		64
198	AL 98	ESCOUBES		64
216	AO 101	ESCOUBES POUTS		65
217	AW 101	ESCOULIS		31
223	BF 106	ESCOULOUBRE		11
181	AF 89	ESCOURCE		40
167	AM 84	ESCOUSSANS		33
203	BG 97	ESCOUSSENS		81
198	AJ 100	ESCOUT		64
146	BQ 71	ESCOUTOUX		63
31	AO 33	ESCOVILLE		14
194	CQ 94	ESCRAGNOLLES		06
77	BF 46	ESCRENNES		45
98	BK 50	ESCRIGNELLES		45
203	BJ 94	ESCROUX		81
219	BE 102	ESCUEILLENS ET SAINT JUST DE BELENGARD		11
198	AM 97	ESCURES		64
145	BO 68	ESCUROLLES	C	03
33	AX 30	ESLETTES		76
83	CI 45	ESLEY		88
198	AM 99	ESLOURENTIES DABAN		64
78	BL 43	ESMANS		77
36	BL 28	ESMERY HALLON		80
104	CM 48	ESMOULIERES		70
102	CF 53	ESMOULINS		70
124	AG 66	ESNANDES		17
120	CL 54	ESNANS		25
22	BN 24	ESNES		59
39	CB 33	ESNES EN ARGONNE		55
99	BQ 47	ESNON		89
82	CD 45	ESNOUVEAUX		52
157	BD 78	ESPAGNAC		19
171	BD 85	ESPAGNAC SAINTE EULALIE		46
184	AV 91	ESPALAIS		82
159	BN 77	ESPALEM		43
172	BK 86	ESPALION	C	12
160	BS 80	ESPALY SAINT MARCEL		43
201	BA 98	ESPANES		31
200	AV 98	ESPAON		32
200	AU 100	ESPARRON		31
209	CJ 96	ESPARRON		83
178	CJ 86	ESPARRON		05
209	CK 94	ESPARRON DE VERDON		04
216	AQ 102	ESPARROS		65
184	AV 93	ESPARSAC		82
156	BB 76	ESPARTIGNAC		19
199	AO 94	ESPAS		32
34	BD 31	ESPAUBOURG		60
216	AQ 102	ESPECHE		65
198	AM 99	ESPECHEDE		64
171	BC 84	ESPEDAILLAC		46
196	AC 98	ESPELETTE	C	64
176	CA 86	ESPELUCHE		26
176	CD 84	ESPENEL		26
203	BI 95	ESPERAUSSES		81
224	BF 103	ESPERAZA		11
201	AZ 99	ESPERCE		31
170	AZ 86	ESPERE		46
197	AG 99	ESPES UNDUREIN		64
172	BI 85	ESPEYRAC		12
171	BD 83	ESPEYROUX		46
223	BE 105	ESPEZEL		11
216	AP 102	ESPIEILH		65
183	AR 90	ESPIENS		47
167	AM 82	ESPIET		33
185	BC 89	ESPINAS		82
173	BL 82	ESPINASSE		15
144	BJ 69	ESPINASSE		63
145	BO 68	ESPINASSE VOZELLE		03
178	CL 86	ESPINASSES		05
158	BL 76	ESPINCHAL		63
51	AM 36	ESPINS		14
224	BI 107	ESPIRA DE CONFLENT		66
221	BL 105	ESPIRA DE L'AGLY		66
145	BO 72	ESPIRAT		63
197	AG 98	ESPIUTE		64
174	BQ 81	ESPLANTAS		43
218	BA 101	ESPLAS		09
218	AY 103	ESPLAS DE SEROU		09
198	AM 100	ESPOEY		64
204	BO 98	ESPONDEILHAN		34
103	CL 52	ESPRELS		70
51	AM 34	ESQUAY NOTRE DAME		14
30	AL 33	ESQUAY SUR SEULLES		14
23	BQ 25	ESQUEHERIES		02
11	BH 15	ESQUELBECQ		59
35	BG 29	ESQUENNOY		60
22	BL 21	ESQUERCHIN		59
11	BF 17	ESQUERDES		62
66	H 45	ESQUIBIEN		29
216	AN 104	ESQUIEZE SERE		65
197	AI 100	ESQUIULE		64
110	AR 54	ESSARDS, LES		37
139	AI 71	ESSARDS, LES		17
154	AP 78	ESSARDS, LES		16
119	CE 59	ESSARDS TAIGNEVAUX, LES		39
101	BZ 50	ESSAROIS		21
12	BJ 19	ESSARS		62
108	AF 60	ESSARTS, LES	C	85
53	AX 37	ESSARTS, LES		27
94	AU 50	ESSARTS, LES		41
54	BD 39	ESSARTS LE ROI, LES		78
57	BP 40	ESSARTS LE VICOMTE, LES		51
57	BQ 39	ESSARTS LES SEZANNE, LES		51
74	AR 41	ESSAY		61
71	AF 47	ESSE		35
141	AU 69	ESSE		16
83	CK 42	ESSEGNEY		88
168	AN 85	ESSEINTES, LES		33
104	CO 50	ESSERT		90
137	CO 66	ESSERT ROMAND		74
35	BG 28	ESSERTAUX		80
117	BX 60	ESSERTENNE		71
102	CE 53	ESSERTENNE ET CECEY		70
146	BT 73	ESSERTINES EN CHATELNEUF		42
147	BW 72	ESSERTINES EN DONZY		42
150	CM 73	ESSERTS BLAY		73
120	CJ 60	ESSERVAL COMBE		39
120	CJ 60	ESSERVAL TARTRE		39
117	BX 56	ESSEY		21
60	CG 36	ESSEY ET MAIZERAIS		54
84	CL 42	ESSEY LA COTE		54
61	CJ 39	ESSEY LES NANCY		54
135	CF 62	ESSIA		39
36	BN 27	ESSIGNY LE GRAND		02
23	BO 26	ESSIGNY LE PETIT		02
57	BO 36	ESSISES		02
57	BO 36	ESSOMES SUR MARNE		02
51	AM 36	ESSON		14
80	BX 46	ESSOYES	C	10

Page	Carreau	Commune	Adm.	Dpt
64	CT 40	GRIESHEIM PRES MOLSHEIM		67
64	CU 39	GRIESHEIM SUR SOUFFEL		67
176	CB 87	GRIGNAN	C	26
33	AY 29	GRIGNEUSEVILLE		76
182	AO 87	GRIGNOLS	C	33
154	AS 79	GRIGNOLS		24
100	BW 52	GRIGNON		21
150	CM 72	GRIGNON		73
83	CH 47	GRIGNONCOURT		88
55	BH 40	GRIGNY	C	91
21	BF 21	GRIGNY		62
148	CA 73	GRIGNY		69
91	AC 52	GRIGONNAIS, LA		44
176	CB 87	GRILLON		84
136	CK 65	GRILLY		01
40	CE 34	GRIMAUCOURT EN WOEVRE		55
60	CD 38	GRIMAUCOURT PRES SAMPIGNY		55
210	CO 99	GRIMAUD	C	83
110	AP 60	GRIMAUDIERE, LA		86
100	BT 51	GRIMAULT		89
51	AM 35	GRIMBOSQ		14
49	AF 36	GRIMESNIL		50
83	CI 42	GRIMONVILLER		54
21	BI 23	GRINCOURT LES PAS		62
41	CL 31	GRINDORFF BIZING		57
138	AH 71	GRIPPERIE SAINT SYMPHORIEN, LA		17
83	CK 42	GRIPPORT		54
61	CH 37	GRISCOURT		54
100	BW 48	GRISELLES		21
78	BK 46	GRISELLES		45
184	AY 94	GRISOLLES	C	82
57	BO 34	GRISOLLES		02
55	BE 35	GRISY LES PLATRES		95
55	BJ 39	GRISY SUISNES		77
79	BO 42	GRISY SUR SEINE		77
169	AX 83	GRIVES		24
35	BH 28	GRIVESNES		80
36	BJ 29	GRIVILLERS		80
39	BX 31	GRIVY LOISY		08
20	BB 21	GROFFLIERS		62
23	BQ 24	GROISE, LA		59
114	BK 56	GROISES		18
135	CG 66	GROISSIAT		01
150	CK 68	GROISY		74
88	P 50	GROIX	C	56
170	AY 83	GROLEJAC		24
78	BN 45	GRON		89
114	BJ 57	GRON		18
23	BR 27	GRONARD		02
157	BE 78	GROS CHASTANG		19
63	CQ 34	GROS REDERCHING		57
33	AV 33	GROS THEIL, LE		27
42	CO 33	GROSBLIEDERSTROFF		57
103	CL 54	GROSBOIS		25
117	BY 54	GROSBOIS EN MONTAGNE		21
118	CD 58	GROSBOIS LES TICHEY		21
123	AC 63	GROSBREUIL		85
125	AL 63	GROSEILLERS, LES		79
55	BH 36	GROSLAY		95
149	CF 72	GROSLEE		01
53	AV 35	GROSLEY SUR RISLE		27
104	CO 49	GROSMAGNY		90
104	CQ 51	GROSNE		90
175	BW 87	GROSPIERRES		07
54	BC 38	GROSROUVRE		78
60	CG 37	GROSROUVRES		54
230	DJ 116	GROSSA		2A
228	DJ 113	GROSSETO PRUGNA		2A
53	AY 37	GROSSOEUVRE		27
115	BL 60	GROSSOUVRE		18
62	CM 35	GROSTENQUIN	C	57
29	AD 30	GROSVILLE		50
21	BH 23	GROUCHES LUCHUEL		80
23	BP 25	GROUGIS		02
130	BI 62	GROUTTE, LA		18
119	CG 59	GROZON		39
32	AT 30	GRUCHET LE VALASSE		76
19	AW 27	GRUCHET SAINT SIMEON		76
124	AE 64	GRUES		85
83	CJ 46	GRUEY LES SURANCE		88
150	CJ 71	GRUFFY		74
92	AH 49	GRUGE L'HOPITAL		49
22	BN 27	GRUGIES		02
33	AX 29	GRUGNY		76
221	BM 102	GRUISSAN		11
34	BC 29	GRUMESNIL		76
155	AT 80	GRUN BORDAS		24
62	CO 35	GRUNDVILLER		57
36	BK 28	GRUNY		80
132	BT 62	GRURY		71
12	BN 18	GRUSON		59
135	CF 62	GRUSSE		39
85	CT 44	GRUSSENHEIM		68
216	AN 104	GRUST		65
38	BX 28	GRUYERES		08
138	AH 72	GUA, LE		17
163	CG 80	GUA, LE		38
228	DJ 110	GUAGNO		2A
54	BA 37	GUAINVILLE		28
11	BI 18	GUARBECQUE		62
230	DJ 113	GUARGUALE		2A
216	AQ 104	GUCHAN		65
216	AQ 104	GUCHEN		65
219	BB 103	GUDAS		09
81	CB 43	GUDMONT VILLIERS		52
124	AI 67	GUE D'ALLERE, LE		17
74	AT 43	GUE DE LA CHAINE, LE		61
76	BC 42	GUE DE LONGROI, LE		28
124	AH 65	GUE DE VELLUIRE, LE		85
24	BW 25	GUE D'HOSSUS		08
62	CO 34	GUEBENHOUSE		57
85	CR 46	GUEBERSCHWIHR		68
62	CN 37	GUEBESTROFF		57
62	CM 38	GUEBLANGE LES DIEUZE		57
62	CN 37	GUEBLING		57
105	CR 47	GUEBWILLER	S	68
93	AQ 48	GUECELARD		72
93	AP 53	GUEDENIAU, LE		49
69	W 47	GUEGON		56
49	AF 36	GUEHEBERT		50
89	V 47	GUEHENNO		56
69	U 45	GUELTAS		56
22	BK 22	GUEMAPPE		62
85	CS 44	GUEMAR		68
90	AB 50	GUEMENE PENFAO	C	44
68	R 45	GUEMENE SUR SCORFF	C	56
10	BE 15	GUEMPS		62
41	CJ 32	GUENANGE		57
67	K 45	GUENGAT		29
69	T 47	GUENIN		56
70	AA 43	GUENROC		22
90	AA 52	GUENROUET		44
62	CN 34	GUENVILLER		57
51	AP 38	GUEPREI		61
90	Z 47	GUER	C	56
89	X 54	GUERANDE	C	44
56	BL 38	GUERARD		77
36	BJ 28	GUERBIGNY		80
111	AU 59	GUERCHE, LA		37
71	AG 47	GUERCHE DE BRETAGNE, LA	C	35
115	BL 59	GUERCHE SUR L'AUBOIS, LA	C	18
77	BI 44	GUERCHEVILLE		77
99	BP 48	GUERCHY		89
148	BZ 68	GUEREINS		01
143	BC 68	GUERET	P	23
118	CB 60	GUERFAND		71
115	BN 57	GUERIGNY	C	58
168	AO 87	GUERIN		47
106	Y 58	GUERINIERE, LA		85
46	O 40	GUERLESQUIN		29
62	CN 37	GUERMANGE		57
55	BJ 38	GUERMANTES		77
68	S 45	GUERN		56
53	AW 37	GUERNANVILLE		27
54	BB 36	GUERNES		78
89	X 51	GUERNO, LE		56
34	BC 34	GUERNY		27
30	AK 33	GUERON		14
53	AW 38	GUEROULDE, LA		27
60	CC 39	GUERPONT		55
52	AR 37	GUERQUESALLES		61
132	BT 63	GUERREAUX, LES		71
42	CL 32	GUERSTLING		57
42	CM 33	GUERTING		57
54	BC 37	GUERVILLE	C	78
20	BB 25	GUERVILLE		76
20	BE 22	GUESCHART		80
22	BM 21	GUESNAIN		59
110	AQ 59	GUESNES		86
62	CM 35	GUESSLING HEMERING		57
196	AA 97	GUETHARY		64
22	BK 24	GUEUDECOURT		80
132	BU 63	GUEUGNON	C	71
19	AX 26	GUEURES		76
33	AX 29	GUEUTTEVILLE		76
19	AV 27	GUEUTTEVILLE LES GRES		76
37	BS 33	GUEUX		51
105	CQ 50	GUEVENATTEN		68
105	CQ 49	GUEWENHEIM		68
219	BE 102	GUEYTES ET LABASTIDE		11
84	CM 44	GUGNECOURT		88
83	CI 42	GUGNEY		54
83	CK 43	GUGNEY AUX AULX		88
77	BG 41	GUIBEVILLE		91
53	AY 36	GUICHAINVILLE		27
133	BX 63	GUICHE, LA	C	71
197	AE 96	GUICHE		64
70	AC 47	GUICHEN	C	35
45	M 39	GUICLAN		29
88	P 48	GUIDEL		56
74	AR 46	GUIERCHE, LA		72
35	BF 31	GUIGNECOURT		60
21	BF 26	GUIGNEMICOURT		80
90	AB 47	GUIGNEN		35
56	BK 40	GUIGNES		77
77	BF 45	GUIGNEVILLE		45
77	BH 42	GUIGNEVILLE SUR ESSONNE		91
38	BS 31	GUIGNICOURT		02
38	BX 28	GUIGNICOURT SUR VENCE		08
20	BE 21	GUIGNY		62
50	AI 36	GUILBERVILLE		50
66	I 45	GUILER SUR GOYEN		29
44	I 40	GUILERS		29
176	CA 81	GUILHERAND GRANGES		07
69	W 47	GUILLAC		56
167	AM 82	GUILLAC		33
21	BJ 27	GUILLAUCOURT		80
194	CR 90	GUILLAUMES	C	06
22	BK 25	GUILLEMONT		80
146	BR 69	GUILLERMIE, LA		03
77	BF 43	GUILLERVAL		91
179	CP 83	GUILLESTRE	C	05
76	BD 45	GUILLEVILLE		28
69	X 46	GUILLIERS		56
68	Q 46	GUILLIGOMARC'H		29
100	BU 52	GUILLON	C	89
120	CL 54	GUILLON LES BAINS		25
76	BB 46	GUILLONVILLE		28
167	AK 85	GUILLOS		33
113	BC 57	GUILLY		36
97	BG 49	GUILLY		45
19	AZ 25	GUILMECOURT		76
86	J 47	GUILVINEC	C	29
45	O 38	GUIMAEC		29
45	M 40	GUIMILIAU		29
153	AM 75	GUIMPS		16
197	AF 98	GUINARTHE PARENTIES		64
39	BX 30	GUINCOURT		08
81	CB 42	GUINDRECOURT AUX ORMES		52
81	CA 44	GUINDRECOURT SUR BLAISE		52
21	BG 21	GUINECOURT		62
10	BD 15	GUINES	C	62
46	S 39	GUINGAMP	S	22
61	CL 34	GUINGLANGE		57
41	CK 33	GUINKIRCHEN		57
62	CO 36	GUINZELING		57
44	J 40	GUIPAVAS	C	29
71	AC 43	GUIPEL		35
44	H 39	GUIPRONVEL		29
90	AB 48	GUIPRY		35
116	BQ 56	GUIPY		58
54	BD 35	GUIRY EN VEXIN		95
36	BM 29	GUISCARD	C	60
68	O 45	GUISCRIFF		56
23	BQ 26	GUISE	C	02
34	BA 34	GUISENIERS		27
49	AG 36	GUISLAIN, LE		50
44	J 38	GUISSENY		29
20	BE 21	GUISY		62
202	BE 96	GUITALENS		81
229	DK 112	GUITERA LES BAINS		2A
153	AK 75	GUITINIERES		17
54	BC 36	GUITRANCOURT		78
153	AM 80	GUITRES	C	33
34	BB 34	GUITRY		27
70	Z 43	GUITTE		22
36	BM 29	GUIVRY		02
34	BE 28	GUIZANCOURT		80
153	AN 77	GUIZENGEARD		16
199	AR 99	GUIZERIX		65
166	AF 84	GUJAN MESTRAS		33
64	CT 36	GUMBRECHTSHOFFEN		67
79	BO 42	GUMERY		10
177	CE 85	GUMIANE		26
160	BT 74	GUMIERES		42
157	BE 78	GUMOND		19
64	CU 36	GUNDERSHOFFEN		67
85	CS 47	GUNDOLSHEIM		68
63	CQ 36	GUNGWILLER		67
85	CQ 45	GUNSBACH		68
64	CU 36	GUNSTETT		67
62	CQ 38	GUNTZVILLER		57
36	BN 30	GUNY		02
217	AS 104	GURAN		31
154	AQ 76	GURAT		16
78	BM 42	GURCY LE CHATEL		77
99	BQ 49	GURGY		89
101	CA 49	GURGY LA VILLE		21
101	CA 49	GURGY LE CHATEAU		21
215	AI 101	GURMENCON		64
197	AH 99	GURS		64
46	R 40	GURUNHUEL		22
36	BK 30	GURY		60
40	CF 34	GUSSAINVILLE		55
23	BQ 21	GUSSIGNIES		59
55	BF 39	GUYANCOURT		78
120	CK 56	GUYANS DURNES		25
121	CN 56	GUYANS VENNES		25
37	BR 32	GUYENCOURT		02
22	BM 25	GUYENCOURT SAULCOURT		80
35	BG 27	GUYENCOURT SUR NOYE		80
108	AF 58	GUYONNIERE, LA		85
102	CF 48	GUYONVELLE		52
205	BT 95	GUZARGUES		34
103	CH 53	GY	C	70
112	BB 54	GY EN SOLOGNE		41
98	BK 48	GY LES NONAINS		45
99	BQ 50	GY L'EVEQUE		89
61	CG 40	GYE		54
80	BW 47	GYE SUR SEINE		10
		H		
21	BI 21	HABARCQ		62
197	AG 96	HABAS		40
136	CM 66	HABERE LULLIN		74
136	CM 66	HABERE POCHE		74
53	AZ 37	HABIT, L'		27
84	CN 41	HABLAINVILLE		54
51	AO 38	HABLOVILLE		61
62	CM 36	HABOUDANGE		57
105	CS 49	HABSHEIM	C	68
199	AR 99	HACHAN		65
82	CE 45	HACOURT		52
34	BB 33	HACQUEVILLE		27
54	BD 34	HADANCOURT LE HAUT CLOCHER		60
84	CL 43	HADIGNY LES VERRIERES		88
84	CL 45	HADOL		88
63	CR 38	HAEGEN		67
83	CJ 44	HAGECOURT		88
199	AN 97	HAGEDET		65
41	CI 30	HAGEN		57
105	CR 50	HAGENBACH		68
105	CT 51	HAGENTHAL LE BAS		68
105	CT 51	HAGENTHAL LE HAUT		68
199	AP 98	HAGET		32
198	AI 97	HAGETAUBIN		64
198	AJ 95	HAGETMAU	C	40
60	CG 35	HAGEVILLE		54
82	CG 44	HAGNEVILLE ET RONCOURT		88
38	BX 29	HAGNICOURT		08
41	CI 33	HAGONDANGE		57
64	CV 37	HAGUENAU	S	67
108	AE 56	HAIE FOUASSIERE, LA		44
72	AL 43	HAIE TRAVERSAINE, LA		53
162	BZ 75	HAIES, LES		69
83	CK 41	HAIGNEVILLE		54
84	CL 42	HAILLAINVILLE		88
167	AJ 82	HAILLAN, LE		33
21	BH 27	HAILLES		80
11	BI 20	HAILLICOURT		62
139	AM 71	HAIMPS		17
127	AW 64	HAIMS		86
36	BJ 29	HAINVILLERS		60
59	CB 39	HAIRONVILLE		55
12	BK 19	HAISNES		62
73	AM 41	HALEINE		61
10	BC 18	HALINGHEN		62
20	BD 25	HALLENCOURT	C	80
12	BL 18	HALLENNES LEZ HAUBOURDIN		59
62	CL 34	HALLERING		57
147	BX 72	HALLES, LES		69
39	CB 31	HALLES SOUS LES COTES		55
59	BZ 40	HALLIGNICOURT		52
11	BG 17	HALLINES		62
35	BG 28	HALLIVILLERS		80
34	BA 30	HALLOTIERE, LA		76
62	CO 40	HALLOVILLE		54
21	BH 23	HALLOY		62
34	BE 29	HALLOY		60
21	BG 24	HALLOY LES PERNOIS		80
36	BK 27	HALLU		80
12	BM 16	HALLUIN		59
196	AC 98	HALSOU		64
41	CK 31	HALSTROFF		57
36	BM 28	HAM	C	80
29	AF 30	HAM, LE		50
73	AM 43	HAM, LE		53
11	BH 18	HAM EN ARTOIS		62
24	BX 27	HAM LES MOINES		08
42	CM 33	HAM SOUS VARSBERG		57
25	BY 23	HAM SUR MEUSE		08
51	AL 36	HAMARS		14
62	CP 34	HAMBACH		57
73	AM 44	HAMBERS		53
22	BL 22	HAMBLAIN LES PRES		62
49	AG 36	HAMBYE		50
22	BM 22	HAMEL		59
34	BE 29	HAMEL, LE		60
21	BI 26	HAMEL, LE		80
21	BI 26	HAMELET		80
71	AG 41	HAMELIN		50
22	BK 23	HAMELINCOURT		62
10	BD 15	HAMES BOUCRES		62
83	CI 41	HAMMEVILLE		54
60	CG 37	HAMONVILLE		54
81	BX 42	HAMPIGNY		10
62	CM 37	HAMPONT		57
40	CF 31	HAN DEVANT PIERREPONT		54
40	CC 30	HAN LES JUVIGNY		55
60	CE 37	HAN SUR MEUSE		55
61	CL 35	HAN SUR NIED		57
140	AO 68	HANC		79
54	BB 40	HANCHES		28
22	BM 26	HANCOURT		80
64	CT 39	HANDSCHUHEIM		67
21	BI 27	HANGARD		80
64	CT 40	HANGENBIETEN		67
35	BI 28	HANGEST EN SANTERRE		80
21	BE 25	HANGEST SUR SOMME		80
63	CQ 37	HANGVILLER		57
34	BD 31	HANNACHES		60
23	BP 25	HANNAPES		02
24	BU 27	HANNAPPES		08
21	BJ 23	HANNESCAMPS		62
39	BY 28	HANNOGNE SAINT MARTIN		08
38	BU 29	HANNOGNE SAINT REMY		08
61	CL 36	HANNONCOURT		57
60	CF 35	HANNONVILLE SOUS LES COTES		55
60	CG 34	HANNONVILLE SUZEMONT		54
32	AU 28	HANOUARD, LE		76
59	BY 35	HANS		51
12	BK 19	HANTAY		59
67	K 42	HANVEC		29
43	CS 34	HANVILLER		57
34	BD 30	HANVOILE		60
22	BL 24	HAPLINCOURT		62
36	BM 27	HAPPENCOURT		02
75	AX 43	HAPPONVILLIERS		28
36	BM 33	HARAMONT		02
39	BZ 29	HARAUCOURT		08
61	CK 39	HARAUCOURT		54
62	CM 37	HARAUCOURT SUR SEILLE		57
21	BF 22	HARAVESNES		62
55	BF 34	HARAVILLIERS		95
21	BJ 27	HARBONNIERES		80
62	CO 40	HARBOUEY		54
33	AV 28	HARCANVILLE		76
82	CG 42	HARCHECHAMP		88
24	BS 27	HARCIGNY		02
53	AV 34	HARCOURT		27
24	BX 26	HARCY		08
84	CM 42	HARDANCOURT		88
73	AM 43	HARDANGES		53
22	BK 25	HARDECOURT AUX BOIS		80
53	AZ 36	HARDENCOURT COCHEREL		27
11	BI 16	HARDIFORT		59
10	BD 16	HARDINGHEN		62
29	AE 29	HARDINVAST		50
35	BG 29	HARDIVILLERS		60
34	BE 33	HARDIVILLERS EN VEXIN		60
54	BD 36	HARDRICOURT		78
33	AX 33	HARENGERE, LA		27
83	CI 44	HAREVILLE		88
32	AR 30	HARFLEUR		76
42	CM 33	HARGARTEN AUX MINES		57
54	BC 37	HARGEVILLE		78
35	BI 28	HARGICOURT		80
22	BM 25	HARGICOURT		02
25	BY 24	HARGNIES		08
23	BR 22	HARGNIES		59
23	BO 27	HARLY		02
83	CH 41	HARMONVILLE		88
69	T 42	HARMOYE, LA		22
12	BK 20	HARNES	C	62
83	CK 45	HAROL		88
83	CJ 41	HAROUE	C	54
21	BI 24	HARPONVILLE		80
62	CM 36	HARPRICH		57
34	BA 33	HARQUENCY		27
63	CQ 39	HARREBERG		57
82	CF 44	HARREVILLE LES CHANTEURS		52
39	BZ 31	HARRICOURT		08
83	CK 46	HARSAULT		88
62	CP 36	HARSKIRCHEN		67
37	BO 33	HARTENNES ET TAUX		02
105	CR 48	HARTMANNSWILLER		68
62	CP 39	HARTZVILLER		57
60	CF 34	HARVILLE		55
37	BS 27	HARY		02
63	CQ 38	HASELBOURG		57
13	BO 20	HASNON		59
196	AD 98	HASPARREN	C	64
63	CS 34	HASPELSCHIEDT		57
23	BO 22	HASPRES		59
197	AE 96	HASTINGUES		40
41	CH 33	HATRIZE		54
64	CW 36	HATTEN		67
36	BK 27	HATTENCOURT		80
32	AT 29	HATTENVILLE		76
62	CO 39	HATTIGNY		57
63	CS 37	HATTMATT		67
85	CR 46	HATTSTATT		68
216	AP 101	HAUBAN		65
12	BL 18	HAUBOURDIN	C	59
41	CJ 33	HAUCONCOURT		57
34	BE 30	HAUCOURT		60
34	BC 29	HAUCOURT		76
22	BL 22	HAUCOURT		62
23	BO 24	HAUCOURT EN CAMBRESIS		59
40	CG 30	HAUCOURT MOULAINE		54
60	CD 34	HAUDAINVILLE		55
60	CE 34	HAUDIOMONT		55
35	BG 31	HAUDIVILLERS		60
84	CL 41	HAUDONVILLE		54
24	BX 27	HAUDRECY		08
34	BC 28	HAUDRICOURT		76
23	BO 21	HAULCHIN		59
200	AT 96	HAULIES		32
25	BY 26	HAULME		08
40	CC 32	HAUMONT PRES SAMOGNEUX, VILLAGE RUINE		55
198	AI 94	HAURIET		40
105	CS 50	HAUSGAUEN		68
34	BC 29	HAUSSEZ		76
59	BY 39	HAUSSIGNEMONT		51
58	BU 39	HAUSSIMONT		51
83	CK 41	HAUSSONVILLE		54
23	BO 22	HAUSSY		59
62	CP 38	HAUT CLOCHER		57
69	T 42	HAUT CORLAY, LE		22
215	AL 101	HAUT DE BOSDARROS		64
104	CN 48	HAUT DU THEM CHATEAU LAMBERT, LE		70
23	BS 24	HAUT LIEU		59
10	BE 17	HAUT LOQUIN		62
181	AJ 93	HAUT MAUCO		40
216	AR 102	HAUTAGET		65
34	BD 29	HAUTBOS		60
102	CE 48	HAUTE AMANCE		52
21	BJ 21	HAUTE AVESNES		62
177	CG 85	HAUTE BEAUME, LA		05
50	AK 40	HAUTE CHAPELLE, LA		61
35	BE 30	HAUTE EPINE		60
108	AE 55	HAUTE GOULAINE		44
54	BB 35	HAUTE ISLE		95
41	CJ 30	HAUTE KONTZ		57
56	BL 37	HAUTE MAISON, LA		77
147	BX 72	HAUTE RIVOIRE		69
62	CL 34	HAUTE VIGNEULLES		57
21	BG 21	HAUTECLOQUE		62
135	CH 63	HAUTECOUR		39
164	CN 74	HAUTECOUR		73
149	CE 67	HAUTECOURT ROMANECHE		01
157	BE 80	HAUTEFAGE		19
184	AU 88	HAUTEFAGE LA TOUR		47
154	AS 74	HAUTEFAYE		24
56	BL 39	HAUTEFEUILLE		77
133	BU 65	HAUTEFOND		71
36	BM 32	HAUTEFONTAINE		60
155	AX 77	HAUTEFORT	C	24
151	CN 71	HAUTELUCE		73
120	CL 57	HAUTEPIERRE LE CHATELET		25
74	AR 42	HAUTERIVE		61
99	BQ 48	HAUTERIVE		89
146	BP 68	HAUTERIVE		03
120	CM 58	HAUTERIVE LA FRESSE		25
162	CB 77	HAUTERIVES		26
101	BX 53	HAUTEROCHE		21
193	CL 89	HAUTES DUYES		04
25	BZ 26	HAUTES RIVIERES, LES		08
168	AR 86	HAUTESVIGNES		47
103	CK 48	HAUTEVELLE		70
56	BN 35	HAUTEVESNES		02
21	BI 22	HAUTEVILLE		62
23	BP 26	HAUTEVILLE		02
38	BV 29	HAUTEVILLE		08
59	BY 40	HAUTEVILLE		51
54	BB 39	HAUTEVILLE, LA		78
164	CK 74	HAUTEVILLE		73
49	AG 34	HAUTEVILLE LA GUICHARD		50
118	CA 54	HAUTEVILLE LES DIJON		21
149	CF 69	HAUTEVILLE LOMPNES	C	01
150	CJ 70	HAUTEVILLE SUR FIER		74
49	AE 36	HAUTEVILLE SUR MER		50
23	BR 26	HAUTION		02
23	BS 22	HAUTMONT	C	59
83	CK 46	HAUTMOUGEY		88
33	AV 27	HAUTOT L'AUVRAY		76
32	AU 29	HAUTOT LE VATOIS		76
33	AV 28	HAUTOT SAINT SULPICE		76
19	AX 26	HAUTOT SUR MER		76
33	AX 32	HAUTOT SUR SEINE		76
59	CB 37	HAUTS DE CHEE, LES		55
29	AF 30	HAUTTEVILLE BOCAGE		50
57	BS 35	HAUTVILLERS		51
20	BD 23	HAUTVILLERS OUVILLE		80
33	AV 31	HAUVILLE		27
38	BV 32	HAUVINE		08
167	AL 83	HAUX		33
214	AH 101	HAUX		64
41	CH 31	HAVANGE		57
54	BB 38	HAVELU		28
23	BO 21	HAVELUY		59
21	BG 25	HAVERNAS		80
11	BI 18	HAVERSKERQUE		59
32	AQ 31	HAVRE, LE	P	76
22	BM 24	HAVRINCOURT		62
55	BH 38	HAY LES ROSES, L'	S	94
41	CH 32	HAYANGE	C	57
25	BY 25	HAYBES		08
34	BA 31	HAYE, LA		76
83	CK 46	HAYE, LA		88
32	AU 31	HAYE AUBREE, LA		27
49	AH 36	HAYE BELLEFOND, LA		50
53	AV 34	HAYE DE CALLEVILLE, LA		27
33	AV 31	HAYE DE ROUTOT, LA		27
29	AD 31	HAYE D'ECTOT, LA		50
29	AE 32	HAYE DU PUITS, LA	C	50
33	AW 33	HAYE DU THEIL, LA		27
53	AY 34	HAYE LE COMTE, LA		27
33	AX 33	HAYE MALHERBE, LA		27
49	AF 38	HAYE PESNEL, LA	C	50
52	AU 37	HAYE SAINT SYLVESTRE, LA		27
41	CK 33	HAYES		57
95	AV 50	HAYES, LES		41
22	BM 23	HAYNECOURT		59
119	CE 59	HAYS, LES		39
11	BI 17	HAZEBROUCK	C	59
62	CO 35	HAZEMBOURG		57
55	BE 34	HEAULME, LE		95
29	AC 29	HEAUVILLE		50
21	BG 27	HEBECOURT		80
34	BC 32	HEBECOURT		27
50	AH 34	HEBECREVON		50
33	AV 27	HEBERVILLE		76
21	BJ 24	HEBUTERNE		62
216	AQ 102	HECHES		65
105	CQ 50	HECKEN		68
52	AU 34	HECMANVILLE		27
34	BC 30	HECOURT		60
54	BA 36	HECOURT		27
23	BQ 23	HECQ		59
53	AW 34	HECTOMARE		27
21	BI 24	HEDAUVILLE		80
70	AC 43	HEDE	C	35
55	BF 34	HEDOUVILLE		95
64	CU 36	HEGENEY		67
105	CT 51	HEGENHEIM		68
85	CT 44	HEIDOLSHEIM		67
105	CR 50	HEIDWILLER		68
63	CS 40	HEILIGENBERG		67
85	CS 41	HEILIGENSTEIN		67
61	CJ 39	HEILLECOURT		54
35	BG 32	HEILLES		60
21	BI 25	HEILLY		80
59	BY 39	HEILTZ LE HUTIER		51
59	BZ 38	HEILTZ LE MAURUPT	C	51
59	BY 38	HEILTZ L'EVEQUE		51
105	CR 51	HEIMERSDORF		68
105	CR 49	HEIMSBRUNN		68
42	CL 32	HEINING LES BOUZONVILLE		57
60	CC 36	HEIPPES		55
85	CT 46	HEITEREN		68
105	CS 50	HEIWILLER		68
23	BO 21	HELESMES		59
197	AD 99	HELETTE		64
11	BG 17	HELFAUT		62
105	CS 50	HELFRANTZKIRCH		68
69	W 46	HELLEAN		56
62	CP 37	HELLERING LES FENETRANGE		57
29	AD 29	HELLEVILLE		50
62	CN 35	HELLIMER		57
73	AQ 42	HELOUP		61
12	BN 18	HEM		59
21	BG 23	HEM HARDINVAL		80
22	BN 22	HEM LENGLET		59
22	BK 25	HEM MONACU		80
29	AF 30	HEMEVEZ		50
35	BJ 31	HEMEVILLERS		60
61	CL 35	HEMILLY		57
62	CP 38	HEMING		57
69	U 44	HEMONSTOIR		22
62	CM 39	HENAMENIL		54
48	X 40	HENANBIHEN		22
48	X 40	HENANSAL		22
196	Z 98	HENDAYE	C	64
22	BL 23	HENDECOURT LES CAGNICOURT		62
22	BJ 23	HENDECOURT LES RANSART		62
21	BI 25	HENENCOURT		80
105	CR 51	HENFLINGEN		68
46	S 37	HENGOAT		22
63	CR 39	HENGWILLER		67
12	BL 20	HENIN BEAUMONT	C	62
22	BK 22	HENIN SUR COJEUL		62
22	BK 22	HENINEL		62
88	Q 48	HENNEBONT	C	56
83	CK 44	HENNECOURT		88
60	CF 34	HENNEMONT		55
10	BD 17	HENNEVEUX		62
83	CI 46	HENNEZEL		88
54	BA 34	HENNEZIS		27

Page	Carreau	Commune	Adm.	Dpt
69	V 42	HENON		22
35	BF 34	HENONVILLE		60
33	AW 31	HENOUVILLE		76
114	BI 55	HENRICHEMONT	C	18
63	CQ 38	HENRIDORFF		57
62	CN 34	HENRIVILLE		57
21	BI 23	HENU		62
45	M 38	HENVIC		29
63	CQ 37	HERANGE		57
95	AY 52	HERBAULT	C	41
22	BK 26	HERBECOURT		80
11	BG 18	HERBELLES		62
108	AE 59	HERBERGEMENT, L'		85
40	CC 29	HERBEUVAL		08
60	CF 35	HERBEUVILLE		55
54	BD 37	HERBEVILLE		78
62	CN 40	HERBEVILLER		54
163	CI 78	HERBEYS		38
108	AH 59	HERBIERS, LES	C	85
90	X 52	HERBIGNAC	C	44
10	BD 16	HERBINGHEN		62
58	BU 40	HERBISSE		10
62	CP 35	HERBITZHEIM		67
55	BF 36	HERBLAY	C	95
85	CU 42	HERBSHEIM		67
72	AJ 42	HERCE		53
34	BE 31	HERCHIES		60
35	BH 29	HERELLE, LA		60
49	AE 36	HERENGUERVILLE		50
204	BN 96	HEREPIAN		34
199	AO 96	HERES		65
13	BP 20	HERGNIES		59
83	CJ 42	HERGUGNEY		88
91	AC 53	HERIC		44
104	CO 51	HERICOURT	C	70
21	BG 21	HERICOURT		62
32	AV 28	HERICOURT EN CAUX		76
34	BC 30	HERICOURT SUR THERAIN		60
78	BK 42	HERICY		77
24	BT 26	HERIE, LA		02
23	BQ 27	HERIE LA VIEVILLE, LE		02
62	CL 40	HERIMENIL		54
104	CP 52	HERIMONCOURT	C	25
23	BO 21	HERIN		59
21	BH 25	HERISSART		80
130	BJ 64	HERISSON	C	03
22	BJ 26	HERLEVILLE		80
21	BI 23	HERLIERE, LA		62
12	BK 18	HERLIES		59
21	BH 21	HERLIN LE SEC		62
21	BG 21	HERLINCOURT		62
10	BE 19	HERLY		62
36	BK 28	HERLY		80
180	AE 93	HERM		40
219	BB 103	HERM, L'		09
19	AX 27	HERMANVILLE		76
31	AN 32	HERMANVILLE SUR MER		14
173	BN 86	HERMAUX, LES		48
21	BI 21	HERMAVILLE		62
79	BO 42	HERME		77
62	CP 39	HERMELANGE		57
10	BD 16	HERMELINGHEN		62
124	AI 63	HERMENAULT, L'	C	85
144	BI 72	HERMENT	C	63
54	BB 40	HERMERAY		78
35	BG 32	HERMES		60
32	AR 29	HERMEVILLE		76
40	CE 34	HERMEVILLE EN WOEVRE		55
22	BM 24	HERMIES		62
164	CM 76	HERMILLON		73
11	BI 20	HERMIN		62
70	AC 45	HERMITAGE, L'		35
69	U 42	HERMITAGE LORGE, L'		22
94	AV 51	HERMITES, LES		37
74	AU 44	HERMITIERE, L'		61
52	AS 34	HERMIVAL LES VAUX		14
37	BS 32	HERMONVILLE		51
11	BG 20	HERNICOURT		62
61	CL 35	HERNY		57
34	BA 31	HERON, LE		76
34	BA 30	HERONCHELLES		76
55	BF 35	HEROUVILLE		95
31	AN 33	HEROUVILLE SAINT CLAIR	C	14
31	AN 33	HEROUVILLETTE		14
84	CN 44	HERPELMONT		88
59	BY 36	HERPONT		51
38	BU 30	HERPY L'ARLESIENNE		08
28	AC 28	HERQUEVILLE		50
33	AZ 33	HERQUEVILLE		27
217	AV 103	HERRAN		31
182	AN 91	HERRE		40
215	AJ 101	HERRERE		64
12	BL 19	HERRIN		59
64	CV 38	HERRLISHEIM		67
85	CS 46	HERRLISHEIM PRES COLMAR		68
115	BL 56	HERRY		18
40	CF 30	HERSERANGE	C	54
11	BJ 20	HERSIN COUPIGNY		62
62	CO 38	HERTZING		57
10	BC 15	HERVELINGHEN		62
22	BM 26	HERVILLY		80
116	BQ 55	HERY		58
99	BQ 48	HERY		89
150	CJ 71	HERY SUR ALBY		74
11	BI 15	HERZEELE		59
22	BM 25	HESBECOURT		80
34	BD 28	HESCAMPS		80
11	BI 19	HESDIGNEUL LES BETHUNE		62
10	BC 17	HESDIGNEUL LES BOULOGNE		62
21	BE 21	HESDIN	C	62
10	BC 17	HESDIN L'ABBE		62
105	CT 51	HESINGUE		68
10	BE 20	HESMOND		62
62	CP 38	HESSE		57
85	CT 44	HESSENHEIM		67
41	CK 32	HESTROFF		57
41	CL 34	HESTROFF		57
24	BT 23	HESTRUD		59
11	BH 20	HESTRUS		62
34	BE 29	HETOMESNIL		60
41	CI 31	HETTANGE GRANDE		57
85	CS 46	HETTENSCHLAG		68
54	BB 34	HEUBECOURT HARICOURT		27
11	BG 20	HEUCHIN	C	62
20	BD 26	HEUCOURT CROQUOISON		80
33	AY 34	HEUDEBOUVILLE		27
22	BM 25	HEUDICOURT		80
34	BC 32	HEUDICOURT		27
60	CF 36	HEUDICOURT SOUS LES COTES		55
32	AT 34	HEUDREVILLE EN LIEUVIN		27
53	AY 34	HEUDREVILLE SUR EURE		27
197	AF 95	HEUGAS		40
33	AX 28	HEUGLEVILLE SUR SCIE		76
112	AZ 58	HEUGNES		36
52	AS 37	HEUGON		61
49	AE 35	HEUGUEVILLE SUR SIENNE		50
102	CD 49	HEUILLEY COTTON		52
102	CD 49	HEUILLEY LE GRAND		52
119	CE 54	HEUILLEY SUR SAONE		21
31	AQ 33	HEULAND		14
144	BK 73	HEUME L'EGLISE		63
54	BA 35	HEUNIERE, LA		27
32	AQ 29	HEUQUEVILLE		76
33	AZ 33	HEUQUEVILLE		27
11	BG 17	HEURINGHEM		62
33	AV 31	HEURTEAUVILLE		76
52	AQ 36	HEURTEVENT		14
72	AJ 41	HEUSSE		50
38	BV 32	HEUTREGIVILLE		51
21	BF 23	HEUZECOURT		80
60	CD 40	HEVILLIERS		55
148	CC 73	HEYRIEUX	C	38
11	BF 19	HEZECQUES		62
89	V 51	HEZO, LE		56
216	AO 101	HIBARETTE		65
149	CD 71	HIERES SUR AMBY		38
25	BY 23	HIERGES		08
21	BE 23	HIERMONT		80
138	AG 70	HIERS BROUAGE		17
140	AO 73	HIERSAC	C	16
141	AT 69	HIESSE		16
29	AG 31	HIESVILLE		50
51	AP 36	HIEVILLE		14
198	AL 98	HIGUERES SOUYE		64
216	AO 101	HIIS		65
62	CP 38	HILBESHEIM		57
47	W 40	HILLION		22
85	CT 43	HILSENHEIM		67
62	CO 35	HILSPRICH		57
36	BN 28	HINACOURT		02
41	CK 33	HINCKANGE		57
85	CT 41	HINDISHEIM		67
105	CR 51	HINDLINGEN		68
11	BJ 19	HINGES		62
70	AA 42	HINGLE, LE		22
63	CR 36	HINSBOURG		67
62	CP 36	HINSINGEN		67
197	AG 94	HINX		40
85	CU 41	HIPSHEIM		67
49	AC 40	HIREL		35
62	CQ 37	HIRSCHLAND		67
105	CR 51	HIRSINGUE	C	68
24	BT 25	HIRSON	C	02
105	CR 51	HIRTZBACH		68
85	CT 47	HIRTZFELDEN		68
217	AV 102	HIS		31
216	AP 101	HITTE		65
64	CT 38	HOCHFELDEN	C	67
105	CR 49	HOCHSTATT		68
64	CU 37	HOCHSTETT		67
49	AF 37	HOCQUIGNY		50
10	BE 16	HOCQUINGHEN		62
34	BD 31	HODENC EN BRAY		60
35	BF 32	HODENC L'EVEQUE		60
20	BC 26	HODENG AU BOSC		76
34	BB 30	HODENG HODENGER		76
54	BC 34	HODENT		95
89	T 53	HOEDIC		56
64	CU 39	HOENHEIM		67
64	CV 38	HOERDT		67
61	CL 39	HOEVILLE		54
64	CW 35	HOFFEN		67
34	BA 31	HOGUES, LES		27
51	AO 37	HOGUETTE, LA		14
64	CT 38	HOHATZENHEIM		67
63	CS 39	HOHENGOEFT		67
64	CT 38	HOHFRANKENHEIM		67
85	CQ 45	HOHROD		68
85	CR 41	HOHWALD, LE		67
61	CL 36	HOLACOURT		57
41	CL 32	HOLLING		57
22	BN 26	HOLNON		02
11	BG 15	HOLQUE		59
64	CU 40	HOLTZHEIM		67
85	CS 45	HOLTZWIHR		68
62	CO 35	HOLVING		57
36	BL 28	HOMBLEUX		80
23	BO 26	HOMBLIERES		02
105	CT 49	HOMBOURG		68
41	CK 32	HOMBOURG BUDANGE		57
62	CN 34	HOMBOURG HAUT		57
74	AV 40	HOME CHAMONDOT, L'		61
41	CH 33	HOMECOURT	C	54
63	CQ 38	HOMMARTING		57
63	CQ 39	HOMMERT		57
94	AR 53	HOMMES		37
30	AH 33	HOMMET D'ARTHENAY, LE		50
203	BJ 100	HOMPS		11
184	AU 94	HOMPS		32
23	BR 21	HON HERGIES		59
35	BG 32	HONDAINVILLE		60
11	BI 16	HONDEGHEM		59
56	BN 37	HONDEVILLIERS		77
53	AX 34	HONDOUVILLE		27
11	BI 14	HONDSCHOOTE	C	59
32	AR 31	HONFLEUR	C	14
33	AV 32	HONGUEMARE GUENOUVILLE		27
23	BP 24	HONNECHY		59
22	BN 24	HONNECOURT SUR ESCAUT		59
185	AZ 90	HONOR DE COS, L'		82
62	CO 36	HONSKIRCH		57
182	AM 93	HONTANX		40
42	CM 33	HOPITAL, L'		57
67	K 42	HOPITAL CAMFROUT		29
197	AH 97	HOPITAL D'ORION, L'		64
120	CK 56	HOPITAL DU GROSBOIS, L'		25
147	BV 74	HOPITAL LE GRAND, L'		42
132	BT 65	HOPITAL LE MERCIER, L'		71
197	AH 99	HOPITAL SAINT BLAISE, L'		64
104	CM 53	HOPITAL SAINT LIEFFROY, L'		25
146	BT 72	HOPITAL SOUS ROCHEFORT, L'		42
120	CL 60	HOPITAUX NEUFS, LES		25
120	CL 60	HOPITAUX VIEUX, LES		25
85	CS 45	HORBOURG WIHR		68
22	BN 22	HORDAIN		59
39	BX 29	HORGNE, LA		08
216	AO 100	HORGUES		65
161	BY 75	HORME, L'		42
22	BO 21	HORNAING		59
20	BD 27	HORNOY LE BOURG	C	80
73	AM 42	HORPS, LE	C	53
198	AJ 95	HORSARRIEU		40
82	CE 41	HORVILLE EN ORNOIS		55
53	AX 38	HOSMES, L'		27
192	CI 90	HOSPITALET, L'		04
188	BN 92	HOSPITALET DU LARZAC, L'		12
223	BC 107	HOSPITALET PRES L'ANDORRE, L'		09
214	AE 100	HOSTA		64
62	CO 34	HOSTE		57
167	AJ 86	HOSTENS		33
149	CF 70	HOSTIAS		01
162	CD 80	HOSTUN		26
52	AS 34	HOTELLERIE, L'		14
92	AI 49	HOTELLERIE DE FLEE, L'		49
149	CH 69	HOTONNES		01
51	AP 34	HOTOT EN AUGE		14
50	AL 34	HOTTOT LES BAGUES		14
63	CR 34	HOTTVILLER		57
52	AQ 34	HOUBLONNIERE, LA		14
151	CP 70	HOUCHES, LES		74
11	BJ 20	HOUCHIN		62
11	BI 20	HOUDAIN	C	62
23	BR 21	HOUDAIN LEZ BAVAY		59
54	BB 38	HOUDAN	C	78
35	BJ 32	HOUDANCOURT		60
82	CD 41	HOUDELAINCOURT		55
83	CI 41	HOUDELMONT		54
61	CJ 39	HOUDEMONT		54
19	AV 27	HOUDETOT		76
38	BU 31	HOUDILCOURT		08
83	CI 41	HOUDREVILLE		54
83	CH 43	HOUECOURT		88
182	AO 89	HOUEILLES	C	47
29	AG 31	HOUESVILLE		50
53	AY 35	HOUETTEVILLE		27
82	CG 42	HOUEVILLE		88
216	AQ 101	HOUEYDETS		65
198	AM 94	HOUGA, LE		32
55	BF 37	HOUILLES	C	78
53	AZ 35	HOULBEC COCHEREL		27
33	AV 33	HOULBEC PRES LE GROS THEIL		27
25	BX 27	HOULDIZY		08
139	AN 72	HOULETTE		16
31	AP 32	HOULGATE		14
11	BF 16	HOULLE		62
33	AX 30	HOULME, LE		76
124	AF 67	HOUMEAU, L'		17
219	BE 101	HOUNOUX		11
12	BL 19	HOUPLIN ANCOISNE		59
12	BL 17	HOUPLINES		59
33	AX 30	HOUPPEVILLE		76
32	AS 29	HOUQUETOT		76
199	AP 100	HOURC		65
37	BR 33	HOURGES		51
198	AM 100	HOURS		64
152	AG 78	HOURTIN		33
37	BR 27	HOURY		02
95	AW 50	HOUSSAY		41
92	AJ 48	HOUSSAY		53
53	AV 36	HOUSSAYE, LA		27
33	AX 29	HOUSSAYE BERANGER, LA		76
56	BK 39	HOUSSAYE EN BRIE, LA		77
73	AL 41	HOUSSEAU BRETIGNOLLES, LE		53
85	CS 44	HOUSSEN		68
84	CN 43	HOUSSERAS		88
23	BQ 27	HOUSSET		02
83	CI 42	HOUSSEVILLE		54
84	CO 44	HOUSSIERE, LA		88
34	BE 32	HOUSSOYE, LA		60
120	CL 58	HOUTAUD		25
11	BI 15	HOUTKERQUE		59
29	AG 32	HOUTTEVILLE		50
33	AZ 33	HOUVILLE EN VEXIN		27
76	BB 42	HOUVILLE LA BRANCHE		28
21	BH 22	HOUVIN HOUVIGNEUL		62
76	BB 41	HOUX		28
11	BH 14	HOYMILLE		59
103	CL 53	HUANNE MONTMARTIN		25
10	BC 18	HUBERSENT		62
51	AN 34	HUBERT FOLIE		14
29	AF 30	HUBERVILLE		50
21	BE 21	HUBY SAINT LEU		62
20	BD 24	HUCHENNEVILLE		80
11	BH 20	HUCLIER		62
10	BD 19	HUCQUELIERS	C	62
49	AE 37	HUDIMESNIL		50
61	CK 40	HUDIVILLER		54
67	N 41	HUELGOAT	C	29
53	AY 36	HUEST		27
76	BC 47	HUETRE		45
164	CK 79	HUEZ		38
119	CG 54	HUGIER		70
33	AW 29	HUGLEVILLE EN CAUX		76
93	AN 51	HUILLE		49
82	CE 45	HUILLIECOURT		52
134	CB 62	HUILLY SUR SEILLE		71
58	BX 39	HUIRON		51
110	AR 56	HUISMES		37
49	AE 40	HUISNES SUR MER		50
95	AW 50	HUISSEAU EN BEAUCE		41
96	BA 52	HUISSEAU SUR COSSON		41
96	BC 48	HUISSEAU SUR MAUVES		45
72	AJ 46	HUISSERIE, L'		53
12	BK 20	HULLUCH		62
63	CR 38	HULTEHOUSE		57
58	BW 40	HUMBAUVILLE		51
59	BZ 40	HUMBECOURT		52
21	BI 23	HUMBERCAMPS		62
21	BH 23	HUMBERCOURT		80
10	BE 19	HUMBERT		62
82	CD 44	HUMBERVILLE		52
114	BJ 55	HUMBLIGNY		18
11	BF 20	HUMEROEUILLE		62
102	CC 48	HUMES JORQUENAY		52
21	BG 21	HUMIERES		62
85	CR 44	HUNAWIHR		68
62	CO 34	HUNDLING		57
105	CS 50	HUNDSBACH		68
105	CU 50	HUNINGUE	C	68
64	CW 35	HUNSPACH		67
41	CK 31	HUNTING		57
217	AS 102	HUOS		31
172	BK 84	HUPARLAC		12
20	BC 25	HUPPY		80
84	CP 42	HURBACHE		88
168	AO 85	HURE		33
103	CI 48	HURECOURT		70
188	BP 89	HURES LA PARADE		48
130	BH 65	HURIEL	C	03
134	BZ 65	HURIGNY		71
164	CJ 77	HURTIERES		38
64	CT 39	HURTIGHEIM		67
85	CR 46	HUSSEREN LES CHATEAUX		68
104	CP 48	HUSSEREN WESSERLING		68
40	CG 30	HUSSIGNY GODBRANGE		54
50	AJ 40	HUSSON		50
64	CT 37	HUTTENDORF		67
85	CT 42	HUTTENHEIM		67
131	BK 66	HYDS		03
104	CN 53	HYEMONDANS		25
22	BK 27	HYENCOURT LE GRAND		80
49	AE 35	HYENVILLE		50
213	CL 101	HYERES	C	83
103	CJ 52	HYET		70
104	CL 53	HYEVRE MAGNY		25
104	CL 53	HYEVRE PAROISSE		25
83	CJ 44	HYMONT		88

I

Page	Carreau	Commune	Adm.	Dpt
197	AE 100	IBARROLLE		64
62	CO 39	IBIGNY		57
199	AN 100	IBOS		65
85	CU 41	ICHTRATZHEIM		67
77	BI 45	ICHY		77
197	AG 100	IDAUX MENDY		64
199	AR 97	IDRAC RESPAILLES		32
198	AL 99	IDRON		64
130	BG 61	IDS SAINT ROCH		18
70	AA 45	IFFENDIC		35
70	AB 43	IFFS, LES		35
51	AN 34	IFS		14
20	BA 26	IFS, LES		76
134	BZ 65	IGE		71
74	AT 43	IGE		61
21	BI 27	IGNAUCOURT		80
223	BC 106	IGNAUX		09
62	CO 39	IGNEY		54
83	CL 43	IGNEY		88
114	BK 59	IGNOL		18
55	BG 39	IGNY		91
102	CG 52	IGNY		70
57	BR 36	IGNY COMBLIZY		51
215	AL 101	IGON		64
117	BW 58	IGORNAY		71
33	AY 32	IGOVILLE		27
133	BU 67	IGUERANDE		71
197	AE 99	IHOLDY	C	64
89	U 51	ILE AUX MOINES		56
111	AS 57	ILE BOUCHARD, L'	C	37
138	AF 69	ILE D'AIX		17
89	U 50	ILE D'ARZ		56
45	M 37	ILE DE BATZ		29
47	T 36	ILE DE BREHAT		22
66	F 44	ILE DE SEIN		29
124	AH 65	ILE D'ELLE, L'		85
88	S 53	ILE D'HOUAT		56
123	AB 62	ILE D'OLONNE, L'		85
106	X 60	ILE D'YEU, L'	C	85
44	F 40	ILE MOLENE		29
226	DJ 104	ILE ROUSSE, L'	C	2B
55	BH 37	ILE SAINT DENIS, L'		93
67	K 47	ILE TUDY		29
197	AF 98	ILHARRE		64
219	BC 103	ILHAT		09
203	BH 99	ILHES, LES		11
216	AR 103	ILHET		65
217	AS 103	ILHEU		65
41	CI 32	ILLANGE		57
217	AV 103	ILLARTEIN		09
167	AL 85	ILLATS		33
224	BJ 106	ILLE SUR TET		66
32	AV 32	ILLEVILLE SUR MONTFORT		27
105	CS 50	ILLFURTH		68
85	CS 44	ILLHAEUSERN		68
134	CA 67	ILLIAT		01
222	BA 105	ILLIER ET LARAMADE		09
75	AY 44	ILLIERS COMBRAY	C	28
53	AZ 38	ILLIERS L'EVEQUE		27
12	BK 19	ILLIES		59
70	Y 44	ILLIFAUT		22
64	CU 40	ILLKIRCH GRAFFENSTADEN	C	67
34	BC 28	ILLOIS		76
82	CE 44	ILLOUD		52
39	BZ 28	ILLY		08
105	CS 48	ILLZACH	C	68
194	CT 90	ILONSE		06
33	AW 28	IMBLEVILLE		76
39	CA 32	IMECOURT		08
62	CP 38	IMLING		57
115	BO 59	IMPHY	C	58
38	BV 30	INAUMONT		08
33	AY 33	INCARVILLE		27
20	BA 25	INCHEVILLE		76
23	BP 24	INCHY		59
22	BM 23	INCHY EN ARTOIS		62
21	BF 21	INCOURT		62
104	CP 54	INDEVILLERS		25
107	AC 55	INDRE		44
130	BG 61	INEUIL		18
178	CK 83	INFOURNAS, LES		05
64	CT 38	INGENHEIM		67
85	CR 45	INGERSHEIM		68
11	BG 17	INGHEM		62
41	CJ 31	INGLANGE		57
64	CW 35	INGOLSHEIM		67
18	AV 26	INGOUVILLE		76
92	AI 53	INGRANDES		49
127	AW 63	INGRANDES		36
111	AT 59	INGRANDES		86
110	AR 55	INGRANDES DE TOURAINE		37
97	BG 47	INGRANNES		45
96	BD 48	INGRE	C	45
68	R 46	INGUINIEL		56
63	CS 36	INGWILLER		67
149	CH 68	INJOUX GENISSIAT		01
64	CT 40	INNENHEIM		67
149	CG 71	INNIMOND		01
39	CB 30	INOR		55
62	CO 36	INSMING		57
62	CO 36	INSVILLER		57
19	AZ 26	INTRAVILLE		76
175	BX 81	INTRES		07
76	BE 44	INTREVILLE		28
77	BF 44	INTVILLE LA GUETARD		45
20	BC 26	INVAL BOIRON		80
10	BD 19	INXENT		62
88	Q 47	INZINZAC LOCHRIST		56
59	CC 35	IPPECOURT		55
42	CP 34	IPPLING		57
52	AU 40	IRAI		61
110	AO 59	IRAIS		79
99	BQ 50	IRANCY		89
40	CD 30	IRE LE SEC		55
148	CA 73	IRIGNY	C	69
197	AD 99	IRISSARRY		64
22	BK 24	IRLES		80
70	AB 43	IRODOUER		35
23	BQ 25	IRON		02
214	AD 100	IROULEGUY		64
53	AY 35	IRREVILLE		27
67	K 41	IRVILLAC		29
82	CE 46	IS EN BASSIGNY		52
101	CB 52	IS SUR TILLE	C	21
11	BH 18	ISBERGUES		62
83	CH 46	ISCHES		88
97	BG 51	ISDES		45
116	BR 59	ISENAY		58
50	AH 40	ISIGNY LE BUAT	C	50
30	AI 32	ISIGNY SUR MER	C	14
99	BS 53	ISLAND		89
142	AY 72	ISLE		87
55	BG 35	ISLE ADAM, L'	C	95
200	AU 96	ISLE ARNE, L'		32
80	BV 41	ISLE AUBIGNY		10
80	BU 45	ISLE AUMONT		10
184	AT 92	ISLE BOUZON, L'		32
149	CD 73	ISLE D'ABEAU, L'	A	38
199	AR 96	ISLE DE NOE, L'		32
140	AQ 73	ISLE D'ESPAGNAC, L'		16
200	AU 98	ISLE EN DODON, L'	C	31
130	BK 62	ISLE ET BARDAIS		03
127	AT 67	ISLE JOURDAIN, L'	C	86
201	AW 96	ISLE JOURDAIN, L'	C	32
167	AK 83	ISLE SAINT GEORGES		33
191	CC 92	ISLE SUR LA SORGUE, L'	C	84
104	CN 53	ISLE SUR LE DOUBS, L'	C	25
59	BY 40	ISLE SUR MARNE		51
100	BT 52	ISLE SUR SEREIN, L'	C	89
51	AN 37	ISLES BARDEL, LES		14
56	BL 36	ISLES LES MELDEUSES		77
56	BK 37	ISLES LES VILLENOY		77
38	BU 32	ISLES SUR SUIPPE		51
59	CA 35	ISLETTES, LES		55
33	AY 31	ISNEAUVILLE		76
194	CS 88	ISOLA		06
229	DM 111	ISOLACCIO DI FIUMORBO		2B
102	CD 51	ISOMES		52
188	BQ 87	ISPAGNAC		48
214	AD 100	ISPOURE		64
10	BC 17	ISQUES		62
154	AS 80	ISSAC		24
175	BX 83	ISSAMOULENC		07
39	BY 27	ISSANCOURT ET RUMEL		08
174	BU 83	ISSANLAS		07
104	CO 51	ISSANS		25
219	BB 102	ISSARDS, LES		09
174	BU 82	ISSARLES		07
58	BU 35	ISSE		51
91	AE 51	ISSE		44
202	BE 99	ISSEL		11
171	BC 83	ISSENDOLUS		46
64	CT 37	ISSENHAUSEN		67
105	CR 47	ISSENHEIM		68
171	BD 84	ISSEPTS		46
146	BQ 67	ISSERPENT		03
145	BO 73	ISSERTEAUX		63
169	AT 83	ISSIGEAC	C	24
190	BY 88	ISSIRAC		30
159	BO 74	ISSOIRE	S	63
215	AI 101	ISSOR		64
54	BC 36	ISSOU		78
113	BE 59	ISSOUDUN	S	36
143	BF 69	ISSOUDUN LETRIEIX		23
201	BA 98	ISSUS		31
55	BG 38	ISSY LES MOULINEAUX	C	92
132	BT 61	ISSY L'EVEQUE	C	71
207	CC 97	ISTRES	S	13
58	BT 36	ISTRES ET BURY, LES		51
197	AE 98	ISTURITS		64
23	BO 27	ITANCOURT		02
126	AR 64	ITEUIL		86
64	CT 39	ITTENHEIM		67
85	CS 42	ITTERSWILLER		67
77	BH 41	ITTEVILLE		91
196	AC 98	ITXASSOU		64
185	BD 91	ITZAC		81
21	BH 22	IVERGNY		62
56	BK 36	IVERNY		77
24	BU 27	IVIERS		02
53	AW 34	IVILLE		27
36	BM 34	IVORS		60
119	CH 59	IVORY		39
114	BI 55	IVOY LE PRE		18
119	CI 58	IVREY		39
117	BY 58	IVRY EN MONTAGNE		21
54	BA 37	IVRY LA BATAILLE		27
35	BE 34	IVRY LE TEMPLE		60
55	BH 38	IVRY SUR SEINE	C	94
22	BO 22	IWUY		59
217	AS 102	IZAOURT		65
217	AU 103	IZAUT DE L'HOTEL		31
216	AR 102	IZAUX		65
73	AN 44	IZE		53
163	CF 76	IZEAUX		38
22	BL 21	IZEL LES EQUERCHIN		62
21	BI 21	IZEL LES HAMEAUX		62
149	CF 68	IZENAVE		01
135	CF 66	IZERNORE	C	01
163	CE 78	IZERON		38
215	AK 101	IZESTE		64
118	CC 56	IZEURE		21
118	CC 55	IZIER		21
149	CG 73	IZIEU		01
167	AL 81	IZON		33
192	CG 88	IZON LA BRUISSE		26
199	AN 95	IZOTGES		32

J

Page	Carreau	Commune	Adm.	Dpt
56	BK 37	JABLINES		77
142	BA 69	JABREILLES LES BORDES		87
173	BL 83	JABRUN		15
163	CI 74	JACOB BELLECOMBETTE		73
205	BT 95	JACOU		34
199	AP 99	JACQUE		65
55	BH 35	JAGNY SOUS BOIS		95
56	BM 36	JAIGNES		77
162	CD 80	JAILLANS		26
92	AK 50	JAILLE YVON, LA		49
61	CH 38	JAILLON		54
116	BP 57	JAILLY		58
101	BX 53	JAILLY LES MOULINS		21
82	CF 44	JAINVILLOTTE		88
129	BF 66	JALESCHES		23
158	BH 78	JALEYRAC		15
132	BQ 65	JALIGNY SUR BESBRE	C	03
108	AI 56	JALLAIS		49
118	CC 58	JALLANGES		21
75	AZ 46	JALLANS		28
61	CK 37	JALLAUCOURT		57
119	CG 55	JALLERANGE		25
114	BK 56	JALOGNES		18
133	BY 65	JALOGNY		71
58	BU 36	JALONS		51
134	BY 60	JAMBLES		71
54	BD 35	JAMBVILLE		78
34	BD 33	JAMERICOURT		60
40	CD 31	JAMETZ		55
142	AY 73	JANAILHAC		87
143	BC 69	JANAILLAT		23
102	CE 54	JANCIGNY		21
38	BW 28	JANDUN		08
148	CC 72	JANNEYRIAS		38
91	AD 51	JANS		44
76	BD 45	JANVILLE	C	28
36	BK 31	JANVILLE		60
51	AO 34	JANVILLE		14
77	BG 41	JANVILLE SUR JUINE		91
57	BQ 37	JANVILLIERS		51
37	BS 33	JANVRY		51
55	BF 40	JANVRY		91

Page	Carreau	Commune	Adm.Dpt
99	BO 51	LAIN	.89
80	BT 45	LAINES AUX BOIS	.10
135	CF 65	LAINS	.39
98	BN 52	LAINSECQ	.89
54	BD 35	LAINVILLE EN VEXIN	.78
104	CO 51	LAIRE	.25
11	BG 19	LAIRES	.62
220	BI 103	LAIRIERE	.11
124	AF 64	LAIROUX	.85
187	BK 87	LAISSAC	C .12
164	CJ 75	LAISSAUD	.73
120	CK 54	LAISSEY	.25
61	CJ 38	LAITRE SOUS AMANCE	.54
134	CA 62	LAIVES	.71
40	CF 31	LAIX	.54
134	CA 66	LAIZ	.01
134	BZ 65	LAIZE	.71
51	AN 35	LAIZE LA VILLE	.14
117	BV 59	LAIZY	.71
173	BP 82	LAJO	.48
136	CI 65	LAJOUX	.39
73	AO 41	LALACELLE	.61
99	BO 51	LALANDE	.89
167	AM 81	LALANDE DE POMEROL	.33
34	BD 32	LALANDE EN SON	.60
34	BD 32	LALANDELLE	.60
169	AS 84	LALANDUSSE	.47
200	AS 100	LALANNE	.65
200	AT 94	LALANNE	.32
200	AT 99	LALANNE ARQUE	.32
199	AQ 99	LALANNE TRIE	.65
85	CR 42	LALAYE	.67
202	BE 96	LALBAREDE	.81
185	BA 88	LALBENQUE	C .46
20	BE 26	LALEU	.80
74	AS 41	LALEU	.61
175	BW 84	LALEVADE D'ARDECHE	.07
134	BZ 62	LALHEUE	.71
169	AU 82	LALINDE	C .24
145	BM 68	LALIZOLLE	.03
12	BM 20	LALLAING	.59
91	AE 48	LALLEU	.35
177	CH 83	LALLEY	.38
149	CH 67	LALLEYRIAT	.01
38	BV 28	LALOBBE	.08
83	CI 42	LALOEUF	.54
198	AM 97	LALONGUE	.64
198	AL 97	LALONQUETTE	.64
199	AO 100	LALOUBERE	C .65
217	AT 101	LALOURET LAFFITEAU	.31
161	BY 79	LALOUVESC	.07
181	AG 93	LALUQUE	.40
227	DL 105	LAMA	.2B
104	CP 49	LAMADELEINE VAL DES ANGES	.90
170	BA 86	LAMAGDELAINE	.46
184	AU 90	LAMAGISTERE	.82
200	AT 97	LAMAGUERE	.32
130	BH 66	LAMAIDS	.03
204	BM 96	LAMALOU LES BAINS	.34
81	CB 44	LAMANCINE	.52
224	BI 110	LAMANERE	.66
207	CD 95	LAMANON	.13
82	CG 46	LAMARCHE	C .88
119	CE 55	LAMARCHE SUR SAONE	.21
101	BZ 52	LAMARGELLE	.21
20	BD 27	LAMARONDE	.80
152	AJ 79	LAMARQUE	.33
215	AM 101	LAMARQUE PONTACQ	.65
199	AQ 100	LAMARQUE RUSTAING	.65
201	AY 97	LAMASQUERE	.31
175	BY 80	LAMASTRE	C .07
61	CL 40	LAMATH	.54
171	BE 81	LAMATIVIE	.46
199	AN 98	LAMAYOU	.64
199	AR 96	LAMAZERE	.32
157	BF 76	LAMAZIERE BASSE	.19
144	BH 73	LAMAZIERE HAUTE	.19
63	CR 34	LAMBACH	.57
69	X 41	LAMBALLE	C .22
12	BL 18	LAMBERSART	.59
33	AX 27	LAMBERVILLE	.76
50	AJ 35	LAMBERVILLE	.50
208	CE 95	LAMBESC	C .13
53	AW 40	LAMBLORE	.28
11	BH 18	LAMBRES	.62
22	BL 21	LAMBRES LEZ DOUAI	.59
103	CH 49	LAMBREY	.70
193	CN 90	LAMBRUISSE	.04
199	AP 99	LAMEAC	.65
35	BH 31	LAMECOURT	.60
189	BU 89	LAMELOUZE	.30
132	BQ 61	LAMENAY SUR LOIRE	.58
153	AM 75	LAMERAC	.16
39	BY 30	LAMETZ	.08
186	BF 93	LAMILLARIE	.81
19	AX 27	LAMMERVILLE	.76
74	AU 46	LAMNAY	.72
156	BB 75	LAMONGERIE	.19
203	BI 96	LAMONTELARIE	.81
159	BO 75	LAMONTGIE	.63
183	AS 91	LAMONTJOIE	.47
169	AS 82	LAMONZIE MONTASTRUC	.24
168	AR 82	LAMONZIE SAINT MARTIN	.24
55	BH 34	LAMORLAYE	.60
60	CE 36	LAMORVILLE	.55
159	BP 77	LAMOTHE	.43
181	AI 93	LAMOTHE	.40
185	AZ 91	LAMOTHE CAPDEVILLE	.82
170	BA 85	LAMOTHE CASSEL	.46
184	AV 93	LAMOTHE CUMONT	.82
81	CA 44	LAMOTHE EN BLAISY	.52
170	AZ 82	LAMOTHE FENELON	.46
183	AS 93	LAMOTHE GOAS	.32
168	AO 85	LAMOTHE LANDERRON	.33
168	AO 82	LAMOTHE MONTRAVEL	.24
97	BE 52	LAMOTTE BEUVRON	C .41
21	BH 26	LAMOTTE BREBIERE	.80
20	BD 23	LAMOTTE BULEUX	.80
190	BZ 88	LAMOTTE DU RHONE	.84
21	BI 26	LAMOTTE WARFUSEE	.80
39	CC 30	LAMOUILLY	.55
136	CI 64	LAMOURA	.39
45	L 40	LAMPAUL GUIMILIAU	.29
44	G 40	LAMPAUL PLOUARZEL	.29
44	H 39	LAMPAUL PLOUDALMEZEAU	.29
64	CU 39	LAMPERTHEIM	.67
64	CU 35	LAMPERTSLOCH	.67
147	BX 69	LAMURE SUR AZERGUES	C .69
120	CM 54	LANANS	.25
174	BU 83	LANARCE	.07
44	J 39	LANARVILY	.29
175	BX 85	LANAS	.07
95	AX 50	LANCE	.41
20	BB 23	LANCHERES	.80
21	BF 24	LANCHES SAINT HILAIRE	.80
22	BM 27	LANCHY	.02
148	BZ 67	LANCIE	.69
48	Z 39	LANCIEUX	.22
95	AX 51	LANCOME	.41
39	BZ 33	LANCON	.08
216	AQ 104	LANCON	.65
208	CD 96	LANCON PROVENCE	.13
149	CI 67	LANCRANS	.01
62	CP 39	LANDANGE	.57
12	BN 20	LANDAS	.59
88	S 49	LANDAUL	.56
82	CG 43	LANDAVILLE	.88
71	AF 45	LANDAVRAN	.35
93	AP 53	LANDE CHASLES, LA	.49
49	AG 38	LANDE D'AIROU, LA	.50
167	AL 80	LANDE DE FRONSAC, LA	.33
51	AP 40	LANDE DE GOULT, LA	.61
51	AO 39	LANDE DE LOUGE, LA	.61
50	AL 38	LANDE PATRY, LA	.61
32	AS 32	LANDE SAINT LEGER, LA	.27
51	AM 38	LANDE SAINT SIMEON, LA	.61
50	AJ 35	LANDE SUR DROME, LA	.14
75	AW 41	LANDE SUR EURE, LA	.61
72	AH 42	LANDEAN	.35
46	R 39	LANDEBAERON	.22
48	Y 40	LANDEBIA	.22
70	Z 41	LANDEC, LA	.22
83	CL 41	LANDECOURT	.54
44	I 38	LANDEDA	.29
69	W 41	LANDEHEN	.22
67	N 43	LANDELEAU	.29
75	AY 42	LANDELLES	.28
50	AI 37	LANDELLES ET COUPIGNY	.14
108	AF 55	LANDEMONT	.49
52	AU 36	LANDEPEREUSE	.27
45	J 40	LANDERNEAU	C .29
123	AD 61	LANDERONDE	.85
168	AP 83	LANDERROUAT	.33
168	AO 84	LANDERROUET SUR SEGUR	.33
64	CS 38	LANDERSHEIM	.67
139	AK 69	LANDES	.17
108	AG 58	LANDES GENUSSON, LES	.85
95	AY 51	LANDES LE GAULOIS	.41
50	AL 35	LANDES SUR AJON	.14
34	BB 27	LANDES VIEILLES ET NEUVES	.76
88	S 48	LANDEVANT	.56
67	J 42	LANDEVENNEC	.29
123	AB 61	LANDEVIEILLE	.85
158	BK 77	LANDEYRAT	.15
23	BP 27	LANDIFAY ET BERTAIGNEMONT	.02
51	AM 38	LANDIGOU	.61
33	AV 31	LANDIN, LE	.27
167	AK 85	LANDIRAS	.33
50	AK 38	LANDISACQ	.61
45	L 40	LANDIVISIAU	C .29
72	AI 41	LANDIVY	C .53
144	BJ 71	LANDOGNE	.63
217	AU 101	LANDORTHE	.31
174	BS 82	LANDOS	.43
24	BS 26	LANDOUZY LA COUR	.02
24	BT 26	LANDOUZY LA VILLE	.02
138	AI 68	LANDRAIS	.17
108	AF 55	LANDREAU, LE	.44
23	BQ 23	LANDRECIES	C .59
60	CD 35	LANDRECOURT LEMPIRE	.55
61	CI 37	LANDREMONT	.54
40	CG 32	LANDRES	.54
39	CA 32	LANDRES ET SAINT GEORGES	.08
120	CM 55	LANDRESSE	.25
10	BC 15	LANDRETHUN LE NORD	.62
10	BE 16	LANDRETHUN LES ARDRES	.62
67	L 44	LANDREVARZEC	.29
80	BW 46	LANDREVILLE	.10
25	BY 24	LANDRICHAMPS	.08
37	BO 30	LANDRICOURT	.02
59	BZ 40	LANDRICOURT	.51
62	CM 35	LANDROFF	.57
151	CP 73	LANDRY	.73
105	CS 49	LANDSER	.68
67	M 45	LANDUDAL	.29
66	J 45	LANDUDEC	.29
70	AA 43	LANDUJAN	.35
44	G 39	LANDUNVEZ	.29
216	AQ 101	LANESPEDE	.65
88	Q 48	LANESTER	C .56
220	BI 103	LANET	.11
102	CF 47	LANEUVELLE	.52
61	CK 38	LANEUVELOTTE	.54
62	CM 39	LANEUVEVILLE AUX BOIS	.54
60	CG 39	LANEUVEVILLE DERRIERE FOUG	.54
83	CJ 41	LANEUVEVILLE DEVANT BAYON	.54
61	CJ 39	LANEUVEVILLE DEVANT NANCY	.54
61	CL 37	LANEUVEVILLE EN SAULNOIS	.57
62	CP 39	LANEUVEVILLE LES LORQUIN	.57
59	BZ 40	LANEUVILLE AU PONT	.52
60	CE 39	LANEUVILLE AU RUPT	.55
39	CB 30	LANEUVILLE SUR MEUSE	.55
69	U 42	LANFAINS	.22
61	CK 37	LANFROICOURT	.54
70	AB 44	LANGAN	.35
69	V 43	LANGAST	.22
62	CO 38	LANGATTE	.57
112	BA 58	LANGE	.36
159	BQ 79	LANGEAC	C .43
111	AS 54	LANGEAIS	C .37
64	CU 35	LANGENSOULTZBACH	.67
131	BM 60	LANGERON	.58
97	BJ 49	LANGESSE	.45
75	AY 47	LANGEY	.28
190	BW 94	LANGLADE	.30
83	CK 42	LANGLEY	.88
46	R 37	LANGOAT	.22
68	R 44	LANGOELAN	.56
174	BT 83	LANGOGNE	C .48
167	AL 83	LANGOIRAN	.33
67	M 44	LANGOLEN	.29
167	AM 85	LANGON	S .33
113	BD 55	LANGON	.41
90	AB 49	LANGON	.35
124	AH 64	LANGON, LE	.85
68	P 44	LANGONNET	.56
70	AC 44	LANGOUET	.35
70	X 43	LANGOURLA	.22
102	CD 48	LANGRES	S .52
48	AA 40	LANGROLAY SUR RANCE	.22
31	AN 32	LANGRUNE SUR MER	.14
70	Z 42	LANGUEDIAS	.22
70	AA 41	LANGUENAN	.22
47	V 40	LANGUEUX	C .22
36	BK 28	LANGUEVOISIN QUIQUERY	.80
88	R 48	LANGUIDIC	.56
62	CO 38	LANGUIMBERG	.57
132	BP 66	LANGY	.03
70	AC 41	LANHELIN	.35
40	CF 33	LANHERES	.55
45	K 39	LANHOUARNEAU	.29
44	G 39	LANILDUT	.29
62	CN 35	LANING	.57
68	S 43	LANISCAT	.22
37	BP 30	LANISCOURT	.02
47	T 38	LANLEFF	.22
47	T 38	LANLOUP	.22
46	R 37	LANMERIN	.22
46	O 38	LANMEUR	C .29
47	T 36	LANMODEZ	.22
216	AN 101	LANNE	.65
214	AH 101	LANNE EN BARETOUS	.64
199	AN 94	LANNE SOUBIRAN	.32
46	O 40	LANNEANOU	.29
47	T 38	LANNEBERT	.22
198	AM 97	LANNECAUBE	.64
67	M 42	LANNEDERN	.29
182	AM 92	LANNEMAIGNAN	.32
216	AQ 101	LANNEMEZAN	C .65
183	AP 94	LANNEPAX	.32
197	AH 97	LANNEPLAA	.64
75	AY 46	LANNERAY	.28
183	AQ 91	LANNES	.47
45	K 40	LANNEUFFRET	.29
44	I 39	LANNILIS	C .29
46	Q 37	LANNION	S .22
12	BM 17	LANNOY	C .59
34	BC 28	LANNOY CUILLERE	.60
198	AM 95	LANNUX	.32
229	DL 107	LANO	.2B
158	BI 76	LANOBRE	.15
155	AX 76	LANOUAILLE	C .24
69	W 46	LANOUEE	.56
218	AZ 101	LANOUX	.09
169	AT 82	LANQUAIS	.24
82	CD 46	LANQUES SUR ROGNON	.52
32	AT 29	LANQUETOT	.76
70	Y 43	LANRELAS	.22
71	AD 42	LANRIGAN	.35
68	R 42	LANRIVAIN	.22
44	H 40	LANRIVOARE	.29
47	T 40	LANRODEC	.22
118	CA 60	LANS	.71
163	CG 79	LANS EN VERCORS	.38
153	AK 80	LANSAC	.33
199	AP 100	LANSAC	.65
224	BI 105	LANSAC	.66
206	BU 95	LANSARGUES	.34
165	CQ 76	LANSLEBOURG MONT CENIS	C .73
165	CQ 76	LANSLEVILLARD	.73
202	BB 96	LANTA	C .31
197	AE 99	LANTABAT	.64
80	BU 46	LANTAGES	.10
114	BJ 59	LANTAN	.18
40	CG 33	LANTEFONTAINE	.54
118	CA 54	LANTENAY	.21
149	CF 68	LANTENAY	.01
119	CG 55	LANTENNE VERTIERE	.25
104	CM 49	LANTENOT	.70
104	CM 49	LANTERNE ET LES ARMONTS, LA	.70
156	BB 79	LANTEUIL	.19
104	CN 53	LANTHENANS	.25
118	CC 58	LANTHES	.21
31	AL 33	LANTHEUIL	.14
47	U 39	LANTIC	.22
147	BY 67	LANTIGNIE	.69
69	V 46	LANTILLAC	.56
100	BW 52	LANTILLY	.21
166	AG 83	LANTON	.33
195	CV 91	LANTOSQUE	C .06
174	BT 80	LANTRIAC	.43
116	BS 60	LANTY	.58
81	BY 47	LANTY SUR AUBE	.52
188	BP 90	LANUEJOLS	.30
174	BQ 86	LANUEJOLS	.48
171	BF 87	LANUEJOULS	.12
70	AA 41	LANVALLAY	.22
68	Q 47	LANVAUDAN	.56
46	P 39	LANVELLEC	.22
68	P 46	LANVENEGEN	.56
66	I 42	LANVEOC	.29
47	T 39	LANVOLLON	C .22
170	BA 82	LANZAC	.46
37	BQ 30	LAON	P .02
53	AY 39	LAONS	.28
132	BQ 66	LAPALISSE	C .03
190	BZ 88	LAPALUD	.84
114	BG 59	LAPAN	.18
187	BM 88	LAPANOUSE	.12
188	BM 92	LAPANOUSE DE CERNON	.12
183	AR 87	LAPARADE	.47
186	BE 90	LAPARROUQUIAL	.81
222	BA 105	LAPEGE	.09
185	BA 89	LAPENCHE	.82
219	BC 101	LAPENNE	.09
50	AI 40	LAPENTY	.50
168	AR 85	LAPERCHE	.47
119	CD 57	LAPERRIERE SUR SAONE	.21
199	AQ 99	LAPEYRE	.65
218	AY 100	LAPEYRERE	.31
131	BK 67	LAPEYROUSE	.63
148	CB 69	LAPEYROUSE	.01
201	BA 95	LAPEYROUSE FOSSAT	.31
162	CB 77	LAPEYROUSE MORNAY	.26
172	BI 84	LAPEYRUGUE	.15
157	BF 77	LAPLEAU	C .19
183	AS 90	LAPLUME	C .47
85	CQ 44	LAPOUTROIE	C .68
153	AM 79	LAPOUYADE	.33
38	BS 29	LAPPION	.02
154	AQ 77	LAPRADE	.16
203	BG 98	LAPRADE	.11
146	BR 69	LAPRUGNE	.03
145	BO 73	LAPS	.63
161	BV 78	LAPTE	.43
11	BI 19	LAPUGNOY	.62
61	CJ 34	LAQUENEXY	.57
144	BK 73	LAQUEUILLE	.63
192	CI 88	LARAGNE MONTEGLIN	C .05
147	BX 74	LARAJASSE	.69
185	BD 88	LARAMIERE	.46
200	AR 100	LARAN	.65
198	AI 95	LARBEY	.40
218	AZ 103	LARBONT	.09
36	BL 30	LARBROYE	.60
217	AT 101	LARCAN	.31
223	BB 105	LARCAT	.09
111	AV 54	LARCAY	.37
197	AE 99	LARCEVEAU ARROS CIBITS	.64
50	AK 39	LARCHAMP	.61
72	AI 43	LARCHAMP	.53
77	BI 44	LARCHANT	.77
156	AZ 79	LARCHE	C .19
179	CR 86	LARCHE	.04
120	CI 60	LARDERET, LE	.39
178	CK 86	LARDIER ET VALENCA	.05
192	CI 90	LARDIERS	.04
156	AY 79	LARDIN SAINT LAZARE, LE	.24
77	BG 41	LARDY	.91
182	AN 92	LAREE	.32
200	AW 94	LAREOLE	.31
125	AL 61	LARGEASSE	.79
175	BW 85	LARGENTIERE	S .07
135	CG 63	LARGILLAY MARSONNAY	.39
105	CR 51	LARGITZEN	.68
36	BM 33	LARGNY SUR AUTOMNE	.02
103	CK 53	LARIANS ET MUNANS	.70
104	CP 50	LARIVIERE	.90
82	CG 46	LARIVIERE ARNONCOURT	.52
89	T 51	LARMOR BADEN	.56
88	Q 49	LARMOR PLAGE	.56
162	CA 79	LARNAGE	.26
171	BC 86	LARNAGOL	.46
175	BY 86	LARNAS	.07
222	BB 105	LARNAT	.09
135	CE 61	LARNAUD	.39
120	CI 56	LARNOD	.25
144	BI 73	LAROCHE PRES FEYT	.19
99	BP 48	LAROCHE SAINT CYDROINE	.89
116	BT 59	LAROCHEMILLAY	.58
158	BI 75	LARODDE	.63
198	AK 99	LAROIN	.64
62	CM 40	LARONXE	.54
189	BS 92	LAROQUE	.34
167	AL 84	LAROQUE	.33
220	BI 103	LAROQUE DE FA	.11
225	BL 108	LAROQUE DES ALBERES	.66
170	AZ 86	LAROQUE DES ARCS	.46
219	BD 103	LAROQUE D'OLMES	.09
184	AU 88	LAROQUE TIMBAUT	C .47
171	BF 81	LAROQUEBROU	C .15
172	BI 80	LAROQUEVIEILLE	.15
23	BS 24	LAROUILLIES	.59
201	AX 95	LARRA	.31
214	AG 102	LARRAU	.64
184	AW 92	LARRAZET	.82
89	W 49	LARRE	.56
74	AR 41	LARRE	.61
183	AQ 92	LARRESSINGLE	.32
196	AC 98	LARRESSORE	.64
102	CF 51	LARRET	.70
199	AO 98	LARREULE	.65
198	AK 97	LARREULE	.64
100	BW 48	LARREY	.21
197	AF 99	LARRIBAR SORHAPURU	.64
137	CN 65	LARRINGES	.74
198	AK 94	LARRIVIERE	.40
135	CH 65	LARRIVOIRE	.39
200	AS 99	LARROQUE	.65
185	BB 92	LARROQUE	.81
217	AS 100	LARROQUE	.31
183	AS 92	LARROQUE ENGALIN	.32
183	AR 93	LARROQUE SAINT SERNIN	.32
183	AQ 92	LARROQUE SUR L'OSSE	.32
171	BD 86	LARROQUE TOIRAC	.46
200	AT 97	LARTIGUE	.32
182	AN 89	LARTIGUE	.33
215	AK 102	LARUNS	C .64
153	AM 79	LARUSCADE	.33
169	AW 83	LARZAC	.24
59	BY 40	LARZICOURT	.51
189	BS 91	LASALLE	C .30
202	BE 99	LASBORDES	.11
184	AY 88	LASCABANES	.46
156	AZ 77	LASCAUX	.19
199	AN 97	LASCAZERES	.65
158	BI 80	LASCELLE	.15
198	AL 98	LASCLAVERIES	.64
203	BI 97	LASFAILLADES	.81
202	BE 94	LASGRAISSES	.81
199	AP 100	LASLADES	.65
200	AR 100	LASSALES	.65
73	AL 42	LASSAY LES CHATEAUX	C .53
113	BB 54	LASSAY SUR CROISNE	.41
93	AP 52	LASSE	.49
214	AD 100	LASSE	.64
199	AO 96	LASSERADE	.32
200	AS 96	LASSERAN	.32
183	AR 91	LASSERRE	.47
201	AX 96	LASSERRE	.31
199	AN 97	LASSERRE	.64
218	AX 102	LASSERRE	.09
219	BE 101	LASSERRE DE PROUILLE	.11
198	AJ 100	LASSEUBE	C .64
200	AS 96	LASSEUBE PROPRE	.32
215	AJ 100	LASSEUBETAT	.64
80	BW 42	LASSICOURT	.10
36	BK 29	LASSIGNY	C .60
31	AM 33	LASSON	.14
79	BR 46	LASSON	.89
172	BK 86	LASSOUTS	.12
223	BB 105	LASSUR	.09
55	BH 35	LASSY	.95
50	AK 36	LASSY	.14
70	AB 47	LASSY	.35
144	BI 73	LASTIC	.63
159	BN 79	LASTIC	.15
203	BH 99	LASTOURS	.11
35	BJ 30	LATAULE	.60
120	CI 60	LATET, LE	.39
120	CJ 60	LATETTE, LA	.39
150	CK 71	LATHUILE	.74
127	AW 66	LATHUS SAINT REMY	.86
126	AP 62	LATILLE	.86
57	BO 34	LATILLY	.02
217	AU 101	LATOUE	.31
171	BD 82	LATOUILLE LENTILLAC	.46
218	AY 100	LATOUR	.31
225	BM 107	LATOUR BAS ELNE	.66
223	BD 109	LATOUR DE CAROL	.66
224	BJ 105	LATOUR DE FRANCE	C .66
60	CG 35	LATOUR EN WOEVRE	.55
201	AY 100	LATRAPE	.31
81	BZ 47	LATRECEY ORMOY SUR AUBE	.52
167	AK 82	LATRESNE	.33
198	AL 95	LATRILLE	.40
157	BG 77	LATRONCHE	.19
171	BE 83	LATRONQUIERE	C .46
34	BD 33	LATTAINVILLE	.60
205	BT 96	LATTES	C .34
21	BI 22	LATTRE SAINT QUENTIN	.62
216	AN 103	LAU BALAGNAS	.65
64	CU 36	LAUBACH	.67
174	BR 85	LAUBERT	.48
173	BP 84	LAUBIES, LES	.48
80	BU 44	LAUBRESSEL	.10
92	AH 47	LAUBRIERES	.53
36	BJ 29	LAUCOURT	.80
62	CM 34	LAUDREFANG	.57
190	BZ 90	LAUDUN L'ARDOISE	.30
183	AT 88	LAUGNAC	.47
182	AN 93	LAUJUZAN	.32
29	AF 33	LAULNE	.50
41	CK 31	LAUMESFELD	.57
201	AX 94	LAUNAC	.31
201	AZ 95	LAUNAGUET	.31
53	AV 35	LAUNAY	.27
72	AI 45	LAUNAY VILLIERS	.53
38	BW 29	LAUNOIS SUR VENCE	.08
37	BO 33	LAUNOY	.02
41	CL 30	LAUNSTROFF	.57
176	CB 85	LAUPIE, LA	.26
202	BD 100	LAURABUC	.11
202	BD 100	LAURAC	.11
175	BW 86	LAURAC EN VIVARAIS	.07
183	AQ 92	LAURAET	.32
219	BF 102	LAURAGUEL	.11
203	BI 100	LAURE MINERVOIS	.11
197	AH 94	LAUREDE	.40
69	W 44	LAURENAN	.22
204	BN 97	LAURENS	.34
171	BF 83	LAURESSES	.46
189	BT 93	LAURET	.34
198	AL 96	LAURET	.40
159	BM 77	LAURIE	.15
142	BA 68	LAURIERE	C .87
208	CF 94	LAURIS	.84
204	BO 94	LAUROUX	.34
175	BU 81	LAUSSONNE	.43
169	AU 85	LAUSSOU	.47
85	CQ 47	LAUTENBACH	.68
85	CQ 47	LAUTENBACHZELL	.68
64	CX 35	LAUTERBOURG	C .67
127	AU 63	LAUTHIERS	.86
201	AW 98	LAUTIGNAC	.31
202	BF 95	LAUTREC	C .81
104	CQ 49	LAUW	.68
12	BL 20	LAUWIN PLANQUE	.59
89	W 50	LAUZACH	.56
184	AX 89	LAUZERTE	C .82
201	BA 97	LAUZERVILLE	.31
170	BA 85	LAUZES	C .46
179	CN 86	LAUZET UBAYE, LE	C .04
168	AR 84	LAUZUN	C .47
35	BF 29	LAVACQUERIE	.60
72	AK 46	LAVAL	P .53
163	CJ 77	LAVAL	.38
174	BR 83	LAVAL ATGER	.48
177	CF 83	LAVAL D'AIX	.26
174	BT 85	LAVAL D'AURELLE	.07
171	BD 81	LAVAL DE CERE	.46
188	BO 88	LAVAL DU TARN	.48
78	BL 42	LAVAL EN BRIE	.77
37	BQ 30	LAVAL EN LAONNOIS	.02
121	CN 55	LAVAL LE PRIEURE	.25
24	BW 27	LAVAL MORENCY	.08
189	BU 89	LAVAL PRADEL	.30
203	BJ 94	LAVAL ROQUECEZIERE	.12
190	BY 88	LAVAL SAINT ROMAN	.30
160	BQ 76	LAVAL SUR DOULON	.43
157	BF 78	LAVAL SUR LUZEGE	.19
59	BY 34	LAVAL SUR TOURBE	.51
84	CN 44	LAVAL SUR VOLOGNE	.88
169	AV 84	LAVALADE	.24
163	CI 80	LAVALDENS	.38
204	BO 95	LAVALETTE	.34
201	BA 96	LAVALETTE	.31
220	BG 101	LAVALETTE	.11
60	CC 38	LAVALLEE	.55
135	CG 65	LAVANCIA EPERCY	.39
213	CN 100	LAVANDOU, LE	.83
119	CF 56	LAVANGEOT	.39
38	BU 32	LAVANNES	.51
119	CF 56	LAVANS LES DOLE	.39
135	CH 65	LAVANS LES SAINT CLAUDE	.39
119	CH 57	LAVANS QUINGEY	.25
135	CF 65	LAVANS SUR VALOUSE	.39
120	CK 57	LAVANS VUILLAFANS	.25
23	BQ 25	LAVAQUERESSE	.02
183	AQ 89	LAVARDAC	C .47
200	AS 94	LAVARDENS	.32
73	AQ 46	LAVARDIN	.72
95	AV 50	LAVARDIN	.41
74	AU 46	LAVARE	.72
177	CH 82	LAVARS	.38
173	BM 81	LAVASTRIE	.15
226	DI 105	LAVATOGGIO	.2B
80	BT 43	LAVAU	.10
98	BL 52	LAVAU	.89
107	AA 54	LAVAU SUR LOIRE	.44
159	BP 78	LAVAUDIEU	.43
130	BG 66	LAVAUFRANCHE	.23
116	BT 57	LAVAULT DE FRETOY	.58
130	BJ 66	LAVAULT SAINTE ANNE	.03
202	BC 95	LAVAUR	C .81
169	AW 85	LAVAUR	.24
185	BB 89	LAVAURETTE	.82
126	AP 63	LAVAUSSEAU	.86
143	BF 69	LAVAVEIX LES MINES	.23
167	AN 87	LAVAZAN	.33
158	BL 80	LAVEISSENET	.15
158	BK 79	LAVEISSIERE	.15
223	BC 104	LAVELANET	C .09
201	AX 100	LAVELANET DE COMMINGES	.31
84	CN 44	LAVELINE DEVANT BRUYERES	.88
84	CN 45	LAVELINE DU HOUX	.88
94	AU 49	LAVENAY	.72
12	BK 18	LAVENTIE	C .62
199	AP 97	LAVERAET	.32
170	AY 85	LAVERCANTIERE	.46
114	BK 58	LAVERDINES	.18
168	AR 85	LAVERGNE	.47
171	BC 83	LAVERGNE	.46
94	AR 50	LAVERNAT	.72
119	CH 55	LAVERNAY	.25
187	BM 88	LAVERNHE	.12
201	AY 98	LAVERNOSE LACASSE	.31
102	CF 48	LAVERNOY	.52
34	BE 28	LAVERRIERE	.60
36	BN 32	LAVERSINE	.02
35	BG 31	LAVERSINES	.60
205	BS 96	LAVERUNE	.34
162	CA 78	LAVEYRON	.26
174	BT 84	LAVEYRUNE	.07
168	AS 81	LAVEYSSIERE	.24
160	BU 74	LAVIEU	.42
21	BI 25	LAVIEVILLE	.80
158	BK 79	LAVIGERIE	.15
142	AX 72	LAVIGNAC	.87
102	CG 50	LAVIGNEY	.70
135	CF 61	LAVIGNY	.39
174	BT 83	LAVILLATTE	.07
82	CC 46	LAVILLE AUX BOIS	.52
175	BX 85	LAVILLEDIEU	.07
82	CE 46	LAVILLENEUVE	.52
54	BE 34	LAVILLETERTRE	.60
59	CB 39	LAVINCOURT	.55
175	BW 83	LAVIOLLE	.07
120	CM 55	LAVIRON	.25
184	AV 92	LAVIT	C .82

Page	Carreau	Commune	Adm.	Dpt
146	BR 69	LAVOINE		03
102	CG 51	LAVONCOURT		70
149	CH 71	LAVOURS		01
159	BP 79	LAVOUTE CHILHAC	C	43
160	BT 79	LAVOUTE SUR LOIRE		43
127	AT 63	LAVOUX		86
59	CB 35	LAVOYE		55
35	BG 28	LAWARDE MAUGER L'HORTOY		80
61	CI 39	LAXOU	C	54
147	BV 70	LAY		42
197	AI 99	LAY LAMIDOU		64
61	CJ 38	LAY SAINT CHRISTOPHE		54
60	CG 39	LAY SAINT REMY		54
178	CK 84	LAYE		05
200	AV 98	LAYMONT		32
183	AT 90	LAYRAC		47
185	BA 93	LAYRAC SUR TARN		31
216	AO 101	LAYRISSE		65
118	CD 59	LAYS SUR LE DOUBS		71
67	N 44	LAZ		29
113	BE 57	LAZENAY		18
192	CI 87	LAZER		05
21	BH 24	LEALVILLERS		80
31	AQ 34	LEAUPARTIE		14
150	CI 68	LEAZ		01
104	CP 52	LEBETAIN		90
83	CJ 42	LEBEUVILLE		54
10	BE 20	LEBIEZ		62
200	AT 95	LEBOULIN		32
184	AX 88	LEBREIL		46
22	BL 24	LEBUCQUIERE		62
51	AQ 35	LECAUDE		14
231	DN 115	LECCI		2A
13	BO 20	LECELLES		59
102	CE 48	LECEY		52
118	CC 57	LECHATELET		21
22	BL 24	LECHELLE		62
79	BO 41	LECHELLE		77
164	CN 74	LECHERE, LA		73
168	AR 80	LECHES, LES		24
22	BM 22	LECLUSE		59
71	AG 42	LECOUSSE		35
189	BU 93	LECQUES		30
135	CG 65	LECT		39
183	AT 92	LECTOURE	C	32
214	AE 101	LECUMBERRY		64
217	AS 101	LECUSSAN		31
186	BH 91	LEDAS ET PENTHIES		81
169	AT 87	LEDAT		47
190	BY 92	LEDENON		30
186	BH 91	LEDERGUES		12
11	BG 16	LEDERZEELE		59
198	AI 100	LEDEUIX		64
189	BU 92	LEDIGNAN	C	30
10	BE 18	LEDINGHEM		62
11	BH 15	LEDRINGHEM		59
198	AL 99	LEE		64
12	BN 17	LEERS		59
215	AI 103	LEES ATHAS		64
10	BC 19	LEFAUX		62
51	AN 37	LEFFARD		14
38	BX 32	LEFFINCOURT		08
82	CC 47	LEFFONDS		52
4	BH 13	LEFFRINCKOUCKE		59
12	BM 20	LEFOREST	C	62
107	AD 59	LEGE	C	44
217	AS 104	LEGE		31
166	AF 82	LEGE CAP FERRET		33
83	CJ 44	LEGEVILLE ET BONFAYS		88
35	BI 30	LEGLANTIERS		60
135	CF 64	LEGNA		39
147	BY 70	LEGNY		69
201	AX 96	LEGUEVIN	C	31
154	AS 76	LEGUILLAC DE CERCLES		24
154	AS 78	LEGUILLAC DE L'AUCHE		24
22	BN 26	LEHAUCOURT		02
70	AA 41	LEHON		22
127	AU 61	LEIGNE LES BOIS		86
111	AS 59	LEIGNE SUR USSEAU		86
127	AV 64	LEIGNES SUR FONTAINE		86
146	BT 72	LEIGNEUX		42
105	CQ 48	LEIMBACH		68
62	CN 39	LEINTREY		54
136	CI 65	LELEX		01
199	AN 95	LELIN LAPUJOLLE		32
62	CM 35	LELLING		57
83	CJ 41	LEMAINVILLE		54
64	CU 35	LEMBACH		67
63	CR 35	LEMBERG		57
198	AM 97	LEMBEYE	C	64
169	AS 82	LEMBRAS		24
23	BR 27	LEME		02
198	AL 97	LEME		64
83	CJ 41	LEMENIL MITRY		54
110	AR 57	LEMERE		37
82	CG 44	LEMMECOURT		88
60	CC 35	LEMMES		55
61	CK 37	LEMONCOURT		57
202	BE 97	LEMPAUT		81
145	BN 72	LEMPDES		63
159	BO 76	LEMPDES SUR ALLAGNON		43
22	BM 25	LEMPIRE		02
162	CA 79	LEMPS		07
192	CF 87	LEMPS		26
145	BO 71	LEMPTY		63
155	AV 76	LEMPZOURS		24
61	CK 35	LEMUD		57
120	CI 59	LEMUY		39
50	AL 36	LENAULT		14
132	BS 66	LENAX		03
110	AR 60	LENCLOITRE	C	86
182	AL 90	LENCOUACQ		40
43	CS 34	LENGELSHEIM		57
49	AF 36	LENGRONNE		50
58	BU 38	LENHARREE		51
62	CN 36	LENING		57
67	M 43	LENNON		29
61	CK 39	LENONCOURT		54
12	BK 20	LENS	S	62
162	CC 77	LENS LESTANG		26
136	CI 61	LENT		39
148	CC 68	LENT		01
146	BT 69	LENTIGNY		42
170	BB 85	LENTILLAC DU CAUSSE		46
171	BF 85	LENTILLAC SAINT BLAISE		46
175	BW 85	LENTILLERES		07
81	BX 42	LENTILLES		10
148	BY 71	LENTILLY		69
162	CC 77	LENTIOL		38
227	DM 106	LENTO		2B
170	AY 84	LEOBARD		46
167	AL 86	LEOGEATS		33
167	AJ 83	LEOGNAN		33
185	AZ 92	LEOJAC		82
180	AD 92	LEON		40
176	CD 81	LEONCEL		26

Page	Carreau	Commune	Adm.	Dpt
159	BN 76	LEOTOING		43
77	BF 45	LEOUVILLE		45
153	AM 76	LEOVILLE		17
84	CM 44	LEPANGES SUR VOLOGNE		88
130	BH 62	LEPAUD		23
163	CH 74	LEPIN LE LAC		73
143	BD 68	LEPINAS		23
20	BC 21	LEPINE		62
38	BW 27	LEPRON LES VALLEES		08
104	CO 49	LEPUIX		90
105	CQ 51	LEPUIX NEUF		90
219	BD 103	LERAN		09
222	BA 105	LERCOUL		09
98	BK 53	LERE	C	18
197	AF 97	LEREN		64
146	BT 74	LERIGNEUX		42
182	AN 88	LERM ET MUSSET		33
110	AQ 57	LERNE		37
60	CE 38	LEROUVILLE		55
83	CJ 45	LERRAIN		88
33	AY 33	LERY		27
101	BZ 52	LERY		21
23	BR 25	LERZY		02
22	BK 24	LESBOEUFS		80
72	AJ 42	LESBOIS		53
198	AK 99	LESCAR	C	64
150	CK 71	LESCHAUX		74
23	BR 25	LESCHELLES		02
150	CK 72	LESCHERAINES		73
135	CH 64	LESCHERES		39
81	CA 43	LESCHERES SUR LE BLAISERON		52
57	BO 39	LESCHEROLLES		77
134	CC 64	LESCHEROUX		01
56	BK 37	LESCHES		77
177	CG 84	LESCHES EN DIOIS		26
68	R 44	LESCOUET GOUAREC		22
218	BA 101	LESCOUSSE		09
202	BE 97	LESCOUT		81
215	AI 103	LESCUN		64
200	AW 100	LESCUNS		31
218	AY 103	LESCURE		09
186	BF 92	LESCURE D'ALBIGEOIS		81
186	BF 89	LESCURE JAOUL		12
199	AP 99	LESCURRY		65
22	BN 24	LESDAIN		59
22	BN 26	LESDINS		02
37	BP 33	LESGES		02
181	AH 93	LESGOR		40
141	AT 71	LESIGNAC DURAND		16
55	BJ 39	LESIGNY		77
111	AV 60	LESIGNY		86
69	T 41	LESLAY, LE		22
132	BR 62	LESME		71
61	CI 36	LESMENILS		54
80	BW 42	LESMONT		10
45	K 39	LESNEVEN	C	29
152	AG 77	LESPARRE MEDOC	S	33
223	BD 104	LESPARROU		09
180	AF 91	LESPERON		40
174	BT 83	LESPERON		07
11	BH 19	LESPESSES		62
198	AM 97	LESPIELLE		64
204	BN 100	LESPIGNAN		34
201	AZ 95	LESPINASSE		31
203	BI 98	LESPINASSIERE		11
10	BD 20	LESPINOY		62
217	AU 102	LESPITEAU		31
199	AP 100	LESPOUEY		65
198	AM 98	LESPOURCY		64
200	AT 100	LESPUGUE		31
224	BI 105	LESQUERDE		66
23	BQ 26	LESQUIELLES SAINT GERMAIN		02
12	BM 18	LESQUIN		59
141	AT 68	LESSAC		16
134	CC 61	LESSARD EN BRESSE		71
52	AQ 35	LESSARD ET LE CHENE		14
118	CA 59	LESSARD LE NATIONAL		71
29	AE 33	LESSAY	C	50
62	CL 36	LESSE		57
84	CQ 43	LESSEUX		88
61	CI 34	LESSY		57
33	AX 28	LESTANVILLE		76
157	BD 75	LESTARDS		19
215	AM 101	LESTELLE BETHARRAM		64
217	AV 102	LESTELLE DE SAINT MARTORY		31
141	AV 69	LESTERPS		16
167	AI 84	LESTIAC SUR GARONNE		33
96	BB 50	LESTIOU		41
187	BJ 91	LESTRADE ET THOUELS		12
29	AG 29	LESTRE		50
12	BJ 18	LESTREM		62
39	CA 30	LETANNE		08
130	BI 62	LETELON		03
76	BD 43	LETHUIN		28
228	DI 109	LETIA		2A
147	BY 70	LETRA		69
61	CJ 37	LETRICOURT		54
33	AZ 31	LETTEGUIVES		27
178	CK 86	LETTRET		05
17	BC 15	LEUBRINGHEN		62
220	BG 101	LEUC		11
172	BI 83	LEUCAMP		15
221	BM 104	LEUCATE		11
102	CC 50	LEUCHEY		52
77	BG 41	LEUDEVILLE		91
56	BN 39	LEUDON EN BRIE		77
101	BZ 49	LEUGLAY		21
111	AU 59	LEUGNY		86
99	BO 51	LEUGNY		89
67	M 44	LEUHAN		29
37	BO 31	LEUILLY SOUS COUCY		02
11	BF 17	LEULINGHEM		62
10	BC 16	LEULINGHEN BERNES		62
82	CD 43	LEURVILLE		52
37	BO 31	LEURY		02
64	CW 36	LEUTENHEIM		67
55	BG 40	LEUVILLE SUR ORGE		91
57	BR 35	LEUVRIGNY		51
181	AI 93	LEUY, LE		40
24	BU 26	LEUZE		02
76	BC 42	LEVAINVILLE		28
23	BR 23	LEVAL		59
104	CP 49	LEVAL		90
55	BG 37	LEVALLOIS PERRET	C	92
72	AI 42	LEVARE		53
82	CF 45	LEVECOURT		52
195	CU 92	LEVENS	C	06
22	BN 26	LEVERGIES		02
28	CA 58	LEVERNOIS		21
76	BA 42	LEVES		28
168	AP 83	LEVES ET THOUMEYRAGUES, LES		33
76	BC 44	LEVESVILLE LA CHENARD		28
114	BH 59	LEVET	C	18
231	DL 115	LEVIE	C	2A
120	CJ 58	LEVIER	C	25
201	AX 95	LEVIGNAC		31

Page	Carreau	Commune	Adm.	Dpt
168	AQ 84	LEVIGNAC DE GUYENNE		47
180	AE 91	LEVIGNACQ		40
56	BL 34	LEVIGNEN		60
81	BY 44	LEVIGNY		10
99	BO 51	LEVIS		89
54	BE 39	LEVIS SAINT NOM		78
60	CD 38	LEVONCOURT		55
105	CR 52	LEVONCOURT		68
112	BB 59	LEVROUX	C	36
22	BM 21	LEWARDE		59
40	CF 30	LEXY		54
62	CM 38	LEY		57
219	BC 103	LEYCHERT		09
171	BD 83	LEYME		46
107	CT 51	LEYMEN		68
149	CD 70	LEYMENT		01
134	BZ 66	LEYNES		71
172	BG 83	LEYNHAC		15
61	CJ 38	LEYR		54
130	BG 65	LEYRAT		23
149	CD 72	LEYRIEU		38
183	AP 88	LEYRITZ MONCASSIN		47
149	CF 67	LEYSSARD		01
159	BM 77	LEYVAUX		15
62	CN 35	LEYVILLER		57
217	AT 104	LEZ		31
87	BT 23	LEZ FONTAINE		59
189	BU 91	LEZAN		30
46	S 37	LEZARDRIEUX	C	22
136	CI 63	LEZAT		39
201	AY 100	LEZAT SUR LEZE		09
126	AO 66	LEZAY	C	79
12	BM 18	LEZENNES		59
82	CD 42	LEZEVILLE		52
62	CM 38	LEZEY		57
216	AN 101	LEZIGNAN		65
220	BK 100	LEZIGNAN CORBIERES	C	11
205	BP 97	LEZIGNAN LA CEBE		34
93	AN 51	LEZIGNE		49
160	BU 74	LEZIGNEUX		42
100	BT 49	LEZINNES		89
145	BP 71	LEZOUX	C	63
34	BE 31	LHERAULE		60
201	AY 98	LHERM		31
170	AY 85	LHERM		46
37	BR 34	LHERY		51
216	AP 100	LHEZ		65
127	AT 64	LHOMMAIZE		86
94	AT 50	LHOMME		72
149	CH 69	LHOPITAL		01
62	CO 36	LHOR		57
185	AZ 88	LHOSPITALET		46
120	AO 61	LHOUMOIS		79
149	CF 72	LHUIS	C	01
58	BU 41	LHUITRE		10
37	BP 33	LHUYS		02
199	AO 98	LIAC		65
35	BH 32	LIANCOURT	C	60
36	BK 28	LIANCOURT FOSSE		80
34	BD 33	LIANCOURT SAINT PIERRE		60
38	BV 27	LIART		08
201	AX 96	LIAS		32
182	AN 93	LIAS D'ARMAGNAC		32
205	BP 96	LIAUSSON		34
199	AQ 100	LIBAROS		65
12	BL 19	LIBERCOURT		62
36	BL 28	LIBERMONT		60
167	AM 81	LIBOURNE	S	33
102	CD 52	LICEY SUR VINGEANNE		21
214	AG 101	LICHANS SUNHAR		64
140	AQ 70	LICHERES		16
99	BS 50	LICHERES PRES AIGREMONT		89
99	BQ 53	LICHERES SUR YONNE		89
197	AG 99	LICHOS		64
63	CS 36	LICHTENBERG		67
22	BL 27	LICOURT		80
214	AG 101	LICQ ATHEREY		64
10	BE 16	LICQUES		62
58	BN 35	LICY CLIGNON		02
62	CN 36	LIDREZING		57
105	CT 52	LIEBENSWILLER		68
105	CR 52	LIEBSDORF		68
104	CO 53	LIEBVILLERS		25
43	CS 34	LIEDERSCHIEDT		57
103	CI 52	LIEFFRANS		70
112	AX 56	LIEGE, LE		37
61	CJ 35	LIEHON		57
21	BH 22	LIENCOURT		62
85	CR 43	LIEPVRE		68
22	BM 25	LIERAMONT		80
20	BD 24	LIERCOURT		80
11	BH 19	LIERES		62
148	BY 69	LIERGUES		69
117	BV 56	LIERNAIS	C	21
132	BR 65	LIERNOLLES		03
37	BQ 31	LIERVAL		02
54	BD 34	LIERVILLE		60
216	AP 102	LIES		65
119	CH 57	LIESLE		25
37	BR 29	LIESSE NOTRE DAME		02
24	BT 23	LIESSIES		59
29	AG 31	LIESVILLE SUR DOUVE		50
11	BG 18	LIETTRES		62
21	BO 22	LIEU SAINT AMAND		59
194	CS 91	LIEUCHE		06
119	CF 54	LIEUCOURT		70
162	CD 75	LIEUDIEU		38
216	BC 103	LIEURAC		09
205	BP 96	LIEURAN CABRIERES		34
204	BO 98	LIEURAN LES BEZIERS		34
32	AT 33	LIEUREY		27
90	AA 48	LIEURON		35
55	BI 40	LIEUSAINT		77
29	AF 30	LIEUSAINT		50
173	BL 82	LIEUTADES		15
35	BI 31	LIEUVILLERS		60
103	CL 50	LIEVANS		70
12	BK 20	LIEVIN	C	62
36	BN 28	LIEZ		02
125	AJ 65	LIEZ		85
84	CO 45	LIEZEY		88
82	CE 43	LIFFOL LE GRAND		88
82	CE 43	LIFFOL LE PETIT		52
71	AE 44	LIFFRE	C	35
183	AR 91	LIGARDES		32
80	BD 22	LIGESCOURT		80
157	BG 76	LIGINIAC		19
128	AX 64	LIGLET		86
128	AY 64	LIGNAC		36
219	BE 102	LIGNAIROLLES		11
167	AL 86	LIGNAN DE BAZAS		33
167	AL 82	LIGNAN DE BORDEAUX		33
204	BN 98	LIGNAN SUR ORB		34
144	BG 74	LIGNAREIX		19
91	AE 53	LIGNE	C	44
140	AP 70	LIGNE		16

Page	Carreau	Commune	Adm.	Dpt
52	AS 39	LIGNERES		61
21	BI 22	LIGNEREUIL		62
52	AU 40	LIGNEROLLES		61
53	AZ 38	LIGNEROLLES		27
101	CA 48	LIGNEROLLES		21
130	BI 66	LIGNEROLLES		03
129	BF 64	LIGNEROLLES		36
83	CH 45	LIGNEVILLE		88
156	BB 80	LIGNEYRAC		19
129	BF 61	LIGNIERES	C	18
35	BJ 29	LIGNIERES		80
100	BT 48	LIGNIERES		10
95	AY 49	LIGNIERES		41
34	BD 27	LIGNIERES CHATELAIN		80
111	AS 55	LIGNIERES DE TOURAINE		37
20	BC 26	LIGNIERES EN VIMEU		80
74	AR 42	LIGNIERES LA CARELLE		72
73	AO 41	LIGNIERES ORGERES		53
153	AN 74	LIGNIERES SONNEVILLE		16
60	CD 38	LIGNIERES SUR AIRE		55
68	R 45	LIGNOL		56
81	BZ 44	LIGNOL LE CHATEAU		10
80	BX 40	LIGNON		51
99	BR 49	LIGNORELLES		89
51	AN 39	LIGNOU		61
60	CC 39	LIGNY EN BARROIS	C	55
133	BV 67	LIGNY EN BRIONNAIS		71
30	BO 24	LIGNY EN CAMBRESIS		59
99	BR 48	LIGNY LE CHATEL	C	89
96	BC 51	LIGNY LE RIBAULT		45
11	BG 19	LIGNY LES AIRE		62
21	BH 21	LIGNY SAINT FLOCHEL		62
21	BG 22	LIGNY SUR CANCHE		62
12	BK 24	LIGNY THILLOY		62
110	AR 57	LIGRE		37
93	AP 50	LIGRON		72
105	CS 52	LIGSDORF		68
111	AV 58	LIGUEIL	C	37
155	AU 77	LIGUEUX		24
168	AQ 83	LIGUEUX		33
126	AR 63	LIGUGE		86
22	BJ 27	LIHONS		80
35	BE 29	LIHUS		60
55	BH 37	LILAS, LES	C	93
200	AU 99	LILHAC		31
12	BL 18	LILLE	P	59
32	AU 30	LILLEBONNE	C	76
48	AC 40	LILLEMER		35
11	BI 19	LILLERS	C	62
34	BB 31	LILLY		27
140	AQ 68	LIMALONGES		79
192	CI 91	LIMANS		04
116	BR 58	LIMANTON		58
148	BZ 69	LIMAS		69
54	BC 36	LIMAY	C	78
219	BC 103	LIMBRASSAC		09
37	BP 32	LIME		02
55	BH 39	LIMEIL BREVANNES		94
198	AM 99	LIMENDOUS		64
95	AX 53	LIMERAY		37
85	CT 41	LIMERSHEIM		67
89	X 50	LIMERZEL		56
33	AW 29	LIMESY		76
54	BB 35	LIMETZ VILLEZ		78
169	AV 82	LIMEUIL		24
20	BD 25	LIMEUX		80
113	BF 57	LIMEUX		18
61	CH 37	LIMEY REMENAUVILLE		54
155	AW 79	LIMEYRAT		24
142	AY 71	LIMOGES	P	87
55	BJ 40	LIMOGES FOURCHES		77
185	BC 87	LIMOGNE EN QUERCY	C	46
131	BM 62	LIMOISE		03
115	BO 59	LIMON		58
148	BZ 71	LIMONEST	C	69
145	BP 70	LIMONS		63
23	BS 23	LIMONT FONTAINE		59
162	BZ 76	LIMONY		07
55	BF 40	LIMOURS	C	91
203	BH 99	LIMOUSIS		11
220	BG 102	LIMOUX	S	11
107	AC 58	LIMOUZINIERE, LA		44
32	AT 28	LIMPIVILLE		76
171	BF 84	LINAC		46
129	BD 65	LINARD		23
142	BA 73	LINARDS		87
140	AP 73	LINARS		16
55	BG 40	LINAS		91
39	CB 29	LINAY		08
140	AQ 67	LINAZAY		86
33	AW 28	LINDEBEUF		76
141	AT 72	LINDOIS, LE		16
62	CN 37	LINDRE BASSE		57
62	CN 37	LINDRE HAUTE		57
99	BP 49	LINDRY		89
104	CL 49	LINEXERT		70
128	AX 61	LINGE		36
50	AI 38	LINGEARD		50
30	AK 34	LINGEVRES		14
11	BH 18	LINGHEM		62
64	CU 40	LINGOLSHEIM		67
49	AE 36	LINGREVILLE		50
229	DO 108	LINGUIZZETTA		2B
93	AP 53	LINIERES BOUTON		49
127	AT 62	LINIERS		86
113	BC 58	LINIEZ		36
105	CS 51	LINSDORF		68
12	BM 17	LINSELLES		59
85	CQ 47	LINTHAL		68
58	BR 39	LINTHELLES		51
57	BS 39	LINTHES		51
30	AU 30	LINTOT		76
19	AX 27	LINTOT LES BOIS		76
180	AE 92	LINXE		40
39	CB 32	LINY DEVANT DUN		55
21	BF 21	LINZEUX		62
61	CK 36	LIOCOURT		57
20	BD 26	LIOMER		80
92	AJ 51	LION D'ANGERS, LE	C	49
39	CB 31	LION DEVANT DUN		55
78	BE 46	LION EN BEAUCE		45
97	BI 50	LION EN SULLIAS		45
31	AN 32	LION SUR MER		14
169	AT 82	LIORAC SUR LOUYRE		24
189	BU 93	LIOUC		30
171	BC 81	LIOURDRES		19
191	CE 92	LIOUX		84
144	BH 70	LIOUX LES MONGES		23
181	AH 88	LIPOSTHEY		40
64	CU 40	LIPSHEIM		67
190	BZ 91	LIRAC		30
108	AG 54	LIRE		49
80	BT 45	LIREY		10
83	CH 47	LIRONCOURT		88
61	CH 37	LIRONVILLE		54
39	BX 32	LIRY		08

Page	Carreau	Commune	Adm.	Dpt
11	BG 19	LISBOURG		62
52	AR 34	LISIEUX	S	14
95	AX 49	LISLE		41
155	AT 77	LISLE		24
59	CB 37	LISLE EN BARROIS		55
59	CA 39	LISLE EN RIGAULT		55
185	BC 93	LISLE SUR TARN	C	81
38	BT 28	LISLET		02
41	AI 33	LISON		14
52	AR 36	LISORES		14
34	BA 32	LISORS		27
160	BS 79	LISSAC		43
201	BA 100	LISSAC		09
171	BE 85	LISSAC ET MOURET		46
156	BA 79	LISSAC SUR COUZE		19
114	BH 59	LISSAY LOCHY		18
59	BY 38	LISSE EN CHAMPAGNE		51
55	BH 40	LISSES		91
145	BL 69	LISSEUIL		63
40	CC 32	LISSEY		55
148	BZ 71	LISSIEU		69
56	BJ 40	LISSY		77
168	AO 83	LISTRAC DE DUREZE		33
152	AI 79	LISTRAC MEDOC		33
180	AD 91	LIT ET MIXE		40
29	AF 32	LITHAIRE		50
30	AJ 34	LITTEAU		14
63	CS 38	LITTENHEIM		67
35	BG 31	LITZ		60
73	AP 41	LIVAIE		61
52	AQ 36	LIVAROT	C	14
61	CI 38	LIVERDUN		54
56	BK 39	LIVERDY EN BRIE		77
171	BC 84	LIVERNON	C	46
186	BE 91	LIVERS CAZELLES		81
73	AM 46	LIVET		53
74	AR 43	LIVET EN SAOSNOIS		72
163	CJ 79	LIVET ET GAVET		38
32	AU 33	LIVET SUR AUTHOU		27
55	BF 35	LIVILLIERS		95
171	BG 85	LIVINHAC LE HAUT		12
203	BJ 99	LIVINIERE, LA		34
92	AI 48	LIVRE		53
71	AF 44	LIVRE SUR CHANGEON		35
198	AM 100	LIVRON		64
176	CA 83	LIVRON SUR DROME		26
50	AK 34	LIVRY		14
131	BM 61	LIVRY		58
55	BI 37	LIVRY GARGAN	C	93
58	BV 35	LIVRY LOUVERCY		51
78	BJ 41	LIVRY SUR SEINE		77
64	CT 37	LIXHAUSEN		67
62	CQ 37	LIXHEIM		57
42	CP 33	LIXING LES ROUHLING		57
62	CN 35	LIXING LES SAINT AVOLD		57
78	BM 44	LIXY		89
184	AX 90	LIZAC		82
140	AR 68	LIZANT		86
113	BD 58	LIZERAY		36
142	BB 67	LIZIERES		23
120	CI 57	LIZINE		25
78	BN 41	LIZINES		77
89	W 48	LIZIO		56
199	AP 100	LIZOS		65
37	BP 30	LIZY		02
56	BL 36	LIZY SUR OURCQ	C	77
223	BF 108	LLAGONNE, LA		66
224	BK 108	LLAURO		66
223	BE 109	LLO		66
225	BK 107	LLUPIA		66
64	CV 35	LOBSANN		67
44	J 39	LOC BREVALAIRE		29
45	L 40	LOC EGUINER		29
45	M 40	LOC EGUINER SAINT THEGONNEC		29
46	Q 40	LOC ENVEL		22
68	Q 42	LOCARN		22
112	AY 57	LOCHE SUR INDROIS		37
111	AW 57	LOCHES	S	37
80	BX 46	LOCHES SUR OURCE		10
51	AL 34	LOCHEUR, LE		14
149	CH 70	LOCHIEU		01
63	CS 38	LOCHWILLER		67
68	R 45	LOCMALO		56
88	S 54	LOCMARIA		56
67	O 42	LOCMARIA BERRIEN		29
89	U 49	LOCMARIA GRAND CHAMP		56
66	H 41	LOCMARIA PLOUZANE		29
88	S 51	LOCMARIAQUER		56
45	L 40	LOCMELAR		29
89	U 47	LOCMINE	C	56
88	Q 49	LOCMIQUELIC		56
88	S 49	LOCOAL MENDON		56
12	BJ 19	LOCON		62
34	BE 33	LOCONVILLE		60
89	U 49	LOCQUELTAS		56
45	N 38	LOCQUENOLE		29
23	BQ 23	LOCQUIGNOL		59
46	P 38	LOCQUIREC		29
67	K 44	LOCRONAN		29
67	K 47	LOCTUDY		29
68	P 46	LOCUNOLE		29
132	BS 66	LODDES		03
217	AT 101	LODES		31
204	BO 94	LODEVE	S	34
120	CK 57	LODS		25
102	CE 53	LOEUILLEY		70
35	BF 27	LOEUILLY		80
22	BM 21	LOFFRE		59
11	BE 20	LOGE, LA		62
80	BW 44	LOGE AUX CHEVRES, LA		10
125	AJ 62	LOGE FOUGEREUSE		85
80	BT 46	LOGE POMBLIN, LA		10
85	CS 46	LOGELHEIM		68
32	AS 28	LOGES, LES		76
50	AK 35	LOGES, LES		14
102	CE 49	LOGES, LES		52
55	BF 39	LOGES EN JOSAS, LES		78
72	AH 41	LOGES MARCHIS, LES		50
80	BU 46	LOGES MARGUERON, LES		10
51	AN 37	LOGES SAULCES, LES		14
50	AH 38	LOGES SUR BRECEY, LES		50
55	BJ 38	LOGNES		77
24	BV 27	LOGNY BOGNY		08
24	BU 27	LOGNY LES AUBENTON		02
66	J 41	LOGONNA DAOULAS		29
189	BU 92	LOGRIAN FLORIAN		30
75	AY 45	LOGRON		28
46	Q 40	LOGUIVY PLOUGRAS		22
90	AB 48	LOHEAC		35
197	AF 99	LOHITZUN OYHERCQ		64
63	CR 37	LOHR		67
46	P 40	LOHUEC		22
92	AJ 48	LOIGNE SUR MAYENNE		53
76	BC 46	LOIGNY LA BATAILLE		28
92	AI 51	LOIRE		49
138	AH 69	LOIRE LES MARAIS		17

Page	Carreau	Commune	Adm.Dpt
139	AM 70	LOIRE SUR NIE	.17
162	CA 74	LOIRE SUR RHONE	.69
72	AI 46	LOIRON	C .53
74	AU 41	LOISAIL	.61
60	CC 38	LOISEY CULEY	.55
135	CE 64	LOISIA	.39
149	CH 73	LOISIEUX	.73
136	CL 65	LOISIN	.74
40	CE 32	LOISON	.55
12	BK 20	LOISON SOUS LENS	.62
10	BD 20	LOISON SUR CREQUOISE	.62
61	CI 37	LOISY	.54
134	CB 62	LOISY	.71
57	BS 37	LOISY EN BRIE	.51
58	BX 38	LOISY SUR MARNE	.51
38	BS 32	LOIVRE	.51
123	AD 66	LOIX	.17
49	AF 38	LOLIF	.50
169	AV 84	LOLMES	.24
119	CH 57	LOMBARD	.25
119	CF 60	LOMBARD	.39
202	BF 94	LOMBERS	.81
200	AV 97	LOMBEZ	C .32
198	AM 99	LOMBIA	.64
217	AR 102	LOMBRES	.65
97	BJ 48	LOMBREUIL	.45
74	AS 46	LOMBRON	.72
41	CH 32	LOMMERANGE	.57
54	BA 36	LOMMOYE	.78
216	AQ 102	LOMNE	.65
104	CN 50	LOMONT	.70
104	CM 54	LOMONT SUR CRETE	.25
149	CF 71	LOMPNAS	.01
149	CG 69	LOMPNIEU	.01
12	BL 17	LOMPRET	.59
198	AK 97	LONCON	.64
33	AW 33	LONDE, LA	.76
213	CM 100	LONDE LES MAURES, LA	.83
140	AQ 68	LONDIGNY	.16
20	BA 27	LONDINIERES	C .76
20	BE 24	LONG	.80
201	AX 99	LONGAGES	.31
70	AB 43	LONGAULNAY	.35
22	BM 25	LONGAVESNES	.80
84	CM 44	LONGCHAMP	.88
82	CE 45	LONGCHAMP	.52
118	CD 55	LONGCHAMP	.21
82	CG 43	LONGCHAMP SOUS CHATENOIS	.88
81	BZ 45	LONGCHAMP SUR AUJON	.10
34	BB 32	LONGCHAMPS	.27
60	CC 37	LONGCHAMPS SUR AIRE	.55
136	CI 64	LONGCHAUMOIS	.39
120	CJ 60	LONGCOCHON	.39
102	CD 49	LONGEAU PERCEY	C .52
118	CC 55	LONGEAULT	.21
60	CC 40	LONGEAUX	.55
120	CM 56	LONGECHAUX	.25
162	CE 75	LONGECHENAL	.38
118	CC 56	LONGECOURT EN PLAINE	.21
117	BX 56	LONGECOURT LES CULETRE	.21
120	CM 57	LONGEMAISON	.25
118	CC 58	LONGEPIERRE	.71
108	AH 58	LONGERON, LE	.49
161	BZ 75	LONGES	.69
147	BW 71	LONGESSAIGNE	.69
104	CL 51	LONGEVELLE	.70
121	CN 55	LONGEVELLE LES RUSSEY	.25
104	CN 52	LONGEVELLE SUR DOUBS	.25
124	AI 64	LONGEVES	.85
124	AH 66	LONGEVES	.17
120	CM 57	LONGEVILLE, LA	.25
120	CK 57	LONGEVILLE	.25
59	CB 39	LONGEVILLE EN BARROIS	.55
61	CI 34	LONGEVILLE LES METZ	.57
42	CM 34	LONGEVILLE LES SAINT AVOLD	.57
81	BY 42	LONGEVILLE SUR LA LAINES	.52
123	AD 64	LONGEVILLE SUR MER	.85
80	BT 45	LONGEVILLE SUR MOGNE	.10
120	CL 60	LONGEVILLES MONT D'OR	.25
10	BD 18	LONGFOSSE	.62
104	CM 48	LONGINE, LA	.70
55	BG 39	LONGJUMEAU	C .91
40	CG 30	LONGLAVILLE	.54
34	BB 29	LONGMESNIL	.76
54	BB 37	LONGNES	.78
73	AP 47	LONGNES	.72
75	AV 41	LONGNY AU PERCHE	C .61
55	BJ 36	LONGPERRIER	.77
36	BN 33	LONGPONT	.02
55	BG 40	LONGPONT SUR ORGE	.91
80	BX 45	LONGPRE LE SEC	.10
20	BE 25	LONGPRE LES CORPS SAINTS	.80
30	AK 34	LONGRAYE	.14
140	AO 69	LONGRE	.16
20	BB 25	LONGROY	.76
80	BV 42	LONGSOLS	.10
110	AO 54	LONGUE JUMELLES	C .49
21	BG 26	LONGUEAU	.80
92	AK 48	LONGUEFUYE	.53
19	AX 26	LONGUEIL	.76
36	BK 31	LONGUEIL ANNEL	.60
36	BJ 32	LONGUEIL SAINTE MARIE	.60
11	BG 17	LONGUENESSE	.62
73	AP 41	LONGUENOE	.61
33	AZ 30	LONGUERUE	.76
30	AK 32	LONGUES SUR MER	.14
54	BE 35	LONGUESSE	.95
22	BK 25	LONGUEVAL	.80
37	BQ 32	LONGUEVAL BARBONVAL	.02
23	BR 22	LONGUEVILLE, LA	.59
10	BD 17	LONGUEVILLE	.62
30	AI 32	LONGUEVILLE	.14
49	AE 37	LONGUEVILLE	.50
78	BN 41	LONGUEVILLE	.77
168	AP 86	LONGUEVILLE	.47
79	BS 41	LONGUEVILLE SUR AUBE	.10
19	AY 27	LONGUEVILLE SUR SCIE	C .76
21	BG 23	LONGUEVILLETTE	.80
40	CE 31	LONGUYON	C .54
118	CB 55	LONGVIC	.21
50	AL 35	LONGVILLERS	.14
10	BC 19	LONGVILLIERS	.62
76	BE 41	LONGVILLIERS	.78
39	BY 31	LONGWE	.08
40	CF 30	LONGWY	C .54
119	CD 58	LONGWY SUR LE DOUBS	.39
50	AK 39	LONLAY L'ABBAYE	.61
51	AN 40	LONLAY LE TESSON	.61
140	AQ 70	LONNES	.16
24	BX 27	LONNY	.08
73	AP 42	LONRAI	.61
198	AK 99	LONS	.64
135	CF 61	LONS LE SAUNIER	P .39
139	AL 74	LONZAC	.17
156	BC 75	LONZAC, LE	.19
11	BG 15	LOOBERGHE	.59
4	BG 14	LOON PLAGE	.59
12	BL 18	LOOS	.59
12	BK 20	LOOS EN GOHELLE	.62
99	BP 47	LOOZE	.89
67	L 42	LOPEREC	.29
67	J 41	LOPERHET	.29
228	DJ 111	LOPIGNA	.2A
67	M 42	LOQUEFFRET	.29
38	BT 30	LOR	.02
120	CM 56	LORAY	.25
173	BO 81	LORCIERES	.15
77	BI 47	LORCY	.45
223	BC 105	LORDAT	.09
72	AL 41	LORE	.61
63	CQ 35	LORENTZEN	.67
227	DN 106	LORETO DI CASINCA	.2B
231	DK 115	LORETO DI TALLANO	.2A
161	BY 75	LORETTE	.42
49	AF 37	LOREUR, LE	.50
113	BD 54	LOREUX	.41
49	AG 34	LOREY, LE	.50
83	CK 41	LOREY	.54
96	BA 49	LORGES	.41
12	BK 18	LORGIES	.62
210	CN 96	LORGUES	C .83
88	Q 49	LORIENT	S .56
131	BO 66	LORIGES	.03
152	AJ 75	LORIGNAC	.17
140	AP 68	LORIGNE	.79
191	CC 90	LORIOL DU COMTAT	.84
176	CA 83	LORIOL SUR DROME	C .26
159	BO 77	LORLANGES	.43
34	BA 31	LORLEAU	.27
35	BF 33	LORMAISON	.60
54	BB 40	LORMAYE	.28
116	BS 55	LORMES	C .58
167	AK 82	LORMONT	C .33
150	CI 70	LORNAY	.74
83	CK 42	LOROMONTZEY	.54
72	AH 42	LOROUX, LE	.35
108	AF 55	LOROUX BOTTEREAU, LE	C .44
218	AW 102	LORP SENTARAIILE	.09
62	CP 39	LORQUIN	C .57
78	BL 44	LORREZ LE BOCAGE PREAUX	C .77
97	BI 48	LORRIS	C .45
41	CI 34	LORRY LES METZ	.57
61	CI 36	LORRY MARDIGNY	.57
216	AR 102	LORTET	.65
70	Z 44	LOSCOUET SUR MEU	.22
118	CD 57	LOSNE	.21
182	AN 90	LOSSE	.40
157	BC 80	LOSTANGES	.19
62	CO 37	LOSTROFF	.57
67	L 43	LOTHEY	.29
10	BE 17	LOTTINGHEN	.62
70	AA 44	LOU DU LAC, LE	.35
93	AN 49	LOUAILLES	.72
57	BP 40	LOUAN VILLEGRUIS FONTAINE	.77
46	Q 37	LOUANNEC	.22
111	AU 56	LOUANS	.37
46	Q 39	LOUARGAT	.22
36	BN 33	LOUATRE	.02
216	AN 101	LOUBAJAC	.65
173	BN 81	LOUBARESSE	.15
174	BU 85	LOUBARESSE	.07
218	AY 101	LOUBAUT	.09
199	AO 94	LOUBEDAT	.32
170	AX 85	LOUBEJAC	.24
168	AO 84	LOUBENS	.33
218	BA 102	LOUBENS	.09
202	BC 96	LOUBENS LAURAGAIS	.31
186	BD 91	LOUBERS	.81
200	AS 97	LOUBERSAN	.32
168	AQ 83	LOUBES BERNAC	.47
145	BM 70	LOUBEYRAT	.63
197	AH 97	LOUBIENG	.64
187	BJ 87	LOUBIERE, LA	.12
218	BA 103	LOUBIERES	.09
140	AO 68	LOUBIGNE	.79
140	AO 69	LOUBILLE	.79
171	BC 82	LOUBRESSAC	.46
51	AP 39	LOUCE	.61
30	AL 33	LOUCELLES	.14
167	AJ 86	LOUCHATS	.33
10	BE 16	LOUCHES	.62
131	BN 66	LOUCHY MONTFAND	.03
216	AO 101	LOUCRUP	.65
69	U 44	LOUDEAC	C .22
216	AQ 105	LOUDENVIELLE	.65
216	AR 105	LOUDERVIELLE	.65
160	BR 80	LOUDES	C .43
217	AS 101	LOUDET	.31
62	CO 37	LOUDREFING	.57
110	AP 58	LOUDUN	C .86
73	AO 47	LOUE	C .72
197	AH 94	LOUER	.40
109	AM 55	LOUERRE	.49
101	BZ 48	LOUESME	.21
94	AU 51	LOUESTAULT	.37
34	BD 29	LOUEUSE	.60
216	AO 101	LOUEY	.65
51	AO 39	LOUGE SUR MAIRE	.61
169	AT 85	LOUGRATTE	.47
104	CN 52	LOUGRES	.25
134	CD 62	LOUHANS	S .71
196	AD 99	LOUHOSSOA	.64
156	AY 78	LOUIGNAC	.19
110	AN 60	LOUIN	.79
91	AE 50	LOUISFERT	.44
199	AP 99	LOUIT	.65
103	CK 53	LOULANS VERCHAMP	.70
139	AL 68	LOULAY	C .17
135	CI 61	LOULLE	.39
75	AX 42	LOUPE, LA	C .28
37	BP 33	LOUPEIGNE	.02
62	CO 34	LOUPERSHOUSE	.57
167	AL 82	LOUPES	.33
73	AM 43	LOUPFOUGERES	.53
219	BF 102	LOUPIA	.11
170	AZ 83	LOUPIAC	.46
185	BC 94	LOUPIAC	.81
167	AM 84	LOUPIAC	.33
168	AO 85	LOUPIAC DE LA REOLE	.33
205	BR 98	LOUPIAN	.34
93	AP 48	LOUPLANDE	.72
60	CF 37	LOUPMONT	.55
59	CA 37	LOUPPY LE CHATEAU	.55
40	CC 31	LOUPPY SUR LOISON	.55
79	BO 43	LOUPTIERE THENARD, LA	.10
23	BO 21	LOURCHES	.59
217	AT 103	LOURDE	.31
216	AN 101	LOURDES	C .65
215	AI 102	LOURDIOS ICHERE	.64
129	BC 65	LOURDOUEIX SAINT MICHEL	.36
129	BD 65	LOURDOUEIX SAINT PIERRE	.23
198	AM 99	LOURENTIES	.64
217	AS 102	LOURES BAROUSSE	.65
109	AM 55	LOURESSE ROCHEMENIER	.49
71	AC 41	LOURMAIS	.35
208	CF 94	LOURMARIN	.84
133	BY 64	LOURNAND	.71
129	BE 62	LOUROUER SAINT LAURENT	.36
111	AV 56	LOUROUX, LE	.37
92	AI 52	LOUROUX BECONNAIS, LE	C .49
131	BK 63	LOUROUX BOURBONNAIS	.03
131	BK 66	LOUROUX DE BEAUNE	.03
131	BL 67	LOUROUX DE BOUBLE	.03
130	BJ 64	LOUROUX HODEMENT	.03
197	AH 94	LOURQUEN	.40
200	AS 98	LOURTIES MONBRUN	.32
97	BF 47	LOURY	.45
199	AP 96	LOUSLITGES	.32
199	AO 95	LOUSSOUS DEBAT	.32
70	AA 47	LOUTEHEL	.35
43	CR 33	LOUTZVILLER	.57
51	AP 36	LOUVAGNY	.14
92	AJ 50	LOUVAINES	.49
119	CG 56	LOUVATANGE	.39
55	BF 38	LOUVECIENNES	.78
81	BZ 41	LOUVEMONT	.52
40	CD 33	LOUVEMONT COTE DU POIVRE, VILLAGE RUINE	.55
21	BI 24	LOUVENCOURT	.80
135	CE 64	LOUVENNE	.39
39	BY 30	LOUVERGNY	.08
72	AK 45	LOUVERNE	.53
135	CF 61	LOUVEROT, LE	.39
53	AW 36	LOUVERSEY	.27
32	AV 30	LOUVETOT	.76
215	AK 101	LOUVIE JUZON	.64
215	AK 102	LOUVIE SOUBIRON	.64
202	BB 100	LOUVIERE LAURAGAIS, LA	.11
30	AJ 32	LOUVIERES	.14
82	CD 46	LOUVIERES	.52
51	AQ 37	LOUVIERES EN AUGE	.61
33	AY 34	LOUVIERS	C .27
72	AK 46	LOUVIGNE	.53
71	AF 46	LOUVIGNE DE BAIS	.35
72	AH 41	LOUVIGNE DU DESERT	C .35
23	BQ 22	LOUVIGNIES QUESNOY	.59
51	AN 34	LOUVIGNY	.14
61	CI 36	LOUVIGNY	.57
74	AR 43	LOUVIGNY	.72
198	AK 97	LOUVIGNY	.64
12	BM 19	LOUVIL	.59
76	BC 44	LOUVILLE LA CHENARD	.28
53	AZ 39	LOUVILLIERS EN DROUAIS	.28
53	AX 40	LOUVILLIERS LES PERCHE	.28
58	BT 35	LOUVOIS	.51
35	BH 28	LOUVRECHY	.80
55	BI 36	LOUVRES	.95
23	BS 22	LOUVROIL	.59
53	AZ 38	LOUYE	.27
139	AL 72	LOUZAC SAINT ANDRE	.16
81	BY 42	LOUZE	.52
74	AR 42	LOUZES	.72
139	AM 71	LOUZIGNAC	.17
78	BL 47	LOUZOUER	.45
110	AN 58	LOUZY	.79
150	CJ 70	LOVAGNY	.74
69	X 46	LOYAT	.56
119	CF 57	LOYE, LA	.39
130	BH 62	LOYE SUR ARNON	.18
118	CA 60	LOYERE, LA	.71
148	CD 72	LOYETTES	.01
148	BZ 71	LOZANNE	.69
139	AK 68	LOZAY	.17
185	BC 88	LOZE	.82
11	BH 19	LOZINGHEM	.62
29	AG 34	LOZON	.50
228	DJ 108	LOZZI	.2B
128	BA 61	LUANT	.36
74	AU 46	LUART, LE	.72
182	AN 90	LUBBON	.40
62	CL 37	LUBECOURT	.57
156	AZ 75	LUBERSAC	C .19
40	CG 33	LUBEY	.54
159	BO 78	LUBILHAC	.43
85	CQ 43	LUBINE	.88
94	AR 52	LUBLE	.37
199	AQ 99	LUBRET SAINT LUC	.65
199	AQ 99	LUBY BETMONT	.65
210	CN 98	LUC, LE	C .83
174	BT 84	LUC	.48
187	BI 88	LUC	.12
216	AP 101	LUC	.65
199	AN 98	LUC ARMAU	.64
177	CF 84	LUC EN DIOIS	C .26
220	BG 103	LUC SUR AUDE	.11
31	AN 32	LUC SUR MER	.14
221	BK 101	LUC SUR ORBIEU	.11
199	AN 98	LUCARRE	.64
113	BD 57	LUCAY LE LIBRE	.36
112	AZ 57	LUCAY LE MALE	.36
182	AK 92	LUCBARDEZ ET BARGUES	.40
227	DN 105	LUCCIANA	.2B
76	BA 42	LUCE	C .28
72	AL 41	LUCE	.61
74	AR 45	LUCE SOUS BALLON	.72
94	AS 50	LUCEAU	.72
105	CS 52	LUCELLE	.68
148	BZ 70	LUCENAY	.69
100	BX 51	LUCENAY LE DUC	.21
132	BP 62	LUCENAY LES AIX	.58
117	BV 57	LUCENAY L'EVEQUE	C .71
195	CV 92	LUCERAM	.06
49	AF 38	LUCERNE D'OUTREMER, LA	.50
60	CG 39	LUCEY	.54
101	BZ 49	LUCEY	.21
149	CH 72	LUCEY	.73
198	AM 100	LUCGARIER	.64
141	AV 67	LUCHAPT	.86
139	AI 72	LUCHAT	.17
93	AP 50	LUCHE PRINGE	.72
140	AN 68	LUCHE SUR BRIOUX	.79
109	AM 59	LUCHE THOUARSAIS	.79
21	BH 23	LUCHEUX	.80
35	BF 30	LUCHY	.60
136	CL 66	LUCINGES	.74
182	AL 87	LUCMAU	.33
124	AF 64	LUCON	C .85
198	AI 99	LUCQ DE BEARN	.64
38	BW 30	LUCQUY	.08
108	AD 59	LUCS SUR BOULOGNE, LES	.85
34	BA 27	LUCY	.76
61	CL 36	LUCY	.57
56	BN 35	LUCY LE BOCAGE	.02
99	BS 52	LUCY LE BOIS	.89
99	BR 51	LUCY SUR CURE	.89
99	BQ 52	LUCY SUR YONNE	.89
93	AQ 51	LUDE, LE	C .72
58	BT 34	LUDES	.51
145	BM 74	LUDESSE	.63
219	BB 101	LUDIES	.09
167	AJ 80	LUDON MEDOC	.33
61	CJ 40	LUDRES	.54
181	AG 89	LUE	.40
93	AN 52	LUE EN BAUGEOIS	.49
105	CS 50	LUEMSCHWILLER	.68
185	BB 87	LUGAGNAC	.46
216	AN 102	LUGAGNAN	.65
167	AM 82	LUGAIGNAC	.33
202	BC 95	LUGAN	.81
171	BG 86	LUGAN	.12
158	BK 77	LUGARDE	.15
167	AN 83	LUGASSON	.33
181	AI 90	LUGLON	.40
134	BZ 64	LUGNY	C .71
37	BR 27	LUGNY	.02
114	BJ 59	LUGNY BOURBONNAIS	.18
114	BK 56	LUGNY CHAMPAGNE	.18
133	BV 65	LUGNY LES CHAROLLES	.71
229	DM 110	LUGO DI NAZZA	.2B
167	AL 81	LUGON ET L'ILE DU CARNAY	.33
166	AH 86	LUGOS	.33
137	CO 64	LUGRIN	.74
11	BF 19	LUGY	.62
121	CN 56	LUHIER, LE	.25
109	AM 55	LUIGNE	.49
75	AX 44	LUIGNY	.28
76	BA 42	LUISANT	.28
78	BN 42	LUISETAINES	.77
72	AH 43	LUITRE	.35
137	CN 65	LULLIN	.74
136	CM 65	LULLY	.74
163	CJ 76	LUMBIN	.38
11	BF 17	LUMBRES	C .62
76	BC 46	LUMEAU	.28
39	BY 28	LUMES	.08
56	BL 39	LUMIGNY NESLES ORMEAUX	.77
226	DI 105	LUMIO	.2B
186	BF 89	LUNAC	.12
171	BE 85	LUNAN	.46
204	BN 95	LUNAS	C .34
168	AR 81	LUNAS	.24
200	AT 99	LUNAX	.31
95	AW 49	LUNAY	.41
132	BT 65	LUNEAU	.03
171	BB 84	LUNEGARDE	.46
206	BV 95	LUNEL	C .34
206	BV 95	LUNEL VIEL	.34
19	AW 27	LUNERAY	.76
114	BG 59	LUNERY	.18
62	CL 40	LUNEVILLE	S .54
49	AG 38	LUOT, LE	.50
61	CJ 40	LUPCOURT	.54
161	BZ 76	LUPE	.42
144	BH 70	LUPERSAT	.23
199	AP 95	LUPIAC	.32
76	AZ 44	LUPLANTE	.28
198	AM 94	LUPPE VIOLLES	.32
61	CK 36	LUPPY	.57
140	AO 70	LUPSAULT	.16
63	CS 38	LUPSTEIN	.67
198	AM 99	LUQUET	.65
127	AW 61	LURAIS	.36
54	BA 39	LURAY	.28
215	AJ 101	LURBE SAINT CHRISTAU	.64
148	BZ 68	LURCY	.01
115	BO 56	LURCY LE BOURG	.58
131	BL 61	LURCY LEVIS	C .03
104	CM 50	LURE	S .70
146	BT 71	LURE	.42
128	AW 61	LUREUIL	.36
227	DM 101	LURI	.2B
160	BU 75	LURIECQ	.42
192	CJ 91	LURS	.04
113	BE 57	LURY SUR ARNON	C .18
177	CH 84	LUS LA CROIX HAUTE	.26
91	AD 50	LUSANGER	.44
217	AT 102	LUSCAN	.31
154	AR 77	LUSIGNAC	.24
126	AP 64	LUSIGNAN	C .86
183	AS 89	LUSIGNAN PETIT	.47
132	BP 63	LUSIGNY	.03
80	BV 44	LUSIGNY SUR BARSE	C .10
117	BY 57	LUSIGNY SUR OUCHE	.21
168	AN 81	LUSSAC	C .33
153	AL 75	LUSSAC	.17
141	AS 71	LUSSAC	.16
127	AU 65	LUSSAC LES CHATEAUX	C .86
128	AY 65	LUSSAC LES EGLISES	.87
198	AM 94	LUSSAGNET	.40
198	AM 97	LUSSAGNET LUSSON	.64
190	BX 90	LUSSAN	C .30
200	AU 96	LUSSAN	.32
200	AV 99	LUSSAN ADEILHAC	.31
138	AI 69	LUSSANT	.17
175	BX 85	LUSSAS	.07
155	AT 75	LUSSAS ET NONTRONNEAU	.24
144	BG 67	LUSSAT	.23
145	BN 71	LUSSAT	.63
111	AW 54	LUSSAULT SUR LOIRE	.37
85	CQ 43	LUSSE	.88
140	AN 67	LUSSERAY	.79
199	AQ 100	LUSTAR	.65
115	BN 60	LUTHENAY UXELOUP	.58
216	AQ 101	LUTILHOUS	.65
41	CJ 32	LUTTANGE	.57
85	CQ 46	LUTTENBACH PRES MUNSTER	.68
105	CS 52	LUTTER	.68
105	CR 49	LUTTERBACH	.68
76	BA 46	LUTZ EN DUNOIS	.28
63	CR 38	LUTZELBOURG	.57
63	CR 40	LUTZELHOUSE	.67
84	CQ 41	LUVIGNY	.88
102	CC 52	LUX	.21
134	CA 61	LUX	.71
202	BC 98	LUX	.31
140	AP 70	LUXE	.16
197	AF 98	LUXE SUMBERRAUTE	.64
59	BX 39	LUXEMONT ET VILLOTTE	.51
103	CK 48	LUXEUIL LES BAINS	C .70
181	AK 88	LUXEY	.40
103	CL 53	LUXIOL	.25
80	BU 43	LUYERES	.10
111	AT 54	LUYNES	C .37
216	AN 104	LUZ SAINT SAUVEUR	C .65
56	BN 36	LUZANCY	.77
55	BH 35	LUZARCHES	C .95
110	AN 59	LUZAY	.79
104	CO 51	LUZE	.70
111	AS 58	LUZE	.37
170	AY 86	LUZECH	C .46
223	BC 105	LUZENAC	.09
128	AZ 63	LUZERET	.36
50	AI 34	LUZERNE, LA	.50
145	BP 70	LUZILLAT	.63
112	AX 55	LUZILLE	.37
148	CB 74	LUZINAY	.38
23	BS 26	LUZOIR	.02
132	BT 61	LUZY	C .58
39	CB 30	LUZY SAINT MARTIN	.55
82	CC 46	LUZY SUR MARNE	.52
36	BO 28	LY FONTAINE	.02
175	BY 83	LYAS	.07
137	CN 65	LYAUD	.74
112	BA 56	LYE	.36
11	BH 17	LYNDE	.59
104	CM 50	LYOFFANS	.70
148	CA 72	LYON	P .69
34	BA 32	LYONS LA FORET	C .27
116	BQ 54	LYS	.58
215	AL 101	LYS	.64
12	BN 17	LYS LEZ LANNOY	.59
129	BC 62	LYS SAINT GEORGES	.36
		M	
37	BP 33	MAAST ET VIOLAINE	.02
102	CE 50	MAATZ	.52
147	BU 68	MABLY	.42
153	AJ 80	MACAU	.33
196	AD 98	MACAYE	.64
52	AQ 40	MACE	.61
49	AF 40	MACEY	.50
79	BS 44	MACEY	.10
38	BW 32	MACHAULT	C .08
78	BK 42	MACHAULT	.77
107	AC 60	MACHE	.85
107	AB 57	MACHECOUL	C .44
37	BR 29	MACHECOURT	.02
36	BK 30	MACHEMONT	.60
62	CN 34	MACHEREN	.57
147	BW 70	MACHEZAL	.42
20	BD 22	MACHIEL	.80
136	CL 66	MACHILLY	.74
116	BP 59	MACHINE, LA	C .58
20	BD 22	MACHY	.80
80	BT 45	MACHY	.10
85	CT 44	MACKENHEIM	.67
62	CQ 36	MACKWILLER	.67
161	BZ 76	MACLAS	.42
56	BN 34	MACOGNY	.02
134	CA 66	MACON	P .71
83	CH 42	MACONCOURT	.88
117	BX 56	MACONGE	.21
135	CF 62	MACORNAY	.39
151	CO 73	MACOT LA PLAGNE	.73
139	AN 71	MACQUEVILLE	.17
23	BP 26	MACQUIGNY	.02
183	AS 88	MADAILLAN	.47
83	CJ 44	MADECOURT	.88
83	CK 43	MADEGNEY	.88
10	BC 20	MADELAINE SOUS MONTREUIL, LA	.62
12	BM 18	MADELEINE, LA	.59
75	AW 42	MADELEINE BOUVET, LA	.61
53	AY 38	MADELEINE DE NONANCOURT, LA	.27
78	BJ 45	MADELEINE SUR LOING, LA	.77
95	AZ 50	MADELEINE VILLEFROUIN, LA	.41
158	BH 76	MADIC	.15
218	BA 102	MADIERE	.09
167	AL 83	MADIRAC	.33
199	AN 96	MADIRAN	.65
83	CJ 44	MADONNE ET LAMEREY	.88
157	BC 75	MADRANGES	.19
73	AM 42	MADRE	.53
159	BN 76	MADRIAT	.63
68	Q 42	MAEL CARHAIX	C .22
68	R 41	MAEL PESTIVIEN	.22
64	CS 38	MAENNOLSHEIM	.67
55	BG 35	MAFFLIERS	.95
59	BZ 34	MAFFRECOURT	.51
204	BO 98	MAGALAS	.34
201	BA 94	MAGDELAINE SUR TARN, LA	.31
140	AP 69	MAGDELEINE, LA	.16
75	AV 41	MAGE, LE	.61
58	BT 35	MAGENTA	.51
189	BV 89	MAGES, LES	.30
180	AE 93	MAGESCQ	.40
151	CO 68	MAGLAND	.74
142	AZ 74	MAGNAC BOURG	.87
128	AX 67	MAGNAC LAVAL	C .87
154	AQ 75	MAGNAC LAVALETTE VILLARS	.16
140	AQ 73	MAGNAC SUR TOUVRE	.16
198	AN 94	MAGNAN	.32
80	BW 45	MAGNANT	.10
54	BC 36	MAGNANVILLE	.78
183	AT 93	MAGNAS	.32
144	BG 72	MAGNAT L'ETRANGE	.23
126	AR 65	MAGNE	.86
125	AK 66	MAGNE	.79
132	BP 67	MAGNET	.03
37	BR 33	MAGNEUX	.51
81	CA 41	MAGNEUX	.52
147	BV 73	MAGNEUX HAUTE RIVE	.42
29	AE 30	MAGNEVILLE	.50
80	BW 42	MAGNICOURT	.10
11	BI 20	MAGNICOURT EN COMTE	.62
21	BH 22	MAGNICOURT SUR CANCHE	.62
117	BX 57	MAGNIEN	.21
84	CM 41	MAGNIERES	.54
149	CH 71	MAGNIEU	.01
124	AF 63	MAGNILS REIGNIERS, LES	.85
104	CM 49	MAGNIVRAY	.70
103	CK 48	MAGNONCOURT	.70
103	CJ 52	MAGNORAY, LE	.70
83	CJ 47	MAGNY, LE	.88
129	BE 63	MAGNY, LE	.36
104	CL 52	MAGNY, LES	.70
100	BT 53	MAGNY	.89
105	CQ 51	MAGNY	.68
75	AZ 43	MAGNY	.28
120	CL 55	MAGNY CHATELARD	.25
115	BN 60	MAGNY COURS	.58
104	CN 50	MAGNY DANIGON	.70
30	AL 32	MAGNY EN BESSIN	.14
54	BC 34	MAGNY EN VEXIN	C .95
80	BX 44	MAGNY FOUCHARD	.10
104	CN 50	MAGNY JOBERT	.70
51	AP 35	MAGNY LA CAMPAGNE	.14
22	BN 26	MAGNY LA FOSSE	.02
100	BW 53	MAGNY LA VILLE	.21
101	BX 50	MAGNY LAMBERT	.21
73	AN 40	MAGNY LE DESERT	.61
51	AP 35	MAGNY LE FREULE	.14
56	BK 37	MAGNY LE HONGRE	.77
118	CC 57	MAGNY LES AUBIGNY	.21
55	BE 39	MAGNY LES HAMEAUX	.78
103	CI 48	MAGNY LES JUSSEY	.70
118	CA 57	MAGNY LES VILLERS	.21
116	BR 55	MAGNY LORMES	.58
119	CD 55	MAGNY MONTARLOT	.21
102	CC 54	MAGNY SAINT MEDARD	.21
118	CC 55	MAGNY SUR TILLE	.21

Page	Carreau	Commune	Adm.Dpt
104	CL 50	MAGNY VERNOIS	70
68	R 41	MAGOAR	22
219	BF 102	MAGRIE	11
202	BD 96	MAGRIN	81
105	CT 50	MAGSTATT LE BAS	68
105	CS 50	MAGSTATT LE HAUT	68
66	I 45	MAHALON	29
52	AT 40	MAHERU	61
121	CO 54	MAICHE	C 25
61	CH 37	MAIDIERES	54
183	AR 93	MAIGNAUT TAUZIA	32
93	AP 48	MAIGNE	72
35	BI 30	MAIGNELAY MONTIGNY	C 60
204	BL 99	MAILHAC	11
128	AZ 66	MAILHAC SUR BENAIZE	87
186	BE 92	MAILHOC	81
201	AX 100	MAILHOLAS	31
190	CA 93	MAILLANE	13
182	AM 89	MAILLAS	40
149	CF 67	MAILLAT	01
126	AP 62	MAILLE	86
111	AT 58	MAILLE	37
125	AI 65	MAILLE	85
53	AY 40	MAILLEBOIS	28
33	AV 31	MAILLERAYE SUR SEINE, LA	76
182	AK 91	MAILLERES	40
103	CK 49	MAILLERONCOURT CHARETTE	70
103	CJ 47	MAILLERONCOURT SAINT PANCRAS	70
130	BJ 64	MAILLET	03
129	BB 63	MAILLET	36
103	CI 52	MAILLEY ET CHAZELOT	70
125	AJ 65	MAILLEZAIS	C 85
79	BO 45	MAILLOT	89
133	BU 67	MAILLY	71
58	BT 34	MAILLY CHAMPAGNE	51
99	BR 52	MAILLY LA VILLE	89
58	BU 40	MAILLY LE CAMP	10
99	BQ 51	MAILLY LE CHATEAU	89
21	BI 24	MAILLY MAILLET	80
35	BH 28	MAILLY RAINEVAL	80
61	CJ 36	MAILLY SUR SEILLE	54
119	CD 56	MAILLYS, LES	21
35	BI 31	MAIMBEVILLE	60
78	BJ 41	MAINCY	77
140	AQ 71	MAINE DE BOIXE	16
154	AO 75	MAINFONDS	16
23	BP 22	MAING	59
34	BB 32	MAINNEVILLE	27
144	BH 69	MAINSAT	23
20	BD 21	MAINTENAY	62
76	BB 41	MAINTENON	C 28
62	CL 35	MAINVILLERS	57
76	BA 42	MAINVILLIERS	C 28
77	BG 44	MAINVILLIERS	45
140	AN 73	MAINXE	16
154	AS 74	MAINZAC	16
111	AU 60	MAIRE	86
140	AP 67	MAIRE LEVESCAULT	79
23	BS 21	MAIRIEUX	59
39	CA 28	MAIRY	08
40	CG 32	MAIRY MAINVILLE	54
58	BW 37	MAIRY SUR MARNE	51
108	AE 57	MAISDON SUR SEVRE	44
101	BY 49	MAISEY LE DUC	21
20	BB 25	MAISNIERES	80
12	BK 18	MAISNIL, LE	59
21	BH 21	MAISNIL	62
11	BI 20	MAISNIL LES RUITZ	62
135	CG 63	MAISOD	39
81	BX 44	MAISON DES CHAMPS	10
99	BR 54	MAISON DIEU, LA	58
129	BB 66	MAISON FEYNE	23
74	AU 42	MAISON MAUGIS	61
21	BE 23	MAISON PONTHIEU	80
20	BE 24	MAISON ROLAND	80
78	BN 41	MAISON ROUGE	77
11	BF 20	MAISONCELLE	62
39	BZ 29	MAISONCELLE ET VILLERS	08
35	BF 30	MAISONCELLE SAINT PIERRE	60
35	BG 30	MAISONCELLE TUILERIE	60
82	CE 45	MAISONCELLES	52
94	AT 48	MAISONCELLES	72
92	AK 47	MAISONCELLES DU MAINE	53
56	BL 38	MAISONCELLES EN BRIE	77
77	BI 45	MAISONCELLES EN GATINAIS	77
50	AJ 38	MAISONCELLES LA JOURDAN	14
50	AK 35	MAISONCELLES PELVEY	14
50	AL 35	MAISONCELLES SUR AJON	14
129	BF 62	MAISONNAIS	18
141	AU 73	MAISONNAIS SUR TARDOIRE	87
126	AO 67	MAISONNAY	79
126	AP 61	MAISONNEUVE	86
143	BD 69	MAISONNISSES	23
30	AK 32	MAISONS	14
76	BD 43	MAISONS	28
224	BJ 104	MAISONS	11
55	BH 38	MAISONS ALFORT	C 94
120	CL 58	MAISONS DU BOIS LIEVREMONT	25
58	BW 38	MAISONS EN CHAMPAGNE	51
55	BF 37	MAISONS LAFFITTE	C 78
80	BU 47	MAISONS LES CHAOURCE	10
81	BY 44	MAISONS LES SOULAINES	10
85	CR 42	MAISONSGOUTTE	67
109	AN 60	MAISONTIERS	79
77	BH 43	MAISSE	91
22	BN 26	MAISSEMY	02
61	CL 39	MAIXE	54
60	CF 34	MAIZERAY	55
61	CK 34	MAIZEROY	57
61	CK 34	MAIZERY	57
51	AM 35	MAIZET	14
60	CE 36	MAIZEY	55
21	BF 23	MAIZICOURT	80
61	CI 40	MAIZIERES	54
51	AO 36	MAIZIERES	14
21	BH 21	MAIZIERES	62
103	CI 52	MAIZIERES	70
81	CA 41	MAIZIERES	52
79	BR 41	MAIZIERES LA GRANDE PAROISSE	10
80	BX 42	MAIZIERES LES BRIENNE	10
41	CI 33	MAIZIERES LES METZ	C 57
62	CN 38	MAIZIERES LES VIC	57
102	CF 48	MAIZIERES SUR AMANCE	52
147	BV 67	MAIZILLY	42
37	BR 32	MAIZY	02
193	CM 92	MAJASTRES	04
199	AP 98	MALABAT	32
103	CI 53	MALACHERE, LA	70
134	CC 65	MALAFRETAZ	01
118	BZ 54	MALAIN	21
82	CG 44	MALAINCOURT	88
82	CF 45	MALAINCOURT SUR MEUSE	52
55	BG 38	MALAKOFF	C 92
39	CB 33	MALANCOURT	55
39	CB 29	MALANDRY	08
119	CF 56	MALANGE	39
120	CJ 57	MALANS	25
119	CF 55	MALANS	70
90	Y 50	MALANSAC	56
175	BU 86	MALARCE SUR LA THINES	07
176	CA 86	MALATAVERNE	26
191	CD 89	MALAUCENE	C 84
61	CK 37	MALAUCOURT SUR SEILLE	57
33	AX 30	MALAUNAY	76
184	AW 91	MALAUSE	82
198	AK 96	MALAUSSANNE	64
194	CT 91	MALAUSSENE	06
145	BM 71	MALAUZAT	63
153	AN 74	MALAVILLE	16
40	CG 31	MALAVILLERS	54
134	BY 63	MALAY	71
79	BO 45	MALAY LE GRAND	89
79	BO 45	MALAY LE PETIT	89
172	BK 81	MALBO	15
189	BU 88	MALBOSC	07
104	CM 50	MALBOUHANS	70
173	BN 84	MALBOUZON	48
120	CJ 56	MALBRANS	25
120	CL 60	MALBUISSON	25
74	AU 44	MALE	61
219	BD 101	MALEGOUDE	09
191	CD 91	MALEMORT DU COMTAT	84
156	BA 78	MALEMORT SUR CORREZE	C 19
188	BO 88	MALENE, LA	48
77	BH 44	MALESHERBES	C 45
89	X 48	MALESTROIT	C 56
74	AU 41	MALETABLE	61
186	BF 87	MALEVILLE	12
68	S 45	MALGUENAC	56
69	X 42	MALHOURE, LA	22
129	BB 63	MALICORNAY	36
130	BK 66	MALICORNE	03
98	BM 49	MALICORNE	89
93	AO 49	MALICORNE SUR SARTHE	C 72
99	BR 49	MALIGNY	89
117	BX 57	MALIGNY	21
193	CK 90	MALIJAI	04
22	BN 24	MALINCOURT	59
145	BN 71	MALINTRAT	63
176	CB 81	MALISSARD	26
192	CJ 90	MALLEFOUGASSE AUGES	04
61	CJ 38	MALLELOY	54
193	CL 90	MALLEMOISSON	04
208	CE 94	MALLEMORT	13
219	BB 103	MALLEON	09
144	BG 72	MALLERET	23
129	BF 66	MALLERET BOUSSAC	23
135	CE 62	MALLEREY	39
163	CF 78	MALLEVAL	38
161	BZ 76	MALLEVAL	42
18	AU 27	MALLEVILLE LES GRES	76
33	AV 33	MALLEVILLE SUR LE BEC	27
108	AI 59	MALLIEVRE	85
41	CJ 31	MALLING	57
50	AI 36	MALLOUE	14
38	BT 30	MALMAISON, LA	02
104	CP 48	MALMERSPACH	68
59	BZ 34	MALMY	51
174	BU 87	MALONS ET ELZE	30
52	AT 34	MALOUY	27
35	BI 28	MALPART	80
120	CK 59	MALPAS	25
219	BF 102	MALRAS	11
160	BT 79	MALREVERS	43
41	CJ 33	MALROY	57
132	BS 62	MALTAT	71
51	AM 34	MALTOT	14
129	BD 66	MALVAL	23
160	BV 76	MALVALETTE	43
203	BH 100	MALVES EN MINERVOIS	11
217	AT 103	MALVEZIE	31
160	BR 77	MALVIERES	43
219	BF 101	MALVIES	11
90	AB 53	MALVILLE	44
102	CG 50	MALVILLERS	70
61	CJ 38	MALZEVILLE	C 54
173	BP 82	MALZIEU FORAIN, LE	48
173	BO 82	MALZIEU VILLE, LE	C 48
23	BQ 26	MALZY	02
74	AS 43	MAMERS	S 72
11	BG 18	MAMETZ	62
22	BJ 25	MAMETZ	80
61	CH 37	MAMEY	54
120	CJ 55	MAMIROLLE	25
176	CB 85	MANAS	26
199	AQ 99	MANAS BASTANOUS	32
169	AW 81	MANAURIE	24
41	CH 32	MANCE	54
53	AW 40	MANCELIERE, LA	28
50	AH 35	MANCELLIERE SUR VIRE, LA	50
104	CM 52	MANCENANS	25
121	CO 54	MANCENANS LIZERNE	25
134	CA 63	MANCEY	71
77	BH 44	MANCHECOURT	45
182	AO 94	MANCIET	32
40	CG 32	MANCIEULLES	54
217	AV 101	MANCIOUX	31
57	BS 36	MANCY	51
189	BR 91	MANDAGOUT	30
158	BJ 80	MANDAILLES SAINT JULIEN	15
211	CR 95	MANDELIEU LA NAPOULE	C 06
41	CK 30	MANDEREN	57
104	CO 52	MANDEURE	25
33	AX 33	MANDEVILLE	27
30	AJ 32	MANDEVILLE EN BESSIN	14
84	CP 44	MANDRAY	88
53	AW 39	MANDRES	27
60	CG 37	MANDRES AUX QUATRE TOURS	54
82	CD 41	MANDRES EN BARROIS	55
82	CD 46	MANDRES LA COTE	52
55	BI 39	MANDRES LES ROSES	94
83	CH 44	MANDRES SUR VAIR	88
104	CO 51	MANDREVILLARS	70
190	BX 93	MANDUEL	30
192	CI 92	MANE	04
217	AV 102	MANE	31
32	AR 29	MANEGLISE	76
19	AY 27	MANEHOUVILLE	76
200	AS 99	MANENT MONTANE	32
52	AR 34	MANERBE	14
40	CE 32	MANGIENNES	55
145	BO 74	MANGLIEU	63
83	CK 41	MANGONVILLE	54
186	BH 89	MANHAC	12
60	CE 34	MANHEULLES	55
61	CK 37	MANHOUE	57
36	BN 30	MANICAMP	02
150	CM 70	MANIGOD	74
21	BI 22	MANIN	62
10	BE 19	MANINGHEM	62
10	BC 16	MANINGHEN HENNE	62
32	AS 28	MANIQUERVILLE	76
117	BW 57	MANLAY	21
19	AV 26	MANNEVILLE ES PLAINS	76
32	AS 29	MANNEVILLE LA GOUPIL	76
32	AR 33	MANNEVILLE LA PIPARD	14
32	AS 32	MANNEVILLE LA RAOULT	27
32	AU 32	MANNEVILLE SUR RISLE	27
32	AR 29	MANNEVILLETTE	76
167	AJ 87	MANO	40
33	AY 33	MANOIR, LE	27
30	AL 32	MANOIR, LE	14
82	CD 44	MANOIS	52
41	CJ 31	MANOM	57
61	CK 40	MANONCOURT EN VERMOIS	54
61	CH 38	MANONCOURT EN WOEVRE	54
61	CH 37	MANONVILLE	54
62	CM 40	MANONVILLER	54
192	CI 93	MANOSQUE	C 04
141	AT 70	MANOT	16
75	AX 41	MANOU	28
39	BX 33	MANRE	08
74	AR 47	MANS, LE	P 72
156	AZ 79	MANSAC	19
199	AP 99	MANSAN	65
143	BC 70	MANSAT LA COURRIERE	23
200	AU 94	MANSEMPUY	32
183	AQ 93	MANSENCOME	32
219	BC 102	MANSES	09
93	AQ 50	MANSIGNE	72
140	AQ 71	MANSLE	C 16
228	DI 107	MANSO	2B
184	AV 91	MANSONVILLE	82
105	CQ 50	MANSPACH	68
198	AJ 96	MANT	40
46	R 38	MANTALLOT	22
134	CC 64	MANTENAY MONTLIN	01
54	BC 36	MANTES LA JOLIE	S 78
54	BC 36	MANTES LA VILLE	C 78
224	BG 109	MANTET	66
178	CJ 85	MANTEYER	05
111	AV 57	MANTHELAN	37
53	AX 37	MANTHELON	27
162	CB 77	MANTHES	26
72	AJ 41	MANTILLY	61
102	CF 53	MANTOCHE	70
119	CF 60	MANTRY	39
30	AL 32	MANVIEUX	14
62	CL 35	MANY	57
155	AT 79	MANZAC SUR VERN	24
145	BL 70	MANZAT	C 63
134	CA 65	MANZIAT	01
102	CC 48	MARAC	52
83	CJ 42	MARAINVILLE SUR MADON	88
62	CM 40	MARAINVILLER	54
35	BE 31	MARAIS, AUX	60
51	AP 37	MARAIS LA CHAPELLE, LE	14
32	AT 31	MARAIS VERNIER	27
199	AQ 94	MARAMBAT	32
119	CD 54	MARANDEUIL	21
41	CI 33	MARANGE SILVANGE	C 57
62	CL 34	MARANGE ZONDRANGE	57
124	AH 65	MARANS	C 17
92	AI 51	MARANS	49
153	AM 79	MARANSIN	33
10	BD 20	MARANT	62
81	BZ 45	MARANVILLE	52
38	BV 28	MARANWEZ	08
103	CL 51	MARAST	70
146	BR 73	MARAT	63
204	BN 99	MARAUSSAN	34
200	AU 94	MARAVAT	32
113	BD 55	MARAY	41
79	BS 45	MARAYE EN OTHE	10
61	CI 38	MARBACHE	54
23	BR 23	MARBAIX	59
53	AX 34	MARBEUF	27
81	CA 44	MARBEVILLE	52
75	AZ 46	MARBOUE	28
134	CD 65	MARBOZ	01
24	BV 27	MARBY	08
157	BD 78	MARC LA TOUR	19
130	BH 62	MARCAIS	18
126	AQ 64	MARCAY	86
110	AQ 57	MARCAY	37
93	AN 52	MARCE	49
111	AU 58	MARCE SUR ESVES	37
51	AQ 40	MARCEI	61
21	BI 27	MARCELCAVE	80
150	CM 67	MARCELLAZ	74
150	CJ 70	MARCELLAZ ALBANAIS	74
117	BY 54	MARCELLOIS	21
168	AO 86	MARCELLUS	47
153	AL 80	MARCENAIS	33
131	BP 67	MARCENAT	03
158	BK 77	MARCENAT	15
100	BW 48	MARCENAY	21
161	BX 74	MARCENOD	42
49	AF 39	MARCEY LES GREVES	50
75	AV 40	MARCHAINVILLE	61
37	BR 29	MARCHAIS	02
98	BM 49	MARCHAIS BETON	89
57	BP 37	MARCHAIS EN BRIE	02
149	CF 71	MARCHAMP	01
147	BX 68	MARCHAMPT	69
158	BJ 77	MARCHASTEL	15
173	BN 84	MARCHASTEL	48
120	CJ 54	MARCHAUX	C 25
115	BM 57	MARCHE, LA	58
36	BK 28	MARCHE ALLOUARDE	80
22	BK 27	MARCHELEPOT	80
74	AR 41	MARCHEMAISONS	61
56	BK 35	MARCHEMORET	77
96	BA 49	MARCHENOIR	C 41
166	AH 84	MARCHEPRIME	33
164	CJ 74	MARCHES, LES	73
176	CC 80	MARCHES	26
117	BW 56	MARCHESEUIL	21
29	AG 33	MARCHESIEUX	50
75	AZ 43	MARCHEVILLE	28
60	CF 34	MARCHEVILLE EN WOEVRE	55
54	BA 38	MARCHEZAIS	28
12	BN 20	MARCHIENNES	C 59
199	AP 97	MARCIAC	C 32
177	CH 81	MARCIEU	38
149	CH 73	MARCIEUX	73
133	BU 66	MARCIGNY	C 71
100	BW 54	MARCIGNY SOUS THIL	21
171	BC 85	MARCILHAC SUR CELE	46
153	AK 77	MARCILLAC	33
157	BE 77	MARCILLAC LA CROISILLE	19
156	BC 80	MARCILLAC LA CROZE	19
140	AP 71	MARCILLAC LANVILLE	16
170	AX 81	MARCILLAC SAINT QUENTIN	24
172	BI 86	MARCILLAC VALLON	C 12
145	BM 68	MARCILLAT	63
144	BJ 67	MARCILLAT EN COMBRAILLE	C 03
72	AL 43	MARCILLE LA VILLE	53
71	AD 42	MARCILLE RAOUL	35
91	AF 47	MARCILLE ROBERT	35
162	CD 76	MARCILLOLES	38
56	BK 36	MARCILLY	77
49	AG 39	MARCILLY	50
148	BZ 70	MARCILLY D'AZERGUES	69
102	CE 48	MARCILLY EN BASSIGNY	52
95	AW 50	MARCILLY EN BEAUCE	41
96	BD 53	MARCILLY EN GAULT	41
96	BE 50	MARCILLY EN VILLETTE	45
100	BX 54	MARCILLY ET DRACY	21
53	AY 38	MARCILLY LA CAMPAGNE	27
133	BW 65	MARCILLY LA GUEURCE	71
146	BU 73	MARCILLY LE CHATEL	42
79	BQ 43	MARCILLY LE HAYER	C 10
133	BY 61	MARCILLY LES BUXY	71
117	BW 55	MARCILLY OGNY	21
53	AZ 38	MARCILLY SUR EURE	27
94	AR 52	MARCILLY SUR MAULNE	37
79	BQ 41	MARCILLY SUR SEINE	51
101	CC 52	MARCILLY SUR TILLE	21
111	AT 58	MARCILLY SUR VIENNE	37
10	BE 14	MARCK	62
85	CT 44	MARCKOLSHEIM	C 67
147	BV 73	MARCLOPT	42
22	BM 24	MARCOING	C 59
172	BH 83	MARCOLES	15
162	CC 77	MARCOLLIN	38
175	BX 82	MARCOLS LES EAUX	07
94	AT 50	MARCON	72
21	BF 21	MARCONNE	62
20	BE 21	MARCONNELLE	62
204	BL 100	MARCORIGNAN	11
55	BG 40	MARCOUSSIS	91
146	BT 72	MARCOUX	42
193	CM 89	MARCOUX	04
54	BD 38	MARCQ	78
39	BZ 32	MARCQ	08
12	BM 17	MARCQ EN BAROEUL	C 59
22	BN 22	MARCQ EN OSTREVENT	59
23	BO 27	MARCY	02
115	BP 55	MARCY	58
148	BZ 70	MARCY	69
148	BZ 71	MARCY L'ETOILE	69
37	BQ 28	MARCY SOUS MARLE	02
57	BS 35	MARDEUIL	51
97	BE 48	MARDIE	45
52	AR 38	MARDILLY	61
102	CC 48	MARDOR	52
147	BW 68	MARDORE	69
77	BF 46	MAREAU AUX BOIS	45
96	BC 49	MAREAU AUX PRES	45
73	AO 47	MAREIL EN CHAMPAGNE	72
55	BH 35	MAREIL EN FRANCE	95
54	BD 38	MAREIL LE GUYON	78
55	BE 37	MAREIL MARLY	78
93	AP 50	MAREIL SUR LOIR	72
54	BD 37	MAREIL SUR MAULDRE	78
82	CC 45	MAREILLES	52
10	BD 20	MARENLA	62
138	AF 71	MARENNES	C 17
148	CA 73	MARENNES	69
74	AQ 45	MARESCHE	72
23	BP 22	MARESCHES	59
10	BD 20	MARESQUEL ECQUEMICOURT	62
11	BH 20	MAREST	62
36	BM 29	MAREST DAMPCOURT	02
36	BK 30	MAREST SUR MATZ	60
200	AW 96	MARESTAING	32
35	BI 28	MARESTMONTIERS	80
10	BC 19	MARESVILLE	62
57	BO 40	MARETS, LES	77
23	BO 24	MARETZ	59
159	BN 75	MAREUGHEOL	63
154	AS 75	MAREUIL	C 24
140	AN 72	MAREUIL	16
20	BD 24	MAREUIL CAUBERT	80
57	BR 36	MAREUIL EN BRIE	51
37	BP 33	MAREUIL EN DOLE	02
36	BK 30	MAREUIL LA MOTTE	60
57	BR 35	MAREUIL LE PORT	51
56	BK 37	MAREUIL LES MEAUX	77
113	BF 60	MAREUIL SUR ARNON	18
58	BT 35	MAREUIL SUR AY	51
112	AZ 55	MAREUIL SUR CHER	41
124	AF 63	MAREUIL SUR LAY DISSAIS	C 85
56	BM 34	MAREUIL SUR OURCQ	60
83	CH 45	MAREY	88
118	CA 57	MAREY LES FUSSEY	21
101	CB 51	MAREY SUR TILLE	21
57	BS 34	MARFAUX	51
23	BR 27	MARFONTAINE	02
152	AJ 80	MARGAUX	33
136	CM 65	MARGENCEL	74
55	BG 36	MARGENCY	95
158	BH 75	MARGERIDES	19
160	BU 74	MARGERIE CHANTAGRET	42
80	BX 41	MARGERIE HANCOURT	51
162	CC 78	MARGES	26
37	BO 31	MARGIVAL	02
203	BJ 95	MARGNES, LE	81
40	CC 29	MARGNY	08
57	BQ 37	MARGNY	51
36	BK 28	MARGNY AUX CERISES	60
36	BK 31	MARGNY LES COMPIEGNE	60
36	BK 30	MARGNY SUR MATZ	60
75	AV 43	MARGON	28
204	BO 97	MARGON	34
199	AO 94	MARGOUET MEYMES	32
50	AH 37	MARGUERAY	50
190	BY 93	MARGUERITTES	C 30
168	AQ 83	MARGUERON	33
182	AN 93	MARGUESTAU	32
40	CC 29	MARGUT	08
175	BW 81	MARIAC	07
22	BK 25	MARICOURT	80
195	CT 90	MARIE	06
61	CI 35	MARIEULLES	57
21	BH 24	MARIEUX	80
135	CF 64	MARIGNA SUR VALOUSE	39
153	AL 74	MARIGNAC	17
184	AV 93	MARIGNAC	82
217	AT 104	MARIGNAC	31
177	CE 82	MARIGNAC EN DIOIS	26
201	AW 99	MARIGNAC LASCLARES	31
200	AV 100	MARIGNAC LASPEYRES	31
228	DI 109	MARIGNANA	2A
208	CE 98	MARIGNANE	C 13
92	AK 50	MARIGNE	49
94	AR 49	MARIGNE LAILLE	72
92	AJ 48	MARIGNE PEUTON	53
151	CM 67	MARIGNIER	74
149	CH 71	MARIGNIEU	01
49	AG 34	MARIGNY	C 50
57	BS 40	MARIGNY	51
125	AL 67	MARIGNY	79
135	CH 61	MARIGNY	39
131	BN 63	MARIGNY	03
133	BX 62	MARIGNY	71
127	AS 61	MARIGNY BRIZAY	86
126	AQ 64	MARIGNY CHEMEREAU	86
56	BN 35	MARIGNY EN ORXOIS	02
100	BX 53	MARIGNY LE CAHOUET	21
79	BR 43	MARIGNY LE CHATEL	10
116	BT 54	MARIGNY L'EGLISE	58
118	CB 58	MARIGNY LES REULLEE	21
96	BE 48	MARIGNY LES USAGES	45
111	AS 58	MARIGNY MARMANDE	37
150	CJ 71	MARIGNY SAINT MARCEL	74
116	BQ 55	MARIGNY SUR YONNE	58
141	AR 72	MARILLAC LE FRANC	16
108	AH 54	MARILLAIS, LE	49
125	AK 63	MARILLET	85
167	AM 87	MARIMBAULT	33
62	CN 36	MARIMONT LES BENESTROFF	57
137	CN 64	MARIN	74
54	BE 34	MARINES	C 95
147	BW 73	MARINGES	42
145	BO 70	MARINGUES	C 63
146	BP 69	MARIOL	03
182	AN 87	MARIONS	33
133	BW 63	MARIZY	71
56	BN 34	MARIZY SAINT MARD	02
56	BN 34	MARIZY SAINTE GENEVIEVE	02
37	BR 28	MARLE	C 02
38	BV 28	MARLEMONT	08
64	CS 39	MARLENHEIM	67
150	CM 71	MARLENS	74
34	BD 28	MARLERS	80
56	BL 39	MARLES EN BRIE	77
11	BI 19	MARLES LES MINES	62
10	BD 20	MARLES SUR CANCHE	62
161	BX 77	MARLHES	42
201	AZ 100	MARLIAC	31
118	CC 55	MARLIENS	21
148	CB 68	MARLIEUX	01
150	CJ 68	MARLIOZ	74
23	BP 21	MARLY	59
61	CI 35	MARLY	57
23	BR 26	MARLY GOMONT	02
55	BI 35	MARLY LA VILLE	95
55	BF 38	MARLY LE ROI	C 78
132	BT 61	MARLY SOUS ISSY	71
133	BU 62	MARLY SUR ARROUX	71
100	BW 51	MARMAGNE	21
117	BW 60	MARMAGNE	71
114	BG 57	MARMAGNE	18
168	AP 86	MARMANDE	S 47
172	BH 80	MARMANHAC	15
100	BU 52	MARMEAUX	89
170	AX 84	MARMINIAC	46
183	AS 90	MARMONT PACHAS	47
52	AR 39	MARMOUILLE	61
63	CR 38	MARMOUTIER	C 67
169	AW 82	MARNAC	24
147	BW 69	MARNAND	69
162	CD 77	MARNANS	38
186	BD 90	MARNAVES	81
119	CG 54	MARNAY	C 70
134	CA 61	MARNAY	71
126	AR 65	MARNAY	86
82	CC 47	MARNAY SUR MARNE	52
79	BP 41	MARNAY SUR SEINE	10
151	CN 68	MARNAZ	74
107	AB 58	MARNE, LA	44
55	BI 38	MARNE LA VALLEE	A 77
110	AP 60	MARNES	79
55	BF 38	MARNES LA COQUETTE	92
135	CG 62	MARNEZIA	39
187	BM 93	MARNHAGUES ET LATOUR	12
119	CH 58	MARNOZ	39
22	BJ 21	MAROEUIL	62
23	BR 23	MAROILLES	59
96	BC 52	MAROLLE EN SOLOGNE, LA	41
56	BM 34	MAROLLES	60
52	AS 34	MAROLLES	14
59	BX 39	MAROLLES	51
95	AZ 51	MAROLLES	41
77	BF 43	MAROLLES EN BEAUCE	91
55	BI 39	MAROLLES EN BRIE	94
56	BM 38	MAROLLES EN BRIE	77
77	BG 41	MAROLLES EN HUREPOIX	91
80	BW 45	MAROLLES LES BAILLY	10
74	AS 44	MAROLLES LES BRAULTS	C 72
75	AW 43	MAROLLES LES BUIS	28
95	AV 48	MAROLLES LES SAINT CALAIS	72
100	BS 48	MAROLLES SOUS LIGNIERES	10
78	BM 43	MAROLLES SUR SEINE	77
74	AS 43	MAROLLETTE	72
160	BU 75	MAROLS	42
33	AX 31	MAROMME	C 76
61	CI 39	MARON	54
129	BD 60	MARON	36
83	CJ 44	MARONCOURT	88
198	AI 96	MARPAPS	40
24	BT 22	MARPENT	59
71	AF 45	MARPIRE	35
22	BM 25	MARQUAIX	80
21	BH 21	MARQUAY	62
170	AX 81	MARQUAY	24
201	AY 99	MARQUEFAVE	31
36	BJ 30	MARQUEGLISE	60
202	BC 99	MARQUEIN	11
199	AP 100	MARQUERIE	65
34	BC 27	MARQUES	76
22	BN 22	MARQUETTE EN OSTREVANT	59
12	BM 17	MARQUETTE LEZ LILLE	59
39	BY 30	MARQUIGNY	08
12	BK 19	MARQUILLIES	59
22	BM 23	MARQUION	C 62
10	BC 16	MARQUISE	C 62
35	BJ 28	MARQUIVILLERS	80
224	BI 107	MARQUIXANES	66
94	AU 51	MARRAY	37
40	CC 33	MARRE	55
135	CG 61	MARRE, LA	39
144	BI 70	MARS, LES	23
161	BW 80	MARS	07
188	BQ 92	MARS	30
147	BV 67	MARS	42
61	CG 34	MARS LA TOUR	54
39	BX 31	MARS SOUS BOURCQ	08
115	BM 60	MARS SUR ALLIER	58
223	BF 105	MARSA	11
140	AP 72	MARSAC	16
184	AU 92	MARSAC	82
199	AO 99	MARSAC	65
142	BB 68	MARSAC	23
160	BR 75	MARSAC EN LIVRADOIS	63
91	AC 51	MARSAC SUR DON	44
155	AT 78	MARSAC SUR L'ISLE	24
77	BG 45	MARSAINVILLIERS	45

Page	Carreau	Commune	Adm.Dpt
139	AK 68	MARSAIS	.17
124	AI 63	MARSAIS SAINTE RADEGONDE	.85
62	CM 38	MARSAL	.57
186	BG 92	MARSAL	.81
169	AV 84	MARSALES	.24
200	AT 95	MARSAN	.32
155	AU 79	MARSANEIX	.24
57	BS 40	MARSANGIS	.51
78	BN 46	MARSANGY	.89
118	CA 55	MARSANNAY LA COTE	.21
101	CB 53	MARSANNAY LE BOIS	.21
176	CA 84	MARSANNE	C .26
153	AL 80	MARSAS	.33
216	AP 102	MARSAS	.65
145	BM 71	MARSAT	.63
162	CB 79	MARSAZ	.26
199	AP 99	MARSEILLAN	.65
199	AQ 97	MARSEILLAN	.32
205	BQ 99	MARSEILLAN	.34
208	CE 99	MARSEILLE	P .13
34	BD 30	MARSEILLE EN BEAUVAISIS	C .60
115	BL 58	MARSEILLES LES AUBIGNY	.18
220	BI 101	MARSEILLETTE	.11
206	BV 95	MARSILLARGUES	.34
61	CJ 34	MARSILLY	.57
124	AG 66	MARSILLY	.17
183	AS 92	MARSOLAN	.32
58	BW 37	MARSON	C .51
60	CD 40	MARSON SUR BARBOURE	.55
134	CC 65	MARSONNAS	.01
217	AW 102	MARSOULAS	.31
186	BE 93	MARSSAC SUR TARN	.81
34	BC 32	MARTAGNY	.27
134	BZ 63	MARTAILLY LES BRANCION	.71
20	BC 25	MARTAINNEVILLE	.80
32	AS 32	MARTAINVILLE	.27
51	AN 36	MARTAINVILLE	.14
33	AZ 31	MARTAINVILLE EPREVILLE	.76
110	AP 59	MARTAIZE	.86
170	BB 81	MARTEL	C .46
61	CI 40	MARTHEMONT	.54
62	CL 36	MARTHILLE	.57
150	CM 72	MARTHOD	.73
141	AS 74	MARTHON	.16
186	BD 88	MARTIEL	.12
135	CG 65	MARTIGNA	.39
189	BV 91	MARTIGNARGUES	.30
166	AI 82	MARTIGNAS SUR JALLE	.33
135	CG 67	MARTIGNAT	.01
109	AM 55	MARTIGNE BRIAND	.49
91	AF 48	MARTIGNE FERCHAUD	.35
72	AK 45	MARTIGNE SUR MAYENNE	.53
19	AY 26	MARTIGNY	.76
24	BU 26	MARTIGNY	.02
50	AH 40	MARTIGNY	.50
37	BQ 30	MARTIGNY COURPIERRE	.02
133	BW 63	MARTIGNY LE COMTE	.71
83	CH 45	MARTIGNY LES BAINS	.88
82	CG 42	MARTIGNY LES GERBONVAUX	.88
51	AN 37	MARTIGNY SUR L'ANTE	.14
207	CD 98	MARTIGUES	C .13
167	AK 83	MARTILLAC	.33
19	AY 26	MARTIN EGLISE	.76
34	BD 30	MARTINCOURT	.60
61	CH 37	MARTINCOURT	.54
39	CB 30	MARTINCOURT SUR MEUSE	.55
123	AC 61	MARTINET	.85
189	BV 89	MARTINET, LE	.30
22	BK 24	MARTINPUICH	.62
29	AE 29	MARTINVAST	.50
83	CI 47	MARTINVELLE	.88
200	AU 98	MARTISSERRE	.31
112	AW 60	MARTIZAY	.36
33	AX 33	MARTOT	.27
30	AL 33	MARTRAGNY	.14
194	CP 93	MARTRE, LA	.83
167	AN 83	MARTRES	.33
145	BO 71	MARTRES D'ARTIERE, LES	.63
217	AT 102	MARTRES DE RIVIERE	.31
145	BN 73	MARTRES DE VEYRE, LES	.63
145	BN 70	MARTRES SUR MORGE	.63
217	AW 100	MARTRES TOLOSANE	.31
187	BJ 92	MARTRIN	.12
117	BX 55	MARTROIS	.21
45	K 40	MARTYRE, LA	.29
203	BG 98	MARTYS, LES	.11
189	BV 91	MARUEJOLS LES GARDON	.30
141	AU 73	MARVAL	.87
39	BY 32	MARVAUX VIEUX	.08
173	BO 86	MARVEJOLS	C .48
104	CN 52	MARVELISE	.25
40	CD 31	MARVILLE	.55
54	BA 40	MARVILLE MOUTIERS BRULE	.28
133	BX 62	MARY	.71
56	BM 36	MARY SUR MARNE	.77
90	Y 51	MARZAN	.56
202	BC 95	MARZENS	.81
115	BM 59	MARZY	.58
194	CR 92	MAS, LE	.06
207	CA 94	MAS BLANC DES ALPILLES	.13
203	BH 99	MAS CABARDES	C .11
168	AQ 87	MAS D'AGENAIS, LE	C .47
143	BF 72	MAS D'ARTIGE, LE	.23
183	AS 93	MAS D'AUVIGNON	.32
218	AZ 102	MAS D'AZIL, LE	C .09
205	BS 94	MAS DE LONDRES	.34
161	BX 79	MAS DE TENCE, LE	.43
220	BH 101	MAS DES COURS	.11
174	BR 86	MAS D'ORCIERES	.48
184	AX 93	MAS GRENIER	.82
188	BP 88	MAS SAINT CHELY	.48
202	BD 99	MAS SAINTES PUELLES	.11
143	BC 70	MASBARAUD MERIGNAT	.23
198	AM 96	MASCARAAS HARON	.64
199	AP 97	MASCARAS	.32
216	AP 101	MASCARAS	.65
202	BC 97	MASCARVILLE	.31
170	AZ 82	MASCLAT	.46
104	CP 49	MASEVAUX	C .68
197	AI 97	MASLACQ	.64
142	BB 72	MASLEON	.87
96	BA 51	MASLIVES	.41
203	BI 94	MASNAU MASSUGUIES, LE	.81
22	BN 24	MASNIERES	.59
22	BN 21	MASNY	.59
224	BH 107	MASOS, LOS	.66
197	AE 98	MASPARRAUTE	.64
198	AM 98	MASPIE LALONQUERE JUILLACQ	.64
184	AW 87	MASQUIERES	.47
201	AZ 100	MASSABRAC	.31
139	AN 71	MASSAC	.17
224	BI 104	MASSAC	.11
202	BD 95	MASSAC SERAN	.81
202	BF 97	MASSAGUEL	.81
109	AM 58	MASSAIS	.79
187	BI 93	MASSALS	.81
189	BV 91	MASSANES	.30
100	BT 51	MASSANGIS	.89
222	AY 104	MASSAT	C .09
113	BE 57	MASSAY	.18
188	BN 88	MASSEGROS, LE	C .48
168	AN 87	MASSEILLES	.33
184	AU 88	MASSELS	.47
90	AB 50	MASSERAC	.44
156	BA 74	MASSERET	.19
200	AS 98	MASSEUBE	C .32
159	BN 78	MASSIAC	C .15
163	CG 75	MASSIEU	.38
148	CA 70	MASSIEUX	.01
39	BY 34	MASSIGES	.51
141	AT 72	MASSIGNAC	.16
149	CH 72	MASSIGNIEU DE RIVES	.01
189	BU 91	MASSILARGUES ATTUECH	.30
133	BY 64	MASSILLY	.71
101	BX 48	MASSINGY	.21
150	CI 71	MASSINGY	.74
100	BW 52	MASSINGY LES SEMUR	.21
101	BY 54	MASSINGY LES VITTEAUX	.21
126	AP 61	MASSOGNES	.86
195	CT 91	MASSOINS	.06
136	CL 65	MASSONGY	.74
184	AV 88	MASSOULES	.47
168	AP 83	MASSUGAS	.33
55	BG 39	MASSY	C .91
34	BA 28	MASSY	.76
133	BY 64	MASSY	.71
22	BN 21	MASTAING	.59
135	CF 66	MATAFELON GRANGES	.01
205	BT 95	MATELLES, LES	C .34
223	BF 107	MATEMALE	.66
139	AM 71	MATHA	C .17
80	BW 43	MATHAUX	.10
104	CO 52	MATHAY	.25
119	CG 59	MATHENAY	.39
138	AF 72	MATHES, LES	.17
31	AN 33	MATHIEU	.14
81	CA 42	MATHONS	.52
34	AZ 29	MATHONVILLE	.76
59	BY 39	MATIGNICOURT GONCOURT	.51
48	Y 39	MATIGNON	C .22
36	BL 27	MATIGNY	.80
58	BU 36	MATOUGUES	.51
133	BX 66	MATOUR	C .71
229	DN 108	MATRA	.2B
11	BF 19	MATRINGHEM	.62
83	CI 43	MATTAINCOURT	.88
84	CL 41	MATTEXEY	.54
39	CB 28	MATTON ET CLEMENCY	.08
85	CU 41	MATZENHEIM	.67
184	AV 94	MAUBEC	.82
191	CD 93	MAUBEC	.84
162	CD 74	MAUBEC	.38
24	BW 26	MAUBERT FONTAINE	.08
23	BS 22	MAUBEUGE	C .59
199	AO 97	MAUBOURGUET	C .65
77	BF 41	MAUCHAMPS	.91
33	AZ 28	MAUCOMBLE	.76
198	AL 99	MAUCOR	.64
36	BJ 27	MAUCOURT	.80
36	BM 29	MAUCOURT	.60
40	CE 33	MAUCOURT SUR ORNE	.55
54	BC 35	MAUDETOUR EN VEXIN	.95
206	BU 96	MAUGUIO	C .34
60	CC 39	MAULAN	.55
110	AQ 58	MAULAY	.86
13	BO 19	MAULDE	.59
54	BD 37	MAULE	.78
109	AJ 59	MAULEON	C .79
217	AS 103	MAULEON BAROUSSE	C .65
182	AM 92	MAULEON D'ARMAGNAC	.32
197	AG 100	MAULEON LICHARRE	C .64
35	BF 30	MAULERS	.60
54	BB 38	MAULETTE	.78
109	AJ 58	MAULEVRIER	.49
32	AV 30	MAULEVRIER SAINTE GERTRUDE	.76
199	AN 95	MAULICHERES	.32
91	AH 52	MAUMUSSON	.44
184	AV 92	MAUMUSSON	.82
198	AN 96	MAUMUSSON LAGUIAN	.32
33	AW 32	MAUNY	.76
80	BU 46	MAUPAS	.10
182	AM 93	MAUPAS	.32
56	BM 39	MAUPERTHUIS	.77
49	AG 36	MAUPERTUIS	.50
29	AF 28	MAUPERTUS SUR MER	.50
141	AS 67	MAUPREVOIR	.86
34	BA 29	MAUQUENCHY	.76
217	AW 101	MAURAN	.31
199	AN 98	MAURE	.64
90	AA 48	MAURE DE BRETAGNE	C .35
55	BE 36	MAURECOURT	.78
55	BI 36	MAUREGARD	.77
37	BR 30	MAUREGNY EN HAYE	.02
204	BN 99	MAUREILHAN	.34
225	BK 108	MAUREILLAS LAS ILLAS	.66
202	BB 98	MAUREMONT	.31
169	AS 81	MAURENS	.24
200	AV 96	MAURENS	.32
202	BC 98	MAURENS	.31
202	BC 96	MAURENS SCOPONT	.81
54	BD 39	MAUREPAS	C .78
22	BK 25	MAUREPAS	.80
201	AZ 99	MAURESSAC	.31
189	BV 92	MAURESSARGUES	.30
202	BB 97	MAUREVILLE	.31
157	BG 78	MAURIAC	S .15
168	AO 83	MAURIAC	.33
198	AL 96	MAURIES	.40
173	BM 82	MAURINES	.15
23	BP 24	MAUROIS	.59
70	Y 45	MAURON	C .56
169	AW 87	MAUROUX	.46
184	AU 93	MAUROUX	.32
182	AL 93	MAURRIN	.40
171	BF 84	MAURS	C .15
59	BZ 38	MAURUPT LE MONTOIS	.51
224	BI 105	MAURY	.66
226	DK 106	MAUSOLEO	.2B
157	BF 75	MAUSSAC	.19
207	CA 95	MAUSSANE LES ALPILLES	.13
103	CK 53	MAUSSANS	.70
144	BH 70	MAUTES	.23
60	CE 40	MAUVAGES	.55
201	BA 99	MAUVAISIN	.31
162	CA 80	MAUVES	.07
74	AU 42	MAUVES SUR HUISNE	.61
108	AE 54	MAUVES SUR LOIRE	.44
200	AV 94	MAUVEZIN	C .32
200	AV 98	MAUVEZIN	.31
216	AQ 101	MAUVEZIN	.65
182	AN 92	MAUVEZIN D'ARMAGNAC	.40
217	AV 102	MAUVEZIN DE PRAT	.09
218	AY 102	MAUVEZIN DE SAINTE CROIX	.09
168	AP 85	MAUVEZIN SUR GUPIE	.47
128	AX 63	MAUVIERES	.36
101	BY 50	MAUVILLY	.21
116	BS 58	MAUX	.58
201	AY 98	MAUZAC	.31
169	AU 82	MAUZAC ET GRAND CASTANG	.24
125	AJ 67	MAUZE SUR LE MIGNON	C .79
109	AM 58	MAUZE THOUARSAIS	.79
169	AV 80	MAUZENS ET MIREMONT	.24
146	BP 73	MAUZUN	.63
95	AZ 50	MAVES	.41
118	BZ 57	MAVILLY MANDELOT	.21
41	CJ 33	MAXE, LA	.57
70	AA 46	MAXENT	.35
61	CI 39	MAXEVILLE	.54
82	CF 42	MAXEY SUR MEUSE	.88
82	CF 41	MAXEY SUR VAISE	.55
137	CO 64	MAXILLY SUR LEMAN	.74
119	CE 54	MAXILLY SUR SAONE	.21
170	AZ 86	MAXOU	.46
62	CN 35	MAXSTADT	.57
56	BL 35	MAY EN MULTIEN	.77
109	AI 56	MAY SUR EVRE, LE	.49
51	AN 35	MAY SUR ORNE	.14
155	AW 77	MAYAC	.24
72	AK 43	MAYENNE	S .53
94	AR 50	MAYET	C .72
146	BR 68	MAYET DE MONTAGNE, LE	C .03
145	BN 68	MAYET D'ECOLE, LE	.03
198	AI 95	MAYLIS	.40
135	CE 63	MAYNAL	.39
210	CN 99	MAYONS, LES	.83
37	BO 28	MAYOT	.02
170	BA 82	MAYRAC	.46
186	BH 87	MAYRAN	.12
217	AS 104	MAYREGNE	.31
160	BR 76	MAYRES	.63
175	BV 84	MAYRES	.07
177	CH 81	MAYRES SAVEL	.38
202	BC 100	MAYREVILLE	.11
171	BC 83	MAYRINHAC LENTOUR	.46
220	BI 102	MAYRONNES	.11
35	BH 33	MAYSEL	.60
203	BH 97	MAZAMET	C .81
191	CD 91	MAZAN	.84
175	BU 83	MAZAN L'ABBAYE	.07
95	AW 49	MAZANGE	.41
209	CJ 98	MAZAUGUES	.83
145	BL 72	MAZAYE	.63
93	AN 53	MAZE	.49
125	AJ 65	MAZEAU, LE	.85
143	BE 68	MAZEIRAT	.23
83	CK 44	MAZELEY	.88
139	AK 70	MAZERAY	.17
167	AM 86	MAZERES	.33
202	BB 100	MAZERES	.09
217	AS 102	MAZERES DE NESTE	.65
198	AK 99	MAZERES LEZONS	.64
217	AV 101	MAZERES SUR SALAT	.31
145	BN 68	MAZERIER	.03
38	BX 29	MAZERNY	.08
127	AU 65	MAZEROLLES	.86
153	AK 74	MAZEROLLES	.17
199	AQ 99	MAZEROLLES	.65
198	AK 97	MAZEROLLES	.64
182	AK 93	MAZEROLLES	.40
141	AS 72	MAZEROLLES	.16
219	BE 101	MAZEROLLES DU RAZES	.11
119	CH 55	MAZEROLLES LE SALIN	.25
61	CK 38	MAZERULLES	.54
161	BW 80	MAZET SAINT VOY	.43
110	AP 60	MAZEUIL	.86
160	BQ 78	MAZEYRAT AUROUZE	.43
159	BQ 79	MAZEYRAT D'ALLIER	.43
169	AW 84	MAZEYROLLES	.24
144	BH 71	MAZIERE AUX BONS HOMMES, LA	.23
141	AT 71	MAZIERES	.16
111	AS 54	MAZIERES DE TOURAINE	.37
125	AM 63	MAZIERES EN GATINE	C .79
109	AJ 57	MAZIERES EN MAUGES	.49
169	AU 84	MAZIERES NARESSE	.47
126	AN 67	MAZIERES SUR BERONNE	.79
133	BY 65	MAZILLE	.71
12	BJ 20	MAZINGARBE	.62
11	BH 18	MAZINGHEM	.62
23	BQ 24	MAZINGHIEN	.59
153	AJ 78	MAZION	.33
130	BI 67	MAZIRAT	.03
83	CJ 43	MAZIROT	.88
20	BD 26	MAZIS, LE	.80
159	BM 76	MAZOIRES	.63
216	AR 102	MAZOUAU	.65
223	BE 105	MAZUBY	.11
24	BX 26	MAZURES, LES	.08
229	DM 108	MAZZOLA	.2B
194	CP 90	MEAILLES	.04
158	BH 78	MEALLET	.15
129	BC 65	MEASNES	.23
75	AW 42	MEAUCE	.28
163	CF 79	MEAUDRE	.38
30	AH 33	MEAUFFE, LA	.50
47	U 40	MEAUGON, LA	.22
130	BJ 63	MEAULNE	.03
21	BJ 25	MEAULTE	.80
29	AG 32	MEAUTIS	.50
56	BL 37	MEAUX	S .77
147	BX 69	MEAUX LA MONTAGNE	.69
184	AY 91	MEAUZAC	.82
71	AG 44	MECE	.35
170	AZ 85	MECHMONT	.46
61	CJ 35	MECLEUVES	.57
23	BR 22	MECQUIGNIES	.59
60	CE 38	MECRIN	.55
57	BP 37	MECRINGES	.51
54	BE 37	MEDAN	.78
51	AQ 39	MEDAVY	.61
160	BS 76	MEDEYROLLES	.63
104	CN 52	MEDIERE	.25
154	AO 78	MEDILLAC	.16
138	AH 73	MEDIS	.17
82	CF 44	MEDONVILLE	.88
70	AA 43	MEDREAC	.35
96	BA 47	MEE, LE	.28
92	AJ 49	MEE	.53
77	BI 41	MEE SUR SEINE, LE	C .77
193	CK 91	MEES, LES	C .04
74	AR 43	MEES, LES	.72
197	AF 94	MEES	.40
41	CK 33	MEGANGE	.57
151	CN 70	MEGEVE	.74
136	CM 66	MEGEVETTE	.74
70	Z 42	MEGRIT	.22
22	BJ 27	MEHARICOURT	.80
197	AE 98	MEHARIN	.64
112	BA 55	MEHERS	.41
83	CK 41	MEHONCOURT	.54
73	AN 41	MEHOUDIN	.61
114	BG 57	MEHUN SUR YEVRE	C .18
92	AK 52	MEIGNANNE, LA	.49
110	AN 55	MEIGNE	.49
94	AQ 52	MEIGNE LE VICOMTE	.49
34	BD 27	MEIGNEUX	.80
78	BM 41	MEIGNEUX	.77
142	AX 73	MEILHAC	.87
181	AI 93	MEILHAN	.40
200	AT 98	MEILHAN	.32
168	AO 86	MEILHAN SUR GARONNE	C .47
156	BB 74	MEILHARDS	.19
159	BN 74	MEILHAUD	.63
70	AC 42	MEILLAC	.35
130	BI 61	MEILLANT	.18
21	BG 23	MEILLARD, LE	.80
131	BN 65	MEILLARD	.03
125	AI 61	MEILLERAIE TILLAY, LA	.85
57	BP 38	MEILLERAY	.77
91	AE 51	MEILLERAYE DE BRETAGNE, LA	.44
137	CO 64	MEILLERIE	.74
131	BM 64	MEILLERS	.03
198	AL 99	MEILLON	.64
135	CE 66	MEILLONNAS	.01
117	BX 56	MEILLY SUR ROUVRES	.21
63	CR 35	MEISENTHAL	.57
85	CT 41	MEISTRATZHEIM	.67
101	CA 51	MEIX, LE	.21
57	BQ 39	MEIX SAINT EPOING, LE	.51
58	BW 40	MEIX TIERCELIN, LE	.51
190	BX 89	MEJANNES LE CLAP	.30
189	BV 90	MEJANNES LES ALES	.30
231	DL 115	MELA	.2A
204	BM 94	MELAGUES	.12
32	AT 30	MELAMARE	.76
103	CG 48	MELAY	.52
109	AK 56	MELAY	.49
132	BT 67	MELAY	.71
74	AS 41	MELE SUR SARTHE, LE	C .61
104	CM 52	MELECEY	.70
71	AD 44	MELESSE	.35
67	M 46	MELGVEN	.29
36	BK 31	MELICOCQ	.60
52	AT 37	MELICOURT	.27
60	CE 39	MELIGNY LE GRAND	.55
60	CE 39	MELIGNY LE PETIT	.55
103	CG 49	MELIN	.70
103	CJ 48	MELINCOURT	.70
104	CM 49	MELISEY	C .70
100	BU 48	MELISEY	.89
186	BH 90	MELJAC	.12
68	O 47	MELLAC	.29
126	AN 67	MELLE	C .79
71	AH 41	MELLE	.35
118	BZ 60	MELLECEY	.71
140	AO 68	MELLERAN	.79
75	AV 46	MELLERAY	.72
98	BL 48	MELLEROY	.45
217	AU 104	MELLES	.31
20	BA 25	MELLEVILLE	.76
68	R 44	MELLIONNEC	.22
35	BH 33	MELLO	.60
118	BZ 58	MELOISEY	.21
68	S 46	MELRAND	.56
64	CS 37	MELSHEIM	.67
78	BJ 41	MELUN	P .77
178	CK 87	MELVE	.04
79	BO 42	MELZ SUR SEINE	.77
102	CG 51	MEMBREY	.70
94	AT 53	MEMBROLLE SUR CHOISILLE, LA	.37
92	AK 52	MEMBROLLE SUR LONGUENEE, LE	.49
96	BA 47	MEMBROLLES	.41
84	CM 44	MEMENIL	.88
64	CV 35	MEMMELSHOFFEN	.67
121	CO 56	MEMONT, LE	.25
99	BS 53	MENADES	.89
84	CM 42	MENARMONT	.88
96	BA 51	MENARS	.41
145	BL 68	MENAT	C .63
60	CD 40	MENAUCOURT	.55
11	BF 19	MENCAS	.62
64	CS 36	MENCHHOFFEN	.67
174	BQ 86	MENDE	P .48
196	AD 98	MENDIONDE	.64
214	AG 100	MENDITTE	.64
214	AE 101	MENDIVE	.64
69	X 45	MENEAC	.56
191	CE 93	MENERBES	.84
34	BB 30	MENERVAL	.76
54	BB 36	MENERVILLE	.78
101	CA 49	MENESBLE	.21
20	BA 24	MENESLIES	.80
154	AP 80	MENESPLET	.24
34	BA 32	MENESQUEVILLE	.27
117	BU 57	MENESSAIRE	.21
98	BN 54	MENESTREAU	.58
97	BE 50	MENESTREAU EN VILLETTE	.45
158	BI 77	MENET	.15
115	BL 58	MENETOU COUTURE	.18
114	BK 54	MENETOU RATEL	.18
114	BH 56	MENETOU SALON	.18
113	BB 56	MENETOU SUR NAHON	.36
114	BK 55	MENETREOL SOUS SANCERRE	.18
97	BG 53	MENETREOL SUR SAULDRE	.18
113	BC 58	MENETREOLS SOUS VATAN	.36
134	CC 62	MENETREUIL	.71
100	BX 52	MENETREUX LE PITOIS	.21
145	BN 71	MENETROL	.63
119	CG 60	MENETRU LE VIGNOBLE	.39
135	CH 62	MENETRUX EN JOUX	.39
35	BJ 30	MENEVILLERS	.60
177	CF 84	MENGLON	.26
126	AO 64	MENIGOUTE	C .79
104	CO 47	MENIL, LE	.88
92	AK 49	MENIL	.53
38	BV 31	MENIL ANNELLES	.08
60	CD 38	MENIL AUX BOIS	.55
52	AT 39	MENIL BERARD, LE	.61
74	AR 41	MENIL BROUT, LE	.61
50	AK 38	MENIL CIBOULT, LE	.61
51	AM 39	MENIL DE BRIOUZE, LE	.61
84	CP 42	MENIL DE SENONES	.88
83	CH 43	MENIL EN XAINTOIS	.88
74	AR 41	MENIL ERREUX	.61
52	AR 39	MENIL FROGER	.61
51	AN 38	MENIL GONDOUIN	.61
52	AS 40	MENIL GUYON, LE	.61
51	AN 38	MENIL HERMEI	.61
52	AR 38	MENIL HUBERT EN EXMES	.61
51	AM 37	MENIL HUBERT SUR ORNE	.61
51	AO 39	MENIL JEAN	.61
60	CE 39	MENIL LA HORGNE	.55
60	CG 38	MENIL LA TOUR	.54
38	BV 32	MENIL LEPINOIS	.08
51	AP 40	MENIL SCELLEUR, LE	.61
84	CN 42	MENIL SUR BELVITTE	.88
60	CC 40	MENIL SUR SAULX	.55
52	AS 38	MENIL VICOMTE, LE	.61
51	AN 37	MENIL VIN	.61
53	AZ 36	MENILLES	.27
93	AN 54	MENITRE, LA	.49
77	BH 41	MENNECY	C .91
36	BN 28	MENNESSIS	.02
113	BD 55	MENNETOU SUR CHER	C .41
52	AU 35	MENNEVAL	.27
38	BT 31	MENNEVILLE	.02
10	BD 17	MENNEVILLE	.62
23	BP 25	MENNEVRET	.02
82	CD 46	MENNOUVEAUX	.52
157	BC 79	MENOIRE	.19
125	AJ 61	MENOMBLET	.85
104	CP 50	MENONCOURT	.90
34	BA 27	MENONVAL	.76
119	CF 56	MENOTEY	.39
115	BO 54	MENOU	.58
55	BF 34	MENOUVILLE	.95
128	BB 63	MENOUX, LE	.36
103	CJ 49	MENOUX	.70
177	CI 82	MENS	C .38
154	AS 78	MENSIGNAC	.24
41	CK 32	MENSKIRCH	.57
32	AT 28	MENTHEVILLE	.76
150	CK 70	MENTHON SAINT BERNARD	.74
150	CK 68	MENTHONNEX EN BORNES	.74
150	CI 69	MENTHONNEX SOUS CLERMONT	.74
159	BN 80	MENTIERES	.15
195	CW 93	MENTON	C .06
11	BF 16	MENTQUE NORTBECOURT	.62
54	BE 36	MENUCOURT	.95
75	AW 41	MENUS, LES	.61
201	AX 95	MENVILLE	.31
128	AZ 61	MEOBECQ	.36
179	CO 86	MEOLANS REVEL	.04
93	AQ 53	MEON	.49
209	CK 99	MEOUNES LES MONTRIEUX	.83
96	BA 50	MER	C .41
198	AL 97	MERACQ	.64
72	AI 47	MERAL	.53
218	AY 101	MERAS	.09
22	BK 22	MERCATEL	.62
218	AW 102	MERCENAC	.09
118	CA 59	MERCEUIL	.21
54	BA 35	MERCEY	.27
119	CG 55	MERCEY LE GRAND	.25
102	CG 52	MERCEY SUR SAONE	.70
36	BN 32	MERCIN ET VAUX	.02
11	BF 18	MERCK SAINT LIEVIN	.62
11	BG 15	MERCKEGHEM	.59
157	BD 80	MERCŒUR	C .19
159	BO 78	MERCŒUR	.43
175	BW 84	MERCUER	.07
170	AZ 86	MERCUES	.46
118	BZ 60	MERCUREY	.71
162	CB 79	MERCUROL	.26
150	CM 72	MERCURY	.73
223	BB 104	MERCUS GARRABET	.09
132	BQ 64	MERCY	.03
79	BQ 47	MERCY	.89
40	CF 31	MERCY LE BAS	.54
40	CG 31	MERCY LE HAUT	.54
69	X 44	MERDRIGNAC	C .22
54	BD 38	MERE	.78
99	BS 48	MERE	.89
113	BE 56	MEREAU	.18
34	BD 28	MEREAUCOURT	.80
75	AY 44	MEREGLISE	.28
20	BD 25	MERELESSART	.80
200	AS 94	MERENS	.32
223	BD 106	MERENS LES VALS	.09
201	AX 96	MERENVIELLE	.31
177	CH 87	MEREUIL	.05
77	BE 44	MEREVILLE	C .91
61	CJ 40	MEREVILLE	.54
54	BA 36	MEREY	.27
120	CJ 56	MEREY SOUS MONTROND	.25
120	CJ 54	MEREY VIEILLEY	.25
37	BS 33	MERFY	.51
80	BT 43	MERGEY	.10
227	DN 101	MERIA	.2B
223	BE 105	MERIAL	.11
12	BK 20	MERICOURT	.62
54	BB 36	MERICOURT	.78
20	BE 26	MERICOURT EN VIMEU	.80
21	BI 25	MERICOURT L'ABBE	.80
22	BJ 26	MERICOURT SUR SOMME	.80
55	BG 35	MERIEL	.95
204	BO 96	MERIFONS	.34
167	AJ 82	MERIGNAC	C .33
140	AO 72	MERIGNAC	.16
153	AM 77	MERIGNAC	.17
168	AN 83	MERIGNAS	.33
149	CF 68	MERIGNAT	.01
12	BM 19	MERIGNIES	.59
127	AW 62	MERIGNY	.36
218	AX 102	MERIGON	.09
216	AP 101	MERILHEU	.65
70	X 43	MERILLAC	.22
144	BI 70	MERINCHAL	.23
208	CE 94	MERINDOL	.84
191	CD 88	MERINDOL LES OLIVIERS	.26
78	BL 46	MERINVILLE	.45
79	BP 41	MERIOT, LE	.10
197	AH 98	MERITEIN	.64
64	CV 35	MERKWILLER PECHELBRONN	.67
163	CH 75	MERLAS	.38
108	AF 60	MERLATIERE, LA	.85
59	BX 38	MERLAUT	.51
160	BU 76	MERLE LEIGNEC	.42
69	T 43	MERLEAC	.22
52	AR 39	MERLERAULT, LE	C .61
184	AV 91	MERLES	.82
40	CD 31	MERLES SUR LOISON	.55
88	R 49	MERLEVENEZ	.56
37	BP 30	MERLIEUX ET FOUQUEROLLES	.02
10	BB 20	MERLIMONT	.62
144	BH 73	MERLINES	.19
90	AA 47	MERNEL	.35
76	BE 43	MEROBERT	.91
135	CG 63	MERONA	.39
76	BD 44	MEROUVILLE	.28
104	CP 51	MEROUX	.90
139	AL 73	MERPINS	.16
82	CF 46	MERREY	.52
80	BW 46	MERREY SUR ARCE	.10
51	AP 37	MERRI	.61
11	BJ 17	MERRIS	.59
99	BO 49	MERRY LA VALLEE	.89
99	BP 51	MERRY SEC	.89
99	BQ 52	MERRY SUR YONNE	.89
20	BA 24	MERS LES BAINS	.80
129	BD 62	MERS SUR INDRE	.36

Page	Carreau	Commune	Adm.	Dpt
41	CK 30	MERSCHWEILLER		57
103	CJ 49	MERSUAY		70
42	CM 32	MERTEN		57
81	BZ 42	MERTRUD		52
105	CR 51	MERTZEN		68
64	CT 36	MERTZWILLER		67
35	BF 33	MERU	C	60
37	BQ 32	MERVAL		02
118	CC 60	MERVANS		71
125	AJ 63	MERVENT		85
201	AZ 97	MERVILLA		31
11	BJ 18	MERVILLE	C	59
201	AY 95	MERVILLE		31
31	AO 33	MERVILLE FRANCEVILLE PLAGE		14
84	CN 41	MERVILLER		54
85	CR 47	MERXHEIM		68
150	CJ 73	MERY		73
51	AP 34	MERY CORBON		14
114	BH 55	MERY ES BOIS		18
35	BJ 30	MERY LA BATAILLE		60
37	BS 33	MERY PREMECY		51
113	BE 56	MERY SUR CHER		18
56	BN 36	MERY SUR MARNE		77
55	BG 35	MERY SUR OISE		95
79	BS 41	MERY SUR SEINE	C	10
47	T 39	MERZER, LE		22
103	CL 53	MESANDANS		25
91	AG 53	MESANGER		44
34	BB 30	MESANGUEVILLE		76
37	BP 28	MESBRECOURT RICHECOURT		02
152	AH 74	MESCHERS SUR GIRONDE		17
168	AR 83	MESCOULES		24
21	BE 26	MESGE, LE		80
79	BS 42	MESGRIGNY		10
150	CJ 69	MESIGNY		74
68	Q 46	MESLAN		56
95	AX 53	MESLAND		41
51	AM 36	MESLAY		14
95	AX 49	MESLAY		41
92	AL 47	MESLAY DU MAINE	C	53
75	AZ 43	MESLAY LE GRENET		28
76	BA 44	MESLAY LE VIDAME		28
104	CP 53	MESLIERES		25
69	W 41	MESLIN		22
119	CH 57	MESMAY		25
38	BV 29	MESMONT		08
118	BZ 54	MESMONT		21
139	AM 72	MESNAC		16
108	AG 55	MESNARD LA BAROTIERE		85
119	CH 59	MESNAY		39
38	BS 34	MESNEUX, LES		51
74	AS 41	MESNIERE, LA		61
34	BA 27	MESNIERES EN BRAY		76
29	AD 31	MESNIL, LE		50
50	AH 39	MESNIL ADELEE, LE		50
49	AF 37	MESNIL AMAND, LE		50
55	BJ 36	MESNIL AMELOT, LE		77
49	AG 34	MESNIL AMEY, LE		50
30	AH 33	MESNIL ANGOT, LE		50
50	AL 35	MESNIL AU GRAIN, LE		14
29	AF 29	MESNIL AU VAL, LE		50
49	AF 36	MESNIL AUBERT, LE		50
55	BH 36	MESNIL AUBRY, LE		95
50	AK 36	MESNIL AUZOUF, LE		14
52	AQ 36	MESNIL BACLEY, LE		14
50	AI 37	MESNIL BENOIST, LE		14
22	BL 26	MESNIL BRUNTEL		80
50	AI 37	MESNIL CAUSSOIS, LE		14
50	AI 37	MESNIL CLINCHAMPS		14
35	BF 29	MESNIL CONTEVILLE, LE		60
21	BE 23	MESNIL DOMQUEUR		80
52	AQ 35	MESNIL DURAND, LE		14
19	AV 27	MESNIL DURDENT, LE		76
22	BL 24	MESNIL EN ARROUAISE		80
55	BG 34	MESNIL EN THELLE, LE		60
92	AI 54	MESNIL EN VALLEE, LE		49
33	AY 31	MESNIL ESNARD, LE		76
52	AR 35	MESNIL EUDES, LE		14
29	AH 34	MESNIL EURY, LE		50
33	AZ 27	MESNIL FOLLEMPRISE		76
53	AY 35	MESNIL FUGUET, LE		27
49	AG 37	MESNIL GARNIER, LE		50
52	AR 35	MESNIL GERMAIN, LE		14
50	AI 39	MESNIL GILBERT, LE		50
52	AR 35	MESNIL GUILLAUME, LE		14
53	AX 37	MESNIL HARDRAY, LE		27
50	AH 35	MESNIL HERMAN, LE		50
53	AX 34	MESNIL JOURDAIN, LE		27
80	BU 41	MESNIL LA COMTESSE		10
55	BF 37	MESNIL LE ROI, LE		78
80	BV 42	MESNIL LETTRE		10
34	BB 30	MESNIL LIEUBRAY, LE		76
21	BJ 24	MESNIL MARTINSART		80
51	AP 35	MESNIL MAUGER, LE		14
34	BA 28	MESNIL MAUGER		76
30	AH 35	MESNIL OPAC, LE		50
49	AG 39	MESNIL OZENNE, LE		50
33	AW 29	MESNIL PANNEVILLE		76
31	AM 34	MESNIL PATRY, LE		14
50	AH 39	MESNIL RAINFRAY, LE		50
33	AZ 31	MESNIL RAOUL		76
50	AI 35	MESNIL RAOULT, LE		50
20	BA 25	MESNIL REAUME, LE		76
50	AI 37	MESNIL ROBERT, LE		14
49	AF 37	MESNIL ROGUES, LE		50
52	AT 37	MESNIL ROUSSET		27
30	AH 34	MESNIL ROUXELIN, LE		50
54	BE 39	MESNIL SAINT DENIS, LE		78
35	BH 29	MESNIL SAINT FIRMIN, LE		60
35	BI 29	MESNIL SAINT GEORGES		80
23	BO 27	MESNIL SAINT LAURENT		02
79	BR 44	MESNIL SAINT LOUP		10
36	BL 27	MESNIL SAINT NICAISE		80
80	BV 44	MESNIL SAINT PERE		10
80	BV 43	MESNIL SELLIERES		10
51	AQ 35	MESNIL SIMON, LE		14
54	BB 37	MESNIL SIMON, LE		28
33	AW 31	MESNIL SOUS JUMIEGES, LE		76
34	BC 32	MESNIL SOUS VIENNE		27
32	AS 33	MESNIL SUR BLANGY, LE		14
35	BH 31	MESNIL SUR BULLES, LE		60
53	AZ 38	MESNIL SUR L'ESTREE		27
58	BT 37	MESNIL SUR OGER, LE		51
34	BE 33	MESNIL THERIBUS, LE		60
53	AX 40	MESNIL THOMAS, LE		28
50	AI 39	MESNIL TOVE, LE		50
30	AH 33	MESNIL VENERON, LE		50
34	BA 32	MESNIL VERCLIVES		27
29	AG 34	MESNIL VIGOT, LE		50
49	AF 37	MESNIL VILLEMAN, LE		50
51	AN 37	MESNIL VILLEMENT, LE		14
49	AG 34	MESNILBUS, LE		50
50	AH 40	MESNILLARD, LE		50
135	CC 62	MESNOIS		39
54	BD 39	MESNULS, LES		78
45	M 38	MESPAUL		29
198	AI 97	MESPLEDE		64
130	BH 65	MESPLES		03
77	BG 43	MESPUITS		91
89	W 53	MESQUER		44
90	AC 48	MESSAC		35
153	AM 76	MESSAC		17
118	CA 56	MESSANGES		21
180	AD 93	MESSANGES		40
96	BB 49	MESSAS		45
126	AP 66	MESSE		79
51	AL 39	MESSEI	C	61
61	CI 40	MESSEIN		54
144	BI 74	MESSEIX		63
110	AQ 58	MESSEME		86
136	CL 65	MESSERY		74
134	BZ 62	MESSEY SUR GROSNE		71
125	CF 62	MESSIA SUR SORNE		39
101	CB 53	MESSIGNY ET VANTOUX		21
148	BY 72	MESSIMY		69
148	BZ 69	MESSIMY SUR SAONE		01
39	CB 28	MESSINCOURT		08
79	BS 44	MESSON		10
56	BJ 36	MESSY		77
168	AO 84	MESTERRIEUX		33
110	BG 75	MESTES		19
115	BL 56	MESVES SUR LOIRE		58
117	BV 60	MESVRES	C	71
112	CL 60	METABIEF		25
140	AN 72	METAIRIES, LES		16
62	CP 39	METAIRIES SAINT QUIRIN		57
12	BJ 17	METEREN		59
191	CE 91	METHAMIS		84
20	BD 25	METIGNY		80
63	CQ 37	METTING		57
94	AU 53	METTRAY		37
61	CJ 34	METZ	P	57
81	BM 24	METZ EN COUTURE		62
116	BQ 54	METZ LE COMTE		58
87	BT 46	METZ ROBERT		10
150	CK 69	METZ TESSY		74
85	CQ 46	METZERAL		68
41	CJ 32	METZERESCHE		57
41	CJ 32	METZERVISSE	C	57
62	CO 34	METZING		57
89	U 49	MEUCON		56
55	BG 38	MEUDON	C	92
118	CA 56	MEUILLEY		21
54	BD 36	MEULAN SUR SEINE	C	78
19	AZ 27	MEULERS		76
52	AS 36	MEULLES		14
101	BY 50	MEULSON		21
113	BE 60	MEUNET PLANCHES		36
113	BD 57	MEUNET SUR VATAN		36
96	BC 49	MEUNG SUR LOIRE	C	45
74	AR 44	MEURCE		72
12	BL 19	MEURCHIN		62
103	CK 49	MEURCOURT		70
49	AF 37	MEURDRAQUIERE, LA		50
81	CB 45	MEURES		52
37	BR 32	MEURIVAL		02
138	AI 73	MEURSAC		17
118	CA 58	MEURSANGES		21
118	BZ 58	MEURSAULT		21
81	BX 45	MEURVILLE		10
112	BA 55	MEUSNES		41
135	CH 63	MEUSSIA		39
30	AL 32	MEUVAINES		14
36	BJ 32	MEUX, LE		60
153	AL 75	MEUX		17
154	BA 74	MEUZAC		87
76	BB 41	MEVOISINS		28
192	CG 88	MEVOUILLON		26
148	CD 70	MEXIMIEUX	C	01
40	CF 30	MEXY		54
61	CJ 34	MEY		57
85	CS 47	MEYENHEIM		68
163	CI 78	MEYLAN	C	38
157	BF 74	MEYMAC	C	19
190	BY 93	MEYNES		30
169	AW 82	MEYRALS		24
187	BV 88	MEYRANNES		30
208	CG 95	MEYRARGUES		13
175	BW 84	MEYRAS		07
208	CG 97	MEYREUIL		13
162	CD 74	MEYRIE		38
162	CD 74	MEYRIEU LES ETANGS		38
149	CH 73	MEYRIEUX TROUET		73
157	BD 76	MEYRIGNAC L'EGLISE		19
170	BA 82	MEYRONNE		46
192	CQ 85	MEYRONNES		04
188	BP 90	MEYRUEIS	C	48
147	BX 73	MEYS		69
156	BB 80	MEYSSAC	C	19
176	BZ 85	MEYSSE		07
162	CC 75	MEYSSIES		38
150	CJ 70	MEYTHET		74
142	AY 74	MEYZE, LA		87
148	CB 72	MEYZIEU	C	69
73	AM 45	MEZANGERS		53
205	BR 98	MEZE	C	34
151	CL 91	MEZEL	C	04
145	BN 72	MEZEL		63
202	BB 94	MEZENS		81
93	AP 49	MEZERAY		72
160	BU 79	MEZERES		43
134	CB 66	MEZERIAT		01
81	BG 23	MEZEROLLES		80
202	BC 100	MEZERVILLE		11
71	AP 35	MEZIDON CANON	C	14
41	AC 44	MEZIERE, LA		35
75	AZ 44	MEZIERES AU PERCHE		28
112	AY 60	MEZIERES EN BRENNE	C	36
54	BA 39	MEZIERES EN DROUAIS		28
77	BI 47	MEZIERES EN GATINAIS		45
35	BI 27	MEZIERES EN SANTERRE		80
54	BA 34	MEZIERES EN VEXIN		27
96	BD 49	MEZIERES LEZ CLERY		45
73	AP 45	MEZIERES SOUS LAVARDIN		72
71	AF 43	MEZIERES SUR COUESNON		35
141	AW 68	MEZIERES SUR ISSOIRE	C	87
37	BO 27	MEZIERES SUR OISE		02
74	AR 45	MEZIERES SUR PONTHOUIN		72
54	BC 36	MEZIERES SUR SEINE		78
175	BW 82	MEZILHAC		07
88	BN 50	MEZILLES		89
183	AO 91	MEZIN	C	47
170	CP 51	MEZIRE		90
180	AF 90	MEZOS		40
57	BP 35	MEZY MOULINS		02
58	BD 36	MEZY SUR SEINE		78
116	BS 56	MHERE		58
155	AV 74	MIALET		24
189	BT 90	MIALET		30
198	AK 97	MIALOS		64
20	BC 24	MIANNAY		80
116	BP 55	MICHAUGUES		58
105	CQ 49	MICHELBACH		68
105	CT 50	MICHELBACH LE BAS		68
105	CT 51	MICHELBACH LE HAUT		68
78	BN 44	MICHERY		89
82	CF 42	MIDREVAUX		88
120	CJ 60	MIEGES		39
199	AQ 98	MIELAN	C	32
104	CN 48	MIELLIN		70
75	AW 44	MIERMAIGNE		28
171	BC 82	MIERS		46
119	CG 60	MIERY		39
64	CT 36	MIETESHEIM		67
137	CN 67	MIEUSSY		74
73	AP 42	MIEUXCE		61
99	BQ 51	MIGE		89
99	BP 48	MIGENNES	C	89
222	BB 105	MIGLOS		09
127	AS 63	MIGNALOUX BEAUVOIR		86
104	CM 51	MIGNAVILLERS		70
128	AZ 61	MIGNE		36
128	AR 62	MIGNE AUXANCES		86
77	BJ 47	MIGNERES		45
77	BI 46	MIGNERETTE		45
62	CN 40	MIGNEVILLE		54
76	BA 43	MIGNIERES		28
120	CJ 60	MIGNOVILLARD		39
113	BE 58	MIGNY		36
139	AK 68	MIGRE		17
139	AL 71	MIGRON		17
223	BE 106	MIJANES		09
136	CJ 65	MIJOUX		01
73	AQ 46	MILESSE, LA		72
170	AZ 83	MILHAC		46
155	AV 79	MILHAC D'AUBEROCHE		24
155	AU 75	MILHAC DE NONTRON		24
185	BD 90	MILHARS		81
217	AU 103	MILHAS		31
206	BW 94	MILHAUD		30
186	BE 91	MILHAVET		81
44	I 40	MILIZAC		29
141	AU 67	MILLAC		86
11	BG 15	MILLAM		59
96	BC 53	MILLANCAY		41
224	BJ 106	MILLAS	C	66
188	BM 90	MILLAU	S	12
116	BT 60	MILLAY		58
20	BA 25	MILLEBOSC		76
54	BC 38	MILLEMONT		78
21	BI 25	MILLENCOURT		80
20	BD 23	MILLENCOURT EN PONTHIEU		80
61	CI 37	MILLERY		54
100	BV 52	MILLERY		21
148	CA 73	MILLERY		69
143	BF 73	MILLEVACHES		19
29	AF 33	MILLIERES		50
82	CD 45	MILLIERES		52
13	BO 20	MILLONFOSSE		59
50	AI 40	MILLY		50
77	BH 43	MILLY LA FORET	C	91
134	BZ 65	MILLY LAMARTINE		71
39	CB 31	MILLY SUR BRADON		55
34	BE 30	MILLY SUR THERAIN		60
55	BE 39	MILON LA CHAPELLE		78
197	AG 95	MIMBASTE		40
208	CG 98	MIMET		13
110	BX 56	MIMEURE		21
180	AE 89	MIMIZAN	C	40
59	BY 34	MINAUCOURT LE MESNIL LES HURLUS		51
203	BK 99	MINERVE		34
199	AP 98	MINGOT		65
21	BI 21	MINGOVAL		62
70	AB 41	MINIAC MORVAN		35
70	AB 43	MINIAC SOUS BECHEREL		35
48	AA 40	MINIHIC SUR RANCE, LE		35
46	S 37	MINIHY TREGUIER		22
61	CH 37	MINORVILLE		54
101	CA 51	MINOT		21
64	CT 37	MINVERSHEIM		67
168	AO 81	MINZAC		24
150	CJ 68	MINZIER		74
187	BI 93	MIOLLES		81
148	CB 70	MIONNAY		01
148	CB 73	MIONS		69
166	AG 84	MIOS		33
198	AL 97	MIOSSENS LANUSSE		64
193	CK 90	MIRABEAU		04
208	CH 94	MIRABEAU		84
175	BY 85	MIRABEL		07
185	AZ 90	MIRABEL		82
191	CD 88	MIRABEL AUX BARONNIES		26
176	CC 83	MIRABEL ET BLACONS		26
184	AU 92	MIRADOUX	C	32
207	CC 96	MIRAMAS		13
153	AK 76	MIRAMBEAU	C	17
200	AV 98	MIRAMBEAU		31
200	AR 97	MIRAMONT D'ASTARAC		32
217	AT 102	MIRAMONT DE COMMINGES		31
168	AR 85	MIRAMONT DE GUYENNE		47
184	AW 89	MIRAMONT DE QUERCY		82
184	AT 94	MIRAMONT LATOUR		32
200	AL 96	MIRAMONT SENSACQ		40
199	AR 97	MIRANDE	S	32
186	BF 90	MIRANDOL BOURGNOUNAC		81
199	AR 96	MIRANNES		32
22	BJ 24	MIRAUMONT		80
203	BH 98	MIRAVAL CABARDES		11
81	CB 44	MIRBEL		52
93	AL 49	MIRE		49
126	AQ 60	MIREBEAU	C	86
102	CD 53	MIREBEAU SUR BEZE	C	21
135	CG 61	MIREBEL		39
83	CI 43	MIRECOURT	C	88
145	BN 73	MIREFLEURS		63
144	BJ 71	MIREMONT		63
201	AZ 99	MIREMONT		31
204	BL 100	MIREPEISSET		11
184	AL 100	MIREPEIX		64
219	BD 102	MIREPOIX	C	09
200	AT 94	MIREPOIX		32
184	BA 94	MIREPOIX SUR TARN		31
205	BS 97	MIREVAL		34
202	BD 100	MIREVAL LAURAGAIS		11
148	CB 71	MIRIBEL	C	01
162	CC 78	MIRIBEL		26
163	CG 80	MIRIBEL LANCHATRE		38
163	CH 75	MIRIBEL LES ECHELLES		38
176	CA 84	MIRMANDE		26
135	CE 63	MIROIR, LE		71
21	BH 25	MIRVAUX		80
32	AT 29	MIRVILLE		76
177	CG 84	MISCON		26
32	AZ 36	MISEREY		27
120	CI 54	MISEREY SALINES		25
128	CA 69	MISERIEUX		01
22	BL 27	MISERY		80
192	CJ 88	MISON		04
110	AN 59	MISSE		79
202	BE 95	MISSECLE		81
220	BH 103	MISSEGRE		11
117	BW 55	MISSERY		21
90	Z 52	MISSILLAC		44
90	Y 48	MISSIRIAC		56
197	AG 96	MISSON		40
51	AL 34	MISSY		14
36	BN 32	MISSY AUX BOIS		02
37	BR 29	MISSY LES PIERREPONT		02
37	BP 32	MISSY SUR AISNE		02
78	BM 43	MISY SUR YONNE		77
55	BJ 36	MITRY MORY	C	77
54	BB 40	MITTAINVILLE		78
75	AZ 42	MITTAINVILLIERS		28
85	CS 41	MITTELBERGHEIM		67
63	CQ 38	MITTELBRONN		57
64	CU 39	MITTELHAUSBERGEN		67
64	CT 38	MITTELHAUSEN		67
64	CU 38	MITTELSCHAEFFOLSHEIM		67
85	CR 44	MITTELWIHR		68
62	CO 37	MITTERSHEIM		57
84	CP 46	MITTLACH		68
51	AQ 36	MITTOIS		14
104	CP 48	MITZACH		68
147	BV 71	MIZERIEUX		42
164	CL 79	MIZOEN		38
29	AF 32	MOBECQ		50
230	DK 114	MOCA CROCE		2A
165	CP 77	MODANE	C	73
191	CD 90	MODENE		84
88	O 48	MOELAN SUR MER		29
4	BI 14	MOERES, LES		59
105	CR 52	MOERNACH		68
59	BZ 40	MOESLAINS		52
59	BQ 39	MOEURS VERDEY		51
22	BM 23	MOEUVRES		59
138	AG 70	MOEZE		17
104	CM 50	MOFFANS ET VACHERESSE		70
40	CE 33	MOGEVILLE		55
150	CJ 72	MOGNARD		73
148	CA 68	MOGNENEINS		01
35	BH 33	MOGNEVILLE		60
59	CA 38	MOGNEVILLE		55
40	CC 28	MOGUES		08
69	W 45	MOHON		56
162	CC 74	MOIDIEU DETOURBE		38
77	BH 42	MOIGNY SUR ECOLE		91
103	CL 51	MOIMAY		70
41	CH 33	MOINEVILLE		54
153	AL 75	MOINGS		17
76	BC 43	MOINVILLE LA JEULIN		28
163	CG 76	MOIRANS		38
135	CH 64	MOIRANS EN MONTAGNE	C	39
183	AT 90	MOIRAX		47
147	BY 70	MOIRE		69
59	BZ 34	MOIREMONT		51
40	CD 32	MOIREY FLABAS CREPION		55
135	CF 62	MOIRON		39
40	CC 29	MOIRY		08
91	AF 51	MOISDON LA RIVIERE	C	44
53	BJ 41	MOISENAY		77
22	BL 25	MOISLAINS		80
184	AW 90	MOISSAC	C	82
209	CL 95	MOISSAC BELLEVUE		83
189	BS 90	MOISSAC VALLEE FRANCAISE		48
142	BA 71	MOISSANNES		87
145	BO 72	MOISSAT		63
55	BH 36	MOISSELLES		95
119	CF 56	MOISSEY		39
162	CB 76	MOISSIEU SUR DOLON		38
54	BC 35	MOISSON		78
55	BI 40	MOISSY CRAMAYEL		77
116	BR 55	MOISSY MOULINOT		58
53	AY 38	MOISVILLE		27
95	AZ 48	MOISY		41
229	DN 108	MOÏTA	C	2B
29	AC 31	MOITIERS D'ALLONNE, LES		50
29	AF 31	MOITIERS EN BAUPTOIS, LES		50
101	BZ 50	MOITRON		21
73	AQ 44	MOITRON SUR SARTHE		72
59	BY 37	MOIVRE		51
61	CJ 37	MOIVRONS		54
89	X 49	MOLAC		56
34	BC 30	MOLAGNIES		76
23	BP 25	MOLAIN		02
119	CH 60	MOLAIN		39
119	CG 58	MOLAMBOZ		39
202	BB 100	MOLANDIER		11
200	AU 98	MOLAS		31
102	CG 50	MOLAY		70
119	CE 58	MOLAY		39
100	BS 50	MOLAY		89
30	AJ 33	MOLAY LITTRY, LE		14
210	CO 100	MOLE, LA		83
75	AZ 46	MOLEANS		28
159	BM 77	MOLEDES		15
216	AQ 102	MOLERE		65
100	BW 48	MOLESME		21
99	BP 51	MOLESMES		89
189	BR 89	MOLEZON		48
34	BD 29	MOLIENS		60
185	AZ 90	MOLIERES	C	82
55	BE 40	MOLIERES, LES		91
169	AU 83	MOLIERES		24
171	BD 83	MOLIERES		46
188	BQ 92	MOLIERES CAVAILLAC		30
177	CF 83	MOLIERES GLANDAZ		26
189	BV 89	MOLIERES SUR CEZE		30
180	AD 93	MOLIETS ET MAA		40
37	BP 30	MOLINCHART		02
179	CQ 83	MOLINES EN QUEYRAS		05
132	BT 64	MOLINET		03
95	AY 52	MOLINEUF		41
135	CH 65	MOLINGES		39
79	BP 45	MOLINONS		89
117	BY 58	MOLINOT		21
80	BW 42	MOLINS SUR AUBE		10
224	BH 107	MOLITG LES BAINS		66
103	CL 50	MOLLANS		70
191	CD 89	MOLLANS SUR OUVEZE		26
104	CP 48	MOLLAU		68
191	CB 93	MOLLEGES		13
146	BQ 68	MOLLES		03
164	CJ 75	MOLLETTES, LES		73
202	BC 99	MOLLEVILLE		11
21	BH 25	MOLLIENS AU BOIS		80
20	BE 26	MOLLIENS DREUIL	C	80
63	CS 40	MOLLKIRCH		67
159	BM 78	MOLOMPIZE		15
100	BT 48	MOLOSMES		89
101	CA 52	MOLOY		21
117	BV 54	MOLPHEY		21
120	CJ 60	MOLPRE		39
62	CN 36	MOLRING		57
64	CT 40	MOLSHEIM	S	67
227	DK 106	MOLTIFAO		2B
136	CI 65	MOLUNES, LES		39
198	AK 97	MOMAS		64
153	AK 79	MOMBRIER		33
216	AO 101	MOMERES		65
41	CL 33	MOMERSTROFF		57
64	CT 37	MOMMENHEIM		67
198	AI 95	MOMUY		40
199	AN 98	MOMY		64
231	DK 117	MONACIA D'AULLENE		2A
229	DN 107	MONACIA D'OREZZA		2B
37	BP 31	MONAMPTEUIL		02
198	AM 98	MONASSUT AUDIRACQ		64
187	BJ 88	MONASTERE, LE		12
173	BO 86	MONASTIER PIN MORIES, LE		48
174	BU 81	MONASTIER SUR GAZEILLE, LE	C	43
119	CF 60	MONAY		39
169	AS 85	MONBAHUS		47
184	AU 88	MONBALEN		47
200	AT 98	MONBARDON		32
169	AS 83	MONBAZILLAC		24
184	AY 93	MONBEQUI		82
200	AW 97	MONBLANC		32
200	AW 95	MONBRUN		32
226	DI 106	MONCALE		2B
200	AR 98	MONCASSIN		32
199	AN 97	MONCAUP		64
217	AT 103	MONCAUP		31
183	AS 90	MONCAUT		47
197	AH 99	MONCAYOLLE LARRORY MENDIBIEU		64
94	AR 48	MONCE EN BELIN		72
74	AS 44	MONCE EN SAOSNOIS		72
37	BQ 27	MONCEAU LE NEUF ET FAUCOUZY		02
37	BQ 29	MONCEAU LE WAAST		02
37	BP 29	MONCEAU LES LEUPS		02
23	BR 23	MONCEAU SAINT WAAST		59
37	BQ 26	MONCEAU SUR OISE		02
52	AQ 35	MONCEAUX, LES		14
35	BI 32	MONCEAUX		60
74	AU 42	MONCEAUX AU PERCHE		61
30	AK 33	MONCEAUX EN BESSIN		14
34	BD 29	MONCEAUX L'ABBAYE		60
116	BR 55	MONCEAUX LE COMTE		58
157	BD 80	MONCEAUX SUR DORDOGNE		19
62	CL 40	MONCEL LES LUNEVILLE		54
61	CK 38	MONCEL SUR SEILLE		54
82	CF 42	MONCEL SUR VAIR		88
39	CA 28	MONCELLE, LA		08
59	BY 40	MONCETZ L'ABBAYE		51
58	BW 37	MONCETZ LONGEVAS		51
103	CJ 54	MONCEY		25
20	BB 25	MONCHAUX SORENG		76
23	BO 22	MONCHAUX SUR ECAILLON		59
12	BM 20	MONCHEAUX		59
21	BH 21	MONCHEAUX LES FREVENT		62
22	BN 22	MONCHECOURT		59
21	BG 21	MONCHEL SUR CANCHE		62
61	CK 36	MONCHEUX		57
21	BI 22	MONCHIET		62
21	BJ 23	MONCHY AU BOIS		62
11	BH 20	MONCHY BRETON		62
11	BG 20	MONCHY CAYEUX		62
36	BJ 31	MONCHY HUMIERES		60
22	BM 27	MONCHY LAGACHE		80
22	BK 22	MONCHY LE PREUX		62
35	BH 33	MONCHY SAINT ELOI		60
20	BA 25	MONCHY SUR EU		76
198	AM 96	MONCLA		64
165	AS 87	MONCLAR	C	47
182	AR 92	MONCLAR		32
185	BA 92	MONCLAR DE QUERCY	C	82
199	AQ 97	MONCLAR SUR LOSSE		32
119	CH 54	MONCLEY		25
69	V 42	MONCONTOUR	C	22
110	AP 59	MONCONTOUR	C	86
200	AT 98	MONCORNEIL GRAZAN		32
62	CM 38	MONCOURT		57
125	AK 61	MONCOUTANT	C	79
183	AR 91	MONCRABEAU		47
50	AK 38	MONCY		61
200	AW 100	MONDAVEZAN		31
41	CI 33	MONDELANGE		57
58	BR 38	MONDEMENT MONTGIVROUX		51
36	BM 29	MONDESCOURT		60
72	AH 46	MONDEVERT		35
31	AN 34	MONDEVILLE		14
77	BH 42	MONDEVILLE		91
21	BH 23	MONDICOURT		62
39	BX 28	MONDIGNY		08
200	AT 99	MONDILHAN		31
111	AS 59	MONDION		86
103	CK 53	MONDON		25
201	AY 95	MONDONVILLE		31
76	BD 43	MONDONVILLE SAINT JEAN		28
41	CJ 30	MONDORFF		57
95	AW 47	MONDOUBLEAU	C	41
201	BA 96	MONDOUZIL		31
190	CA 89	MONDRAGON		84
51	AM 34	MONDRAINVILLE		14
24	BT 25	MONDREPUIS		02
54	BB 37	MONDREVILLE		78
77	BJ 46	MONDREVILLE		77
198	AJ 99	MONEIN	C	64
201	AW 98	MONES		31
218	BA 102	MONESPLE		09
131	BM 66	MONESTIER		03
160	BR 74	MONESTIER, LE		63
161	BY 78	MONESTIER		07
168	AR 83	MONESTIER		24
178	CJ 82	MONESTIER D'AMBEL		38
177	CG 81	MONESTIER DE CLERMONT	C	38
177	CH 82	MONESTIER DU PERCY, LE		38
144	BI 73	MONESTIER MERLINES		19
158	BI 75	MONESTIER PORT DIEU		19
186	BE 91	MONESTIES	C	81
202	BB 99	MONESTROL		31
131	BO 65	MONETAY SUR ALLIER		03
132	BS 64	MONETAY SUR LOIRE		03
99	BQ 49	MONETEAU		89
178	CJ 87	MONETIER ALLEMONT		05
164	CN 80	MONETIER LES BAINS, LE	C	05
168	AQ 81	MONFAUCON		24
199	AO 98	MONFAUCON		65
200	AT 97	MONFERRAN PLAVES		32
200	AW 96	MONFERRAN SAVES		32
169	AU 86	MONFLANQUIN	C	47
200	AU 94	MONFORT		32
30	AI 32	MONFREVILLE		14
183	AQ 89	MONGAILLARD		47
200	AU 97	MONGAUSY		32
168	AO 85	MONGAUZY		33
198	AJ 96	MONGET		40
182	AM 93	MONGUILHEM		32
183	AQ 88	MONHEURT		47
74	AS 44	MONHOUDOU		72
191	CF 90	MONIEUX		84

Page	Carreau	Commune	Adm. Dpt
120	CI 57	MYON	25
		N	
197	AG 99	NABAS	64
154	AQ 77	NABINAUD	16
170	AY 83	NABIRAT	24
10	BD 17	NABRINGHEN	62
139	AJ 69	NACHAMPS	17
156	AZ 80	NADAILLAC	24
170	AZ 82	NADAILLAC DE ROUGE	46
145	BL 68	NADES	03
170	BA 85	NADILLAC	46
53	AW 37	NAGEL SEEZ MESNIL	27
203	BK 95	NAGES	81
206	BW 94	NAGES ET SOLORGUES	30
223	BE 109	NAHUJA	66
155	AX 78	NAILHAC	24
129	BB 66	NAILLAT	23
202	BB 99	NAILLOUX	C 31
78	BN 45	NAILLY	89
127	AS 61	NAINTRE	86
77	BH 42	NAINVILLE LES ROCHES	91
120	CK 55	NAISEY LES GRANGES	25
60	CE 39	NAIVES EN BLOIS	55
60	CC 38	NAIVES ROSIERES	55
60	CD 40	NAIX AUX FORGES	55
69	U 46	NAIZIN	56
186	BD 89	NAJAC	C 12
127	AV 63	NALLIERS	86
124	AH 64	NALLIERS	85
223	BC 104	NALZEN	09
85	CT 47	NAMBSHEIM	68
36	BM 31	NAMPCEL	60
38	BS 27	NAMPCELLES LA COUR	02
20	BC 21	NAMPONT	80
21	BF 27	NAMPS MAISNIL	80
37	BO 33	NAMPTEUIL SOUS MURET	02
35	BG 27	NAMPTY	80
117	BW 54	NAN SOUS THIL	21
135	CE 64	NANC LES SAINT AMOUR	39
113	BF 54	NANCAY	18
135	CE 61	NANCE	39
149	CH 73	NANCES	73
140	AQ 71	NANCLARS	16
60	CD 39	NANCOIS LE GRAND	55
60	CC 39	NANCOIS SUR ORNAIN	55
138	AI 72	NANCRAS	17
120	CK 55	NANCRAY	25
77	BG 46	NANCRAY SUR RIMARDE	45
135	CF 64	NANCUISE	39
61	CI 39	NANCY	P 54
151	CN 68	NANCY SUR CLUSES	74
147	BV 68	NANDAX	42
77	BI 41	NANDY	77
77	BG 44	NANGEVILLE	45
78	BL 41	NANGIS	C 77
136	CL 67	NANGY	74
115	BN 55	NANNAY	58
120	CI 60	NANS, LES	39
104	CL 52	NANS	25
209	CJ 98	NANS LES PINS	83
120	CI 58	NANS SOUS SAINTE ANNE	25
188	BO 91	NANT	C 12
60	CC 39	NANT LE GRAND	55
60	CC 39	NANT LE PETIT	55
77	BH 44	NANTEAU SUR ESSONNE	77
78	BK 44	NANTEAU SUR LUNAIN	77
55	BF 37	NANTERRE	P 92
108	AD 55	NANTES	P 44
177	CI 81	NANTES EN RATIER	38
126	AN 64	NANTEUIL	79
154	AQ 76	NANTEUIL AURIAC DE BOURZAC	24
140	AR 69	NANTEUIL EN VALLEE	16
57	BS 34	NANTEUIL LA FORET	51
37	BO 31	NANTEUIL LA FOSSE	02
56	BK 34	NANTEUIL LE HAUDOUIN	C 60
56	BL 37	NANTEUIL LES MEAUX	77
57	BO 34	NANTEUIL NOTRE DAME	02
37	BV 30	NANTEUIL SUR AISNE	08
56	BN 36	NANTEUIL SUR MARNE	77
135	CE 64	NANTEY	39
155	AW 76	NANTHEUIL	24
155	AW 76	NANTHIAT	24
142	AY 69	NANTIAT	C 87
139	AK 70	NANTILLE	17
39	CB 32	NANTILLOIS	55
102	CF 53	NANTILLY	70
162	CD 75	NANTOIN	38
60	CD 40	NANTOIS	55
134	BZ 62	NANTON	71
56	BJ 36	NANTOUILLET	77
118	BZ 59	NANTOUX	21
149	CG 67	NANTUA	S 01
21	BG 24	NAOURS	80
41	CL 34	NARBEFONTAINE	57
121	CO 56	NARBIEF	25
221	BM 101	NARBONNE	S 11
198	AL 100	NARCASTET	64
59	CB 40	NARCY	52
115	BM 56	NARCY	58
74	BJ 46	NARGIS	45
172	BK 81	NARNHAC	15
197	AH 98	NARP	64
197	AG 94	NARROSSE	40
173	BM 84	NASBINALS	C 48
53	AV 35	NASSANDRES	27
198	AI 96	NASSIET	40
130	BI 64	NASSIGNY	03
149	AP 82	NASTRINGUES	24
149	CH 72	NATTAGES	01
85	CR 41	NATZWILLER	67
186	BH 89	NAUCELLE	C 12
172	BH 81	NAUCELLES	15
152	AG 77	NAUJAC SUR MER	33
167	AN 83	NAUJAN ET POSTIAC	33
22	BN 25	NAUROY	02
174	BS 83	NAUSSAC	48
171	BE 86	NAUSSAC	12
169	AU 83	NAUSSANNES	24
74	AS 44	NAUVAY	72
172	BH 86	NAUVIALE	12
190	BW 90	NAVACELLES	30
198	AL 98	NAVAILLES ANGOS	64
197	AH 99	NAVARRENX	C 64
95	AX 49	NAVEIL	41
103	CJ 51	NAVENNE	70
156	BC 77	NAVES	C 19
22	BN 23	NAVES	59
145	BM 67	NAVES	03
203	BF 96	NAVES	81
150	CK 69	NAVES PARMELAN	74
118	CC 58	NAVILLY	71
215	AL 100	NAY	C 64
29	AG 33	NAY	50
84	CP 43	NAYEMONT LES FOSSES	88
172	BJ 85	NAYRAC, LE	12
95	AW 53	NAZELLES NEGRON	37
167	AN 81	NEAC	33
70	Y 46	NEANT SUR YVEL	56
73	AM 45	NEAU	53
53	AV 37	NEAUFLES AUVERGNY	27
34	BC 33	NEAUFLES SAINT MARTIN	27
74	AR 41	NEAUPHE SOUS ESSAI	61
51	AQ 38	NEAUPHE SUR DIVE	61
54	BD 38	NEAUPHLE LE CHATEAU	78
54	BD 38	NEAUPHLE LE VIEUX	78
54	BB 37	NEAUPHLETTE	78
147	BV 70	NEAUX	42
205	BP 96	NEBIAN	34
227	BF 104	NEBIAS	11
62	CN 36	NEBING	57
145	BL 73	NEBOUZAT	63
51	AO 38	NECY	61
163	BD 72	NEDDE	87
11	BH 19	NEDON	62
11	BH 19	NEDONCHEL	62
64	CX 35	NEEWILLER PRES LAUTERBOURG	67
178	CK 85	NEFFES	05
204	BO 97	NEFFIES	34
224	BJ 106	NEFIACH	66
185	BA 91	NEGREPELISSE	C 82
29	AE 30	NEGREVILLE	50
155	AV 77	NEGRONDES	24
29	AE 31	NEHOU	50
62	CN 35	NELLING	57
78	BJ 44	NEMOURS	C 77
20	BC 21	NEMPONT SAINT FIRMIN	62
200	AT 99	NENIGAN	31
127	AW 61	NEONS SUR CREUSE	36
209	CK 99	NEOULES	83
144	BG 70	NEOUX	23
39	CB 30	NEPVANT	55
183	AR 90	NERAC	S 47
197	AI 94	NERBIS	40
139	AM 72	NERCILLAC	16
139	AN 69	NERE	17
129	BF 63	NERET	36
167	AM 82	NERIGEAN	33
127	AU 66	NERIGNAC	86
130	BJ 66	NERIS LES BAINS	03
136	CL 65	NERNIER	74
76	BA 40	NERON	28
147	BV 71	NERONDE	C 42
146	BP 72	NERONDE SUR DORE	63
114	BK 58	NERONDES	C 18
163	CE 77	NERPOL ET SERRES	38
189	BV 91	NERS	30
140	AP 73	NERSAC	16
147	BV 71	NERVIEUX	42
55	BG 35	NERVILLE LA FORET	95
36	BK 33	NERY	60
159	BN 74	NESCHERS	63
218	AZ 103	NESCUS	09
36	BL 28	NESLE	C 80
100	BW 49	NESLE ET MASSOULT	21
56	BR 28	NESLE HODENG	76
57	BP 40	NESLE LA REPOSTE	51
57	BQ 35	NESLE LE REPONS	51
36	BK 26	NESLE L'HOPITAL	80
20	BC 26	NESLE NORMANDEUSE	76
36	BC 18	NESLES	62
57	BP 36	NESLES LA MONTAGNE	02
55	BF 35	NESLES LA VALLEE	95
20	BC 26	NESLETTE	80
124	AE 62	NESMY	85
97	BH 47	NESPLOY	45
156	BA 80	NESPOULS	19
226	DJ 106	NESSA	2B
217	AR 102	NESTIER	65
59	BZ 37	NETTANCOURT	55
119	CD 59	NEUBLANS ABERGEMENT	39
85	CS 43	NEUBOIS	67
53	AW 34	NEUBOURG, LE	C 27
104	CO 53	NEUCHATEL URTIERE	25
12	BJ 17	NEUF BERQUIN	59
85	CT 46	NEUF BRISACH	C 68
145	BL 68	NEUF EGLISE	63
34	BC 31	NEUF MARCHE	76
23	BR 22	NEUF MESNIL	59
34	BA 29	NEUFBOSC	76
50	AI 39	NEUFBOURG, LE	50
82	CF 43	NEUFCHATEAU	S 88
34	BA 28	NEUFCHATEL EN BRAY	C 76
74	AR 43	NEUFCHATEL EN SAOSNOIS	72
10	BB 18	NEUFCHATEL HARDELOT	62
38	BS 31	NEUFCHATEL SUR AISNE	C 02
41	CH 32	NEUFCHEF	57
56	BM 35	NEUFCHELLES	60
168	AO 84	NEUFFONS	33
58	BX 34	NEUFFONTAINES	58
62	CP 34	NEUFGRANGE	57
36	BM 29	NEUFLIEUX	02
38	BX 31	NEUFLIZE	08
38	BW 27	NEUFMAISON	08
84	CO 41	NEUFMAISONS	54
25	BY 27	NEUFMANIL	08
29	AE 32	NEUFMESNIL	50
20	BD 23	NEUFMOULIN	80
62	CP 39	NEUFMOULINS	57
56	BK 39	NEUFMOUTIERS EN BRIE	77
59	CA 34	NEUFOUR, LE	55
61	CN 36	NEUFVILLAGE	57
35	BJ 30	NEUFVY SUR ARONDE	60
64	CT 39	NEUGARTHEIM ITTLENHEIM	67
64	CX 37	NEUHAEUSEL	67
111	AT 56	NEUIL	37
216	AO 102	NEUILH	65
153	AL 74	NEUILLAC	17
134	BA 61	NEUILLAY LES BOIS	36
110	AP 54	NEUILLE	49
95	AW 52	NEUILLE LE LIERRE	37
94	AT 52	NEUILLE PONT PIERRE	C 37
54	BA 37	NEUILLY	27
58	BP 56	NEUILLY	58
99	BP 48	NEUILLY	89
132	BS 62	NEUILLY EN DONJON	03
130	BK 61	NEUILLY EN DUN	18
74	BJ 55	NEUILLY EN SANCERRE	18
35	BG 34	NEUILLY EN THELLE	C 60
54	BE 34	NEUILLY EN VEXIN	95
30	AI 33	NEUILLY LA FORET	14
74	AR 41	NEUILLY LE BISSON	61
111	AR 58	NEUILLY LE BRIGNON	37
21	BE 22	NEUILLY LE DIEN	80
131	BP 64	NEUILLY LE REAL	C 03
73	AN 41	NEUILLY LE VENDIN	53
118	CB 55	NEUILLY LES DIJON	21
102	CE 47	NEUILLY L'EVEQUE	C 52
20	BD 23	NEUILLY L'HOPITAL	80
55	BI 38	NEUILLY PLAISANCE	C 93
56	BN 34	NEUILLY SAINT FRONT	C 02
35	BH 32	NEUILLY SOUS CLERMONT	60
75	AW 41	NEUILLY SUR EURE	61
55	BI 38	NEUILLY SUR MARNE	C 93
55	BG 37	NEUILLY SUR SEINE	C 92
81	CB 46	NEUILLY SUR SUIZE	52
21	BF 21	NEULETTE	62
147	BV 70	NEULISE	42
153	AL 75	NEULLES	17
69	T 44	NEULLIAC	56
96	BC 52	NEUNG SUR BEUVRON	C 41
42	CL 31	NEUNKIRCHEN LES BOUZONVILLE	57
131	BM 61	NEURE	03
103	CK 49	NEUREY EN VAUX	70
103	CK 51	NEUREY LES LA DEMIE	70
158	BL 79	NEUSSARGUES MOISSAC	15
12	BK 18	NEUVE CHAPELLE	62
85	CR 42	NEUVE EGLISE	67
34	BB 32	NEUVE GRANGE, LA	27
53	AV 37	NEUVE LYRE, LA	27
24	BT 25	NEUVE MAISON	02
137	CN 64	NEUVECELLE	74
173	BL 81	NEUVEGLISE	15
103	CJ 53	NEUVELLE LES CROMARY	70
103	CI 52	NEUVELLE LES LA CHARITE	70
104	CM 49	NEUVELLE LES LURE, LA	70
103	CH 50	NEUVELLE LES SCEY, LA	70
102	CG 48	NEUVELLE LES VOISEY	52
61	CI 40	NEUVES MAISONS	C 54
84	CN 45	NEUVEVILLE DEVANT LEPANGES, LA	88
83	CH 43	NEUVEVILLE SOUS CHATENOIS, LA	88
83	CI 44	NEUVEVILLE SOUS MONTFORT, LA	88
157	BG 76	NEUVIC	C 19
154	AS 79	NEUVIC	C 24
143	BB 72	NEUVIC ENTIER	87
153	AN 78	NEUVICQ	17
140	AN 71	NEUVICQ LE CHATEAU	17
73	AP 45	NEUVILLALAIS	72
12	BM 19	NEUVILLE, LA	59
146	BP 72	NEUVILLE	63
157	BD 79	NEUVILLE	19
39	BZ 29	NEUVILLE A MAIRE, LA	08
20	BD 25	NEUVILLE AU BOIS	80
21	BH 21	NEUVILLE AU CORNET	62
29	AG 31	NEUVILLE AU PLAIN	50
59	BZ 34	NEUVILLE AU PONT, LA	51
77	BE 46	NEUVILLE AUX BOIS	C 45
59	BZ 36	NEUVILLE AUX BOIS, LA	51
24	BU 26	NEUVILLE AUX JOUTES, LA	08
57	BS 34	NEUVILLE AUX LARRIS, LA	51
58	BE 34	NEUVILLE BOSC	60
37	BR 28	NEUVILLE BOSMONT, LA	02
22	BL 24	NEUVILLE BOURJONVAL	62
33	AZ 32	NEUVILLE CHANT D'OISEL, LA	76
20	BC 26	NEUVILLE COPPEGUEULE	80
35	BF 33	NEUVILLE D'AUMONT, LA	60
39	BY 30	NEUVILLE DAY	08
126	AQ 61	NEUVILLE DE POITOU	C 86
33	AV 34	NEUVILLE DU BOSC, LA	27
23	BP 23	NEUVILLE EN AVESNOIS	59
31	AE 31	NEUVILLE EN BEAUMONT	50
36	BM 28	NEUVILLE EN BEINE, LA	02
12	BM 16	NEUVILLE EN FERRAIN	59
35	BG 32	NEUVILLE EN HEZ, LA	60
38	BV 32	NEUVILLE EN TOURNE A FUY, LA	08
60	CC 36	NEUVILLE EN VERDUNOIS	55
34	BA 28	NEUVILLE FERRIERES	76
35	BE 32	NEUVILLE GARNIER, LA	60
37	BR 27	NEUVILLE HOUSSET, LA	02
22	BJ 26	NEUVILLE LES BRAY, LA	80
148	CB 67	NEUVILLE LES DAMES	01
131	BO 61	NEUVILLE LES DECIZE	58
23	BQ 25	NEUVILLE LES DORENGT, LA	02
35	BF 27	NEUVILLE LES LOEUILLY	80
38	BX 28	NEUVILLE LES THIS	08
60	CF 40	NEUVILLE LES VAUCOULEURS	55
38	BV 29	NEUVILLE LES WASIGNY, LA	08
24	BV 26	NEUVILLE LEZ BEAULIEU	08
52	AR 40	NEUVILLE PRES SEES	61
35	BI 31	NEUVILLE ROY, LA	60
23	BO 27	NEUVILLE SAINT AMAND	02
35	BG 30	NEUVILLE SAINT PIERRE, LA	60
22	BN 23	NEUVILLE SAINT REMY	59
22	BJ 21	NEUVILLE SAINT VAAST	62
31	BI 28	NEUVILLE SIRE BERNARD, LA	80
10	BD 20	NEUVILLE SOUS MONTREUIL	62
37	BQ 31	NEUVILLE SUR AILETTE	02
149	CE 68	NEUVILLE SUR AIN	01
32	AU 33	NEUVILLE SUR AUTHOU	27
95	AW 51	NEUVILLE SUR BRENNE	37
22	BO 22	NEUVILLE SUR ESCAUT	59
77	BH 45	NEUVILLE SUR ESSONNE, LA	45
37	BO 31	NEUVILLE SUR MARGIVAL	02
55	BE 36	NEUVILLE SUR OISE	95
59	CA 38	NEUVILLE SUR ORNAIN	55
34	BE 30	NEUVILLE SUR OUDEUIL, LA	60
36	BK 30	NEUVILLE SUR RESSONS, LA	60
148	CA 71	NEUVILLE SUR SAONE	C 69
74	AQ 46	NEUVILLE SUR SARTHE	72
80	BW 46	NEUVILLE SUR SEINE	10
52	AR 37	NEUVILLE SUR TOUQUES	61
79	BR 44	NEUVILLE SUR VANNES	10
34	BE 31	NEUVILLE VAULT, LA	60
22	BK 22	NEUVILLE VITASSE	62
85	CQ 41	NEUVILLER LA ROCHE	67
62	CO 40	NEUVILLER LES BADONVILLER	54
83	CJ 41	NEUVILLER SUR MOSELLE	54
84	CP 43	NEUVILLERS SUR FAVE	88
21	BG 23	NEUVILLETTE	80
23	BO 26	NEUVILLETTE	02
73	AN 46	NEUVILLETTE EN CHARNIE	72
119	CF 59	NEUVILLEY	39
23	BP 23	NEUVILLY	59
59	CA 34	NEUVILLY EN ARGONNE	55
22	BK 21	NEUVIREUIL	62
38	BW 29	NEUVIZY	08
57	BP 39	NEUVY	51
96	BB 52	NEUVY	41
131	BO 63	NEUVY	03
51	AO 38	NEUVY AU HOULME	61
125	AL 61	NEUVY BOUIN	79
113	BJ 55	NEUVY DEUX CLOCHERS	18
76	BD 44	NEUVY EN BEAUCE	28
73	AP 46	NEUVY EN CHAMPAGNE	72
76	BB 45	NEUVY EN DUNOIS	28
109	AJ 55	NEUVY EN MAUGES	49
97	BG 49	NEUVY EN SULLIAS	45
132	BT 63	NEUVY GRANDCHAMP	71
115	BM 60	NEUVY LE BARROIS	18
94	AT 51	NEUVY LE ROI	C 37
113	BD 60	NEUVY PAILLOUX	36
126	BC 63	NEUVY SAINT SEPULCHRE	C 36
79	BR 47	NEUVY SAUTOUR	89
114	BG 55	NEUVY SUR BARANGEON	18
98	BL 52	NEUVY SUR LOIRE	58
105	CT 51	NEUWILLER	68
63	CS 37	NEUWILLER LES SAVERNE	67
165	CO 79	NEVACHE	05
115	BM 58	NEVERS	P 58
87	N 47	NEVEZ	29
221	BL 100	NEVIAN	11
18	AV 27	NEVILLE	76
29	AG 28	NEVILLE SUR MER	50
97	BI 50	NEVOY	45
119	CF 58	NEVY LES DOLE	39
135	CG 61	NEVY SUR SEILLE	39
142	AY 73	NEXON	C 87
135	CI 61	NEY	39
150	CK 67	NEYDENS	74
149	CG 67	NEYROLLES, LES	01
148	CB 71	NEYRON	01
54	BD 37	NEZEL	78
205	BP 98	NEZIGNAN L'EVEQUE	34
92	AH 48	NIAFLES	53
222	BA 105	NIAUX	09
27	BB 24	NIBAS	80
77	BH 47	NIBELLE	45
193	CK 88	NIBLES	04
211	CU 94	NICE	P 06
100	BV 48	NICEY	21
60	CD 37	NICEY SUR AIRE	55
183	AQ 88	NICOLE	47
49	AF 35	NICORPS	50
62	CP 39	NIDERHOFF	57
62	CQ 38	NIDERVILLER	57
64	CT 35	NIEDERBRONN LES BAINS	C 67
104	CP 49	NIEDERBRUCK	68
85	CS 47	NIEDERENTZEN	68
63	CR 40	NIEDERHASLACH	67
64	CU 39	NIEDERHAUSBERGEN	67
85	CS 46	NIEDERHERGHEIM	68
64	CW 35	NIEDERLAUTERBACH	67
64	CT 37	NIEDERMODERN	67
85	CR 45	NIEDERMORSCHWIHR	68
85	CT 41	NIEDERNAI	67
64	CW 36	NIEDERROEDERN	67
64	CU 37	NIEDERSCHAEFFOLSHEIM	67
63	CS 37	NIEDERSOULTZBACH	67
64	CU 34	NIEDERSTEINBACH	67
62	CP 37	NIEDERSTINZEL	57
42	CL 33	NIEDERVISSE	57
11	BE 15	NIELLES LES ARDRES	62
10	BE 17	NIELLES LES BLEQUIN	62
10	BD 15	NIELLES LES CALAIS	62
12	BK 17	NIEPPE	59
22	BN 23	NIERGNIES	59
171	BG 81	NIEUDAN	15
143	AS 71	NIEUIL	16
127	AS 64	NIEUIL L'ESPOIR	86
142	AX 70	NIEUL	C 87
123	AD 62	NIEUL LE DOLENT	85
142	AK 76	NIEUL LE VIROUIL	17
139	AJ 71	NIEUL LES SAINTES	17
125	AJ 64	NIEUL SUR L'AUTISE	85
124	AG 67	NIEUL SUR MER	17
138	AG 72	NIEULLE SUR SEUDRE	17
16	BG 16	NIEURLET	59
148	CC 71	NIEVROZ	01
105	CT 49	NIFFER	68
112	BB 60	NIHERNE	36
82	CF 45	NIJON	52
41	CI 32	NILVANGE	57
190	BX 93	NIMES	P 30
58	CE 46	NINVILLE	52
125	AL 66	NIORT	P 79
223	BE 105	NIORT DE SAULT	11
192	CJ 92	NIOZELLES	04
204	BN 99	NISSAN LEZ ENSERUNE	34
217	AR 103	NISTOS	65
99	BS 51	NITRY	89
62	CP 39	NITTING	57
13	BO 20	NIVELLE	59
90	Y 51	NIVILLAC	56
35	BF 31	NIVILLERS	C 60
162	CE 74	NIVOLAS VERMELLE	38
149	CE 69	NIVOLLET MONTGRIFFON	01
60	CC 34	NIXEVILLE BLERCOURT	55
167	AM 86	NIZAN, LE	33
200	AS 100	NIZAN GESSE	31
205	AW 97	NIZAS	32
205	BP 97	NIZAS	34
146	BQ 68	NIZEROLLES	03
37	BT 30	NIZY LE COMTE	02
203	BH 96	NOAILHAC	81
172	BH 85	NOAILHAC	12
156	BB 80	NOAILHAC	19
168	AO 86	NOAILLAC	33
167	AL 86	NOAILLAN	33
35	BG 33	NOAILLES	C 60
156	BA 79	NOAILLES	19
186	BE 91	NOAILLES	81
176	BT 68	NOAILLY	42
173	BM 82	NOALHAC	48
156	BP 70	NOALHAT	63
32	AT 33	NOARDS	27
229	DM 107	NOCARIO	2B
74	AU 43	NOCE	C 61
229	DL 109	NOCETA	2B
133	BV 65	NOCHIZE	71
132	BS 61	NOCLE MAULAIX, LA	58
101	BX 50	NOD SUR SEINE	21
120	CL 56	NODS	25
79	BO 45	NOE	89
201	AY 99	NOE	31
91	AC 48	NOE BLANCHE, LA	35
81	BX 46	NOE LES MALLETS	10
32	AT 33	NOE POULAIN, LA	27
121	CN 56	NOEL CERNEUX	25
91	AH 50	NOELLET	49
146	BS 69	NOES, LES	42
80	BT 44	NOES PRES TROYES, LES	10
81	BF 22	NOEUX LES AUXI	62
11	BJ 20	NOEUX LES MINES	C 62
202	BD 97	NOGARET	31
199	AN 94	NOGARO	C 32
82	CD 47	NOGENT	C 52
79	BR 45	NOGENT EN OTHE	10
38	BU 33	NOGENT L'ABBESSE	51
57	BO 36	NOGENT L'ARTAUD	02
74	AT 44	NOGENT LE BERNARD	72
76	BB 42	NOGENT LE PHAYE	28
54	BA 40	NOGENT LE ROI	C 28
75	AV 43	NOGENT LE ROTROU	S 28
53	AX 37	NOGENT LE SEC	27
100	BW 51	NOGENT LES MONTBARD	21
80	BV 42	NOGENT SUR AUBE	10
75	AZ 43	NOGENT SUR EURE	28
94	AS 51	NOGENT SUR LOIR	72
55	BH 38	NOGENT SUR MARNE	S 94
35	BH 33	NOGENT SUR OISE	C 60
79	BP 42	NOGENT SUR SEINE	S 10
98	BK 49	NOGENT SUR VERNISSON	45
57	BO 36	NOGENTEL	02
135	CG 62	NOGNA	39
198	AJ 98	NOGUERES	64
145	BM 72	NOHANENT	63
114	BI 57	NOHANT EN GOUT	18
113	BD 57	NOHANT EN GRACAY	18
129	BE 62	NOHANT VIC	36
224	BG 107	NOHEDES	66
185	AZ 93	NOHIC	82
117	BW 54	NOIDAN	21
103	CH 51	NOIDANS LE FERROUX	70
103	CJ 51	NOIDANS LES VESOUL	70
102	CD 49	NOIDANT CHATENOY	52
102	CC 49	NOIDANT LE ROCHEUX	52
200	AV 97	NOILHAN	32
35	BH 32	NOINTEL	60
55	BG 35	NOINTEL	95
32	AT 29	NOINTOT	76
38	BT 29	NOIRCOURT	02
104	CO 53	NOIREFONTAINE	25
35	BG 30	NOIREMONT	60
146	BR 71	NOIRETABLE	C 42
59	BY 36	NOIRLIEU	51
106	Y 57	NOIRMOUTIER EN L'ILE	C 85
102	CF 53	NOIRON	70
118	CB 56	NOIRON SOUS GEVREY	21
102	CD 53	NOIRON SUR BEZE	21
100	BW 48	NOIRON SUR SEINE	21
119	CH 55	NOIRONTE	25
39	BY 31	NOIRVAL	08
55	BI 38	NOISEAU	94
55	BJ 38	NOISIEL	C 77
61	CJ 34	NOISSEVILLE	57
55	BI 38	NOISY LE GRAND	C 93
55	BE 38	NOISY LE ROI	78
55	BH 37	NOISY LE SEC	C 93
78	BL 43	NOISY RUDIGNON	77
77	BI 43	NOISY SUR ECOLE	77
55	BG 35	NOISY SUR OISE	95
95	AW 53	NOIZAY	37
169	AU 83	NOJALS ET CLOTTE	24
34	BB 32	NOJEON EN VEXIN	27
117	BY 59	NOLAY	C 21
115	BO 57	NOLAY	58
34	BA 30	NOLLEVAL	76
146	BT 71	NOLLIEUX	42
12	BN 19	NOMAIN	59
183	AS 90	NOMDIEU	47
81	CB 42	NOMECOURT	52
61	CJ 37	NOMENY	C 54
83	CK 43	NOMEXY	88
104	CO 51	NOMMAY	25
84	CO 43	NOMPATELIZE	88
154	AP 76	NONAC	16
53	AY 39	NONANCOURT	C 27
30	AL 33	NONANT	14
52	AR 39	NONANT LE PIN	61
157	BC 80	NONARDS	19
153	AN 74	NONAVILLE	16
82	CC 42	NONCOURT SUR LE RONGEANT	52
159	BO 75	NONETTE	63
150	CJ 70	NONGLARD	74
62	CO 40	NONHIGNY	54
175	BX 81	NONIERES	07
60	CG 36	NONSARD LAMARCHE	55
155	AT 74	NONTRON	S 24
78	BK 44	NONVILLE	77
83	CI 46	NONVILLE	88
75	AY 43	NONVILLIERS GRANDHOUX	28
227	DM 103	NONZA	2B
84	CM 43	NONZEVILLE	88
11	BH 16	NOORDPEENE	59
11	BF 16	NORDAUSQUES	62
64	CS 39	NORDHEIM	67
85	CU 41	NORDHOUSE	67
22	BL 23	NOREUIL	62
101	CB 53	NORGES LA VILLE	21
52	AU 40	NORMANDEL	61
53	AY 35	NORMANVILLE	27
32	AU 28	NORMANVILLE	76
117	BW 54	NORMIER	21
32	AR 34	NOROLLES	14
30	AK 33	NORON LA POTERIE	14
51	AN 37	NORON L'ABBAYE	14
35	BI 31	NOROY	60
103	CK 51	NOROY LE BOURG	C 70
36	BN 34	NOROY SUR OURCQ	02
11	BH 18	NORRENT FONTES	C 62
31	AP 37	NORREY EN AUGE	14
59	BX 39	NORROIS	51
83	CH 44	NORROY	88
40	CG 32	NORROY LE SEC	54
41	CI 33	NORROY LE VENEUR	57
61	CH 36	NORROY LES PONT A MOUSSON	54
11	BF 16	NORT LEULINGHEM	62
91	AE 53	NORT SUR ERDRE	C 44
11	BE 15	NORTKERQUE	62
32	AU 31	NORVILLE	76
77	BG 41	NORVILLE, LA	91
192	CI 88	NOSSAGE ET BENEVENT	05
84	CM 42	NOSSONCOURT	88
88	R 48	NOSTANG	56
128	BB 67	NOTH	23
85	CS 42	NOTHALTEN	67
19	AZ 26	NOTRE DAME D'ALIERMONT	76
109	AL 55	NOTRE DAME D'ALLENCON	49
151	CN 71	NOTRE DAME DE BELLECOMBE	73
33	AV 30	NOTRE DAME DE BLIQUETUIT	76
147	BU 69	NOTRE DAME DE BOISSET	42
33	AX 31	NOTRE DAME DE BONDEVILLE	C 76
49	AG 35	NOTRE DAME DE CENILLY	50
163	CH 80	NOTRE DAME DE COMMIERS	38
52	AR 36	NOTRE DAME DE COURSON	14
32	AU 30	NOTRE DAME DE GRAVENCHON	76
189	BS 91	NOTRE DAME DE LA ROUVIERE	30
54	BA 34	NOTRE DAME DE L'ISLE	27
51	AQ 34	NOTRE DAME DE LIVAYE	14
49	AG 38	NOTRE DAME DE LIVOYE	50
189	BS 93	NOTRE DAME DE LONDRES	34
163	CF 77	NOTRE DAME DE L'OSIER	38
163	CH 79	NOTRE DAME DE MESAGE	38
106	Y 59	NOTRE DAME DE MONTS	85
107	AA 60	NOTRE DAME DE RIEZ	85
155	AU 79	NOTRE DAME DE SANILHAC	24
163	CH 80	NOTRE DAME DE VAULX	38
50	AI 34	NOTRE DAME D'ELLE	50
32	AU 34	NOTRE DAME D'EPINE	27
91	AC 53	NOTRE DAME DES LANDES	44
150	CM 73	NOTRE DAME DES MILLIERES	73
51	AP 34	NOTRE DAME D'ESTREES	14
94	AU 53	NOTRE DAME D'OE	37
32	AR 29	NOTRE DAME DU BEC	76
164	CL 76	NOTRE DAME DU CRUET	73
52	AT 37	NOTRE DAME DU HAMEL	27
33	AY 28	NOTRE DAME DU PARC	76
93	AN 50	NOTRE DAME DU PE	72
165	CO 74	NOTRE DAME DU PRE	73
51	AM 38	NOTRE DAME DU ROCHER	61

Page	Carreau	Commune	Adm. Dpt
50	AI 40	NOTRE DAME DU TOUCHET	.50
76	BA 46	NOTTONVILLE	.28
143	BE 71	NOUAILLE, LA	.23
127	AS 63	NOUAILLE MAUPERTUIS	.86
29	AD 28	NOUAINVILLE	.50
97	BE 52	NOUAN LE FUZELIER	.41
74	AR 44	NOUANS	.72
112	AZ 57	NOUANS LES FONTAINES	.37
39	CA 31	NOUART	.08
111	AT 58	NOUATRE	.37
70	AA 44	NOUAYE, LA	.35
57	BQ 39	NOUE, LA	.51
201	BA 98	NOUEILLES	.31
200	AU 95	NOUGAROULET	.32
130	BH 66	NOUHANT	.23
141	AW 69	NOUIC	.87
199	AO 98	NOUILHAN	.65
139	AJ 70	NOUILLERS, LES	.17
40	CF 32	NOUILLONPONT	.55
41	CJ 34	NOUILLY	.57
183	AP 94	NOULENS	.32
35	BH 31	NOURARD LE FRANC	.60
95	AX 50	NOURRAY	.41
197	AH 94	NOUSSE	.40
43	CR 34	NOUSSEVILLER LES BITCHE	.57
42	CO 34	NOUSSEVILLER SAINT NABOR	.57
198	AM 100	NOUSTY	.64
11	BE 15	NOUVELLE EGLISE	.62
20	BD 22	NOUVION	C .80
23	BR 25	NOUVION EN THIERACHE, LE	C .02
37	BP 28	NOUVION ET CATILLON	.02
37	BP 28	NOUVION LE COMTE	.02
37	BQ 30	NOUVION LE VINEUX	.02
39	BY 28	NOUVION SUR MEUSE	.08
71	AD 46	NOUVOITOU	.35
36	BN 31	NOUVRON VINGRE	.02
129	BF 65	NOUZERINES	.23
129	BC 65	NOUZEROLLES	.23
129	BD 65	NOUZIERS	.23
94	AU 52	NOUZILLY	.37
25	BY 27	NOUZONVILLE	C .08
160	BQ 76	NOVACELLES	.63
149	CH 73	NOVALAISE	.73
229	DN 108	NOVALE	.2B
61	CH 35	NOVEANT SUR MOSELLE	.57
137	CP 64	NOVEL	.74
227	DK 105	NOVELLA	.2B
191	CB 93	NOVES	.13
61	CG 37	NOVIANT AUX PRES	.54
104	CP 51	NOVILLARD	.90
120	CJ 54	NOVILLARS	.25
35	BG 33	NOVILLERS	.60
38	BW 29	NOVION PORCIEN	C .08
38	BW 30	NOVY CHEVRIERES	.08
69	X 41	NOYAL	.22
71	AD 46	NOYAL CHATILLON SUR SEICHE	.35
89	W 51	NOYAL MUZILLAC	.56
69	U 45	NOYAL PONTIVY	.56
71	AD 42	NOYAL SOUS BAZOUGES	.35
91	AF 49	NOYAL SUR BRUTZ	.44
71	AE 45	NOYAL SUR VILAINE	.35
23	BP 26	NOYALES	.02
89	V 50	NOYALO	.56
93	AQ 52	NOYANT	C .49
131	BM 64	NOYANT D'ALLIER	.03
111	AT 57	NOYANT DE TOURAINE	.37
37	BO 32	NOYANT ET ACONIN	.02
92	AI 50	NOYANT LA GRAVOYERE	.49
109	AM 55	NOYANT LA PLAINE	.49
163	CG 77	NOYAREY	.38
21	BI 22	NOYELLE VION	.62
20	BE 23	NOYELLES EN CHAUSSEE	.80
12	BL 20	NOYELLES GODAULT	.62
21	BF 21	NOYELLES LES HUMIERES	.62
12	BL 18	NOYELLES LES SECLIN	.59
12	BJ 19	NOYELLES LES VERMELLES	.62
22	BL 21	NOYELLES SOUS BELLONNE	.62
12	BK 20	NOYELLES SOUS LENS	C .62
22	BM 23	NOYELLES SUR ESCAUT	.59
20	BC 23	NOYELLES SUR MER	.80
23	BR 23	NOYELLES SUR SAMBRE	.59
23	BO 22	NOYELLES SUR SELLE	.59
21	BI 21	NOYELLETTE	.62
93	AO 48	NOYEN SUR SARTHE	.72
79	BO 42	NOYEN SUR SEINE	.77
114	BJ 54	NOYER, LE	.18
150	CK 72	NOYER, LE	.73
178	CK 83	NOYER, LE	.05
53	AV 36	NOYER EN OUCHE, LE	.27
100	BT 50	NOYERS	C .89
34	BC 33	NOYERS	.27
82	CE 46	NOYERS	.52
97	BI 48	NOYERS	.45
59	CA 37	NOYERS AUZECOURT	.55
50	AL 34	NOYERS BOCAGE	.14
39	BZ 28	NOYERS PONT MAUGIS	.08
35	BG 30	NOYERS SAINT MARTIN	.60
112	BA 55	NOYERS SUR CHER	.41
192	CI 89	NOYERS SUR JABRON	C .04
36	BL 29	NOYON	C .60
91	AD 51	NOZAY, LE	C .44
55	BG 40	NOZAY	.91
80	BT 41	NOZAY	.10
120	CJ 60	NOZEROY	C .39
130	BH 61	NOZIERES	.18
161	BY 80	NOZIERES	.07
109	AJ 57	NUAILLE	.49
124	AH 66	NUAILLE D'AUNIS	.17
139	AL 69	NUAILLE SUR BOUTONNE	.17
116	BR 54	NUARS	.58
59	CB 36	NUBECOURT	.55
54	BD 34	NUCOURT	.95
109	AK 59	NUEIL LES AUBIERS	.79
110	AR 58	NUEIL SOUS FAYE	.86
109	AM 57	NUEIL SUR LAYON	.49
147	BY 71	NUELLES	.69
74	AT 47	NUILLE LE JALAIS	.72
72	AJ 47	NUILLE SUR VICOIN	.53
58	BV 37	NUISEMENT SUR COOLE	.51
100	BU 50	NUITS	.89
118	CA 56	NUITS SAINT GEORGES	C .21
34	BC 27	NULLEMONT	.76
81	BZ 43	NULLY	.52
21	BG 21	NUNCQ HAUTECOTE	.62
128	AZ 62	NURET LE FERRON	.36
135	CF 67	NURIEUX VOLOGNAT	.01
22	BL 25	NURLU	.80
170	AZ 86	NUZEJOULS	.46
224	BG 108	NYER	.66
92	AI 50	NYOISEAU	.49
191	CD 87	NYONS	S .26
		O	
85	CU 42	OBENHEIM	.67
64	CT 35	OBERBRONN	.67
104	CP 48	OBERBRUCK	.68
105	CS 51	OBERDORF	.68
64	CU 35	OBERDORF SPACHBACH	.67
42	CM 32	OBERDORFF	.57
85	CS 47	OBERENTZEN	.68
43	CQ 34	OBERGAILBACH	.57
63	CR 40	OBERHASLACH	.67
64	CU 39	OBERHAUSBERGEN	.67
85	CS 46	OBERHERGHEIM	.68
64	CV 34	OBERHOFFEN LES WISSEMBOURG	.67
64	CV 37	OBERHOFFEN SUR MODER	.67
105	CR 52	OBERLARG	.68
64	CW 35	OBERLAUTERBACH	.67
64	CT 37	OBERMODERN ZUTZENDORF	.67
85	CR 46	OBERMORSCHWIHR	.68
105	CS 50	OBERMORSCHWILLER	.68
85	CT 41	OBERNAI	C .67
64	CW 35	OBERROEDERN	.67
85	CT 46	OBERSAASHEIM	.68
64	CT 39	OBERSCHAEFFOLSHEIM	.67
63	CS 36	OBERSOULTZBACH	.67
64	CT 34	OBERSTEINBACH	.67
62	CP 37	OBERSTINZEL	.57
42	CM 33	OBERVISSE	.57
23	BR 22	OBIES	.59
156	AZ 78	OBJAT	.19
11	BI 19	OBLINGHEM	.62
24	BT 22	OBRECHIES	.59
62	CM 37	OBRECK	.57
77	BI 45	OBSONVILLE	.77
112	AX 59	OBTERRE	.36
101	BX 48	OBTREE	.21
228	DJ 112	OCANA	.2A
51	AP 38	OCCAGNES	.61
102	CD 51	OCCEY	.52
226	DJ 105	OCCHIATANA	.2B
21	BG 23	OCCOCHES	.80
20	BB 24	OCHANCOURT	.80
39	BZ 30	OCHES	.08
61	CH 40	OCHEY	.54
11	BH 16	OCHTEZEELE	.59
56	BM 36	OCQUERRE	.77
18	AU 27	OCQUEVILLE	.76
29	AF 29	OCTEVILLE L'AVENEL	.50
32	AQ 30	OCTEVILLE SUR MER	.76
204	BO 95	OCTON	.34
201	BB 97	ODARS	.31
147	BY 68	ODENAS	.69
104	CP 47	ODEREN	.68
13	BP 20	ODOMEZ	.59
216	AO 100	ODOS	.65
64	CT 39	ODRATZHEIM	.67
83	CI 43	OELLEVILLE	.88
62	CP 35	OERMINGEN	.67
42	CO 33	OETING	.57
21	BF 21	OEUF EN TERNOIS	.62
37	BQ 32	OEUILLY	.02
57	BR 35	OEUILLY	.51
197	AF 96	OEYREGAVE	.40
197	AF 95	OEYRELUY	.40
10	BE 14	OFFEKERQUE	.62
104	CO 50	OFFEMONT	C .90
64	CW 38	OFFENDORF	.67
34	BD 27	OFFIGNIES	.80
10	BE 20	OFFIN	.62
119	CF 55	OFFLANGES	.39
35	BE 28	OFFOY	.60
36	BL 28	OFFOY	.80
19	AX 26	OFFRANVILLE	C .76
10	BC 16	OFFRETHUN	.62
83	CI 43	OFFROICOURT	.88
64	CT 36	OFFWILLER	.67
197	AI 99	OGENNE CAMPTORT	.64
58	BT 36	OGER	.51
215	AJ 101	OGEU LES BAINS	.64
62	CN 40	OGEVILLER	.54
227	DM 102	OGLIASTRO	.2B
57	BS 39	OGNES	.51
36	BN 29	OGNES	.02
56	BK 35	OGNES	.60
83	CI 41	OGNEVILLE	.54
36	BL 28	OGNOLLES	.60
35	BJ 33	OGNON	.60
61	CJ 34	OGY	.57
24	BT 24	OHAIN	.59
32	AU 28	OHERVILLE	.76
24	BT 26	OHIS	.02
64	CU 37	OHLUNGEN	.67
85	CT 44	OHNENHEIM	.67
108	AG 60	OIE, L'	.85
103	CH 49	OIGNEY	.70
12	BL 20	OIGNIES	.62
75	AW 46	OIGNY	.41
101	BY 52	OIGNY	.21
36	BM 34	OIGNY EN VALOIS	.02
147	BY 70	OINGT	.69
76	BD 45	OINVILLE SAINT LIPHARD	.28
76	BC 42	OINVILLE SOUS AUNEAU	.28
54	BD 36	OINVILLE SUR MONTCIENT	.78
110	AO 59	OIRON	.79
58	BT 36	OIRY	.51
103	CI 53	OISELAY ET GRACHAUX	.70
20	BC 25	OISEMONT	C .80
102	CD 53	OISILLY	.21
112	AZ 54	OISLY	.41
76	BE 46	OISON	.45
72	AK 43	OISSEAU	.53
73	AQ 43	OISSEAU LE PETIT	.72
33	AX 32	OISSEL	.76
56	BK 35	OISSERY	.77
21	BE 26	OISSY	.80
23	BO 21	OISY	.59
23	BQ 25	OISY	.02
99	BP 53	OISY	.58
22	BM 22	OISY LE VERGER	.62
93	AQ 49	OIZE	.72
97	BI 53	OIZON	.18
204	BL 97	OLARGUES	C .34
145	BL 72	OLBY	.63
227	DM 102	OLCANI	.2B
199	AO 100	OLEAC DEBAT	.65
216	AP 101	OLEAC DESSUS	.65
187	BI 88	OLEMPS	.12
51	AO 36	OLENDON	.14
227	DM 104	OLETTA	C .2B
224	BG 108	OLETTE	C .66
231	DK 113	OLIVESE	.2A
96	BD 49	OLIVET	C .45
72	AI 45	OLIVET	.53
57	BR 34	OLIZY	.51
39	BY 32	OLIZY PRIMAT	.08
39	CB 29	OLIZY SUR CHIERS	.55
77	BF 41	OLLAINVILLE	.91
82	CG 44	OLLAINVILLE	.88
103	CK 53	OLLANS	.25
75	AZ 43	OLLE	.28
40	CG 34	OLLEY	.54
36	BM 28	OLLEZY	.02
150	CK 69	OLLIERES, LES	.74
209	CJ 97	OLLIERES	.83
175	BZ 82	OLLIERES SUR EYRIEUX, LES	.07
146	BR 73	OLLIERGUES	C .63
212	CJ 101	OLLIOULES	C .83
145	BM 74	OLLOIX	.63
147	BY 70	OLMES, LES	.69
146	BR 73	OLMET	.63
204	BO 95	OLMET ET VILLECUN	.34
227	DM 103	OLMETA DI CAPOCORSO	.2B
227	DM 105	OLMETA DI TUDA	.2B
230	DK 115	OLMETO	C .2A
226	DK 106	OLMI CAPPELLA	.2B
231	DK 115	OLMICCIA	.2A
227	DN 106	OLMO	.2B
123	AB 63	OLONNE SUR MER	.85
203	BJ 100	OLONZAC	C .34
198	AJ 100	OLORON SAINTE MARIE	S .64
171	BE 86	OLS ET RINHODES	.12
105	CS 52	OLTINGUE	.68
64	CU 38	OLWISHEIM	.67
176	CD 82	OMBLEZE	.26
34	BD 29	OMECOURT	.60
83	CI 41	OMELMONT	.54
192	CH 89	OMERGUES, LES	.04
54	BC 34	OMERVILLE	.95
229	DL 107	OMESSA	.2B
167	AM 84	OMET	.33
216	AN 102	OMEX	.65
58	BW 38	OMEY	.51
39	BY 29	OMICOURT	.08
22	BK 27	OMIECOURT	.80
22	BN 26	OMISSY	.02
52	AQ 38	OMMEEL	.61
62	CM 38	OMMERAY	.57
51	AP 37	OMMOY	.61
39	BY 29	OMONT	C .08
19	AX 27	OMONVILLE	.76
28	AC 27	OMONVILLE LA PETITE	.50
29	AC 27	OMONVILLE LA ROGUE	.50
172	BG 82	OMPS	.15
224	BJ 108	OMS	.66
104	CN 52	ONANS	.25
181	AH 94	ONARD	.40
102	CG 53	ONAY	.70
149	CF 69	ONCIEU	.01
83	CK 44	ONCOURT	.88
77	BH 43	ONCY SUR ECOLE	.91
50	AK 36	ONDEFONTAINE	.14
201	AY 94	ONDES	.31
196	AC 96	ONDRES	.40
77	BH 45	ONDREVILLE SUR ESSONNE	.45
180	AF 90	ONESSE ET LAHARIE	.40
187	BI 87	ONET LE CHATEAU	.12
20	BE 23	ONEUX	.80
192	CI 91	ONGLES	.04
120	CI 60	ONGLIERES	.39
80	BV 43	ONJON	.10
116	BS 59	ONLAY	.58
23	BP 21	ONNAING	.59
137	CN 67	ONNION	.74
135	CG 64	ONOZ	.39
34	BD 31	ONS EN BRAY	.60
149	CI 72	ONTEX	.73
61	CH 35	ONVILLE	.54
95	AY 53	ONZAIN	.41
217	AS 105	OO	.31
11	BI 15	OOST CAPPEL	.59
211	CS 94	OPIO	.06
221	BL 104	OPOUL PERILLOS	.66
191	CD 93	OPPEDE	.84
192	CH 92	OPPEDETTE	.04
103	CL 51	OPPENANS	.70
22	BL 21	OPPY	.62
149	CE 72	OPTEVOZ	.38
197	AG 97	ORAAS	.64
140	AO 70	ORADOUR	.16
173	BL 81	ORADOUR	.15
141	AU 68	ORADOUR FANAIS	.16
128	AW 67	ORADOUR SAINT GENEST	.87
142	AW 70	ORADOUR SUR GLANE	.87
141	AV 72	ORADOUR SUR VAYRES	C .87
102	CE 51	ORAIN	.21
38	BT 32	ORAINVILLE	.02
192	CJ 92	ORAISON	.04
191	CA 90	ORANGE	C .84
135	CE 62	ORBAGNA	.39
57	BQ 36	ORBAIS L'ABBAYE	.51
186	BF 93	ORBAN	.81
52	AS 36	ORBEC	C .14
159	BO 74	ORBEIL	.63
200	AS 97	ORBESSAN	.32
85	CQ 45	ORBEY	.68
112	AY 56	ORBIGNY	.37
102	CE 48	ORBIGNY AU MONT	.52
102	CD 48	ORBIGNY AU VAL	.52
125	AI 64	ORBRIE, L'	.85
113	BF 55	ORCAY	.41
76	BD 41	ORCEMONT	.78
130	BH 61	ORCENAIS	.18
145	BN 73	ORCET	.63
102	CC 49	ORCEVAUX	.52
95	AY 52	ORCHAISE	.41
119	CG 56	ORCHAMPS	.39
120	CM 56	ORCHAMPS VENNES	.25
110	AR 59	ORCHES	.86
12	BN 20	ORCHIES	C .59
137	CM 65	ORCIER	.74
178	CM 83	ORCIERES	C .05
176	CD 85	ORCINAS	.26
145	BM 72	ORCINES	.63
145	BL 73	ORCIVAL	.63
59	BY 40	ORCONTE	.51
200	AR 95	ORDAN LARROQUE	.32
197	AG 100	ORDIARP	.64
216	AP 101	ORDIZAN	.65
152	AI 77	ORDONNAC	.33
149	CF 71	ORDONNAZ	.01
217	AT 103	ORE	.31
197	AE 98	OREGUE	.64
224	BG 108	OREILLA	.66
165	CN 77	ORELLE	.73
35	BG 27	ORESMAUX	.80
200	AR 100	ORGAN	.65
121	CO 54	ORGEANS BLANCHEFONTAINE	.25
141	AS 73	ORGEDEUIL	.16
223	BD 106	ORGEIX	.09
135	CF 63	ORGELET	C .39
52	AS 38	ORGERES	.61
71	AD 46	ORGERES	.35
76	BC 46	ORGERES EN BEAUCE	C .28
54	BC 38	ORGERUS	.78
81	CA 46	ORGES	.52
118	CC 54	ORGEUX	.21
54	BE 37	ORGEVAL	.78
37	BQ 30	ORGEVAL	.02
217	AV 103	ORGIBET	.09
29	AF 31	ORGLANDES	.50
190	BX 88	ORGNAC L'AVEN	.07
156	BA 77	ORGNAC SUR VEZERE	.19
207	CC 94	ORGON	C .13
185	AZ 93	ORGUEIL	.82
103	CL 51	ORICOURT	.70
199	AQ 100	ORIEUX	.65
216	AP 101	ORIGNAC	.65
92	AK 47	ORIGNE	.53
167	AK 86	ORIGNE	.33
153	AM 78	ORIGNOLLES	.17
101	BY 50	ORIGNY	.21
24	BS 26	ORIGNY EN THIERACHE	.02
74	AT 43	ORIGNY LE BUTIN	.61
74	AS 43	ORIGNY LE ROUX	.61
79	BR 42	ORIGNY LE SEC	.10
23	BP 27	ORIGNY SAINTE BENOITE	.02
198	AI 100	ORIN	.64
216	AO 101	ORINCLES	.65
61	CK 37	ORIOCOURT	.57
162	CE 80	ORIOL EN ROYANS	.26
153	AN 76	ORIOLLES	.16
197	AH 98	ORION	.64
178	CI 81	ORIS EN RATTIER	.38
197	AE 95	ORIST	.40
33	AX 32	ORIVAL	.76
154	AP 77	ORIVAL	.16
96	BD 48	ORLEANS	P .45
145	BP 71	ORLEAT	.63
199	AO 100	ORLEIX	.65
169	AW 84	ORLIAC	.24
157	BC 76	ORLIAC DE BAR	.19
170	AZ 81	ORLIAGUET	.24
148	BZ 73	ORLIENAS	.69
76	BD 43	ORLU	.28
223	BD 106	ORLU	.09
55	BH 39	ORLY	C .94
56	BN 37	ORLY SUR MORIN	.77
102	CC 48	ORMANCEY	.52
103	CK 52	ORMENANS	.70
43	CR 33	ORMERSVILLER	.57
38	BS 33	ORMES	.51
53	AW 35	ORMES	.27
111	AT 58	ORMES, LES	.86
99	BO 49	ORMES, LES	.89
96	BD 48	ORMES	.45
80	BT 41	ORMES	.10
134	CB 62	ORMES	.71
83	CJ 41	ORMES ET VILLE	.54
78	BN 42	ORMES SUR VOULZIE, LES	.77
78	BJ 44	ORMESSON	.77
55	BI 38	ORMESSON SUR MARNE	C .94
103	CK 49	ORMOICHE	.70
54	BA 40	ORMOY	.28
99	BQ 48	ORMOY	.89
77	BH 41	ORMOY	.91
103	CI 48	ORMOY	.70
77	BF 43	ORMOY LA RIVIERE	.91
36	BL 34	ORMOY LE DAVIEN	.60
81	CB 44	ORMOY LES SEXFONTAINES	.52
56	BK 34	ORMOY VILLERS	.60
162	CD 76	ORNACIEUX	.38
221	BL 101	ORNAISONS	.11
120	CJ 56	ORNANS	C .25
40	CD 33	ORNES	.55
136	CJ 66	ORNEX	.01
200	AS 97	ORNEZAN	.32
170	BB 86	ORNIAC	.46
223	BB 105	ORNOLAC USSAT LES BAINS	.09
164	CJ 79	ORNON	.38
61	CJ 35	ORNY	.57
35	BF 31	OROER	.60
199	AN 99	OROIX	.65
61	CL 36	ORON	.57
126	AO 61	OROUX	.79
76	BC 41	ORPHIN	.78
192	CH 88	ORPIERRE	C .05
82	CD 43	ORQUEVAUX	.52
179	CO 85	ORRES, LES	.05
101	BY 51	ORRET	.21
197	AH 98	ORRIULE	.64
75	AZ 43	ORROUER	.28
36	BK 33	ORROUY	.60
55	BI 34	ORRY LA VILLE	.60
23	BQ 24	ORS	.59
190	BZ 90	ORSAN	.30
197	AF 99	ORSANCO	.64
120	CL 55	ORSANS	.25
219	BE 101	ORSANS	.11
55	BF 39	ORSAY	C .91
85	CR 47	ORSCHWIHR	.68
85	CS 43	ORSCHWILLER	.67
129	BC 64	ORSENNES	.36
23	BP 22	ORSINVAL	.59
159	BO 75	ORSONNETTE	.63
76	BD 42	ORSONVILLE	.78
225	BL 107	ORTAFFA	.66
229	DN 108	ORTALE	.2B
197	AE 96	ORTHEVIELLE	.40
197	AH 97	ORTHEZ	C .64
189	BU 93	ORTHOUX SERIGNAC QUILHAN	.30
80	BV 41	ORTILLON	.10
227	DM 106	ORTIPORIO	.2B
228	DJ 110	ORTO	.2A
84	CL 42	ORTONCOURT	.88
222	BA 105	ORUS	.09
49	AF 35	ORVAL	.50
130	BH 61	ORVAL	.18
107	AC 55	ORVAULT	C .44
53	AX 37	ORVAUX	.27
104	CM 54	ORVE	.25
77	BG 42	ORVEAU	.91
77	BG 44	ORVEAU BELLESAUVE	.45
21	BH 23	ORVILLE	.62
52	AR 37	ORVILLE	.61
102	CC 52	ORVILLE	.21
113	BC 57	ORVILLE	.36
77	BH 44	ORVILLE	.45
36	BJ 30	ORVILLERS SOREL	.60
54	BB 38	ORVILLIERS	.78
79	BS 42	ORVILLIERS SAINT JULIEN	.10
196	AC 95	ORX	.40
198	AJ 98	OS MARSILLON	.64
228	DG 108	OSANI	.2A
60	CC 35	OSCHES	.55
85	CR 46	OSENBACH	.68
118	CA 60	OSLON	.71
36	BN 31	OSLY COURTIL	.02
30	AH 32	OSMANVILLE	.14
114	BJ 59	OSMERY	.18
199	AQ 99	OSMETS	.65
54	BC 37	OSMOY	.78
114	BI 58	OSMOY	.18
19	AZ 27	OSMOY SAINT VALERY	.76
82	CC 41	OSNE LE VAL	.52
39	CB 28	OSNES	.08
55	BF 35	OSNY	.95
197	AH 96	OSSAGES	.40
214	AG 101	OSSAS SUHARE	.64
120	CK 55	OSSE	.25
71	AE 46	OSSE	.35
215	AI 102	OSSE EN ASPE	.64
223	BE 109	OSSEJA	.66
119	CH 56	OSSELLE	.25
216	AN 102	OSSEN	.65
197	AH 98	OSSENX	.64
197	AG 98	OSSERAIN RIVAREYTE	.64
196	AD 99	OSSES	.64
79	BR 42	OSSEY LES TROIS MAISONS	.10
216	AN 101	OSSUN	C .65
216	AO 102	OSSUN EZ ANGLES	.65
197	AF 99	OSTABAT ASME	.64
37	BP 31	OSTEL	.02
85	CS 44	OSTHEIM	.68
64	CT 39	OSTHOFFEN	.67
85	CU 41	OSTHOUSE	.67
11	BH 20	OSTREVILLE	.62
12	BM 20	OSTRICOURT	.59
64	CU 40	OSTWALD	.67
228	DI 109	OTA	.2A
40	CD 30	OTHE	.54
55	BJ 35	OTHIS	.77
41	CH 31	OTTANGE	.57
63	CR 38	OTTERSTHAL	.67
63	CS 38	OTTERSWILLER	.67
105	CT 48	OTTMARSHEIM	.68
41	CL 33	OTTONVILLE	.57
85	CS 41	OTTROTT	.67
63	CQ 36	OTTWILLER	.67
116	BP 54	OUAGNE	.58
18	AU 27	OUAINVILLE	.76
99	BP 51	OUANNE	.89
76	BC 43	OUARVILLE	.28
30	AI 32	OUBEAUX, LES	.14
95	AZ 53	OUCHAMPS	.41
146	BT 69	OUCHES	.42
95	AZ 49	OUCQUES	.41
32	AS 30	OUDALLE	.76
115	BO 54	OUDAN	.58
35	BE 30	OUDEUIL	.60
11	BI 16	OUDEZEELE	.59
81	CB 44	OUDINCOURT	.52
51	AP 36	OUDON, L'	.14
108	AF 54	OUDON	.44
41	CK 31	OUDRENNE	.57
133	BU 63	OUDRY	.71
216	AP 101	OUEILLOUX	.65
54	BA 39	OUERRE	.28
44	E 40	OUESSANT	C .29
51	AM 35	OUFFIERES	.14
102	CG 49	OUGE	.70
118	CB 55	OUGES	.21
119	CG 55	OUGNEY	.39
120	CK 54	OUGNEY DOUVOT	.25
116	BR 57	OUGNY	.58
120	CL 58	OUHANS	.25
174	BS 81	OUIDES	.43
198	AM 99	OUILLON	.64
52	AS 34	OUILLY DU HOULEY	.14
51	AO 36	OUILLY LE TESSON	.14
52	AR 34	OUILLY LE VICOMTE	.14
31	AO 33	OUISTREHAM	C .14
128	AZ 63	OULCHES	.36
37	BQ 31	OULCHES LA VALLEE FOULON	.02
37	BO 34	OULCHY LA VILLE	.02
37	BO 34	OULCHY LE CHATEAU	C .02
54	BA 38	OULINS	.28
164	CJ 79	OULLES	.38
148	CA 72	OULLINS	C .69
125	AJ 64	OULMES	.85
115	BP 56	OULON	.58
119	CG 58	OUNANS	.39
203	BK 100	OUPIA	.34
119	CG 56	OUR	.39
176	CC 82	OURCHES	.26
60	CF 39	OURCHES SUR MEUSE	.55
217	AS 103	OURDE	.65
216	AO 102	OURDIS COTDOUSSAN	.65
216	AN 102	OURDON	.65
115	BO 58	OUROUER	.58
114	BK 59	OUROUER LES BOURDELINS	.18
133	BY 67	OUROUX	.69
116	BT 56	OUROUX EN MORVAN	.58
133	BW 65	OUROUX SOUS LE BOIS SAINTE MARIE	.71
134	CA 61	OUROUX SUR SAONE	.71
199	AO 99	OURSBELILLE	.65
35	BF 29	OURSEL MAISON	.60
11	BI 20	OURTON	.62
32	AU 28	OURVILLE EN CAUX	C .76
198	AL 99	OUSSE	.64
181	AH 92	OUSSE SUZAN	.40
119	CF 59	OUSSIERES	.39
98	BK 52	OUSSON SUR LOIRE	.45
97	BJ 48	OUSSOY EN GATINAIS	.45
222	AX 104	OUST	C .09
20	BA 24	OUST MAREST	.80
216	AN 102	OUSTE	.65
76	BE 45	OUTARVILLE	C .45
81	BX 41	OUTINES	.51
10	BB 17	OUTREAU	C .62
21	BG 23	OUTREBOIS	.80
82	CF 44	OUTREMECOURT	.52
59	BY 38	OUTREPONT	.51
149	CF 68	OUTRIAZ	.01
120	CM 54	OUVANS	.25
11	BF 18	OUVE WIRQUIN	.62
204	BL 100	OUVEILLAN	.11
49	AF 35	OUVILLE	.50
51	AP 35	OUVILLE LA BIEN TOURNEE	.14
19	AX 26	OUVILLE LA RIVIERE	.76
33	AW 28	OUVILLE L'ABBAYE	.76
97	BF 49	OUVROUER LES CHAMPS	.45
127	AR 61	OUZILLY	.86
98	BJ 48	OUZOUER DES CHAMPS	.45
95	AZ 48	OUZOUER LE DOYEN	.41
96	BA 48	OUZOUER LE MARCHE	C .41
97	BI 47	OUZOUER SOUS BELLEGARDE	.45
97	BI 50	OUZOUER SUR LOIRE	C .45
98	BK 51	OUZOUER SUR TREZEE	.45
215	AN 102	OUZOUS	.65
103	CI 51	OVANCHES	.70
22	BJ 24	OVILLERS LA BOISSELLE	.80
11	BH 16	OXELAERE	.59
133	BV 66	OYE	.71
120	CL 59	OYE ET PALLET	.25
11	BE 14	OYE PLAGE	.62
57	BR 38	OYES	.51
163	CF 75	OYEU	.38
135	CG 66	OYONNAX	C .01
111	AU 60	OYRE	.86

Page	Carreau	Commune	Adm.Dpt
29	AF 31	PICAUVILLE	.50
102	CC 53	PICHANGES	.21
158	BK 75	PICHERANDE	.63
21	BF 26	PICQUIGNY	C .80
229	DM 107	PIE D'OREZZA	.2B
174	BT 86	PIED DE BORNE	.48
229	DM 109	PIEDICORTE DI GAGGIO	.2B
229	DM 107	PIEDICROCE	C .2B
229	DL 106	PIEDIGRIGGIO	.2B
229	DM 107	PIEDIPARTINO	.2B
191	CD 88	PIEGON	.26
176	CC 84	PIEGROS LA CLASTRE	.26
178	CL 86	PIEGUT	.04
141	AT 73	PIEGUT PLUVIERS	.24
52	AS 34	PIENCOURT	.27
40	CG 32	PIENNES	.54
35	BJ 29	PIENNES ONVILLERS	.80
194	CS 90	PIERLAS	.06
164	CJ 77	PIERRE, LA	.38
148	CA 72	PIERRE BENITE	.69
142	AZ 73	PIERRE BUFFIERE	C .87
177	CI 80	PIERRE CHATEL	.38
118	CD 59	PIERRE DE BRESSE	C .71
61	CH 40	PIERRE LA TREICHE	.54
56	BM 37	PIERRE LEVEE	.77
58	BT 38	PIERRE MORAINS	.51
84	CP 41	PIERRE PERCEE	.54
99	BR 53	PIERRE PERTHUIS	.89
134	BY 65	PIERRECLOS	.71
20	BB 26	PIERRECOURT	.76
102	CF 51	PIERRECOURT	.70
194	CT 92	PIERREFEU	.06
209	CM 100	PIERREFEU DU VAR	.83
173	BL 87	PIERREFICHE	.12
174	BS 84	PIERREFICHE	.48
32	AR 28	PIERREFIQUES	.76
83	CJ 45	PIERREFITTE	.88
109	AM 59	PIERREFITTE	.79
144	BG 68	PIERREFITTE	.23
156	BB 76	PIERREFITTE	.19
32	AR 33	PIERREFITTE EN AUGE	.14
34	BE 31	PIERREFITTE EN BEAUVAISIS	.60
51	AN 37	PIERREFITTE EN CINGLAIS	.14
98	BJ 53	PIERREFITTE ES BOIS	.45
216	AN 103	PIERREFITTE NESTALAS	.65
60	CD 37	PIERREFITTE SUR AIRE	C .55
132	BS 64	PIERREFITTE SUR LOIRE	.03
97	BF 53	PIERREFITTE SUR SAULDRE	.41
55	BH 36	PIERREFITTE SUR SEINE	C .93
36	BL 32	PIERREFONDS	.60
104	CO 53	PIERREFONTAINE LES BLAMONT	.25
120	CM 55	PIERREFONTAINE LES VARANS	C .25
172	BL 81	PIERREFORT	C .15
21	BH 25	PIERREGOT	.80
190	BZ 87	PIERRELATTE	C .26
55	BF 36	PIERRELAYE	.95
191	CD 88	PIERRELONGUE	.26
36	BN 30	PIERREMANDE	.02
11	BG 20	PIERREMONT	.62
102	CF 49	PIERREMONT SUR AMANCE	.52
37	BR 29	PIERREPONT	.02
40	CF 31	PIERREPONT	.54
51	AN 37	PIERREPONT	.14
35	BI 28	PIERREPONT SUR AVRE	.80
84	CM 43	PIERREPONT SUR L'ARENTELE	.88
204	BM 98	PIERRERUE	.34
192	CJ 91	PIERRERUE	.04
50	AK 37	PIERRES	.14
76	BB 41	PIERRES	.28
33	AZ 30	PIERREVAL	.76
192	CI 93	PIERREVERT	.04
61	CI 40	PIERREVILLE	.54
29	AD 30	PIERREVILLE	.50
41	CI 33	PIERREVILLERS	.57
90	AC 50	PIERRIC	.44
57	BS 36	PIERRY	.51
229	DN 108	PIETRA DI VERDE	.2B
227	DN 102	PIETRACORBARA	.2B
227	DL 105	PIETRALBA	.2B
229	DN 109	PIETRASERENA	.2B
229	DM 108	PIETRICAGGIO	.2B
230	DI 114	PIETROSELLA	.2A
229	DM 110	PIETROSO	.2B
198	AK 96	PIETS PLASENCE MOUSTROU	.64
220	BG 102	PIEUSSE	.11
29	AD 30	PIEUX, LES	C .50
227	DM 105	PIEVE	.2B
78	BN 46	PIFFONDS	.89
226	DI 105	PIGNA	.2B
205	BS 96	PIGNAN	C .34
209	CM 99	PIGNANS	.83
38	BT 31	PIGNICOURT	.02
145	BO 73	PIGNOLS	.63
114	BH 56	PIGNY	.18
11	BG 17	PIHEM	.62
10	BD 15	PIHEN LES GUINES	.62
230	DJ 114	PILA CANALE	.2A
154	AQ 77	PILLAC	.16
135	CI 61	PILLEMOINE	.39
191	CD 87	PILLES, LES	.26
40	CE 31	PILLON	.55
198	AL 96	PIMBO	.40
100	BU 49	PIMELLES	.89
135	CF 63	PIMORIN	.39
36	BL 30	PIMPREZ	.60
55	BJ 37	PIN, LE	.77
32	AS 33	PIN, LE	.14
132	BS 65	PIN, LE	.03
135	CF 61	PIN, LE	.39
91	AG 51	PIN, LE	.44
109	AK 59	PIN, LE	.79
119	CH 54	PIN	.70
190	BY 90	PIN, LE	.30
184	AV 91	PIN, LE	.82
163	CF 75	PIN, LE	.38
153	AM 77	PIN, LE	.17
52	AR 39	PIN AU HARAS, LE	.61
201	BA 96	PIN BALMA	.31
109	AI 55	PIN EN MAUGES, LE	.49
74	AT 42	PIN LA GARENNE, LE	.61
200	AW 98	PIN MURELET, LE	.31
216	AR 101	PINAS	.65
147	BV 71	PINAY	.42
93	AM 49	PINCE	.72
182	AO 88	PINDERES	.47
127	AV 64	PINDRAY	.86
124	AF 62	PINEAUX, LES	.85
169	AS 87	PINEL HAUTERIVE	.47
205	BQ 98	PINET	.34
168	AQ 82	PINEUILH	.33
80	BV 43	PINEY	C .10
227	DM 101	PINO	.2B
159	BP 80	PINOLS	C .43
37	BP 31	PINON	.02
140	AR 71	PINS, LES	.16
201	AZ 97	PINS JUSTARET	.31
170	BA 82	PINSAC	.46
201	AZ 97	PINSAGUEL	.31
164	CK 76	PINSOT	.38
199	AN 99	PINTAC	.65
53	AY 34	PINTERVILLE	.27
60	CF 34	PINTHEVILLE	.55
54	BB 39	PINTHIERES, LES	.28
229	DN 107	PIOBETTA	.2B
226	DJ 106	PIOGGIOLA	.2B
190	CA 89	PIOLENC	.84
143	BE 68	PIONNAT	.23
144	BJ 68	PIONSAT	C .63
140	AP 68	PIOUSSAY	.79
90	AA 48	PIPRIAC	C .35
185	AY 90	PIQUECOS	.82
135	CD 65	PIRAJOUX	.01
71	AE 46	PIRE SUR SEICHE	.35
120	CI 55	PIREY	.25
89	V 53	PIRIAC SUR MER	.44
93	AO 48	PIRMIL	.72
29	AE 33	PIROU	.50
200	AT 94	PIS	.32
139	AI 72	PISANY	.17
55	BH 36	PISCOP	.95
53	AX 38	PISEUX	.27
162	CC 76	PISIEU	.38
35	BF 30	PISSELEU	.60
102	CG 49	PISSELOUP	.52
103	CK 48	PISSEURE, LA	.70
181	AI 88	PISSOS	C .40
125	AI 63	PISSOTTE	.85
21	BF 27	PISSY	.80
33	AX 30	PISSY POVILLE	.76
100	BU 52	PISY	.89
11	BG 15	PITGAM	.59
77	BG 45	PITHIVIERS	S .45
77	BF 45	PITHIVIERS LE VIEIL	.45
36	BM 28	PITHON	.02
33	AY 32	PITRES	.27
10	BC 16	PITTEFAUX	.62
148	CC 70	PIZAY	.01
74	AS 43	PIZIEUX	.72
154	AO 80	PIZOU, LE	.24
223	BE 106	PLA, LE	.09
44	J 39	PLABENNEC	C .29
72	AJ 44	PLACE	.53
52	AT 34	PLACES, LES	.27
119	CH 55	PLACEY	.25
21	BG 27	PLACHY BUYON	.80
51	AM 36	PLACY	.14
50	AJ 35	PLACY MONTAIGU	.50
174	BT 84	PLAGNAL, LE	.07
135	CH 67	PLAGNE	.01
217	AW 101	PLAGNE	.31
201	AW 98	PLAGNOLE	.31
219	BC 101	PLAIGNE	.11
55	BI 35	PLAILLY	.60
121	CN 55	PLAIMBOIS DU MIROIR	.25
121	CM 55	PLAIMBOIS VENNES	.25
114	BH 58	PLAIMPIED GIVAUDINS	.18
109	AK 57	PLAINE, LA	.49
85	CQ 42	PLAINE	.67
62	CQ 38	PLAINE DE WALSCH	.57
69	U 41	PLAINE HAUTE	.22
106	Y 56	PLAINE SUR MER, LA	.44
103	CJ 48	PLAINEMONT	.70
80	BW 47	PLAINES SAINT LANGE	.10
84	CP 44	PLAINFAING	.88
135	CF 61	PLAINOISEAU	.39
121	CP 54	PLAINS ET GRANDS ESSARTS, LES	.25
69	U 41	PLAINTEL	.22
35	BH 30	PLAINVAL	.60
35	BH 29	PLAINVILLE	.60
52	AT 35	PLAINVILLE	.27
199	AO 96	PLAISANCE	C .32
127	AV 66	PLAISANCE	.86
169	AT 84	PLAISANCE	.24
187	BI 92	PLAISANCE	.12
201	AY 96	PLAISANCE DU TOUCH	.31
135	CG 63	PLAISIA	.39
191	CE 89	PLAISIANS	.26
54	BE 38	PLAISIR	C .78
205	BQ 97	PLAISSAN	.34
140	AN 72	PLAIZAC	.16
163	CE 76	PLAN	.38
218	AW 101	PLAN, LE	.31
209	CI 98	PLAN D'AUPS SAINTE BAUME	.83
176	CD 82	PLAN DE BAIX	.26
208	CG 98	PLAN DE CUQUES	.13
210	CP 98	PLAN DE LA TOUR	.83
191	CC 93	PLAN D'ORGON	.13
164	CK 74	PLANAISE	.73
100	BW 50	PLANAY	.21
165	CO 75	PLANAY	.73
108	AE 57	PLANCHE, LA	.44
104	CN 49	PLANCHER BAS	.70
104	CO 49	PLANCHER LES MINES	.70
150	CL 72	PLANCHERINE	.73
52	AS 39	PLANCHES	.61
136	CJ 61	PLANCHES EN MONTAGNE, LES	C .39
119	CH 59	PLANCHES PRES ARBOIS, LES	.39
116	BT 57	PLANCHEZ	.58
48	Y 40	PLANCOET	C .22
80	BT 41	PLANCY L'ABBAYE	.10
120	CK 59	PLANEE, LA	.25
223	BF 108	PLANES	.66
224	BJ 105	PLANEZES	.66
161	BX 76	PLANFOY	.42
47	W 40	PLANGUENOUAL	.22
171	BE 85	PLANIOLES	.46
119	CD 60	PLANOIS, LE	.71
52	AT 35	PLANQUAY, LE	.27
50	AJ 34	PLANQUERY	.14
11	BE 20	PLANQUES	.62
81	BZ 41	PLANRUPT	.52
190	BW 90	PLANS, LES	.30
204	BO 94	PLANS, LES	.34
148	CC 69	PLANTAY, LE	.01
189	BS 90	PLANTIERS, LES	.30
52	AS 40	PLANTIS, LE	.61
79	BQ 44	PLANTY	.10
175	BV 86	PLANZOLLES	.07
61	CI 34	PLAPPEVILLE	.57
119	CG 60	PLASNE	.39
52	AU 34	PLASNES	.27
153	AK 75	PLASSAC	.17
152	AJ 79	PLASSAC	.33
154	AP 75	PLASSAC ROUFFIAC	.16
139	AJ 71	PLASSAY	.17
162	CA 80	PLATS	.07
89	V 48	PLAUDREN	.56
145	BN 74	PLAUZAT	.63
219	BD 101	PLAVILLA	.11
155	AW 80	PLAZAC	.24
157	BF 79	PLEAUX	C .15
48	Y 39	PLEBOULLE	.22
90	AC 48	PLECHATEL	.35
70	Y 41	PLEDELIAC	.22
69	V 41	PLEDRAN	.22
47	U 39	PLEGUIEN	.22
47	T 38	PLEHEDEL	.22
71	AD 40	PLEINE FOUGERES	C .35
23	BP 27	PLEINE SELVE	.02
153	AK 76	PLEINE SELVE	.33
19	AV 27	PLEINE SEVE	.76
70	Z 46	PLELAN LE GRAND	C .35
70	Z 41	PLELAN LE PETIT	C .22
68	R 43	PLELAUFF	.22
47	U 40	PLELO	.22
69	W 44	PLEMET	.22
69	V 42	PLEMY	.22
70	X 42	PLENEE JUGON	.22
47	W 40	PLENEUF VAL ANDRE	C .22
120	CI 60	PLENISE	.39
120	CI 60	PLENISETTE	.39
48	AB 40	PLERGUER	.35
47	V 40	PLERIN	C .22
47	U 40	PLERNEUF	.22
89	U 49	PLESCOP	.56
70	AB 42	PLESDER	.35
68	S 41	PLESIDY	.22
48	AA 40	PLESLIN TRIGAVOU	.22
41	CI 34	PLESNOIS	.57
102	CE 48	PLESNOY	.52
69	W 43	PLESSALA	.22
90	AB 51	PLESSE	.44
37	BO 33	PLESSIER HULEU, LE	.02
35	BI 28	PLESSIER ROZAINVILLERS, LE	.80
35	BG 31	PLESSIER SUR BULLES, LE	.60
35	BH 30	PLESSIER SUR SAINT JUST, LE	.60
56	BK 36	PLESSIS AUX BOIS, LE	.77
79	BQ 41	PLESSIS BARBUISE	.10
56	BK 35	PLESSIS BELLEVILLE, LE	.60
55	BG 36	PLESSIS BOUCHARD, LE	.95
36	BL 31	PLESSIS BRION, LE	.60
36	BK 30	PLESSIS DE ROYE	.60
75	AW 46	PLESSIS DORIN, LE	.41
56	BM 39	PLESSIS FEU AUSSOUX, LE	.77
55	BH 36	PLESSIS GASSOT, LE	.95
93	AL 52	PLESSIS GRAMMOIRE, LE	.49
50	AL 36	PLESSIS GRIMOULT, LE	.14
53	AY 37	PLESSIS GROHAN, LE	.27
53	AZ 36	PLESSIS HEBERT, LE	.27
29	AF 32	PLESSIS LASTELLE, LE	.50
96	BA 49	PLESSIS L'ECHELLE, LE	.41
56	BK 36	PLESSIS L'EVEQUE, LE	.77
55	BH 35	PLESSIS LUZARCHES, LE	.95
92	AK 52	PLESSIS MACE, LE	.49
55	BG 40	PLESSIS PATE, LE	.91
36	BM 28	PLESSIS PATTE D'OIE, LE	.60
56	BL 35	PLESSIS PLACY, LE	.77
55	BG 38	PLESSIS ROBINSON, LE	C .92
76	BE 42	PLESSIS SAINT BENOIST	.91
79	BO 43	PLESSIS SAINT JEAN	.89
53	AW 35	PLESSIS SAINTE OPPORTUNE, LE	.27
55	BI 38	PLESSIS TREVISE, LE	.94
48	Z 40	PLESSIX BALISSON	.22
69	X 41	PLESTAN	.22
46	P 38	PLESTIN LES GREVES	C .22
46	S 36	PLEUBIAN	.22
89	X 49	PLEUCADEUC	.56
46	S 37	PLEUDANIEL	.22
70	AB 41	PLEUDIHEN SUR RANCE	.22
69	V 46	PLEUGRIFFET	.56
70	AB 42	PLEUGUENEUC	.35
127	AU 61	PLEUMARTIN	C .86
70	AB 44	PLEUMELEUC	.35
46	P 37	PLEUMEUR BODOU	.22
46	S 37	PLEUMEUR GAUTIER	.22
119	CE 59	PLEURE	.39
57	BS 39	PLEURS	.51
48	AA 40	PLEURTUIT	.35
67	L 46	PLEUVEN	.29
83	CH 42	PLEUVEZAIN	.88
141	AS 68	PLEUVILLE	.16
70	Y 41	PLEVEN	.22
48	Y 39	PLEVENON	.22
68	P 43	PLEVIN	.22
67	M 43	PLEYBEN	C .29
45	N 40	PLEYBER CHRIST	.29
140	AP 67	PLIBOUX	.79
59	BY 39	PLICHANCOURT	.51
184	AU 92	PLIEUX	.32
58	BT 36	PLIVOT	.51
67	J 47	PLOBANNALEC LESCONIL	.29
85	CU 41	PLOBSHEIM	.67
88	S 50	PLOEMEL	.56
88	P 49	PLOEMEUR	C .56
68	R 45	PLOERDUT	.56
89	T 50	PLOEREN	.56
69	X 47	PLOERMEL	C .56
69	V 42	PLOEUC SUR LIE	C .22
67	K 43	PLOEVEN	.29
46	S 38	PLOEZAL	.22
66	J 45	PLOGASTEL SAINT GERMAIN	C .29
66	G 44	PLOGOFF	.29
67	K 44	PLOGONNEC	.29
36	BN 32	PLOISY	.02
49	AG 38	PLOMB	.50
84	CL 47	PLOMBIERES LES BAINS	C .88
118	CA 54	PLOMBIERES LES DIJON	.21
67	K 46	PLOMELIN	.29
66	J 47	PLOMEUR	.29
24	BS 27	PLOMION	.02
67	K 43	PLOMODIERN	.29
67	K 45	PLONEIS	.29
66	J 46	PLONEOUR LANVERN	.29
67	N 42	PLONEVEZ DU FAOU	.29
67	K 44	PLONEVEZ PORZAY	.29
70	Y 41	PLOREC SUR ARGUENON	.22
134	CA 63	PLOTTES	.71
113	BF 58	PLOU	.18
47	T 40	PLOUAGAT	C .22
46	P 39	PLOUARET	C .22
44	G 40	PLOUARZEL	.29
70	AA 43	PLOUASNE	.22
68	Q 47	PLOUAY	C .56
48	AA 40	PLOUBALAY	C .22
47	T 37	PLOUBAZLANEC	.22
46	Q 38	PLOUBEZRE	.22
44	H 39	PLOUDALMEZEAU	C .29
45	K 39	PLOUDANIEL	.29
45	L 40	PLOUDIRY	C .29
46	S 38	PLOUEC DU TRIEUX	.22
45	K 40	PLOUEDERN	.29
46	O 39	PLOUEGAT GUERAND	.29
46	O 39	PLOUEGAT MOYSAN	.29
45	M 38	PLOUENAN	.29
48	AA 40	PLOUER SUR RANCE	.22
45	L 38	PLOUESCAT	C .29
47	T 38	PLOUEZEC	.22
45	N 38	PLOUEZOC'H	.29
69	U 41	PLOUFRAGAN	C .22
45	L 39	PLOUGAR	.29
45	N 38	PLOUGASNOU	.29
66	J 41	PLOUGASTEL DAOULAS	.29
66	G 41	PLOUGONVELIN	.29
45	O 40	PLOUGONVEN	.29
46	Q 40	PLOUGONVER	.22
45	L 38	PLOUGOULM	.29
89	T 50	PLOUGOUMELEN	.56
45	L 39	PLOUGOURVEST	.29
46	P 40	PLOUGRAS	.22
46	S 36	PLOUGRESCANT	.22
69	V 43	PLOUGUENAST	C .22
44	I 38	PLOUGUERNEAU	.29
68	R 43	PLOUGUERNEVEL	.22
46	S 37	PLOUGUIEL	.22
44	H 39	PLOUGUIN	.29
47	U 38	PLOUHA	C .22
88	R 50	PLOUHARNEL	.56
66	I 45	PLOUHINEC	.29
88	Q 49	PLOUHINEC	.56
45	J 38	PLOUIDER	.29
45	O 39	PLOUIGNEAU	C .29
46	S 39	PLOUISY	.22
46	P 38	PLOULEC'H	.22
46	S 40	PLOUMAGOAR	.22
46	P 38	PLOUMILLIAU	.22
44	G 40	PLOUMOGUER	.29
45	M 40	PLOUNEOUR MENEZ	.29
45	K 38	PLOUNEOUR TREZ	.29
46	P 39	PLOUNERIN	.22
45	K 39	PLOUNEVENTER	.29
45	K 38	PLOUNEVEZ LOCHRIST	.29
46	Q 39	PLOUNEVEZ MOEDEC	.22
68	R 42	PLOUNEVEZ QUINTIN	.22
68	O 42	PLOUNEVEZEL	.29
68	P 41	PLOURAC'H	.22
68	Q 44	PLOURAY	.56
47	U 39	PLOURHAN	.22
44	H 39	PLOURIN	.29
45	N 39	PLOURIN LES MORLAIX	.29
47	T 37	PLOURIVO	.22
22	BL 21	PLOUVAIN	.62
47	U 40	PLOUVARA	.22
44	I 39	PLOUVIEN	.29
45	M 39	PLOUVORN	.29
67	N 42	PLOUYE	.29
66	H 41	PLOUZANE	.29
46	P 38	PLOUZELAMBRE	.22
45	L 39	PLOUZEVEDE	C .29
66	I 46	PLOVAN	.29
37	BR 31	PLOYART ET VAURSEINE	.02
35	BI 30	PLOYRON, LE	.60
66	I 45	PLOZEVET	.29
47	T 38	PLUDUAL	.22
48	Y 40	PLUDUNO	.22
46	P 39	PLUFUR	.22
67	K 45	PLUGUFFAN	.29
89	X 50	PLUHERLIN	.56
70	Z 42	PLUMAUDAN	.22
70	Z 43	PLUMAUGAT	.22
89	V 48	PLUMELEC	.56
69	T 46	PLUMELIAU	.56
89	T 47	PLUMELIN	.56
89	T 49	PLUMERGAT	.56
31	AN 33	PLUMETOT	.14
69	W 45	PLUMIEUX	.22
119	CG 56	PLUMONT	.39
89	T 49	PLUNERET	.56
48	Y 39	PLURIEN	.22
68	P 41	PLUSQUELLEC	.22
68	S 43	PLUSSULIEN	.22
118	CC 56	PLUVAULT	.21
118	CD 56	PLUVET	.21
88	S 48	PLUVIGNER	C .56
46	R 39	PLUZUNET	.22
58	BU 36	POCANCY	.51
71	AG 45	POCE LES BOIS	.35
95	AW 53	POCE SUR CISSE	.37
167	AL 84	PODENSAC	C .33
192	CJ 88	POET, LE	.05
176	CC 84	POET CELARD, LE	.26
192	CF 88	POET EN PERCIP, LE	.26
176	CC 85	POET LAVAL, LE	.26
191	CE 87	POET SIGILLAT, LE	.26
22	BM 26	POEUILLY	.80
198	AK 98	POEY DE LESCAR	.64
198	AI 99	POEY D'OLORON	.64
145	BN 68	POEZAT	.03
229	DM 111	POGGIO DI NAZZA	.2B
229	DL 109	POGGIO DI VENACO	.2B
227	DM 104	POGGIO D'OLETTA	.2B
229	DM 106	POGGIO MARINACCIO	.2B
229	DO 107	POGGIO MEZZANA	.2B
228	DJ 110	POGGIOLO	.2A
58	BW 37	POGNY	.51
135	CG 62	POIDS DE FIOLE	.39
78	BO 41	POIGNY	.77
54	BC 40	POIGNY LA FORET	.78
117	BU 60	POIL	.58
38	BT 31	POILCOURT SYDNEY	.08
204	BN 99	POILHES	.34
93	AN 48	POILLE SUR VEGRE	.72
49	AF 40	POILLEY	.50
71	AG 41	POILLEY	.35
37	BR 34	POILLY	.51
97	BI 51	POILLY LEZ GIEN	.45
99	BS 50	POILLY SUR SEREIN	.89
99	BO 49	POILLY SUR THOLON	.89
100	BW 48	POINCON LES LARREY	.21
129	BC 61	POINCONNET, LE	.36
56	BL 36	POINCY	.77
101	CA 50	POINSENOT	.52
102	CF 49	POINSON LES FAYL	.52
101	CA 50	POINSON LES GRANCEY	.52
82	CD 47	POINSON LES NOGENT	.52
51	AN 39	POINTEL	.61
217	AS 102	POINTIS DE RIVIERE	.31
217	AU 102	POINTIS INARD	.31
119	CE 55	POINTRE	.39
119	CI 57	POINTVILLERS	.25
76	BD 45	POINVILLE	.28
124	AI 64	POIRE SUR VELLUIRE, LE	.85
107	AD 60	POIRE SUR VIE, LE	C .85
123	AD 63	POIROUX	.85
163	CH 78	POISAT	.38
102	CE 48	POISEUL	.52
101	BZ 52	POISEUL LA GRANGE	.21
101	BY 52	POISEUL LA VILLE ET LAPERRIERE	.21
101	CB 51	POISEUL LES SAULX	.21
115	BN 57	POISEUX	.58
113	BE 58	POISIEUX	.18
75	AX 46	POISLAY, LE	.41
133	BU 65	POISSON	.71
81	CC 42	POISSONS	C .52
55	BF 37	POISSY	C .78
76	BA 41	POISVILLIERS	.28
150	CJ 70	POISY	.74
109	AI 55	POITEVINIERE, LA	.49
126	AR 63	POITIERS	P .86
58	BV 39	POIVRES	.10
59	BX 36	POIX	.51
34	BE 27	POIX DE PICARDIE	C .80
23	BQ 23	POIX DU NORD	.59
39	BX 29	POIX TERRON	.08
149	CH 67	POIZAT, LE	.01
103	CI 48	POLAINCOURT ET CLAIREFONTAINE	.70
200	AU 97	POLASTRON	.32
200	AV 99	POLASTRON	.31
148	BZ 71	POLEYMIEUX AU MONT D'OR	.69
163	CF 77	POLIENAS	.38
153	AM 77	POLIGNAC	.17
160	BS 80	POLIGNAC	.43
91	AD 48	POLIGNE	.35
119	CG 59	POLIGNY	C .39
78	BJ 45	POLIGNY	.77
80	BV 45	POLIGNY	.10
178	CK 83	POLIGNY	.05
11	BF 15	POLINCOVE	.62
80	BV 46	POLISOT	.10
80	BW 46	POLISY	.10
221	BL 107	POLLESTRES	.66
134	CC 66	POLLIAT	.01
149	CH 71	POLLIEU	.01
148	BZ 72	POLLIONNAY	.69
172	BI 81	POLMINHAC	.15
229	DM 107	POLVEROSO	.2B
38	BT 32	POMACLE	.51
202	BD 98	POMAREDE, LA	.11
170	AX 85	POMAREDE	.46
197	AH 95	POMAREZ	.40
220	BG 102	POMAS	.11
173	BM 86	POMAYROLS	.12
167	AM 81	POMEROL	.33
205	BQ 98	POMEROLS	.34
147	BX 73	POMEYS	.69
118	BZ 58	POMMARD	.21
21	BH 23	POMMERA	.62
109	AI 60	POMMERAIE SUR SEVRE, LA	.85
51	AM 37	POMMERAYE, LA	.14
108	AI 54	POMMERAYE, LA	.49
69	W 41	POMMERET	.22
23	BP 24	POMMEREUIL	.59
34	BB 29	POMMEREUX	.76
33	AZ 28	POMMEREVAL	.76
61	CI 35	POMMERIEUX	.57
92	AI 49	POMMERIEUX	.53
46	S 38	POMMERIT JAUDY	.22
46	S 39	POMMERIT LE VICOMTE	.22
177	CF 86	POMMEROL	.26
56	BM 38	POMMEUSE	.77
184	AV 90	POMMEVIC	.82
21	BI 23	POMMIER	.62
162	CC 76	POMMIER DE BEAUREPAIRE	.38
36	BN 32	POMMIERS	.02
129	BB 64	POMMIERS	.36
188	BR 92	POMMIERS	.30
147	BU 71	POMMIERS	.42
148	BZ 70	POMMIERS	.69
163	CH 76	POMMIERS LA PLACETTE	.38
153	AL 76	POMMIERS MOULONS	.17
103	CL 50	POMOY	.70
125	AN 62	POMPAIRE	.79
167	AM 87	POMPEJAC	.33
201	BA 97	POMPERTUZAT	.31
61	CI 38	POMPEY	C .54
200	AW 97	POMPIAC	.32
189	BR 89	POMPIDOU, LE	.48
82	CF 44	POMPIERRE	.88
104	CM 53	POMPIERRE SUR DOUBS	.25
183	AQ 89	POMPIEY	.47
167	AL 82	POMPIGNAC	.33
185	AY 94	POMPIGNAN	.82
189	BS 93	POMPIGNAN	.30
182	AO 89	POMPOGNE	.47
55	BJ 37	POMPONNE	.77
168	AR 83	POMPORT	.24
198	AJ 97	POMPS	.64
219	BE 102	POMY	.11
94	AU 50	PONCE SUR LE LOIR	.72
119	CE 55	PONCEY LES ATHEE	.21
101	BZ 52	PONCEY SUR L'IGNON	.21
21	BF 22	PONCHEL, LE	.62
20	BD 21	PONCHES ESTRUVAL	.80
35	BF 32	PONCHON	.60
149	CE 68	PONCIN	C .01
147	BV 72	PONCINS	.42
168	AN 85	PONDAURAT	.33
130	BJ 60	PONDY, LE	.18
177	CE 82	PONET ET SAINT AUBAN	.26
217	AS 101	PONLAT TAILLEBOURG	.31
139	AK 74	PONS	C .17
199	AQ 98	PONSAMPERE	.32
200	AR 99	PONSAN SOUBIRAN	.32
162	CA 78	PONSAS	.26
199	AN 99	PONSON DEBAT POUTS	.64
199	AN 99	PONSON DESSUS	.64
177	CI 81	PONSONNAS	.38
119	CD 56	PONT	.21
12	BM 19	PONT A MARCQ	C .59
61	CI 36	PONT A MOUSSON	C .54
12	BK 20	PONT A VENDIN	.62
37	BQ 32	PONT ARCY	.02
32	AT 32	PONT AUDEMER	C .27
32	AV 33	PONT AUTHOU	.27
67	N 47	PONT AVEN	C .29
50	AI 36	PONT BELLANGER	.14
128	BA 62	PONT CHRETIEN CHABENET, LE	.36
66	I 44	PONT CROIX	C .29
149	CE 68	PONT D'AIN	C .01
176	CC 84	PONT DE BARRET	.26
163	CG 74	PONT DE BEAUVOISIN, LE	C .38
163	CH 74	PONT DE BEAUVOISIN, LE	C .73
67	L 42	PONT DE BUIS LES QUIMERCH	.29
148	CD 72	PONT DE CHERUY	C .38
163	CH 79	PONT DE CLAIX, LE	.38
175	BW 84	PONT DE LABEAUME	.07
33	AY 33	PONT DE L'ARCHE	C .27
203	BH 97	PONT DE LARN	.81
162	CA 80	PONT DE L'ISERE	.26
21	BG 26	PONT DE METZ	.80
189	BS 88	PONT DE MONTVERT, LE	C .48
103	CH 52	PONT DE PLANCHES, LE	.70
135	CG 62	PONT DE POITTE	.39
104	CO 53	PONT DE ROIDE	C .25
111	AT 55	PONT DE RUAN	.37
187	BK 88	PONT DE SALARS	C .12
134	CB 64	PONT DE VAUX	C .01
134	CA 66	PONT DE VEYLE	C .01
119	CI 59	PONT D'HERY	.39
51	AM 37	PONT D'OUILLY	.14
83	CJ 47	PONT DU BOIS	.70

Page	Carreau	Commune	Adm.	Dpt
173	BP 84	RIBENNES		48
154	AR 78	RIBERAC	C	24
175	BV 86	RIBES		07
177	CG 86	RIBEYRET		05
192	CI 89	RIBIERS	C	05
219	BD 101	RIBOUISSE		11
209	CI 99	RIBOUX		83
161	BW 76	RICAMARIE, LA		42
32	AU 29	RICARVILLE		76
19	AZ 27	RICARVILLE DU VAL		76
202	BD 99	RICAUD		11
216	AQ 101	RICAUD		65
80	BW 47	RICEYS, LES	C	10
48	AA 40	RICHARDAIS, LA		35
61	CJ 40	RICHARDMENIL		54
76	BE 42	RICHARVILLE		91
62	CM 36	RICHE		57
111	AU 54	RICHE, LA		37
12	BJ 19	RICHEBOURG		62
54	BB 38	RICHEBOURG		78
81	CB 47	RICHEBOURG		52
60	CF 37	RICHECOURT		55
110	AR 58	RICHELIEU	C	37
62	CO 35	RICHELING		57
20	BB 27	RICHEMONT		76
41	CI 32	RICHEMONT		57
191	CB 87	RICHERENCHES		84
62	CO 39	RICHEVAL		57
34	BB 33	RICHEVILLE		27
85	CU 43	RICHTOLSHEIM		67
105	CR 48	RICHWILLER		68
199	AP 97	RICOURT		32
36	BK 30	RICQUEBOURG		60
87	N 47	RIEC SUR BELON		29
105	CS 49	RIEDISHEIM		68
64	CV 35	RIEDSELTZ		67
85	CS 45	RIEDWIHR		68
101	BY 47	RIEL LES EAUX		21
21	BE 26	RIENCOURT		80
22	BL 24	RIENCOURT LES BAPAUME		62
22	BL 23	RIENCOURT LES CAGNICOURT		62
104	CO 49	RIERVESCEMONT		90
105	CS 51	RIESPACH		68
217	AT 102	RIEUCAZE		31
219	BC 102	RIEUCROS		09
22	BN 21	RIEULAY		59
202	BC 98	RIEUMAJOU		31
201	AW 98	RIEUMES	C	31
186	BG 88	RIEUPEYROUX	C	12
203	BK 98	RIEUSSEC		34
174	BQ 84	RIEUTORT DE RANDON		48
201	AX 100	RIEUX	C	31
20	BB 26	RIEUX		76
35	BI 33	RIEUX		60
57	BP 38	RIEUX		51
90	Z 51	RIEUX		56
218	BA 102	RIEUX DE PELLEPORT		09
22	BO 23	RIEUX EN CAMBRESIS		59
220	BI 102	RIEUX EN VAL		11
203	BJ 100	RIEUX MINERVOIS		11
193	CL 93	RIEZ	C	04
224	BI 107	RIGARDA		66
194	CS 91	RIGAUD		06
186	BG 87	RIGNAC	C	12
171	BB 83	RIGNAC		46
103	CJ 53	RIGNEY		25
148	CD 70	RIGNIEUX LE FRANC		01
103	CK 53	RIGNOSOT		25
104	CM 49	RIGNOVELLE		70
102	CF 53	RIGNY		70
79	BQ 42	RIGNY LA NONNEUSE		10
60	CF 40	RIGNY LA SALLE		55
79	BQ 45	RIGNY LE FERRON		10
60	CF 40	RIGNY SAINT MARTIN		55
132	BT 63	RIGNY SUR ARROUX		71
110	AR 55	RIGNY USSE		37
199	AQ 95	RIGUEPEU		32
142	AX 73	RILHAC LASTOURS		87
142	AZ 70	RILHAC RANCON		87
156	BB 75	RILHAC TREIGNAC		19
157	BF 79	RILHAC XAINTRIE		19
103	CL 53	RILLANS		25
94	AR 53	RILLE		37
148	CA 71	RILLIEUX LA PAPE	C	69
58	BT 34	RILLY LA MONTAGNE		51
80	BT 42	RILLY SAINTE SYRE		10
39	BX 30	RILLY SUR AISNE		08
95	AX 53	RILLY SUR LOIRE		41
111	AS 57	RILLY SUR VIENNE		37
82	CD 44	RIMAUCOURT		52
85	CQ 47	RIMBACH PRES GUEBWILLER		68
104	CP 48	RIMBACH PRES MASEVAUX		68
105	CQ 47	RIMBACHZELL		68
182	AO 91	RIMBEZ ET BAUDIETS		40
10	BE 19	RIMBOVAL		62
173	BO 83	RIMEIZE		48
43	CQ 34	RIMLING		57
24	BW 26	RIMOGNE		08
177	CE 84	RIMON ET SAVEL		26
129	BF 67	RIMONDEIX		23
168	AO 84	RIMONS		33
218	AY 103	RIMONT		09
71	AE 42	RIMOU		35
194	CT 90	RIMPLAS		06
62	CQ 36	RIMSDORF		67
64	CT 37	RINGELDORF		67
64	CT 37	RINGENDORF		67
10	BC 16	RINXENT		62
168	AP 83	RIOCAUD		33
200	AV 99	RIOLAS		31
186	BD 90	RIOLS, LE		81
204	BK 97	RIOLS		34
145	BM 70	RIOM	S	63
158	BJ 77	RIOM ES MONTAGNES	C	15
192	CG 88	RIOMS		26
181	AG 92	RION DES LANDES		40
167	AL 84	RIONS		33
146	BU 69	RIORGES		42
161	BX 78	RIOTORD		43
139	AJ 73	RIOUX		17
154	AO 78	RIOUX MARTIN		16
103	CJ 53	RIOZ	C	70
85	CR 44	RIQUEWIHR		68
146	BP 69	RIS		63
216	AR 104	RIS		65
55	BH 40	RIS ORANGIS	C	91
199	AN 95	RISCLE	C	32
179	CP 84	RISOUL		05
179	CR 82	RISTOLAS		05
64	CW 36	RITTERSHOFFEN		67
41	CL 30	RITZING		57
198	AL 98	RIUPEYROUS		64
110	AR 55	RIVARENNES		37
128	AZ 62	RIVARENNES		36
161	BV 74	RIVAS		42
161	BY 74	RIVE DE GIER	C	42
36	BJ 32	RIVECOURT		60
124	AE 67	RIVEDOUX PLAGE		17
197	AG 98	RIVEHAUTE		64
223	BE 103	RIVEL		11
229	DL 109	RIVENTOSA		2B
218	AX 103	RIVERENERT		09
147	BY 74	RIVERIE		69
21	BG 26	RIVERY		80
163	CF 76	RIVES	C	38
188	BO 93	RIVES, LES		34
169	AU 84	RIVES		47
221	BL 105	RIVESALTES	C	66
22	BJ 22	RIVIERE		62
110	AR 56	RIVIERE		37
167	AL 81	RIVIERE, LA		33
163	CF 77	RIVIERE, LA		38
80	BT 44	RIVIERE DE CORPS, LA		10
120	CK 59	RIVIERE DRUGEON, LA		25
151	CO 67	RIVIERE ENVERSE, LA		74
102	CC 51	RIVIERE LES FOSSES		52
197	AE 94	RIVIERE SAAS ET GOURBY		40
32	AS 31	RIVIERE SAINT SAUVEUR, LA		14
188	BN 90	RIVIERE SUR TARN		12
140	AR 72	RIVIERES		16
186	BD 93	RIVIERES		81
190	BW 89	RIVIERES		30
58	BX 40	RIVIERES HENRUEL, LES		51
102	CE 50	RIVIERES LE BOIS		52
32	AT 28	RIVILLE		76
147	BY 69	RIVOLET		69
120	CJ 60	RIX		39
99	BP 53	RIX		58
105	CS 49	RIXHEIM		68
135	CI 64	RIXOUSE, LA		39
81	BZ 44	RIZAUCOURT BUCHEY		52
167	AL 86	ROAILLAN		33
191	CC 89	ROAIX		84
147	BU 69	ROANNE	S	42
172	BH 82	ROANNES SAINT MARY		15
82	CF 45	ROBECOURT		88
11	BI 18	ROBECQ		62
23	BQ 23	ROBERSART		59
59	CA 39	ROBERT ESPAGNE		55
81	BZ 42	ROBERT MAGNY LANEUVILLE A REMY		52
32	AV 28	ROBERTOT		76
36	BJ 33	ROBERVAL		60
189	BV 88	ROBIAC ROCHESSADOULE		30
193	CM 88	ROBINE SUR GALABRE, LA		04
191	CD 93	ROBION		84
170	AZ 82	ROC, LE		46
89	X 48	ROC SAINT ANDRE, LE		56
170	BB 83	ROCAMADOUR		46
209	CL 99	ROCBARON		83
95	AX 49	ROCE		41
148	CC 74	ROCHE		38
146	BT 74	ROCHE		42
90	X 52	ROCHE BERNARD, LA	C	56
91	AG 53	ROCHE BLANCHE, LA		44
145	BN 73	ROCHE BLANCHE, LA		63
157	BE 78	ROCHE CANILLAC, LA	C	19
154	AO 79	ROCHE CHALAIS, LA		24
159	BM 75	ROCHE CHARLES LA MAYRAND		63
110	AQ 57	ROCHE CLERMAULT, LA		37
144	BJ 69	ROCHE D'AGOUX		63
162	CA 80	ROCHE DE GLUN, LA		26
179	CO 82	ROCHE DE RAME, LA		05
46	R 37	ROCHE DERRIEN, LA	C	22
178	CJ 85	ROCHE DES ARNAUDS, LA		05
117	BU 54	ROCHE EN BRENIL, LA		21
160	BT 78	ROCHE EN REGNIER		43
102	CG 51	ROCHE ET RAUCOURT		70
54	BB 35	ROCHE GUYON, LA		95
161	BW 75	ROCHE LA MOLIERE		42
156	AY 74	ROCHE L'ABEILLE, LA		87
158	BH 76	ROCHE LE PEYROUX		19
104	CM 53	ROCHE LES CLERVAL		25
120	CJ 54	ROCHE LEZ BEAUPRE		25
73	AP 41	ROCHE MABILE, LA		61
45	K 40	ROCHE MAURICE, LA		29
102	CG 50	ROCHE MOREY, LA		70
145	BN 73	ROCHE NOIRE, LA		63
127	AV 60	ROCHE POSAY, LA		86
110	AQ 58	ROCHE RIGAULT, LA		86
176	CC 86	ROCHE SAINT SECRET BECONNE		26
150	CL 68	ROCHE SUR FORON, LA	C	74
176	CB 84	ROCHE SUR GRANE, LA		26
191	CE 88	ROCHE SUR LE BUIS, LA		26
103	CK 52	ROCHE SUR LINOTTE ET SORANS LES CORDIERS		70
123	AD 61	ROCHE SUR YON, LA	P	85
101	BX 53	ROCHE VANNEAU, LA		21
134	BZ 65	ROCHE VINEUSE, LA		71
176	CC 85	ROCHEBAUDIN		26
154	AR 75	ROCHEBEAUCOURT ET ARGENTINE, LA		24
191	CD 87	ROCHEBRUNE		26
178	CL 86	ROCHEBRUNE		05
162	CD 80	ROCHECHINARD		26
141	AV 71	ROCHECHOUART	S	87
175	BX 86	ROCHECOLOMBE		07
94	AU 53	ROCHECORBON		37
138	AG 69	ROCHEFORT	S	17
149	CH 74	ROCHEFORT		73
190	BZ 92	ROCHEFORT DU GARD		30
90	X 49	ROCHEFORT EN TERRE	C	56
176	CB 86	ROCHEFORT EN VALDAINE		26
76	BE 41	ROCHEFORT EN YVELINES		78
144	BK 73	ROCHEFORT MONTAGNE	C	63
176	CD 80	ROCHEFORT SAMSON		26
101	BY 50	ROCHEFORT SUR BEUVRON		21
81	CC 44	ROCHEFORT SUR LA COTE		52
109	AK 54	ROCHEFORT SUR LOIRE		49
119	CF 56	ROCHEFORT SUR NENON	C	39
140	AR 72	ROCHEFOUCAULD, LA	C	16
176	CD 85	ROCHEFOURCHAT		26
192	CH 90	ROCHEGIRON, LA		04
190	BW 89	ROCHEGUDE		30
190	CA 89	ROCHEGUDE		26
136	CL 60	ROCHEJEAN		25
138	AF 67	ROCHELLE, LA	P	17
102	CG 49	ROCHELLE, LA		70
49	AF 38	ROCHELLE NORMANDE, LA		50
176	BZ 85	ROCHEMAURE	C	07
125	AK 67	ROCHENARD, LA		79
161	BX 79	ROCHEPAULE		07
117	BY 59	ROCHEPOT, LA		21
175	BW 85	ROCHER		07
126	AQ 61	ROCHEREAU, LE		86
96	BA 49	ROCHES		41
129	BE 66	ROCHES		23
82	CC 43	ROCHES BETTAINCOURT		52
162	CA 75	ROCHES DE CONDRIEU, LES		38
104	CP 53	ROCHES LES BLAMONT		25
95	AW 50	ROCHES L'EVEQUE, LES		41
127	AS 64	ROCHES PREMARIE ANDILLE		86
59	CA 40	ROCHES SUR MARNE		52
107	AD 58	ROCHESERVIERE	C	85
175	BY 84	ROCHESSAUVE		07
84	CO 46	ROCHESSON		88
101	CB 48	ROCHETAILLEE		52
148	CA 71	ROCHETAILLEE SUR SAONE		69
149	CE 74	ROCHETOIRIN		38
108	AH 60	ROCHETREJOUX		85
164	CK 75	ROCHETTE, LA	C	73
77	BJ 41	ROCHETTE, LA		77
140	AR 71	ROCHETTE, LA		16
194	CR 91	ROCHETTE, LA		04
175	BW 81	ROCHETTE, LA		07
178	CL 84	ROCHETTE, LA		05
191	CF 88	ROCHETTE DU BUIS, LA		26
29	AE 30	ROCHEVILLE		50
41	CH 31	ROCHONVILLERS		57
35	BF 32	ROCHY CONDE		60
131	BM 65	ROCLES		03
174	BS 84	ROCLES		48
175	BV 85	ROCLES		07
22	BK 21	ROCLINCOURT		62
82	CG 45	ROCOURT		88
57	BO 34	ROCOURT SAINT MARTIN		02
51	AN 35	ROCQUANCOURT		14
50	AK 37	ROCQUE, LA		14
32	AV 28	ROCQUEFORT		76
33	AZ 29	ROCQUEMONT		76
36	BK 33	ROCQUEMONT		60
35	BH 29	ROCQUENCOURT		60
55	BF 38	ROCQUENCOURT		78
52	AR 34	ROCQUES		14
38	BU 28	ROCQUIGNY		08
22	BL 24	ROCQUIGNY		62
23	BS 25	ROCQUIGNY		02
24	BW 26	ROCROI	C	08
62	CM 36	RODALBE		57
10	BE 15	RODELINGHEM		62
172	BJ 86	RODELLE		12
41	CJ 30	RODEMACK		57
105	CQ 49	RODEREN		68
85	CS 43	RODERN		68
224	BI 107	RODES		66
187	BI 87	RODEZ	P	12
190	BX 93	RODILHAN		30
223	BE 105	RODOME		11
92	AH 48	ROE, LA		53
21	BH 21	ROELLECOURT		62
64	CW 36	ROESCHWOOG		67
22	BN 21	ROEULX		59
22	BL 22	ROEUX		62
93	AQ 48	ROEZE SUR SARTHE		72
99	BS 48	ROFFEY		89
159	BM 80	ROFFIAC		15
37	BO 29	ROGECOURT		02
32	AR 30	ROGERVILLE		76
61	CH 37	ROGEVILLE		54
105	CT 47	ROGGENHOUSE		68
227	DM 100	ROGLIANO	C	2B
135	CH 65	ROGNA		39
208	CE 97	ROGNAC		13
150	CM 73	ROGNAIX		73
208	CF 95	ROGNES		13
103	CK 53	ROGNON		25
190	CA 93	ROGNONAS		13
37	BR 27	ROGNY		02
98	BL 50	ROGNY LES SEPT ECLUSES		89
188	BQ 93	ROGUES		30
35	BG 28	ROGY		80
53	AV 40	ROHAIRE		28
69	U 45	ROHAN	C	56
64	CT 38	ROHR		67
63	CR 34	ROHRBACH LES BITCHE	C	57
64	CV 37	ROHRWILLER		67
110	AP 57	ROIFFE		86
161	BY 78	ROIFFIEUX		07
36	BK 28	ROIGLISE		80
100	BW 53	ROILLY		21
76	BC 42	ROINVILLE		28
77	BE 41	ROINVILLE		91
77	BG 43	ROINVILLIERS		91
22	BM 25	ROISEL	C	80
82	CF 42	ROISES, LES		55
161	BZ 76	ROISEY		42
177	CH 81	ROISSARD		38
55	BJ 38	ROISSY EN BRIE	C	77
55	BI 36	ROISSY EN FRANCE		95
52	AR 37	ROIVILLE		61
38	BU 31	ROIZY		08
102	CD 47	ROLAMPONT		52
43	CS 33	ROLBING		57
82	CG 43	ROLLAINVILLE		88
11	BF 20	ROLLANCOURT		62
54	BB 36	ROLLEBOISE		78
32	AR 29	ROLLEVILLE		76
35	BJ 29	ROLLOT		80
126	AP 66	ROM		79
145	BM 72	ROMAGNAT		63
38	BV 28	ROMAGNE, LA		08
108	AH 57	ROMAGNE, LA		49
126	AR 66	ROMAGNE		86
71	AG 43	ROMAGNE		35
167	AM 83	ROMAGNE		33
40	CD 32	ROMAGNE SOUS LES COTES		55
39	CA 32	ROMAGNE SOUS MONTFAUCON		55
163	CG 74	ROMAGNIEU		38
50	AI 39	ROMAGNY		50
105	CQ 50	ROMAGNY		68
104	CP 49	ROMAGNY SOUS ROUGEMONT		90
37	BR 32	ROMAIN		51
83	CK 41	ROMAIN		54
103	CL 53	ROMAIN		25
119	CG 55	ROMAIN		39
82	CG 46	ROMAIN AUX BOIS		88
82	CE 45	ROMAIN SUR MEUSE		52
55	BH 37	ROMAINVILLE	C	93
53	AX 38	ROMAN		27
134	BZ 67	ROMANECHE THORINS		71
119	CF 56	ROMANGE		39
126	AN 65	ROMANS		79
148	CB 68	ROMANS		01
162	CC 79	ROMANS SUR ISERE	C	26
63	CS 39	ROMANSWILLER		67
140	AN 69	ROMAZIERES		17
71	AE 42	ROMAZY		35
85	CR 43	ROMBACH LE FRANC		68
41	CI 33	ROMBAS	C	57
23	BQ 21	ROMBIES ET MARCHIPONT		59
11	BH 18	ROMBLY		62
139	AI 70	ROMEGOUX		17
62	CP 37	ROMELFING		57
134	CC 63	ROMENAY		71
57	BO 36	ROMENY SUR MARNE		02
23	BP 23	ROMERIES		59
57	BS 35	ROMERY		51
23	BR 26	ROMERY		02
34	BD 28	ROMESCAMPS		60
168	AO 87	ROMESTAING		47
177	CF 82	ROMEYER		26
183	AS 92	ROMIEU, LA		32
57	BR 34	ROMIGNY		51
204	BO 94	ROMIGUIERES		34
70	AB 44	ROMILLE		35
95	AX 48	ROMILLY		41
53	AV 36	ROMILLY LA PUTHENAYE		27
95	AZ 47	ROMILLY SUR AIGRE		28
33	AY 32	ROMILLY SUR ANDELLE		27
79	BR 41	ROMILLY SUR SEINE	C	10
84	CM 42	ROMONT		88
113	BB 54	ROMORANTIN LANTHENAY	S	41
176	BZ 83	ROMPON		07
51	AO 38	RONAI		61
80	BT 45	RONCENAY		10
53	AX 37	RONCENAY AUTHENAY, LE		27
49	AF 35	RONCEY		50
104	CN 50	RONCHAMP		70
119	CI 57	RONCHAUX		25
57	BQ 34	RONCHERES		02
98	BM 51	RONCHERES		89
34	BA 29	RONCHEROLLES EN BRAY		76
33	AY 31	RONCHEROLLES SUR LE VIVIER		76
12	BM 18	RONCHIN		59
34	BB 28	RONCHOIS		76
41	CI 33	RONCOURT		57
12	BM 16	RONCQ		59
125	AI 66	RONDE, LA		17
49	AF 34	RONDE HAYE, LA		50
136	CK 60	RONDEFONTAINE		25
186	BG 94	RONEL		81
51	AM 38	RONFEUGERAI		61
132	BP 66	RONGERES		03
144	BJ 67	RONNET		03
147	BW 69	RONNO		69
55	BF 34	RONQUEROLLES		95
154	AQ 75	RONSENAC		16
22	BM 25	RONSSOY		80
148	BY 73	RONTALON		69
198	AL 100	RONTIGNON		64
60	CE 34	RONVAUX		55
12	BM 20	ROOST WARENDIN		59
104	CP 50	ROPPE		90
64	CW 36	ROPPENHEIM		67
105	CS 51	ROPPENTZWILLER		68
43	CS 34	ROPPEVILLER		57
191	CC 90	ROQUE ALRIC, LA		84
52	AQ 34	ROQUE BAIGNARD, LA		14
208	CF 94	ROQUE D'ANTHERON, LA		13
210	CP 94	ROQUE ESCLAPON, LA		83
170	AX 82	ROQUE GAGEAC, LA		24
188	BN 90	ROQUE SAINTE MARGUERITE, LA		12
190	BY 89	ROQUE SUR CEZE, LA		30
191	CD 91	ROQUE SUR PERNES, LA		84
195	CU 90	ROQUEBILLIERE	C	06
204	BM 97	ROQUEBRUN		34
199	AQ 95	ROQUEBRUNE		32
168	AO 84	ROQUEBRUNE		33
195	CW 93	ROQUEBRUNE CAP MARTIN		06
210	CP 97	ROQUEBRUNE SUR ARGENS		83
209	CK 98	ROQUEBRUSSANNE, LA	C	83
184	AV 88	ROQUECOR		82
203	BG 95	ROQUECOURBE	C	81
220	BJ 100	ROQUECOURBE MINERVOIS		11
189	BR 92	ROQUEDUR		30
203	BH 99	ROQUEFERE		11
223	BD 105	ROQUEFEUIL		11
223	BC 103	ROQUEFIXADE		09
182	AL 91	ROQUEFORT	C	40
183	AS 90	ROQUEFORT		47
200	AS 94	ROQUEFORT		32
224	BF 106	ROQUEFORT DE SAULT		11
221	BL 103	ROQUEFORT DES CORBIERES		11
208	CH 100	ROQUEFORT LA BEDOULE		13
219	BC 103	ROQUEFORT LES CASCADES		09
211	CT 94	ROQUEFORT LES PINS		06
217	AV 101	ROQUEFORT SUR GARONNE		31
187	BM 92	ROQUEFORT SUR SOULZON		12
200	AS 95	ROQUELAURE		32
200	AV 95	ROQUELAURE SAINT AUBIN		32
190	CA 91	ROQUEMAURE	C	30
185	BB 94	ROQUEMAURE		81
183	AS 92	ROQUEPINE		32
204	BN 94	ROQUEREDONDE		34
201	AZ 97	ROQUES		31
183	AQ 93	ROQUES		32
202	BB 95	ROQUESERIERE		31
204	BO 97	ROQUESSELS		34
194	CS 92	ROQUESTERON	C	06
194	CS 92	ROQUESTERON GRASSE		06
220	BF 103	ROQUETAILLADE		11
11	BG 17	ROQUETOIRE		62
33	AZ 33	ROQUETTE, LA		27
211	CS 95	ROQUETTE SUR SIAGNE, LA		06
195	CU 92	ROQUETTE SUR VAR, LA		06
201	AZ 97	ROQUETTES		31
208	CH 98	ROQUEVAIRE	C	13
202	BD 96	ROQUEVIDAL		81
197	AG 100	ROQUIAGUE		64
168	AQ 83	ROQUILLE, LA		33
62	CO 37	RORBACH LES DIEUZE		57
85	CS 44	RORSCHWIHR		68
177	CF 87	ROSANS	C	05
33	AY 28	ROSAY		76
54	BC 37	ROSAY		78
135	CE 63	ROSAY		39
34	BA 32	ROSAY SUR LIEURE		27
228	DJ 110	ROSAZIA		2A
42	CN 33	ROSBRUCK		57
66	I 41	ROSCANVEL		29
45	M 37	ROSCOFF		29
31	AM 33	ROSEL		14
105	CT 50	ROSENAU		68
63	CS 40	ROSENWILLER		67
119	CH 56	ROSET FLUANS		25
134	BZ 61	ROSEY		71
103	CI 51	ROSEY		70
63	CS 40	ROSHEIM	C	67
104	CM 47	ROSIERE, LA		70
56	BK 34	ROSIERES		60
186	BF 91	ROSIERES		81
175	BW 86	ROSIERES		07
160	BU 79	ROSIERES		43
61	CK 40	ROSIERES AUX SALINES		54
61	CH 38	ROSIERES EN HAYE		54
22	BJ 27	ROSIERES EN SANTERRE	C	80
80	BT 44	ROSIERES PRES TROYES		10
121	CN 54	ROSIERES SUR BARBECHE		25
103	CG 48	ROSIERES SUR MANCE		70
156	AY 77	ROSIERS DE JUILLAC		19
157	BE 76	ROSIERS D'EGLETONS		19
110	AN 54	ROSIERS SUR LOIRE, LES		49
204	BM 96	ROSIS		34
37	BR 33	ROSNAY		51
128	AY 62	ROSNAY		36
124	AF 63	ROSNAY		85
80	BW 42	ROSNAY L'HOPITAL		10
67	K 42	ROSNOEN		29
55	BI 37	ROSNY SOUS BOIS	C	93
54	BB 36	ROSNY SUR SEINE		78
35	BI 32	ROSOY		60
56	BL 35	ROSOY EN MULTIEN		60
78	BL 46	ROSOY LE VIEIL		45
46	R 37	ROSPEZ		22
229	DM 109	ROSPIGLIANI		2B
67	M 46	ROSPORDEN	C	29
41	CH 32	ROSSELANGE		57
85	CU 42	ROSSFELD		67
149	CG 71	ROSSILLON		01
63	CR 36	ROSTEIG		67
68	Q 43	ROSTRENEN	C	22
13	BO 20	ROSULT		59
121	CO 55	ROSUREUX		25
135	CF 62	ROTALIER		39
35	BF 30	ROTANGY		60
85	CR 41	ROTHAU		67
64	CT 36	ROTHBACH		67
164	CK 75	ROTHERENS		73
81	BX 43	ROTHIERE, LA		10
34	BE 29	ROTHOIS		60
135	CF 63	ROTHONAY		39
51	AN 38	ROTOURS, LES		61
31	AM 33	ROTS		14
64	CV 34	ROTT		67
64	CU 37	ROTTELSHEIM		67
177	CF 86	ROTTIER		26
110	AN 55	ROU MARSON		49
203	BI 97	ROUAIROUX		81
107	AB 55	ROUANS		44
91	AG 49	ROUAUDIERE, LA		53
12	BM 17	ROUBAIX	C	59
204	BK 100	ROUBIA		11
194	CS 89	ROUBION		06
50	AL 36	ROUCAMPS		14
22	BM 21	ROUCOURT		59
37	BR 32	ROUCY		02
67	O 44	ROUDOUALLEC		56
81	CB 43	ROUECOURT		52
217	AU 102	ROUEDE		31
50	AK 40	ROUELLE		61
101	CB 49	ROUELLES		52
33	AX 31	ROUEN	P	76
74	AQ 43	ROUESSE FONTAINE		72
73	AO 45	ROUESSE VASSE		72
189	BS 94	ROUET		34
73	AO 45	ROUEZ		72
85	CS 47	ROUFFACH	C	68
119	CG 55	ROUFFANGE		39
139	AL 73	ROUFFIAC		17
157	BF 80	ROUFFIAC		15
154	AP 77	ROUFFIAC		16
186	BE 93	ROUFFIAC		81
220	BG 101	ROUFFIAC D'AUDE		11
224	BI 104	ROUFFIAC DES CORBIERES		11
201	BA 95	ROUFFIAC TOLOSAN		31
153	AL 76	ROUFFIGNAC		17
168	AS 83	ROUFFIGNAC DE SIGOULES		24
155	AW 80	ROUFFIGNAC SAINT CERNIN DE REILHAC		24
49	AG 38	ROUFFIGNY		50
170	AZ 83	ROUFFILHAC		46
58	BT 37	ROUFFY		51
91	AE 49	ROUGE	C	44
74	AU 44	ROUGE, LA		61
53	AV 34	ROUGE PERRIERS		27
21	BF 22	ROUGEFAY		62
104	CO 49	ROUGEGOUTTE		90
103	CL 52	ROUGEMONT	C	25
100	BV 51	ROUGEMONT		21
104	CP 49	ROUGEMONT LE CHATEAU	C	90
32	AV 32	ROUGEMONTIERS		27
103	CK 53	ROUGEMONTOT		25
112	BA 54	ROUGEOU		41
23	BR 27	ROUGERIES		02
84	CO 43	ROUGES EAUX, LES		88
171	BG 82	ROUGET, LE		15
102	CF 49	ROUGEUX		52
209	CJ 98	ROUGIERS		83
154	AR 74	ROUGNAC		16
144	BI 69	ROUGNAT		23
193	CN 93	ROUGON		04
120	CI 57	ROUHE		25
42	CP 34	ROUHLING		57
140	AO 72	ROUILLAC	C	16
70	Y 43	ROUILLAC		22
126	AP 64	ROUILLE		86
74	AQ 47	ROUILLON		72
78	BN 40	ROUILLY		77
80	BV 43	ROUILLY SACEY		10
80	BU 44	ROUILLY SAINT LOUP		10
204	BO 97	ROUJAN	C	34
120	CK 54	ROULANS	C	25
84	CM 45	ROULIER, LE		88
74	AR 42	ROULLEE		72
220	BG 101	ROULLENS		11
154	AP 74	ROULLET SAINT ESTEPHE		16
50	AJ 37	ROULLOURS		14
168	AR 85	ROUMAGNE		47
33	AW 30	ROUMARE		76
141	AT 70	ROUMAZIERES LOUBERT		16
171	BF 82	ROUMEGOUX		15
203	BG 94	ROUMEGOUX		81
219	BD 102	ROUMENGOUX		09
202	BD 98	ROUMENS		31
193	CL 93	ROUMOULES		04
64	CW 37	ROUNTZENHEIM		67
41	CL 33	ROUPELDANGE		57
73	AP 41	ROUPERROUX		61
74	AS 44	ROUPERROUX LE COQUET		72
22	BN 27	ROUPY		02
186	BE 88	ROUQUETTE, LA		12
194	CS 89	ROURE		06
211	CS 94	ROURET, LE		06
24	BS 22	ROUSIES		59
142	AY 69	ROUSSAC		87
176	CA 87	ROUSSAS		26
108	AH 57	ROUSSAY		49
185	BC 91	ROUSSAYROLLES		81
35	BH 33	ROUSSELOY		60
171	BG 87	ROUSSENNAC		12
20	BD 21	ROUSSENT		62
136	CJ 63	ROUSSES, LES		39
188	BR 89	ROUSSES		48
133	BX 63	ROUSSET, LE		71
178	CL 86	ROUSSET		05
208	CH 97	ROUSSET		13
176	CC 87	ROUSSET LES VIGNES		26
52	AU 36	ROUSSIERE, LA		27
192	CG 87	ROUSSIEUX		26
162	CA 76	ROUSSILLON	C	38
191	CE 92	ROUSSILLON		84
117	BU 58	ROUSSILLON EN MORVAN		71
128	AZ 64	ROUSSINES		36

Page	Carreau	Commune	Adm.Dpt
129	BD 67	SAINT FIEL	.23
178	CJ 82	SAINT FIRMIN	C .05
115	BP 58	SAINT FIRMIN	.58
117	BX 60	SAINT FIRMIN	.71
83	CJ 42	SAINT FIRMIN	.54
98	BL 48	SAINT FIRMIN DES BOIS	.45
95	AX 49	SAINT FIRMIN DES PRES	.41
98	BJ 51	SAINT FIRMIN SUR LOIRE	.45
79	BR 43	SAINT FLAVY	.10
97	BI 51	SAINT FLORENT	.45
227	DM 104	SAINT FLORENT	.2B
124	AF 62	SAINT FLORENT DES BOIS	.85
108	AH 54	SAINT FLORENT LE VIEIL	C .49
189	BV 89	SAINT FLORENT SUR AUZONNET	.30
114	BG 58	SAINT FLORENT SUR CHER	.18
99	BR 47	SAINT FLORENTIN	C .89
113	BC 57	SAINT FLORENTIN	.36
159	BM 74	SAINT FLORET	.63
11	BI 18	SAINT FLORIS	.62
159	BM 80	SAINT FLOUR	S .15
146	BQ 73	SAINT FLOUR	.63
174	BS 84	SAINT FLOUR DE MERCOIRE	.48
112	AW 59	SAINT FLOVIER	.37
29	AG 30	SAINT FLOXEL	.50
11	BF 14	SAINT FOLQUIN	.62
148	CA 72	SAINT FONS	C .69
117	BV 58	SAINT FORGEOT	.71
54	BE 39	SAINT FORGET	.78
147	BX 71	SAINT FORGEUX	.69
146	BT 68	SAINT FORGEUX LESPINASSE	.42
92	AJ 49	SAINT FORT	.53
152	AI 75	SAINT FORT SUR GIRONDE	.17
139	AM 74	SAINT FORT SUR LE NE	.16
176	BZ 82	SAINT FORTUNAT SUR EYRIEUX	.07
140	AO 70	SAINT FRAIGNE	.16
72	AK 41	SAINT FRAIMBAULT	.61
72	AL 43	SAINT FRAIMBAULT DE PRIERES	.53
200	AU 99	SAINT FRAJOU	.31
163	CH 75	SAINT FRANC	.73
116	BP 57	SAINT FRANCHY	.58
150	CJ 72	SAINT FRANCOIS DE SALES	.73
41	CK 31	SAINT FRANCOIS LACROIX	.57
164	CM 75	SAINT FRANCOIS LONGCHAMP	.73
44	J 38	SAINT FREGANT	.29
158	BH 74	SAINT FREJOUX	.19
174	BS 85	SAINT FREZAL D'ALBUGES	.48
189	BS 88	SAINT FREZAL DE VENTALON	.48
203	BI 100	SAINT FRICHOUX	.11
144	BG 71	SAINT FRION	.23
30	AI 33	SAINT FROMOND	.50
140	AR 70	SAINT FRONT	.16
175	BV 81	SAINT FRONT	.43
155	AU 77	SAINT FRONT D'ALEMPS	.24
154	AR 80	SAINT FRONT DE PRADOUX	.24
155	AU 75	SAINT FRONT LA RIVIERE	.24
169	AV 85	SAINT FRONT SUR LEMANCE	.47
155	AT 75	SAINT FRONT SUR NIZONNE	.24
138	AG 70	SAINT FROULT	.17
108	AF 59	SAINT FULGENT	C .85
74	AT 43	SAINT FULGENT DES ORMES	.61
21	BG 27	SAINT FUSCIEN	.80
31	AL 33	SAINT GABRIEL BRECY	.14
173	BP 84	SAINT GAL	.48
145	BL 68	SAINT GAL SUR SIOULE	.63
161	BW 74	SAINT GALMIER	C .42
103	CH 52	SAINT GAND	.70
90	AB 49	SAINT GANTON	.35
32	AR 32	SAINT GATIEN DES BOIS	.14
217	AT 102	SAINT GAUDENS	S .31
140	AR 68	SAINT GAUDENT	.86
219	BD 101	SAINT GAUDERIC	.11
128	AZ 62	SAINT GAULTIER	C .36
202	BD 94	SAINT GAUZENS	.81
182	AL 93	SAINT GEIN	.40
125	AM 65	SAINT GELAIS	.79
68	S 43	SAINT GELVEN	.22
205	BS 95	SAINT GELY DU FESC	.34
126	AO 67	SAINT GENARD	.79
142	AX 70	SAINT GENCE	.87
110	AO 59	SAINT GENEROUX	.79
145	BM 73	SAINT GENES CHAMPANELLE	.63
158	BJ 76	SAINT GENES CHAMPESPE	.63
152	AJ 78	SAINT GENES DE BLAYE	.33
168	AO 81	SAINT GENES DE CASTILLON	.33
153	AL 80	SAINT GENES DE FRONSAC	.33
167	AL 83	SAINT GENES DE LOMBAUD	.33
145	BN 69	SAINT GENES DU RETZ	.63
159	BP 75	SAINT GENES LA TOURETTE	.63
130	BJ 66	SAINT GENEST	.03
84	CL 42	SAINT GENEST	.88
111	AS 60	SAINT GENEST D'AMBIERE	.86
175	BV 87	SAINT GENEST DE BEAUZON	.07
202	BF 94	SAINT GENEST DE CONTEST	.81
175	BX 82	SAINT GENEST LACHAMP	.07
161	BW 75	SAINT GENEST LERPT	.42
161	BX 77	SAINT GENEST MALIFAUX	C .42
142	AZ 73	SAINT GENEST SUR ROSELLE	.87
160	BS 79	SAINT GENEYS PRES SAINT PAULIEN	.43
56	BN 35	SAINT GENGOULPH	.02
134	BZ 64	SAINT GENGOUX DE SCISSE	.71
133	BY 62	SAINT GENGOUX LE NATIONAL	C .71
170	AY 81	SAINT GENIES	.24
201	BA 95	SAINT GENIES BELLEVUE	.31
190	CA 91	SAINT GENIES DE COMOLAS	.30
204	BN 97	SAINT GENIES DE FONTEDIT	.34
190	BW 92	SAINT GENIES DE MALGOIRES	.30
204	BM 95	SAINT GENIES DE VARENSAL	.34
206	BU 95	SAINT GENIES DES MOURGUES	.34
193	CK 88	SAINT GENIEZ	.04
173	BM 86	SAINT GENIEZ D'OLT	C .12
157	BE 80	SAINT GENIEZ O MERLE	.19
177	CI 87	SAINT GENIS	.05
153	AK 75	SAINT GENIS DE SAINTONGE	C .17
225	BL 108	SAINT GENIS DES FONTAINES	.66
140	AP 72	SAINT GENIS D'HIERSAC	.16
167	AM 84	SAINT GENIS DU BOIS	.33
147	BX 72	SAINT GENIS L'ARGENTIERE	.69
148	BZ 73	SAINT GENIS LAVAL	C .69
148	BZ 72	SAINT GENIS LES OLLIERES	.69
136	CJ 66	SAINT GENIS POUILLY	.01
134	CB 66	SAINT GENIS SUR MENTHON	.01
149	CG 73	SAINT GENIX SUR GUIERS	C .73
112	AZ 59	SAINT GENOU	.36
111	AT 54	SAINT GENOUPH	.37
163	CG 75	SAINT GEOIRE EN VALDAINE	C .38
162	CE 77	SAINT GEOIRS	.38
21	BF 21	SAINT GEORGES	.62
62	CO 39	SAINT GEORGES	.57
140	AR 70	SAINT GEORGES	.16
169	AV 87	SAINT GEORGES	.47
200	AV 95	SAINT GEORGES	.32
185	BB 89	SAINT GEORGES	.82
159	BM 80	SAINT GEORGES	.15
153	AK 75	SAINT GEORGES ANTIGNAC	.17
104	CM 53	SAINT GEORGES ARMONT	.25
168	AR 81	SAINT GEORGES BLANCANEIX	.24
72	AK 43	SAINT GEORGES BUTTAVENT	.53
51	AN 40	SAINT GEORGES D'ANNEBECQ	.61
50	AK 35	SAINT GEORGES D'AUNAY	.14
159	BQ 79	SAINT GEORGES D'AURAC	.43
147	BU 71	SAINT GEORGES DE BAROILLE	.42
29	AG 33	SAINT GEORGES DE BOHON	.50
71	AF 44	SAINT GEORGES DE CHESNE	.35
163	CH 80	SAINT GEORGES DE COMMIERS	.38
138	AG 73	SAINT GEORGES DE DIDONNE	.17
49	AE 40	SAINT GEORGES DE GREHAIGNE	.35
94	AT 49	SAINT GEORGES DE LA COUEE	.72
29	AD 31	SAINT GEORGES DE LA RIVIERE	.50
188	BN 88	SAINT GEORGES DE LEVEJAC	.48
49	AG 38	SAINT GEORGES DE LIVOYE	.50
139	AL 69	SAINT GEORGES DE LONGUEPIERRE	.17
187	BM 91	SAINT GEORGES DE LUZENCON	.12
145	BK 70	SAINT GEORGES DE MONS	.63
108	AF 58	SAINT GEORGES DE MONTAIGU	.85
169	AT 81	SAINT GEORGES DE MONTCLARD	.24
125	AN 63	SAINT GEORGES DE NOISNE	.79
123	AC 61	SAINT GEORGES DE POINTINDOUX	.85
130	BH 62	SAINT GEORGES DE POISIEUX	.18
71	AG 41	SAINT GEORGES DE REINTEMBAULT	.35
148	BZ 68	SAINT GEORGES DE RENEINS	.69
125	AK 66	SAINT GEORGES DE REX	.79
50	AJ 40	SAINT GEORGES DE ROUELLEY	.50
50	AI 34	SAINT GEORGES D'ELLE	.50
153	AJ 76	SAINT GEORGES DES AGOUTS	.17
139	AJ 71	SAINT GEORGES DES COTEAUX	.17
109	AJ 56	SAINT GEORGES DES GARDES	.49
50	AL 38	SAINT GEORGES DES GROSEILLERS	.61
164	CL 74	SAINT GEORGES DES HURTIERES	.73
109	AM 54	SAINT GEORGES DES SEPT VOIES	.49
162	CC 74	SAINT GEORGES D'ESPERANCHE	.38
138	AE 69	SAINT GEORGES D'OLERON	.17
205	BS 96	SAINT GEORGES D'ORQUES	.34
93	AN 52	SAINT GEORGES DU BOIS	.49
93	AQ 47	SAINT GEORGES DU BOIS	.72
139	AJ 67	SAINT GEORGES DU BOIS	.17
32	AU 33	SAINT GEORGES DU MESNIL	.27
74	AT 45	SAINT GEORGES DU ROSAY	.72
32	AT 33	SAINT GEORGES DU VIEVRE	C .27
51	AQ 36	SAINT GEORGES EN AUGE	.14
146	BT 72	SAINT GEORGES EN COUZAN	C .42
160	BU 74	SAINT GEORGES HAUTE VILLE	.42
143	BE 69	SAINT GEORGES LA POUGE	.23
160	BT 77	SAINT GEORGES LAGRICOL	.43
72	AL 46	SAINT GEORGES LE FLECHARD	.53
73	AP 44	SAINT GEORGES LE GAULTIER	.72
127	AS 62	SAINT GEORGES LES BAILLARGEAUX	C .86
176	CA 82	SAINT GEORGES LES BAINS	.07
128	AZ 65	SAINT GEORGES LES LANDES	.87
50	AI 34	SAINT GEORGES MONTCOCQ	.50
53	AZ 38	SAINT GEORGES MOTEL	.27
144	BG 71	SAINT GEORGES NIGREMONT	.23
145	BN 73	SAINT GEORGES SUR ALLIER	.63
113	BE 58	SAINT GEORGES SUR ARNON	.36
99	BP 49	SAINT GEORGES SUR BAULCHE	.89
112	AX 55	SAINT GEORGES SUR CHER	.41
73	AN 45	SAINT GEORGES SUR ERVE	.53
75	AZ 42	SAINT GEORGES SUR EURE	.28
33	AY 30	SAINT GEORGES SUR FONTAINE	.76
113	BE 56	SAINT GEORGES SUR LA PREE	.18
11	BF 14	SAINT GEORGES SUR L'AA	.59
109	AM 56	SAINT GEORGES SUR LAYON	.49
92	AJ 53	SAINT GEORGES SUR LOIRE	C .49
114	BH 56	SAINT GEORGES SUR MOULON	.18
148	CB 68	SAINT GEORGES SUR RENON	.01
197	AH 94	SAINT GEOURS D'AURIBAT	.40
197	AE 95	SAINT GEOURS DE MAREMNE	.40
69	T 45	SAINT GERAND	.56
131	BP 65	SAINT GERAND DE VAUX	.03
132	BQ 67	SAINT GERAND LE PUY	.03
168	AP 85	SAINT GERAUD	.47
168	AQ 81	SAINT GERAUD DE CORPS	.24
91	AG 54	SAINT GEREON	.44
80	BT 44	SAINT GERMAIN	.10
127	AV 63	SAINT GERMAIN	.86
104	CM 49	SAINT GERMAIN	.70
83	CK 42	SAINT GERMAIN	.54
175	BX 85	SAINT GERMAIN	.07
148	BZ 70	SAINT GERMAIN AU MONT D'OR	.69
128	BA 66	SAINT GERMAIN BEAUPRE	.23
131	BO 61	SAINT GERMAIN CHASSENAY	.58
72	AJ 44	SAINT GERMAIN D'ANXURE	.53
94	AR 51	SAINT GERMAIN D'ARCE	.72
52	AS 37	SAINT GERMAIN D'AUNAY	.61
169	AW 83	SAINT GERMAIN DE BELVES	.24
189	BS 89	SAINT GERMAIN DE CALBERTE	C .48
52	AR 39	SAINT GERMAIN DE CLAIREFEUILLE	.61
141	AU 69	SAINT GERMAIN DE CONFOLENS	.16
73	AO 44	SAINT GERMAIN DE COULAMER	.53
53	AZ 36	SAINT GERMAIN DE FRESNEY	.27
167	AM 84	SAINT GERMAIN DE GRAVE	.33
135	CH 67	SAINT GERMAIN DE JOUX	.01
74	AU 44	SAINT GERMAIN DE LA COUDRE	.61
54	BD 38	SAINT GERMAIN DE LA GRANGE	.78
167	AL 81	SAINT GERMAIN DE LA RIVIERE	.33
52	AR 35	SAINT GERMAIN DE LIVET	.14
125	AM 61	SAINT GERMAIN DE LONGUE CHAUME	.79
153	AK 75	SAINT GERMAIN DE LUSIGNAN	.17
138	AI 68	SAINT GERMAIN DE MARENCENNES	.17
52	AS 40	SAINT GERMAIN DE MARTIGNY	.61
117	BU 54	SAINT GERMAIN DE MODEON	.21
140	AR 73	SAINT GERMAIN DE MONTBRON	.16
52	AQ 36	SAINT GERMAIN DE MONTGOMMERY	.14
33	AX 33	SAINT GERMAIN DE PASQUIER	.27
124	AH 61	SAINT GERMAIN DE PRINCAY	.85
145	BN 67	SAINT GERMAIN DE SALLES	.03
50	AJ 38	SAINT GERMAIN DE TALLEVENDE LA LANDE VAUMONT	.14
29	AF 29	SAINT GERMAIN DE TOURNEBUT	.50
29	AG 31	SAINT GERMAIN DE VARREVILLE	.50
153	AM 75	SAINT GERMAIN DE VIBRAC	.17
50	AK 34	SAINT GERMAIN D'ECTOT	.14
50	AJ 34	SAINT GERMAIN D'ELLE	.50
53	AY 35	SAINT GERMAIN DES ANGLES	.27
116	BP 54	SAINT GERMAIN DES BOIS	.58
114	BH 59	SAINT GERMAIN DES BOIS	.18
99	BS 54	SAINT GERMAIN DES CHAMPS	.89
33	AZ 30	SAINT GERMAIN DES ESSOURTS	.76
131	BP 67	SAINT GERMAIN DES FOSSES	.03
75	AV 43	SAINT GERMAIN DES GROIS	.61
98	BK 48	SAINT GERMAIN DES PRES	.45
92	AJ 53	SAINT GERMAIN DES PRES	.49
155	AW 77	SAINT GERMAIN DES PRES	.24
202	BE 96	SAINT GERMAIN DES PRES	.81
28	AC 27	SAINT GERMAIN DES VAUX	.50
152	AH 77	SAINT GERMAIN D'ESTEUIL	.33
19	AY 27	SAINT GERMAIN D'ETABLES	.76
170	AZ 84	SAINT GERMAIN DU BEL AIR	C .46
134	CD 61	SAINT GERMAIN DU BOIS	C .71
73	AP 42	SAINT GERMAIN DU CORBEIS	.61
50	AL 37	SAINT GERMAIN DU CRIOULT	.14
30	AI 32	SAINT GERMAIN DU PERT	.14
71	AG 47	SAINT GERMAIN DU PINEL	.35
134	CB 61	SAINT GERMAIN DU PLAIN	C .71
167	AM 82	SAINT GERMAIN DU PUCH	.33
114	BH 57	SAINT GERMAIN DU PUY	.18
154	AR 79	SAINT GERMAIN DU SALEMBRE	.24
152	AJ 74	SAINT GERMAIN DU SEUDRE	.17
173	BN 86	SAINT GERMAIN DU TEIL	C .48
133	BV 65	SAINT GERMAIN EN BRIONNAIS	.71
71	AG 42	SAINT GERMAIN EN COGLES	.35
55	BF 37	SAINT GERMAIN EN LAYE	S .78
120	CI 60	SAINT GERMAIN EN MONTAGNE	.39
169	AT 82	SAINT GERMAIN ET MONS	.24
31	AM 34	SAINT GERMAIN LA BLANCHE HERBE	.14
52	AS 35	SAINT GERMAIN LA CAMPAGNE	.27
150	CI 71	SAINT GERMAIN LA CHAMBOTTE	.73
133	BW 67	SAINT GERMAIN LA MONTAGNE	.42
34	BE 31	SAINT GERMAIN LA POTERIE	.60
58	BW 37	SAINT GERMAIN LA VILLE	.51
124	AI 61	SAINT GERMAIN L'AIGUILLER	.85
51	AN 37	SAINT GERMAIN LANGOT	.14
160	BT 80	SAINT GERMAIN LAPRADE	.43
146	BT 71	SAINT GERMAIN LAVAL	C .42
78	BL 43	SAINT GERMAIN LAVAL	.77
143	BF 74	SAINT GERMAIN LAVOLPS	.19
78	BJ 41	SAINT GERMAIN LAXIS	.77
104	CP 50	SAINT GERMAIN LE CHATELET	.90
72	AJ 45	SAINT GERMAIN LE FOUILLOUX	.53
29	AD 30	SAINT GERMAIN LE GAILLARD	.50
75	AZ 42	SAINT GERMAIN LE GAILLARD	.28
72	AJ 44	SAINT GERMAIN LE GUILLAUME	.53
101	BY 50	SAINT GERMAIN LE ROCHEUX	.21
51	AN 36	SAINT GERMAIN LE VASSON	.14
52	AS 40	SAINT GERMAIN LE VIEUX	.61
159	BO 75	SAINT GERMAIN LEMBRON	C .63
119	CF 60	SAINT GERMAIN LES ARLAY	.39
55	BG 40	SAINT GERMAIN LES ARPAJON	.91
142	BA 74	SAINT GERMAIN LES BELLES	C .87
134	BZ 61	SAINT GERMAIN LES BUXY	.71
55	BI 40	SAINT GERMAIN LES CORBEIL	C .91
149	CG 71	SAINT GERMAIN LES PAROISSES	.01
100	BV 51	SAINT GERMAIN LES SENAILLY	.21
156	BB 77	SAINT GERMAIN LES VERGNES	.19
146	BT 68	SAINT GERMAIN LESPINASSE	.42
159	BQ 75	SAINT GERMAIN L'HERM	C .63
144	BI 72	SAINT GERMAIN PRES HERMENT	.63
101	BY 52	SAINT GERMAIN SOURCE SEINE	.21
33	AY 30	SAINT GERMAIN SOUS CAILLY	.76
56	BM 38	SAINT GERMAIN SOUS DOUE	.77
53	AZ 39	SAINT GERMAIN SUR AVRE	.27
29	AE 33	SAINT GERMAIN SUR AY	.50
20	BC 27	SAINT GERMAIN SUR BRESLE	.80
34	BA 28	SAINT GERMAIN SUR EAULNE	.76
77	BH 42	SAINT GERMAIN SUR ECOLE	.77
71	AD 44	SAINT GERMAIN SUR ILLE	.35
147	BY 71	SAINT GERMAIN SUR L'ARBRESLE	.69
60	CF 39	SAINT GERMAIN SUR MEUSE	.55
108	AG 56	SAINT GERMAIN SUR MOINE	.49
56	BK 37	SAINT GERMAIN SUR MORIN	.77
148	CB 68	SAINT GERMAIN SUR RENON	.01
149	CH 68	SAINT GERMAIN SUR RHONE	.74
73	AQ 44	SAINT GERMAIN SUR SARTHE	.72
29	AF 33	SAINT GERMAIN SUR SEVES	.50
110	AP 56	SAINT GERMAIN SUR VIENNE	.37
32	AT 32	SAINT GERMAIN VILLAGE	.27
38	BT 30	SAINT GERMAINMONT	.08
198	AN 95	SAINT GERME	.32
34	BC 31	SAINT GERMER DE FLY	.60
126	AO 64	SAINT GERMIER	.79
200	AV 95	SAINT GERMIER	.32
203	BG 95	SAINT GERMIER	.81
202	BC 98	SAINT GERMIER	.31
159	BO 77	SAINT GERON	.43
171	BF 81	SAINT GERONS	.15
54	BC 34	SAINT GERVAIS	.95
107	Z 59	SAINT GERVAIS	.85
190	BY 89	SAINT GERVAIS	.30
163	CF 78	SAINT GERVAIS	.38
153	AK 80	SAINT GERVAIS	.33
145	BK 69	SAINT GERVAIS D'AUVERGNE	C .63
94	AV 48	SAINT GERVAIS DE VIC	.72
51	AQ 37	SAINT GERVAIS DES SABLONS	.61
73	AQ 41	SAINT GERVAIS DU PERRON	.61
94	AQ 48	SAINT GERVAIS EN BELIN	.72
118	CA 59	SAINT GERVAIS EN VALLIERE	.71
95	AZ 52	SAINT GERVAIS LA FORET	.41
151	CP 70	SAINT GERVAIS LES BAINS	C .74
111	AS 59	SAINT GERVAIS LES TROIS CLOCHERS	C .86
146	BQ 73	SAINT GERVAIS SOUS MEYMONT	.63
117	BX 59	SAINT GERVAIS SUR COUCHES	.71
204	BM 95	SAINT GERVAIS SUR MARE	C .34
176	CB 85	SAINT GERVAIS SUR ROUBION	.26
190	BX 93	SAINT GERVASY	.30
159	BN 76	SAINT GERVAZY	.63
170	BA 86	SAINT GERY	C .46
168	AQ 81	SAINT GERY	.24
155	AV 79	SAINT GEYRAC	.24
58	BV 36	SAINT GIBRIEN	.51
69	T 41	SAINT GILDAS	.22
89	T 52	SAINT GILDAS DE RHUYS	.56
90	AA 52	SAINT GILDAS DES BOIS	C .44
206	BX 95	SAINT GILLES	C .30
50	AH 34	SAINT GILLES	.50
37	BQ 33	SAINT GILLES	.51
117	BY 59	SAINT GILLES	.71
128	BA 64	SAINT GILLES	.36
70	AC 45	SAINT GILLES	.35
69	T 43	SAINT GILLES VIEUX MARCHE	.22
123	AA 61	SAINT GILLES CROIX DE VIE	C .85
32	AU 30	SAINT GILLES DE CRETOT	.76
32	AS 29	SAINT GILLES DE LA NEUVILLE	.76
50	AK 40	SAINT GILLES DES MARAIS	.61
69	W 43	SAINT GILLES DU MENE	.22
46	S 38	SAINT GILLES LES BOIS	.22
143	BB 73	SAINT GILLES LES FORETS	.87
68	S 41	SAINT GILLES PLIGEAUX	.22
175	BY 84	SAINT GINEIS EN COIRON	.07
137	CP 64	SAINT GINGOLPH	.74
150	CJ 71	SAINT GIROD	.73
218	AX 103	SAINT GIRONS	S .09
197	AH 96	SAINT GIRONS	.64
153	AK 79	SAINT GIRONS D'AIGUEVIVES	.33
197	AG 98	SAINT GLADIE ARRIVE MUNEIN	.64
69	X 42	SAINT GLEN	.22
67	N 44	SAINT GOAZEC	.29
37	BO 29	SAINT GOBAIN	.02
23	BR 27	SAINT GOBERT	.02
197	AI 100	SAINT GOIN	.64
97	BI 51	SAINT GONDON	.45
70	AC 43	SAINT GONDRAN	.35
70	AA 45	SAINT GONLAY	.35
69	U 45	SAINT GONNERY	.56
182	AM 91	SAINT GOR	.40
84	CM 43	SAINT GORGON	.88
90	Y 50	SAINT GORGON	.56
120	CL 57	SAINT GORGON MAIN	.25
69	W 43	SAINT GOUENO	.22
95	AX 51	SAINT GOURGON	.41
140	AR 70	SAINT GOURSON	.16
142	BB 69	SAINT GOUSSAUD	.23
55	BG 36	SAINT GRATIEN	C .95
21	BH 25	SAINT GRATIEN	.80
116	BR 59	SAINT GRATIEN SAVIGNY	.58
90	Y 49	SAINT GRAVE	.56
71	AD 45	SAINT GREGOIRE	.35
186	BG 92	SAINT GREGOIRE	.81
153	AK 74	SAINT GREGOIRE D'ARDENNES	.17
32	AU 33	SAINT GREGOIRE DU VIEVRE	.27
199	AN 94	SAINT GRIEDE	.32
140	AQ 70	SAINT GROUX	.16
69	T 43	SAINT GUEN	.22
205	BQ 94	SAINT GUILHEM LE DESERT	.34
177	CG 80	SAINT GUILLAUME	.38
48	AB 40	SAINT GUINOUX	.35
205	BP 95	SAINT GUIRAUD	.34
89	W 49	SAINT GUYOMARD	.56
174	BS 82	SAINT HAON	.43
146	BT 68	SAINT HAON LE CHATEL	C .42
146	BS 68	SAINT HAON LE VIEUX	.42
161	BW 74	SAINT HEAND	C .42
70	AB 41	SAINT HELEN	.22
101	BY 54	SAINT HELIER	.21
33	AY 28	SAINT HELLIER	.76
107	AC 55	SAINT HERBLAIN	C .44
91	AG 53	SAINT HERBLON	.44
159	BN 75	SAINT HERENT	.63
68	O 43	SAINT HERNIN	.29
69	U 43	SAINT HERVE	.22
220	BG 102	SAINT HILAIRE	C .11
77	BF 42	SAINT HILAIRE	.91
120	CK 54	SAINT HILAIRE	.25
131	BM 64	SAINT HILAIRE	.03
144	BJ 68	SAINT HILAIRE	.63
159	BP 76	SAINT HILAIRE	.43
171	BF 83	SAINT HILAIRE	.46
201	AY 98	SAINT HILAIRE	.31
58	BV 35	SAINT HILAIRE AU TEMPLE	.51
142	AZ 72	SAINT HILAIRE BONNEVAL	.87
11	BH 18	SAINT HILAIRE COTTES	.62
160	BU 76	SAINT HILAIRE CUSSON LA VALMITTE	.42
206	BU 94	SAINT HILAIRE DE BEAUVOIR	.34
149	CE 73	SAINT HILAIRE DE BRENS	.38
189	BV 91	SAINT HILAIRE DE BRETHMAS	.30
51	AN 39	SAINT HILAIRE DE BRIOUZE	.61
107	AB 56	SAINT HILAIRE DE CHALEONS	.44
108	AF 57	SAINT HILAIRE DE CLISSON	.44
113	BE 56	SAINT HILAIRE DE COURT	.18
115	BL 58	SAINT HILAIRE DE GONDILLY	.18
162	CE 76	SAINT HILAIRE DE LA COTE	.38
168	AO 85	SAINT HILAIRE DE LA NOAILLE	.33
189	BS 89	SAINT HILAIRE DE LAVIT	.48
108	AF 58	SAINT HILAIRE DE LOULAY	.85
183	AS 89	SAINT HILAIRE DE LUSIGNAN	.47
123	AA 60	SAINT HILAIRE DE RIEZ	.85
139	AK 71	SAINT HILAIRE DE VILLEFRANCHE	C .17
125	AJ 62	SAINT HILAIRE DE VOUST	.85
71	AF 43	SAINT HILAIRE DES LANDES	.35
125	AJ 64	SAINT HILAIRE DES LOGES	C .85
154	AS 80	SAINT HILAIRE D'ESTISSAC	.24
190	BZ 92	SAINT HILAIRE D'OZILHAN	.30
153	AK 75	SAINT HILAIRE DU BOIS	.17
168	AN 84	SAINT HILAIRE DU BOIS	.33
50	AH 40	SAINT HILAIRE DU HARCOUET	C .50
72	AI 44	SAINT HILAIRE DU MAINE	.53
162	CD 79	SAINT HILAIRE DU ROSIER	.38
163	CI 76	SAINT HILAIRE DU TOUVET	.38
129	BF 61	SAINT HILAIRE EN LIGNIERES	.18
116	BS 57	SAINT HILAIRE EN MORVAN	.58
60	CF 35	SAINT HILAIRE EN WOEVRE	.55
157	BF 77	SAINT HILAIRE FOISSAC	.19
132	BQ 61	SAINT HILAIRE FONTAINE	.58
145	BM 69	SAINT HILAIRE LA CROIX	.63
123	AD 64	SAINT HILAIRE LA FORET	.85
51	AQ 40	SAINT HILAIRE LA GERARD	.61
95	AY 48	SAINT HILAIRE LA GRAVELLE	.41
125	AJ 66	SAINT HILAIRE LA PALUD	.79
143	BE 68	SAINT HILAIRE LA PLAINE	.23
128	AZ 66	SAINT HILAIRE LA TREILLE	.87
143	BD 70	SAINT HILAIRE LE CHATEAU	.23
74	AT 41	SAINT HILAIRE LE CHATEL	.61
58	BW 34	SAINT HILAIRE LE GRAND	.51
74	AT 46	SAINT HILAIRE LE LIERRU	.72
38	BW 33	SAINT HILAIRE LE PETIT	.51
124	AG 61	SAINT HILAIRE LE VOUHIS	.85
78	BM 46	SAINT HILAIRE LES ANDRESIS	.45
157	BC 74	SAINT HILAIRE LES COURBES	.19
144	BJ 71	SAINT HILAIRE LES MONGES	.63
142	AX 73	SAINT HILAIRE LES PLACES	.87
23	BO 23	SAINT HILAIRE LEZ CAMBRAI	.59
157	BG 76	SAINT HILAIRE LUC	.19
29	AH 32	SAINT HILAIRE PETITVILLE	.50
156	BB 78	SAINT HILAIRE PEYROUX	.19
96	BD 49	SAINT HILAIRE SAINT MESMIN	.45
147	BV 68	SAINT HILAIRE SOUS CHARLIEU	.42
79	BQ 41	SAINT HILAIRE SOUS ROMILLY	.10
128	AX 63	SAINT HILAIRE SUR BENAIZE	.36
74	AU 44	SAINT HILAIRE SUR ERRE	.61
23	BR 23	SAINT HILAIRE SUR HELPE	.59
98	BJ 48	SAINT HILAIRE SUR PUISEAUX	.45
52	AT 39	SAINT HILAIRE SUR RISLE	.61
75	AY 47	SAINT HILAIRE SUR YERRE	.28
157	BC 80	SAINT HILAIRE TAURIEUX	.19
54	BC 40	SAINT HILARION	.78
56	BN 40	SAINT HILLIERS	.77
104	CO 54	SAINT HIPPOLYTE	C .25
112	AX 58	SAINT HIPPOLYTE	.37
138	AI 70	SAINT HIPPOLYTE	.17
85	CS 43	SAINT HIPPOLYTE	.68
172	BI 84	SAINT HIPPOLYTE	.12
167	AN 82	SAINT HIPPOLYTE	.33
158	BJ 78	SAINT HIPPOLYTE	.15
221	BL 105	SAINT HIPPOLYTE	.66
189	BV 91	SAINT HIPPOLYTE DE CATON	.30
190	BY 91	SAINT HIPPOLYTE DE MONTAIGU	.30
189	BT 92	SAINT HIPPOLYTE DU FORT	C .30
191	CC 90	SAINT HIPPOLYTE LE GRAVEYRON	.84
33	AY 27	SAINT HONORE	.76
177	CI 80	SAINT HONORE	.38
116	BS 59	SAINT HONORE LES BAINS	.58
160	BU 79	SAINT HOSTIEN	.43
41	CK 33	SAINT HUBERT	.57
133	BY 63	SAINT HURUGE	.71
32	AR 33	SAINT HYMER	.14
135	CF 65	SAINT HYMETIERE	.39
68	S 43	SAINT IGEAUX	.22
171	BE 87	SAINT IGEST	.12
217	AT 101	SAINT IGNAN	.31
145	BO 70	SAINT IGNAT	.63
133	BW 67	SAINT IGNY DE ROCHE	.71
133	BX 67	SAINT IGNY DE VERS	.69
157	BG 80	SAINT ILLIDE	.15
54	BB 36	SAINT ILLIERS LA VILLE	.78
54	BA 36	SAINT ILLIERS LE BOIS	.78
159	BP 78	SAINT ILPIZE	.43
57	BS 35	SAINT IMOGES	.51
10	BC 15	SAINT INGLEVERT	.62
163	CI 77	SAINT ISMIER	C .38
187	BJ 92	SAINT IZAIRE	.12
193	CN 91	SAINT JACQUES	.04
19	AZ 26	SAINT JACQUES D'ALIERMONT	.76
144	BK 70	SAINT JACQUES D'AMBUR	.63
161	BZ 76	SAINT JACQUES D'ATTICIEUX	.07
71	AC 46	SAINT JACQUES DE LA LANDE	.35
29	AE 31	SAINT JACQUES DE NEHOU	.50
109	AN 58	SAINT JACQUES DE THOUARS	.79
133	BY 66	SAINT JACQUES DES ARRETS	.69
158	BJ 80	SAINT JACQUES DES BLATS	.15
94	AV 50	SAINT JACQUES DES GUERETS	.41
178	CK 82	SAINT JACQUES EN VALGODEMARD	.05
33	AY 31	SAINT JACQUES SUR DARNETAL	.76
48	Z 40	SAINT JACUT DE LA MER	.22
69	X 43	SAINT JACUT DU MENE	.22
90	Y 50	SAINT JACUT LES PINS	.56
156	BB 76	SAINT JAL	.19
71	AG 41	SAINT JAMES	C .50
198	AM 99	SAINT JAMMES	.64
12	BJ 16	SAINT JANS CAPPEL	.59
201	BA 95	SAINT JEAN	.31
115	BO 58	SAINT JEAN AUX AMOGNES	.58
38	BV 28	SAINT JEAN AUX BOIS	.08
36	BL 32	SAINT JEAN AUX BOIS	.60
161	BX 75	SAINT JEAN BONNEFONDS	.42
89	V 48	SAINT JEAN BREVELAY	C .56
211	CV 94	SAINT JEAN CAP FERRAT	.06
175	BY 81	SAINT JEAN CHAMBRE	.07
223	BD 104	SAINT JEAN D'AIGUES VIVES	.09
187	BM 92	SAINT JEAN D'ALCAPIES	.12
139	AK 69	SAINT JEAN D'ANGELY	S .17
138	AH 71	SAINT JEAN D'ANGLE	.17
148	BZ 68	SAINT JEAN D'ARDIERES	.69
164	CL 77	SAINT JEAN D'ARVES	.73
150	CJ 73	SAINT JEAN D'ARVEY	.73
73	AQ 45	SAINT JEAN D'ASSE	.72
154	AR 79	SAINT JEAN D'ATAUX	.24
160	BS 76	SAINT JEAN D'AUBRIGOUX	.43
137	CO 66	SAINT JEAN D'AULPS	.74
163	CG 74	SAINT JEAN D'AVELANNE	.38
221	BK 103	SAINT JEAN DE BARROU	.11
62	CO 37	SAINT JEAN DE BASSEL	.57
55	BF 40	SAINT JEAN DE BEAUREGARD	.91
164	CN 75	SAINT JEAN DE BELLEVILLE	.73
124	AG 63	SAINT JEAN DE BEUGNE	.85
167	AN 82	SAINT JEAN DE BLAIGNAC	.33
118	BZ 56	SAINT JEAN DE BOEUF	.21
107	AC 55	SAINT JEAN DE BOISEAU	.44
80	BT 45	SAINT JEAN DE BONNEVAL	.10
162	CD 75	SAINT JEAN DE BOURNAY	C .38
96	BE 48	SAINT JEAN DE BRAYE	C .45
188	BR 93	SAINT JEAN DE BUEGES	.34
190	BW 91	SAINT JEAN DE CEYRARGUES	.30
149	CH 72	SAINT JEAN DE CHEVELU	.73
155	AV 76	SAINT JEAN DE COLE	.24
206	BU 94	SAINT JEAN DE CORNIES	.34
163	CI 75	SAINT JEAN DE COUZ	.73
189	BU 92	SAINT JEAN DE CRIEULON	.30
205	BS 94	SAINT JEAN DE CUCULLES	.34
30	AH 33	SAINT JEAN DE DAYE	C .50
168	AQ 84	SAINT JEAN DE DURAS	.47
32	AT 30	SAINT JEAN DE FOLLEVILLE	.76
205	BQ 95	SAINT JEAN DE FOS	.34
136	CI 66	SAINT JEAN DE GONVILLE	.01
205	BP 95	SAINT JEAN DE LA BLAQUIERE	.34
92	AK 53	SAINT JEAN DE LA CROIX	.49
74	AU 43	SAINT JEAN DE LA FORET	.61
49	AF 39	SAINT JEAN DE LA HAIZE	.50
32	AT 33	SAINT JEAN DE LA LEQUERAYE	.27
93	AP 50	SAINT JEAN DE LA MOTTE	.72
32	AT 30	SAINT JEAN DE LA NEUVILLE	.76
164	CK 74	SAINT JEAN DE LA PORTE	.73
29	AD 31	SAINT JEAN DE LA RIVIERE	.50
96	BD 48	SAINT JEAN DE LA RUELLE	C .45
185	BC 87	SAINT JEAN DE LAUR	.46
181	AH 93	SAINT JEAN DE LIER	.40
92	AK 53	SAINT JEAN DE LINIERES	.49
124	AI 66	SAINT JEAN DE LIVERSAY	.17
52	AR 35	SAINT JEAN DE LIVET	.14
118	CD 57	SAINT JEAN DE LOSNE	C .21
196	AA 97	SAINT JEAN DE LUZ	C .64
186	BG 91	SAINT JEAN DE MARCEL	.81
197	AD 95	SAINT JEAN DE MARSACQ	.40
190	BW 89	SAINT JEAN DE MARUEJOLS ET AVEJAN	.30
164	CM 76	SAINT JEAN DE MAURIENNE	S .73
204	BK 98	SAINT JEAN DE MINERVOIS	.34
163	CG 76	SAINT JEAN DE MOIRANS	.38
106	Z 60	SAINT JEAN DE MONTS	C .85
162	CA 79	SAINT JEAN DE MUZOLS	.07
160	BR 80	SAINT JEAN DE NAY	.43
148	CD 71	SAINT JEAN DE NIOST	.01
223	BF 104	SAINT JEAN DE PARACOL	.11
53	AZ 40	SAINT JEAN DE REBERVILLIERS	.28
202	BC 94	SAINT JEAN DE RIVES	.81
110	AP 60	SAINT JEAN DE SAUVES	.86
30	AI 33	SAINT JEAN DE SAVIGNY	.50
189	BU 91	SAINT JEAN DE SERRES	.30
150	CM 69	SAINT JEAN DE SIXT	.74
149	CF 74	SAINT JEAN DE SOUDAIN	.38
150	CM 67	SAINT JEAN DE THOLOME	.74
110	AN 58	SAINT JEAN DE THOUARS	.79
184	AU 90	SAINT JEAN DE THURAC	.47
148	CA 70	SAINT JEAN DE THURIGNEUX	.01
161	BZ 74	SAINT JEAN DE TOUSLAS	.69
117	BX 60	SAINT JEAN DE TREZY	.71
189	BV 89	SAINT JEAN DE VALERISCLE	.30
203	BG 95	SAINT JEAN DE VALS	.81
163	CH 80	SAINT JEAN DE VAULX	.38
118	BY 60	SAINT JEAN DE VAUX	.71
205	BS 96	SAINT JEAN DE VEDAS	.34
219	BB 103	SAINT JEAN DE VERGES	.09
187	BI 91	SAINT JEAN DELNOUS	.12
50	AI 34	SAINT JEAN DES BAISANTS	.50
50	AJ 39	SAINT JEAN DES BOIS	.61
49	AE 37	SAINT JEAN DES CHAMPS	.50
74	AU 46	SAINT JEAN DES ECHELLES	.72
50	AJ 35	SAINT JEAN DES ESSARTIERS	.14
92	AL 53	SAINT JEAN DES MAUVRETS	.49
145	BP 73	SAINT JEAN DES OLLIERES	.63
148	BZ 70	SAINT JEAN DES VIGNES	.69
154	AS 80	SAINT JEAN D'ESTISSAC	.24
135	CE 64	SAINT JEAN D'ETREUX	.39
59	BY 37	SAINT JEAN DEVANT POSSESSE	.51
168	AS 81	SAINT JEAN D'EYRAUD	.24
177	CH 82	SAINT JEAN D'HERANS	.38
146	BP 71	SAINT JEAN D'HEURS	.63
166	AI 82	SAINT JEAN D'ILLAC	.33
84	CP 42	SAINT JEAN D'ORMONT	.88
93	AP 48	SAINT JEAN DU BOIS	.72
184	AV 92	SAINT JEAN DU BOUZET	.82
188	BP 91	SAINT JEAN DU BRUEL	.12
33	AX 30	SAINT JEAN DU CARDONNAY	.76

Page	Carreau	Commune	Adm.Dpt
217	AV 103	SAINT JEAN DU CASTILLONNAIS	.09
50	AJ 40	SAINT JEAN DU CORAIL	.50
49	AG 38	SAINT JEAN DU CORAIL DES BOIS	.50
45	O 38	SAINT JEAN DU DOIGT	.29
218	BA 102	SAINT JEAN DU FALGA	.09
189	BT 90	SAINT JEAN DU GARD	C .30
189	BU 90	SAINT JEAN DU PIN	.30
52	AT 36	SAINT JEAN DU THENNEY	.27
162	CE 80	SAINT JEAN EN ROYANS	C .26
159	BO 75	SAINT JEAN EN VAL	.63
187	BM 92	SAINT JEAN ET SAINT PAUL	.12
95	AY 48	SAINT JEAN FROIDMENTEL	.41
47	T 39	SAINT JEAN KERDANIEL	.22
63	CQ 38	SAINT JEAN KOURTZERODE	.57
147	BW 69	SAINT JEAN LA BUSSIERE	.69
174	BR 84	SAINT JEAN LA FOUILLOUSE	.48
90	Z 50	SAINT JEAN LA POTERIE	.56
146	BS 72	SAINT JEAN LA VETRE	.42
174	BR 81	SAINT JEAN LACHALM	.43
171	BD 82	SAINT JEAN LAGINESTE	.46
225	BL 107	SAINT JEAN LASSEILLE	.66
96	BD 48	SAINT JEAN LE BLANC	C .45
50	AK 36	SAINT JEAN LE BLANC	.14
175	BY 85	SAINT JEAN LE CENTENIER	.07
200	AS 96	SAINT JEAN LE COMTAL	.32
49	AE 38	SAINT JEAN LE THOMAS	.50
149	CE 69	SAINT JEAN LE VIEUX	.01
163	CI 78	SAINT JEAN LE VIEUX	.38
214	AE 100	SAINT JEAN LE VIEUX	.64
40	CF 34	SAINT JEAN LES BUZY	.55
56	BL 37	SAINT JEAN LES DEUX JUMEAUX	.77
40	CD 31	SAINT JEAN LES LONGUYON	.54
171	BD 82	SAINT JEAN LESPINASSE	.46
202	BB 95	SAINT JEAN LHERM	.31
142	AZ 73	SAINT JEAN LIGOURE	.87
171	BE 85	SAINT JEAN MIRABEL	.46
214	AD 100	SAINT JEAN PIED DE PORT	C .64
75	AV 44	SAINT JEAN PIERRE FIXTE	.28
225	BK 108	SAINT JEAN PLA DE CORTS	.66
198	AM 97	SAINT JEAN POUDGE	.64
199	AR 94	SAINT JEAN POUTGE	.32
62	CO 35	SAINT JEAN ROHRBACH	.57
175	BX 81	SAINT JEAN ROURE	.07
112	AW 57	SAINT JEAN SAINT GERMAIN	.37
159	BP 76	SAINT JEAN SAINT GERVAIS	.63
146	BT 69	SAINT JEAN SAINT MAURICE SUR LOIRE	.42
178	CL 83	SAINT JEAN SAINT NICOLAS	.05
63	CR 37	SAINT JEAN SAVERNE	.67
160	BU 75	SAINT JEAN SOLEYMIEUX	C .42
71	AF 43	SAINT JEAN SUR COUESNON	.35
73	AM 46	SAINT JEAN SUR ERVE	.53
72	AK 45	SAINT JEAN SUR MAYENNE	.53
58	BX 37	SAINT JEAN SUR MOIVRE	.51
134	CC 65	SAINT JEAN SUR REYSSOUZE	.01
59	BY 34	SAINT JEAN SUR TOURBE	.51
134	CA 66	SAINT JEAN SUR VEYLE	.01
71	AF 45	SAINT JEAN SUR VILAINE	.35
66	J 46	SAINT JEAN TROLIMON	.29
193	CL 91	SAINT JEANNET	.04
195	CT 93	SAINT JEANNET	.06
129	BF 63	SAINT JEANVRIN	.18
136	CM 67	SAINT JEOIRE	C .74
164	CJ 74	SAINT JEOIRE PRIEURE	.73
161	BX 80	SAINT JEURE D'ANDAURE	.07
161	BZ 79	SAINT JEURE D'AY	.07
161	BV 79	SAINT JEURES	.43
90	Y 53	SAINT JOACHIM	.44
147	BU 71	SAINT JODARD	.42
60	CD 40	SAINT JOIRE	.55
29	AF 32	SAINT JORES	.50
150	CK 71	SAINT JORIOZ	.74
201	AZ 94	SAINT JORY	.31
155	AV 75	SAINT JORY DE CHALAIS	.24
155	AW 76	SAINT JORY LAS BLOUX	.24
29	AE 29	SAINT JOSEPH	.50
161	BY 74	SAINT JOSEPH	.42
163	CH 76	SAINT JOSEPH DE RIVIERE	.38
175	BX 83	SAINT JOSEPH DES BANCS	.07
10	BC 20	SAINT JOSSE	.62
70	Z 43	SAINT JOUAN DE L'ISLE	.22
48	AB 40	SAINT JOUAN DES GUERETS	.35
31	AP 33	SAINT JOUIN	.14
32	AR 29	SAINT JOUIN BRUNEVAL	.76
74	AT 42	SAINT JOUIN DE BLAVOU	.61
110	AO 59	SAINT JOUIN DE MARNES	.79
125	AK 61	SAINT JOUIN DE MILLY	.79
142	AY 70	SAINT JOUVENT	.87
120	CL 54	SAINT JUAN	.25
70	AB 42	SAINT JUDOCE	.22
187	BJ 93	SAINT JUERY	.12
173	BM 82	SAINT JUERY	.48
186	BF 92	SAINT JUERY	.81
124	AH 62	SAINT JUIRE CHAMPGILLON	.85
202	BD 97	SAINT JULIA	.31
224	BG 104	SAINT JULIA DE BEC	.11
135	CE 65	SAINT JULIEN	C .39
69	U 41	SAINT JULIEN	.22
83	CH 46	SAINT JULIEN	.88
102	CC 53	SAINT JULIEN	.21
204	BL 96	SAINT JULIEN	.34
148	BY 69	SAINT JULIEN	.69
209	CJ 94	SAINT JULIEN	.83
201	AX 100	SAINT JULIEN	.31
157	BF 79	SAINT JULIEN AUX BOIS	.19
152	AI 78	SAINT JULIEN BEYCHEVELLE	.33
175	BW 81	SAINT JULIEN BOUTIERES	.07
160	BU 80	SAINT JULIEN CHAPTEUIL	C .43
160	BT 77	SAINT JULIEN D'ANCE	.43
182	AN 92	SAINT JULIEN D'ARMAGNAC	.40
189	BR 88	SAINT JULIEN D'ARPAON	.48
193	CK 92	SAINT JULIEN D'ASSE	.04
155	AT 76	SAINT JULIEN DE BOURDEILLES	.24
219	BD 101	SAINT JULIEN DE BRIOLA	.11
189	BV 89	SAINT JULIEN DE CASSAGNAS	.30
112	AY 55	SAINT JULIEN DE CHEDON	.41
133	BV 65	SAINT JULIEN DE CIVRY	.71
108	AE 55	SAINT JULIEN DE CONCELLES	.44
145	BO 73	SAINT JULIEN DE COPPEL	.63
169	AS 81	SAINT JULIEN DE CREMPSE	.24
219	BC 102	SAINT JULIEN DE GRAS CAPOU	.09
133	BU 66	SAINT JULIEN DE JONZY	.71
53	AZ 34	SAINT JULIEN DE LA LIEGUE	.27
189	BR 92	SAINT JULIEN DE LA NEF	.30
170	AZ 82	SAINT JULIEN DE LAMPON	.24
139	AL 70	SAINT JULIEN DE L'ESCAP	.17
162	CC 75	SAINT JULIEN DE L'HERMS	.38
52	AS 35	SAINT JULIEN DE MAILLOC	.14
190	BY 88	SAINT JULIEN DE PEYROLAS	.30
163	CG 76	SAINT JULIEN DE RAZ	.38
171	BF 83	SAINT JULIEN DE TOURSAC	.15
91	AG 50	SAINT JULIEN DE VOUVANTES	C .44
160	BQ 80	SAINT JULIEN DES CHAZES	.43
123	AC 61	SAINT JULIEN DES LANDES	.85
189	BT 89	SAINT JULIEN DES POINTS	.48
168	AR 84	SAINT JULIEN D'EYMET	.24
146	BT 71	SAINT JULIEN D'ODDES	.42
175	BX 83	SAINT JULIEN DU GUA	.07
160	BU 79	SAINT JULIEN DU PINET	.43
202	BF 94	SAINT JULIEN DU PUY	.81
78	BN 47	SAINT JULIEN DU SAULT	C .89
175	BX 84	SAINT JULIEN DU SERRE	.07
73	AM 41	SAINT JULIEN DU TERROUX	.53
174	BR 86	SAINT JULIEN DU TOURNEL	.48
193	CO 92	SAINT JULIEN DU VERDON	.04
177	CH 84	SAINT JULIEN EN BEAUCHENE	.05
180	AE 90	SAINT JULIEN EN BORN	.40
178	CK 84	SAINT JULIEN EN CHAMPSAUR	.05
136	CJ 67	SAINT JULIEN EN GENEVOIS	S .74
177	CE 82	SAINT JULIEN EN QUINT	.26
175	BZ 83	SAINT JULIEN EN SAINT ALBAN	.07
163	CF 80	SAINT JULIEN EN VERCORS	.26
186	BH 92	SAINT JULIEN GAULENE	.81
144	BK 69	SAINT JULIEN LA GENESTE	.63
144	BH 68	SAINT JULIEN LA GENETE	.23
146	BS 71	SAINT JULIEN LA VETRE	.42
175	BX 81	SAINT JULIEN LABROUSSE	.07
127	AS 63	SAINT JULIEN L'ARS	C .86
144	BG 68	SAINT JULIEN LE CHATEL	.23
51	AQ 35	SAINT JULIEN LE FAUCON	.14
157	BE 80	SAINT JULIEN LE PELERIN	.19
143	BB 71	SAINT JULIEN LE PETIT	.87
176	BZ 82	SAINT JULIEN LE ROUX	.07
156	AZ 75	SAINT JULIEN LE VENDOMOIS	.19
60	CG 35	SAINT JULIEN LES GORZE	.54
61	CJ 34	SAINT JULIEN LES METZ	.57
104	CN 52	SAINT JULIEN LES MONTBELIARD	.25
189	BU 89	SAINT JULIEN LES ROSIERS	.30
121	CO 55	SAINT JULIEN LES RUSSEY	.25
80	BU 44	SAINT JULIEN LES VILLAS	.10
156	BB 80	SAINT JULIEN MAUMONT	.19
161	BX 78	SAINT JULIEN MOLHESABATE	.43
161	BY 77	SAINT JULIEN MOLIN MOLETTE	.42
164	CM 77	SAINT JULIEN MONT DENIS	.73
158	BH 76	SAINT JULIEN PRES BORT	.19
144	BJ 73	SAINT JULIEN PUY LAVEZE	.63
60	CE 38	SAINT JULIEN SOUS LES COTES	.55
147	BX 71	SAINT JULIEN SUR BIBOST	.69
32	AR 33	SAINT JULIEN SUR CALONNE	.14
113	BC 55	SAINT JULIEN SUR CHER	.41
133	BX 60	SAINT JULIEN SUR DHEUNE	.71
134	CC 65	SAINT JULIEN SUR REYSSOUZE	.01
74	AS 41	SAINT JULIEN SUR SARTHE	.61
134	CB 67	SAINT JULIEN SUR VEYLE	.01
161	BY 78	SAINT JULIEN VOCANCE	.07
141	AV 71	SAINT JUNIEN	C .87
143	BC 71	SAINT JUNIEN LA BREGERE	.23
142	AX 68	SAINT JUNIEN LES COMBES	.87
61	CJ 36	SAINT JURE	.57
193	CM 92	SAINT JURS	.04
54	BA 35	SAINT JUST	.27
90	AA 49	SAINT JUST	.35
114	BI 58	SAINT JUST	.18
135	CD 67	SAINT JUST	.01
154	AS 77	SAINT JUST	.24
160	BS 75	SAINT JUST	.63
173	BN 82	SAINT JUST	.15
190	BZ 88	SAINT JUST	.07
206	BV 95	SAINT JUST	.34
148	CB 74	SAINT JUST CHALEYSSIN	.38
147	BX 69	SAINT JUST D'AVRAY	.69
162	CE 79	SAINT JUST DE CLAIX	.38
146	BT 72	SAINT JUST EN BAS	.42
56	BM 40	SAINT JUST EN BRIE	.77
35	BH 30	SAINT JUST EN CHAUSSEE	C .60
146	BS 70	SAINT JUST EN CHEVALET	C .42
224	BG 104	SAINT JUST ET LE BEZU	.11
189	BV 91	SAINT JUST ET VACQUIERES	.30
197	AF 100	SAINT JUST IBARRE	.64
147	BV 70	SAINT JUST LA PENDUE	.42
142	AZ 71	SAINT JUST LE MARTEL	.87
138	AG 71	SAINT JUST LUZAC	.17
161	BW 76	SAINT JUST MALMONT	.43
159	BO 78	SAINT JUST PRES BRIOUDE	.43
161	BV 75	SAINT JUST SAINT RAMBERT	C .42
79	BR 41	SAINT JUST SAUVAGE	.51
110	AO 56	SAINT JUST SUR DIVE	.49
186	BH 90	SAINT JUST SUR VIAUR	.12
182	AM 92	SAINT JUSTIN	.40
199	AP 97	SAINT JUSTIN	.32
70	AA 42	SAINT JUVAT	.22
39	BZ 32	SAINT JUVIN	.08
112	BA 59	SAINT LACTENCIN	.36
148	BZ 68	SAINT LAGER	.69
176	BZ 84	SAINT LAGER BRESSAC	.07
119	CF 60	SAINT LAMAIN	.39
50	AL 36	SAINT LAMBERT	.14
54	BE 39	SAINT LAMBERT	.78
109	AK 55	SAINT LAMBERT DU LATTAY	.49
39	BX 30	SAINT LAMBERT ET MONT DE JEUX	.08
92	AJ 52	SAINT LAMBERT LA POTHERIE	.49
51	AQ 38	SAINT LAMBERT SUR DIVE	.61
74	AT 41	SAINT LANGIS LES MORTAGNE	.61
199	AN 96	SAINT LANNE	.65
110	AP 58	SAINT LAON	.86
200	AS 95	SAINT LARY	.32
217	AV 104	SAINT LARY	.09
200	AT 100	SAINT LARY BOUJEAN	.31
216	AQ 105	SAINT LARY SOULAN	.65
162	CD 79	SAINT LATTIER	.38
70	Y 44	SAINT LAUNEUC	.22
145	BO 70	SAINT LAURE	.63
46	R 39	SAINT LAURENT	.22
39	BY 27	SAINT LAURENT	.08
113	BF 56	SAINT LAURENT	.18
143	BD 68	SAINT LAURENT	.23
150	CM 68	SAINT LAURENT	.74
183	AR 89	SAINT LAURENT	.47
200	AU 99	SAINT LAURENT	.31
22	BK 22	SAINT LAURENT BLANGY	.62
198	AM 98	SAINT LAURENT BRETAGNE	.64
159	BO 77	SAINT LAURENT CHABREUGES	.43
148	BZ 73	SAINT LAURENT D'AGNY	.69
206	BW 95	SAINT LAURENT D'AIGOUZE	.30
133	BX 61	SAINT LAURENT D'ANDENAY	.71
153	AK 80	SAINT LAURENT D'ARCE	.33
154	AP 76	SAINT LAURENT DE BELZAGOT	.16
32	AR 30	SAINT LAURENT DE BREVEDENT	.76
190	BY 89	SAINT LAURENT DE CARNOLS	.30
224	BJ 110	SAINT LAURENT DE CERDANS	.66
141	AS 70	SAINT LAURENT DE CERIS	.16
147	BX 72	SAINT LAURENT DE CHAMOUSSET	C .69
139	AL 72	SAINT LAURENT DE COGNAC	.16
51	AM 35	SAINT LAURENT DE CONDEL	.14
50	AH 38	SAINT LAURENT DE CUVES	.50
197	AD 96	SAINT LAURENT DE GOSSE	.40
127	AT 65	SAINT LAURENT DE JOURDES	.86
139	AJ 69	SAINT LAURENT DE LA BARRIERE	.17
220	BJ 102	SAINT LAURENT DE LA CABRERISSE	.11
109	AJ 54	SAINT LAURENT DE LA PLAINE	.49
138	AG 69	SAINT LAURENT DE LA PREE	.17
221	BM 105	SAINT LAURENT DE LA SALANQUE	C .66
124	AH 62	SAINT LAURENT DE LA SALLE	.85
187	BL 89	SAINT LAURENT DE LEVEZOU	.12
94	AR 52	SAINT LAURENT DE LIN	.37
148	CB 73	SAINT LAURENT DE MURE	.69
173	BN 85	SAINT LAURENT DE MURET	.48
216	AR 102	SAINT LAURENT DE NESTE	C .65
49	AG 40	SAINT LAURENT DE TERREGATTE	.50
188	BQ 89	SAINT LAURENT DE TREVES	.48
148	BY 72	SAINT LAURENT DE VAUX	.69
173	BN 83	SAINT LAURENT DE VEYRES	.48
190	BZ 91	SAINT LAURENT DES ARBRES	.30
108	AG 54	SAINT LAURENT DES AUTELS	.49
169	AU 81	SAINT LAURENT DES BATONS	.24
53	AZ 38	SAINT LAURENT DES BOIS	.27
96	BA 49	SAINT LAURENT DES BOIS	.41
167	AN 82	SAINT LAURENT DES COMBES	.33
154	AP 76	SAINT LAURENT DES COMBES	.16
154	AQ 80	SAINT LAURENT DES HOMMES	.24
92	AL 49	SAINT LAURENT DES MORTIERS	.53
168	AR 82	SAINT LAURENT DES VIGNES	.24
147	BY 70	SAINT LAURENT D'OINGT	.69
173	BN 87	SAINT LAURENT D'OLT	.12
162	CC 78	SAINT LAURENT D'ONAY	.26
167	AN 84	SAINT LAURENT DU BOIS	.33
178	CK 84	SAINT LAURENT DU CROS	.05
51	AQ 34	SAINT LAURENT DU MONT	.14
108	AI 54	SAINT LAURENT DU MOTTAY	.49
176	BZ 82	SAINT LAURENT DU PAPE	.07
167	AN 84	SAINT LAURENT DU PLAN	.33
163	CH 76	SAINT LAURENT DU PONT	C .38
52	AT 37	SAINT LAURENT DU TENCEMENT	.27
211	CT 94	SAINT LAURENT DU VAR	C .06
209	CL 94	SAINT LAURENT DU VERDON	.04
178	CI 81	SAINT LAURENT EN BEAUMONT	.38
133	BV 66	SAINT LAURENT EN BRIONNAIS	.71
33	AW 28	SAINT LAURENT EN CAUX	.76
94	AV 52	SAINT LAURENT EN GATINES	.37
136	CI 62	SAINT LAURENT EN GRANDVAUX	C .39
163	CE 80	SAINT LAURENT EN ROYANS	.26
147	BV 73	SAINT LAURENT LA CONCHE	.42
54	BA 39	SAINT LAURENT LA GATINE	.28
135	CF 62	SAINT LAURENT LA ROCHE	.39
170	AX 83	SAINT LAURENT LA VALLEE	.24
190	BY 90	SAINT LAURENT LA VERNEDE	.30
115	BL 55	SAINT LAURENT L'ABBAYE	.58
189	BR 92	SAINT LAURENT LE MINIER	.30
174	BU 85	SAINT LAURENT LES BAINS	.07
142	BA 70	SAINT LAURENT LES EGLISES	.87
171	BD 82	SAINT LAURENT LES TOURS	.46
184	AX 88	SAINT LAURENT LOLMIE	.46
152	AH 78	SAINT LAURENT MEDOC	C .33
96	BB 50	SAINT LAURENT NOUAN	.41
146	BT 72	SAINT LAURENT ROCHEFORT	.42
175	BX 84	SAINT LAURENT SOUS COIRON	.07
141	AW 72	SAINT LAURENT SUR GORRE	C .87
155	AU 79	SAINT LAURENT SUR MANOIRE	.24
30	AJ 31	SAINT LAURENT SUR MER	.14
40	CE 31	SAINT LAURENT SUR OTHAIN	.55
90	Y 48	SAINT LAURENT SUR OUST	.56
134	CA 66	SAINT LAURENT SUR SAONE	.01
108	AI 58	SAINT LAURENT SUR SEVRE	.85
125	AK 63	SAINT LAURS	.79
22	BK 23	SAINT LEGER	.62
56	BN 38	SAINT LEGER	.77
139	AK 73	SAINT LEGER	.17
73	AM 46	SAINT LEGER	.53
154	AP 75	SAINT LEGER	.16
194	CQ 91	SAINT LEGER	.06
183	AQ 88	SAINT LEGER	.47
164	CL 75	SAINT LEGER	.73
20	BB 27	SAINT LEGER AUX BOIS	.76
36	BL 31	SAINT LEGER AUX BOIS	.60
128	BB 66	SAINT LEGER BRIDEREIX	.23
167	AK 86	SAINT LEGER DE BALSON	.33
116	BS 58	SAINT LEGER DE FOUGERET	.58
126	AO 67	SAINT LEGER DE LA MARTINIERE	.79
110	AO 57	SAINT LEGER DE MONTBRILLAIS	.86
110	AO 58	SAINT LEGER DE MONTBRUN	.79
173	BO 85	SAINT LEGER DE PEYRE	.48
52	AU 35	SAINT LEGER DE ROTES	.27
76	BC 43	SAINT LEGER DES AUBEES	.28
92	AJ 53	SAINT LEGER DES BOIS	.49
71	AD 42	SAINT LEGER DES PRES	.35
115	BP 60	SAINT LEGER DES VIGNES	.58
117	BX 58	SAINT LEGER DU BOIS	.71
33	AY 31	SAINT LEGER DU BOURG DENIS	.76
32	AV 33	SAINT LEGER DU GENNETEY	.27
173	BO 82	SAINT LEGER DU MALZIEU	.48
191	CE 89	SAINT LEGER DU VENTOUX	.84
31	AP 33	SAINT LEGER DUBOSQ	.14
35	BE 32	SAINT LEGER EN BRAY	.60
54	BC 39	SAINT LEGER EN YVELINES	.78
142	AZ 69	SAINT LEGER LA MONTAGNE	.87
143	BC 68	SAINT LEGER LE GUERETOIS	.23
115	BM 57	SAINT LEGER LE PETIT	.18
21	BI 23	SAINT LEGER LES AUTHIE	.80
21	BF 24	SAINT LEGER LES DOMART	.80
178	CL 84	SAINT LEGER LES MELEZES	.05
133	BU 64	SAINT LEGER LES PARAY	.71
107	AC 56	SAINT LEGER LES VIGNES	.44
128	AY 66	SAINT LEGER MAGNAZEIX	.87
80	BT 44	SAINT LEGER PRES TROYES	.10
117	BU 59	SAINT LEGER SOUS BEUVRAY	C .71
80	BW 42	SAINT LEGER SOUS BRIENNE	.10
108	AI 57	SAINT LEGER SOUS CHOLET	.49
133	BX 66	SAINT LEGER SOUS LA BUSSIERE	.71
80	BW 41	SAINT LEGER SOUS MARGERIE	.10
20	BC 26	SAINT LEGER SUR BRESLE	.80
117	BY 60	SAINT LEGER SUR DHEUNE	.71
146	BT 69	SAINT LEGER SUR ROANNE	.42
74	AS 41	SAINT LEGER SUR SARTHE	.61
132	BT 65	SAINT LEGER SUR VOUZANCE	.03
119	CD 54	SAINT LEGER TRIEY	.21
116	BT 54	SAINT LEGER VAUBAN	.89
128	AW 64	SAINT LEOMER	.86
132	BR 65	SAINT LEON	.03
167	AM 83	SAINT LEON	.33
183	AQ 88	SAINT LEON	.47
201	BA 98	SAINT LEON	.31
169	AT 84	SAINT LEON D'ISSIGEAC	.24
154	AS 79	SAINT LEON SUR L'ISLE	.24
169	AX 80	SAINT LEON SUR VEZERE	.24
32	AS 28	SAINT LEONARD	.76
10	BB 17	SAINT LEONARD	.62
38	BT 33	SAINT LEONARD	.51
84	CP 44	SAINT LEONARD	.88
184	AU 93	SAINT LEONARD	.32
142	BA 71	SAINT LEONARD DE NOBLAT	C .87
73	AP 43	SAINT LEONARD DES BOIS	.72
52	AR 40	SAINT LEONARD DES PARCS	.61
95	AZ 49	SAINT LEONARD EN BEAUCE	.41
187	BM 89	SAINT LEONS	.12
131	BM 62	SAINT LEOPARDIN D'AUGY	.03
70	Y 45	SAINT LERY	.56
35	BH 34	SAINT LEU D'ESSERENT	.60
55	BG 36	SAINT LEU LA FORET	C .95
199	AO 98	SAINT LEZER	.65
109	AJ 55	SAINT LEZIN	.49
203	BG 94	SAINT LIEUX LAFENASSE	.81
202	BC 94	SAINT LIEUX LES LAVAUR	.81
126	AN 63	SAINT LIN	.79
193	CN 91	SAINT LIONS	.04
218	AX 103	SAINT LIZIER	C .09
200	AV 98	SAINT LIZIER DU PLANTE	.32
50	AH 34	SAINT LO	P .50
29	AD 31	SAINT LO D'OURVILLE	.50
197	AF 95	SAINT LON LES MINES	.40
74	AS 43	SAINT LONGIS	.72
48	Z 40	SAINT LORMEL	.22
119	CG 60	SAINT LOTHAIN	.39
200	AV 98	SAINT LOUBE	.32
167	AM 85	SAINT LOUBERT	.33
167	AL 81	SAINT LOUBES	.33
198	AK 95	SAINT LOUBOUER	.40
50	AK 35	SAINT LOUET SUR SEULLES	.14
50	AI 36	SAINT LOUET SUR VIRE	.50
63	CQ 38	SAINT LOUIS	.57
105	CU 50	SAINT LOUIS	.68
167	AK 81	SAINT LOUIS DE MONTFERRAND	.33
154	AR 80	SAINT LOUIS EN L'ISLE	.24
224	BG 105	SAINT LOUIS ET PARAHOU	.11
63	CR 35	SAINT LOUIS LES BITCHE	.57
49	AG 39	SAINT LOUP	.50
57	BR 39	SAINT LOUP	.51
139	AJ 69	SAINT LOUP	.17
131	BO 65	SAINT LOUP	.03
119	CD 58	SAINT LOUP	.39
113	BD 55	SAINT LOUP	.41
98	BM 53	SAINT LOUP	.58
184	AU 91	SAINT LOUP	.82
147	BX 70	SAINT LOUP	.69
144	BG 68	SAINT LOUP	.23
201	BA 95	SAINT LOUP CAMMAS	.31
79	BQ 42	SAINT LOUP DE BUFFIGNY	.10
51	AP 34	SAINT LOUP DE FRIBOIS	.14
78	BL 46	SAINT LOUP DE GONOIS	.45
78	BN 41	SAINT LOUP DE NAUD	.77
134	CA 61	SAINT LOUP DE VARENNES	.71
114	BH 60	SAINT LOUP DES CHAUMES	.18
77	BH 47	SAINT LOUP DES VIGNES	.45
78	BN 47	SAINT LOUP D'ORDON	.89
93	AM 48	SAINT LOUP DU DORAT	.53
72	AL 43	SAINT LOUP DU GAST	.53
38	BU 31	SAINT LOUP EN CHAMPAGNE	.08
200	AS 100	SAINT LOUP EN COMMINGES	.31
118	CA 58	SAINT LOUP GEANGES	.71
30	AK 33	SAINT LOUP HORS	.14
110	AN 60	SAINT LOUP LAMAIRE	C .79
102	CG 53	SAINT LOUP NANTOUARD	.70
101	CB 48	SAINT LOUP SUR AUJON	.52
103	CK 48	SAINT LOUP SUR SEMOUSE	C .70
39	BX 29	SAINT LOUP TERRIER	.08
51	AQ 39	SAINT LOYER DES CHAMPS	.61
53	AX 39	SAINT LUBIN DE CRAVANT	.28
54	BB 38	SAINT LUBIN DE LA HAYE	.28
53	AY 39	SAINT LUBIN DES JONCHERETS	.28
95	AY 51	SAINT LUBIN EN VERGONNOIS	.41
53	AY 36	SAINT LUC	.27
54	BB 40	SAINT LUCIEN	.28
59	BX 38	SAINT LUMIER EN CHAMPAGNE	.51
59	BZ 39	SAINT LUMIER LA POPULEUSE	.51
108	AE 57	SAINT LUMINE DE CLISSON	.44
107	AC 57	SAINT LUMINE DE COUTAIS	.44
48	AA 39	SAINT LUNAIRE	.35
75	AZ 42	SAINT LUPERCE	.28
135	CH 64	SAINT LUPICIN	.39
79	BR 43	SAINT LUPIEN	.10
80	BT 43	SAINT LYE	.10
76	BE 47	SAINT LYE LA FORET	.45
89	X 53	SAINT LYPHARD	.44
201	AX 97	SAINT LYS	C .31
167	AM 85	SAINT MACAIRE	C .33
109	AN 57	SAINT MACAIRE DU BOIS	.49
108	AH 56	SAINT MACAIRE EN MAUGES	.49
32	AT 32	SAINT MACLOU	.27
33	AX 28	SAINT MACLOU DE FOLLEVILLE	.76
32	AT 29	SAINT MACLOU LA BRIERE	.76
140	AQ 68	SAINT MACOUX	.86
70	AA 42	SAINT MADEN	.22
167	AI 85	SAINT MAGNE	.33
168	AN 82	SAINT MAGNE DE CASTILLON	.33
144	BJ 68	SAINT MAIGNER	.63
153	AM 76	SAINT MAIGRIN	.17
192	CI 92	SAINT MAIME	.04
155	AT 80	SAINT MAIME DE PEREYROL	.24
167	AM 85	SAINT MAIXANT	.33
143	BF 69	SAINT MAIXANT	.23
74	AU 46	SAINT MAIXENT	.72
125	AK 63	SAINT MAIXENT DE BEUGNE	.79
125	AN 64	SAINT MAIXENT L'ECOLE	C .79
107	AB 60	SAINT MAIXENT SUR VIE	.85
53	AY 40	SAINT MAIXME HAUTERIVE	.28
48	AB 39	SAINT MALO	S .35
70	Z 47	SAINT MALO DE BEIGNON	.56
90	Y 53	SAINT MALO DE GUERSAC	.44
49	AE 34	SAINT MALO DE LA LANDE	C .50
90	AB 48	SAINT MALO DE PHILY	.35
69	X 46	SAINT MALO DES TROIS FONTAINES	.56
108	AI 59	SAINT MALO DU BOIS	.85
115	BN 55	SAINT MALO EN DONZIOIS	.58
70	AA 45	SAINT MALON SUR MEL	.35
133	BY 66	SAINT MAMERT	.69
189	BV 93	SAINT MAMERT DU GARD	C .30
217	AS 105	SAINT MAMET	.31
172	BG 82	SAINT MAMET LA SALVETAT	C .15
78	BK 43	SAINT MAMMES	.77
55	BH 38	SAINT MANDE	C .94
139	AM 69	SAINT MANDE SUR BREDOIRE	.17
212	CK 101	SAINT MANDRIER SUR MER	C .83
50	AI 37	SAINT MANVIEU BOCAGE	.14
31	AM 34	SAINT MANVIEU NORREY	.14
173	BN 81	SAINT MARC	.15
143	BF 70	SAINT MARC A FRONGIER	.23
143	BE 71	SAINT MARC A LOUBAUD	.23
95	AW 47	SAINT MARC DU COR	.41
208	CG 96	SAINT MARC JAUMEGARDE	.13
125	AM 63	SAINT MARC LA LANDE	.79
71	AF 42	SAINT MARC LE BLANC	.35
71	AF 43	SAINT MARC SUR COUESNON	.35
101	BX 50	SAINT MARC SUR SEINE	.21
49	AD 40	SAINT MARCAN	.35
39	BY 28	SAINT MARCEAU	.08
74	AQ 45	SAINT MARCEAU	.72
61	CH 34	SAINT MARCEL	.54
54	BA 35	SAINT MARCEL	.27
38	BX 27	SAINT MARCEL	.08
89	X 48	SAINT MARCEL	.56
118	CA 60	SAINT MARCEL	.71
128	BA 63	SAINT MARCEL	.36
103	CG 48	SAINT MARCEL	.70
148	CB 70	SAINT MARCEL	.01
164	CN 74	SAINT MARCEL	.73
149	CD 73	SAINT MARCEL BEL ACCUEIL	.38
186	BE 91	SAINT MARCEL CAMPES	.81
190	BY 88	SAINT MARCEL D'ARDECHE	.07
190	BY 90	SAINT MARCEL DE CAREIRET	.30
147	BV 71	SAINT MARCEL DE FELINES	.42
169	AU 81	SAINT MARCEL DU PERIGORD	.24
146	BS 71	SAINT MARCEL D'URFE	.42
144	BI 68	SAINT MARCEL EN MARCILLAT	.03
131	BM 66	SAINT MARCEL EN MURAT	.03
147	BX 71	SAINT MARCEL L'ECLAIRE	.69
161	BY 77	SAINT MARCEL LES ANNONAY	.07
176	CA 85	SAINT MARCEL LES SAUZET	.26
176	CB 80	SAINT MARCEL LES VALENCE	.26
201	BA 95	SAINT MARCEL PAULEL	.31
204	BL 100	SAINT MARCEL SUR AUDE	.11
133	BX 63	SAINT MARCELIN DE CRAY	.71
162	CE 78	SAINT MARCELLIN	C .38
161	BV 75	SAINT MARCELLIN EN FOREZ	.42
191	CD 89	SAINT MARCELLIN LES VAISON	.84
217	AU 100	SAINT MARCET	.31
169	AV 84	SAINT MARCORY	.24
30	AI 33	SAINT MARCOUF	.14
29	AG 30	SAINT MARCOUF	.50
36	BJ 28	SAINT MARD	.80
37	BQ 32	SAINT MARD	.02
56	BJ 36	SAINT MARD	.77
83	CK 41	SAINT MARD	.54
139	AJ 68	SAINT MARD	.17
74	AU 41	SAINT MARD DE RENO	.61
117	BY 60	SAINT MARD DE VAUX	.71
58	BT 36	SAINT MARD LES ROUFFY	.51
59	BY 35	SAINT MARD SUR AUVE	.51
59	BZ 37	SAINT MARD SUR LE MONT	.51
33	AX 27	SAINT MARDS	.76
32	AT 32	SAINT MARDS DE BLACARVILLE	.27
52	AT 35	SAINT MARDS DE FRESNE	.27
79	BR 45	SAINT MARDS EN OTHE	.10
129	BG 65	SAINT MARIEN	.23
153	AL 79	SAINT MARIENS	.33
107	AC 56	SAINT MARS DE COUTAIS	.44
94	AT 48	SAINT MARS DE LOCQUENAY	.72
50	AK 40	SAINT MARS D'EGRENNE	.61
94	AS 48	SAINT MARS D'OUTILLE	.72
73	AO 44	SAINT MARS DU DESERT	.53
91	AE 54	SAINT MARS DU DESERT	.44
74	AS 47	SAINT MARS LA BRIERE	.72
91	AG 52	SAINT MARS LA JAILLE	C .44
108	AI 59	SAINT MARS LA REORTHE	.85
74	AR 45	SAINT MARS SOUS BALLON	.72
72	AK 43	SAINT MARS SUR COLMONT	.53
72	AI 42	SAINT MARS SUR LA FUTAIE	.53
57	BO 39	SAINT MARS VIEUX MAISONS	.77
224	BJ 108	SAINT MARSAL	.66
139	AL 69	SAINT MARTIAL	.17
189	BS 91	SAINT MARTIAL	.30
167	AN 84	SAINT MARTIAL	.33
175	BW 82	SAINT MARTIAL	.07
173	BM 82	SAINT MARTIAL	.15
154	AP 76	SAINT MARTIAL	.16
155	AW 77	SAINT MARTIAL D'ALBAREDE	.24
154	AQ 80	SAINT MARTIAL D'ARTENSET	.24
157	BD 78	SAINT MARTIAL DE GIMEL	.19
153	AK 76	SAINT MARTIAL DE MIRAMBEAU	.17
170	AY 83	SAINT MARTIAL DE NABIRAT	.24
155	AT 75	SAINT MARTIAL DE VALETTE	.24
153	AL 75	SAINT MARTIAL DE VITATERNE	.17
157	BE 79	SAINT MARTIAL ENTRAYGUES	.19
143	BE 69	SAINT MARTIAL LE MONT	.23
144	BG 73	SAINT MARTIAL LE VIEUX	.23
141	AV 67	SAINT MARTIAL SUR ISOP	.87
153	AL 74	SAINT MARTIAL SUR NE	.17
154	AR 76	SAINT MARTIAL VIVEYROL	.24
62	CN 40	SAINT MARTIN	.54
90	Y 49	SAINT MARTIN	.56
85	CR 42	SAINT MARTIN	.67
209	CJ 96	SAINT MARTIN	.83
199	AR 97	SAINT MARTIN	.32
224	BI 105	SAINT MARTIN	.66
216	AO 101	SAINT MARTIN	.65
20	BC 27	SAINT MARTIN AU BOSC	.76
11	BG 16	SAINT MARTIN AU LAERT	.62
33	AW 29	SAINT MARTIN AUX ARBRES	.76
35	BI 30	SAINT MARTIN AUX BOIS	.60
18	AT 27	SAINT MARTIN AUX BUNEAUX	.76
58	BW 38	SAINT MARTIN AUX CHAMPS	.51
32	AR 32	SAINT MARTIN AUX CHARTRAINS	.14
134	CA 65	SAINT MARTIN BELLE ROCHE	.71
150	CK 69	SAINT MARTIN BELLEVUE	.74
10	BB 17	SAINT MARTIN BOULOGNE	.62
157	BG 79	SAINT MARTIN CANTALES	.15
143	BC 71	SAINT MARTIN CHATEAU	.23
10	BD 17	SAINT MARTIN CHOQUEL	.62
182	AO 88	SAINT MARTIN CURTON	.47
97	BG 49	SAINT MARTIN D'ABBAT	.45
57	BS 36	SAINT MARTIN D'ABLOIS	.51
162	CB 78	SAINT MARTIN D'AOUT	.26
197	AE 98	SAINT MARTIN D'ARBEROUE	.64
164	CN 77	SAINT MARTIN D'ARC	.73
93	AO 52	SAINT MARTIN D'ARCE	.49
190	BY 88	SAINT MARTIN D'ARDECHE	.07
199	AN 95	SAINT MARTIN D'ARMAGNAC	.32
196	AD 99	SAINT MARTIN D'ARROSSA	.64
153	AM 78	SAINT MARTIN D'ARY	.17
29	AG 34	SAINT MARTIN D'AUBIGNY	.50
29	AG 29	SAINT MARTIN D'AUDOUVILLE	.50
114	BH 56	SAINT MARTIN D'AUXIGNY	C .18
133	BY 61	SAINT MARTIN D'AUXY	.71
149	CH 70	SAINT MARTIN DE BAVEL	.01
184	AU 89	SAINT MARTIN DE BEAUVILLE	.47
164	CN 75	SAINT MARTIN DE BELLEVILLE	.73
125	AM 66	SAINT MARTIN DE BERNEGOUE	.79
52	AS 35	SAINT MARTIN DE BIENFAITE LA CRESSONNIERE	.14
30	AJ 33	SAINT MARTIN DE BLAGNY	.14
49	AH 35	SAINT MARTIN DE BONFOSSE	.50
33	AW 31	SAINT MARTIN DE BOSCHERVILLE	.76
79	BR 42	SAINT MARTIN DE BOSSENAY	.10
189	BT 89	SAINT MARTIN DE BOUBAUX	.48
76	BE 41	SAINT MARTIN DE BRETHENCOURT	.78
192	CJ 93	SAINT MARTIN DE BROMES	.04
218	BA 103	SAINT MARTIN DE CARALP	.09
192	CG 93	SAINT MARTIN DE CASTILLON	.84
49	AG 36	SAINT MARTIN DE CENILLY	.50
177	CH 82	SAINT MARTIN DE CLELLES	.38
117	BX 59	SAINT MARTIN DE COMMUNE	.71
73	AN 45	SAINT MARTIN DE CONNEE	.53
153	AN 79	SAINT MARTIN DE COUX	.17
207	CA 95	SAINT MARTIN DE CRAU	.13
51	AN 34	SAINT MARTIN DE FONTENAY	.14
125	AJ 64	SAINT MARTIN DE FRAIGNEAU	.85
155	AV 76	SAINT MARTIN DE FRESSENGEAS	.24
174	BT 81	SAINT MARTIN DE FUGERES	.43
183	AS 91	SAINT MARTIN DE GOYNE	.32
168	AP 81	SAINT MARTIN DE GURSON	.24
197	AD 96	SAINT MARTIN DE HINX	.40
139	AM 70	SAINT MARTIN DE JUILLERS	.17
141	AV 71	SAINT MARTIN DE JUSSAC	.87

Page	Carreau	Commune	Adm.	Dpt
223	BF 107	SANSA		66
172	BG 82	SANSAC DE MARMIESSE		15
172	BH 83	SANSAC VEINAZES		15
125	AK 66	SANSAIS		79
200	AT 97	SANSAN		32
160	BS 80	SANSSAC L'EGLISE		43
132	BP 67	SANSSAT		03
229	DL 108	SANTA LUCIA DI MERCURIO		2B
229	DO 107	SANTA LUCIA DI MORIANI		2B
227	DM 103	SANTA MARIA DI LOTA		2B
230	DK 115	SANTA MARIA FIGANIELLA		2A
229	DO 107	SANTA MARIA POGGIO		2B
228	DK 113	SANTA MARIA SICHE	C	2A
226	DJ 105	SANTA REPARATA DI BALAGNA		2B
229	DN 107	SANTA REPARATA DI MORIANI		2B
229	DM 108	SANT'ANDREA DI BOZIO		2B
229	DN 108	SANT'ANDREA DI COTONE		2B
228	DI 111	SANT'ANDREA D'ORCINO		2A
119	CG 58	SANTANS		39
226	DJ 105	SANT'ANTONINO		2B
77	BF 46	SANTEAU		45
45	M 37	SANTEC		29
95	AX 52	SANTENAY		41
118	BY 59	SANTENAY		21
55	BI 39	SANTENY		94
12	BL 18	SANTES		59
54	BE 35	SANTEUIL		95
76	BC 43	SANTEUIL		28
100	BU 52	SANTIGNY		89
134	BZ 62	SANTILLY		71
76	BD 46	SANTILLY		28
227	DL 105	SANTO PIETRO DI TENDA		2B
229	DL 109	SANTO PIETRO DI VENACO		2B
104	CM 53	SANTOCHE		25
117	BY 58	SANTOSSE		21
98	BK 53	SANTRANGES		18
186	BE 88	SANVENSA		12
133	BV 62	SANVIGNES LES MINES		71
126	AP 64	SANXAY		86
109	AL 58	SANZAY		79
60	CG 38	SANZEY		54
30	AJ 33	SAON		14
120	CJ 55	SAONE		25
30	AJ 32	SAONNET		14
195	CW 90	SAORGE		06
74	AR 43	SAOSNES		72
176	CC 84	SAOU		26
52	AS 37	SAP, LE		61
52	AS 38	SAP ANDRE, LE		61
59	BZ 40	SAPIGNICOURT		51
22	BK 23	SAPIGNIES		62
39	BY 28	SAPOGNE ET FEUCHERES		08
40	CC 29	SAPOGNE SUR MARCHE		08
84	CN 46	SAPOIS		88
120	CI 60	SAPOIS		39
37	BP 34	SAPONAY		02
103	CI 48	SAPONCOURT		70
150	CK 68	SAPPEY, LE		74
163	CI 77	SAPPEY EN CHARTREUSE, LE		38
200	AU 97	SARAMON	C	32
96	BD 48	SARAN		45
120	CI 58	SARAZ		25
182	AL 91	SARBAZAN		40
94	AR 50	SARCE		72
51	AP 39	SARCEAUX		61
55	BH 36	SARCELLES	S	95
163	CH 77	SARCENAS		38
82	CD 46	SARCEY		52
147	BY 70	SARCEY		69
200	AT 98	SARCOS		32
34	BD 28	SARCUS		60
37	BR 34	SARCY		51
189	BU 93	SARDAN		30
143	BD 69	SARDENT		23
162	CD 76	SARDIEU		38
145	BN 70	SARDON		63
116	BR 56	SARDY LES EPIRY		58
196	AB 98	SARE		64
74	AR 47	SARGE LES LE MANS		72
95	AV 48	SARGE SUR BRAYE		41
228	DI 111	SARI D'ORCINO	C	2A
231	DN 113	SARI SOLENZARA		2A
200	AS 99	SARIAC MAGNOAC		65
216	AQ 102	SARLABOUS		65
155	AX 75	SARLANDE		24
170	AY 82	SARLAT LA CANEDA	S	24
155	AV 78	SARLIAC SUR L'ISLE		24
199	AO 99	SARNIGUET		65
34	BD 29	SARNOIS		60
79	BR 41	SARON SUR AUBE		51
217	AS 102	SARP		65
197	AI 97	SARPOURENX		64
199	AN 95	SARRAGACHIES		32
136	CK 61	SARRAGEOIS		25
199	AQ 99	SARRAGUZAN		32
62	CP 35	SARRALBE	C	57
62	CP 38	SARRALTROFF		57
157	BD 76	SARRAN		19
215	AI 102	SARRANCE		64
216	AQ 103	SARRANCOLIN		65
200	AV 94	SARRANT		32
162	CA 78	SARRAS		07
155	AW 76	SARRAZAC		24
170	BB 80	SARRAZAC		46
198	AK 95	SARRAZIET		40
62	CP 36	SARRE UNION	C	67
62	CP 38	SARREBOURG	S	57
200	AS 100	SARRECAVE		31
62	CP 34	SARREGUEMINES	S	57
62	CP 34	SARREINSMING		57
200	AT 100	SARREMEZAN		31
62	CP 36	SARREWERDEN		67
82	CD 47	SARREY		52
199	AP 98	SARRIAC BIGORRE		65
191	CB 90	SARRIANS		84
93	AM 52	SARRIGNE		49
135	CF 64	SARROGNA		39
228	DJ 111	SARROLA CARCOPINO		2A
198	AL 96	SARRON		40
199	AP 100	SARROUILLES		65
158	BH 76	SARROUX		19
58	BW 37	SARRY		51
133	BU 66	SARRY		71
100	BT 51	SARRY		89
22	BK 24	SARS, LE		62
12	BN 20	SARS ET ROSIERES		59
21	BH 22	SARS LE BOIS		62
24	BS 23	SARS POTERIES		59
230	DK 116	SARTENE	S	2A
82	CF 44	SARTES		88
49	AF 38	SARTILLY	C	50
21	BH 24	SARTON		62
55	BF 37	SARTROUVILLE	C	78
129	BD 63	SARZAY		36
89	U 51	SARZEAU	C	56
95	AW 50	SASNIERES		41
133	BY 61	SASSANGY		71
112	BA 54	SASSAY		41
23	BR 23	SASSEGNIES		59
163	CG 78	SASSENAGE		38
118	CA 60	SASSENAY		71
33	AW 27	SASSETOT LE MALGARDE		76
18	AT 27	SASSETOT LE MAUCONDUIT		76
32	AU 27	SASSEVILLE		76
53	AY 35	SASSEY		27
39	CB 31	SASSEY SUR MEUSE		55
129	BD 61	SASSIERGES SAINT GERMAIN		36
216	AN 104	SASSIS		65
51	AO 36	SASSY		14
148	CA 71	SATHONAY CAMP		69
148	CA 71	SATHONAY VILLAGE		69
161	BY 78	SATILLIEU	C	07
148	CC 72	SATOLAS ET BONCE		38
206	BV 95	SATURARGUES		34
201	AY 97	SAUBENS		31
196	AD 95	SAUBION		40
198	AM 99	SAUBOLE		64
196	AD 95	SAUBRIGUES		40
197	AE 95	SAUBUSSE		40
167	AJ 84	SAUCATS		33
198	AI 99	SAUCEDE		64
53	AX 40	SAUCELLE, LA		28
19	AY 26	SAUCHAY		76
22	BM 22	SAUCHY CAUCHY		62
22	BM 22	SAUCHY LESTREE		62
188	BP 92	SAUCLIERES		12
22	BL 22	SAUDEMONT		62
57	BQ 40	SAUDOY		51
82	CD 41	SAUDRON		52
59	CA 39	SAUDRUPT		55
135	CH 62	SAUGEOT		39
197	AF 95	SAUGNAC ET CAMBRAN		40
166	AH 87	SAUGNACQ ET MURET		40
153	AK 78	SAUGON		33
174	BQ 81	SAUGUES	C	43
214	AG 100	SAUGUIS SAINT ETIENNE		64
113	BF 59	SAUGY		18
171	BD 86	SAUJAC		12
138	AH 72	SAUJON	C	17
178	CK 86	SAULCE, LA		05
176	CA 83	SAULCE SUR RHONE		26
38	BW 31	SAULCES CHAMPENOISES		08
38	BW 29	SAULCES MONCLIN		08
131	BO 66	SAULCET		03
56	BO 36	SAULCHERY		02
35	BF 29	SAULCHOY, LE		60
20	BD 21	SAULCHOY		62
34	BE 28	SAULCHOY SOUS POIX		80
84	CP 41	SAULCY, LE		88
81	BZ 44	SAULCY		10
84	CP 43	SAULCY SUR MEURTHE		88
120	CK 56	SAULES		25
133	BY 62	SAULES		71
127	AV 65	SAULGE		86
109	AM 55	SAULGE L'HOPITAL		49
73	AM 47	SAULGES		53
141	AU 70	SAULGOND		16
171	BC 86	SAULIAC SUR CELE		46
117	BV 55	SAULIEU	C	21
102	CE 50	SAULLES		52
39	CB 31	SAULMORY ET VILLEFRANCHE		55
112	AY 60	SAULNAY		36
40	CG 30	SAULNES		54
53	AZ 40	SAULNIERES		28
91	AD 47	SAULNIERES		35
104	CN 51	SAULNOT		70
41	CI 34	SAULNY		57
118	CB 56	SAULON LA CHAPELLE		21
118	CB 55	SAULON LA RUE		21
79	BP 41	SAULSOTTE, LA		10
192	CF 90	SAULT	C	84
149	CE 71	SAULT BRENAZ		01
198	AI 96	SAULT DE NAVAILLES		64
38	BV 30	SAULT LES RETHEL		08
38	BU 31	SAULT SAINT REMY		08
23	BP 21	SAULTAIN		59
21	BI 22	SAULTY		62
60	CE 39	SAULVAUX		55
103	CK 50	SAULX	C	70
101	CB 52	SAULX LE DUC		21
60	CF 35	SAULX LES CHAMPLON		55
55	BG 39	SAULX LES CHARTREUX		91
54	BD 38	SAULX MARCHAIS		78
83	CH 41	SAULXEROTTE		54
84	CQ 42	SAULXURES		67
82	CG 44	SAULXURES LES BULGNEVILLE		88
61	CJ 39	SAULXURES LES NANCY		54
82	CG 41	SAULXURES LES VANNES		54
84	CO 47	SAULXURES SUR MOSELOTTE	C	88
130	BH 63	SAULZAIS LE POTIER	C	18
145	BN 68	SAULZET		03
145	BL 73	SAULZET LE FROID		63
23	BO 22	SAULZOIR		59
189	BS 90	SAUMANE		30
192	CH 90	SAUMANE		04
191	CD 92	SAUMANE DE VAUCLUSE		84
182	AO 89	SAUMEJAN		47
75	AZ 44	SAUMERAY		28
183	AR 90	SAUMONT		47
34	BB 30	SAUMONT LA POTERIE		76
166	AG 81	SAUMOS		33
110	AO 55	SAUMUR	S	49
95	AW 51	SAUNAY		37
143	BD 68	SAUNIERE, LA		23
118	CB 59	SAUNIERES		71
19	AX 27	SAUQUEVILLE		76
126	AO 62	SAURAIS		79
222	BA 104	SAURAT		09
144	BK 69	SAURET BESSERVE		63
159	BM 74	SAURIER		63
105	CS 48	SAUSHEIM		68
205	BS 96	SAUSSAN		34
33	AW 29	SAUSSAY		76
54	BA 38	SAUSSAY		28
34	BB 32	SAUSSAY LA CAMPAGNE		27
33	AX 33	SAUSSAYE, LA		27
29	AF 29	SAUSSEMESNIL		50
186	BG 92	SAUSSENAC		81
202	BB 96	SAUSSENS		31
194	CQ 90	SAUSSES		04
208	CD 99	SAUSSET LES PINS		13
32	AS 28	SAUSSEUZEMARE EN CAUX		76
49	AF 35	SAUSSEY		50
117	BY 57	SAUSSEY		21
168	AQ 83	SAUSSIGNAC		24
206	BU 94	SAUSSINES		34
101	CA 53	SAUSSY		21
219	BC 103	SAUTEL		09
167	AL 85	SAUTERNES		33
189	BT 93	SAUTEYRARGUES		34
223	BF 108	SAUTO		66
107	AC 55	SAUTRON		44
51	AM 40	SAUVAGERE, LA		61
147	BW 70	SAUVAGES, LES		69
141	AT 72	SAUVAGNAC		16
184	AU 89	SAUVAGNAS		47
144	BI 72	SAUVAGNAT		63
159	BN 74	SAUVAGNAT SAINTE MARTHE		63
119	CI 54	SAUVAGNEY		25
198	AK 98	SAUVAGNON		64
130	BK 64	SAUVAGNY		03
146	BT 73	SAUVAIN		42
158	BH 77	SAUVAT		15
189	BT 92	SAUVE	C	30
167	AM 83	SAUVE, LA		33
197	AI 98	SAUVELADE		64
136	CJ 65	SAUVERNY		01
160	BS 76	SAUVESSANGES		63
183	AS 93	SAUVETAT, LA		32
145	BN 73	SAUVETAT, LA		63
184	AU 89	SAUVETAT DE SAVERES, LA		47
168	AQ 84	SAUVETAT DU DROPT, LA		47
169	AU 86	SAUVETAT SUR LEDE, LA		47
185	AY 89	SAUVETERRE		82
200	AU 98	SAUVETERRE		32
190	CA 91	SAUVETERRE		30
199	AO 97	SAUVETERRE		65
203	BI 97	SAUVETERRE		81
197	AG 98	SAUVETERRE DE BEARN	C	64
217	AT 102	SAUVETERRE DE COMMINGES		31
167	AN 84	SAUVETERRE DE GUYENNE	C	33
186	BG 89	SAUVETERRE DE ROUERGUE		12
169	AW 85	SAUVETERRE LA LEMANCE		47
183	AT 90	SAUVETERRE SAINT DENIS		47
199	AR 98	SAUVIAC		32
167	AM 87	SAUVIAC		33
204	BO 99	SAUVIAN		34
146	BQ 73	SAUVIAT		63
142	BB 70	SAUVIAT SUR VIGE		87
153	AO 77	SAUVIGNAC		16
102	CG 53	SAUVIGNEY LES GRAY		70
119	CF 54	SAUVIGNEY LES PESMES		70
82	CG 41	SAUVIGNY		55
100	BU 53	SAUVIGNY LE BEUREAL		89
100	BT 52	SAUVIGNY LE BOIS		89
115	BO 59	SAUVIGNY LES BOIS		58
39	BY 30	SAUVILLE		08
82	CG 45	SAUVILLE		88
35	BH 28	SAUVILLERS MONGIVAL		80
200	AV 98	SAUVIMONT		32
60	CF 40	SAUVOY		55
184	AW 87	SAUX		46
217	AT 101	SAUX ET POMAREDE		31
159	BO 74	SAUXILLANGES	C	63
194	CQ 90	SAUZE		06
178	CM 85	SAUZE DU LAC, LE		05
140	AP 68	SAUZE VAUSSAIS	C	79
128	AW 62	SAUZELLES		36
176	CA 85	SAUZET		26
170	AY 87	SAUZET		46
189	BV 92	SAUZET		30
185	BB 92	SAUZIERE SAINT JEAN, LA		81
88	R 53	SAUZON		56
217	AU 101	SAVARTHES		31
161	BZ 77	SAVAS		07
162	CC 75	SAVAS MEPIN		38
176	CA 85	SAVASSE		26
90	AA 53	SAVENAY	C	44
184	AX 93	SAVENES		82
158	BI 74	SAVENNES		63
143	BD 68	SAVENNES		23
92	AK 54	SAVENNIERES		49
201	BA 100	SAVERDUN	C	09
201	AW 98	SAVERES		31
63	CS 38	SAVERNE	S	67
21	BF 26	SAVEUSE		80
133	BY 61	SAVIANGES		71
80	BT 43	SAVIERES		10
135	CF 64	SAVIGNA		39
167	AN 85	SAVIGNAC		33
186	BD 88	SAVIGNAC		12
168	AP 84	SAVIGNAC DE DURAS		47
153	AM 80	SAVIGNAC DE L'ISLE		33
169	AV 81	SAVIGNAC DE MIREMONT		24
155	AU 74	SAVIGNAC DE NONTRON		24
156	AY 77	SAVIGNAC LEDRIER		24
155	AV 77	SAVIGNAC LES EGLISES	C	24
223	BC 106	SAVIGNAC LES ORMEAUX		09
200	AW 97	SAVIGNAC MONA		32
169	AU 86	SAVIGNAC SUR LEYZE		47
189	BU 92	SAVIGNARGUES		30
140	AR 67	SAVIGNE		86
74	AR 46	SAVIGNE L'EVEQUE		72
93	AP 51	SAVIGNE SOUS LE LUDE		72
94	AR 53	SAVIGNE SUR LATHAN		37
147	BU 74	SAVIGNEUX		42
148	CA 69	SAVIGNEUX		01
34	BE 31	SAVIGNIES		60
49	AG 35	SAVIGNY		50
83	CJ 43	SAVIGNY		88
102	CF 50	SAVIGNY		52
150	CI 68	SAVIGNY		74
147	BY 71	SAVIGNY		69
135	CE 62	SAVIGNY EN REVERMONT		71
98	BK 53	SAVIGNY EN SANCERRE		18
114	BI 58	SAVIGNY EN SEPTAINE		18
100	BU 53	SAVIGNY EN TERRE PLAINE		89
110	AQ 56	SAVIGNY EN VERON		37
101	CB 53	SAVIGNY LE SEC		21
77	BI 41	SAVIGNY LE TEMPLE	C	77
72	AH 41	SAVIGNY LE VIEUX		50
118	BZ 57	SAVIGNY LES BEAUNE		21
127	AS 63	SAVIGNY LEVESCAULT		86
132	BS 61	SAVIGNY POIL FOL		58
110	AR 60	SAVIGNY SOUS FAYE		86
118	BZ 54	SAVIGNY SOUS MALAIN		21
39	BY 32	SAVIGNY SUR AISNE		08
37	BR 33	SAVIGNY SUR ARDRES		51
95	AV 48	SAVIGNY SUR BRAYE	C	41
78	BM 46	SAVIGNY SUR CLAIRIS		89
133	BY 63	SAVIGNY SUR GROSNE		71
55	BH 40	SAVIGNY SUR ORGE	C	91
134	CC 62	SAVIGNY SUR SEILLE		71
117	BV 57	SAVILLY		21
179	CN 85	SAVINES LE LAC	C	05
78	BN 42	SAVINS		77
191	CF 89	SAVOILLAN		84
100	BW 50	SAVOISY		21
102	CD 54	SAVOLLES		21
111	AT 54	SAVONNIERES		37
59	CB 38	SAVONNIERES DEVANT BAR		55
59	CB 40	SAVONNIERES EN PERTHOIS		55
118	CB 56	SAVOUGES		21
177	CI 86	SAVOURNON		05
102	CG 52	SAVOYEUX		70
22	BN 27	SAVY		02
21	BI 21	SAVY BERLETTE		62
136	CM 66	SAXEL		74
116	BP 58	SAXI BOURDON		58
83	CI 42	SAXON SION		54
145	BM 71	SAYAT		63
190	BZ 92	SAZE		30
129	BE 65	SAZERAY		36
131	BL 66	SAZERET		03
110	AR 57	SAZILLY		37
216	AN 104	SAZOS		65
67	O 45	SCAER	C	29
229	DN 107	SCATA		2B
155	AU 75	SCEAU SAINT ANGEL		24
175	BY 85	SCEAUTRES		07
55	BG 38	SCEAUX	C	92
100	BT 52	SCEAUX		89
92	AK 51	SCEAUX D'ANJOU		49
77	BI 46	SCEAUX DU GATINAIS		45
74	AT 46	SCEAUX SUR HUISNE		72
120	CJ 56	SCEY MAISIERES		25
103	CH 50	SCEY SUR SAONE ET SAINT ALBIN	C	70
85	CT 41	SCHAEFFERSHEIM		67
64	CX 36	SCHAFFHOUSE PRES SELTZ		67
64	CT 38	SCHAFFHOUSE SUR ZORN		67
63	CQ 37	SCHALBACH		57
64	CT 37	SCHALKENDORF		67
64	CT 39	SCHARRACHBERGHEIM IRMSTETT		67
64	CX 35	SCHEIBENHARD		67
64	CT 37	SCHERLENHEIM		67
85	CS 43	SCHERWILLER		67
64	CT 36	SCHILLERSDORF		67
64	CU 39	SCHILTIGHEIM	C	67
85	CQ 41	SCHIRMECK	C	67
64	CV 37	SCHIRRHEIN		67
64	CV 37	SCHIRRHOFFEN		67
64	CW 35	SCHLEITHAL		67
105	CT 50	SCHLIERBACH		68
63	CQ 35	SCHMITTVILLER		57
62	CP 38	SCHNECKENBUSCH		57
64	CT 39	SCHNERSHEIM		67
85	CU 43	SCHOENAU		67
63	CQ 37	SCHOENBOURG		67
42	CO 33	SCHOENECK		57
64	CV 35	SCHOENENBOURG		67
62	CP 36	SCHOPPERTEN		67
63	CS 34	SCHORBACH		57
64	CU 37	SCHWEIGHOUSE SUR MODER		67
105	CR 49	SCHWEIGHOUSE THANN		68
63	CS 38	SCHWENHEIM		67
42	CL 31	SCHWERDORFF		57
43	CR 33	SCHWEYEN		57
64	CT 37	SCHWINDRATZHEIM		67
105	CS 50	SCHWOBEN		68
85	CT 43	SCHWOBSHEIM		67
125	AL 65	SCIECQ		79
150	CL 67	SCIENTRIER		74
199	AP 96	SCIEURAC ET FLOURES		32
136	CM 65	SCIEZ		74
125	AK 62	SCILLE		79
151	CN 68	SCIONZIER	C	74
227	DM 105	SCOLCA		2B
111	AS 60	SCORBE CLAIRVAUX		86
68	O 41	SCRIGNAC		29
59	BZ 39	SCRUPT		51
61	CI 34	SCY CHAZELLES		57
103	CI 50	SCYE		70
199	AP 94	SEAILLES		32
161	BV 77	SEAUVE SUR SEMENE, LA		43
187	BJ 87	SEBAZAC CONCOURES		12
53	AW 36	SEBECOURT		27
29	AG 31	SEBEVILLE		50
23	BP 25	SEBONCOURT		02
23	BQ 21	SEBOURG		59
172	BJ 86	SEBRAZAC		12
198	AK 97	SEBY		64
104	CM 51	SECENANS		70
39	BY 33	SECHAULT		08
162	BZ 79	SECHERAS		07
25	BX 26	SECHEVAL		08
163	CI 79	SECHILIENNE		38
120	CK 54	SECHIN		25
12	BL 19	SECLIN	C	59
139	AM 67	SECONDIGNE SUR BELLE		79
125	AL 62	SECONDIGNY	C	79
61	CJ 36	SECOURT		57
31	AM 33	SECQUEVILLE EN BESSIN		14
39	BZ 28	SEDAN	S	08
217	AS 101	SEDEILHAC		31
192	CG 89	SEDERON	C	26
198	AM 98	SEDZE MAUBECQ		64
198	AM 99	SEDZERE		64
64	CW 35	SEEBACH		67
52	AQ 40	SEES	C	61
151	CP 73	SEEZ		73
169	AS 85	SEGALAS		47
199	AO 98	SEGALAS		65
171	BF 82	SEGALASSIERE, LA		15
68	S 45	SEGLIEN		56
136	CJ 65	SEGNY		01
139	AN 73	SEGONZAC	C	16
156	AY 77	SEGONZAC		19
154	AS 78	SEGONZAC		24
198	AM 96	SEGOS		32
201	AX 96	SEGOUFIELLE		32
92	AJ 50	SEGRE	S	49
202	BC 97	SEGREVILLE		31
73	AP 45	SEGRIE		72
51	AM 38	SEGRIE FONTAINE		61
118	CA 56	SEGROIS		21
113	BF 59	SEGRY		36
108	AH 57	SEGUINIERE, LA		49
186	BE 90	SEGUR, LE		81
187	BK 88	SEGUR		12
156	AY 76	SEGUR LE CHATEAU		19
158	BK 78	SEGUR LES VILLAS		15
219	BB 102	SEGURA		09
191	CC 89	SEGURET		84
216	AN 102	SEGUS		65
217	AR 102	SEICH		65
61	CJ 39	SEICHAMPS	C	54
97	BG 47	SEICHEBRIERES		45
60	CG 37	SEICHEPREY		54
93	AM 52	SEICHES SUR LE LOIR	C	49
219	BD 102	SEIGNALENS		11
139	AN 70	SEIGNE		17
99	BQ 48	SEIGNELAY	C	89
59	CC 37	SEIGNEULLES		55
196	AC 94	SEIGNOSSE		40
100	BW 52	SEIGNY		21
112	AZ 55	SEIGY		41
201	AY 95	SEILH		31
156	BC 76	SEILHAC	C	19
217	AS 102	SEILHAN		31
95	AY 52	SEILLAC		41
210	CP 95	SEILLANS		83
149	CF 71	SEILLONNAZ		01
209	CJ 97	SEILLONS SOURCE D'ARGENS		83
77	BI 41	SEINE PORT		77
62	CN 34	SEINGHOUSE		57
200	AS 97	SEISSAN		32
222	AX 104	SEIX		09
91	AD 48	SEL DE BRETAGNE, LE	C	35
83	CH 41	SELAINCOURT		54
36	BN 30	SELENS		02
85	CT 43	SELESTAT	S	67
139	AM 67	SELIGNE		79
119	CF 58	SELIGNEY		39
92	AH 48	SELLE CRAONNAISE, LA		53
71	AF 42	SELLE EN COGLES, LA		35
78	BL 47	SELLE EN HERMOY, LA		45
72	AH 43	SELLE EN LUITRE, LA		35
91	AG 47	SELLE GUERCHAISE, LA		35
51	AL 39	SELLE LA FORGE, LA		61
78	BL 46	SELLE SUR LE BIED, LA		45
32	AT 33	SELLES		27
10	BD 17	SELLES		62
38	BV 33	SELLES		51
83	CI 47	SELLES		70
113	BD 54	SELLES SAINT DENIS		41
112	BB 55	SELLES SUR CHER	C	41
112	BA 58	SELLES SUR NAHON		36
119	CF 60	SELLIERES	C	39
95	AY 50	SELOMMES	C	41
104	CP 52	SELONCOURT		25
101	CC 51	SELONGEY	C	21
178	CM 87	SELONNET		04
64	CX 36	SELTZ	C	67
38	BT 30	SELVE, LA		02
187	BI 90	SELVE, LA		12
222	BA 105	SEM		09
202	BE 96	SEMALENS		81
74	AQ 42	SEMALLE		61
117	BY 55	SEMAREY		21
160	BR 77	SEMBADEL		43
183	AT 88	SEMBAS		47
94	AT 53	SEMBLANCAY		37
113	BC 56	SEMBLECAY		36
199	AP 97	SEMBOUES		32
199	AO 100	SEMEAC	C	65
199	AN 97	SEMEACQ BLACHON		64
41	CI 33	SEMECOURT		57
116	BS 60	SEMELAY		58
167	AM 84	SEMENS		33
99	BO 51	SEMENTRON		89
24	BS 23	SEMERIES		59
95	AZ 48	SEMERVILLE		41
118	CA 56	SEMEZANGES		21
200	AT 97	SEMEZIES CACHAN		32
38	BX 32	SEMIDE		08
153	AJ 76	SEMILLAC		17
82	CE 44	SEMILLY		52
103	CH 50	SEMMADON		70
58	BT 39	SEMOINE		10
101	BX 50	SEMOND		21
104	CN 51	SEMONDANS		25
162	CD 75	SEMONS		38
23	BS 23	SEMOUSIES		59
153	AJ 76	SEMOUSSAC		17
81	CB 46	SEMOUTIERS MONTSAON		52
96	BE 48	SEMOY		45
183	AT 91	SEMPESSERRE		32
36	BL 30	SEMPIGNY		60
10	BD 19	SEMPY		62
100	BW 53	SEMUR EN AUXOIS	C	21
133	BU 66	SEMUR EN BRIONNAIS	C	71
74	AU 47	SEMUR EN VALLON		72
138	AH 73	SEMUSSAC		17
39	BX 30	SEMUY		08
181	AK 90	SEN, LE		40
199	AP 99	SENAC		65
82	CG 47	SENAIDE		88
171	BE 82	SENAILLAC LATRONQUIERE		46
170	BB 85	SENAILLAC LAUZES		46
100	BV 52	SENAILLY		21
99	BO 48	SENAN		89
34	BD 31	SENANTES		60
54	BB 40	SENANTES		28
200	AW 99	SENARENS		31
104	CM 51	SENARGENT MIGNAFANS		70
20	BC 26	SENARPONT		80
77	BI 41	SENART	A	77
207	CC 94	SENAS		13
135	CE 65	SENAUD		39
203	BJ 94	SENAUX		81
155	AU 77	SENCENAC PUY DE FOURCHES		24
223	BB 105	SENCONAC		09
198	AL 99	SENDETS		64
167	AN 87	SENDETS		33
89	U 50	SENE		56
189	BU 88	SENECHAS		30
172	BI 85	SENERGUES		12
168	AQ 87	SENESTIS		47
174	BS 81	SENEUJOLS		43
193	CN 92	SENEZ		04
172	BH 84	SENEZERGUES		15
217	AU 103	SENGOUAGNET		31
170	BA 84	SENIERGUES		46
127	AT 61	SENILLE		86
10	BE 17	SENINGHEM		62
10	BE 18	SENLECQUES		62
55	BI 34	SENLIS	S	60
11	BF 19	SENLIS		62
21	BI 25	SENLIS LE SEC		80
54	BE 39	SENLISSE		78
114	BH 59	SENNECAY		18
134	CA 62	SENNECEY LE GRAND	C	71
118	CB 55	SENNECEY LES DIJON		21
97	BF 51	SENNELY		45
112	AX 57	SENNEVIERES		37
18	AS 27	SENNEVILLE SUR FECAMP		76
100	BV 49	SENNEVOY LE BAS		89
100	BV 49	SENNEVOY LE HAUT		89
40	CE 32	SENON		55
75	AX 41	SENONCHES	C	28
103	CI 48	SENONCOURT		70
60	CC 35	SENONCOURT LES MAUJOUY		55
84	CP 42	SENONES	C	88
83	CI 45	SENONGES		88
91	AG 49	SENONNES		53
34	BE 33	SENOTS		60
186	BD 92	SENOUILLAC		81
29	AD 30	SENOVILLE		50
134	CA 65	SENOZAN		71
78	BN 45	SENS	S	89
114	BJ 55	SENS BEAUJEU		18
71	AE 43	SENS DE BRETAGNE		35
135	CD 60	SENS SUR SEILLE		71
217	AV 104	SENTEIN		09
35	BE 28	SENTELIE		80
218	AZ 103	SENTENAC DE SEROU		09
222	AX 104	SENTENAC D'OUST		09
104	CQ 49	SENTHEIM		68
51	AO 38	SENTILLY		61
23	BP 21	SENTINELLE, LA		59

Page	Carreau	Commune	Adm.	Dpt
199	AQ 100	SENTOUS		65
39	BZ 32	SENUC		08
68	T 41	SENVEN LEHART		22
98	BN 48	SEPEAUX		89
23	BP 22	SEPMERIES		59
111	AU 57	SEPMES		37
105	CR 51	SEPPOIS LE BAS		68
105	CR 51	SEPPOIS LE HAUT		68
72	AL 41	SEPT FORGES		61
50	AI 37	SEPT FRERES		14
20	BA 25	SEPT MEULES		76
58	BU 34	SEPT SAULX		51
56	BM 37	SEPT SORTS		77
50	AJ 35	SEPT VENTS		14
162	CB 74	SEPTEME		38
208	CF 98	SEPTEMES LES VALLONS		13
54	BC 37	SEPTEUIL		78
185	BA 90	SEPTFONDS		82
120	CK 58	SEPTFONTAINES		25
136	CI 65	SEPTMONCEL		39
37	BO 32	SEPTMONTS		02
39	CB 32	SEPTSARGES		55
37	BO 30	SEPTVAUX		02
82	CF 40	SEPVIGNY		55
126	AO 66	SEPVRET		79
217	AU 101	SEPX		31
12	BL 18	SEQUEDIN		59
23	BO 26	SEQUEHART		02
186	BE 93	SEQUESTRE, LE		81
23	BO 25	SERAIN		02
54	BD 36	SERAINCOURT		95
38	BU 29	SERAINCOURT		08
157	BG 77	SERANDON		19
194	CQ 93	SERANON		06
51	AO 39	SERANS		61
54	BD 34	SERANS		60
84	CL 41	SERANVILLE		54
22	BN 24	SERANVILLERS FORENVILLE		59
36	BN 27	SERAUCOURT LE GRAND		02
82	CF 42	SERAUMONT		88
54	BA 40	SERAZEREUX		28
145	BO 68	SERBANNES		03
78	BN 44	SERBONNES		89
37	BO 32	SERCHES		02
84	CL 44	SERCŒUR		88
11	BH 17	SERCUS		59
134	BZ 62	SERCY		71
224	BG 108	SERDINYA		66
200	AT 98	SERE		32
215	AM 102	SERE EN LAVEDAN		65
216	AO 102	SERE LANSO		65
199	AQ 100	SERE RUSTAING		65
83	CG 46	SERECOURT		88
142	AW 72	SEREILHAC		87
41	CH 32	SEREMANGE ERZANGE		57
200	AU 94	SEREMPUY		32
186	BG 92	SERENAC		81
89	W 48	SERENT		56
35	BH 29	SEREVILLERS		60
53	AZ 37	SEREZ		27
162	CE 74	SEREZIN DE LA TOUR		38
148	CA 73	SEREZIN DU RHONE		69
170	AX 80	SERGEAC		24
119	CE 59	SERGENAUX		39
119	CE 59	SERGENON		39
78	BN 43	SERGINES	C	89
57	BQ 34	SERGY		02
136	CJ 66	SERGY		01
21	BG 22	SERICOURT		62
173	BM 81	SERIERS		15
34	BC 32	SERIFONTAINE		60
184	AW 92	SERIGNAC		82
170	AX 87	SERIGNAC		46
169	AS 85	SERIGNAC PEBOUDOU		47
183	AR 89	SERIGNAC SUR GARONNE		47
204	BO 100	SERIGNAN		34
191	CB 89	SERIGNAN DU COMTAT		84
125	AI 63	SERIGNE		85
110	AR 59	SERIGNY		86
74	AT 43	SERIGNY		61
156	BC 80	SERILHAC		19
37	BP 34	SERINGES ET NESLES		02
96	BA 50	SERIS		41
118	CD 60	SERLEY		71
116	BS 58	SERMAGES		58
77	BF 41	SERMAISE		91
93	AN 52	SERMAISE		49
77	BG 44	SERMAISES		45
36	BL 29	SERMAIZE		60
59	BZ 38	SERMAIZE LES BAINS		51
104	CO 50	SERMAMAGNY		90
119	CF 56	SERMANGE		39
229	DM 108	SERMANO	C	2B
146	BP 72	SERMENTIZON		63
149	CE 73	SERMERIEU		38
85	CT 42	SERMERSHEIM		67
118	CC 59	SERMESSE		71
58	BS 34	SERMIERS		51
99	BR 52	SERMIZELLES		89
37	BO 32	SERMOISE		02
115	BN 59	SERMOISE SUR LOIRE		58
134	CB 63	SERMOYER		01
144	BH 70	SERMUR		23
190	BY 92	SERNHAC		30
83	CH 46	SEROCOURT		88
199	AN 99	SERON		65
162	CA 74	SERPAIZE		38
219	BF 103	SERPENT, LA		11
11	BG 16	SERQUES		62
34	BB 29	SERQUEUX		76
82	CG 47	SERQUEUX		52
52	AU 35	SERQUIGNY		27
230	DI 115	SERRA DI FERRO		2A
229	DN 111	SERRA DI FIUMORBO		2B
231	DL 114	SERRA DI SCOPAMENE	C	2A
224	BI 110	SERRALONGUE		66
150	CM 71	SERRAVAL		74
187	BJ 91	SERRE, LA		12
144	BG 69	SERRE BUSSIERE VIEILLE, LA		23
119	CF 55	SERRE LES MOULIERES		39
119	CI 55	SERRE LES SAPINS		25
177	CH 86	SERRES	C	05
61	CL 39	SERRES		54
224	BG 103	SERRES		11
198	AL 98	SERRES CASTET		64
168	AR 84	SERRES ET MONTGUYARD		24
198	AK 95	SERRES GASTON		40
198	AL 99	SERRES MORLAAS		64
198	AJ 98	SERRES SAINTE MARIE		64
218	BA 103	SERRES SUR ARGET		09
198	AI 95	SERRESLOUS ET ARRIBANS		40
228	DH 108	SERRIERA		2A
161	BZ 77	SERRIERES	C	07
134	BZ 66	SERRIERES		71
149	CF 71	SERRIERES DE BRIORD		01
150	CI 70	SERRIERES EN CHAUTAGNE		73
149	CF 67	SERRIERES SUR AIN		01
100	BS 49	SERRIGNY		89
118	CC 60	SERRIGNY EN BRESSE		71
56	BK 38	SERRIS		77
40	CG 31	SERROUVILLE		54
114	BH 60	SERRUELLES		18
140	AR 74	SERS		16
216	AO 104	SERS		65
37	BO 29	SERVAIS		02
37	BQ 32	SERVAL		02
104	CN 48	SERVANCE		70
154	AP 79	SERVANCHES		24
145	BL 68	SERVANT		63
189	BV 90	SERVAS		30
148	CC 68	SERVAS		01
33	AZ 31	SERVAVILLE SALMONVILLE		76
173	BP 84	SERVERETTE		48
162	CA 79	SERVES SUR RHONE		26
204	BO 98	SERVIAN	C	34
173	BP 85	SERVIERES		48
157	BE 79	SERVIERES LE CHATEAU		19
190	BX 91	SERVIERS ET LABAUME		30
202	BE 95	SERVIES		81
220	BI 102	SERVIES EN VAL		11
134	CB 64	SERVIGNAT		01
103	CK 49	SERVIGNEY		70
49	AF 34	SERVIGNY		50
61	CL 34	SERVIGNY LES RAVILLE		57
41	CJ 34	SERVIGNY LES SAINTE BARBE		57
54	BA 39	SERVILLE		28
132	BQ 66	SERVILLY		03
120	CM 54	SERVIN		25
11	BJ 20	SERVINS		62
55	BI 39	SERVON		77
49	AF 40	SERVON		50
39	BZ 33	SERVON MELZICOURT		51
71	AE 45	SERVON SUR VILAINE		35
151	CP 69	SERVOZ		74
38	BV 29	SERY		08
99	BR 51	SERY		89
37	BO 27	SERY LES MEZIERES		02
36	BK 33	SERY MAGNEVAL		60
37	BR 33	SERZY ET PRIN		51
64	CW 37	SESSENHEIM		67
205	BS 98	SETE	C	34
11	BF 17	SETQUES		62
55	BH 35	SEUGY		95
38	BW 31	SEUIL		08
59	CB 36	SEUIL D'ARGONNE	C	55
146	BP 67	SEUILLET		03
110	AQ 57	SEUILLY		37
95	AZ 53	SEUR		41
139	AM 71	SEURE, LE		17
118	CC 58	SEURRE	C	21
21	BF 26	SEUX		80
60	CE 36	SEUZEY		55
147	BW 68	SEVELINGES		42
104	CP 51	SEVENANS		90
90	Z 51	SEVERAC		44
187	BM 88	SEVERAC LE CHATEAU	C	12
187	BL 88	SEVERAC L'EGLISE		12
102	CG 52	SEVEUX		70
70	Y 42	SEVIGNAC		22
198	AL 97	SEVIGNACQ		64
215	AK 101	SEVIGNACQ MEYRACQ		64
51	AP 38	SEVIGNY		61
24	BW 26	SEVIGNY LA FORET		08
38	BT 29	SEVIGNY WALEPPE		08
33	AY 28	SEVIS		76
51	AO 39	SEVRAI		61
55	BI 37	SEVRAN	C	93
55	BF 38	SEVRES	C	92
127	AS 63	SEVRES ANXAUMONT		86
134	CA 61	SEVREY		71
150	CK 70	SEVRIER		74
114	BK 57	SEVRY		18
104	CP 48	SEWEN		68
157	BE 80	SEXCLES		19
61	CI 40	SEXEY AUX FORGES		54
61	CI 39	SEXEY LES BOIS		54
81	CA 45	SEXFONTAINES		52
145	BO 71	SEYCHALLES		63
168	AQ 85	SEYCHES	C	47
178	CM 87	SEYNE	C	04
212	CJ 101	SEYNE SUR MER, LA	C	83
190	BW 90	SEYNES		30
150	CK 70	SEYNOD	C	74
202	BB 99	SEYRE		31
197	AF 95	SEYRESSE		40
149	CI 69	SEYSSEL	C	74
149	CH 69	SEYSSEL	C	01
201	AY 97	SEYSSES		31
200	AW 97	SEYSSES SAVES		32
163	CH 78	SEYSSINET PARISET		38
163	CH 78	SEYSSINS		38
162	CA 74	SEYSSUEL		38
150	CL 72	SEYTHENEX		74
137	CN 66	SEYTROUX		74
57	BQ 39	SEZANNE	C	51
199	AO 99	SIARROUY		65
160	BR 80	SIAUGUES SAINTE MARIE		43
45	L 38	SIBIRIL		29
21	BG 22	SIBIVILLE		62
149	CE 72	SICCIEU SAINT JULIEN ET CARISIEU		38
115	BO 56	SICHAMPS		58
104	CP 49	SICKERT		68
29	AD 29	SIDEVILLE		50
130	BG 64	SIDIAILLES		18
139	AN 71	SIECQ		17
64	CW 35	SIEGEN		67
79	BP 45	SIEGES, LES		89
41	CK 30	SIERCK LES BAINS	C	57
105	CT 50	SIERENTZ	C	68
63	CR 34	SIERSTHAL		57
33	AX 29	SIERVILLE		76
197	AF 95	SIEST		40
202	BE 94	SIEURAC		81
218	AY 101	SIEURAS		09
177	CI 81	SIEVOZ		38
63	CQ 37	SIEWILLER		67
194	CS 92	SIGALE		06
168	AN 86	SIGALENS		33
221	BM 102	SIGEAN	C	11
97	BG 49	SIGLOY		45
217	AS 104	SIGNAC		31
209	CJ 99	SIGNES		83
82	CC 44	SIGNEVILLE		52
38	BW 28	SIGNY L'ABBAYE	C	08
24	BV 26	SIGNY LE PETIT	C	08
40	CC 29	SIGNY MONTLIBERT		08
56	BM 37	SIGNY SIGNETS		77
140	AN 72	SIGOGNE		16
85	CR 45	SIGOLSHEIM		68
192	CJ 91	SIGONCE		04
177	CH 86	SIGOTTIER		05
168	AR 83	SIGOULES	C	24
124	AH 61	SIGOURNAIS		85
178	CJ 86	SIGOYER		05
192	CJ 87	SIGOYER		04
222	BA 105	SIGUER		09
78	BN 42	SIGY		77
34	BA 30	SIGY EN BRAY		76
133	BY 63	SIGY LE CHATEL		71
68	S 44	SILFIAC		56
175	BY 82	SILHAC		07
163	CE 76	SILLANS		38
209	CL 96	SILLANS LA CASCADE		83
127	AV 65	SILLARS		86
182	AN 87	SILLAS		33
73	AO 45	SILLE LE GUILLAUME	C	72
74	AS 46	SILLE LE PHILIPPE		72
61	CI 35	SILLEGNY		57
38	BU 34	SILLERY		51
120	CJ 57	SILLEY AMANCEY		25
120	CL 54	SILLEY BLEFOND		25
150	CJ 69	SILLINGY		74
51	AQ 38	SILLY EN GOUFFERN		61
61	CJ 35	SILLY EN SAULNOIS		57
36	BM 34	SILLY LA POTERIE		02
56	BK 35	SILLY LE LONG		60
61	CK 34	SILLY SUR NIED		57
35	BF 33	SILLY TILLARD		60
60	CC 39	SILMONT		55
62	CP 34	SILTZHEIM		67
227	DN 106	SILVARECCIO		2B
81	BZ 46	SILVAROUVRES		52
198	AM 98	SIMACOURBE		64
134	CB 62	SIMANDRE		71
135	CE 66	SIMANDRE SUR SURAN		01
148	CA 73	SIMANDRES		69
134	CC 61	SIMARD		71
21	BJ 22	SIMENCOURT		62
170	AZ 82	SIMEYROLS		24
208	CG 98	SIMIANE COLLONGUE		13
192	CG 91	SIMIANE LA ROTONDE		04
200	AU 98	SIMORRE		32
92	AJ 48	SIMPLE		53
22	BM 21	SIN LE NOBLE		59
177	CH 81	SINARD		38
36	BN 29	SINCENY		02
100	BU 53	SINCEY LES ROUVRAY		21
181	AG 91	SINDERES		40
158	BI 74	SINGLES		63
168	AR 83	SINGLEYRAC		24
39	BY 29	SINGLY		08
63	CS 38	SINGRIST		67
223	BB 105	SINSAT		09
199	AP 100	SINZOS		65
199	AO 94	SION		32
91	AD 49	SION LES MINES		44
171	BC 81	SIONIAC		19
82	CF 42	SIONNE		88
62	CL 39	SIONVILLER		54
154	AR 78	SIORAC DE RIBERAC		24
169	AW 82	SIORAC EN PERIGORD		24
29	AC 29	SIOUVILLE HAGUE		50
200	AV 95	SIRAC		32
21	BG 21	SIRACOURT		62
217	AS 103	SIRADAN		65
171	BF 81	SIRAN		15
203	BJ 99	SIRAN		34
215	AM 103	SIREIX		65
140	AO 73	SIREUIL		16
136	CI 61	SIROD		39
198	AJ 99	SIROS		64
227	DN 102	SISCO		2B
37	BS 30	SISSONNE	C	02
23	BO 27	SISSY		02
184	AU 91	SISTELS		82
192	CJ 89	SISTERON	C	04
192	CF 93	SIVERGUES		84
133	BX 64	SIVIGNON		71
61	CJ 37	SIVRY		54
59	BZ 36	SIVRY ANTE		51
78	BJ 41	SIVRY COURTRY		77
60	CC 34	SIVRY LA PERCHE		55
40	CC 32	SIVRY SUR MEUSE		55
212	CJ 101	SIX FOURS LES PLAGES	C	83
151	CP 68	SIXT FER A CHEVAL		74
90	Z 49	SIXT SUR AFF		35
67	L 41	SIZUN	C	29
126	AR 64	SMARVES		86
20	BA 27	SMERMESNIL		76
228	DJ 109	SOCCIA		2A
104	CO 52	SOCHAUX	C	25
83	CJ 42	SOCOURT		88
11	BH 15	SOCX		59
217	AS 105	SODE		31
92	AL 50	SOEURDRES		49
78	BN 42	SOGNOLLES EN MONTOIS		77
58	BW 37	SOGNY AUX MOULINS		51
59	BZ 38	SOGNY EN L'ANGLE		51
51	AO 35	SOIGNOLLES		14
56	BJ 40	SOIGNOLLES EN BRIE		77
54	BC 37	SOINDRES		78
103	CH 51	SOING CUBRY CHARENTENAY		70
96	BA 54	SOINGS EN SOLOGNE		41
118	CD 56	SOIRANS		21
37	BO 32	SOISSONS	S	02
119	CE 55	SOISSONS SUR NACEY		21
79	BO 42	SOISY BOUY		77
55	BG 36	SOISY SOUS MONTMORENCY	C	95
77	BI 42	SOISY SUR ECOLE		91
55	BH 40	SOISY SUR SEINE		91
38	BT 28	SOIZE		02
75	AW 45	SOIZE		28
57	BR 38	SOIZY AUX BOIS		51
148	CA 73	SOLAIZE		69
229	DN 112	SOLARO		2B
85	CR 41	SOLBACH		67
194	CP 92	SOLEILHAS		04
104	CN 53	SOLEMONT		25
36	BK 28	SOLENTE		60
221	BK 106	SOLER, LE		66
190	CA 87	SOLERIEUX		26
56	BJ 40	SOLERS		77
23	BP 23	SOLESMES	C	59
93	AN 49	SOLESMES		72
149	CE 72	SOLEYMIEU		38
160	BU 75*	SOLEYMIEUX		42
181	AG 89	SOLFERINO		40
61	CJ 36	SOLGNE		57
51	AN 34	SOLIERS		14
142	AY 72	SOLIGNAC		87
160	BT 78	SOLIGNAC SOUS ROCHE		43
174	BT 81	SOLIGNAC SUR LOIRE	C	43
159	BN 75	SOLIGNAT		63
52	AT 40	SOLIGNY LA TRAPPE		61
79	BP 43	SOLIGNY LES ETANGS		10
230	DJ 115	SOLLACARO		2A
165	CQ 77	SOLLIERES SARDIERES		73
209	CK 100	SOLLIES PONT	C	83
209	CK 100	SOLLIES TOUCAS		83
209	CK 100	SOLLIES VILLE		83
134	BY 65	SOLOGNY		71
200	AV 94	SOLOMIAC		32
24	BT 23	SOLRE LE CHATEAU	C	59
24	BT 23	SOLRINNES		59
98	BK 48	SOLTERRE		45
134	BZ 66	SOLUTRE POUILLY		71
22	BN 21	SOMAIN		59
120	CK 58	SOMBACOUR		25
118	BY 54	SOMBERNON	C	21
21	BI 22	SOMBRIN		62
199	AN 97	SOMBRUN		65
109	AK 58	SOMLOIRE		49
23	BP 22	SOMMAING		59
81	CA 41	SOMMANCOURT		52
117	BV 58	SOMMANT		71
39	CA 30	SOMMAUTHE		08
59	BY 35	SOMME BIONNE		51
58	BX 34	SOMME SUIPPE		51
59	BX 35	SOMME TOURBE		51
59	BX 36	SOMME VESLE		51
59	BY 36	SOMME YEVRE		51
98	BN 49	SOMMECAISE		89
60	CD 35	SOMMEDIEUE		55
59	BZ 37	SOMMEILLES		55
56	BN 34	SOMMELANS		02
59	CA 39	SOMMELONNE		55
38	BW 33	SOMMEPY TAHURE		51
39	CA 32	SOMMERANCE		08
82	CF 44	SOMMERECOURT		52
34	BE 29	SOMMEREUX		60
23	BS 25	SOMMERON		02
30	AL 32	SOMMERVIEU		14
61	CK 39	SOMMERVILLER		54
34	BA 29	SOMMERY		76
32	AU 28	SOMMESNIL		76
58	BU 39	SOMMESOUS		51
120	CM 55	SOMMETTE, LA		25
36	BM 28	SOMMETTE EAUCOURT		02
80	BS 45	SOMMEVAL		10
81	BZ 42	SOMMEVOIRE		52
206	BU 94	SOMMIERES	C	30
126	AR 66	SOMMIERES DU CLAIN		86
140	AO 67	SOMPT		79
58	BV 39	SOMPUIS	C	51
58	BW 40	SOMSOIS		51
38	BV 29	SON		08
171	BD 84	SONAC		46
76	BD 41	SONCHAMP		78
83	CH 42	SONCOURT		88
81	CB 44	SONCOURT SUR MARNE		52
85	CQ 46	SONDERNACH		68
105	CS 52	SONDERSDORF		68
162	CE 79	SONE, LA		38
34	BD 30	SONGEONS	C	60
135	CH 62	SONGESON		39
149	CH 69	SONGIEU		01
58	BW 38	SONGY		51
139	AM 71	SONNAC		17
171	BF 85	SONNAC		12
219	BE 103	SONNAC SUR L'HERS		11
162	CB 76	SONNAY		38
150	CI 73	SONNAZ		73
140	AN 71	SONNEVILLE		16
37	BQ 27	SONS ET RONCHERES		02
135	CF 66	SONTHONNAX LA MONTAGNE		01
94	AS 52	SONZAY		37
196	AC 95	SOORTS HOSSEGOR		40
105	CQ 49	SOPPE LE BAS		68
105	CQ 49	SOPPE LE HAUT		68
217	AW 104	SOR		09
103	CI 53	SORANS LES BREUREY		70
23	BS 26	SORBAIS		02
199	AO 95	SORBETS		32
198	AL 95	SORBETS		40
40	CE 31	SORBEY		55
61	CJ 35	SORBEY		57
132	BR 65	SORBIER		03
177	CG 87	SORBIERS		05
161	BX 75	SORBIERS		42
227	DN 106	SORBO OCAGNANO		2B
231	DL 114	SORBOLLANO		2A
38	BV 30	SORBON		08
188	BP 93	SORBS		34
38	BX 30	SORCY BAUTHEMONT		08
60	CF 39	SORCY SAINT MARTIN		55
197	AF 96	SORDE L'ABBAYE		40
181	AJ 88	SORE	C	40
199	AP 99	SOREAC		65
225	BM 108	SOREDE		66
22	BM 25	SOREL		80
20	BD 25	SOREL EN VIMEU		80
53	AZ 38	SOREL MOUSSEL		28
202	BE 98	SOREZE		81
223	BC 106	SORGEAT		09
155	AV 77	SORGES		24
191	CB 91	SORGUES		84
111	AU 55	SORIGNY		37
107	AD 56	SORINIERES, LES		44
227	DL 105	SORIO		2B
79	BR 46	SORMERY		89
24	BX 27	SORMONNE		08
143	BF 73	SORNAC	C	19
119	CG 55	SORNAY		70
134	CC 62	SORNAY		71
61	CK 38	SORNEVILLE		54
32	AU 28	SORQUAINVILLE		76
10	BC 20	SORRUS		62
197	AG 95	SORT EN CHALOSSE		40
29	AF 30	SORTOSVILLE		50
29	AD 30	SORTOSVILLE EN BEAUMONT		50
183	AP 91	SOS		47
195	CW 92	SOSPEL	C	06
111	AS 60	SOSSAIS		86
217	AS 103	SOST		65
231	DM 117	SOTTA		2A
29	AE 29	SOTTEVAST		50
29	AD 29	SOTTEVILLE		50
33	AX 31	SOTTEVILLE LES ROUEN	C	76
33	AY 32	SOTTEVILLE SOUS LE VAL		76
19	AW 26	SOTTEVILLE SUR MER		76
169	AW 86	SOTURAC		46
62	CM 37	SOTZELING		57
58	BX 34	SOUAIN PERTHES LES HURLUS		51
202	BF 97	SOUAL		81
75	AV 44	SOUANCE AU PERCHE		28
224	BG 108	SOUANYAS		66
21	BI 23	SOUASTRE		62
204	BP 94	SOUBES		34
138	AG 70	SOUBISE		17
199	AN 97	SOUBLECAUSE		65
153	AK 76	SOUBRAN		17
143	BD 70	SOUBREBOST		23
72	AK 42	SOUCE		53
93	AM 52	SOUCELLES		49
175	BV 85	SOUCHE, LA		07
12	BJ 20	SOUCHEZ		62
63	CR 35	SOUCHT		57
135	CH 63	SOUCIA		39
148	BZ 73	SOUCIEU EN JARREST		69
170	BA 84	SOUCIRAC		46
149	CF 70	SOUCLIN		01
36	BM 32	SOUCY		02
79	BO 44	SOUCY		89
156	BC 74	SOUDAINE LAVINADIERE		19
91	AF 49	SOUDAN		44
126	AO 64	SOUDAN		79
141	AT 73	SOUDAT		24
75	AV 47	SOUDAY		41
58	BV 39	SOUDE		51
157	BE 76	SOUDEILLES		19
189	BS 91	SOUDORGUES		30
58	BU 38	SOUDRON		51
217	AU 102	SOUEICH		31
222	AX 104	SOUEIX ROGALLE		09
186	BD 91	SOUEL		81
21	BE 25	SOUES		80
199	AO 100	SOUES		65
97	BF 53	SOUESMES		41
64	CU 39	SOUFFELWEYERSHEIM		67
64	CW 36	SOUFFLENHEIM		67
154	AS 74	SOUFFRIGNAC		16
94	AU 50	SOUGE		41
112	BA 59	SOUGE		36
73	AP 43	SOUGE LE GANELON		72
71	AE 41	SOUGEAL		35
99	BO 52	SOUGERES EN PUISAYE		89
224	BH 104	SOUGRAIGNE		11
76	BC 47	SOUGY		45
115	BP 60	SOUGY SUR LOIRE		58
59	CC 35	SOUHESMES RAMPONT, LES		55
100	BW 53	SOUHEY		21
21	BH 22	SOUICH, LE		62
202	BD 99	SOUILHANELS		11
202	BD 99	SOUILHE		11
170	BA 82	SOUILLAC	C	46
74	AQ 46	SOUILLE		72
60	CC 35	SOUILLY	C	55
219	BB 103	SOULA		09
152	AF 74	SOULAC SUR MER		33
159	BO 80	SOULAGES		15
172	BK 84	SOULAGES BONNEVAL		12
81	BY 43	SOULAINES DHUYS	C	10
109	AL 54	SOULAINES SUR AUBANCE		49
92	AL 51	SOULAIRE ET BOURG		49
76	BB 41	SOULAIRES		28
222	AX 104	SOULAN		09
58	BX 38	SOULANGES		51
114	BI 56	SOULANGIS		18
51	AO 36	SOULANGY		14
224	BI 104	SOULATGE		11
82	CF 44	SOULAUCOURT SUR MOUZON		52
169	AV 84	SOULAURES		24
104	CP 54	SOULCE CERNAY		25
72	AL 46	SOULGE SUR OUETTE		53
203	BJ 97	SOULIE, LE		34
57	BS 37	SOULIERES		51
167	AL 84	SOULIGNAC		33
93	AP 47	SOULIGNE FLACE		72
74	AR 45	SOULIGNE SOUS BALLON		72
139	AI 71	SOULIGNONNE		17
80	BT 45	SOULIGNY		10
74	AS 47	SOULITRE		72
107	AA 60	SOULLANS		85
49	AH 35	SOULLES		50
216	AN 103	SOULOM		65
170	BB 85	SOULOMES		46
82	CF 42	SOULOSSE SOUS SAINT ELOPHE		88
105	CR 47	SOULTZ HAUT RHIN	C	68
64	CS 40	SOULTZ LES BAINS		67
64	CV 35	SOULTZ SOUS FORETS	C	67
85	CR 46	SOULTZBACH LES BAINS		68
85	CQ 45	SOULTZEREN		68
85	CR 46	SOULTZMATT		68
91	AE 48	SOULVACHE		44
79	BS 47	SOUMAINTRAIN		89
130	BG 66	SOUMANS		23
168	AR 84	SOUMENSAC		47
153	AL 77	SOUMERAS		17
204	BP 95	SOUMONT		34
51	AO 36	SOUMONT SAINT QUENTIN		14
198	AM 99	SOUMOULOU		64
202	BD 99	SOUPEX		11
37	BQ 31	SOUPIR		02
78	BJ 45	SOUPPES SUR LOING		77
181	AI 94	SOUPROSSE		40
196	AB 98	SOURAIDE		64
104	CN 53	SOURANS		25
147	BY 71	SOURCIEUX LES MINES		69
23	BR 26	SOURD, LE		02
50	AJ 39	SOURDEVAL	C	50
49	AG 36	SOURDEVAL LES BOIS		50
35	BH 28	SOURDON		80
79	BO 41	SOURDUN		77
69	T 45	SOURN, LE		56
224	BH 106	SOURNIA	C	66
157	BG 77	SOURNIAC		15
193	CK 89	SOURRIBES		04
76	BB 43	SOURS		28
157	BF 77	SOURSAC		19
154	AR 80	SOURZAC		24
143	BE 69	SOUS PARSAT		23
171	BE 82	SOUSCEYRAC	C	46
153	AL 77	SOUSMOULINS		17
176	CB 85	SOUSPIERRE		26
168	AO 83	SOUSSAC		33
152	AJ 80	SOUSSANS		33
117	BX 54	SOUSSEY SUR BRIONNE		21
189	BU 90	SOUSTELLE		30
196	AD 94	SOUSTONS	C	40
177	CI 81	SOUSVILLE		38
146	BT 71	SOUTERNON		42
128	BA 67	SOUTERRAINE, LA	C	23
125	AM 63	SOUTIERS		79
119	CF 58	SOUVANS		39
189	BV 94	SOUVIGNARGUES		30
140	AP 69	SOUVIGNE		16
94	AS 52	SOUVIGNE		37
126	AN 65	SOUVIGNE		79
74	AU 45	SOUVIGNE SUR MEME		72
93	AM 49	SOUVIGNE SUR SARTHE		72
131	BN 63	SOUVIGNY	C	03
95	AX 53	SOUVIGNY DE TOURAINE		37
97	BF 51	SOUVIGNY EN SOLOGNE		41
199	AP 100	SOUYEAUX		65
110	AP 55	SOUZAY CHAMPIGNY		49
147	BX 72	SOUZY		69
77	BF 41	SOUZY LA BRICHE		91
229	DL 107	SOVERIA		2B
176	CC 84	SOYANS		26
140	AQ 73	SOYAUX	C	16

Page	Carreau	Commune	Adm.	Dpt
104	CM 52	SOYE		25
114	BI 58	SOYE EN SEPTAINE		18
22	BK 26	SOYECOURT		80
102	CF 48	SOYERS		52
176	CA 81	SOYONS		07
63	CS 36	SPARSBACH		67
93	AQ 48	SPAY		72
105	CR 50	SPECHBACH LE BAS		68
105	CR 50	SPECHBACH LE HAUT		68
226	DJ 105	SPELONCATO		2B
210	CR 94	SPERACEDES		06
67	N 43	SPEZET		29
42	CO 33	SPICHEREN		57
40	CE 32	SPINCOURT	C	55
60	CG 35	SPONVILLE		54
81	BY 44	SPOY		10
102	CC 53	SPOY		21
11	BG 14	SPYCKER		59
46	S 39	SQUIFFIEC		22
105	CR 48	STAFFELFELDEN		68
55	BH 37	STAINS	C	93
59	CB 40	STAINVILLE		55
11	BH 17	STAPLE		59
64	CW 37	STATTMATTEN		67
229	DN 107	STAZZONA		2B
11	BH 17	STEENBECQUE		59
11	BH 14	STEENE		59
11	BI 16	STEENVOORDE	C	59
12	BK 17	STEENWERCK		59
85	CR 42	STEIGE		67
105	CQ 48	STEINBACH		68
63	CS 37	STEINBOURG		67
105	CS 50	STEINBRUNN LE BAS		68
105	CS 50	STEINBRUNN LE HAUT		68
64	CV 35	STEINSELTZ		67
105	CS 51	STEINSOULTZ		68
39	CB 30	STENAY	C	55
105	CQ 49	STERNENBERG		68
105	CT 50	STETTEN		68
100	BV 49	STIGNY		89
63	CS 40	STILL		67
42	CO 33	STIRING WENDEL	C	57
39	BZ 30	STONNE		08
104	CP 48	STORCKENSOHN		68
85	CQ 46	STOSSWIHR		68
85	CT 42	STOTZHEIM		67
64	CV 39	STRASBOURG	P	67
11	BJ 17	STRAZEELE		59
170	BB 81	STRENQUELS		46
105	CQ 51	STRUETH		68
63	CR 36	STRUTH		67
41	CJ 32	STUCKANGE		57
64	CW 35	STUNDWILLER		67
64	CT 34	STURZELBRONN		57
64	CU 39	STUTZHEIM OFFENHEIM		67
105	CQ 51	SUARCE		90
141	AS 71	SUAUX		16
114	BG 58	SUBDRAY, LE		18
112	AW 55	SUBLAINES		37
30	AK 33	SUBLES		14
49	AF 38	SUBLIGNY		50
78	BN 45	SUBLIGNY		89
114	BK 54	SUBLIGNY		18
222	AZ 105	SUC ET SENTENAC		09
162	CE 74	SUCCIEU		38
91	AD 54	SUCE SUR ERDRE		44
55	BI 39	SUCY EN BRIE	C	94
96	BA 51	SUEVRES		41
159	BP 74	SUGERES		63
39	BX 32	SUGNY		08
197	AE 99	SUHESCUN		64
115	BM 54	SUILLY LA TOUR		58
133	BX 64	SUIN		71
58	BW 34	SUIPPES	C	51
62	CM 36	SUISSE		57
57	BR 37	SUIZY LE FRANC		51
148	CB 67	SULIGNAT		01
34	BC 30	SULLY		60
30	AK 32	SULLY		14
117	BX 58	SULLY		71
97	BF 47	SULLY LA CHAPELLE		45
97	BH 50	SULLY SUR LOIRE	C	45
89	W 50	SULNIAC		56
189	BS 92	SUMENE	C	30
85	CS 46	SUNDHOFFEN		68
85	CU 43	SUNDHOUSE		67
120	CI 59	SUPT		39
145	BO 70	SURAT		63
222	BA 104	SURBA		09
64	CV 36	SURBOURG		67
21	BF 24	SURCAMPS		80
156	BB 74	SURDOUX		87
74	AS 43	SURE		61
55	BG 37	SURESNES	C	92
94	AS 47	SURFONDS		72
37	BP 28	SURFONTAINE		02
139	AI 68	SURGERES	C	17
99	BP 53	SURGY		58
83	CG 45	SURIAUVILLE		88
140	AR 68	SURIN		86
125	AL 64	SURIN		79
141	AT 71	SURIS		16
149	CH 68	SURJOUX		01
121	CN 54	SURMONT		25
10	BE 17	SURQUES		62
30	AJ 32	SURRAIN		14
29	AC 30	SURTAINVILLE		50
33	AX 34	SURTAUVILLE		27
52	AR 38	SURVIE		61
33	AX 34	SURVILLE		27
29	AD 32	SURVILLE		50
32	AR 32	SURVILLE		14
55	BI 35	SURVILLIERS		95
38	BX 27	SURY		08
97	BH 47	SURY AUX BOIS		45
114	BK 54	SURY EN VAUX		18
98	BJ 53	SURY ES BOIS		18
161	BV 74	SURY LE COMTAL		42
98	BL 53	SURY PRES LERE		18
89	V 51	SURZUR		56
197	AH 99	SUS		64
21	BH 22	SUS SAINT LEGER		62
197	AH 99	SUSMIOU		64
143	BB 73	SUSSAC		87
206	BU 95	SUSSARGUES		34
145	BM 68	SUSSAT		03
117	BW 56	SUSSEY		21
177	CH 81	SUSVILLE		38
149	CG 69	SUTRIEU		01
218	AZ 102	SUZAN		09
22	BJ 25	SUZANNE		80
39	BX 30	SUZANNE		08
81	CC 42	SUZANNECOURT		52
34	BA 33	SUZAY		27
176	CC 83	SUZE		26
191	CA 88	SUZE LA ROUSSE		26
93	AP 48	SUZE SUR SARTHE, LA	C	72
191	CC 89	SUZETTE		84
36	BL 30	SUZOY		60
37	BP 30	SUZY		02
39	BZ 30	SY		08
136	CI 61	SYAM		39
53	AX 37	SYLVAINS LES MOULINS		27
187	BL 93	SYLVANES		12
84	CN 46	SYNDICAT, LE		88

T

Page	Carreau	Commune	Adm.	Dpt
197	AG 98	TABAILLE USQUAIN		64
167	AL 83	TABANAC		33
164	CK 74	TABLE, LA		73
124	AE 62	TABLIER, LE		85
219	BC 103	TABRE		09
140	AR 71	TACHE, LA		16
200	AT 97	TACHOIRES		32
54	BB 38	TACOIGNIERES		78
116	BP 55	TACONNAY		58
70	AA 41	TADEN		22
198	AM 96	TADOUSSE USSAU		64
227	DN 106	TAGLIO ISOLACCIO		2B
133	BV 60	TAGNIERE, LA		71
38	BV 31	TAGNON		08
105	CS 50	TAGOLSHEIM		68
105	CS 50	TAGSDORF		68
159	BP 80	TAILHAC		43
191	CD 93	TAILLADES		84
167	AJ 81	TAILLAN MEDOC, LE		33
82	CF 41	TAILLANCOURT		55
139	AJ 70	TAILLANT		17
51	AM 38	TAILLEBOIS		61
139	AJ 71	TAILLEBOURG		17
168	AP 86	TAILLEBOURG		47
168	AP 84	TAILLECAVAT		33
104	CP 52	TAILLECOURT		25
124	AH 65	TAILLEE, LA		85
36	BM 33	TAILLEFONTAINE		02
29	AE 31	TAILLEPIED		50
224	BJ 108	TAILLET		66
24	BW 25	TAILLETTE		08
71	AG 44	TAILLIS		35
20	BE 26	TAILLY		80
39	CA 31	TAILLY		08
118	BZ 58	TAILLY		21
162	CA 79	TAIN L'HERMITAGE	C	26
99	BO 51	TAINGY		89
84	CO 43	TAINTRUX		88
23	BR 23	TAISNIERES EN THIERACHE		59
23	BR 21	TAISNIERES SUR HON		59
38	BT 34	TAISSY		51
186	BF 92	TAIX		81
110	AO 59	TAIZE		79
134	BY 63	TAIZE		71
140	AQ 68	TAIZE AIZIE		16
38	BU 30	TAIZY		08
216	AR 101	TAJAN		65
220	BJ 102	TALAIRAN		11
152	AG 75	TALAIS		33
41	CI 33	TALANGE		57
118	CB 54	TALANT		21
229	DN 107	TALASANI		2B
161	BX 75	TALAUDIERE, LA		42
199	AO 99	TALAZAC		65
100	BU 52	TALCY		89
96	BA 50	TALCY		41
167	AJ 82	TALENCE	C	33
162	BZ 78	TALENCIEUX		07
70	AB 45	TALENSAC		35
149	CH 70	TALISSIEU		01
159	BM 79	TALIZAT		15
103	CK 53	TALLANS		25
178	CK 86	TALLARD	C	05
120	CI 54	TALLENAY		25
145	BN 73	TALLENDE		63
180	AF 93	TALLER		40
150	CK 70	TALLOIRES		74
229	DN 109	TALLONE		2B
125	AM 62	TALLUD, LE		79
124	AI 61	TALLUD SAINTE GEMME		85
21	BG 25	TALMAS		80
119	CE 54	TALMAY		21
123	AC 63	TALMONT SAINT HILAIRE	C	85
152	AH 74	TALMONT SUR GIRONDE		17
34	BC 32	TALMONTIERS		60
116	BQ 55	TALON		58
57	BR 38	TALUS SAINT PRIX		51
148	BZ 73	TALUYERS		69
29	AF 29	TAMERVILLE		50
116	BR 58	TAMNAY EN BAZOIS		58
170	AX 81	TAMNIES		24
159	BM 80	TANAVELLE		15
102	CD 53	TANAY		21
32	AT 30	TANCARVILLE		76
109	AM 56	TANCOIGNE		49
133	BV 67	TANCON		71
62	CO 39	TANCONVILLE		54
56	BM 36	TANCROU		77
136	CI 63	TANCUA		39
11	BH 20	TANGRY		62
151	CN 67	TANINGES	C	74
49	AF 40	TANIS		50
100	BU 49	TANLAY		89
116	BQ 54	TANNAY	C	58
39	BZ 30	TANNAY		08
211	CR 95	TANNERON		83
98	BM 50	TANNERRE EN PUISAYE		89
37	BP 33	TANNIERES		02
59	CC 39	TANNOIS		55
51	AP 39	TANQUES		61
83	CI 41	TANTONVILLE		54
49	AG 37	TANU, LE		50
186	BG 90	TANUS		81
73	AP 41	TANVILLE		61
153	AJ 74	TANZAC		17
148	BZ 68	TAPONAS		69
141	AS 72	TAPONNAT FLEURIGNAC		16
202	BB 97	TARABEL		31
210	CN 97	TARADEAU		83
147	BX 70	TARARE	C	69
190	BZ 93	TARASCON	C	13
222	BB 104	TARASCON SUR ARIEGE	C	09
199	AO 99	TARASTEIX		65
199	AO 100	TARBES	P	65
120	CJ 56	TARCENAY		25
144	BH 68	TARDES		23
214	AG 101	TARDETS SORHOLUS	C	64
125	AJ 62	TARDIERE, LA		85
10	BC 15	TARDINGHEN		62
161	BX 76	TARENTAISE		42
224	BI 106	TARERACH		66
223	BD 108	TARGASSONNE		66
131	BM 66	TARGET		03
167	AM 83	TARGON	C	33
143	BD 73	TARNAC		19
167	AL 81	TARNES		33
196	AC 96	TARNOS		40
198	AL 97	TARON SADIRAC VIELLENAVE		64
62	CN 38	TARQUIMPOL		57
229	DN 107	TARRANO		2B
198	AN 95	TARSAC		32
198	AJ 98	TARSACQ		64
101	CA 52	TARSUL		21
118	CC 56	TART L'ABBAYE		21
118	CC 56	TART LE BAS		21
118	CC 56	TART LE HAUT		21
161	BZ 74	TARTARAS		42
181	AH 93	TARTAS	C	40
103	CI 48	TARTECOURT		70
36	BN 31	TARTIERS		02
35	BG 29	TARTIGNY		60
193	CN 90	TARTONNE		04
135	CD 61	TARTRE, LE		71
54	BB 39	TARTRE GAUDRAN, LE		78
24	BU 26	TARZY		08
199	AO 95	TASQUE		32
93	AO 48	TASSE		72
119	CF 59	TASSENIERES		39
73	AO 47	TASSILLE		72
148	CA 72	TASSIN LA DEMI LUNE	C	69
229	DL 112	TASSO		2A
11	BF 17	TATINGHEM		62
153	AN 76	TATRE, LE		16
124	AI 66	TAUGON		17
45	M 39	TAULE	C	29
176	CC 86	TAULIGNAN		26
224	BJ 108	TAULIS		66
69	X 47	TAUPONT		56
153	AK 80	TAURIAC		33
171	BC 82	TAURIAC		46
185	BA 93	TAURIAC		81
204	BM 94	TAURIAC DE CAMARES		12
186	BG 90	TAURIAC DE NAUCELLE		12
175	BW 85	TAURIERS		07
218	AW 102	TAURIGNAN CASTET		09
218	AX 102	TAURIGNAN VIEUX		09
224	BH 108	TAURINYA		66
220	BI 102	TAURIZE		11
172	BJ 82	TAUSSAC		12
204	BM 96	TAUSSAC LA BILLIERE		34
224	BK 105	TAUTAVEL		66
158	BJ 74	TAUVES	C	63
58	BT 35	TAUXIERES MUTRY		51
111	AV 56	TAUXIGNY		37
228	DJ 111	TAVACO		2A
111	AS 57	TAVANT		37
119	CE 57	TAVAUX		39
37	BS 28	TAVAUX ET PONTSERICOURT		02
190	BZ 91	TAVEL		30
228	DK 111	TAVERA		2A
117	BV 58	TAVERNAY		71
209	CK 96	TAVERNES	C	83
55	BG 36	TAVERNY	C	95
96	BB 50	TAVERS		45
104	CO 51	TAVEY		70
145	BN 67	TAXAT SENAT		03
119	CG 55	TAXENNE		39
168	AO 81	TAYAC		33
200	AU 94	TAYBOSC		32
184	AV 89	TAYRAC		47
186	BG 89	TAYRAC		12
132	BT 61	TAZILLY		58
224	BI 109	TECH, LE		66
163	CE 78	TECHE		38
186	BD 93	TECOU		81
166	AG 84	TEICH, LE		33
116	BR 54	TEIGNY		58
176	BZ 85	TEIL, LE		07
145	BM 70	TEILHEDE		63
145	BK 68	TEILHET		63
219	BC 102	TEILHET		09
91	AD 49	TEILLAY		35
91	AF 53	TEILLE		44
74	AR 45	TEILLE		72
186	BH 93	TEILLET		81
130	BI 66	TEILLET ARGENTY		03
72	AJ 41	TEILLEUL, LE	C	50
156	AY 78	TEILLOTS		24
172	BH 81	TEISSIERES DE CORNET		15
172	BI 82	TEISSIERES LES BOULIES		15
66	J 43	TELGRUC SUR MER		29
40	CE 30	TELLANCOURT		54
118	CD 55	TELLECEY		21
52	AS 40	TELLIERES LE PLESSIS		61
94	AR 48	TELOCHE		72
95	AW 48	TEMPLE, LE		41
166	AG 81	TEMPLE, LE		33
107	AB 54	TEMPLE DE BRETAGNE, LE		44
155	AX 78	TEMPLE LAGUYON		24
183	AS 87	TEMPLE SUR LOT, LE		47
12	BM 19	TEMPLEMARS		59
12	BM 19	TEMPLEUVE		59
22	BL 25	TEMPLEUX LA FOSSE		80
22	BM 25	TEMPLEUX LE GUERARD		80
149	CF 70	TENAY		01
161	BW 79	TENCE	C	43
164	CJ 76	TENCIN		38
195	CW 89	TENDE	C	06
84	CN 45	TENDON		88
115	BK 59	TENDRON		18
128	BB 62	TENDU		36
11	BG 20	TENEUR		62
73	AO 46	TENNIE		72
42	CO 34	TENTELING		57
127	AT 63	TERCE		86
129	BE 65	TERCILLAT		23
197	AF 95	TERCIS LES BAINS		40
11	BI 16	TERDEGHEM		59
36	BN 28	TERGNIER	C	02
144	BJ 67	TERJAT		03
39	BY 32	TERMES		08
173	BN 82	TERMES		48
220	BI 103	TERMES		11
199	AN 95	TERMES D'ARMAGNAC		32
165	CP 76	TERMIGNON		73
76	BC 46	TERMINIERS		28
147	BX 70	TERNAND		69
118	CA 56	TERNANT		21
139	AK 70	TERNANT		17
132	BS 61	TERNANT		58
159	BM 75	TERNANT LES EAUX		63
21	BH 21	TERNAS		62
101	CB 48	TERNAT		52
94	AV 50	TERNAY		41
110	AO 58	TERNAY		86
148	CA 73	TERNAY		69
173	BM 80	TERNES, LES		15
104	CN 49	TERNUAY MELAY ET SAINT HILAIRE		70
37	BO 31	TERNY SORNY		02
21	BH 24	TERRAMESNIL		80
163	CJ 76	TERRASSE, LA		38
161	BY 75	TERRASSE SUR DORLAY, LA		42
156	AY 79	TERRASSON LAVILLEDIEU	C	24
224	BK 107	TERRATS		66
183	AS 92	TERRAUBE		32
186	BG 93	TERRE CLAPIER		81
102	CF 48	TERRE NATALE	C	52
200	AV 100	TERREBASSE		31
101	BZ 50	TERREFONDREE		21
74	AS 45	TERREHAULT		72
104	CO 54	TERRES DE CHAUX, LES		25
172	BK 83	TERRISSE, LA		12
220	BG 103	TERROLES		11
39	BY 31	TERRON SUR AISNE		08
171	BE 83	TERROU		46
162	CC 78	TERSANNE		26
128	AX 66	TERSANNES		87
186	BE 92	TERSSAC		81
54	BB 37	TERTRE SAINT DENIS, LE		78
22	BM 26	TERTRY		80
41	CI 32	TERVILLE		57
54	BE 36	TESSANCOURT SUR AUBETTE		78
73	AM 41	TESSE FROULAY		61
50	AL 34	TESSEL		14
139	AJ 73	TESSON		17
110	AN 60	TESSONNIERE		79
109	AI 58	TESSOUALE, LA		49
50	AH 36	TESSY SUR VIRE	C	50
166	AF 84	TESTE DE BUCH, LA	C	33
39	CB 28	TETAIGNE		08
4	BH 14	TETEGHEM		59
42	CL 33	TETERCHEN		57
197	AG 94	TETHIEU		40
62	CM 35	TETING SUR NIED		57
153	AK 79	TEUILLAC		33
202	BB 96	TEULAT		81
29	AF 29	TEURTHEVILLE BOCAGE		50
29	AD 29	TEURTHEVILLE HAGUE		50
155	AT 74	TEYJAT		24
205	BT 95	TEYRAN		34
176	CD 86	TEYSSIERES		26
171	BE 81	TEYSSIEU		46
202	BD 96	TEYSSODE		81
57	BS 40	THAAS		51
138	AI 73	THAIMS		17
138	AH 68	THAIRE		17
116	BR 60	THAIX		58
62	CQ 36	THAL DRULINGEN		67
63	CR 38	THAL MARMOUTIER		67
158	BH 75	THALAMY		19
105	CQ 48	THANN	S	68
85	CR 43	THANNENKIRCH		68
85	CS 42	THANVILLE		67
31	AM 33	THAON		14
83	CL 44	THAON LES VOSGES		88
190	BW 89	THARAUX		30
99	BS 53	THAROISEAU		89
99	BS 52	THAROT		89
114	BJ 60	THAUMIERS		18
143	BC 69	THAURON		23
114	BK 55	THAUVENAY		18
217	AS 103	THEBE		65
42	CO 34	THEDING		57
170	AY 85	THEDIRAC		46
171	BC 83	THEGRA		46
90	Z 51	THEHILLAC		56
74	AU 44	THEIL, LE	C	61
29	AF 29	THEIL, LE		50
131	BN 65	THEIL, LE		03
50	AK 37	THEIL BOCAGE, LE		14
91	AE 47	THEIL DE BRETAGNE, LE		35
32	AR 32	THEIL EN AUGE, LE		14
52	AT 34	THEIL NOLENT, LE		27
140	AP 68	THEIL RABIER		16
79	BP 45	THEIL SUR VANNE		89
113	BE 55	THEILLAY		41
33	AV 33	THEILLEMENT		27
89	V 50	THEIX		56
147	BY 70	THEIZE		69
147	BW 68	THEL		69
75	AV 45	THELIGNY		72
161	BY 77	THELIS LA COMBE		42
83	CI 40	THELOD		54
39	BZ 29	THELONNE		08
22	BK 21	THELUS		62
54	BD 35	THEMERICOURT		95
171	BC 83	THEMINES		46
171	BC 84	THEMINETTES		46
139	AJ 73	THENAC		17
168	AR 83	THENAC		24
23	BS 27	THENAILLES		02
112	AY 54	THENAY		41
128	BA 62	THENAY		36
23	BP 27	THENELLES		02
150	CM 72	THENESOL		73
111	AS 57	THENEUIL		37
131	BL 63	THENEUILLE		03
126	AO 61	THENEZAY	C	79
113	BD 55	THENIOUX		18
101	BY 52	THENISSEY		21
78	BN 42	THENISY		77
80	BU 44	THENNELIERES		10
21	BH 27	THENNES		80
155	AX 79	THENON	C	24
39	BZ 31	THENORGUES		08
211	CS 96	THEOULE SUR MER		06
35	BF 31	THERDONNE		60
34	BD 29	THERINES		60
200	AS 99	THERMES MAGNOAC		65
172	BK 82	THERONDELS		12
11	BG 18	THEROUANNE		62
32	AT 27	THEROULDEVILLE		76
119	CF 55	THERVAY		39
112	AZ 55	THESEE		41
119	CI 59	THESY		39
103	CH 51	THEULEY		70
178	CL 86	THEUS		05
55	BE 34	THEUVILLE		95
76	BB 43	THEUVILLE		28
32	AT 27	THEUVILLE AUX MAILLOTS		76
129	BE 62	THEVET SAINT JULIEN		36
29	AF 28	THEVILLE		50
52	AV 36	THEVRAY		27
83	CH 44	THEY SOUS MONTFORT		88
83	CI 42	THEY SOUS VAUDEMONT		54
164	CJ 77	THEYS		38
221	BM 107	THEZA		66
139	AI 73	THEZAC		17
169	AW 87	THEZAC		47
220	BK 102	THEZAN DES CORBIERES		11
204	BN 98	THEZAN LES BEZIERS		34
198	AL 97	THEZE	C	64
192	CJ 87	THEZE		04
61	CK 36	THEZEY SAINT MARTIN		54
190	BZ 92	THEZIERS		30
149	CG 70	THEZILLIEU		01
21	BH 27	THEZY GLIMONT		80
55	BH 39	THIAIS	C	94
104	CP 51	THIANCOURT		90
116	BP 59	THIANGES		58
23	BO 22	THIANT		59
127	AW 66	THIAT		87
61	CG 36	THIAUCOURT REGNIEVILLE	C	54
84	CN 42	THIAVILLE SUR MEURTHE		54
52	AT 34	THIBERVILLE	C	27
58	BU 37	THIBIE		51
34	BD 33	THIBIVILLERS		60
53	AV 34	THIBOUVILLE		27
62	CL 35	THICOURT		57
62	CM 40	THIEBAUMENIL		54
59	BY 39	THIEBLEMONT FAREMONT	C	51
121	CP 54	THIEBOUHANS		25
80	BW 45	THIEFFRAIN		10
103	CK 52	THIEFFRANS		70
84	CN 47	THIEFOSSE		88
132	BQ 64	THIEL SUR ACOLIN		03
11	BF 18	THIEMBRONNE		62
103	CK 52	THIENANS		70
11	BH 18	THIENNES		59
22	BJ 24	THIEPVAL		80
32	AT 28	THIERGEVILLE		76
37	BR 27	THIERNU		02
146	BQ 71	THIERS	S	63
55	BI 34	THIERS SUR THEVE		60
32	AV 33	THIERVILLE		27
40	CC 34	THIERVILLE SUR MEUSE		55
194	CS 91	THIERY		06
36	BK 30	THIESCOURT		60
32	AT 28	THIETREVILLE		76
75	AX 42	THIEULIN, LE		28
34	BE 28	THIEULLOY LA VILLE		80
20	BE 27	THIEULLOY L'ABBAYE		80
34	BD 29	THIEULOY SAINT ANTOINE		60
11	BH 20	THIEULOYE, LA		62
35	BG 30	THIEUX		60
56	BJ 36	THIEUX		77
51	AP 35	THIEVILLE		14
21	BH 23	THIEVRES		80
21	BH 23	THIEVRES		62
158	BJ 80	THIEZAC		15
77	BF 44	THIGNONVILLE		45
34	BB 33	THIL, LE		27
40	CG 30	THIL		54
38	BS 32	THIL		51
81	BZ 43	THIL		10
148	CB 71	THIL		01
201	AX 95	THIL		31
19	AX 27	THIL MANNEVILLE		76
34	BB 29	THIL RIBERPRE, LE		76
117	BU 60	THIL SUR ARROUX		71
25	BY 26	THILAY		08
55	BH 36	THILLAY, LE		95
81	BZ 42	THILLEUX		52
34	BB 33	THILLIERS EN VEXIN, LES		27
37	BS 33	THILLOIS		51
60	CD 36	THILLOMBOIS		55
104	CO 48	THILLOT, LE	C	88
60	CF 35	THILLOT		55
111	AT 56	THILOUZE		37
75	AZ 41	THIMERT GATELLES		28
61	CK 36	THIMONVILLE		57
97	BJ 48	THIMORY		45
38	BW 28	THIN LE MOUTIER		08
160	BR 74	THIOLIERES		63
132	BQ 65	THIONNE		03
41	CI 31	THIONVILLE	S	57
32	AU 28	THIOUVILLE		76
83	CI 43	THIRAUCOURT		88
124	AH 63	THIRE		85
75	AW 43	THIRON GARDAIS	C	28
38	BX 27	THIS		08
120	CJ 54	THISE		25
76	BA 43	THIVARS		28
13	BP 20	THIVENCELLE		59
35	BH 33	THIVERNY		60
54	BD 38	THIVERVAL GRIGNON		78
82	CC 47	THIVET		52
155	AV 76	THIVIERS	C	24
75	AZ 47	THIVILLE		28
113	BD 59	THIZAY		36
110	AQ 56	THIZAY		37
147	BW 69	THIZY	C	69
100	BT 52	THIZY		89
193	CL 89	THOARD		04
162	CD 77	THODURE		38
74	AR 44	THOIGNE		72
189	BT 91	THOIRAS		30
74	AR 43	THOIRE SOUS CONTENSOR		72
94	AS 50	THOIRE SUR DINAN		72
101	BY 48	THOIRES		21
135	CF 66	THOIRETTE		39
135	CG 63	THOIRIA		39
54	BD 37	THOIRY		78
136	CI 66	THOIRY		01
150	CJ 73	THOIRY		73
148	BZ 67	THOISSEY	C	01
135	CE 64	THOISSIA		39
117	BW 55	THOISY LA BERCHERE		21
117	BX 55	THOISY LE DESERT		21
35	BF 28	THOIX		80
82	CE 45	THOL LES MILLIERES		52
128	AX 65	THOLLET		86
137	CO 64	THOLLON LES MEMISES		74
208	CG 96	THOLONET, LE		13
84	CN 45	THOLY, LE		88
53	AY 37	THOMER LA SOGNE		27
78	BK 43	THOMERY		77
117	BY 57	THOMIREY		21
155	AX 80	THONAC		24
150	CM 70	THONES	C	74
81	CC 42	THONNANCE LES JOINVILLE		52
82	CC 42	THONNANCE LES MOULINS		52
40	CD 29	THONNE LA LONG		55
40	CC 29	THONNE LE THIL		55
40	CC 30	THONNE LES PRES		55
40	CC 29	THONNELLE		55
136	CM 64	THONON LES BAINS	S	74
83	CH 47	THONS, LES		88
62	CL 35	THONVILLE		57
191	CC 92	THOR, LE		84
78	BL 47	THORAILLES		45
119	CI 56	THORAISE		25
193	CO 90	THORAME BASSE		04
193	CO 90	THORAME HAUTE		04
174	BQ 82	THORAS		43
95	AW 49	THORE LA ROCHETTE		41
93	AP 50	THOREE LES PINS		72
150	CL 69	THORENS GLIERES	C	74
100	BU 48	THOREY		89
118	CC 55	THOREY EN PLAINE		21
83	CI 42	THOREY LYAUTEY		54
117	BW 54	THOREY SOUS CHARNY		21
117	BY 56	THOREY SUR OUCHE		21

Page	Carreau	Commune	Adm.Dpt
125	AN 66	THORIGNE	79
92	AK 51	THORIGNE D'ANJOU	49
73	AM 47	THORIGNE EN CHARNIE	53
71	AD 45	THORIGNE FOUILLARD	35
74	AT 47	THORIGNE SUR DUE	72
124	AF 62	THORIGNY	85
139	AK 67	THORIGNY SUR LE MIGNON	79
56	BJ 37	THORIGNY SUR MARNE	C 77
79	BO 44	THORIGNY SUR OREUSE	89
210	CN 97	THORONET, LE	83
161	BZ 78	THORRENC	07
81	BZ 43	THORS	10
139	AM 71	THORS	17
35	BH 28	THORY	80
99	BS 52	THORY	89
100	BV 53	THOSTE	21
138	AH 68	THOU, LE	17
98	BL 52	THOU	45
97	BJ 54	THOU	18
109	AL 55	THOUARCE	C 49
108	AE 55	THOUARE SUR LOIRE	44
110	AN 58	THOUARS	C 79
218	AX 101	THOUARS SUR ARIZE	09
183	AQ 89	THOUARS SUR GARONNE	47
124	AI 62	THOUARSAIS BOUILDROUX	85
57	BR 38	THOULT TROSNAY, LE	51
38	BT 30	THOUR, LE	08
109	AN 54	THOUREIL, LE	49
91	AE 48	THOURIE	35
142	AY 69	THOURON	87
36	BL 31	THOUROTTE	60
96	BB 51	THOURY	41
78	BL 44	THOURY FEROTTES	77
200	AW 95	THOUX	32
73	AM 41	THUBOEUF	53
38	BT 29	THUEL, LE	02
224	BG 108	THUES ENTRE VALLS	66
175	BV 84	THUEYTS	C 07
38	BW 31	THUGNY TRUGNY	08
164	CK 74	THUILE, LA	73
179	CO 86	THUILES, LES	04
61	CH 40	THUILLEY AUX GROSEILLES	54
83	CI 45	THUILLIERES	88
224	BK 107	THUIR	C 66
34	AZ 33	THUIT, LE	27
33	AX 33	THUIT ANGER, LE	27
33	AW 32	THUIT HEBERT	27
33	AW 33	THUIT SIGNOL, LE	27
33	AW 33	THUIT SIMER, LE	27
104	CP 52	THULAY	25
40	CF 33	THUMEREVILLE	54
12	BM 20	THUMERIES	59
22	BN 22	THUN L'EVEQUE	59
13	BO 19	THUN SAINT AMAND	59
22	BN 22	THUN SAINT MARTIN	59
126	AR 61	THURAGEAU	86
111	AS 60	THURE	86
145	BN 70	THURET	63
134	CC 61	THUREY	71
103	CJ 53	THUREY LE MONT	25
148	BY 73	THURINS	69
99	BO 52	THURY	89
117	BX 58	THURY	21
56	BL 34	THURY EN VALOIS	60
51	AM 36	THURY HARCOURT	C 14
35	BG 32	THURY SOUS CLERMONT	60
150	CI 69	THUSY	74
199	AP 100	THUY	65
151	CN 68	THYEZ	74
217	AS 102	TIBIRAN JAUNAC	65
52	AR 37	TICHEVILLE	61
118	CD 58	TICHEY	21
63	CR 36	TIEFFENBACH	67
93	AL 51	TIERCE	C 49
40	CG 30	TIERCELET	54
71	AF 43	TIERCENT, LE	35
31	AL 32	TIERCEVILLE	14
199	AO 96	TIESTE URAGNOUX	32
188	BN 87	TIEULE, LA	48
108	AG 58	TIFFAUGES	85
56	BK 38	TIGEAUX	77
55	BI 40	TIGERY	91
223	BC 105	TIGNAC	09
109	AM 56	TIGNE	49
83	CH 46	TIGNECOURT	88
165	CR 74	TIGNES	73
210	CR 95	TIGNET, LE	06
148	CD 72	TIGNIEU JAMEYZIEU	38
20	BC 21	TIGNY NOYELLE	62
97	BG 49	TIGY	45
102	CC 52	TIL CHATEL	21
197	AH 96	TILH	40
216	AQ 102	TILHOUSE	65
199	AQ 97	TILLAC	32
76	BC 45	TILLAY LE PENEUX	28
35	BF 31	TILLE	60
119	CD 56	TILLENAY	21
32	AR 28	TILLEUL, LE	76
53	AW 36	TILLEUL DAME AGNES	27
53	AW 35	TILLEUL LAMBERT, LE	27
53	AV 35	TILLEUL OTHON, LE	27
82	CG 43	TILLEUX	88
108	AG 56	TILLIERES	49
53	AX 39	TILLIERES SUR AVRE	27
36	BJ 29	TILLOLOY	80
140	AN 67	TILLOU	79
59	BX 36	TILLOY ET BELLAY	51
20	BB 25	TILLOY FLORIVILLE	80
35	BF 28	TILLOY LES CONTY	80
21	BI 21	TILLOY LES HERMAVILLE	62
22	BK 22	TILLOY LES MOFFLAINES	62
22	BN 23	TILLOY LEZ CAMBRAI	59
12	BO 20	TILLOY LEZ MARCHIENNES	59
54	BB 34	TILLY	27
54	BB 37	TILLY	78
128	AY 65	TILLY	36
11	BF 20	TILLY CAPELLE	62
51	AN 34	TILLY LA CAMPAGNE	14
60	CD 36	TILLY SUR MEUSE	55
30	AL 34	TILLY SUR SEULLES	C 14
11	BG 16	TILQUES	62
103	CG 51	TINCEY ET PONTREBEAU	70
50	AK 38	TINCHEBRAY	C 61
22	BL 26	TINCOURT BOUCLY	80
21	BH 21	TINCQUES	62
61	CK 36	TINCRY	57
10	BC 18	TINGRY	62
38	BS 33	TINQUEUX	51
70	AC 43	TINTENIAC	C 35
117	BX 59	TINTRY	71
116	BQ 58	TINTURY	58
160	BT 77	TIRANGES	43
200	AU 97	TIRENT PONTEJAC	32
49	AG 39	TIREPIED	50
99	BS 49	TISSEY	89
20	BD 23	TITRE, LE	80

Page	Carreau	Commune	Adm.Dpt
76	BD 45	TIVERNON	45
159	BN 80	TIVIERS	15
167	AM 82	TIZAC DE CURTON	33
153	AM 79	TIZAC DE LAPOUYADE	33
154	AS 78	TOCANE SAINT APRE	24
29	AG 28	TOCQUEVILLE	50
32	AU 31	TOCQUEVILLE	27
33	AW 27	TOCQUEVILLE EN CAUX	76
32	AT 28	TOCQUEVILLE LES MURS	76
19	AZ 25	TOCQUEVILLE SUR EU	76
20	BC 24	TOEUFLES	80
39	BY 31	TOGES	08
58	BW 37	TOGNY AUX BOEUFS	51
228	DK 112	TOLLA	2A
82	CG 46	TOLLAINCOURT	88
21	BE 22	TOLLENT	62
29	AE 29	TOLLEVAST	50
78	BM 43	TOMBE, LA	77
168	AR 86	TOMBEBOEUF	47
61	CJ 39	TOMBLAINE	C 54
227	DN 101	TOMINO	2B
176	CD 85	TONILS, LES	26
185	BD 91	TONNAC	81
139	AJ 69	TONNAY BOUTONNE	C 17
138	AI 69	TONNAY CHARENTE	C 17
183	AQ 87	TONNEINS	C 47
100	BS 49	TONNERRE	C 89
29	AD 28	TONNEVILLE	50
61	CJ 40	TONNOY	54
46	Q 38	TONQUEDEC	22
71	AG 46	TORCE	35
74	AS 45	TORCE EN VALLEE	72
73	AN 46	TORCE VIVIERS EN CHARNIE	53
102	CE 49	TORCENAY	52
72	AK 41	TORCHAMP	61
163	CE 74	TORCHEFELON	38
62	CO 36	TORCHEVILLE	57
149	CE 70	TORCIEU	01
55	BJ 38	TORCY	S 77
10	BE 19	TORCY	62
133	BX 61	TORCY	71
56	BN 35	TORCY EN VALOIS	02
100	BV 52	TORCY ET POULIGNY	21
19	AY 27	TORCY LE GRAND	76
80	BU 41	TORCY LE GRAND	10
19	AY 27	TORCY LE PETIT	76
80	BU 41	TORCY LE PETIT	10
224	BK 108	TORDERES	66
52	AS 35	TORDOUET	14
77	BG 41	TORFOU	91
108	AG 57	TORFOU	49
50	AI 35	TORIGNI SUR VIRE	C 50
189	BU 91	TORNAC	30
102	CF 50	TORNAY	52
33	AW 28	TORP MESNIL, LE	76
119	CH 56	TORPES	25
119	CD 60	TORPES	71
32	AS 32	TORPT, LE	27
32	AR 33	TORQUESNE, LE	14
221	BM 105	TORREILLES	66
154	AQ 74	TORSAC	16
159	BN 76	TORSIAC	43
144	BJ 72	TORTEBESSE	63
20	BE 21	TORTEFONTAINE	62
22	BL 22	TORTEQUESNE	62
115	BL 58	TORTERON	18
50	AK 34	TORTEVAL QUESNAY	14
131	BL 64	TORTEZAIS	03
51	AQ 36	TORTISAMBERT	14
80	BT 44	TORVILLIERS	10
139	AJ 69	TORXE	17
33	AZ 34	TOSNY	27
196	AD 94	TOSSE	40
149	CD 67	TOSSIAT	01
199	AO 99	TOSTAT	65
33	AX 33	TOSTES	27
83	CI 43	TOTAINVILLE	88
33	AX 28	TOTES	C 76
129	BG 61	TOUCHAY	18
176	CB 86	TOUCHE, LA	26
91	AE 53	TOUCHES, LES	44
139	AM 70	TOUCHES DE PERIGNY, LES	17
99	BO 50	TOUCY	C 89
194	CT 92	TOUDON	06
195	CV 92	TOUET DE L'ESCARENE	06
194	CS 91	TOUET SUR VAR	06
184	AW 89	TOUFFAILLES	82
12	BN 17	TOUFFLERS	59
34	BA 32	TOUFFREVILLE	27
31	AO 34	TOUFFREVILLE	14
32	AU 30	TOUFFREVILLE LA CABLE	76
33	AV 30	TOUFFREVILLE LA CORBELINE	76
19	AZ 25	TOUFFREVILLE SUR EU	76
200	AV 95	TOUGET	32
217	AV 102	TOUILLE	31
100	BW 51	TOUILLON	21
120	CL 60	TOUILLON ET LOUTELET	25
182	AM 93	TOUJOUSE	32
61	CG 39	TOUL	S 54
176	CA 81	TOULAUD	07
167	AM 85	TOULENNE	33
38	BX 28	TOULIGNY	08
37	BR 28	TOULIS ET ATTENCOURT	02
212	CJ 101	TOULON	P 83
131	BO 64	TOULON SUR ALLIER	03
133	BU 61	TOULON SUR ARROUX	C 71
186	BE 87	TOULONJAC	12
221	BK 106	TOULOUGES	C 66
201	AY 96	TOULOUSE	P 31
119	CF 60	TOULOUSE LE CHATEAU	39
198	AI 94	TOULOUZETTE	40
129	BF 66	TOULX SAINTE CROIX	23
32	AQ 32	TOUQUES	14
10	BB 19	TOUQUET PARIS PLAGE, LE	62
52	AS 38	TOUQUETTES	61
56	BL 39	TOUQUIN	77
150	CM 67	TOUR, LA	74
195	CU 91	TOUR, LA	06
154	AR 76	TOUR BLANCHE, LA	24
208	CH 94	TOUR D'AIGUES, LA	84
158	BJ 75	TOUR D'AUVERGNE, LA	C 63
171	BB 86	TOUR DE FAURE	46
148	BZ 71	TOUR DE SALVAGNY, LA	69
103	CK 53	TOUR DE SCAY, LA	25
219	BB 102	TOUR DU CRIEU, LA	09
135	CG 63	TOUR DU MEIX, LA	39
89	V 51	TOUR DU PARC, LE	56
163	CF 74	TOUR DU PIN, LA	S 38
30	AK 32	TOUR EN BESSIN	14
161	BX 75	TOUR EN JAREZ, LA	42
96	BA 52	TOUR EN SOLOGNE	41
111	AS 58	TOUR SAINT GELIN, LA	37
204	BN 95	TOUR SUR ORB, LA	34
51	AM 38	TOURAILLES, LES	61
95	AX 51	TOURAILLES	41
205	BP 98	TOURBES	34

Page	Carreau	Commune	Adm.Dpt
38	BX 31	TOURCELLES CHAUMONT	08
67	N 45	TOURC'H	29
12	BM 17	TOURCOING	C 59
199	AP 96	TOURDUN	32
160	BU 76	TOURETTE, LA	42
203	BG 98	TOURETTE CABARDES, LA	11
195	CT 92	TOURETTE DU CHATEAU	06
31	AQ 32	TOURGEVILLE	14
109	AK 56	TOURLANDRY, LA	49
29	AE 28	TOURLAVILLE	C 50
169	AU 84	TOURLIAC	47
34	BE 34	TOURLY	60
12	BM 19	TOURMIGNIES	59
119	CG 59	TOURMONT	39
51	AQ 38	TOURNAI SUR DIVE	61
200	AU 98	TOURNAN	32
56	BK 39	TOURNAN EN BRIE	C 77
103	CK 53	TOURNANS	25
25	BY 26	TOURNAVAUX	08
216	AQ 101	TOURNAY	C 65
50	AL 35	TOURNAY SUR ODON	14
167	AL 83	TOURNE, LE	33
51	AN 36	TOURNEBU	14
184	AU 93	TOURNECOUPE	32
53	AX 35	TOURNEDOS BOIS HUBERT	27
33	AY 33	TOURNEDOS SUR SEINE	27
201	AY 96	TOURNEFEUILLE	C 31
195	CT 91	TOURNEFORT	06
11	BF 16	TOURNEHEM SUR LA HEM	62
158	BI 80	TOURNEMIRE	15
187	BM 92	TOURNEMIRE	12
25	BX 27	TOURNES	08
50	AJ 36	TOURNEUR, LE	14
53	AX 35	TOURNEVILLE	27
30	AJ 33	TOURNIERES	14
220	BJ 102	TOURNISSAN	11
76	BB 47	TOURNOISIS	45
150	CL 73	TOURNON	73
184	AW 87	TOURNON D'AGENAIS	C 47
127	AW 61	TOURNON SAINT MARTIN	C 36
127	AW 61	TOURNON SAINT PIERRE	37
162	CA 80	TOURNON SUR RHONE	S 07
199	AQ 99	TOURNOUS DARRE	65
199	AR 100	TOURNOUS DEVANT	65
134	CA 63	TOURNUS	C 71
54	BB 34	TOURNY	27
52	AU 40	TOUROUVRE	C 61
203	BK 100	TOUROUZELLE	11
217	AS 101	TOURREILLES, LES	31
219	BF 103	TOURREILLES	11
200	AT 94	TOURRENQUETS	32
195	CU 93	TOURRETTE LEVENS	06
176	CA 84	TOURRETTES, LES	26
210	CQ 95	TOURRETTES	83
211	CT 94	TOURRETTES SUR LOUP	06
140	AQ 71	TOURRIERS	16
111	AT 54	TOURS	P 37
151	CN 72	TOURS EN SAVOIE	73
20	BC 24	TOURS EN VIMEU	80
58	BT 35	TOURS SUR MARNE	51
146	BQ 73	TOURS SUR MEYMONT	63
110	AO 58	TOURTENAY	79
39	BX 30	TOURTERON	C 08
155	AX 77	TOURTOIRAC	24
210	CN 95	TOURTOUR	83
218	AX 102	TOURTOUSE	09
168	AR 86	TOURTRES	47
219	BC 102	TOURTROL	09
209	CK 97	TOURVES	83
32	AR 32	TOURVILLE EN AUGE	14
33	AW 33	TOURVILLE LA CAMPAGNE	27
19	AZ 25	TOURVILLE LA CHAPELLE	76
33	AY 32	TOURVILLE LA RIVIERE	76
32	AS 28	TOURVILLE LES IFS	76
19	AY 26	TOURVILLE SUR ARQUES	76
51	AM 34	TOURVILLE SUR ODON	14
32	AT 32	TOURVILLE SUR PONT AUDEMER	27
49	AE 35	TOURVILLE SUR SIENNE	50
76	BD 45	TOURY	28
131	BP 61	TOURY LURCY	58
131	BN 61	TOURY SUR JOUR	58
159	BN 75	TOURZEL RONZIERES	63
32	AT 28	TOUSSAINT	76
148	CB 73	TOUSSIEU	69
148	CA 70	TOUSSIEUX	01
77	BH 43	TOUSSON	77
55	BF 39	TOUSSUS LE NOBLE	78
32	AT 32	TOUTAINVILLE	27
118	CC 59	TOUTENANT	71
21	BH 25	TOUTENCOURT	80
202	BC 97	TOUTENS	31
109	AJ 57	TOUTLEMONDE	49
100	BU 53	TOUTRY	21
153	AN 76	TOUVERAC	16
163	CJ 76	TOUVET, LE	C 38
33	AV 33	TOUVILLE	27
107	AC 59	TOUVOIS	44
140	AQ 73	TOUVRE	16
153	AN 74	TOUZAC	16
169	AW 86	TOUZAC	46
229	DN 108	TOX	2B
143	BD 73	TOY VIAM	19
50	AK 35	TRACY BOCAGE	14
36	BL 31	TRACY LE MONT	60
36	BL 31	TRACY LE VAL	60
115	BL 55	TRACY SUR LOIRE	58
30	AL 32	TRACY SUR MER	14
133	BY 66	TRADES	69
63	CS 39	TRAENHEIM	67
61	CK 36	TRAGNY	57
79	BP 43	TRAINEL	10
97	BF 47	TRAINOU	45
33	AW 31	TRAIT, LE	76
103	CJ 53	TRAITIEFONTAINE	70
149	CH 73	TRAIZE	73
144	BJ 70	TRALAIGUES	63
229	DL 108	TRALONCA	2B
70	X 42	TRAMAIN	22
133	BY 66	TRAMAYES	C 71
133	BX 65	TRAMBLY	71
11	BF 20	TRAMECOURT	62
37	BR 33	TRAMERY	51
216	AQ 105	TRAMEZAIGUES	65
162	CD 74	TRAMOLE	38
83	CH 42	TRAMONT EMY	54
83	CH 42	TRAMONT LASSUS	54
83	CH 42	TRAMONT SAINT ANDRE	54
148	CB 70	TRAMOYES	01
82	CD 43	TRAMPOT	88
79	BP 43	TRANCAULT	10
124	AD 65	TRANCHE SUR MER, LA	85
148	CD 68	TRANCLIERE, LA	01
76	BD 44	TRANCRAINVILLE	28
73	AQ 47	TRANGE	72
112	AY 59	TRANGER, LE	36
81	BX 44	TRANNES	10

Page	Carreau	Commune	Adm.Dpt
82	CG 42	TRANQUEVILLE GRAUX	88
73	AN 44	TRANS	53
210	CO 96	TRANS EN PROVENCE	83
71	AD 41	TRANS LA FORET	35
91	AF 52	TRANS SUR ERDRE	44
20	BC 25	TRANSLAY, LE	80
22	BK 24	TRANSLOY, LE	62
129	BD 62	TRANZAULT	36
54	BE 39	TRAPPES	C 78
203	BH 99	TRASSANEL	11
105	CQ 50	TRAUBACH LE BAS	68
105	CQ 50	TRAUBACH LE HAUT	68
203	BI 99	TRAUSSE	11
191	CB 89	TRAVAILLAN	84
37	BO 28	TRAVECY	02
200	AT 97	TRAVERSERES	32
103	CI 51	TRAVES	70
203	BG 94	TRAVET, LE	81
125	AL 61	TRAYES	79
90	Y 48	TREAL	56
29	AC 29	TREAUVILLE	50
66	G 41	TREBABU	29
131	BN 65	TREBAN	03
186	BH 91	TREBAN	81
187	BI 92	TREBAS	81
70	Z 42	TREBEDAN	22
220	BH 100	TREBES	11
46	P 37	TREBEURDEN	22
216	AO 101	TREBONS	65
217	AS 105	TREBONS DE LUCHON	31
202	BB 98	TREBONS SUR LA GRASSE	31
68	P 42	TREBRIVAN	22
69	W 42	TREBRY	22
118	CD 56	TRECLUN	21
58	BT 37	TRECON	51
69	W 42	TREDANIEL	22
46	S 37	TREDARZEC	22
70	Z 42	TREDIAS	22
89	W 48	TREDION	56
46	P 38	TREDREZ LOCQUEMEAU	22
46	P 38	TREDUDER	22
22	BM 27	TREFCON	02
70	AA 46	TREFFENDEL	35
87	J 47	TREFFIAGAT	29
91	AD 51	TREFFIEUX	44
89	V 50	TREFFLEAN	56
177	CH 81	TREFFORT	38
135	CE 66	TREFFORT CUISIAT	C 01
68	P 42	TREFFRIN	22
45	L 38	TREFLAOUENAN	29
67	K 41	TREFLEVENEZ	29
45	K 38	TREFLEZ	29
57	BP 38	TREFOLS	51
70	AA 43	TREFUMEL	22
45	K 39	TREGARANTEC	29
67	K 42	TREGARVAN	29
46	Q 37	TREGASTEL	22
46	R 39	TREGLAMUS	22
44	I 39	TREGLONOU	29
47	U 40	TREGOMEUR	22
48	Z 40	TREGON	22
46	S 39	TREGONNEAU	22
67	M 44	TREGOUREZ	29
46	Q 39	TREGROM	22
66	J 46	TREGUENNEC	29
69	V 41	TREGUEUX	22
47	U 39	TREGUIDEL	22
46	R 37	TREGUIER	C 22
67	M 47	TREGUNC	29
94	AT 50	TREHET	41
70	Y 46	TREHORENTEUC	56
67	K 41	TREHOU, LE	29
157	BC 75	TREIGNAC	C 19
130	BG 65	TREIGNAT	03
98	BN 52	TREIGNY	89
221	BM 104	TREILLES	11
77	BJ 46	TREILLES EN GATINAIS	45
107	AC 54	TREILLIERES	44
82	CC 45	TREIX	52
108	AF 58	TREIZE SEPTIERS	85
108	AI 59	TREIZE VENTS	85
184	AX 89	TREJOULS	82
173	BM 86	TRELANS	48
92	AL 53	TRELAZE	49
46	Q 37	TRELEVERN	22
146	BT 72	TRELINS	42
155	AU 78	TRELISSAC	24
70	AA 41	TRELIVAN	22
49	AF 36	TRELLY	50
24	BT 24	TRELON	C 59
57	BQ 35	TRELOU SUR MARNE	02
45	K 39	TREMAOUEZAN	29
68	R 42	TREMARGAT	22
32	AT 28	TREMAUVILLE	76
138	AF 71	TREMBLADE, LA	C 17
92	AH 50	TREMBLAY, LE	49
71	AE 42	TREMBLAY	35
55	BI 37	TREMBLAY EN FRANCE	C 93
53	AZ 40	TREMBLAY LES VILLAGES	28
53	AW 35	TREMBLAY OMONVILLE, LE	27
54	BD 39	TREMBLAY SUR MAULDRE, LE	78
61	CH 38	TREMBLECOURT	54
102	CF 54	TREMBLOIS, LE	70
39	CC 28	TREMBLOIS LES CARIGNAN	08
24	BW 26	TREMBLOIS LES ROCROI	08
71	AD 42	TREMEHEUC	35
46	P 39	TREMEL	22
47	U 40	TREMELOIR	22
109	AJ 56	TREMENTINES	49
67	J 46	TREMEOC	29
48	AA 40	TREMEREUC	22
41	CJ 33	TREMERY	57
70	Y 42	TREMEUR	22
47	T 38	TREMEVEN	22
68	P 47	TREMEVEN	29
81	BZ 43	TREMILLY	52
177	CI 83	TREMINIS	38
104	CN 51	TREMOINS	70
169	AV 82	TREMOLAT	24
184	AV 87	TREMONS	47
52	AR 40	TREMONT	61
109	AL 56	TREMONT	49
59	CB 39	TREMONT SUR SAULX	55
83	CK 47	TREMONZEY	88
70	Y 44	TREMOREL	22
158	BJ 76	TREMOUILLE	15
158	BI 75	TREMOUILLE SAINT LOUP	63
187	BJ 89	TREMOUILLES	12
219	BB 101	TREMOULET	09
47	U 40	TREMUSON	22
135	CE 62	TRENAL	39
181	AI 89	TRENSACQ	40
169	AV 87	TRENTELS	47
68	P 43	TREOGAN	22
66	J 46	TREOGAT	29
53	AZ 40	TREON	28

Page	Carreau	Commune	Adm.Dpt
44	H 39	TREOUERGAT	29
58	BU 35	TREPAIL	51
19	AZ 24	TREPORT, LE	76
120	CJ 56	TREPOT	25
51	AN 37	TREPREL	14
149	CE 73	TREPT	38
60	CE 35	TRESAUVAUX	55
91	AD 48	TRESBOEUF	35
22	BM 24	TRESCAULT	62
177	CF 83	TRESCHENU CREYERS	26
192	CH 87	TRESCLEOUX	05
103	CI 53	TRESILLEY	70
37	BR 33	TRESLON	51
131	BN 62	TRESNAY	58
170	AZ 87	TRESPOUX RASSIELS	46
190	BY 90	TRESQUES	30
205	BQ 96	TRESSAN	34
103	CL 52	TRESSANDANS	25
41	CH 31	TRESSANGE	57
70	AB 41	TRESSE	35
225	BK 108	TRESSERRE	66
150	CI 72	TRESSERVE	73
167	AK 82	TRESSES	33
47	T 39	TRESSIGNAUX	22
12	BN 18	TRESSIN	59
94	AT 48	TRESSON	72
132	BQ 65	TRETEAU	03
56	BN 38	TRETOIRE, LA	77
209	CI 97	TRETS	C 13
21	BI 25	TREUX	80
78	BK 44	TREUZY LEVELAY	77
69	U 44	TREVE	22
104	CP 51	TREVENANS	90
47	U 38	TREVENEUC	22
60	CD 40	TREVERAY	55
46	T 39	TREVEREC	22
70	AB 42	TREVERIEN	35
188	BP 91	TREVES	C 30
161	BZ 74	TREVES	69
186	BF 91	TREVIEN	81
30	AJ 32	TREVIERES	C 14
150	CJ 72	TREVIGNIN	73
224	BI 106	TREVILLACH	66
202	BD 98	TREVILLE	11
121	CP 54	TREVILLERS	25
100	BT 52	TREVILLY	89
131	BO 62	TREVOL	03
46	R 37	TREVOU TREGUIGNEC	22
148	BZ 70	TREVOUX	C 01
68	O 47	TREVOUX, LE	29
70	AA 42	TREVRON	22
132	BQ 66	TREZELLES	03
46	R 37	TREZENY	22
219	BD 102	TREZIERS	11
45	L 38	TREZILIDE	29
146	BP 72	TREZIOUX	63
140	AN 73	TRIAC LAUTRAIT	16
205	BT 94	TRIADOU, LE	34
124	AF 64	TRIAIZE	85
29	AG 33	TRIBEHOU	50
100	BU 48	TRICHEY	89
35	BI 30	TRICOT	60
34	BD 33	TRIE CHATEAU	60
34	BD 33	TRIE LA VILLE	60
199	AR 99	TRIE SUR BAISE	C 65
54	BE 36	TRIEL SUR SEINE	C 78
85	CR 42	TRIEMBACH AU VAL	67
41	CH 32	TRIEUX	54
193	CO 93	TRIGANCE	83
106	Y 54	TRIGNAC	44
37	BS 33	TRIGNY	51
98	BL 48	TRIGUERES	45
56	BK 37	TRILBARDOU	77
224	BI 106	TRILLA	66
56	BL 37	TRILPORT	77
64	CW 35	TRIMBACH	67
70	AB 43	TRIMER	35
128	AW 64	TRIMOUILLE, LA	C 86
76	BD 46	TRINAY	45
173	BL 83	TRINITAT, LA	15
53	AY 36	TRINITE, LA	27
49	AG 38	TRINITE, LA	50
164	CK 74	TRINITE, LA	73
195	CV 93	TRINITE, LA	06
52	AT 36	TRINITE DE REVILLE, LA	27
33	AW 32	TRINITE DE THOUBERVILLE, LA	27
52	AS 38	TRINITE DES LAITIERS, LA	61
32	AT 30	TRINITE DU MONT, LA	76
69	W 45	TRINITE PORHOET, LA	C 56
88	S 50	TRINITE SUR MER, LA	56
89	V 50	TRINITE SURZUR, LA	56
162	CC 79	TRIORS	26
171	BF 84	TRIOULOU, LE	15
96	BA 48	TRIPLEVILLE	41
32	AU 30	TRIQUERVILLE	76
32	AT 32	TRIQUEVILLE	27
23	BP 21	TRITH SAINT LEGER	59
62	CM 34	TRITTELING REDLACH	57
133	BX 65	TRIVY	71
158	BI 78	TRIZAC	15
138	AH 70	TRIZAY	17
75	AW 44	TRIZAY COUTRETOT SAINT SERGE	28
75	AZ 45	TRIZAY LES BONNEVAL	28
31	AO 34	TROARN	C 14
156	AZ 76	TROCHE	19
118	CD 54	TROCHERES	21
56	BL 35	TROCY EN MULTIEN	77
56	BN 34	TROESNES	02
46	S 37	TROGUERY	22
111	AS 57	TROGUES	37
60	CC 36	TROIS DOMAINES, LES	55
130	BG 67	TROIS FONDS	23
59	CA 39	TROIS FONTAINES L'ABBAYE	51
51	AM 35	TROIS MONTS	14
110	AP 57	TROIS MOUTIERS, LES	C 86
140	AP 73	TROIS PALIS	16
32	AS 30	TROIS PIERRES, LES	76
38	BT 34	TROIS PUITS	51
115	BP 59	TROIS VEVRES	58
214	AG 101	TROIS VILLES	64
62	CQ 39	TROISFONTAINES	57
81	CA 41	TROISFONTAINES LA VILLE	52
50	AI 35	TROISGOTS	50
35	BE 31	TROISSEREUX	60
57	BQ 35	TROISSY	51
11	BG 20	TROISVAUX	62
23	BP 24	TROISVILLES	59
119	CG 54	TROMAREY	70
42	CM 32	TROMBORN	57
199	AP 98	TRONCENS	32
163	CH 78	TRONCHE, LA	38
73	AQ 45	TRONCHET, LE	72
70	AC 41	TRONCHET, LE	35
100	BT 48	TRONCHOY	89
134	CC 61	TRONCHY	71
53	AW 34	TRONCQ, LE	27

Page	Carreau	Commune	Adm.Dpt
60	CG 39	TRONDES	.54
131	BM 65	TRONGET	.03
30	AJ 33	TRONQUAY, LE	.14
34	BA 31	TRONQUAY, LE	.27
115	BM 57	TRONSANGES	.58
61	CH 35	TRONVILLE	.54
60	CC 39	TRONVILLE EN BARROIS	.55
94	AV 50	TROO	.41
36	BL 32	TROSLY BREUIL	.60
36	BN 30	TROSLY LOIRE	.02
58	BU 40	TROUANS	.10
217	AS 103	TROUBAT	.65
118	CD 56	TROUHANS	.21
101	BZ 54	TROUHAUT	.21
225	BK 107	TROUILLAS	.66
199	AQ 99	TROULEY LABARTHE	.65
35	BG 29	TROUSSENCOURT	.60
60	CF 39	TROUSSEY	.55
34	BE 32	TROUSSURES	.60
103	CL 53	TROUVANS	.25
32	AU 29	TROUVILLE	.76
32	AU 31	TROUVILLE LA HAULE	.27
31	AQ 32	TROUVILLE SUR MER	.C .14
114	BH 58	TROUY	.18
219	BD 103	TROYE D'ARIEGE	.65
80	BU 44	TROYES	.P .10
60	CD 36	TROYON	.55
134	CB 63	TRUCHERE, LA	.71
64	CT 38	TRUCHTERSHEIM	.C .67
37	BQ 31	TRUCY	.02
99	BP 53	TRUCY L'ORGUEILLEUX	.58
99	BQ 51	TRUCY SUR YONNE	.89
187	BK 91	TRUEL, LE	.12
118	CC 58	TRUGNY	.21
176	CC 85	TRUINAS	.26
36	BK 33	TRUMILLY	.60
51	AP 37	TRUN	.C .61
30	AK 33	TRUNGY	.14
50	AJ 38	TRUTTEMER LE GRAND	.14
50	AJ 38	TRUTTEMER LE PETIT	.14
111	AV 55	TRUYES	.37
10	BC 19	TUBERSENT	.62
224	BJ 104	TUCHAN	.C .11
40	CG 32	TUCQUEGNIEUX	.54
157	BC 80	TUDEILS	.19
199	AQ 95	TUDELLE	.32
74	AT 46	TUFFE	.C .72
153	AL 76	TUGERAS SAINT MAURICE	.17
36	BM 27	TUGNY ET PONT	.02
146	BS 70	TUILIERE, LA	.42
191	CB 88	TULETTE	.26
156	BC 77	TULLE	.P .19
163	CF 77	TULLINS	.C .38
20	BB 24	TULLY	.80
23	BQ 25	TUPIGNY	.02
162	BZ 75	TUPIN ET SEMONS	.69
89	W 53	TURBALLE, LA	.44
195	CV 93	TURBIE, LA	.06
101	BZ 54	TURCEY	.21
85	CR 45	TURCKHEIM	.68
156	BA 80	TURENNE	.19
141	AS 70	TURGON	.16
80	BT 47	TURGY	.10
79	BR 47	TURNY	.89
110	AP 56	TURQUANT	.49
62	CP 40	TURQUESTEIN BLANCRUPT	.57
29	AG 31	TURQUEVILLE	.50
32	AR 29	TURRETOT	.76
178	CL 86	TURRIERS	.C .04
169	AW 81	TURSAC	.24
140	AP 70	TUSSON	.16
216	AR 102	TUZAGUET	.65
167	AJ 86	TUZAN, LE	.33
140	AQ 69	TUZIE	.16

U

Page	Carreau	Commune	Adm.Dpt
64	CT 36	UBERACH	.67
83	CJ 43	UBEXY	.88
194	CQ 92	UBRAYE	.04
228	DK 111	UCCIANI	.2A
175	BX 84	UCEL	.07
181	AJ 92	UCHACQ ET PARENTIS	.40
206	BW 94	UCHAUD	.30
191	CA 89	UCHAUX	.84
217	AW 104	UCHENTEIN	.09
134	CA 63	UCHIZY	.71
117	BV 60	UCHON	.71
41	CI 32	UCKANGE	.57
105	CR 51	UEBERSTRASS	.68
105	CT 50	UFFHEIM	.68
105	CR 48	UFFHOLTZ	.68
150	CM 71	UGINE	.C .73
216	AR 101	UGLAS	.65
199	AO 99	UGNOUAS	.65
40	CF 30	UGNY	.54
36	BM 29	UGNY LE GAY	.02
22	BM 27	UGNY L'EQUIPEE	.80
60	CF 40	UGNY SUR MEUSE	.55
214	AD 100	UHART CIZE	.64
197	AF 99	UHART MIXE	.64
64	CU 37	UHLWILLER	.67
64	CT 36	UHRWILLER	.67
109	AM 58	ULCOT	.79
55	BF 40	ULIS, LES	.C .91
35	BG 33	ULLY SAINT GEORGES	.60
110	AN 55	ULMES, LES	.49
76	BC 42	UMPEAU	.28
223	BC 105	UNAC	.09
117	BX 54	UNCEY LE FRANC	.21
37	BR 33	UNCHAIR	.51
105	CS 47	UNGERSHEIM	.68
147	BW 74	UNIAS	.42
80	BX 43	UNIENVILLE	.10
161	BW 76	UNIEUX	.42
201	BA 95	UNION, L'	.31
75	AX 45	UNVERRE	.28
218	BA 101	UNZENT	.09
192	CJ 87	UPAIX	.05
176	CB 82	UPIE	.26
223	BD 109	UR	.66
217	AV 103	URAU	.31
230	DK 113	URBALACONE	.2A
224	BG 107	URBANYA	.66
87	CR 42	URBEIS	.67
104	CP 47	URBES	.68
132	BT 66	URBISE	.42
130	BJ 62	URCAY	.03
37	BP 31	URCEL	.02
104	CO 51	URCEREY	.90
129	BF 63	URCIERS	.36
196	AD 97	URCUIT	.64
118	CA 55	URCY	.21
184	AT 93	URDENS	.32
198	AJ 97	URDES	.64
215	AJ 104	URDOS	.64
214	AC 101	UREPEL	.64
198	AK 95	URGONS	.40
199	AW 28	URGOSSE	.32
83	CM 45	URIMENIL	.88
63	CR 40	URMATT	.67
51	AQ 38	UROU ET CRENNES	.61
196	AA 98	URRUGNE	.64
223	BC 105	URS	.09
85	CT 45	URSCHENHEIM	.68
71	AD 97	URT	.97
59	CB 38	URVILLE	.55
54	BE 35	URVILLE	.95
175	BV 83	URVILLE	.14
51	AN 36	URVILLE	.50
81	BY 45	URVILLE	.10
85	CG 45	URVILLE	.88
29	AD 28	URVILLE NACQUEVILLE	.50
36	BN 27	URVILLERS	.02
77	BI 43	URY	.77
115	BN 58	URZY	.58
54	BE 35	US	.95
175	BV 83	USCLADES ET RIEUTORD	.07
205	BO 97	USCLAS D'HERAULT	.34
205	BP 95	USCLAS DU BOSC	.34
149	CB 69	USINENS	.69
156	BA 78	USSAC	.19
222	BB 105	USSAT	.09
111	AS 60	USSEAU	.86
139	AK 67	USSEL	.46
157	BG 74	USSEL	.S .19
158	BL 80	USSEL	.15
170	BA 85	USSEL	.46
159	BN 67	USSEL D'ALLIER	.03
159	BO 75	USSON	.63
127	AT 66	USSON DU POITOU	.86
160	BT 76	USSON EN FOREZ	.42
56	BM 36	USSY SUR MARNE	.77
196	AB 98	USTARITZ	.64
222	AY 105	USTOU	.09
191	CU 91	UTELLE	.C .90
57	C 41	UTTENHEIM	.67
203	CO 96	UTTENHOFFEN	.67
63	CS 37	UTTWILLER	.67
179	CP 87	UVERNET FOURS	.04
83	CK 44	UXEGNEY	.88
135	CH 62	UXELLES	.39
11	BI 14	UXEM	.59
216	AN 103	UZ	.65
180	AE 91	UZA	.40
170	AR 71	UZAN	.64
114	BI 60	UZAY LE VENON	.18
72	AZ 85	UZECH	.46
198	AK 98	UZEIN	.64
61	U 43	UZEL	.C .22
104	CL 52	UZELLE	.25
85	CK 45	UZEMAIN	.88
175	BW 86	UZER	.07
192	CK 93	UZER	.04
60	CO 52	UZERCHE	.19
156	BA 76	UZERCHE	.C .19
167	AL 86	UZESTE	.33
198	AL 99	UZOS	.64

V

Page	Carreau	Commune	Adm.Dpt
94	AR 51	VAAS	.72
203	BH 95	VABRE	.81
186	BF 89	VABRE TIZAC	.12
38	BS 35	VABRES	.15
189	BT 91	VABRES	.30
187	BL 92	VABRES L'ABBAYE	.12
40	CC 33	VACHERAUVILLE	.55
205	BN 94	VACHAUNES	.04
176	CD 82	VACHERES EN QUINT	.26
137	CO 65	VACHERESSE	.74
82	CG 45	VACHERESSE ET LA ROUILLIE, LA	.88
53	AY 34	VACHIE	.27
51	AM 35	VACOGNES NEUILLY	.14
50	AJ 33	VACQUERIE, LA	.14
205	BQ 94	VACQUERIE ET SAINT MARTIN DE CASTRIES, LA	.34
21	BG 22	VACQUERIE LE BOUCQ	.62
21	BF 21	VACQUERIETTE ERQUIERES	.62
84	CO 41	VACQUEVILLE	.54
191	CC 90	VACQUEYRAS	.84
189	BT 93	VACQUIERS	.31
201	BA 94	VACQUIERS	.31
119	CG 58	VADANS	.39
60	CS 35	VADELAINCOURT	.55
58	BW 35	VADENAY	.51
21	BI 25	VADENCOURT	.80
21	BI 25	VADENCOURT	.02
190	BX 88	VAGNAS	.07
124	CN 46	VAGNEY	.88
62	CN 35	VAHL EBERSING	.57
62	CM 35	VAHL LES BENESTROFF	.57
62	CM 35	VAHL LES FAULQUEMONT	.57
124	AM 46	VAIGES	.53
204	BO 97	VAIHAN	.34
204	BR 95	VAILHAUQUES	.34
186	BD 88	VAILHOURLES	.12
170	BA 94	VAILHAC	.46
101	CC 50	VAILLANT	.52
137	CN 65	VAILLY	.74
130	BH 61	VAILLY	.18
81	BX 42	VAILLY	.10
37	BP 31	VAILLY SUR AISNE	.C .02
98	BJ 53	VAILLY SUR SAULDRE	.C .18
49	AF 39	VAINS	.50
123	AB 62	VAIRE	.85
120	CJ 54	VAIRE ARCIER	.25
120	CJ 54	VAIRE LE PETIT	.25
21	BI 26	VAIRE SOUS CORBIE	.80
191	CD 89	VAISON LA ROMAINE	.C .84
185	BA 91	VAISSAC	.82
102	CG 51	VAITE	.70
103	CJ 51	VAIVRE ET MONTOILLE	.70
133	CJ 47	VAIVRE	.85
103	CI 47	VAIVRE	.88
78	BM 44	VAIVRE	.89
104	CM 47	VAL D'AJOL, LE	.88
80	BV 42	VAL D'AUZON	.10
53	AZ 36	VAL DAVID, LE	.27
38	BP 37	VAL DE BRIDE, LE	.57
194	CQ 92	VAL DE CHALVAGNE	.04
62	CI 70	VAL DE FIER	.74
104	CM 50	VAL DE GOUHENANS, LE	.70
102	CO 35	VAL DE GUEBLANGE, LE	.57
53	AX 32	VAL DE LA HAYE	.76
33	AZ 32	VAL DE MERCY	.89
82	CE 47	VAL DE MEUSE	.52
33	AY 33	VAL DE REUIL	.27
103	CK 53	VAL DE ROULANS	.25
58	AW 28	VAL DE SAANE	.76
58	BU 34	VAL DE VESLE	.51
58	BY 38	VAL DE VIERE	.51
135	CE 65	VAL D'EPY	.39
165	CO 80	VAL DES PRES	.05
102	CC 50	VAL DES MARAIS, Coligny	.51
165	CO 74	VAL D'ISERE	.73
71	AF 45	VAL D'IZE	.35
59	CB 38	VAL D'ORNAIN	.55
37	CP 40	VAL ET CHATILLON	.54
177	CG 84	VAL MARAVEL	.26
103	CM 34	VAL SAINT ELOI, LE	.70
59	BF 41	VAL SAINT GERMAIN, LE	.91
49	AF 34	VAL SAINT PERE, LE	.50
101	CA 53	VAL SUZON	.21
172	BH 87	VALADY	.C .12
52	AU 34	VALAILLES	.27
53	AY 53	VALAIRE	.41
109	AK 56	VALANJOU	.49
119	CF 54	VALAY	.70
159	CM 75	VALBELEIX	.63
192	CJ 89	VALBELLE	.04
60	CM 34	VALBOIS	.55
178	CI 81	VALBONNAIS	.C .38
211	CS 95	VALBONNE	.06
217	AS 102	VALCABRERE	.31
139	AG 28	VALCANVILLE	.50
223	BE 110	VALCEBOLLERE	.66
159	BS 74	VALCIVIERES	.63
59	BZ 40	VALCOURT	.52
120	CL 56	VALDAHON	.25
55	BE 33	VALDAMPIERRE	.60
195	CT 90	VALDEBLORE	.06
29	AD 31	VALDECIE, LE	.50
175	BY 86	VALDERIES	.81
194	CQ 93	VALDEROURE	.06
105	CQ 50	VALDIEU LUTRAN	.68
127	AT 64	VALDIVIENNE	.86
104	CO 50	VALDOIE	.C .90
176	CC 86	VALDROME	.26
203	CR 96	VALDURENQUE	.81
147	BW 72	VALEILLE	.42
148	AV 88	VALEILLES	.82
124	CA 68	VALEINS	.01
134	CB 67	VALEINS	.67
119	CH 60	VALEMPOULIERES	.39
112	BB 57	VALENCAY	.C .36
184	AV 90	VALENCE	.C .82
140	AR 71	VALENCE	.16
186	AV 97	VALENCE D'ALBIGEOIS	.C .81
178	BK 42	VALENCE EN BRIE	.77
183	AQ 93	VALENCE SUR BAISE	.C .32
23	BP 21	VALENCIENNES	.S .59
61	CH 36	VALENCIN	.54
61	CB 73	VALENCIN	.C .22
163	CG 75	VALENCOGNE	.38
192	CK 93	VALENSOLE	.C .04
60	CO 52	VALENTIGNEY	.C .25
39	BY 31	VALENTIGNY	.02
217	AT 102	VALENTINE	.31
190	BX 91	VALENTON	.30
206	BU 95	VALERGUES	.34
125	AK 66	VALERNES	.51
62	CJ 88	VALERNES	.51
35	BH 31	VALESCOURT	.60
37	AT 32	VALETTE, LA	.15
158	BJ 77	VALETTE	.15
212	CK 100	VALETTE DU VAR, LA	.83
47	AT 77	VALEUIL	.24
41	AH 76	VALEYRAC	.33
62	CO 73	VALEZAN	.73
187	CT 41	VALFF	.67
135	CF 65	VALFIN SUR VALOUSE	.39
161	BX 75	VALFLEURY	.42
73	AQ 44	VALFRAMBERT	.61
78	BM 41	VALFROICOURT	.88
175	BV 85	VALGORGE	.07
62	CL 39	VALHEY	.54
41	CJ 34	VALHEY	.57
11	BH 20	VALHUON	.62
153	AM 76	VALIERGUES	.19
145	BM 67	VALIGNAT	.03
130	BK 61	VALIGNY	.03
20	BB 24	VALINES	.80
164	CK 78	VALJOUFFREY	.38
159	BM 79	VALJOUZE	.15
161	BX 76	VALLA EN GIER, LA	.42
146	BS 72	VALLA SUR ROCHEFORT, LA	.42
190	BZ 92	VALLABREGUES	.30
190	BX 91	VALLABRIX	.30
99	BQ 50	VALLAN	.89
58	BF 35	VALLANGOUJARD	.95
45	AO 33	VALLANS	.79
211	CT 95	VALLAURIS	.C .06
128	BA 66	VALLEE, LA	.17
138	AI 70	VALLEE, LA	.17
133	BU 66	VALLEE AU BLE, LA	.02
132	BU 65	VALLEE MULATRE, LA	.02
23	BI 24	VALLEGUE	.31
202	BC 98	VALLEGUE	.31
111	AW 57	VALLENAY	.37
126	AQ 61	VALLENAY	.86
130	BH 61	VALLENTIGNY	.18
80	BX 42	VALLENTIGNY	.10
62	CM 36	VALLERANGE	.57
185	BA 93	VALLERARGUES	.30
202	BB 97	VALLERAUGUE	.C .30
188	BR 91	VALLERAUGUE	.C .30
55	CA 33	VALLERET	.52
81	CA 41	VALLERET	.52
45	AS 80	VALLERET	.71
124	CA 61	VALLERGUES	.70
103	CK 51	VALLEROIS LE BOIS	.70
103	CJ 51	VALLEROIS LORIOZ	.70
37	CF 50	VALLEROY	.25
83	CI 44	VALLEROY AUX SAULES	.88
83	CI 44	VALLEROY LE SEC	.88
78	BM 54	VALLEROY	.89
202	BB 96	VALLESVILLES	.31
226	DK 106	VALLICA	.2B
143	BE 70	VALLIERE	.23
150	BT 47	VALLIERES	.10
36	BM 30	VALLIERES	.60
95	AY 53	VALLIERES LES GRANDES	.41
32	AV 29	VALLIQUERVILLE	.76
164	CM 78	VALLOIRE	.73
83	CJ 45	VALLOIS, LES	.88
84	CL 41	VALLOIS	.54
130	BI 63	VALLON EN SULLY	.03
175	BX 87	VALLON PONT D'ARC	.C .07
124	CO 68	VALLORCINE	.74
224	BI 108	VALMANYA	.66
102	BO 96	VALMASCLE	.34
164	CN 78	VALMEINIER	.73
61	BL 36	VALMESTROFF	.57
220	BH 103	VALMIGERE	.11
87	BF 35	VALMONDOIS	.95
32	AT 28	VALMONT	.C .76
62	CM 34	VALMONT	.57
41	CL 32	VALMUNSTER	.57
59	BY 35	VALMY	.51
29	AF 30	VALOGNES	.C .50
155	AX 80	VALOJOULX	.24
104	CN 53	VALONNE	.25
121	CA 54	VALOREILLE	.25
176	CD 86	VALOUSE	.26
184	AX 88	VALPRIONDE	.46
160	BU 77	VALPRIVAS	.43
77	BG 43	VALPUISEAUX	.91
191	CC 87	VALREAS	.C .84
204	BP 98	VALROS	.34
170	BA 86	VALROUFE	.46
37	BP 32	VALSONNE	.69
104	CP 45	VALTIN, LE	.88
158	BL 80	VALUEJOLS	.15
175	BY 86	VALVIGNERES	.07
159	BP 76	VALZ SOUS CHATEAUNEUF	.63
171	BF 86	VALZERGUES	.12
59	BY 37	VANAULT LE CHATEL	.51
59	BY 37	VANAULT LES DAMES	.51
126	AP 66	VANCAIS	.79
94	AU 49	VANCE	.72
85	CR 43	VANCELLE, LA	.67
120	CL 56	VANCLANS	.25
134	CB 67	VANDEINS	.01
61	CH 35	VANDELAINVILLE	.54
103	CJ 53	VANDELANS	.70
83	CH 42	VANDELEVILLE	.54
84	BK 30	VANDELICOURT	.P .26
116	BR 59	VANDENESSE	.58
117	BY 56	VANDENESSE EN AUXOIS	.21
37	BR 33	VANDEUIL	.51
57	BR 35	VANDIERES	.51
61	CH 36	VANDIERES	.54
20	BD 24	VANDONCOURT	.25
104	CP 52	VANDONCOURT	.25
139	AJ 68	VANDRE	.17
35	AZ 32	VANDRIMARE	.27
39	BY 31	VANDY	.02
80	BT 47	VANLAY	.10
51	AS 48	VANNE	.50
101	CH 51	VANNE	.70
125	AK 66	VANNEAU IRLEAU, LE	.70
125	AK 66	VANNECOURT	.57
61	CJ 34	VANNES	.57
32	AT 32	VANNES	.76
89	V 50	VANNES	.P .56
60	CG 40	VANNES LE CHATEL	.54
60	BG 50	VANNES SUR COSSON	.45
124	CM 39	VANOSC	.07
61	BY 78	VANOSC	.07
189	BX 87	VANS, LES	.C .07
61	CJ 34	VANTOUX	.57
103	CH 53	VANTOUX ET LONGEVELLE	.70
56	BG 38	VANVES	.92
101	BY 49	VANVEY	.21
78	BM 41	VANVILLE	.77
175	BV 85	VALGORGE	.07
62	CL 39	VALHEY	.54
41	CJ 34	VANY	.57
84	CL 41	VALLOIS	.54
130	BI 63	VALLON EN SULLY	.03
175	BX 87	VALLON PONT D'ARC	.C .07
124	CO 68	VALLORCINE	.74
151	CG 68	VALLORCINE	.74
33	AX 29	VARNEVILLE BRETTEVILLE	.76
103	CK 50	VAROGNE	.70
118	CB 54	VAROIS ET CHAIGNOT	.21
29	AG 28	VAROUVILLE	.50
110	AO 55	VARRAINS	.49
56	BL 36	VARREDDES	.77
106	CE 52	VARS	.16
140	AP 72	VARS	.16
179	CP 84	VARS	.05
156	AZ 78	VARS SUR ROSEIX	.19
42	CM 33	VARSBERG	.57
139	AJ 72	VARZAY	.17
115	BO 54	VARZY	.C .58
34	BA 31	VASCOEUIL	.27
126	AO 63	VASLES	.79
62	CP 39	VASPERVILLER	.57
145	BD 72	VASSEL	.63
114	BH 57	VASSELAY	.18
149	CF 73	VASSELIN	.38
36	BN 31	VASSENS	.02
37	BP 32	VASSENY	.02
177	CF 81	VASSIEUX EN VERCORS	.26
58	BU 38	VASSIMONT ET CHAPELAINE	.51
59	CA 38	VASSINCOURT	.55
37	BR 35	VASSOGNE	.02
33	AZ 28	VASSONVILLE	.76
50	AK 31	VASSY	.14
100	BU 52	VASSY	.89
29	AG 28	VAST, LE	.50
29	AD 29	VASTEVILLE	.50
175	BW 81	VASTRES, LES	.43
113	BC 58	VATAN	.C .36
84	CM 41	VATHIMENIL	.54
32	AR 28	VATTETOT SOUS BEAUMONT	.76
32	AR 28	VATTETOT SUR MER	.76
33	AZ 33	VATTEVILLE	.27
32	AV 30	VATTEVILLE LA RUE	.76
30	AJ 33	VAUBADON	.14
133	BV 66	VAUBAN	.71
59	CB 38	VAUBECOURT	.C .55
83	CJ 43	VAUBEXY	.88
30	AK 32	VAUCELLES	.14
83	BP 30	VAUCELLES ET BEFFECOURT	.02
57	BO 37	VAUCHAMPS	.51
120	CK 55	VAUCHAMPS	.25
80	BS 45	VAUCHASSIS	.10
36	BL 30	VAUCHELLES	.80
21	BA 24	VAUCHELLES LES AUTHIE	.80
21	BF 24	VAUCHELLES LES DOMART	.80
20	BD 24	VAUCHELLES LES QUESNOY	.80
117	BY 58	VAUCHIGNON	.21
80	BW 44	VAUCHONVILLIERS	.10
103	CI 50	VAUCHOUX	.70
109	AL 54	VAUCHRETIEN	.49
36	BL 33	VAUCIENNES	.51
57	BS 35	VAUCIENNES	.51
116	BS 56	VAUCLAIX	.58
59	BY 39	VAUCLERC	.51
121	CN 54	VAUCLUSE	.25
121	CO 54	VAUCLUSOTTE	.25
80	BV 41	VAUCOGNE	.10
103	CH 50	VAUCONCOURT NERVEZAIN	.70
60	CF 40	VAUCOULEURS	.C .55
62	CM 39	VAUCOURT	.54
56	BL 37	VAUCOURTOIS	.77
55	BE 33	VAUCRESSON	.92
34	BC 33	VAUDANCOURT	.71
133	BW 65	VAUDEBARRIER	.71
110	AN 56	VAUDELNAY	.49
51	AP 36	VAUDELOGES	.14
58	BU 35	VAUDEMANGE	.51
83	CI 42	VAUDEMONT	.54
80	BU 45	VAUDES	.10
38	BW 33	VAUDESINCOURT	.51
37	BP 31	VAUDESSON	.02
90	BA 46	VAUDEURS	.89
81	BY 79	VAUDEVANT	.07
161	BY 79	VAUDEVANT	.07
83	CJ 41	VAUDEVILLE	.54
84	CM 44	VAUDEVILLE	.88
57	CF 42	VAUDEVILLE LE HAUT	.55
55	BI 36	VAUDHERLAND	.95
83	CJ 42	VAUDIGNY	.54
135	CI 54	VAUDIOUX, LE	.39
90	CE 32	VAUDONCOURT	.88
82	CA 64	VAUDONCOURT	.88
61	BI 43	VAUDOUE, LE	.77
56	BM 39	VAUDOY EN BRIE	.77
41	CL 32	VAUDRECHING	.57
82	CA 45	VAUDREMONT	.52
81	BP 45	VAUDREUIL, LE	.27
29	AG 30	VAUDREVILLE	.50
62	CG 58	VAUDREY	.39
119	BI 19	VAUDRICOURT	.62
29	AB 23	VAUDRICOURT	.80
83	AF 34	VAUDRIMESNIL	.50
26	BE 17	VAUDRINGHEM	.62
120	CL 54	VAUDRIVILLERS	.25
53	AJ 37	VAUDRY	.14
104	CP 53	VAUFREY	.25
57	CF 94	VAUGINES	.84
148	BY 72	VAUGNERAY	.C .69
55	BF 39	VAUHALLAN	.91
164	CK 78	VAUJANY	.38
55	BI 37	VAUJOURS	.93
43	AP 51	VAULANDRY	.49
158	BI 78	VAULMIER, LE	.15
163	CI 79	VAULNAVEYS LE BAS	.38
163	CI 79	VAULNAVEYS LE HAUT	.38
142	AX 69	VAULRY	.87
148	CD 72	VAULX EN VELIN	.C .69
22	BL 23	VAULX VRAUCOURT	.62
132	BQ 64	VAUMAS	.03
192	CJ 84	VAUMEILH	.04
36	BL 33	VAUMOISE	.60
202	BE 98	VAUMORT	.89
155	AV 76	VAUNAC	.24
155	CE 83	VAUNAVEYS LA ROCHETTE	.26
74	AT 43	VAUNOISE	.61
32	AX 31	VAUPALIERE, LA	.76
75	AW 42	VAUPILLON	.28

Far-right column (VARIZE region):

Page	Carreau	Commune	Adm.Dpt
41	CL 34	VARIZE	.57
76	BA 49	VARIZE	.28
83	CK 43	VARMONZEY	.88
60	CF 37	VARNEVILLE	.55
83	AX 29	VARNEVILLE BRETTEVILLE	.76
185	BK 61	VAOUR	.81
162	CE 77	VARACIEUX	.38
92	AH 54	VARADES	.C .44
209	CK 95	VARAGES	.83
45	AS 74	VARAIGNES	.24
146	BS 72	VARAIRE	.46
41	AL 70	VARAIZE	.17
135	AX 69	VARAMBON	.01
142		VARAMBON	.01
155	BS 53	VARANGES	.21
74	AT 43	VARANGEVILLE	.54
184	AX 31	VARAVILLE	.14
75	AW 42	VARCES ALLIERES ET RISSET	.38
128	BA 66	VAREILLES	.71
119	BP 45	VAREILLES	.89
81	BU 45	VAREILLES	.10
186	BD 90	VAREN	.82
19	AX 26	VARENGEVILLE SUR MER	.76
29	AG 30	VARENGUEBEC	.50
109	AM 55	VARENNE, LA	.49
133	BU 66	VARENNE L'ARCONCE	.71
132	BU 65	VARENNE SAINT GERMAIN	.71
21	BI 24	VARENNES	.80
111	AW 57	VARENNES	.37
99	BR 48	VARENNES	.89
126	AQ 61	VARENNES	.86
104	CP 53	VARENNES	.24
82	AT 82	VARENNES	.31
185	BA 93	VARENNES	.82
148	BY 72	VARENNES	.69
97	BJ 49	VARENNES CHANGY	.45
164	CK 78	VARENNES EN ARGONNE	.C .55
55	BI 37	VARENNES JARCY	.91
43	AP 51	VARENNES LE GRAND	.71
158	BI 78	VARENNES LES MACON	.71
163	CI 79	VARENNES LES NARCY	.58
163	CI 79	VARENNES SAINT HONORAT	.43
142	AX 69	VARENNES SAINT SAUVEUR	.71
142	AX 69	VARENNES SOUS DUN	.71
155	BS 53	VARENNES SUR ALLIER	.C .03
150	CD 72	VARENNES SUR FOUZON	.36
148	CB 72	VARENNES SUR LOIRE	.49
145	BN 70	VARENNES SUR MORGE	.63
22	BL 23	VARENNES SUR TECHE	.03
132	BQ 64	VARENNES SUR USSON	.63
192	CJ 84	VARENNES VAUZELLES	.58
36	BL 33	VARES	.47
155	AV 76	VARESNES	.60
202	BE 98	VARESSIA	.39
29	AG 30	VARETZ	.19
119	CG 58	VARILHES	.C .09
74	AT 43	VARINFROY	.77
38	BS 31	VARISCOURT	.02

Page	Carreau	Commune	Adm. Dpt
135	CE 61	VILLEVIEUX	39
161	BY 78	VILLEVOCANCE	07
77	BI 47	VILLEVOQUES	45
96	BA 50	VILLEXANTON	41
153	AL 76	VILLEXAVIER	17
119	CF 59	VILLEY, LE	39
61	CH 39	VILLEY LE SEC	54
61	CH 38	VILLEY SAINT ETIENNE	54
101	CB 52	VILLEY SUR TILLE	21
53	AZ 35	VILLEZ SOUS BAILLEUL	27
53	AW 34	VILLEZ SUR LE NEUBOURG	27
148	BZ 67	VILLIE MORGON	69
112	AY 60	VILLIERS	36
126	AQ 62	VILLIERS	86
55	BG 35	VILLIERS ADAM	95
94	AR 52	VILLIERS AU BOUIN	37
79	BQ 41	VILLIERS AUX CORNEILLES	51
92	AK 48	VILLIERS CHARLEMAGNE	53
140	AN 69	VILLIERS COUTURE	17
77	BI 42	VILLIERS EN BIERE	77
139	AL 67	VILLIERS EN BOIS	79
54	BA 37	VILLIERS EN DESOEUVRE	27
59	BZ 39	VILLIERS EN LIEU	52
117	BV 56	VILLIERS EN MORVAN	21
125	AK 64	VILLIERS EN PLAINE	79
30	AI 34	VILLIERS FOSSARD	50
58	BU 40	VILLIERS HERBISSE	10
55	BF 39	VILLIERS LE BACLE	91
55	BH 36	VILLIERS LE BEL	C 95
100	BU 47	VILLIERS LE BOIS	10
101	BY 49	VILLIERS LE DUC	21
54	BC 37	VILLIERS LE MAHIEU	78
54	BB 40	VILLIERS LE MORHIER	28
71	AF 40	VILLIERS LE PRE	50
140	AP 69	VILLIERS LE ROUX	16
55	BH 35	VILLIERS LE SEC	95
30	AL 32	VILLIERS LE SEC	14
81	CB 45	VILLIERS LE SEC	52
115	BP 54	VILLIERS LE SEC	58
102	CC 50	VILLIERS LES APREY	52
100	BU 50	VILLIERS LES HAUTS	89
79	BO 45	VILLIERS LOUIS	89
98	BN 50	VILLIERS SAINT BENOIT	89
56	BN 36	VILLIERS SAINT DENIS	02
54	BD 38	VILLIERS SAINT FREDERIC	78
57	BO 40	VILLIERS SAINT GEORGES	C 77
76	BA 46	VILLIERS SAINT ORIEN	28
77	BJ 44	VILLIERS SOUS GREZ	77
74	AU 41	VILLIERS SOUS MORTAGNE	61
80	BV 46	VILLIERS SOUS PRASLIN	10
139	AM 68	VILLIERS SUR CHIZE	79
95	AW 49	VILLIERS SUR LOIR	41
55	BI 38	VILLIERS SUR MARNE	C 94
56	BK 38	VILLIERS SUR MORIN	77
55	BG 40	VILLIERS SUR ORGE	91
79	BO 42	VILLIERS SUR SEINE	77
82	CC 47	VILLIERS SUR SUIZE	52
99	BO 48	VILLIERS SUR THOLON	89
99	BQ 54	VILLIERS SUR YONNE	58
99	BS 48	VILLIERS VINEUX	89
95	AW 50	VILLIERSFAUX	41
148	CD 70	VILLIEU LOYES MOLLON	01
42	CM 32	VILLING	57
140	AP 71	VILLOGNON	16
100	BU 48	VILLON	89
84	CM 43	VILLONCOURT	88
31	AM 33	VILLONS LES BUISSONS	14
96	BB 49	VILLORCEAU	45
144	BJ 70	VILLOSANGES	63
34	BE 32	VILLOTRAN	60
82	CG 45	VILLOTTE	88
59	CB 37	VILLOTTE DEVANT LOUPPY	55
101	BY 53	VILLOTTE SAINT SEINE	21
60	CD 37	VILLOTTE SUR AIRE	55
101	BY 48	VILLOTTE SUR OURCE	21
82	CE 43	VILLOUXEL	88
79	BO 43	VILLUIS	77
39	CB 29	VILLY	08
99	BR 49	VILLY	89
50	AL 34	VILLY BOCAGE	14
101	BY 53	VILLY EN AUXOIS	21
80	BW 45	VILLY EN TRODES	10
80	BT 45	VILLY LE BOIS	10
150	CK 68	VILLY LE BOUVERET	74
80	BT 45	VILLY LE MARECHAL	10
118	CB 58	VILLY LE MOUTIER	21
150	CK 69	VILLY LE PELLOUX	74
51	AO 37	VILLY LEZ FALAISE	14
20	BA 25	VILLY SUR YERES	76
103	CK 49	VILORY	70
39	CB 32	VILOSNES HARAUMONT	55
63	CR 37	VILSBERG	57
73	AN 45	VIMARCE	53
187	BL 87	VIMENET	12
84	CM 44	VIMENIL	88
163	CI 74	VIMINES	73
51	AO 34	VIMONT	14
98	BJ 48	VIMORY	45
52	AR 37	VIMOUTIERS	C 61
78	BN 42	VIMPELLES	77
22	BK 21	VIMY	C 62
56	BJ 36	VINANTES	77
221	BN 100	VINASSAN	11
140	AN 69	VINAX	17
163	CE 78	VINAY	C 38
57	BS 36	VINAY	51
224	BI 107	VINCA	C 66
57	BQ 35	VINCELLES	51
134	CD 62	VINCELLES	71
99	BQ 50	VINCELLES	89
135	CF 62	VINCELLES	39
99	BQ 50	VINCELOTTES	89
55	BH 38	VINCENNES	C 94
119	CE 60	VINCENT	39
83	CK 43	VINCEY	88
11	BF 19	VINCLY	62
56	BL 35	VINCY MANOEUVRE	77
38	BT 28	VINCY REUIL ET MAGNY	02
132	BT 65	VINDECY	71
29	AF 32	VINDEFONTAINE	50
140	AP 72	VINDELLE	16
57	BQ 39	VINDEY	51
186	BD 91	VINDRAC ALAYRAC	81
80	BU 41	VINETS	10
95	AZ 52	VINEUIL	C 41
113	BB 59	VINEUIL	36
35	BI 34	VINEUIL SAINT FIRMIN	60
133	BY 64	VINEUSE, LA	71
175	BW 85	VINEZAC	07
221	BK 105	VINGRAU	66
73	AQ 41	VINGT HANAPS	61
18	AT 27	VINNEMERVILLE	76
78	BM 43	VINNEUF	89
114	BK 55	VINON	18
209	CJ 94	VINON SUR VERDON	83
209	CL 97	VINS SUR CARAMY	83
191	CC 88	VINSOBRES	26
203	BI 97	VINTROU, LE	81
134	BZ 66	VINZELLES	71
145	BO 70	VINZELLES	63
137	CN 65	VINZIER	74
161	BZ 77	VINZIEUX	07
83	CH 43	VIOCOURT	88
197	AG 99	VIODOS ABENSE DE BAS	64
12	BK 19	VIOLAINES	62
147	BW 71	VIOLAY	42
191	CB 90	VIOLES	84
102	CE 49	VIOLOT	52
205	BS 94	VIOLS EN LAVAL	34
205	BR 94	VIOLS LE FORT	34
83	CJ 45	VIOMENIL	88
93	AN 49	VION	72
162	CA 79	VION	07
149	CI 71	VIONS	73
61	CH 34	VIONVILLE	57
200	AR 98	VIOZAN	32
130	BH 64	VIPLAIX	03
224	BH 105	VIRA	66
219	BC 102	VIRA	09
186	BE 91	VIRAC	81
29	AD 29	VIRANDEVILLE	50
158	BL 79	VIRARGUES	15
168	AQ 86	VIRAZEIL	47
50	AJ 37	VIRE	S 14
134	CA 64	VIRE	71
73	AN 47	VIRE EN CHAMPAGNE	72
170	AX 86	VIRE SUR LOT	46
100	BT 49	VIREAUX	89
83	CK 41	VIRECOURT	54
167	AL 84	VIRELADE	33
25	BX 24	VIREUX MOLHAIN	08
25	BY 24	VIREUX WALLERAND	08
50	AH 40	VIREY	50
118	CA 59	VIREY LE GRAND	71
80	BV 46	VIREY SOUS BAR	10
59	BY 34	VIRGINY	51
134	CD 66	VIRIAT	C 01
147	BW 73	VIRICELLES	42
163	CF 75	VIRIEU	C 38
149	CG 70	VIRIEU LE GRAND	C 01
149	CH 70	VIRIEU LE PETIT	01
147	BW 73	VIRIGNEUX	42
149	CH 72	VIRIGNIN	01
162	CD 76	VIRIVILLE	38
144	BJ 68	VIRLET	63
62	CN 36	VIRMING	57
55	BF 38	VIROFLAY	C 78
152	AJ 74	VIROLLET	17
20	BD 22	VIRONCHAUX	80
33	AY 34	VIRONVAY	27
153	AK 80	VIRSAC	33
138	AH 67	VIRSON	17
32	AS 29	VIRVILLE	76
133	BW 64	VIRY	71
135	CH 65	VIRY	39
150	CJ 67	VIRY	74
55	BH 40	VIRY CHATILLON	C 91
36	BN 29	VIRY NOUREUIL	02
22	BL 22	VIS EN ARTOIS	62
191	CB 88	VISAN	84
146	BR 71	VISCOMTAT	63
216	AN 103	VISCOS	65
100	BV 52	VISERNY	21
216	AO 101	VISKER	65
20	BC 25	VISMES	80
103	CK 49	VISONCOURT	70
160	BR 79	VISSAC AUTEYRAC	43
188	BQ 93	VISSEC	30
71	AF 47	VISSEICHE	35
202	BD 95	VITERBE	81
61	CI 40	VITERNE	54
53	AW 34	VITOT	27
170	AY 82	VITRAC	24
145	BL 70	VITRAC	63
172	BG 83	VITRAC	15
172	BK 83	VITRAC EN VIADENE	12
141	AS 72	VITRAC SAINT VINCENT	16
157	BD 76	VITRAC SUR MONTANE	19
52	AV 39	VITRAI SOUS LAIGLE	61
130	BJ 63	VITRAY	03
76	BA 44	VITRAY EN BEAUCE	28
71	AG 45	VITRE	C 35
126	AN 66	VITRE	79
119	CG 55	VITREUX	39
83	CI 41	VITREY	54
102	CG 49	VITREY SUR MANCE	C 70
61	CL 40	VITRIMONT	54
208	CE 97	VITROLLES	C 13
178	CJ 86	VITROLLES	05
192	CH 93	VITROLLES EN LUBERON	84
97	BG 48	VITRY AUX LOGES	45
22	BL 21	VITRY EN ARTOIS	C 62
133	BU 64	VITRY EN CHAROLLAIS	71
101	CB 49	VITRY EN MONTAGNE	52
59	BX 39	VITRY EN PERTHOIS	51
58	BW 38	VITRY LA VILLE	51
116	BQ 56	VITRY LACHE	58
81	BX 45	VITRY LE CROISE	10
59	BX 39	VITRY LE FRANCOIS	S 51
133	BY 64	VITRY LES CLUNY	71
82	CD 47	VITRY LES NOGENT	52
132	BR 62	VITRY SUR LOIRE	71
41	CI 32	VITRY SUR ORNE	57
55	BH 38	VITRY SUR SEINE	C 94
40	CD 31	VITTARVILLE	55
100	BX 54	VITTEAUX	C 21
18	AU 27	VITTEFLEUR	76
83	CH 44	VITTEL	C 88
62	CO 36	VITTERSBOURG	57
61	CL 35	VITTONCOURT	57
61	CI 36	VITTONVILLE	54
21	BE 22	VITZ SUR AUTHIE	80
150	CM 67	VIUZ EN SALLAZ	74
150	CK 71	VIUZ LA CHIESAZ	74
37	BP 29	VIVAISE	02
146	BT 67	VIVANS	42
229	DL 109	VIVARIO	2B
198	AK 97	VIVEN	64
160	BS 76	VIVEROLS	C 63
224	BK 108	VIVES	66
101	CB 50	VIVEY	52
224	BH 105	VIVIER, LE	66
39	BY 27	VIVIER AU COURT	08
49	AC 40	VIVIER SUR MER, LE	35
36	BM 33	VIVIERES	02
176	BZ 86	VIVIERS	C 07
61	CL 37	VIVIERS	57
99	BS 49	VIVIERS	89
150	CI 73	VIVIERS DU LAC	73
83	CH 45	VIVIERS LE GRAS	88
202	BC 96	VIVIERS LES LAVAUR	81
202	BF 96	VIVIERS LES MONTAGNES	81
83	CI 44	VIVIERS LES OFFROICOURT	88
80	BX 46	VIVIERS SUR ARTAUT	10
40	CE 30	VIVIERS SUR CHIERS	54
219	BC 102	VIVIES	09
171	BF 86	VIVIEZ	12
153	AN 74	VIVILLE	16
74	AQ 44	VIVOIN	72
126	AR 65	VIVONNE	C 86
110	AO 54	VIVY	49
100	BX 48	VIX	21
124	AI 65	VIX	85
163	CI 79	VIZILLE	C 38
216	AN 104	VIZOS	65
161	BY 78	VOCANCE	07
159	BN 75	VODABLE	63
85	CR 46	VOEGTLINSHOFFEN	68
42	CM 32	VOELFLING LES BOUZONVILLE	57
62	CP 35	VOELLERDINGEN	67
154	AP 74	VOEUIL ET GIGET	16
85	CU 46	VOGELGRUN	68
150	CI 73	VOGLANS	73
175	BX 85	VOGUE	07
37	BR 27	VOHARIES	02
60	CF 39	VOID VACON	C 55
81	BZ 44	VOIGNY	10
59	BZ 35	VOILEMONT	51
104	CL 53	VOILLANS	25
81	BZ 41	VOILLECOMTE	52
61	CK 35	VOIMHAUT	57
83	CJ 41	VOINEMONT	54
144	BI 72	VOINGT	63
56	BL 39	VOINSLES	77
58	BT 37	VOIPREUX	51
120	CK 56	VOIRES	25
163	CG 76	VOIRON	C 38
33	AV 33	VOISCREVILLE	27
76	BC 43	VOISE	28
77	BJ 41	VOISENON	77
102	CG 48	VOISEY	52
79	BO 44	VOISINES	89
102	CC 48	VOISINES	52
55	BE 39	VOISINS LE BRETONNEUX	78
163	CH 75	VOISSANT	38
139	AK 69	VOISSAY	17
135	CF 61	VOITEUR	C 39
84	CO 42	VOIVRE, LA	88
104	CM 48	VOIVRE, LA	70
83	CK 46	VOIVRES, LES	88
93	AP 48	VOIVRES LES LE MANS	72
11	BG 16	VOLCKERINCKHOVE	59
133	BU 64	VOLESVRES	71
85	CT 46	VOLGELSHEIM	68
99	BO 48	VOLGRE	89
63	CR 35	VOLKSBERG	67
146	BR 72	VOLLORE MONTAGNE	63
146	BQ 72	VOLLORE VILLE	63
41	CK 33	VOLMERANGE LES BOULAY	57
41	CH 30	VOLMERANGE LES MINES	57
43	CR 34	VOLMUNSTER	C 57
94	AS 48	VOLNAY	72
118	BZ 58	VOLNAY	21
102	CG 51	VOLON	70
193	CK 90	VOLONNE	C 04
227	DM 105	VOLPAJOLA	2B
41	CJ 32	VOLSTROFF	57
177	CE 85	VOLVENT	26
145	BM 71	VOLVIC	63
192	CJ 92	VOLX	04
84	CM 43	VOMECOURT	88
83	CJ 42	VOMECOURT SUR MADON	88
102	CF 50	VONCOURT	52
39	BX 31	VONCQ	08
119	CE 55	VONGES	21
149	CH 71	VONGNES	01
134	CB 67	VONNAS	01
120	CI 54	VORAY SUR L'OGNON	70
163	CG 77	VOREPPE	38
160	BT 78	VOREY	C 43
37	BQ 30	VORGES	02
120	CI 56	VORGES LES PINS	25
114	BH 59	VORLY	18
114	BI 59	VORNAY	18
135	CF 65	VOSBLES	39
118	CA 56	VOSNE ROMANEE	21
79	BS 46	VOSNON	10
111	AV 57	VOU	37
57	BS 40	VOUARCES	51
117	BW 57	VOUDENAY	21
80	BU 42	VOUE	10
81	CB 44	VOUECOURT	52
103	CI 47	VOUGECOURT	70
118	CA 56	VOUGEOT	21
80	BV 46	VOUGREY	10
147	BU 68	VOUGY	42
151	CN 68	VOUGY	74
140	AP 71	VOUHARTE	16
125	AN 63	VOUHE	79
139	AI 67	VOUHE	17
104	CM 50	VOUHENANS	70
126	AQ 62	VOUILLE	C 86
125	AM 65	VOUILLE	79
124	AH 64	VOUILLE LES MARAIS	85
59	BZ 39	VOUILLERS	51
113	BD 60	VOUILLON	36
30	AI 32	VOUILLY	14
104	CO 52	VOUJEAUCOURT	25
101	BZ 49	VOULAINES LES TEMPLIERS	21
56	BK 38	VOULANGIS	77
140	AQ 68	VOULEME	86
154	AP 75	VOULGEZAC	16
126	AQ 65	VOULON	86
23	BR 27	VOULPAIX	02
176	CA 82	VOULTE SUR RHONE, LA	C 07
109	AL 59	VOULTEGON	79
57	BO 40	VOULTON	77
78	BL 44	VOULX	77
126	AQ 63	VOUNEUIL SOUS BIARD	86
127	AT 61	VOUNEUIL SUR VIENNE	C 86
163	CF 76	VOUREY	38
148	CA 73	VOURLES	69
131	BM 66	VOUSSAC	03
99	BS 52	VOUTENAY SUR CURE	89
156	AZ 77	VOUTEZAC	19
141	AS 73	VOUTHON	16
82	CE 41	VOUTHON BAS	55
82	CF 41	VOUTHON HAUT	55
73	AN 45	VOUTRE	53
125	AJ 62	VOUVANT	85
95	AV 54	VOUVRAY	C 37
74	AT 46	VOUVRAY SUR HUISNE	72
94	AS 50	VOUVRAY SUR LOIR	72
82	CG 43	VOUXEY	88
126	AP 61	VOUZAILLES	86
154	AR 74	VOUZAN	16
114	BG 55	VOUZERON	18
39	BX 31	VOUZIERS	S 08
97	BE 51	VOUZON	41
58	BT 37	VOUZY	51
76	BB 44	VOVES	C 28
150	CK 68	VOVRAY EN BORNES	74
37	BR 28	VOYENNE	02
36	BL 27	VOYENNES	80
62	CP 39	VOYER	57
89	W 50	VRAIE CROIX, LA	56
22	BM 26	VRAIGNES EN VERMANDOIS	80
20	BD 27	VRAIGNES LES HORNOY	80
81	CB 44	VRAINCOURT	52
33	AX 34	VRAIVILLE	27
58	BU 36	VRAUX	51
82	CF 45	VRECOURT	88
12	BN 20	VRED	59
119	CH 54	VREGILLE	70
37	BO 31	VREGNY	02
36	BJ 27	VRELY	80
29	AD 30	VRETOT, LE	50
119	CF 56	VRIANGE	39
39	BZ 28	VRIGNE AUX BOIS	08
39	BY 28	VRIGNE MEUSE	08
51	AP 39	VRIGNY	61
37	BS 33	VRIGNY	51
77	BG 46	VRIGNY	45
92	AH 51	VRITZ	44
39	BX 31	VRIZY	08
34	BD 30	VROCOURT	60
59	BZ 37	VROIL	51
20	BC 21	VRON	80
83	CI 41	VRONCOURT	54
82	CE 45	VRONCOURT LA COTE	52
83	CJ 43	VROVILLE	88
41	CK 33	VRY	57
107	AB 55	VUE	44
120	CK 57	VUILLAFANS	25
120	CL 58	VUILLECIN	25
37	BO 31	VUILLERY	02
79	BQ 44	VULAINES	10
78	BN 41	VULAINES LES PROVINS	77
78	BK 42	VULAINES SUR SEINE	77
150	CI 68	VULBENS	74
61	CJ 36	VULMONT	57
135	CH 65	VULVOZ	39
103	CI 51	VY LE FERROUX	70
103	CK 52	VY LES FILAIN	70
104	CL 50	VY LES LURE	70
103	CH 51	VY LES RUPT	70
104	CO 51	VYANS LE VAL	70
104	CN 53	VYT LES BELVOIR	25
		W	
20	BC 21	WABEN	62
35	BI 31	WACQUEMOULIN	60
10	BC 16	WACQUINGHEN	62
39	BZ 28	WADELINCOURT	08
38	BW 29	WAGNON	08
12	BM 19	WAHAGNIES	59
105	CS 50	WAHLBACH	68
64	CU 37	WAHLENHEIM	67
21	BF 21	WAIL	62
22	BJ 22	WAILLY	62
10	BC 20	WAILLY BEAUCAMP	62
85	CR 45	WALBACH	68
64	CU 36	WALBOURG	67
64	CT 36	WALCK, LA	67
85	CR 41	WALDERSBACH	67
63	CQ 36	WALDHAMBACH	67
43	CS 33	WALDHOUSE	57
105	CS 51	WALDIGHOFEN	68
63	CS 38	WALDOLWISHEIM	67
41	CL 31	WALDWEISTROFF	57
41	CL 31	WALDWISSE	57
105	CS 50	WALHEIM	68
22	BN 24	WALINCOURT SELVIGNY	59
23	BO 21	WALLERS	59
24	BT 24	WALLERS TRELON	59
11	BI 17	WALLON CAPPEL	59
43	CS 33	WALSCHBRONN	57
63	CQ 39	WALSCHEID	57
63	CQ 38	WALTEMBOURG	57
105	CS 50	WALTENHEIM	68
64	CT 38	WALTENHEIM SUR ZORN	67
59	CB 36	WALY	55
22	BN 23	WAMBAIX	59
10	BE 20	WAMBERCOURT	62
34	BD 30	WAMBEZ	60
12	BL 17	WAMBRECHIES	59
11	BF 20	WAMIN	62
20	AZ 26	WANCHY CAPVAL	76
22	BK 22	WANCOURT	62
12	BN 20	WANDIGNIES HAMAGE	59
63	CS 39	WANGEN	67
63	CR 39	WANGENBOURG ENGENTHAL	67
12	BN 18	WANNEHAIN	59
21	BJ 22	WANQUETIN	62
64	CV 38	WANTZENAU, LA	67
39	BX 27	WARCQ	08
40	CF 33	WARCQ	55
11	BG 17	WARDRECQUES	62
59	BX 34	WARGEMOULIN HURLUS	51
21	BG 25	WARGNIES	80
23	BQ 21	WARGNIES LE GRAND	59
23	BQ 22	WARGNIES LE PETIT	59
11	BH 14	WARHEM	59
12	BN 20	WARLAING	59
22	BK 24	WARLENCOURT EAUCOURT	62
21	BI 23	WARLINCOURT LES PAS	62
21	BI 25	WARLOY BAILLON	80
35	BF 32	WARLUIS	60
22	BJ 22	WARLUS	62
20	BE 26	WARLUS	80
21	BI 22	WARLUZEL	62
38	BU 32	WARMERIVILLE	51
38	BX 28	WARNECOURT	08
12	BL 16	WARNETON	59
35	BJ 28	WARSY	80
35	BJ 27	WARVILLERS	80
38	BV 29	WASIGNY	08
22	BN 22	WASNES AU BAC	59
12	BM 17	WASQUEHAL	59
63	CS 39	WASSELONNE	C 67
85	CQ 46	WASSERBOURG	68
23	BQ 25	WASSIGNY	C 02
81	CA 41	WASSY	C 52
10	BD 16	WAST, LE	62
24	BU 26	WATIGNY	02
60	CE 34	WATRONVILLE	55
11	BF 16	WATTEN	59
12	BL 18	WATTIGNIES	59
23	BS 23	WATTIGNIES LA VICTOIRE	59
12	BN 17	WATTRELOS	59
105	CR 48	WATTWILLER	68
35	BH 30	WAVIGNIES	60
61	CH 35	WAVILLE	54
11	BF 17	WAVRANS SUR L'AA	62
11	BG 20	WAVRANS SUR TERNOISE	62
23	BO 21	WAVRECHAIN SOUS DENAIN	59
22	BN 22	WAVRECHAIN SOUS FAULX	59
40	CD 32	WAVRILLE	55
12	BL 18	WAVRIN	59
22	BM 21	WAZIERS	59
85	CT 46	WECKOLSHEIM	68
104	CP 48	WEGSCHEID	68
63	CS 36	WEINBOURG	67
63	CQ 36	WEISLINGEN	67
64	CU 37	WEITBRUCH	67
63	CR 36	WEITERSWILLER	67
35	BI 29	WELLES PERENNES	60
11	BH 16	WEMAERS CAPPEL	59
105	CT 51	WENTZWILLER	68
105	CS 51	WERENTZHOUSE	68
12	BL 16	WERVICQ SUD	59
11	BI 15	WEST CAPPEL	59
85	CR 46	WESTHALTEN	68
63	CS 39	WESTHOFFEN	67
85	CT 41	WESTHOUSE	67
63	CS 38	WESTHOUSE MARMOUTIER	67
11	BH 19	WESTREHEM	62
85	CR 45	WETTOLSHEIM	68
62	CQ 37	WEYER	67
64	CV 38	WEYERSHEIM	67
85	CS 45	WICKERSCHWIHR	68
64	CT 37	WICKERSHEIM WILSHAUSEN	67
10	BE 18	WICQUINGHEM	62
12	BK 19	WICRES	59
10	BC 18	WIDEHEM	62
85	CT 45	WIDENSOLEN	68
23	BQ 26	WIEGE FATY	02
21	BI 27	WIENCOURT L'EQUIPEE	80
10	BD 18	WIERRE AU BOIS	62
10	BC 16	WIERRE EFFROY	62
63	CQ 34	WIESVILLER	57
24	BS 25	WIGNEHIES	59
38	BX 29	WIGNICOURT	08
85	CR 45	WIHR AU VAL	68
84	CP 46	WILDENSTEIN	68
85	CQ 41	WILDERSBACH	67
21	BF 21	WILLEMAN	62
12	BN 18	WILLEMS	59
21	BF 22	WILLENCOURT	62
105	CS 51	WILLER	68
105	CQ 48	WILLER SUR THUR	68
60	CD 39	WILLERONCOURT	55
22	BK 21	WILLERVAL	62
62	CP 35	WILLERWALD	57
64	CT 38	WILLGOTTHEIM	67
40	CC 28	WILLIERS	08
24	BT 23	WILLIES	59
64	CT 38	WILWISHEIM	67
10	BB 16	WIMEREUX	62
10	BB 16	WIMILLE	62
63	CS 36	WIMMENAU	67
23	BS 25	WIMY	02
64	CU 35	WINDSTEIN	67
64	CU 34	WINGEN	67
63	CR 36	WINGEN SUR MODER	67
64	CT 38	WINGERSHEIM	67
12	BK 19	WINGLES	C 62
105	CS 52	WINKEL	68
11	BI 15	WINNEZEELE	59
63	CQ 37	WINTERSBOURG	57
64	CU 37	WINTERSHOUSE	67
64	CX 35	WINTZENBACH	67
85	CR 45	WINTZENHEIM	C 68
64	CS 39	WINTZENHEIM KOCHERSBERG	67
10	BC 17	WIRWIGNES	62
20	BD 25	WIRY AU MONT	80
63	CR 40	WISCHES	67
85	CQ 43	WISEMBACH	88
39	CB 31	WISEPPE	55
11	BF 18	WISMES	62
11	BG 17	WISQUES	62
10	BC 15	WISSANT	62
64	CV 34	WISSEMBOURG	S 67
37	BO 30	WISSIGNICOURT	02
55	BG 39	WISSOUS	91
38	BT 33	WITRY LES REIMS	51
105	CR 48	WITTELSHEIM	68
105	CS 48	WITTENHEIM	C 68
11	BH 18	WITTERNESSE	62
85	CU 42	WITTERNHEIM	67
105	CR 50	WITTERSDORF	68
64	CT 37	WITTERSHEIM	67
11	BH 17	WITTES	62
85	CU 43	WITTISHEIM	67
62	CQ 34	WITTRING	57
64	CT 39	WIWERSHEIM	67
11	BG 17	WIZERNES	62
60	CF 35	WOEL	55
63	CQ 34	WOELFLING LES SARREGUEMINES	57
64	CU 35	WOERTH	C 67
20	BA 24	WOIGNARUE	80
60	CD 36	WOIMBEY	55
20	BB 24	WOINCOURT	80
41	CI 34	WOIPPY	C 57
20	BD 25	WOIREL	80
105	CQ 50	WOLFERSDORF	68
85	CT 46	WOLFGANTZEN	68
64	CU 39	WOLFISHEIM	67
62	CP 36	WOLFSKIRCHEN	67
63	CS 38	WOLSCHHEIM	67
105	CS 52	WOLSCHWILLER	68
64	CT 40	WOLXHEIM	67
11	BH 15	WORMHOUT	C 59
62	CO 34	WOUSTVILLER	57
105	CR 47	WUENHEIM	68
62	CM 37	WUISSE	57
11	BG 16	WULVERDINGHE	59
54	BD 35	WY DIT JOLI VILLAGE	95
11	BI 15	WYLDER	59
		X	
84	CM 42	XAFFEVILLERS	88
183	AQ 89	XAINTRAILLES	47
125	AL 64	XAINTRAY	79
140	AP 71	XAMBES	16
60	CG 36	XAMMES	54
84	CM 45	XAMONTARUPT	88
62	CM 38	XANREY	57
125	AJ 64	XANTON CHASSENON	85
83	CJ 42	XARONVAL	88
61	CL 40	XERMAMENIL	54
83	CL 46	XERTIGNY	C 88
61	CI 40	XEUILLEY	54
83	CJ 42	XIROCOURT	54
60	CF 37	XIVRAY ET MARVOISIN	55
40	CF 32	XIVRY CIRCOURT	54
61	CK 36	XOCOURT	57
84	CP 45	XONRUPT LONGEMER	88
60	CG 35	XONVILLE	54

Page	Carreau	Commune	Adm.	Dpt
62	CP 38	XOUAXANGE		57
62	CN 39	XOUSSE		54
62	CM 39	XURES		54
		Y		
22	BL 27	Y		80
33	AW 31	YAINVILLE		76
20	BE 24	YAUCOURT BUSSUS		80
181	AG 88	YCHOUX		40
158	BH 77	YDES		15
32	AT 29	YEBLERON		76
56	BJ 40	YEBLES		77
149	CH 72	YENNE	C	73
76	BB 41	YERMENONVILLE		28
55	BI 39	YERRES	C	91
33	AW 28	YERVILLE	C	76
77	BG 45	YEVRE LA VILLE		45
75	AY 45	YEVRES		28
80	BW 42	YEVRES LE PETIT		10
69	V 41	YFFINIAC		22
181	AI 92	YGOS SAINT SATURNIN		40
131	BL 63	YGRANDE		03
33	AY 32	YMARE		76
76	BC 41	YMERAY		28
76	BC 44	YMONVILLE		28
172	BI 81	YOLET		15
39	CA 29	YONCQ		08
20	BD 24	YONVAL		80
144	BK 68	YOUX		63
32	AS 28	YPORT		76
32	AT 28	YPREVILLE BIVILLE		76
33	AZ 29	YQUEBEUF		76
49	AE 37	YQUELON		50
145	BO 74	YRONDE ET BURON		63
100	BT 49	YROUERRE		89
145	BM 70	YSSAC LA TOURETTE		63
156	AZ 78	YSSANDON		19
160	BV 79	YSSINGEAUX	S	43
172	BH 81	YTRAC		15
22	BL 24	YTRES		62
41	CJ 31	YUTZ	C	57
33	AV 28	YVECRIQUE		76
39	BX 28	YVERNAUMONT		08
126	AQ 62	YVERSAY		86
138	AG 69	YVES		17
51	AN 39	YVETEAUX, LES		61
33	AV 29	YVETOT	C	76
29	AF 30	YVETOT BOCAGE		50
47	T 38	YVIAS		22
154	AO 77	YVIERS		16
70	Z 42	YVIGNAC LA TOUR		22
33	AW 31	YVILLE SUR SEINE		76
136	CL 65	YVOIRE		74
96	BD 51	YVOY LE MARRON		41
167	AK 82	YVRAC		33
141	AS 72	YVRAC ET MALLEYRAND		16
50	AK 39	YVRANDES		61
93	AQ 49	YVRE LE POLIN		72
74	AR 47	YVRE L'EVEQUE		72
20	BE 23	YVRENCH		80
20	BE 23	YVRENCHEUX		80
20	BB 24	YZENGREMER		80
109	AJ 58	YZERNAY		49
147	BY 72	YZERON		69
131	BO 63	YZEURE	C	03
127	AV 60	YZEURES SUR CREUSE		37
21	BF 25	YZEUX		80
197	AG 94	YZOSSE		40
		Z		
105	CS 50	ZAESSINGUE		68
229	DN 108	ZALANA		2B
62	CM 36	ZARBELING		57
11	BH 15	ZEGERSCAPPEL		59
63	CS 38	ZEHNACKER		67
64	CS 38	ZEINHEIM		67
85	CS 44	ZELLENBERG		68
85	CT 42	ZELLWILLER		67
11	BH 16	ZERMEZEELE		59
231	DK 114	ZERUBIA		2A
62	CP 34	ZETTING		57
229	DK 113	ZEVACO		2A
229	DL 112	ZICAVO	C	2A
230	DK 113	ZIGLIARA		2A
226	DJ 106	ZILIA		2B
63	CQ 37	ZILLING		57
105	CS 49	ZILLISHEIM		68
85	CR 45	ZIMMERBACH		68
105	CS 49	ZIMMERSHEIM		68
42	CL 34	ZIMMING		57
83	CL 43	ZINCOURT		88
64	CT 36	ZINSWILLER		67
63	CR 36	ZITTERSHEIM		67
64	CS 37	ZOEBERSDORF		67
62	CN 37	ZOMMANGE		57
231	DM 114	ZONZA		2A
10	BD 18	ZOTEUX		62
11	BE 16	ZOUAFQUES		62
41	CI 30	ZOUFFTGEN		57
231	DL 115	ZOZA		2A
229	DM 108	ZUANI		2B
11	BF 17	ZUDAUSQUES		62
11	BE 15	ZUTKERQUE		62
4	BH 13	ZUYDCOOTE		59
11	BH 16	ZUYTPEENE		59

BELGIQUE

Administratif :
S Chef-Lieu d'Arrondissement
P Chef-Lieu de Province

Page	Carreau	Commune	Adm.
		A	
14	BT 14	AALST (ALOST)	S
6	BO 13	AALTER	
40	CG 28	AARLEN (ARLON)	P
8	BY 14	AARSCHOT	
7	BV 12	AARTSELAAR	
13	BR 18	AAT (ATH)	S
14	BX 20	AISEAU PRESLES	
15	CB 15	ALKEN	
14	BT 14	ALOST (AALST)	S
5	BJ 14	ALVERINGEM	
15	CC 18	AMAY	
17	CI 20	AMBLEVE (AMEL)	
17	CI 20	AMEL (AMBLEVE)	
13	BP 17	AMOUGIES	
15	CA 19	ANDENNE	
14	BU 15	ANDERLECHT	
14	BU 20	ANDERLUES	
25	BY 21	ANHEE	
16	CD 17	ANS	
16	CD 19	ANTHISNES	
13	BO 18	ANTOING	
7	BU 11	ANTWERPEN (ANVERS)	P
7	BU 11	ANVERS (ANTWERPEN)	P
13	BO 16	ANZEGEM	
12	BN 14	ARDOOIE	
8	CA 10	ARENDONK	
40	CG 28	ARLON (AARLEN)	P
9	CD 13	AS	
14	BT 15	ASSE	
6	BQ 11	ASSENEDE	
15	BZ 20	ASSESSE	
13	BR 18	ATH (AAT)	S
40	CF 27	ATTERT	
40	CF 29	AUBANGE	
16	CF 16	AUBEL	
13	BQ 15	AUDENARDE (OUDENAARDE)	S
14	BV 16	AUDERGHEM (OUDERGEM)	
23	BQ 21	AUTREPPE	
13	BO 16	AVELGEM	
16	CC 17	AWANS	
16	CE 19	AYWAILLE	
		B	
8	BZ 9	BAARLE HERTOG (BAERLE DUC)	
16	CG 17	BAELEN	
8	BZ 9	BAERLE DUC (BAARLE HERTOG)	
8	CA 11	BALEN	
16	CD 16	BASSENGE (BITSINGEN)	
26	CF 24	BASTENAKEN (BASTOGNE)	S
26	CF 24	BASTOGNE (BASTENAKEN)	S
24	BU 22	BEAUMONT	
25	BZ 23	BEAURAING	
15	BY 16	BEAUVECHAIN (BEVEKOM)	
5	BN 12	BEERNEM	
8	BY 10	BEERSE	
14	BU 16	BEERSEL	
8	BX 13	BEGIJNENDIJK	
15	BZ 14	BEKKEVOORT	
13	BQ 19	BELOEIL	
7	BV 11	BERCHEM	
14	BU 15	BERCHEM SAINTE AGATHE (SINT AGATHA BERCHEM)	
13	BS 20	BERGEN (MONS)	P
8	CA 13	BERINGEN	
7	BX 12	BERLAAR	
6	BS 13	BERLARE	
15	CB 17	BERLOZ	
13	BQ 20	BERNISSART	
14	BW 15	BERTEM	
26	CE 23	BERTOGNE	
25	CB 26	BERTRIX	
15	BY 16	BEVEKOM (BEAUVECHAIN)	
13	BS 17	BEVER (BIEVENE)	
12	BN 15	BEVEREN	
7	BU 11	BEVEREN (WAAS)	
16	CE 17	BEYNE HEUSAY	
15	BY 15	BIERBEEK	
13	BS 17	BIEVENE (BEVER)	
25	CA 25	BIEVRE	
16	CD 15	BILZEN	
14	BT 20	BINCHE	
16	CD 16	BITSINGEN (BASSENGE)	
5	BM 10	BLANKENBERGE	
16	CF 17	BLEGNY	
13	BO 19	BLEHARIES	
9	CD 11	BOCHOLT	
7	BW 12	BOECHOUT	
14	BX 19	BOIGNEE	
7	BW 13	BONHEIDEN	
14	BV 19	BONS VILLERS, LES	
7	BV 13	BOOM	
7	BW 14	BOORTMEERBEEK	
7	BV 11	BORGERHOUT	
16	CC 16	BORGLOON (LOOZ)	
15	CB 17	BORGWORM (WAREMME)	S
7	BU 13	BORNEM	
7	BV 11	BORSBEEK	
25	CA 27	BOUILLON	
8	CA 12	BOURG LEOPOLD (LEOPOLDSBURG)	
13	BR 20	BOUSSU	
15	BY 15	BOUTERSEM	
26	CG 22	BOVIGNY (GOUVY)	
14	BV 17	BRAINE L'ALLEUD (EIGENBRAKEL)	
14	BU 17	BRAINE LE CHATEAU (KASTEELBRAKEL)	
14	BT 18	BRAINE LE COMTE ('S GRAVENBRAKEL)	
15	CA 18	BRAIVES	
13	BR 16	BRAKEL	
7	BW 10	BRASSHAAT	
7	BX 10	BRECHT	
5	BL 11	BREDENE	
9	CD 12	BREE	
13	BR 18	BRUGELETTE	
5	BM 11	BRUGES (BRUGGE)	P
5	BM 11	BRUGGE (BRUGES)	P
13	BO 19	BRUNEHAUT	
14	BU 15	BRUSSEL (BRUXELLES)	P
14	BU 15	BRUXELLES (BRUSSEL)	P
7	BT 14	BUGGENHOUT	
17	CI 20	BULLANGE (BUTGENBACH/BULLINGEN)	
17	CI 20	BULLINGEN (BUTGENBACH/BULLANGE)	
15	CA 18	BURDINNE	
27	CH 22	BURG REULAND	
17	CI 20	BUTGENBACH (BULLINGEN/BULLANGE)	
		C	
13	BO 17	CELLES (Les Tournai)	
24	BV 23	CERFONTAINE	
14	BU 20	CHAPELLE LEZ HERLAIMONT	
14	BV 20	CHARLEROI	S
14	BX 18	CHASTRE	
14	BW 20	CHATELET	
16	CE 18	CHAUDFONTAINE	
15	BX 17	CHAUMONT GISTOUX	
13	BR 18	CHIEVRES	
24	BV 24	CHIMAY	
40	CC 27	CHINY	
25	CA 21	CINEY	
16	CC 20	CLAVIER	
13	BR 20	COLFONTAINE	
16	CD 19	COMBLAIN AU PONT	
12	BL 16	COMINES (KOMEN)	
14	BV 20	COURCELLES	
14	BW 17	COURT SAINT ETIENNE	
12	BN 16	COURTRAI (KORTRIJK)	S
24	BW 24	COUVIN	
16	CC 16	CRISNEE	
		D	
16	CE 16	DALHEM	
5	BN 11	DAMME	
25	CA 24	DAVERDISSE	
5	BL 11	DE HAAN	
4	BI 13	DE PANNE (LA PANNE)	
6	BP 14	DE PINTE	
13	BO 15	DEERIJK	
6	BP 14	DEINZE	
14	BT 15	DENDERLEEUW	
7	BS 13	DENDERMONDE (TERMONDE)	S
13	BO 14	DENTERGEM	
8	CA 11	DESSEL	
6	BQ 13	DESTELBERGEN	
7	BV 11	DEURNE (Antwerpen)	
16	CC 14	DIEPENBEEK	
8	CA 14	DIEST	
5	BK 13	DIKSMUIDE (DIXMUDE)	S
14	BU 15	DILBEEK	
9	CE 13	DILSEN	
25	BZ 22	DINANT	S
16	CG 18	DISON	
5	BK 13	DIXMUDE (DISKMUIDE)	S
25	BY 23	DOISCHE	
15	CB 17	DONCEEL	
12	BN 18	DOORNIK (TOURNAI)	S
13	BR 20	DOUR	
14	BU 16	DROGENBOS	
7	BW 12	DUFFEL	
26	CC 21	DURBUY	
		E	
14	BT 18	ECAUSSINNES	
7	BV 12	EDEGEM	
14	BS 17	EDINGEN (ENGHIEN)	
6	BP 12	EEKLO	S
15	BY 18	EGHEZEE	
14	BV 17	EIGENBRAKEL (BRAINE L'ALLEUD)	
7	BV 11	EKERREN	
13	BQ 17	ELLEZELLES (ELZELE)	
14	BV 16	ELSENE (IXELLES)	
13	BQ 17	ELZELE (ELLEZELLES)	
14	BS 17	ENGHIEN (EDINGEN)	
16	CC 18	ENGIS	
26	CD 21	EREZEE	
13	BS 15	ERPE MERE	
24	BT 21	ERQUELINNES	
16	CD 19	ESNEUX	
13	BO 17	ESPIERRES HELCHIN (SPIERE HELKIJN)	
7	BV 8	ESSEN	
12	BN 17	ESTAIMPUIS	
14	BT 20	ESTINNES	
14	BT 20	ESTINNES AU MONT	
40	CE 28	ETALLE	
13	BQ 16	ETIKHOVE	
14	BV 15	ETTERBEEK	
17	CH 17	EUPEN	
14	BV 15	EVERE	
6	BQ 12	EVERGEM	
		F	
15	CB 17	FAIMES	
14	BW 20	FARCIENNES	
26	CE 26	FAUVILLERS	
15	BZ 18	FERNELMONT	
16	CE 20	FERRIERES	
16	CC 17	FEXHE LE HAUT CLOCHER	
16	CD 16	FEXHE SLINS	
16	CD 18	FLEMALLE	
16	CE 17	FLERON	
14	BW 19	FLEURUS	
13	BQ 17	FLOBECQ (VLOESBERG)	
15	BY 20	FLOREFFE	
24	BX 22	FLORENNES	
40	CC 28	FLORENVILLE	
14	BU 20	FONTAINE L'EVEQUE	
14	BV 16	FOREST (VORST)	
15	BX 20	FOSSES LA VILLE	
16	CF 16	FOURONS (VOEREN)	
13	BS 20	FRAMERIES	
13	BQ 17	FRASNES LEZ ANVAING	
13	BQ 17	FRASNES LEZ BUISSENAL	
14	BV 19	FRASNES LEZ GOSSELIES	
24	BV 23	FROIDCHAPELLE	
4	BJ 13	FURNES (VEURNE)	S
		G	
13	BS 16	GALMAARDEN (GAMMERAGES)	
13	BS 16	GAMMERAGES (GALMAARDEN)	
6	BQ 13	GAND (GENT)	P
14	BU 15	GANSHOREN	
13	BQ 14	GAVERE	
25	BZ 25	GEDINNE	
8	BZ 11	GEEL	
15	CA 17	GEER	
15	CA 15	GEETBETS	
15	BY 17	GELDENAKEN (JODOIGNE)	
15	BX 18	GEMBLOUX SUR ORNEAU	
14	BV 18	GENAPPE (GENEPIEN)	
14	BV 18	GENEPIEN (GENAPPE)	
9	CD 14	GENK	
6	BQ 13	GENT (GAND)	P
13	BR 16	GERAARDSBERGEN (GRAMMONT)	
24	BW 21	GERPINNES	
15	CA 20	GESVES	
15	CA 16	GINGELOM	
5	BL 12	GISTEL	
24	BS 21	GIVRY	
16	CD 16	GLAAIEN (GLONS)	
15	BZ 15	GLABBEEK ZUURBEMDE	
16	CD 16	GLONS (GLAAIEN)	
15	BZ 16	GOETSENHOVEN (GOSSONCOURT)	
14	BT 16	GOOIK	
15	BZ 16	GOSSONCOURT (GOETSENHOVEN)	
26	CG 22	GOUVY (BOVIGNY)	
16	CD 17	GRACE HOLLOGNE	
13	BS 16	GRAMMONT (GERAARSBERGEN)	
15	BX 16	GRAVEN (GREZ DOICEAU)	
15	BX 16	GREZ DOICEAU (GRAVEN)	
14	BV 14	GRIMBERGEN	
8	BX 11	GROBBENDONK	
		H	
7	BX 14	HAACHT	
13	BS 15	HAALTERT	
40	CE 28	HABAY	
14	BU 17	HAL (HALLE)	S
15	CA 14	HALEN	
14	BU 17	HALLE (HAL)	S
8	CA 12	HAM	
24	BV 21	HAM SUR HEURE NALINNES	
7	BT 13	HAMME (Durme)	
16	CD 20	HAMOIR	
25	CA 21	HAMOIS	
9	CD 11	HAMONT ACHEL	
15	CA 17	HANNUIT (HANNUT)	
15	CA 17	HANNUT (HANNUIT)	
12	BN 15	HARELBEKE	
15	CB 14	HASSELT	P
25	BY 22	HASTIERE	
15	CB 20	HAVELANGE	
8	CB 12	HECHTEL EKSEL	
15	CC 16	HEERS	
8	BX 13	HEIST OP DEN BERG	
14	BT 15	HEKELGEM	
15	BZ 16	HELECINE	
7	BU 12	HEMIKSEM	
13	BQ 20	HENSIES	
25	CB 27	HERBEUMONT	
14	BX 14	HERENT	
8	BY 11	HERENTALS	
8	BX 12	HERENTHOUT	
15	CA 14	HERK DE STAD (HERK LA VILLE)	
15	CA 14	HERK LA VILLE (HERK DE STAD)	
14	BS 17	HERNE	
15	CA 18	HERON	
8	BY 13	HERSELT	
16	CE 17	HERSTAL	
16	CC 16	HERSTAPPE	
16	CF 17	HERVE	
13	BR 15	HERZELE	
8	CB 13	HEUSDEN ZOLDER	
12	BK 16	HEUVELLAND	
7	BV 12	HOBOKEN	
15	BY 16	HOEGAARDEN	
15	CB 19	HOEI (HUY)	S
14	BW 16	HOEILAART	
16	CD 15	HOELSELT	
15	BX 14	HOLSBEEK	
23	BQ 21	HONNELLES	
12	BL 14	HOOGLEDE	
8	BX 9	HOOGSTRATEN	
13	BQ 16	HOREBEKE	
26	CC 21	HOTTON	
26	CF 23	HOUFFALIZE	
9	CC 13	HOUTALEN HELCHTEREN	
12	BL 14	HOUTHULST	
25	CA 23	HOUYET	
7	BV 12	HOVE	
14	BW 16	HULDENBERG	
8	BY 13	HULSHOUT	
15	CB 19	HUY (HOEI)	S
		I	
5	BL 13	ICHTEGEM	
12	BK 15	IEPER (YPRES)	S
15	BY 17	INCOURT	
12	BN 15	INGELMUNSTER	
14	BU 17	ITTER (ITTRE)	
14	BU 17	ITTRE (ITTER)	
14	BV 16	IXELLES (ELSENE)	
12	BN 15	IZEGEM	
		J	
5	BM 12	JABBEKE	
16	CG 18	JALHAY	
14	BX 19	JEMEPPE SUR SAMBRE	
14	BU 15	JETTE	
15	CB 16	JEUK (GOYER)	
15	BY 17	JODOIGNE (GELDENAKEN)	
16	CD 17	JUPRELLE	
13	BS 19	JURBEKE (JURBISE)	
		K	
7	BV 9	KALMTHOUT	
14	BW 14	KAMPENHOUT	
7	BV 13	KAPELLE OP DEN BOS	
7	BV 10	KAPELLEN (Antwerpen)	
6	BP 11	KAPRIJKE	
14	BU 17	KASTEELBRAKEL (BRAINE LE CHÂTEAU)	
8	BZ 11	KASTERLEE	
7	BX 13	KEERBERGEN	
16	CG 16	KELMIS (LA CALAMINE)	
12	BK 16	KEMMEL	
9	CE 12	KINROOI	
13	BP 16	KLUISBERGEN	
6	BO 12	KNESSELARE	
5	BN 10	KNOKKE HEIST	
5	BL 13	KOEKELARE	
14	BU 15	KOELKEBERG	
4	BJ 13	KOKSIJDE	
12	BL 16	KOMEN (COMINES)	
7	BV 12	KONTICH	
5	BL 13	KORTEMARK	
15	CA 14	KORTENAKEN	
14	BW 15	KORTENBERG	
16	CC 15	KORTESSEM	
12	BN 16	KORTRIJK (COURTRAI)	S
14	BV 15	KRAAINEM	
7	BU 12	KRUIBEKE	
13	BP 15	KRUISHOUTEM	
12	BN 15	KUURNE	
8	CA 12	KWAADMECHELEN	
		L	
15	BY 19	LA BRUYERE	
16	CG 16	LA CALAMINE (KELMIS)	
14	BV 17	LA HULPE (TERHULPEN)	
4	BI 13	LA PANNE (DE PANNE)	
26	CD 22	LA ROCHE EN ARDENNE	
8	BZ 13	LAAKDAL	
6	BR 13	LAARNE	
16	CE 14	LANAKEN	
15	CA 16	LANDEN	
12	BK 15	LANGEMARK POELKAPELLE	
14	BW 17	LASNE	
14	BT 19	LE ROEULX	
15	CA 15	LEAU (ZOUTLEEUW)	
7	BT 14	LEBBEKE	
13	BS 14	LEDE	
12	BM 15	LEDEGEM	
26	CE 27	LEGLISE	
12	BN 15	LENDELEDE	
14	BT 16	LENNIK	
13	BR 19	LENS	
8	CB 12	LEOPOLDSBURG (BOURG LEOPOLD)	
13	BR 17	LESSEN (LESSINES)	
13	BR 17	LESSINES (LESSEN)	
14	BX 15	LEUVEN (LOUVAIN)	S
13	BQ 18	LEUZE EN HAINAUT	
25	CC 25	LIBIN	
26	CC 25	LIBRAMONT CHEVIGNY	
5	BM 13	LICHTERVELDE	
14	BT 15	LIEDEKERKE	
16	CE 17	LIEGE (LUIK)	P
7	BW 12	LIER (LIERRE)	
13	BR 16	LIERDE	
26	CF 21	LIERNEUX	
7	BW 12	LIERRE (LIER)	
15	CA 17	LIJSEM (LINCENT)	
8	BY 11	LILLE	
16	CG 17	LIMBOURG (LIMBURG)	
15	CA 17	LINCENT (LIJSEM)	
14	BV 16	LINKEBEEK	
7	BW 12	LINT	
15	BZ 15	LINTER	
12	BJ 14	LO RENINGE	
24	BU 21	LOBBES	
6	BR 13	LOCHRISTI	
6	BS 13	LOKEREN	
8	CB 11	LOMMEL	
7	BU 14	LONDERZEEL	
16	CG 17	LONTZEN	
14	BX 15	LOUVAIN (LEUVEN)	P
14	BU 19	LOUVIERE, LA	
6	BP 13	LOVENDEGEM	
15	BY 15	LUBBEEK	
16	CE 17	LUIK (LIEGE)	P
8	CB 14	LUMMEN	
		M	
13	BQ 16	MAARKEDAL	
9	CE 12	MAASEIK	S
9	CE 14	MAASMECHELEM	
14	BV 15	MACHELEN (Brussel)	
6	BO 11	MALDEGEM	
7	BV 13	MALINES (MECHELEN)	S
7	BX 10	MALLE	
17	CH 20	MALMEDY	
14	BU 19	MANAGE	
26	CE 21	MANHAY	
26	CC 22	MARCHE EN FAMENNE	
15	CB 19	MARCHIN	
26	CF 26	MARTELANGE	
7	BV 13	MECHELEN (MALINES)	S
8	CA 12	MEERHOUT	
9	CD 12	MEEUWEN GRUITRODE	
14	BU 14	MEISE	
40	CD 29	MEIX DEVANT VIRTON	
6	BR 14	MELLE	
12	BM 16	MENEN (MENIN)	
24	BT 21	MERBES LE CHATEAU	
14	BU 14	MERCHTEM	
6	BQ 14	MERELBEKE	
7	BV 11	MERKSEM	
8	BY 9	MERKSPLAS	
12	BL 16	MESEN (MESSINES)	
40	CF 29	MESSANCY	
12	BL 16	MESSINES (MESEN)	
24	BX 21	METTET	
12	BN 14	MEULEBEKE	
5	BK 12	MIDDELKERKE	
15	CB 20	MODAVE	
6	BS 12	MOERBEKE (Waas)	
12	BN 16	MOESKROEN (MOUSCRON)	S
8	CA 11	MOL	
14	BU 15	MOLENBEEK SAINT JEAN (SINT JANS MOLENBEEK)	
24	BU 24	MOMIGNIES	
13	BS 20	MONS (BERGEN)	P
13	BP 17	MONT DE L'ENCLUS	
14	BW 18	MONT SAINT GUIBERT	
24	BV 21	MONTIGNY LE TILLEUL	
12	BL 15	MOORSLEDE	
14	BU 20	MORLANWELZ	
7	BV 12	MORTSEL	
12	BN 16	MOUSCRON (MOESKROEN)	S
13	BQ 15	MUNKZWALM	
40	CF 29	MUSSON	
		N	
15	BY 19	NAMEN	P
15	BY 19	NAMUR (NAMEN)	P
16	CC 19	NANDRIN	
26	CC 23	NASSOGNE	
13	BP 14	NAZARETH	
13	BR 16	NEDERBRAKEL	

Page	Carreau	Commune	Adm.
15	BZ 16	NEERHEYLISSEM	
15	BZ 15	NEERLINTER	
9	CC 11	NEERPELT	
26	CD 26	NEUFCHATEAU	S
16	CD 19	NEUPRE	
6	BP 13	NEVELE	
7	BU 12	NIEL	
5	BJ 12	NIEUPORT (NIEUWPOORT)	
15	CB 15	NIEUWERKERKEN (Saint Truiden)	
5	BJ 12	NIEUWPOORT (NIEUPORT)	
7	BX 12	NIJLEN	
14	BU 18	NIJVEL (NIVELLES)	S
14	BS 15	NINOVE	
24	BW 24	NISMES (VIROINVAL)	
14	BU 18	NIVELLES (NIJVEL)	S
15	BZ 18	NOVILLE LEZ BOIS	
		O	
16	CC 16	OERLE (OREYE)	
15	CA 20	OHEY	
8	BY 12	OLEN	
16	CF 18	OLNE	
25	BY 22	ONHAYE	
5	BK 11	OOSTENDE (OSTENDE)	S
13	BQ 14	OOSTERZELE	
5	BN 12	OOSTKAMP	
12	BN 15	OOSTROZEBEKE	
12	BJ 15	OOSTVLETEREM	
9	CD 13	OPGLABBEEK	
14	BU 14	OPWIJK	
13	BS 17	OPZULLIK (SILLY)	
16	CC 16	OREYE (OERLE)	
15	BZ 17	ORP JAUCHE	
15	BZ 17	ORP LE GRAND	
5	BK 11	OSTENDE (OOSTENDE)	S
14	BW 17	OTTIGNIES LOUVAIN LA NEUVE	
14	BX 15	OUD HEVERLEE	
8	BZ 10	OUD TURNHOUT	
13	BP 15	OUDENAARDE (AUDENARDE)	S
5	BL 12	OUDENBURG	
14	BV 16	OUDERGEM (AUDERGHEM)	
16	CD 19	OUFFET	
16	CE 17	OUPEYE	
14	BW 16	OVERIJSE	
9	CC 11	OVERPELT	
		P	
25	CA 26	PALISEUL	
13	BR 20	PATURAGES	
12	BN 17	PECQ	
9	CC 12	PEER	
14	BT 16	PEPINGEN	
16	CF 18	PEPINSTER	
13	BP 19	PERUWELZ	
15	BY 18	PERWEZ (PERWIJS)	
24	BW 22	PHILIPPEVILLE	S
5	BN 14	PITTEM	
16	CG 16	PLOMBIERES	
14	BV 19	PONT A CELLES	
12	BJ 15	POPERINGE	
15	BY 20	PROFONDEVILLE	
7	BX 13	PUTTE	
7	BU 13	PUURS	
		Q	
13	BR 20	QUAREGNON	
23	BS 21	QUEVY	
13	BQ 20	QUIEVRAIN	
		R	
17	CH 17	RAEREN	
15	BZ 17	RAMILLIES	
7	BW 11	RANST	
8	BZ 9	RAVELS	
14	BT 17	REBECQ	
15	CB 17	REMICOURT	
13	BP 16	RENAIX (RONSE)	
26	CD 22	RENDEUX	
8	BZ 10	RETIE	
15	BY 19	RHISNES	
14	BV 17	RHODE SAINT GENESE (SINT GENESIUS RODE)	
16	CD 15	RIEMST	
8	BX 10	RIJKEVORSEL	
14	BW 17	RIXENSART	
25	CB 23	ROCHEFORT	
12	BM 14	ROESELARE (ROULERS)	S
13	BP 16	RONSE (RENAIX)	
14	BT 16	ROOSDAAL	
14	BX 14	ROTSELAAR	
12	BM 14	ROULERS (ROESELARE)	S
40	CD 30	ROUVROY	
6	BO 13	RUISELEDE	
12	BN 19	RUMES	
7	BV 13	RUMST	
		S	
15	CC 18	SAINT GEORGES SUR MEUSE	
13	BR 20	SAINT GHISLAIN	
14	BV 16	SAINT GILLES (SINT GILLIS)	
26	CC 24	SAINT HUBERT	
14	BV 15	SAINT JOSSE TEN NOODE (SINT JOOST TEN NODE)	
13	BQ 16	SAINT KORNELIS	
14	BT 16	SAINT KWINTENS	
40	CE 29	SAINT LEGER (EN GAUME)	
13	BR 16	SAINT MARIA	
16	CD 17	SAINT NICOLAS	
7	BT 12	SAINT NICOLAS (SINT NIKLAAS)	S
15	CA 15	SAINT TROND (SINT TRUIDEN)	
27	CI 21	SAINT VITH (SANKT VITH)	
26	CD 24	SAINTE ODE	
14	BX 20	SAMBREVILLE	
27	CI 21	SANKT VITH (SAINT VITH)	
14	BV 15	SCHAARBEEK (SCHAERBEEK)	
14	BV 15	SCHAERBEEK (SCHAARBEEK)	
7	BV 12	SCHELLE	
8	BZ 14	SCHERPENHEUVEL ZICHEM	
7	BW 11	SCHILDE	
7	BW 11	SCHOTEN	
14	BU 19	SENEFFE	
16	CD 18	SERAING	
14	BT 18	S'GRAVENBRAKEL (BRAINE LE COMTE)	
13	BS 18	SILLY (OPZULLIK)	
14	BU 15	SINT AGATHA BERCHEM (BERCHEM SAINTE AGATHE)	
7	BU 13	SINT AMANDS	
14	BV 16	SINT GENESIUS RODE (RHODE SAINT GENESE)	
14	BV 16	SINT GILLIS (SAINT GILLES)	
7	BT 11	SINT GILLIS WAAS	
14	BU 15	SINT JANS MOLENBEEK (MOLENBEEK SAINT JEAN)	
14	BV 15	SINT JOOST TEN NODE (SAINT JOSSE TEN NOODE)	
7	BW 13	SINT KATELIJNE WAVER	
14	BV 15	SINT LAMBRECHTS WOLUWE (WOLUWE SAINT LAMBERT)	
6	BP 11	SINT LAUREINS	
13	BR 15	SINT LIEVENS HOUTEM	
6	BP 13	SINT MARTENS LATEM	
7	BT 12	SINT NIKLAAS (SAINT NICOLAS)	S
14	BU 16	SINT PIETERS LEEUW	
14	BV 15	SINT PIETERS WOLUWE (WOLUWE SAINT PIERRE)	
15	CA 15	SINT TRUIDEN (SAINT TROND)	
24	BT 23	SIVRY RANCE	
14	BT 18	SOIGNIES (ZINNIK)	S
14	BW 19	SOMBREFFE	
26	CC 21	SOMME LEUZE	
16	CE 18	SOUMAGNE	
16	CG 19	SPA	
13	BO 17	SPIERE HELKIJN (ESPIERRES HELCHIN)	
16	CE 19	SPRIMONT	
7	BV 10	STABROEK	
12	BL 14	STADEN	
16	CG 20	STAVELOT	
14	BW 14	STEENOKKERZEEL	
6	BS 11	STEKENE	
16	CF 20	STOUMONT	
		T	
7	BT 12	TAMISE (TEMSE)	
25	CB 24	TELLIN	
7	BT 12	TEMSE (TAMISE)	
26	CD 23	TENNEVILLE	
14	BV 17	TERHULPEN (LA HULPE)	
7	BS 13	TERMONDE (DENDERMONDE)	S
14	BT 15	TERNAT	
14	BW 16	TERVUREN	
8	BZ 13	TESSENDERLO	
16	CF 18	THEUX	
16	CG 17	THIMISTER CLERMONT	
24	BU 21	THUIN	S
5	BN 14	TIELT	S
15	BZ 14	TIELT WINGE	
15	BZ 15	TIENEN (TIRLEMONT)	
16	CC 19	TINLOT	
40	CD 28	TINTIGNY	
15	BZ 16	TIRLEMONT (TIENEN)	
16	CD 16	TONGEREN (TONGRES)	S
16	CD 16	TONGRES (TONGEREN)	S
5	BM 13	TORHOUT	
12	BN 18	TOURNAI (DOORNIK)	S
7	BX 14	TREMELO	
16	CG 20	TROIS PONTS	
16	CE 18	TROOZ	
14	BU 17	TUBIZE (TUBEZE)	
8	BY 10	TURNHOUT	
		U	
14	BV 16	UCCLE (UKKEL)	
14	BV 16	UKKEL (UCCLE)	
		V	
26	CD 25	VAUX SUR SURE	
15	CB 18	VERLAINE	
16	CG 18	VERVIERS	S
4	BJ 13	VEURNE (FURNES)	S
26	CG 21	VIELSALM	
14	BW 18	VILLERS LA VILLE	
15	CB 18	VILLERS LE BOUILLET	
14	BV 14	VILVOORDE (VILVORDE)	S
24	BW 24	VIROINVAL (NISMES)	
40	CE 29	VIRTON	S
16	CE 16	VISE (WEZET)	
12	BJ 15	VLETEREN	
13	BQ 17	VLOESBERG (FLOBECQ)	
16	CF 16	VOEREN (FOURONS)	
8	BX 11	VORSELAAR	
14	BV 16	VORST (FOREST)	
8	BZ 13	VORTS	
8	BY 10	VOSSELAAR	
25	BZ 26	VRESSE SUR SEMOIS	
		W	
6	BP 12	WAARSCHOOT	
7	BT 12	WAASMUNSTER	
6	BR 12	WACHTEBEKE	
17	CH 20	WAIMES (WEISMES)	
24	BV 22	WALCOURT	
15	BX 18	WALHAIN	
15	CB 18	WANZE	
13	BO 15	WAREGEM	
15	CB 17	WAREMME (BORGWORM)	S
15	BZ 18	WASSEIGES	
14	BV 17	WATERLOO	
14	BV 16	WATERMAAL BOSVOORDE (WATERMAEL BOITSFORT)	
14	BV 16	WATERMAEL BOITSFORT (WATERMAAL BOSVOORDE)	
14	BX 17	WAVER	P
14	BX 17	WAVRE (WAVER)	P
17	CH 20	WEISMES (WAIMES)	
16	CG 17	WELKENRAEDT	
16	CC 15	WELLEN	
25	CA 24	WELLIN	
14	BU 15	WEMMEL	
12	BL 16	WERVIK	
8	BZ 13	WESTERLO	
6	BR 14	WETTEREN	
12	BM 16	WEVELGEM	
14	BW 15	WEZEMBEEK OPPEM	
16	CE 16	WEZET (VISE)	
6	BS 14	WICHELEN	
13	BO 15	WIELSBEKE	
7	BW 11	WIJNEGEM	
7	BV 13	WILLEBROEK	
7	BV 12	WILRIJK	
5	BN 13	WINGENE	
14	BV 15	WOLUWE SAINT LAMBERT (SINT LAMBRECHTS WOLUWE)	
14	BV 15	WOLUWE SAINT PIERRE (SINT PIETERS WOLUWE)	
7	BW 11	WOMMELGEM	
13	BP 15	WORTEGEM PETEGEM	
7	BW 9	WUUSTWEZEL	
		Y	
12	BK 15	YPRES (IEPER)	S
25	BZ 21	YVOIR	
		Z	
7	BX 11	ZANDHOVEN	
14	BW 15	ZAVENTEM	
5	BM 12	ZEDELGEM	
7	BS 13	ZELE	
6	BR 11	ZELZATE	
7	BV 14	ZEMST	
13	BQ 15	ZINGEM	
14	BT 18	ZINNIK (SOIGNIES)	S
8	BX 10	ZOERSEL	
6	BP 12	ZOMERGEM	
9	CC 13	ZONHOVEN	
12	BL 15	ZONNEBEKE	
13	BR 15	ZOTTEGEM	
15	CA 15	ZOUTLEEUW (LEAU)	
5	BM 11	ZUIENKERKE	
13	BO 15	ZULTE	
16	CD 14	ZUTENDAAL	
13	BQ 15	ZWALM	
12	BN 16	ZWEVEGEM	
7	BU 11	ZWIJNDRECHT	

LUXEMBOURG

Page	Carreau	Commune	Adm.
		B	
41	CG 29	BASCHARAGE	
27	CI 25	BASTENDORF	
27	CJ 26	BEAUFORT	
27	CK 27	BECH	
40	CG 27	BECKERICH	
27	CJ 26	BERDORF	
27	CH 26	BERG	
41	CH 29	BERTRANGE	
26	CG 27	BETTBORN	
41	CI 30	BETTEMBOURG	
27	CI 26	BETTENDORF	
41	CJ 28	BETZDORF	
27	CH 27	BISSEN	
41	CK 27	BIWER	
27	CH 27	BOEVANGE SUR ATTERT	
26	CG 26	BOULAIDE	
27	CH 25	BOURSCHEID	
41	CJ 29	BOUS	
41	CJ 30	BURMERANGE	
		C	
41	CH 28	CAPELLEN	C
40	CG 29	CLEMENCY	
27	CH 24	CLERVAUX	C
27	CH 26	COLMAR BERG	
27	CJ 27	CONSDORF	
27	CH 25	CONSTHUM	
41	CJ 29	CONTERN	
		D	
41	CJ 29	DALHEIM	
27	CI 26	DIEKIRCH	S
40	CG 30	DIFFERDANGE	
41	CH 29	DIPPACH	
41	CI 30	DUDELANGE	
		E	
27	CK 26	ECHTERNACH	C
26	CG 27	ELL	
27	CJ 26	ERMSDORF	
27	CH 26	ERPELDANGE (SUR SURE)	
41	CH 30	ESCH SUR ALZETTE	C
26	CG 25	ESCH SUR SURE	
26	CG 24	ESCHWEILER	
27	CH 26	ETTELBRUCK	
		F	
27	CH 26	FEULEN	
27	CI 27	FISCHBACH	
41	CJ 28	FLAXWEILER	
27	CI 25	FOUHREN	
41	CI 30	FRISANGE	
		G	
41	CH 29	GARNICH	
27	CG 25	GŒSDORF	
41	CK 28	GREVENMACHER	C
27	CH 26	GROSBOUS	
		H	
27	CJ 27	HEFFINGEN	
27	CH 26	HEIDERSCHEID	
27	CH 23	HEINERSCHEID	
41	CI 29	HESPERANGE	
40	CG 28	HOBSCHEID	
27	CH 25	HOSCHEID	
27	CH 24	HOSINGEN	
		J	
41	CJ 27	JUNGLINSTER	
		K	
27	CH 25	KAUTENBACH	
41	CH 30	KAYL	
41	CH 28	KEHLEN	
41	CH 28	KOERICH	
41	CI 28	KOPSTAL	
		L	
26	CG 25	LAC DE LA HAUTE SURE	
27	CJ 27	LAROCHETTE	
41	CJ 29	LENNINGEN	
41	CH 29	LEUDELANGE	
41	CI 27	LINTGEN	
41	CI 28	LORENTZWEILER	
41	CI 29	LUXEMBOURG	P
		M	
41	CH 28	MAMER	
41	CK 27	MANTERNACH	
27	CI 26	MEDERNACH	
27	CH 27	MERSCH	C
41	CK 28	MERTERT	
27	CH 26	MERTZIG	
27	CK 27	METZDORF	
27	CK 27	MOMPACH	
41	CH 29	MONDERCANGE	
41	CJ 30	MONDORF LES BAINS	
27	CH 24	MUNSHAUSEN	
		N	
26	CG 26	NEUNHAUSEN	
41	CJ 28	NIEDERANVEN	
27	CI 27	NOMMERN	
		O	
41	CL 30	ORSCHOLZ	
		P	
40	CG 29	PETANGE	
26	CG 27	PREIZERDAUL (BETTBORN)	
27	CI 25	PUTSCHEID	
		R	
26	CG 26	RAMBROUCH	
41	CH 29	RECKANGE SUR MESS	
26	CG 27	REDANGE SUR ATTERT	C
27	CJ 26	REISDORF	
41	CJ 30	REMERSCHEN	
41	CK 29	REMICH	C
41	CI 29	ROESER	
27	CK 26	ROSPORT	
41	CH 30	RUMELANGE	
		S	
41	CH 27	SAEUL	
41	CJ 28	SANDWEILER	
41	CH 29	SANEM	
27	CH 26	SCHIEREN	
41	CH 30	SCHIFFLANGE	
41	CJ 28	SCHUTTRANGE	
41	CG 28	SEPTFONTAINES	
41	CJ 29	STADTBREDIMUS	
41	CG 28	STEINFORT	
41	CI 28	STEINSEL	
41	CH 29	STRASSEN	
		T	
27	CG 23	TROISVIERGES	
41	CH 27	TUNTANGE	
		U	
27	CH 27	USELDANGE	
		V	
27	CI 25	VIANDEN	C
27	CH 27	VICHTEN	
		W	
26	CG 26	WAHL	
27	CJ 26	WALDBILLIG	
41	CJ 29	WALDBREDIMUS	
41	CI 28	WALFERDANGE	
41	CI 29	WEILER LA TOUR	
27	CH 23	WEISWAMPACH	
41	CJ 30	WELLENSTEIN	
26	CG 25	WILTZ	C
27	CH 24	WILWERWILTZ	
26	CG 24	WINCRANGE	
26	CG 25	WINSELER	
41	CK 28	WORMELDANGE	

MONACO

Page	Carreau	Commune	Adm.
195	CW 93	CONDAMINE, LA	
195	CW 93	MONACO	
195	CW 93	MONTE CARLO	

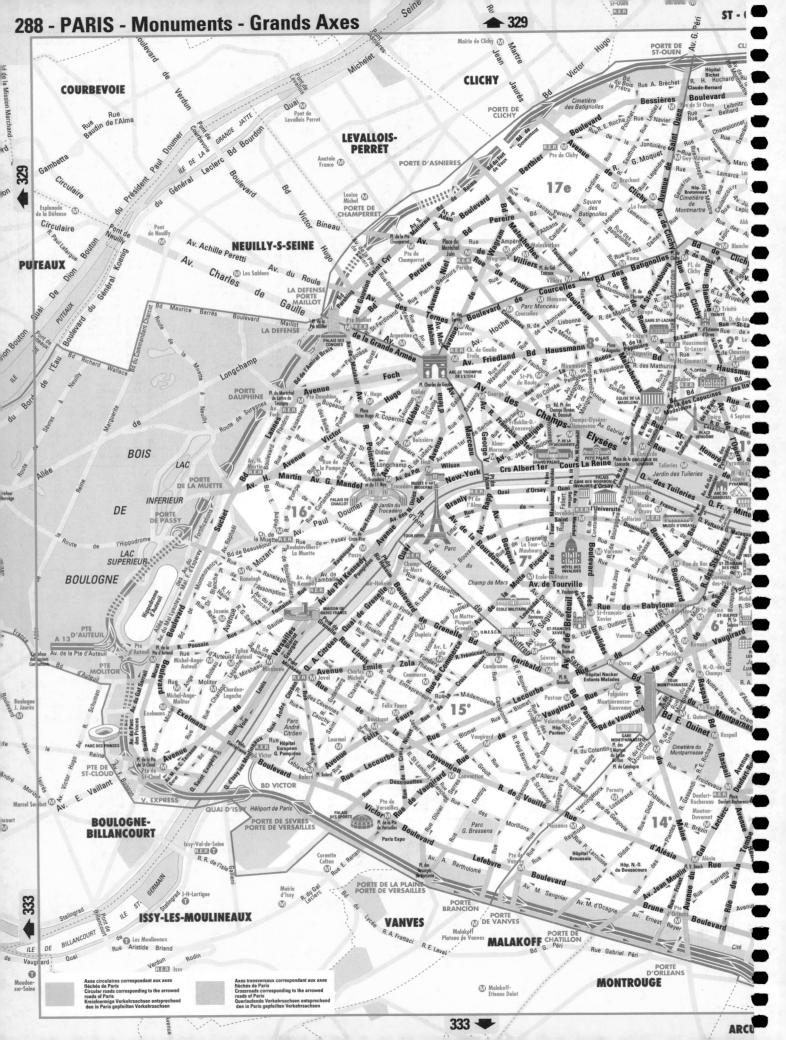

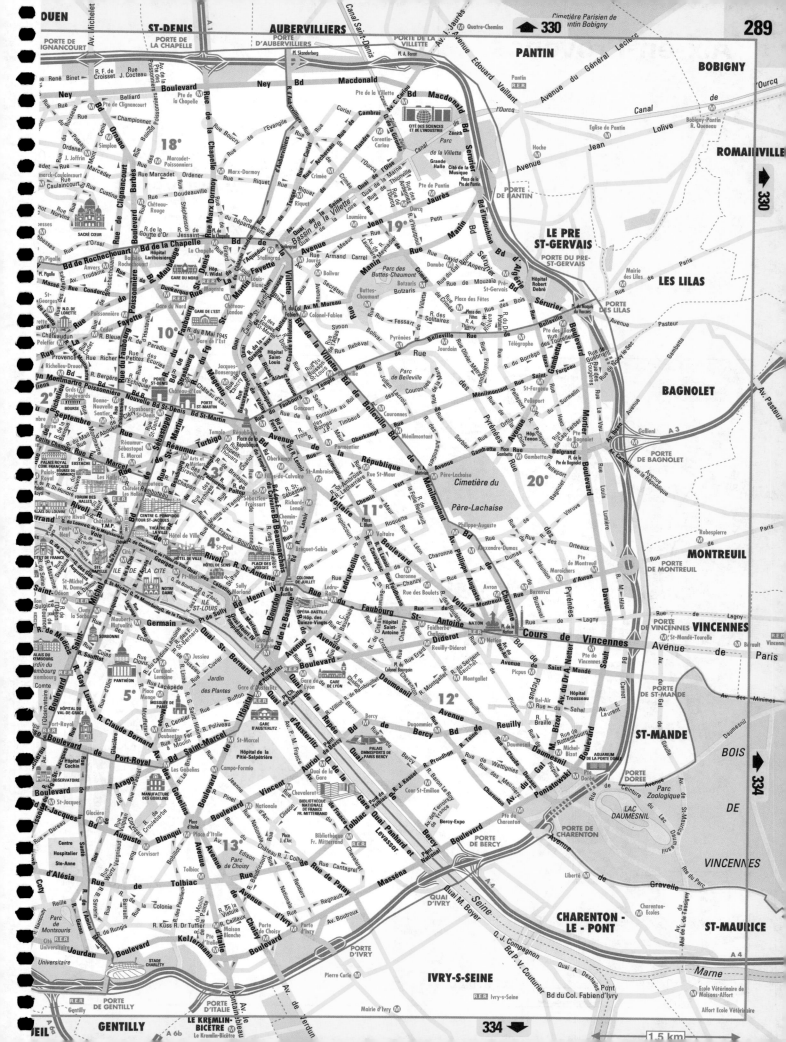

Aix-en-Provence

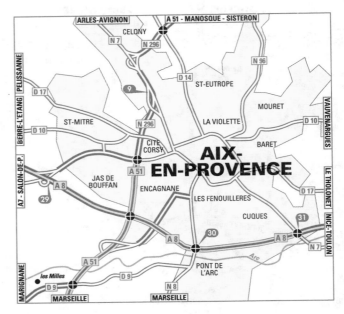

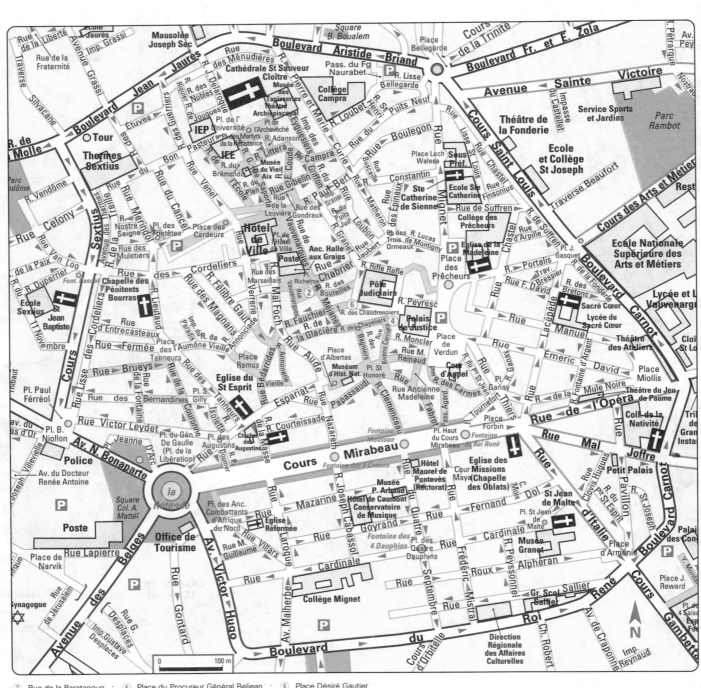

② Rue de la Baratanque ; ④ Place du Procureur Général Beljean ; ⑥ Place Désiré Gautier

Amiens

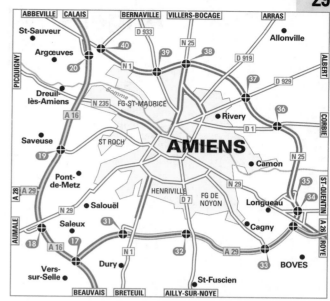

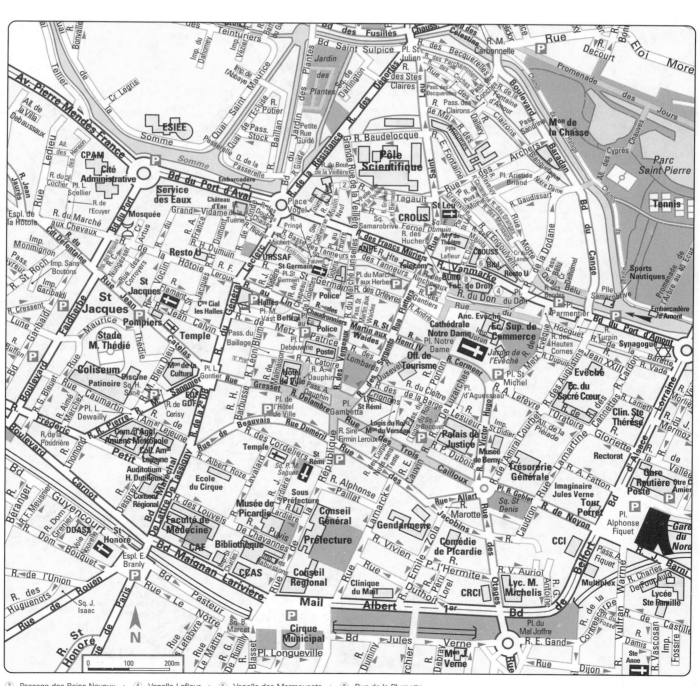

② Passage des Bains Neveux ; ④ Venelle Lafleur ; ⑥ Venelle des Marmousets ; ⑧ Rue de la Plumette

Angers

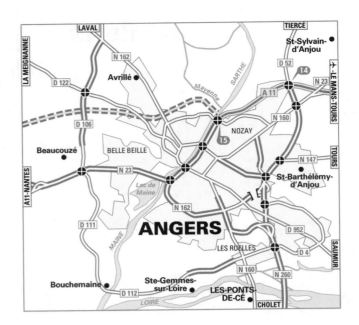

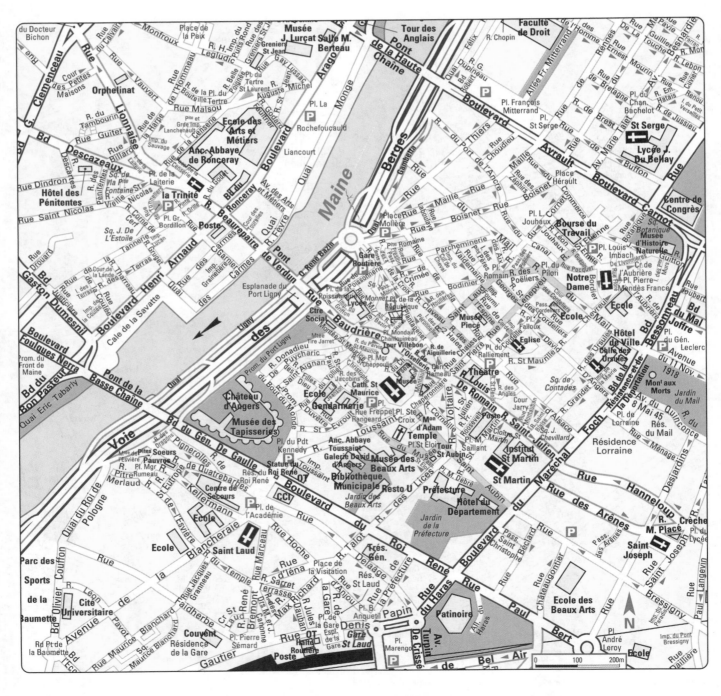

Avignon

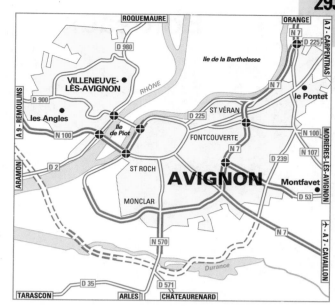

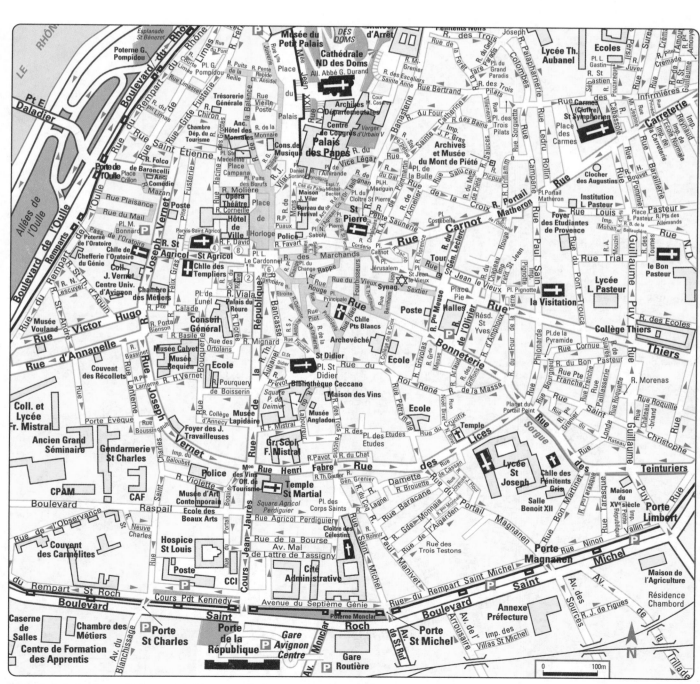

② Rue Emile Espérandieu ; ④ Passage Agricol Moureau ; ⑥ Passage du Panier Fleuri ; ⑧ Passage Saint Agricol

Bordeaux

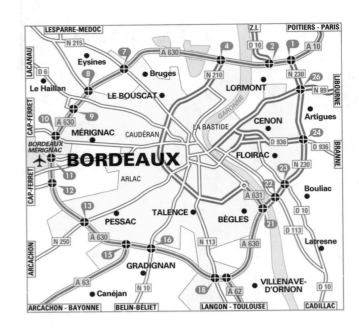

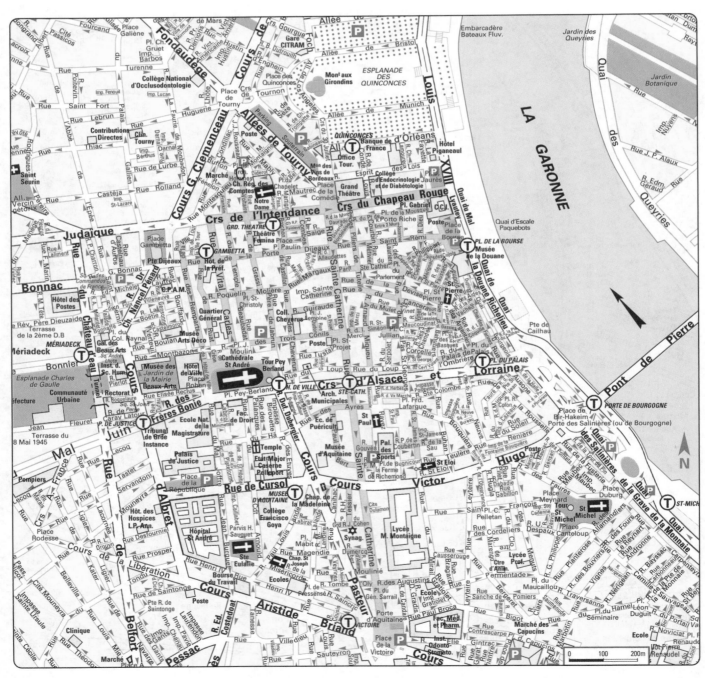

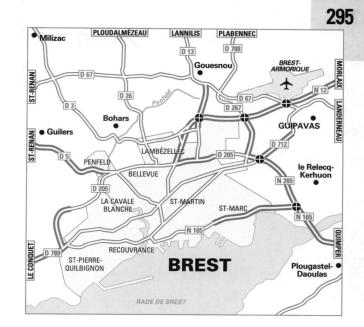

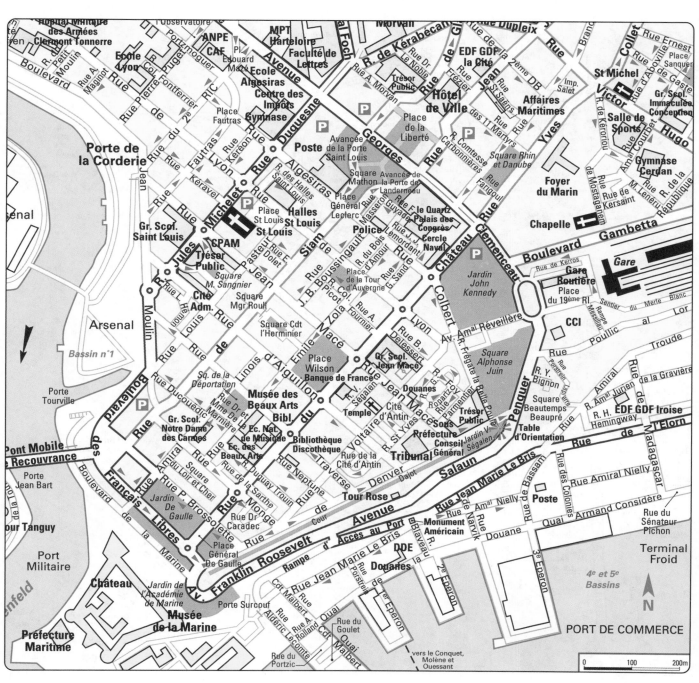

Caen

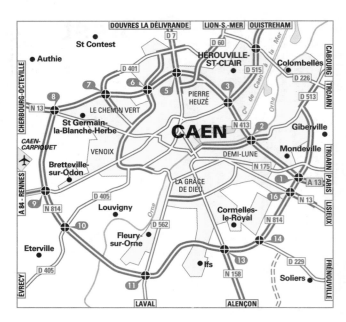

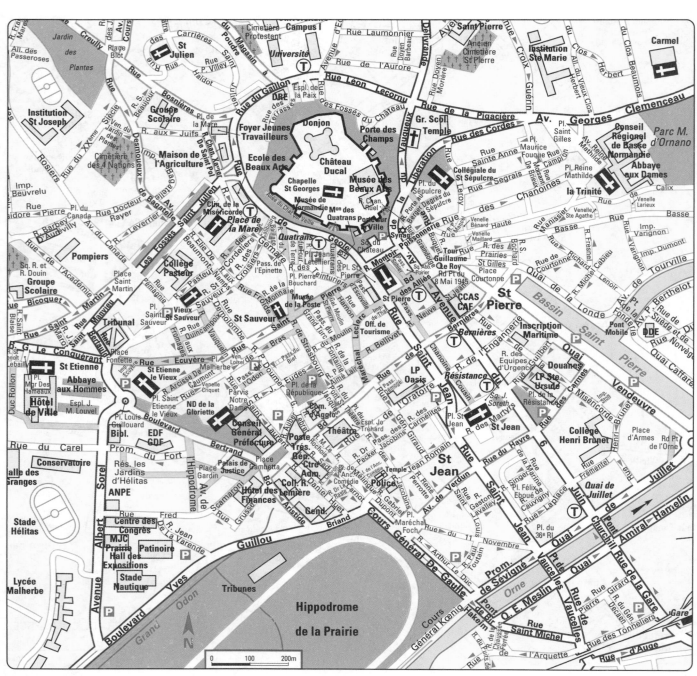

② Square Saint Pierre de Darnétal

Clermont-Ferrand

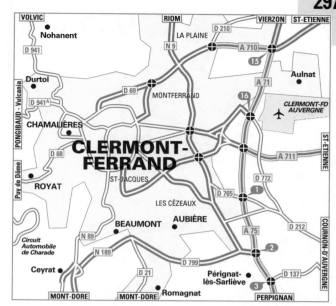

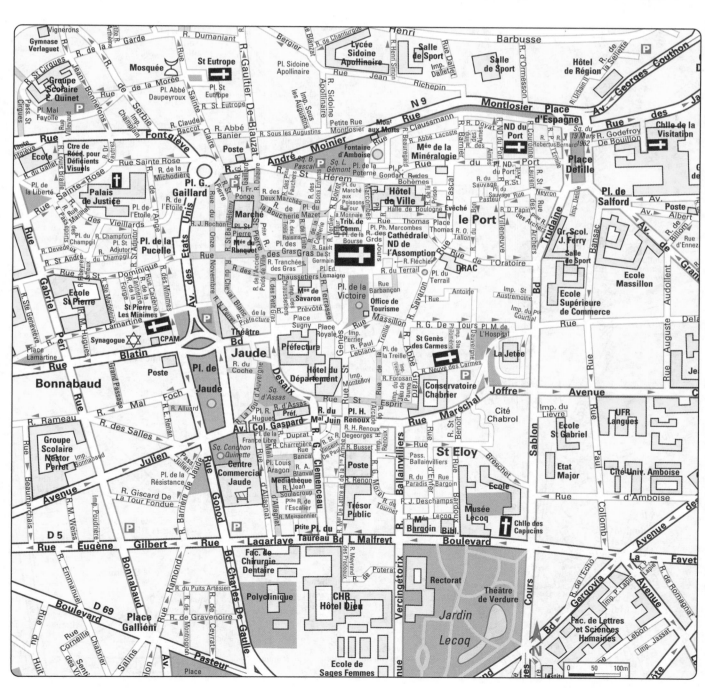

Dijon

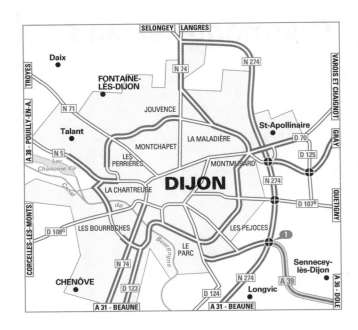

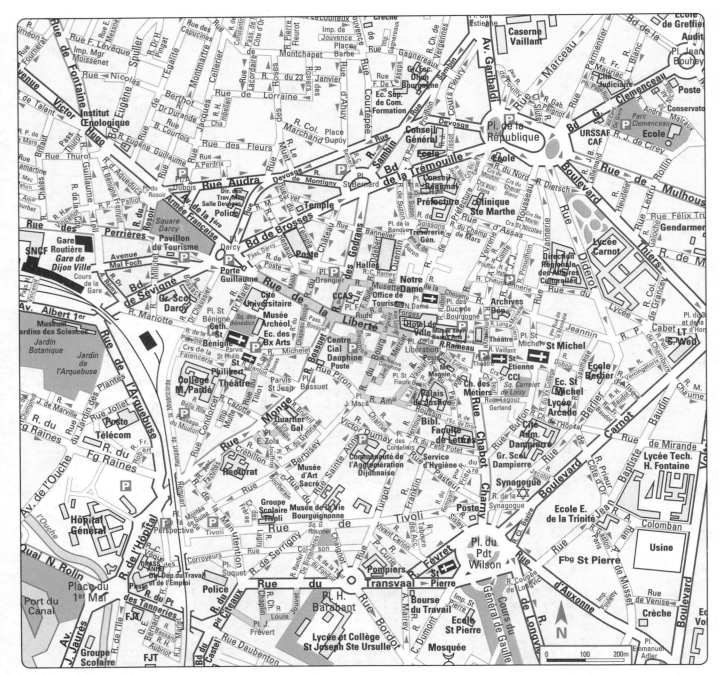

Dunkerque

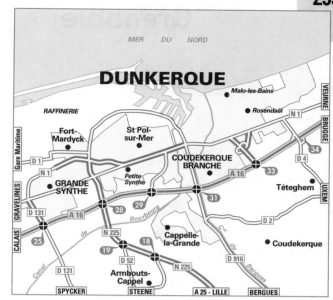

MER DU NORD

DUNKERQUE

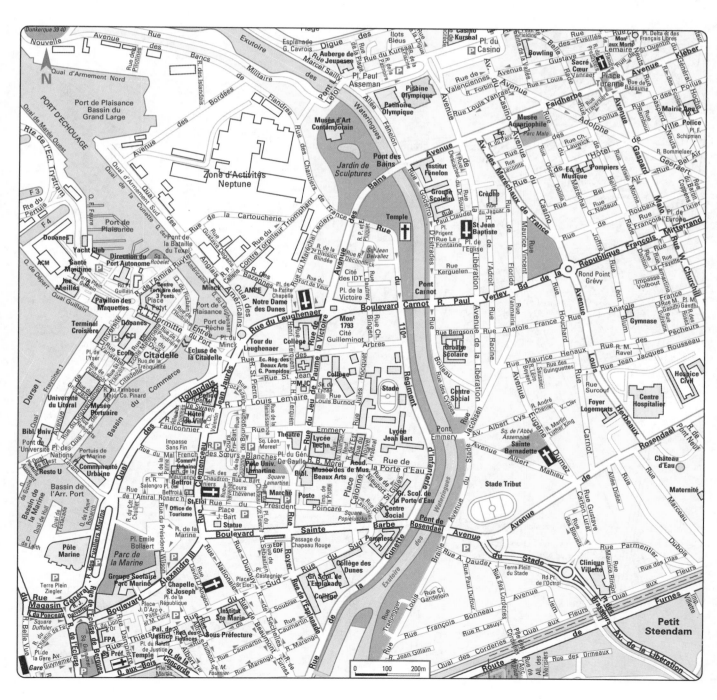

Grenoble

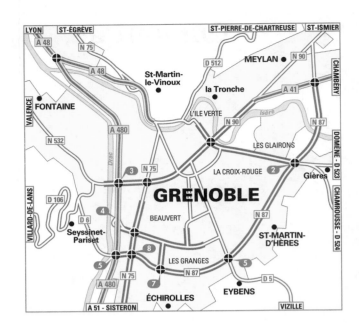

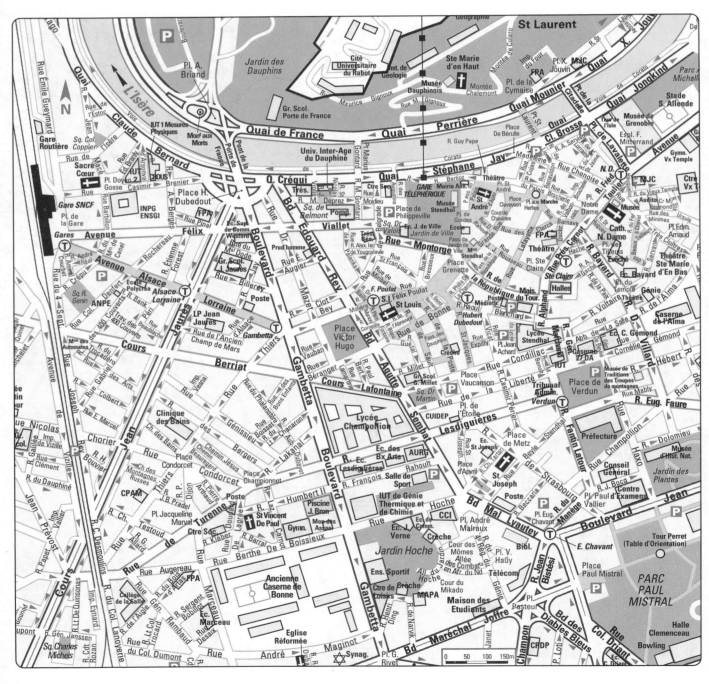

Le Havre

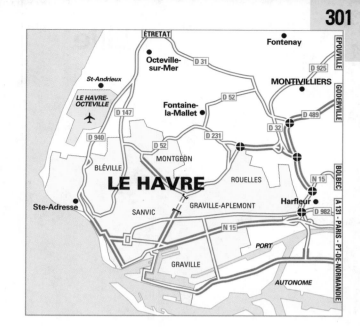

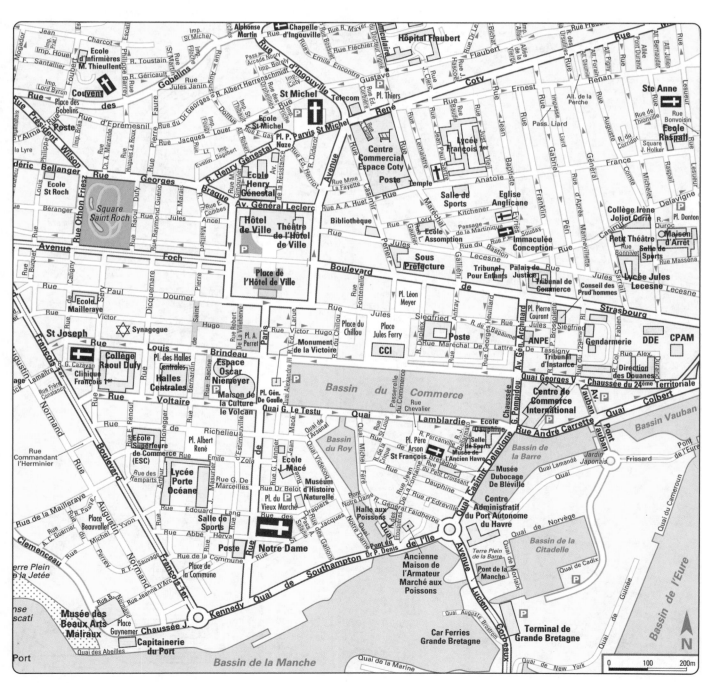

Lille

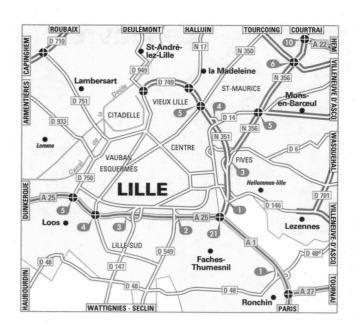

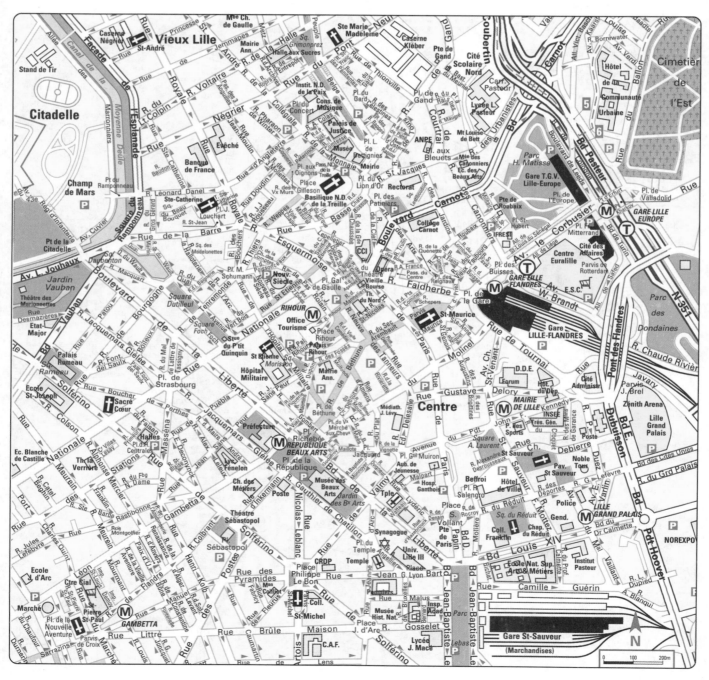

Limoges

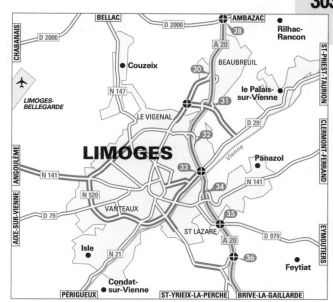

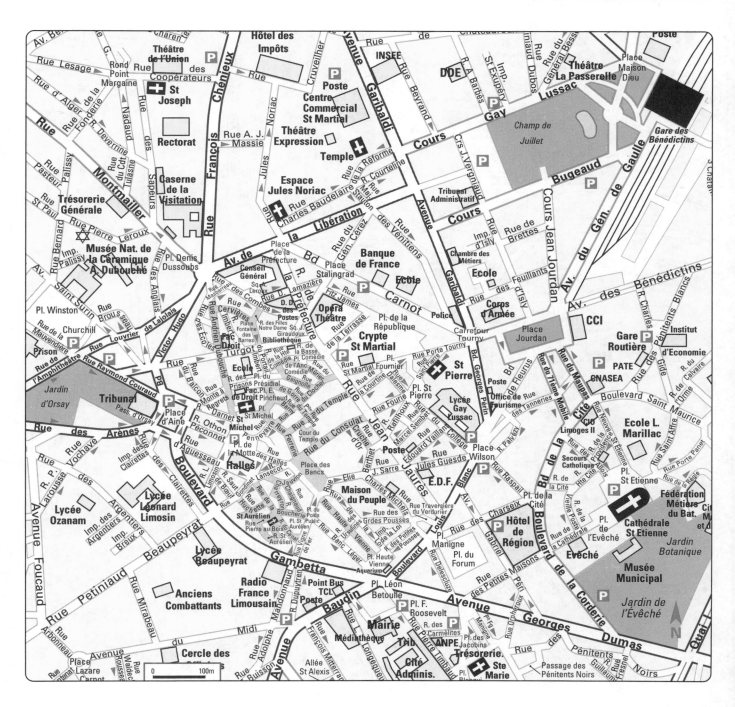

Lyon

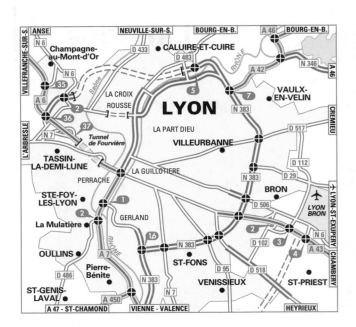

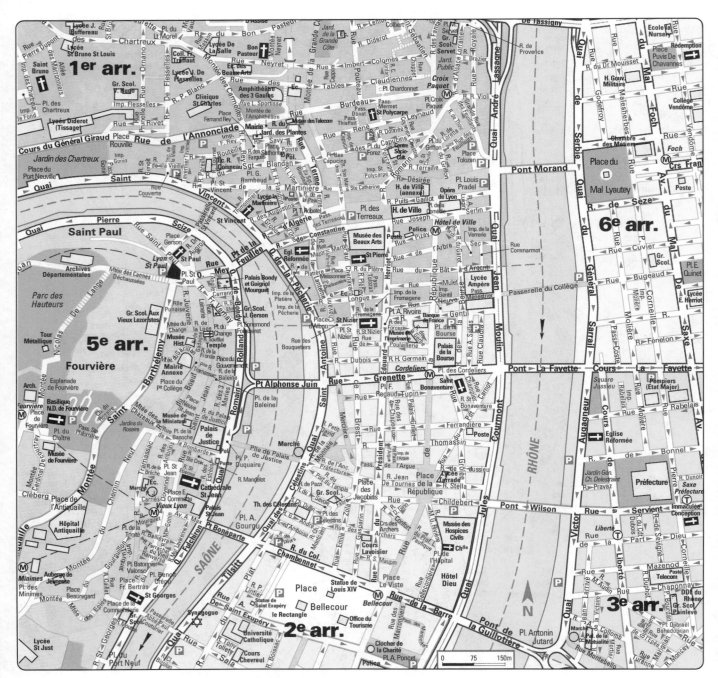

Le Mans

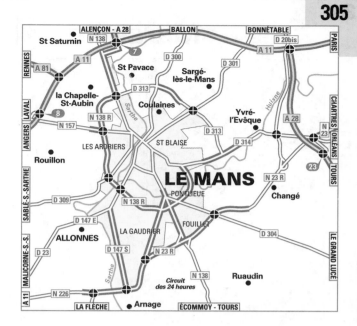

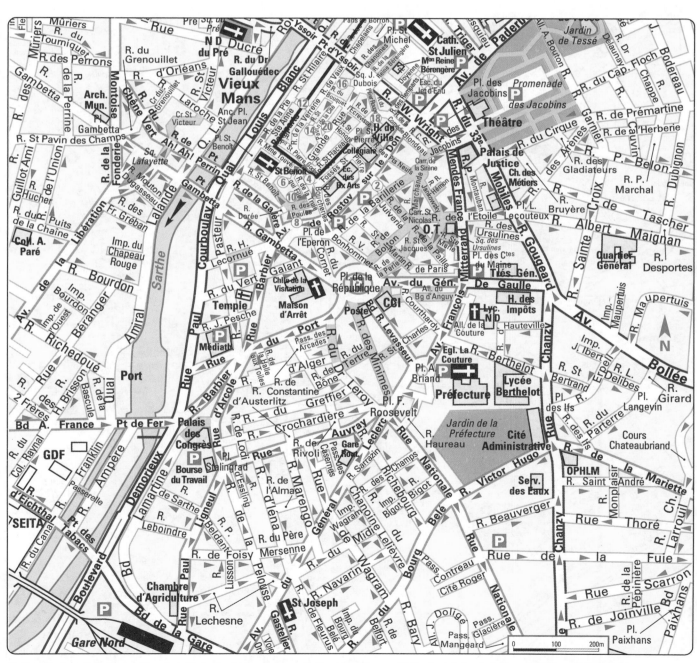

② Cour d'Assé ; ④ Impasse de l'Avocat ; ⑥ Escalier des Boucheries ; ⑧ Rue des Falotiers ; ⑩ Escalier de la Grande Poterne ; ⑫ Rue et Place du Hallai ;

⑭ Escalier Pierre De Lucé ; ⑯ Escalier de la Petite Poterne ; ⑱ Rue des Trois Sonnettes ; ⑳ Rue de la Vieille Porte

Marseille

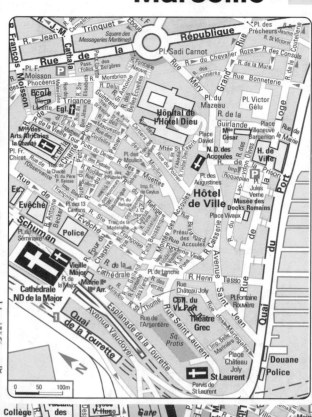

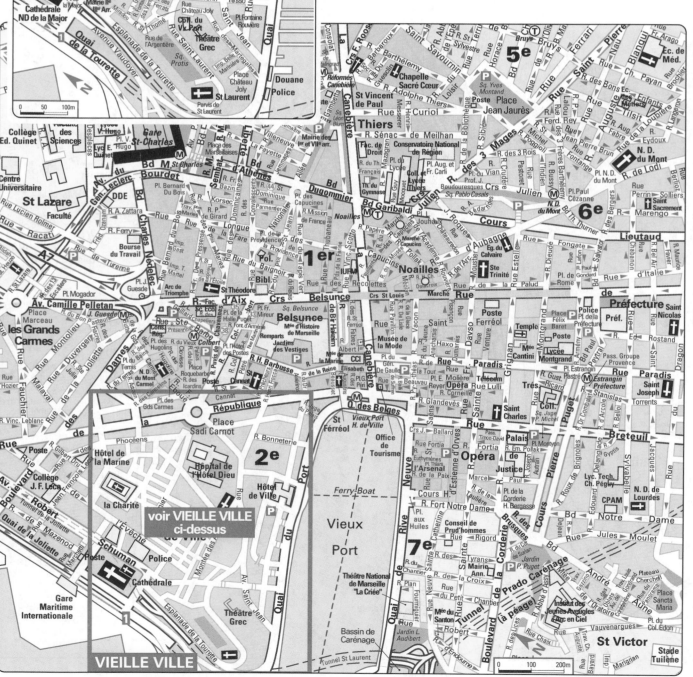

33 Rue Magenta ; 35 Rue du Mont de Piété ; 38 Rue des Pénitents Bleus ; 44 Traverse Saint Dominique

Metz

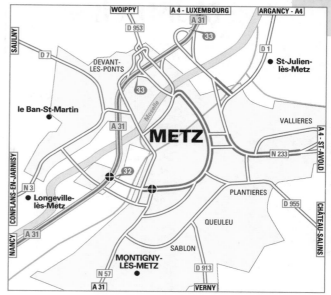

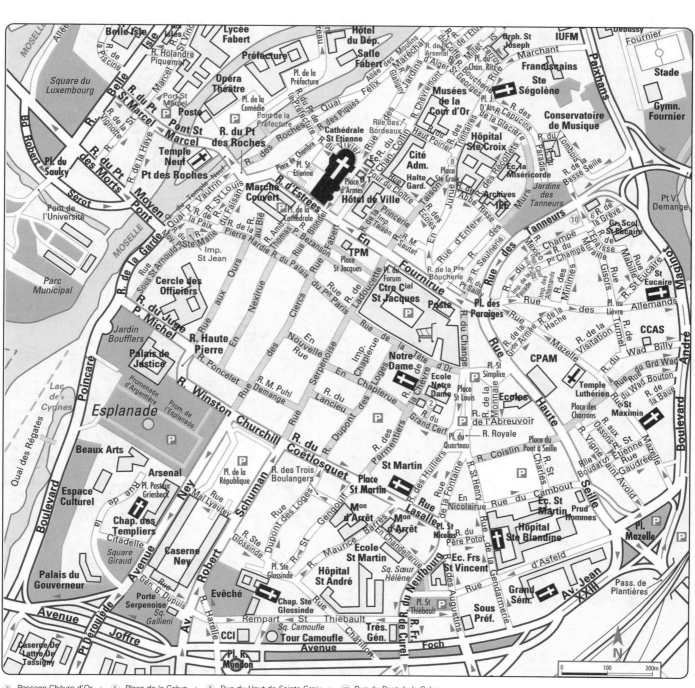

② Passage Chèvre d'Or ; ⑥ Place de la Grève ; ⑧ Rue du Haut de Sainte Croix ; ⑩ Rue du Pont de la Grève

Montpellier

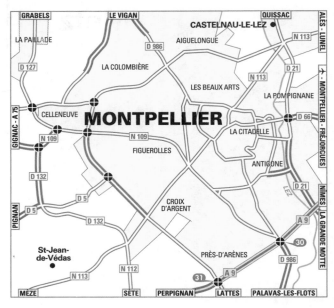

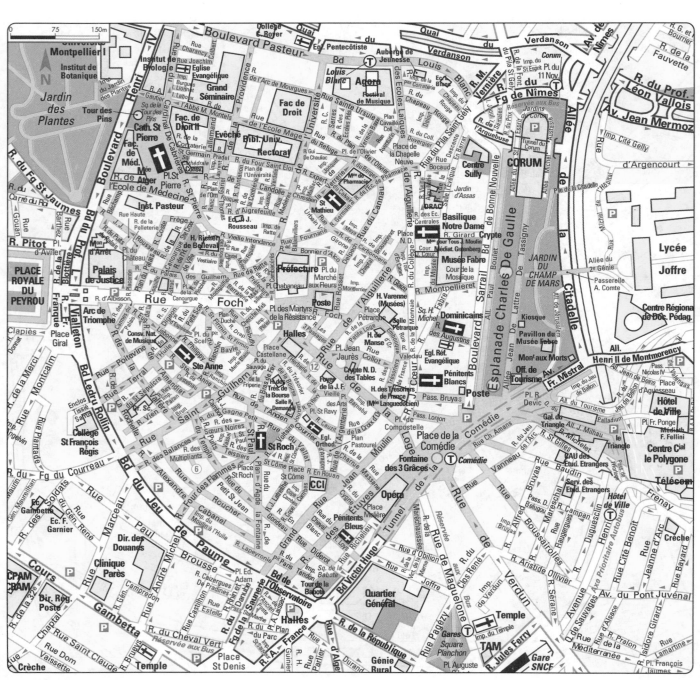

⑥ Impasse des Multipliants ; ⑫ Rue Draperie Rouge

Mulhouse

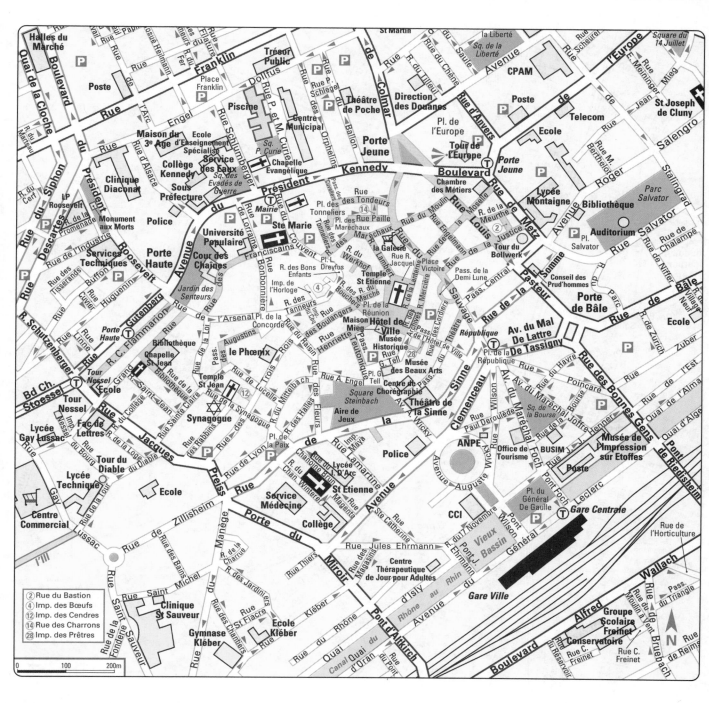

Nancy

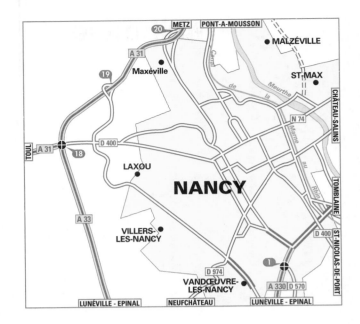

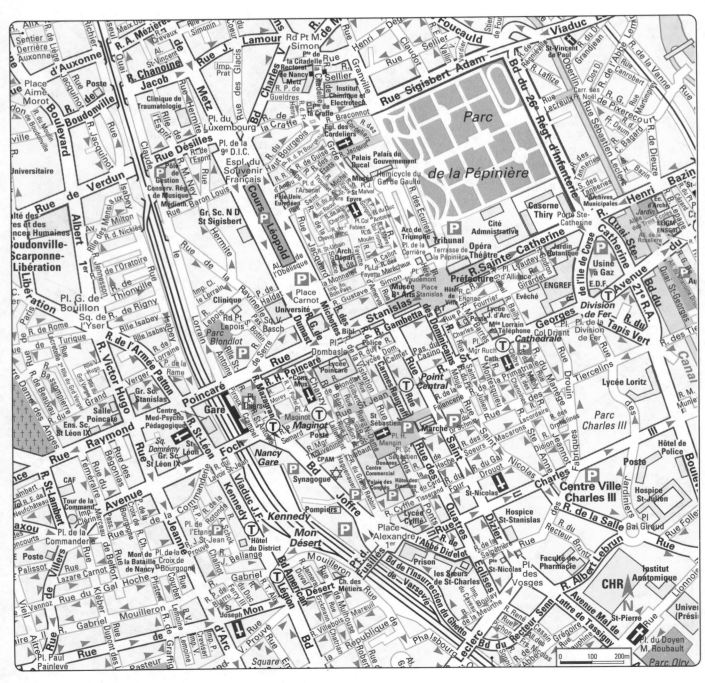

Nantes

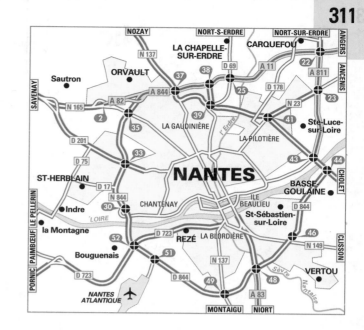

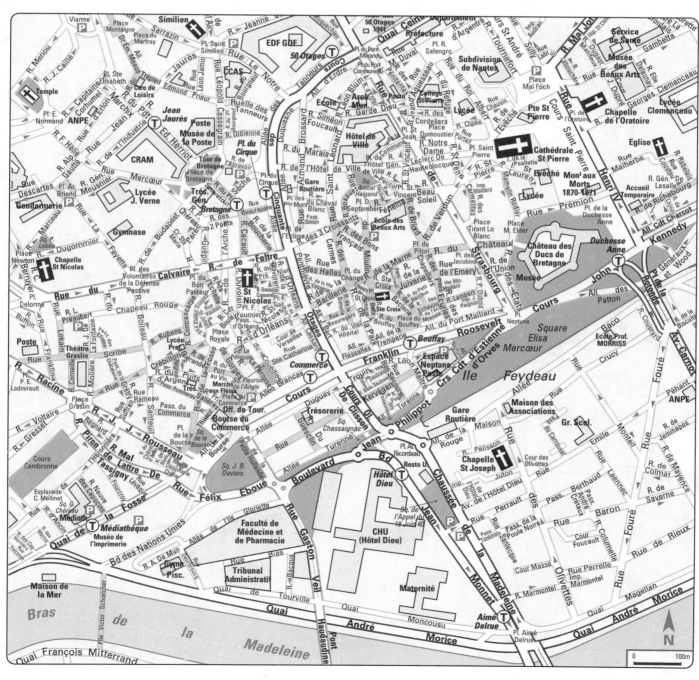

Nice

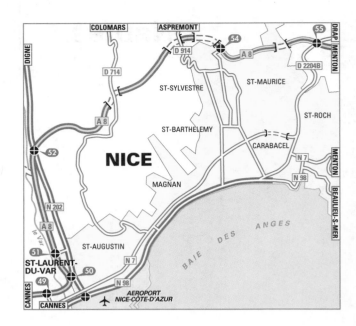

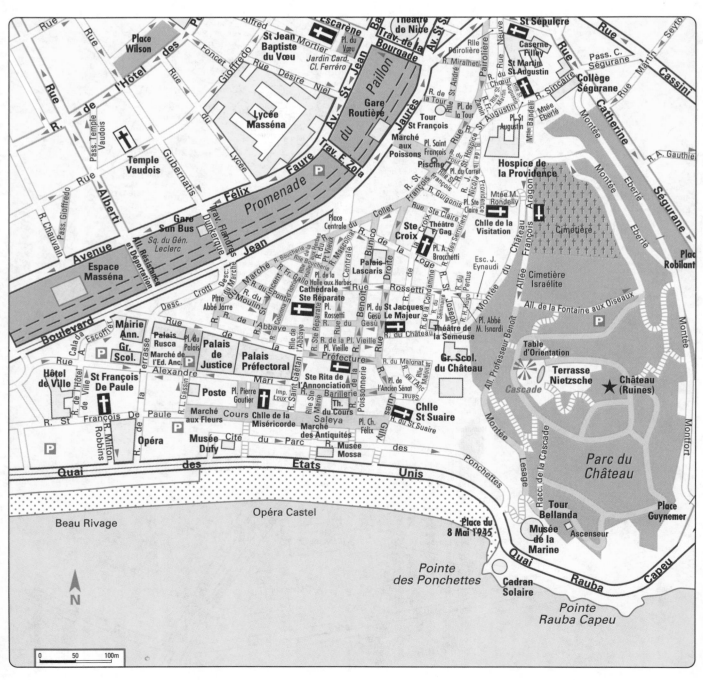

Nîmes

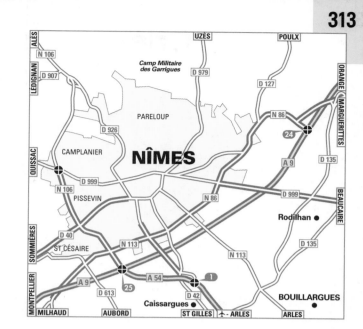

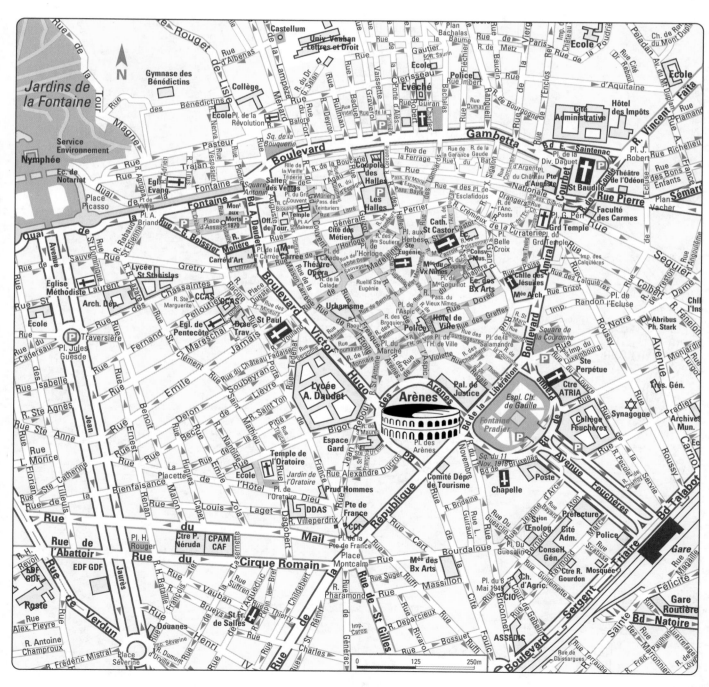

Orléans

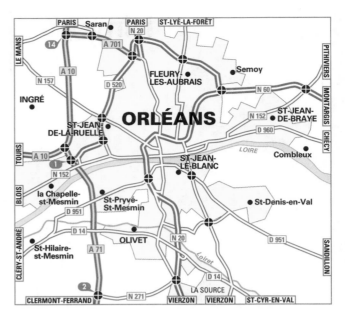

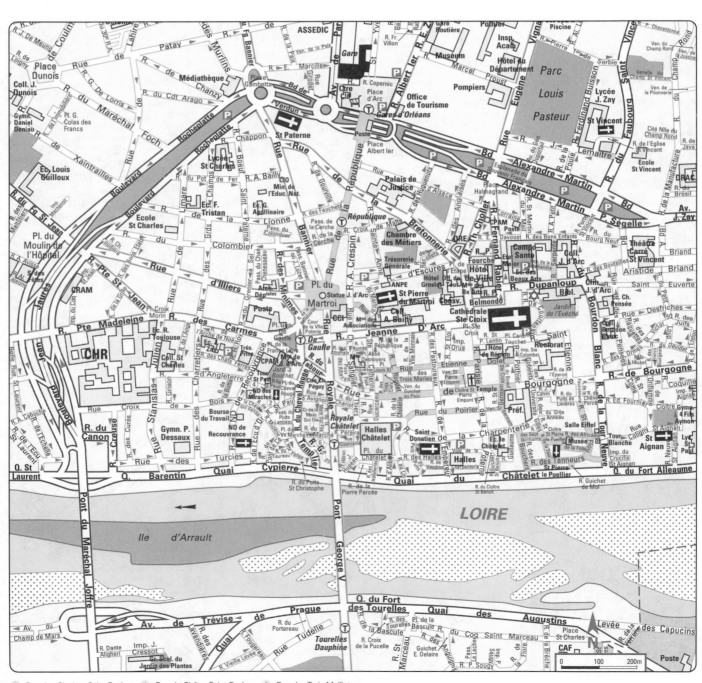

② Rue des Cloches Saint Paul ; ④ Rue du Cloître Saint Paul ; ⑥ Rue des Trois Maillets

Perpignan

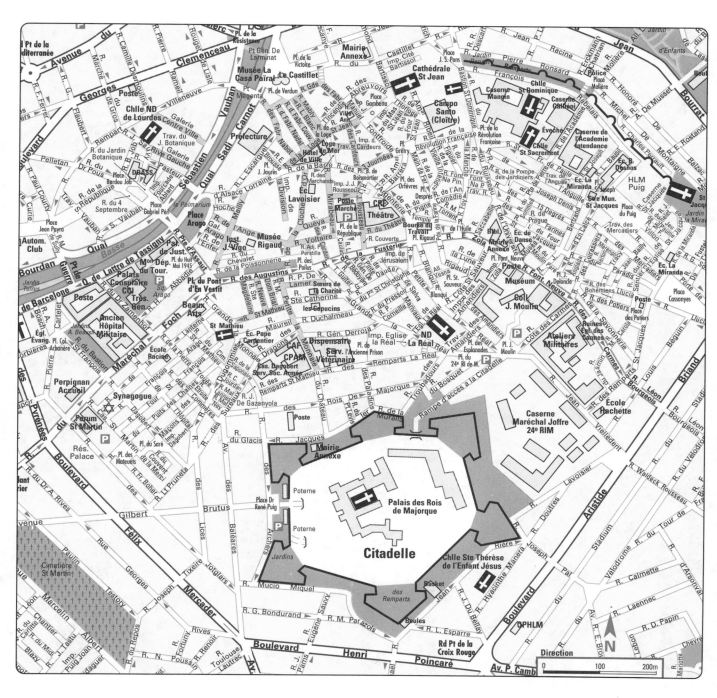

Reims

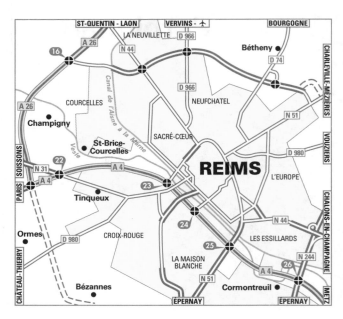

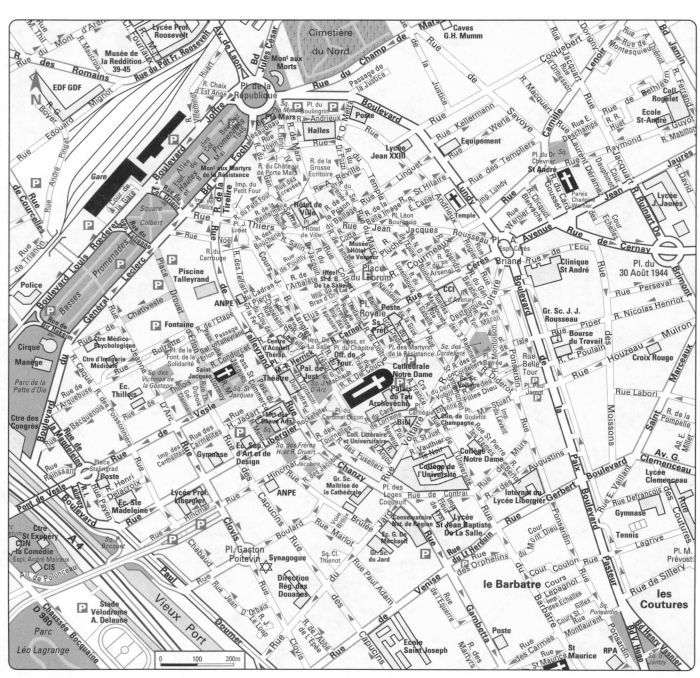

Rennes

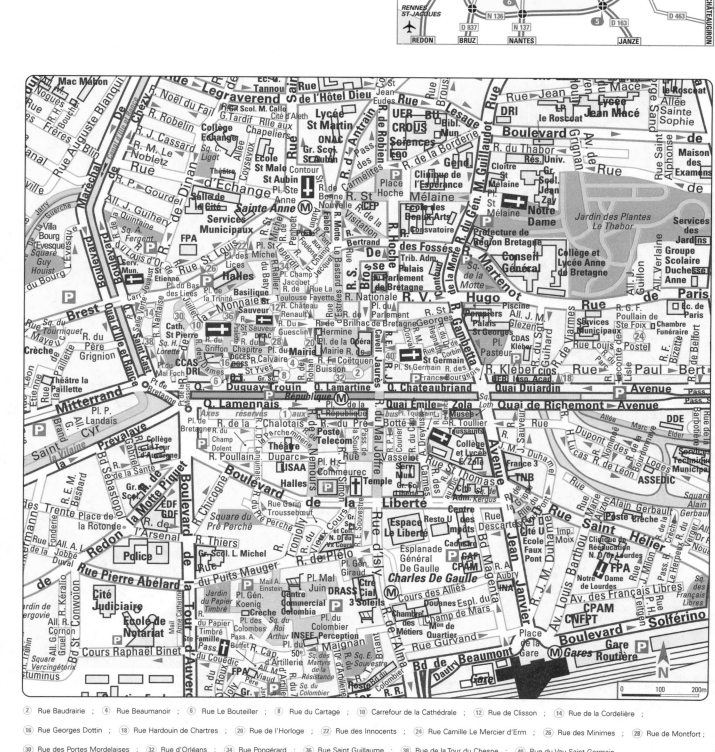

② Rue Baudrairie ; ④ Rue Beaumanoir ; ⑥ Rue Le Bouteiller ; ⑧ Rue du Cartage ; ⑩ Carrefour de la Cathédrale ; ⑫ Rue de Clisson ; ⑭ Rue de la Cordelière ;

⑯ Rue Georges Dottin ; ⑱ Rue Hardouin de Chartres ; ⑳ Rue de l'Horloge ; ㉒ Rue des Innocents ; ㉔ Rue Camille Le Mercier d'Erm ; ㉖ Rue des Minimes ; ㉘ Rue de Montfort ;

㉚ Rue des Portes Mordelaises ; ㉜ Rue d'Orléans ; ㉞ Rue Pongérard ; ㊱ Rue Saint Guillaume ; ㊳ Rue de la Tour du Chesne ; ㊵ Rue du Vau Saint Germain

La Rochelle

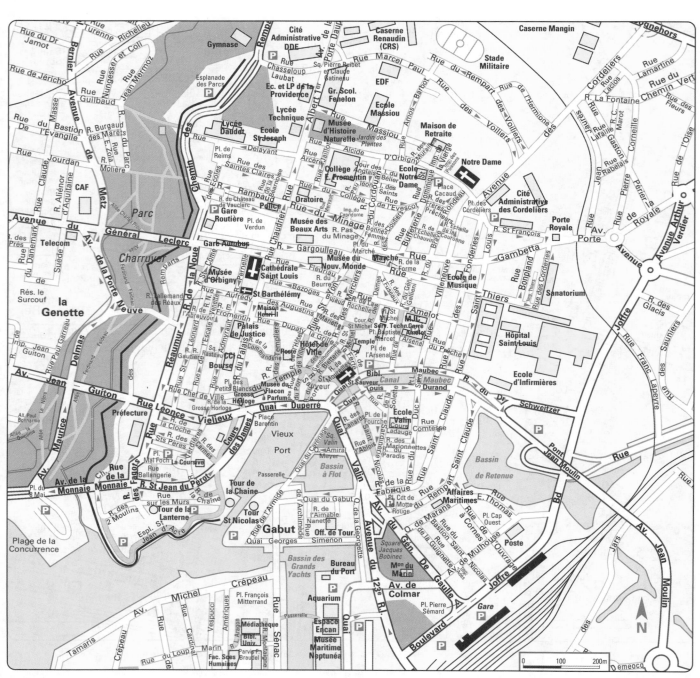

Rouen

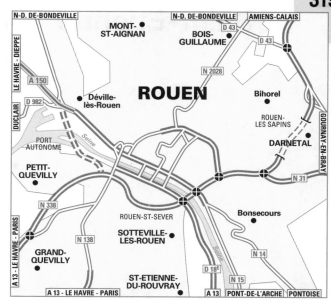

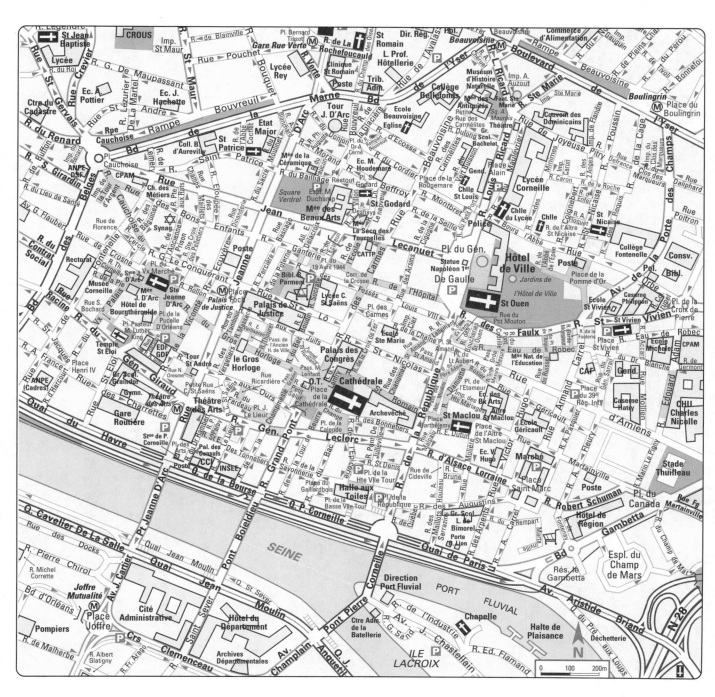

Saint-Etienne

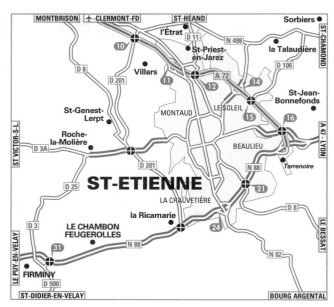

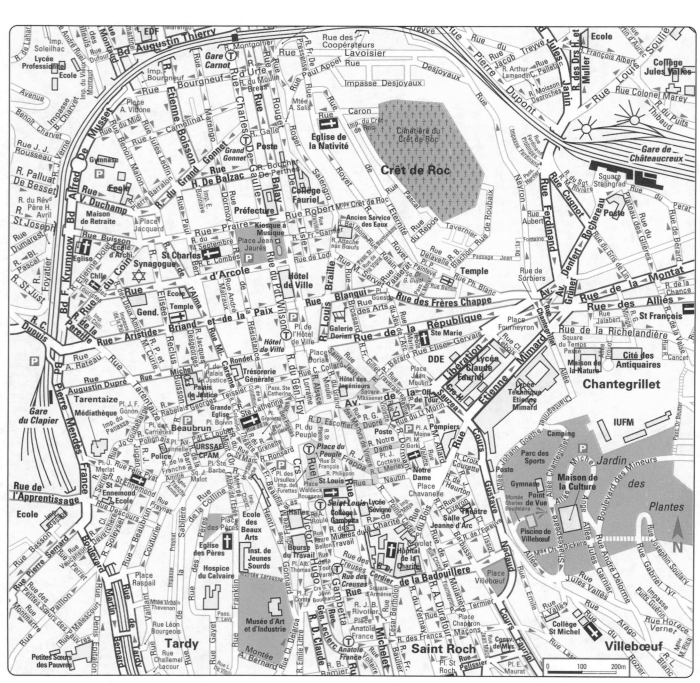

Saint-Nazaire

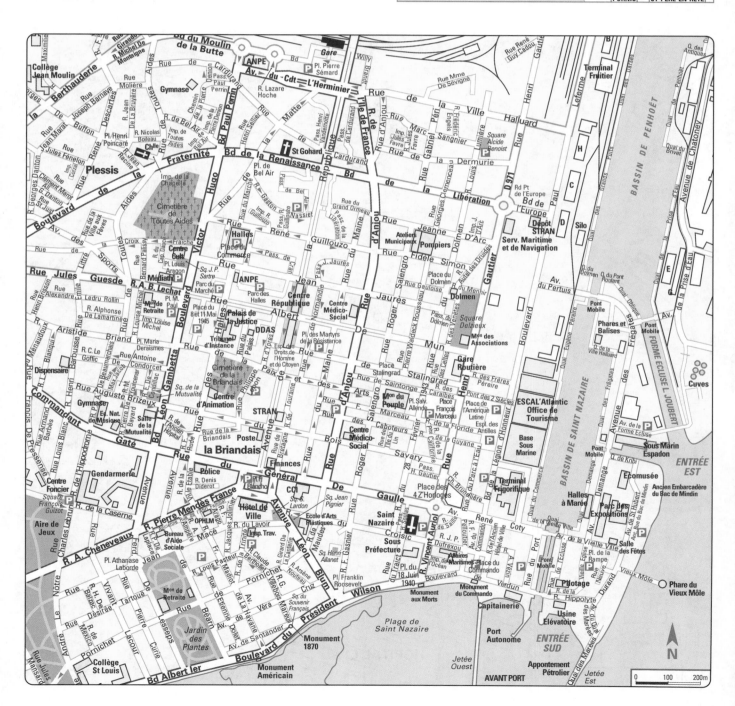

Strasbourg

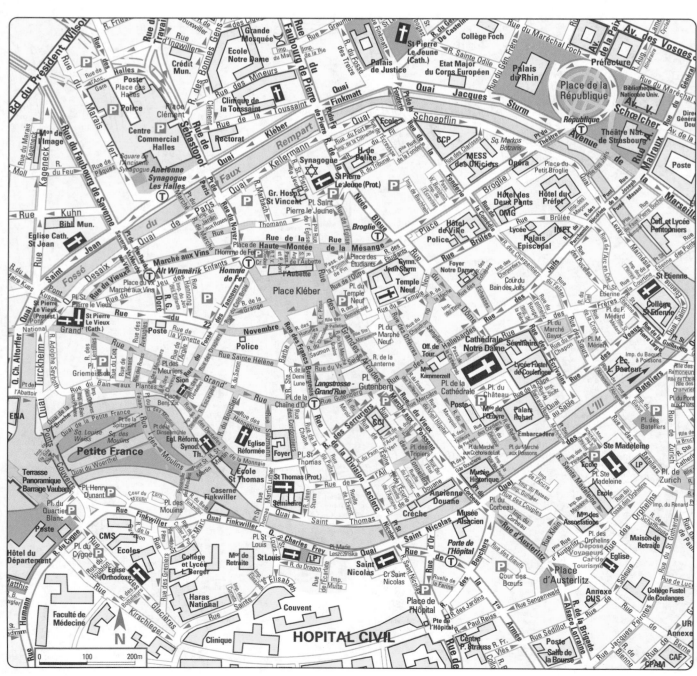

Toulon

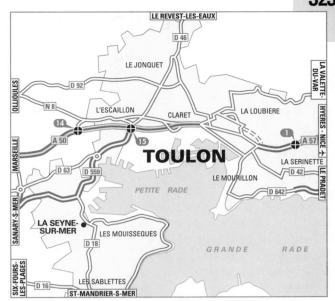

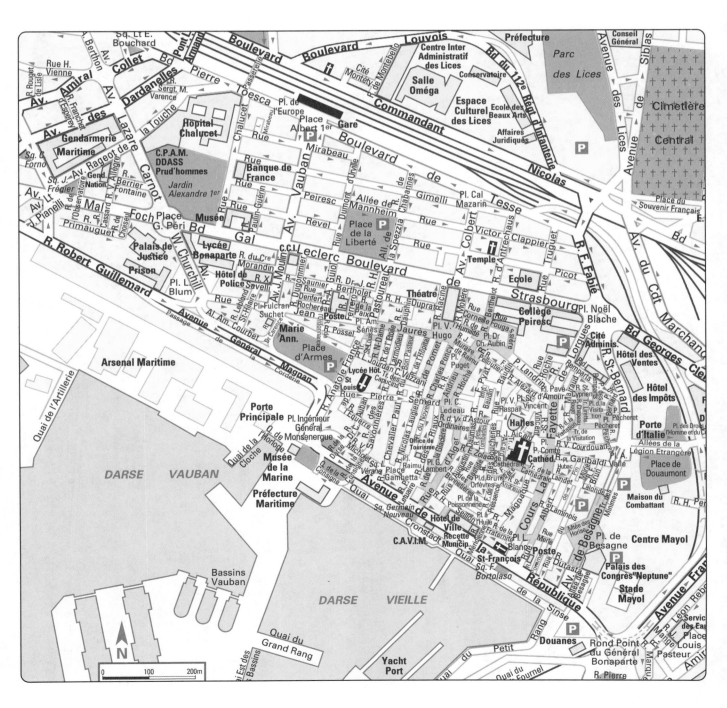

Toulouse

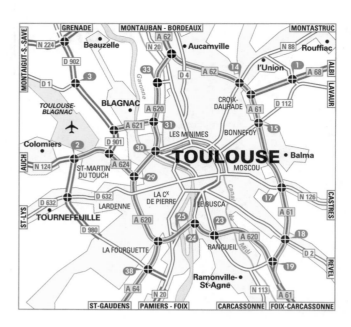

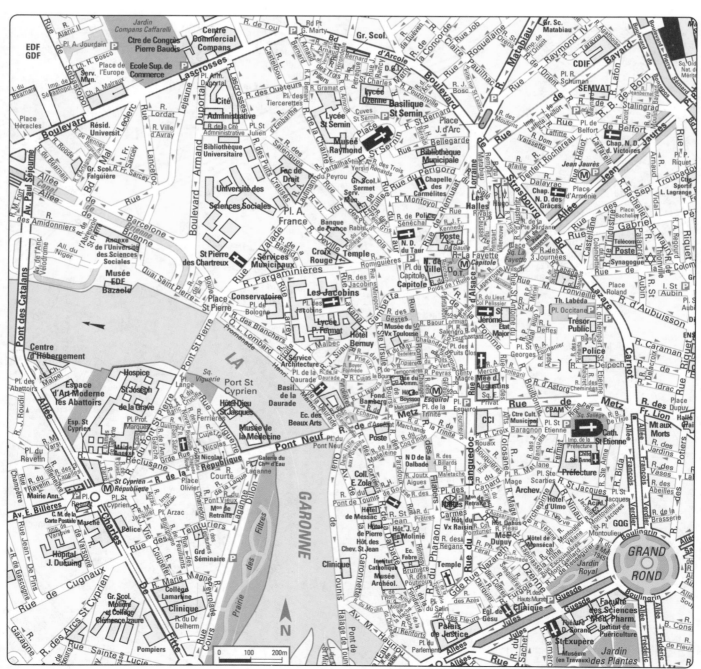

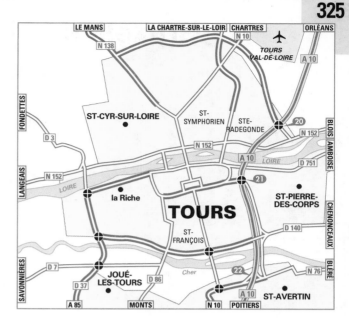

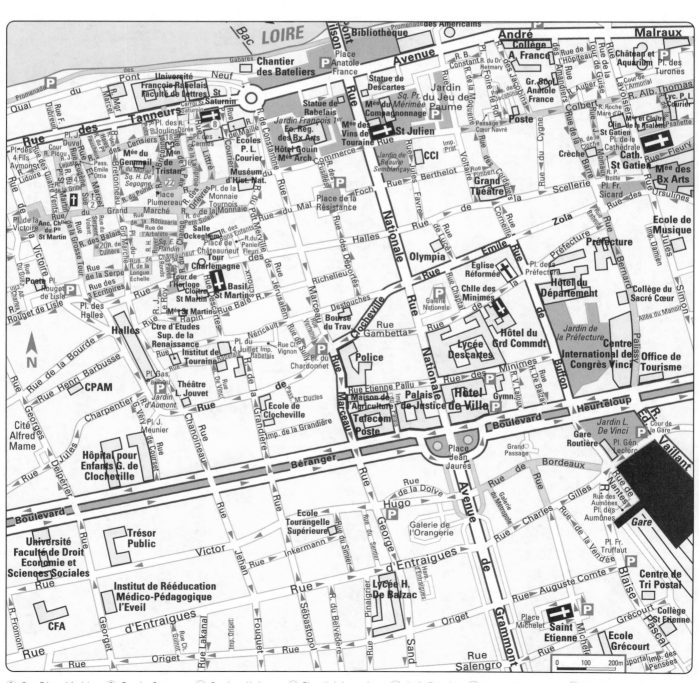

② Cour Edouard André ; ⑧ Rue des Carmes ; ⑭ Carroi aux Herbes ; ⑯ Place de la Lamproie ; ⑱ Jardin Chanoi ; ⑳ Jardin du Vert galant ; ㉒ Jardin Saint Pierre Le Puëllier

Bruxelles

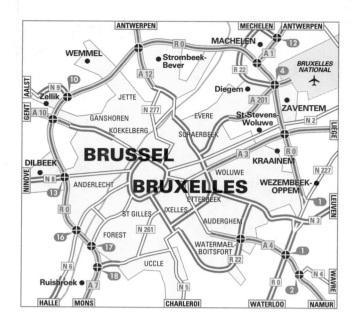

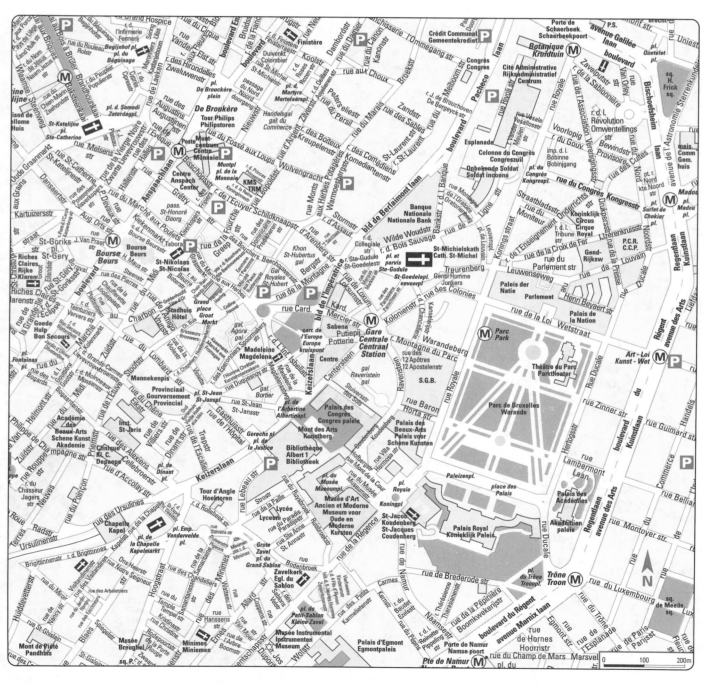

Banlieue de Paris

- Paris suburbs • Vororte von Paris
- Buitenwijken van Parijs • Periferia di Parigi

▬▬▬ Autoroute		▬▬▬ Route à 4 voies		✈ Aéroport / Aérodrome	Ⓡ Gare RER
▬ ▬ ▬ Autoroute en construction		▬▬▬ Route principale		— Ligne SNCF	Ⓜ Station de métro
▬▬▬ Route à chaussées séparées		▬ ▬ ▬ Route en construction		▬ Gare	Ⓣ Station tramway
🔟 Numéro d'échangeur		▬▬▬ Route secondaire		✛ Eglise, temple	▪ Mairie / Hôtel de ville
🅿 Aire de service sur autoroute		— Autre route		✡ Synagogue	⚓ Château
- - - - Limite de département		► Sens unique		✪ Mosquée	● Site remarquable
----- Limite de commune		● Porte de Paris		▬ Piscine	✚ Hôpital, clinique
▬▬▬ Limite de parc Régional		◢ Sortie du périphérique		✳ Patinoire	▨ Zone industrielle ou zone d'activités
				▭ Stade	⛟ Centre commercial

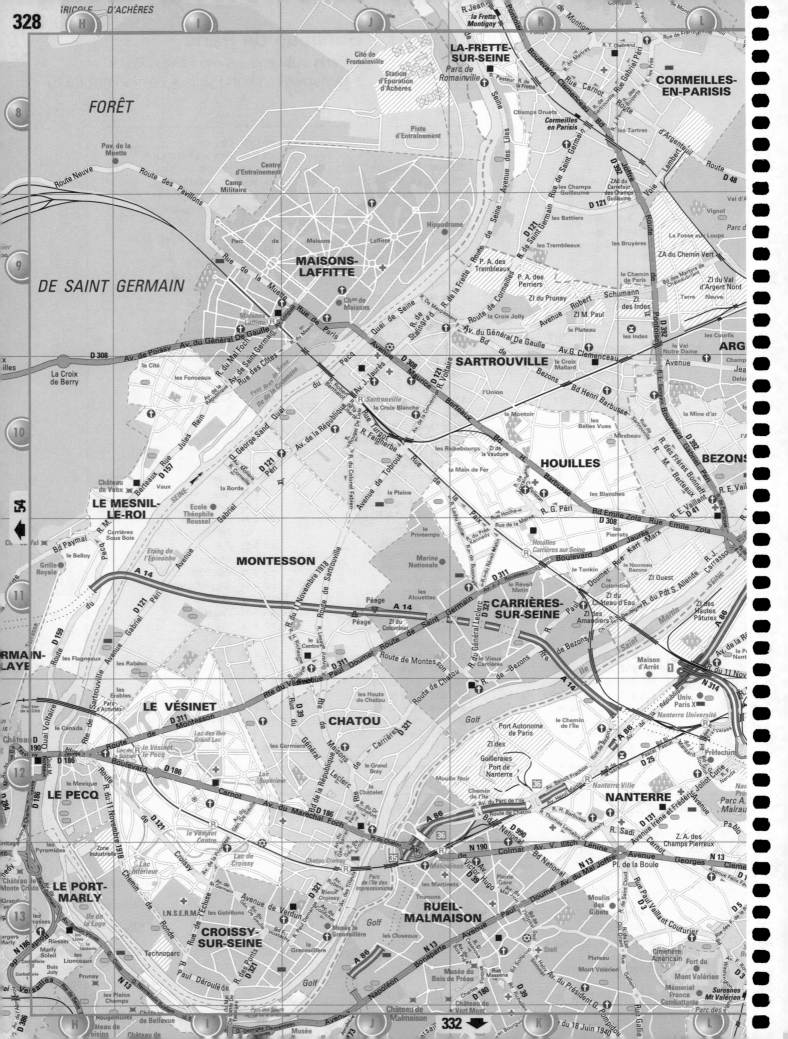

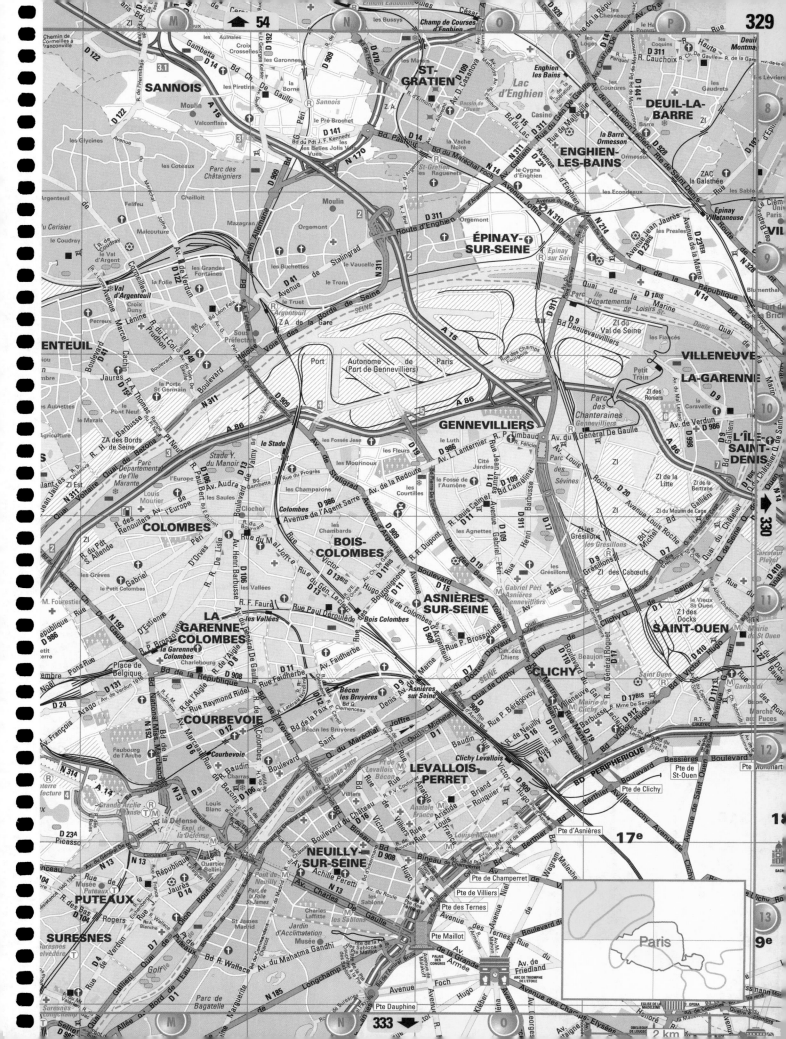

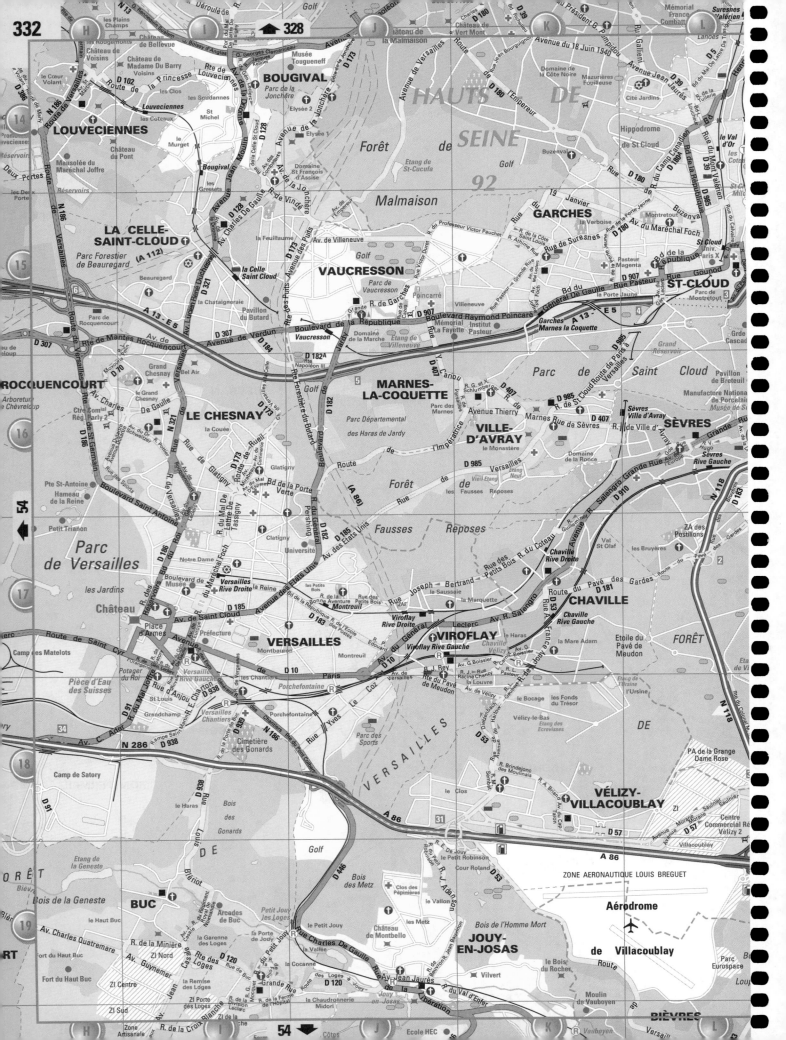

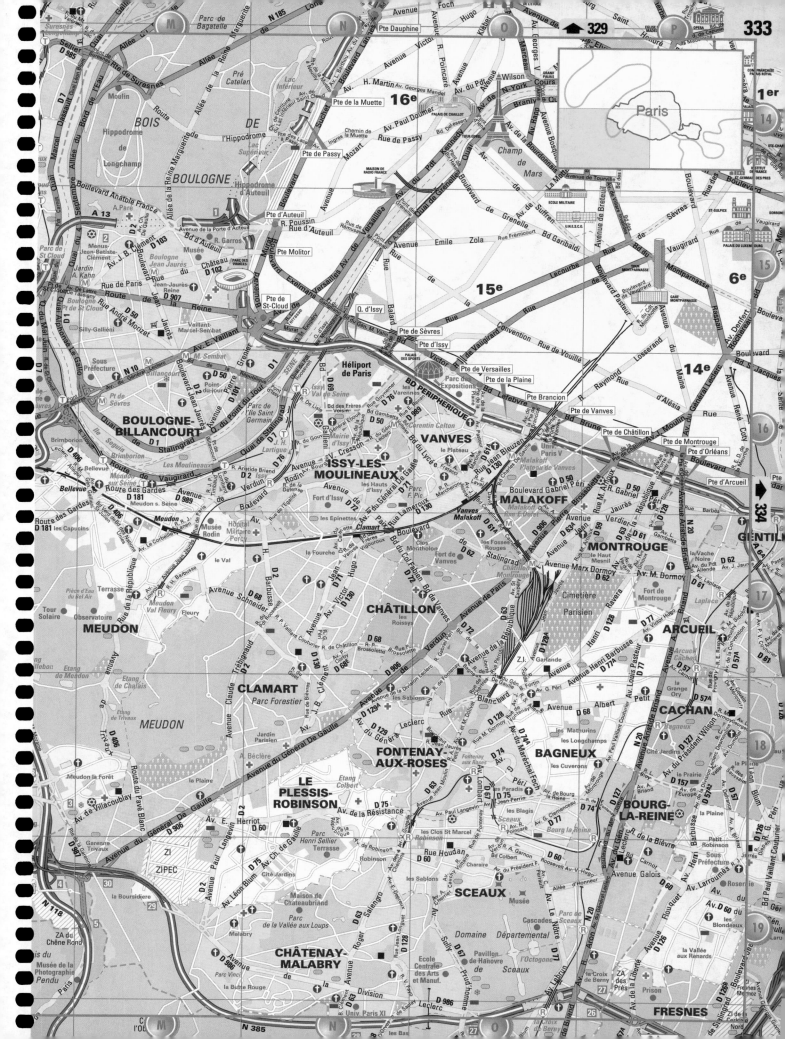

France - Départements - Régions

- France - Departments - Regions
- Frankreich - Departements - Regionen
- Frankrijk - Departementen - Gewesten
- Francia - Dipartimento - Regioni

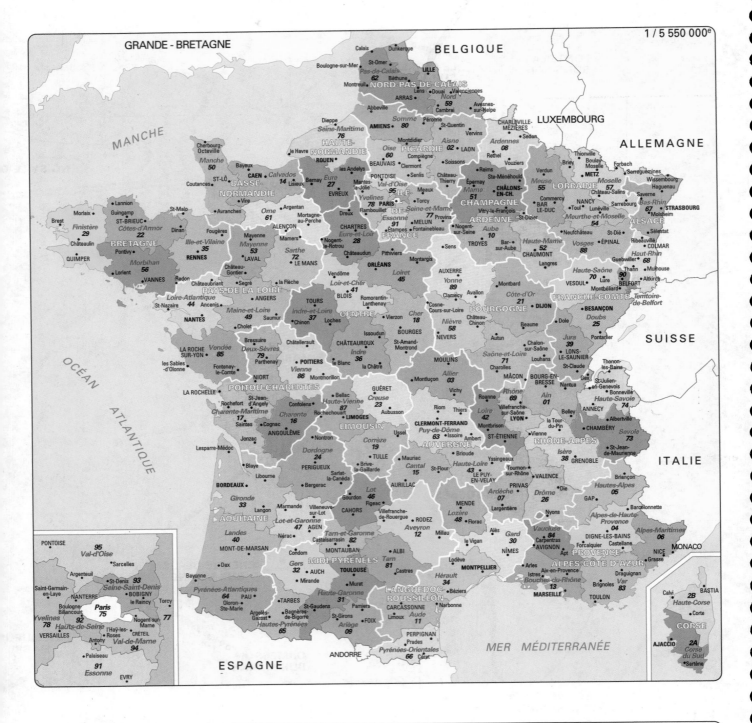

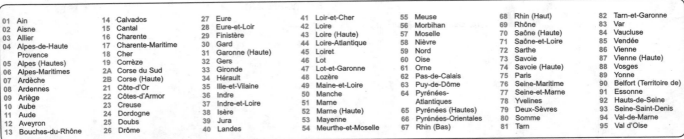

01 Ain	14 Calvados	27 Eure	41 Loir-et-Cher	55 Meuse	68 Rhin (Haut)	82 Tarn-et-Garonne
02 Aisne	15 Cantal	28 Eure-et-Loir	42 Loire	56 Morbihan	69 Rhône	83 Var
03 Allier	16 Charente	29 Finistère	43 Loire (Haute)	57 Moselle	70 Saône (Haute)	84 Vaucluse
04 Alpes-de-Haute Provence	17 Charente-Maritime	30 Gard	44 Loire-Atlantique	58 Nièvre	71 Saône-et-Loire	85 Vendée
05 Alpes (Hautes)	18 Cher	31 Garonne (Haute)	45 Loiret	59 Nord	72 Sarthe	86 Vienne
06 Alpes-Maritimes	19 Corrèze	32 Gers	46 Lot	60 Oise	73 Savoie	87 Vienne (Haute)
07 Ardèche	2A Corse du Sud	33 Gironde	47 Lot-et-Garonne	61 Orne	74 Savoie (Haute)	88 Vosges
08 Ardennes	2B Corse (Haute)	34 Hérault	48 Lozère	62 Pas-de-Calais	75 Paris	89 Yonne
09 Ariège	21 Côte-d'Or	35 Ille-et-Vilaine	49 Maine-et-Loire	63 Puy-de-Dôme	76 Seine-Maritime	90 Belfort (Territoire de)
10 Aube	22 Côtes-d'Armor	36 Indre	50 Manche	64 Pyrénées-Atlantiques	77 Seine-et-Marne	91 Essonne
11 Aude	23 Creuse	37 Indre-et-Loire	51 Marne	65 Pyrénées (Hautes)	78 Yvelines	92 Hauts-de-Seine
12 Aveyron	24 Dordogne	38 Isère	52 Marne (Haute)	66 Pyrénées-Orientales	79 Deux-Sèvres	93 Seine-Saint-Denis
13 Bouches-du-Rhône	25 Doubs	39 Jura	53 Mayenne	67 Rhin (Bas)	80 Somme	94 Val-de-Marne
	26 Drôme	40 Landes	54 Meurthe-et-Moselle		81 Tarn	95 Val d'Oise